D1415664

traitement de l'information et comportement humain
une introduction à la psychologie

traduction de:
Human Information Processing
an Introduction to Psychology
Second Edition
de Peter H. Lindsay   université de Toronto
et Donald A. Norman   université de Californie, San Diego

Copyright © 1977 by Academic Press, New York

Maquette de la couverture: Joanne Bertrand-Côté et Madeleine Chauveau d'après
une idée originale de L. Hinton et L. Trépanier

traduit par:
Réjean Jobin
Lucie Trépanier   François Gibeau
Diane Cyr   Jacques Latreille   Jean Giroux-Gagné
François Desrochers   René Yelle   Harold Thibault
                         Pierre Rajotte   Claire St-Martin

 Éditions Études Vivantes Ltée
6700, chemin Côte de Liesse
Saint-Laurent (Québec) H4T 1E3

éditions études vivantes
19-21, rue de l'ancienne   comédie
75006 Paris

ISBN 2-7607-0011-9

Dépôt légal 1er trimestre 1980
Bibliothèque nationale du Québec
Bibliothèque nationale du Canada

Imprimé au Canada
1   2   3   4   5   84   83   82   81   80

Traitement de l'information et comportement humain

une introduction à la psychologie

EV Éditions Études Vivantes   Mont

Préface

Voici une perspective nouvelle, intégrante, embrassant d'un même coup toutes les réalisations de la psychologie expérimentale. Trop souvent, les ouvrages d'introduction compartimentent la psychologie en ses divers champs, s'abstenant d'en dégager la trame. Ici, perception, mémoire, apprentissage, résolution de problème, interactions sociales s'enchaînent comme dans la vie. Si quelques domaines demeurent encore écartés, comme la psychopathologie, ou timidement intégrés, comme la psychogenèse, le lecteur peut, à volonté, les aborder par le biais de cette optique nouvelle.

De nombreux travaux, en cours de route, réorientent d'anciens thèmes, comme le rêve ou les interactions sociales, en fonction de cette perspective qu'offre le *Traitement de l'information*. Des thèmes plus audacieux encore, comme le conscient et le subconscient, se laissent découvrir, sans trop de heurts, par la méthode expérimentale.

Pas étonnant alors que le volume américain de Lindsay et Norman soit apparu suffisamment riche d'essence, en ces temps de pénurie. Aussi, des professeurs et des étudiants diplômés en psychologie, pris d'un engouement peu commun, cherchent-ils à en faire partager les plaisirs. Bien sûr, les affres de la traduction mènent tôt ou tard à l'érosion de la langue et à l'acculturation, mais l'universel scientifique valait bien quelque transgression qui mette sur le marché francophone, la perspective du traitement de l'information! La nécessité aussi de présenter un outil agréable, relativement complet, plus contemporain d'esprit et qui évite l'impression de morcellement des cours d'introduction à la psychologie, a alimenté ce projet.

Dans un style aussi simple que possible, sans être dénué d'humour (didactique oblige), le volume amène à comprendre comment peut s'articuler l'information pour produire une activité aussi raffinée que la pensée. Pour ce faire, les traducteurs ont adopté, après de longues séances d'orchestration, une terminologie qui leur est apparue précise et conforme, sans être hiératique ou pédante. Ils ont louvoyé entre des tournures purement américaines et ont formé, en tirant à hue et à dia, des néologismes comme «appariement de gabarits» ou «traitement dirigé-par-données», moins rébarbatifs après quelque temps. Ils ont reformulé les exemples pour les rendre plus compréhensibles au lecteur francophone. Au chapitre sur le langage, particulièrement, la grammaire française a inévitablement remplacé la grammaire anglaise.

C'était là leur rôle et ils se jugeront bien satisfaits de leur peine si les lecteurs, fermant les yeux sur les omissions et les dissonances, trouvent en psychologie, la passion et l'émulation qu'ils offrent en partage.

Les traducteurs

Remerciements

Plusieurs personnalités ont grandement contribué à la révision et au contenu technique de cette seconde édition. Lynn Cooper (de Cornell) nous a conseillés sur les chapitres relatifs à la perception. Donald I.A. McLeod (de l'université de Californie, San Diego) et Fred Wightman (de Northwestern) ont été de précieux conseillers, le premier pour ce qui a trait à la vision et le second, pour ce qui a trait à l'audition. Steve Hillyard et Larry Squire (tous deux de l'université de Californie, San Diego) nous ont conseillés bien des fois et ont révisé le matériel concernant le traitement neurologique de l'information et les bases neurologiques de la mémoire. Allen Munro (de l'université de Californie, San Diego) et Pamela Munro (de l'université de Californie, Los Angeles) ont apporté maints commentaires sur les sections traitant du langage, nous permettant ainsi d'éviter les erreurs de la première édition. Finalement, Elissa Newport (de l'université de Californie, San Diego) et Dedre Gentner (de l'université de Washington) ont commenté le contenu sur le développement et le langage.

Ce livre doit beaucoup à ceux qui ont contribué à la première édition. Nous remercions le groupe de recherche LNR et, en particulier, David Rumelhart, pour son inspiration constante.

Joyce Farrell a annoté et commenté nos manuscrits et rassemblé nos brouillons pour les rendre lisibles. Kris Stewart a dactylographié le manuscrit final.

Julie Hustig a dirigé l'opération entière: du réconfort des auteurs à la correction de l'orthographe ou de la suggestion de thèmes à la réécriture de sections. Leanne Hinton a encore délaissé ses fonctions académiques (à l'université du Texas, Dallas) afin d'ajouter des démons, pour refaire certains dessins ou de nouvelles illustrations. Ses schémas ont joué un rôle important dans ce livre et nous sommes heureux qu'elle ait pu contribuer à illustrer cette édition.

Peter H. Lindsay
Donald A. Norman

FIGURES, TABLEAUX ET CITATIONS	Figures 1-9 et 7-18	J. Thurston et R.G. Carraher, *Optical illusions and the visual arts*. ©1966 Litton Educational Publishing, Inc. Reproduit avec la permission de Van Nostrand Reinhold Company.
	Figure 1-28	James J. Gibson, *Perception of the visual world* (Boston: Houghton Mifflin Company, 1950). Avec la permission de l'éditeur.
	Figure 1-43	R.M. Pritchard, *Stabilized images on the retina*. Copyright ©1961 by Scientific American, Inc. Tous droits réservés.

Figure 2-7	S. Polyak, *The vertebrate visual system*. Copyright © 1957 by University of Chicago Press, et utilisé avec permission.
Figure 3-3	Stevens (1961b). Copyright 1961 by the American Association for the Advancement of Science.
Figure 3-17	D.B. Judd, Basic correlates of the visual stimulus. Dans S.S. Stevens (Ed.), *Handbook of experimental psychology*. New York: Wiley, 1951. Avec la permission de John Wiley & Sons, Inc.
Figure 3-22	Wald (1964). Copyright 1964 by the American Association for the Advancement of Science.
Figures 4-4 et 4-5	Denes et Pinson (1963). Courtoisie des laboratoires du Bell Téléphone Inc.
Figure 4-13	Photographie de Bredberg *et al.* (1970). Copyright 1970 by the American Association for the Advancement of Science.
Figure 5-2	Robinson et Dadson (1956). Avec la permission de Institute of Physics and the Physical Society.
Figure 5-3	Courtoisie de C.G. Conn, Ltd., Oak Brook, Illinois.
Figures 5-7 et 5-9	E. Zwicker et B. Scarf, Model of loudness summation. *Psychology Review*, 1965, 72, 3-26. Copyright 1965 by the American Psychological Association. Reproduit avec permission.
Figures 5-12 et 5-13	J. Zwislocki, Analysis of some auditory characteristics. Dans D.R. Luce, R.R. Bush et E. Galanter (Eds.), *Handbook of mathematical psychology*, Vol. III. New York: Wiley, 1965. Avec la permission de John Wiley & Sons, Inc.
Figure 5-19	R.R. Fay, Auditory frenquency stimulation in the goldfish (*Carassius, Auratus*). *Journal of Comparative Physiological Psychology*, 1970, 73(2), 175-180. Copyright 1970 by the American Psychological Association. Reproduit avec permission.
Figure 6-1	Pomeranz et Chung (1970). Copyright 1970 by the American Association for the Advancement of Science.
Figure 6-2	J.C. Eccles, *The Neurophysiological Basis of Mind*, figure 3B p. 16, Clarendon Press, Oxford.
Figure 6-24	Hurvich et Jameson (1974). Copyright 1974 by the American Psychological Association. Reproduit avec permission.
Figure 7-3	Tableau adapté des p. 176-177 et 303 of *The sound pattern of English* by Noam Chomsky and Morris Halle. Copyright © 1968 par Noam Chomsky et Morris Halle. Avec la permission de Harper & Row, Publishers, Inc.
Figure 8-9	B.B. Murdock, Jr., The retention of individual items. *Journal of Experimental Psychology*, 1961, 62, 618-625. Copyright 1961 by the American Psychological Association. Reproduit avec permission.
Figures 9-1, 9-3 et 9-4	B.B. Murdock, Jr., The serial effect of free recall. *Journal of Experimental Psychology*, 1962, 64, 482-488. Copyright 1962 by the American Psychological Association. Reproduit avec permission.

Figure 11-5	Adapté de Kandel (1974) *The neuro-sciences, third study program*, F.O. Schmitt (Ed.). Avec la permission de The M.I.T. Press, Cambridge, Massachusetts. Copyright ©1974 by The M.I.T. Press.
Figure 11-9	Squire *et al.* (1975). Copyright 1975 by the American Association for the Advancement of Science.
Figure 11-13	E.H. Lenneberg, *Biological foundations of language.* New York: Wiley, 1967. Avec la permission de John Wiley & Sons, Inc.
Tableau 13-3	R. Brown and C. Hanlon, Derivational complexity and order of acquisition in child speech. In J.R. Hayes (Ed.), *Cognition and the development of language.* New York: Wiley, 1970. Avec la permission de John Wiley & Sons, Inc.
Figure 14-7	Herbert A. Simon and Allen Newell, *Human problem solving* ©1971. Avec la permission de Prentice-Hall, Inc., Englewood Cliffs, New Jersey.
Figure 15-4	N. Kleitman, Sleep and wakefulness (2nd ed.). Copyright ©1963 by University of Chicago Press, utilisé avec permission.
Citations p. 636 et suivantes	S. Milgram, Behaviorial study of obedience, *Journal of Abnormal and Social Psychology*, 1963, 67, 371-378. Copyright 1963 by the American Psychological Association. Reproduit avec permission.
Figures 16-7 et 16-8	S. Siegal and L.E. Fouraker, *Bargaining and group decision making: Experiments in bilateral monopoly.* Copyright 1960 by McGraw-Hill, Inc. Utilisé avec permission de McGraw-Hill Book Company.
Figure 17-1	Reproduit de D.B. Lindsay, *Psychophysiology and motivation.* Dans M.R. Jones (Ed.), *Nebraska symposium on motivation*, avec la permission de University of Nebraska Press. Copyright ©1957 by University of Nebraska Press. en bas: J.D. French, R. Hernandez-Peron et R.B. Livington, Projections from Cortex to Cephalic Brain Stem in Monkey, *Journal of Neurophysiology*, 1955, 18, 44-55.
Figures A-3 et A-4	Stevens (1966a). Copyright 1966 by the American Association for the Advancement of Science.
Tableau A-2	Steven (1961a). Dans W.A. Rosenblith (Ed.), *Sensory communication*, avec la permission de The M.I.T. Press, Cambridge, Massachusetts. Copyright ©1961 by the M.I.T. Press.

Table des matières

Préface   III

Remerciements   IV

1. La perception humaine   2

Préambule   3

Interprétation des messages sensoriels   5
appariement de gabarits   5

Traitements dirigé-par-données et dirigé-par-concepts   11

Quelques phénomènes perceptifs   13
dégradation d'une image   14
formes incompatibles   15
   organisation de perceptions auditives   16
formes dépourvues de sens   17
adaptation des données à la conceptualisation   20

L'importance des règles   22
perception de l'espace   26
formes impossibles   32
l'importance du contexte   35

Analyse des caractéristiques   38
arrêt des images   40
effets consécutifs   44
   que faut-il regarder pour voir un mouvement consécutif   46
   effets consécutifs de couleurs   46
explication des effets consécutifs   48
adaptation à la couleur basée sur une orientation spécifique   49
perception sans caractéristique   51

Revue des termes et notions   51
termes et notions à connaître   51

Lectures suggérées   52
perception   52
art   54

2. Le système visuel   56

Préambule   57

La lumière   58
  les décibels   59

La voie optique   60
la pupille   60
le cristallin   62
focalisation et convergence   62
la rétine   65

Réactions chimiques à la lumière   65
la réaction photochimique   66

Neuroanatomie de la vision   68
le réseau rétinien   69

Trajet de l'influx nerveux de l'oeil au cerveau   73

Échantillonnage de l'information visuelle   75
mouvements des yeux   75
le canal de la localisation   77
vision sans cortex visuel   79
vision sans colliculus supérieur   79

Revue des termes et notions   81
termes et notions à connaître   81

Lectures suggérées   82

3. Aspects de la vision   84

Préambule   85

Les expériences sensorielles   87

La perception de la brillance   89
le contraste de brillance   89
les bandes de Mach   92
  brillance et profondeur   95

Analyse de la fréquence spatiale   98

La mesure de la sensibilité visuelle   99
profils d'isosensibilité à la brillance   102

Les caractéristiques temporelles de la vision   104
la période d'absorption   104
lorsque des lumières clignotantes deviennent continues   105
le point de fusion critique   105

Couleurs   107
le cercle de la couleur   108
le mélange de deux lumières   110
  les peintures et les lumières   111
mélanges et pointillisme en peinture   111

La sensibilité des cônes à la couleur   113
le contraste chromatique   115
la théorie des processus antagonistes   115
images consécutives   116

Revue des termes et notions   117
termes et notions à connaître   117

Lectures suggérées   118
vision des couleurs   120
analyse de la fréquence spatiale   120

4. Le système auditif   122

Préambule   123

L'oreille   124

L'aspect physique du son   125
la fréquence du son   126
l'intensité du son   130
  décibels   130

La mécanique de l'oreille   131
l'oreille interne   131
mouvements de la membrane basilaire   134
les cellules ciliées   137

Réponses électriques à la stimulation auditive   138
courbes de syntonisation   138
codage temporel dans les réponses nerveuses   139
codage de l'information relative à l'intensité   142

Revue des termes et notions   142
termes et notions à connaître   142
les parties de l'oreille   142

le son   143

Lectures suggérées   143

5. Les aspects du son   144

Préambule   145

Les expériences sensorielles   147

La force sonore149
profils d'isosensibilité à la force sonore   150
l'audition musicale   151
compensateurs de force sonore   153
masquage   155
petite expérience de masquage   155
le masquage et ses mécanismes sous-jacents   156
le masquage de la musique   158
la mesure de la force sonore   158
sones   158

La hauteur tonale   160
l'échelle musicale   160
l'échelle en mel   160
la théorie de la localisation: variations sur une membrane basilaire   162
périodicité de la hauteur   164
force et hauteur   164
le cas de la fréquence manquante   165
le masquage de la fréquence manquante   167
la théorie de la localisation   167
la théorie de la périodicité   168
   discrimination de la hauteur sans membrane basilaire   169
argumentation à l'encontre de la théorie de la périodicité   172
un agent double est parmi nous, ou la théorie de la duplicité   172

La bande critique   173

Perception spatiale du son   176
la localisation   177
intérêt de l'écoute binaurale   181
la localisation   181
disparité de masquage   181
le masquage   182
l'effet de précédence   182
les enregistrements   183
son binaural   183
son stéréophonique   183
son quadriphonique   185

Revue des termes et notions   186
termes et notions à connaître   186

Lectures suggérées   187

6. Traitement de l'information nerveuse   190

Préambule   191
PARTIE I: LES PROCESSUS NERVEUX   192

L'oeil de la grenouille   192
l'anatomie des détecteurs   193

Les constituantes physiologiques   195
le neurone   195
enregistrement des réponses nerveuses   197

Circuits neuronaux fondamentaux   199
les éléments de base   200
les récepteurs   200
la cellule nerveuse   201

Inhibition latérale   203
circuits d'extraction des contours   207
les champs centre-périphérie   213
la théorie du processus antagoniste   219
contraste chromatique   221

Réponse au mouvement   226
circuits détecteurs de mouvement   227

PARTIE II: LES PROCESSUS DU CERVEAU   228

De l'oeil au cerveau   228
le corps genouillé latéral   228
le cortex visuel   230

L'extraction des caractéristiques   230
cellules simples   230
cellules complexes   232
cellules hypercomplexes   234
systèmes w, x et y   237
analyse de la fréquence spatiale   238

Traitement de l'information acoustique   242
détecteurs de fréquence modulée   244
interactions binaurales   246

Et ensuite? 248

Conclusion 250

Revue des termes et notions 251
termes et notions à connaître 251

Lectures suggérées 252

7. La reconnaissance de formes et l'attention 256

Préambule 257

La reconnaissance de formes 259
le pandémonium 259
comment construire un pandémonium 262
l'importance des erreurs 265
les réponses aux distorsions 267

Les caractéristiques liées à la reconnaissance du langage 267
le problème de la segmentation 269
la classification des sons du langage 270
les phonèmes 270
les caractéristiques distinctives 272

L'insuffisance de l'analyse des caractéristiques 272
le rôle du contexte 274
les chaussettes mouillées 276
l'importance de la redondance 277

Les traitements dirigé-par-données et dirigé-par-concepts 278
les démons spécialistes 279
le tableau noir et le directeur 280
l'analyse d'une phrase 280
puissance et faiblesse du système des spécialistes 281

Le phénomène de l'attention 284
la sélection de messages 286
la filature 287
le traitement du message rejeté 289
les démons spécialistes et le directeur 291

Conclusion 294

Revue des termes et notions 297
termes et notions à connaître 297

Lectures suggérées   299

8. Les systèmes de mémoire   302

Préambule   303

Les systèmes de stockage   304
le registre de l'information sensorielle   305
la mémoire à court terme   305
la mémoire à long terme   306

Le registre de l'information sensorielle   307
les expériences avec des dispositifs visuels   308
le tachistoscope   308
l'oscilloscope et les dispositifs TRC   309
la capacité du ris   310
l'expérimentation   310

La mémoire à court terme   315
les erreurs dans le rappel de la mémoire à court terme   316
confusions acoustiques   317

L'autorépétition   318
l'oubli   320
l'oubli par interférence   320
l'oubli par dégradation avec le temps   321
l'oubli: question de temps ou d'interférence?   323
les attributs de la mémoire   324
le processus de reconstruction de la mémoire   324
l'interférence sélective: un outil expérimental utile   328
y a-t-il des mémoires à court terme distinctes pour les mots et pour les images?   329

Revue des termes et notions   332
termes et notions à connaître   332

Lectures suggérées   332

9. Utilisation de la mémoire   334

Préambule   335

De la mémoire à court terme à la mémoire à long terme   337
apprentissage de listes   338
tester la mémoire   342
contrôle de l'apprentissage original du matériel   343

types de tests de mémoire   343
rappel   343
reconnaissance   344
mémoire et attention   344
mémoire sans attention   345

Mécanismes d'intégration   346
le besoin d'organisation   348
formation de structures en interconnexions: un exemple   349
traitement en profondeur   352
niveaux d'analyse   354

Stratégies mnémoniques   355
mnémotechniques   356
méthode des lieux   356
méthode des associations   360
méthode des mots-clés   360
utilité des mnémotechniques   362
comment se souvenir?   363

L'étude de la mémoire à long terme   363
répondre à des questions   365
contrôle de la réponse   366
quand retrouver une information?   367
le recouvrement d'une image   368
le recouvrement, une résolution de problème   369
retrouver les noms d'anciennes connaissances   370
métamémoire: connaissance de votre propre système de mémoire   373

Revue des termes et notions   375
termes et notions à connaître   375

Lectures suggérées   376

10. La représentation de connaissances   378

Préambule   379

Représentation de l'information en mémoire   380
la structure des concepts   380
définitions sémantiques   382
réseaux sémantiques   384
noeuds et relations   386
est-un   386
valeurs de défaut   386
propositions   388
images sensorielles et images du contrôle moteur   388

Concepts primaires et secondaires 389
le rappel des événements 391
mémoires épisodique et sémantique 397
utilisation du bassin de données 398
examen du bassin de données 398
généralisation 401

Prototypes 404

Images mentales 409
une expérience sur les images 410

Un dernier commentaire 412

Revue des termes et notions 413
termes et notions à connaître 413

Lectures suggérées 414

11. Les bases neurologiques de la mémoire 416

Préambule 417

Stockage de l'information 418
les circuits neuroniques de la mémoire 419
revue des circuits neuroniques 419
mécanismes physiologiques de la mémoire à court terme 421
mémoire à long terme 424

Les troubles de mémoire 425
choc électroconvulsif 426
amnésies 428
choc électroconvulsif chez l'humain 429
recouvrement après une amnésie rétrograde 430
les cas de H.M. et de N.A. 432
autres études sur l'amnésie 435

Localisation des fonctions du cerveau 436
spécialisation des deux hémisphères du cerveau 439
cerveaux divisés chez les animaux 439
spécialisation hémisphérique chez les humains 442
deux cerveaux: fixes ou flexibles? 446
hémisphères spécialisés — pensée spécialisée 449
le phénomène de Stroop 451

Conclusion 453

Revue des termes et notions   454
termes et notions à connaître   454

Lectures suggérées   455
ouvrages généraux   455
les mécanismes de la mémoire   455
les troubles de mémoire   456
spécialisation hémisphérique   457

12. Le langage   458

Préambule   459

Langage et communication   461
postulats à la base de la communication   461
transmission des structures cognitives   462
   les mensonges   464

Les règles du langage   466
grammaire française   468
le problème de la référence   472
langues différentes — règles différentes   474

La puissance des mots   476
mots et morphèmes   478
décomposition lexicale   479

Mécanismes psychologiques de la compréhension du langage   481
la compréhension des phrases   482
traitements dirigé-par-données et dirigé-par-concepts   482

Un système pour comprendre le langage   483
les démons   483
un exemple de la compréhension d'une phrase   484
les phrases déroutantes   486

Résumé   486

Revue des termes et notions   487
termes et notions à connaître   487

Lectures suggérées   487

13. L'apprentissage et le développement cognitif   490

Préambule   491

Apprentissage cognitif 492
lois d'apprentissage 492
résignation apprise 494
le renforcement vu comme confirmation 497
apprentissage et conscience 498

Développement cognitif 499
apprentissage par expérimentation 499
l'importance des attentes 500
comportement dirigé-par-but 500
apprentissage sensori-moteur 502
  le développement des représentations 502
pensée préopératoire 504
opérations concrètes 505
opérations formelles 506
avertissement 506
la pensée 507

Apprendre un langage 508
apprentissage du vocabulaire 508
problèmes rencontrés par l'enfant 509
apprentissage des mots 510
surgénéralisation et surdiscrimination 512
surgénéralisation 512
surdiscrimination 514
apprendre à parler 516
imitation 517
parentage 518
langage et communication 519
limites du rendement 520

L'apprentissage vu comme des additions à la connaissance 522

Revue des termes et notions 526
termes et notions à connaître 526

Lectures suggérées 526
conclusions générales sur l'apprentissage 526
le développement 527
apprentissage de la langue maternelle 528
apprentissage de sujets complexes 529

14. La résolution de problème et la prise de décision 530

Préambule 531

Anatomie du problème 533

les protocoles   534
le protocole de donald + gérald   534
l'analyse   535
le graphique de résolution de problème   536
états de connaissance   537
le graphique de donald + gérald   537
retour en arrière   538

Stratégies de résolution de problème   542
recherche de solutions   543
choix des opérateurs   544
stratégies heuristiques   544
jouer aux échecs   545
limites de l'analyse de protocoles   546

L'efficacité de la résolution de problème chez l'homme   549
limites imposées par la mémoire à court terme 550
comment dépasser ces limites   552
aides externes   552
aides de la mémoire à long terme   553

Prise de décision   554

Attribution des valeurs   555
la valeur psychologique de l'argent   556
les valeurs dans les choix complexes   557
comment choisir un compagnon   557
stratégies de décision   558
impression générale   559
comparaison dimensionnelle   559
détermination des stratégies   559
qu'est-ce qu'on optimise?   560
   la logique du choix   561
le caractère circulaire du choix: règle 1   562
sociologie ou psychologie   562
anthropologie ou sociologie   562
psychologie ou anthropologie   562
l'importance des petites différences: règle 2   563
le problème tokyo-paris: règle 3   564

Décisions hasardeuses   565
utilité et choix hasardeux   565
probabilité   566
valeur attendue   567
probabilité subjective   568
représentativité et disponibilité   569

Conclusion   570

Revue des termes et notions 571
termes et notions à connaître 572

Lectures suggérées 572
résolution de problème 572
prise de décision 573

15. Les mécanismes de la pensée 576

Préambule 577

La pensée 578
modes conscients et subconscients de la pensée 579
résolution subconsciente de problème 579
activation 579

Quelques principes de traitement d'information 581
le processeur 582
la mémoire 583
le compromis entre la mémoire et le traitement d'information 583
cryptogramme des jours 583
la stratégie de transformation des jours en nombres 584
la stratégie de consultation d'une table 585
la stratégie des règles 586
comparaison des stratégies 586
temps-partagé et processeurs multiples 588
temps-partagé 588
processeurs multiples 590
le contrôle dirigé-par-concepts 592
le contrôle par programme 593
le contrôle dirigé-par-données 593

Mécanismes de la pensée humaine 593
les deux unités de traitement chez l'homme 594
la méditation 595
le caractère importun de s 598
la valeur de s 599
états de conscience 599
états anormaux 600
le sommeil 601

Analyse de la pensée humaine 603

Revue des termes et notions 605
termes et notions à connaître 605

Lectures suggérées 606

16. Les interactions sociales   608

Préambule   609

Prototypes et schèmes   610
stéréotypes sociaux   611
sain d'esprit dans un hôpital psychiatrique   613

Théorie de l'attribution   614
l'attribution d'un motif au comportement d'autrui   615
l'attribution de motifs à notre propre comportement   617
des sauterelles et d'autres choses   618

La formation d'impressions   620
l'intégration d'informations   620
les effets de l'ordre de présentation   622

Structures d'interactions sociales   623
structures d'interactions stéréotypées   624
l'analyse transactionnelle   624
les scripts   627

Les processus d'influence sociale   629
le comportement du spectateur   630
lancer des «frisbees»   630
la pièce remplie de fumée   631
la dame en détresse   631
pas de temps pour aider   632
l'apathie des spectateurs   632
le conformisme   634
la soumission   636

Les décisions en situation d'interaction
le marchandage   641
le procédé de marchandage   643
le procédé de négociation   645
le niveau d'aspiration   645
la stratégie loyale   646
la stratégie impitoyable   648

Résumé   649

Revue des termes et notions   650

termes et notions à connaître   650

Lectures suggérées   650

17. Stress et émotion   654

Préambule   655

Stress   656
comment produire le stress   656
les causes cognitives du stress   659
efficacité dans l'état de stress   659
réactions cognitives au stress   660
comment disposer des situations stressantes   661
réactions physiologiques au stress   662
système d'activation réticulaire   663
réactions biochimiques au stress   666

Interprétation de l'activation émotionnelle   668
émotions: unité ou diversité?   668
mesures physiologiques   669
rétroaction biologique   670

Interprétation des émotions en fonction du contexte   671
l'expérience   673
les conditions environnementales   673
l'euphorie   674
la colère   674
les résultats   674

Un modèle de l'activation émotionnelle   675

Revue des termes et notions   678
termes et notions à connaître   678

Lectures suggérées   679

Appendice A
  Mesure des variables psychologiques   680

La mesure   681
types d'échelles   681
échelle nominale   681
échelle ordinale   681
échelle d'intervalle   682
échelle de rapport   682
échelle absolue   682
techniques d'évaluation   682
l'évaluation d'après la confusion   683
l'évaluation directe   684
estimation de la grandeur   685

la loi de puissance   686
«combien» par opposition à «quelle sorte»   687
interprétation de la fonction de puissance   687
applications   688
appariement multimodal   690
comment mesurer   693
méthode   693
analyse des résultats   696
appariements multimodal   696
analyse   697

Lectures suggérées   698

**Appendice B
    Caractéristiques d'opération**   700

Le problème de la décision   701

Le jeu de dés   701
critère de décision   702
réussites et échecs   703
fausses alertes   704
changement de critère   704
la caractéristique d'opération   705
niveaux de confiance   706
la distribution normale   709

Problèmes   713

problème de l'extincteur automatique   713
mémoire   715
le jeu de dés réexaminé   715

Lectures suggérées   716

Bibliographie   718

Index   744

1. La perception humaine

Préambule

Interprétation des messages sensoriels
APPARIEMENT DE GABARITS

Traitements dirigé-par-données et dirigé-par-concepts

Quelques phénomènes perceptifs
DÉGRADATION D'UNE IMAGE
FORMES INCOMPATIBLES
ORGANISATION DE PERCEPTIONS AUDITIVES
FORMES DÉPOURVUES DE SENS
ADAPTATION DES DONNÉES
À LA CONCEPTUALISATION

L'importance des règles
PERCEPTION DE L'ESPACE
FORMES IMPOSSIBLES
L'IMPORTANCE DU CONTEXTE

Analyse des caractéristiques
ARRÊT DES IMAGES
EFFETS CONSÉCUTIFS
QUE FAUT-IL REGARDER POUR VOIR
UN MOUVEMENT CONSÉCUTIF
EFFETS CONSÉCUTIFS DE COULEURS
EXPLICATION DES EFFETS CONSÉCUTIFS
ADAPTATION À LA COULEUR BASÉE
SUR UNE ORIENTATION SPÉCIFIQUE
PERCEPTION SANS CARACTÉRISTIQUE

Revue des termes et notions
TERMES ET NOTIONS À CONNAÎTRE

Lectures suggérées
PERCEPTION
ART

Préambule

Les cinq sens — la vue, l'ouïe, l'odorat, le goût et le toucher — sont des fenêtres ouvertes sur le monde. Les organes sensoriels fournissent au cerveau de l'information sur l'environnement; le cerveau interprète cette information et la fait correspondre avec celle qu'il possède déjà. Le fonctionnement du système sensoriel et le moyen par lequel il transforme les données sensorielles en expériences perceptives sont d'une importance capitale dans le fonctionnement de l'individu. Ce premier chapitre aborde l'étude de la perception humaine, c'est-à-dire des mécanismes qui agissent sur l'information sensorielle et qui en réalisent l'interprétation, la classification et l'organisation.

Considérons d'abord la nature du problème. Comment reconnaît-on l'information sensorielle relative à un objet? Prenons un problème simple, celui de la reconnaissance d'une lettre de l'alphabet. Il nous est facile de reconnaître une lettre dès que nous la voyons. Mais comment faisons-nous? Quels sont les mécanismes mentaux impliqués? En fait, cette tâche se révèle plus complexe qu'on pourrait le croire, et les scientifiques eux-mêmes ne peuvent encore l'expliquer. Bref, la tâche simple de reconnaissance des lettres démontre bien la complexité de la perception.

Le présent chapitre est une introduction à certains des phénomènes perceptifs les plus intéressants et s'arrête à quelques-unes des énigmes qui se posent à ceux qui tentent d'en expliquer le fonctionnement. Nous allons étudier la perception jusqu'au chapitre 7. Les chapitres 2 à 5 abordent, de façon détaillée, les deux systèmes les plus intéressants du point de vue de la communication humaine: le système visuel et le système auditif. Au chapitre 6, nous examinons la structure du système nerveux et nous apprenons comment les signaux sont traités par le cerveau. Enfin, au chapitre 7, nous reprenons les problèmes posés dans le présent chapitre, mais cette fois, avec suffisamment de connaissances pour être en mesure de proposer certaines réponses.

Malheureusement, on ne connaît pas encore les réponses finales à ces questions et, malgré les efforts intensifs de nombreux scientifiques de diverses disciplines, les mystères du système perceptif demeurent inexpliqués. Nous faisons certes quelques progrès, mais nous sommes encore loin du but. De plus, comme le laissent supposer les chapitres 1 à 6 et comme l'exprime explicitement le chapitre 7, il n'est pas possible d'étudier un processus mental indépendamment des autres. Ainsi, la perception humaine est intimement liée aux mécanismes de l'attention et de la mémoire. Nous ne pourrons probablement pas comprendre un seul de ces processus tant que nous n'aurons pas compris les autres. En outre, l'attention et la mémoire sont associées à d'autres systèmes: au langage, au développement, à l'activité humaine. L'étude de la perception chez l'individu devient donc, en fin de compte, l'étude de l'être humain.

Une partie importante de ce chapitre est consacrée à l'étude des mécanismes psychologiques. Nous commençons par décrire un mécanisme que nous savons irréaliste. Cela nous permet de montrer comment on étudie les processus psychologiques: en réfléchissant bien à la question, en analysant les phénomènes, puis en essayant de vérifier ses hypothèses à partir de données et d'observations. *L'appariement de gabarits* nous semble être le mécanisme idéal pour cette démonstration parce qu'il est facile à comprendre, même si on sait d'avance qu'il est incorrect. Ainsi, il nous sera possible de montrer comment on écarte une explication qui semblait utile à prime abord.

En fait, ce qu'il importe de retenir de ce chapitre, c'est que le sujet est à la fois important et difficile. Les mécanismes de la vision et de l'audition par exemple, tout en étant extrêmement importants, demeurent en grande partie inexpliqués. Ce chapitre se veut donc une illustration des phénomènes fondamentaux et des outils de base dont on se sert pour les étudier.

Interprétation des messages sensoriels

Notre but est de comprendre les mécanismes de la perception. La tâche consiste à découvrir les processus psychologiques qui interviennent dans la perception et, dans la mesure du possible, à établir l'organisation des réseaux nerveux qui y participent. Les problèmes sont cependant nombreux. Par exemple, lorsque nous lisons des caractères imprimés sur une page, nous pouvons rapidement et sans effort convertir ces symboles visuels en expressions significatives. De même, lorsque nous écoutons quelqu'un parler, nous percevons des entités significatives (des mots), et non pas une suite confuse de sons qui doivent être traduits d'une façon ou d'une autre afin d'avoir un sens. Lorsque nous nous promenons, nous pouvons immédiatement et sans effort reconnaître les objets qui nous entourent. Si un son est produit à notre gauche, nous l'entendons à gauche. Lorsque nous arrivons à un trottoir, nous levons le pied au bon moment, et lorsque nous prenons un crayon, nous ne faisons appel à aucun processus mental conscient, que ce soit pour reconnaître l'objet en tant que tel, pour diriger le bras et les mains afin de le saisir, ou pour l'utiliser.

Nous abordons le problème de la perception humaine par l'étude de la *reconnaissance de formes:* processus par lequel les signaux externes perçus par les organes sensoriels sont transformés en expériences perceptives significatives. Nous reconnaissons les objets et les événements avec tant de facilité et de rapidité que nous serions portés à croire que les mécanismes de reconnaissance sont simples et directs. Il n'en est pourtant pas ainsi, comme le démontre l'expérience de certains ingénieurs qui ont tenté de mettre au point des appareils capables de reconnaître des sons ou des symboles que l'on retrouve habituellement dans notre environnement. Leurs efforts ont été vains. Jusqu'à présent, aucun système de reconnaissance de formes n'a pu atteindre la flexibilité et la capacité du système perceptif de l'être humain ou même d'animaux primitifs. Voyons donc pourquoi la tâche est si difficile.

APPARIEMENT DE GABARITS

L'appariement de gabarits est un des schèmes de classification et de reconnaissance de formes le plus simple qui soit. Dans ce schème, il existe pour chaque forme à reconnaître une représentation, c'est-à-dire un gabarit. Pour reconnaître un signal provenant de l'environnement, il faut le faire correspondre (ou l'apparier) avec le gabarit interne. Le gabarit correspondant le mieux au signal perçu identifie la forme en question.

Voyons comment un tel schème peut permettre de détecter des signaux visuels. Supposons que la tâche consiste à reconnaître des lettres de l'alphabet. Mentionnons d'abord que lorsqu'on voit une lettre, son image est projetée sur la surface arrière de l'oeil, appelée la *rétine*. La rétine est composée de centaines de milliers de cellules nerveuses sensibles à la lumière, appelées *récepteurs*. Nous verrons en détail le fonctionnement de ces récepteurs dans les chapitres ultérieurs. Pour le moment, voyons comment ceux-ci pourraient être reliés entre eux afin de permettre la reconnaissance des lettres de l'alphabet.

Lorsque la lettre **A** est placée devant l'oeil, elle excite un ensemble de

Figure 1-1

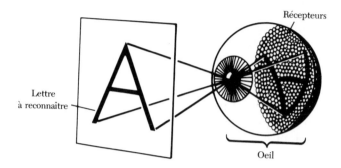

récepteurs sur la rétine. Si nous relions ces récepteurs entre eux et si nous les joignons à une cellule détectrice unique, nous obtenons un gabarit de cellules réceptrices conçu spécialement pour détecter la lettre **A**. La figure 1-2* donne un exemple de gabarit possible pour **A**. Lorsque l'image stimule le bon ensemble de récepteurs, le «détecteur **A**» répond vigoureusement (figure 1-3).

Figure 1-2

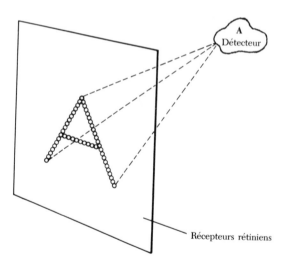

Un autre ensemble de détecteurs (figure 1-4) correspond à un gabarit pour **L**. De même, un autre arrangement peut correspondre à un gabarit de la lettre **N**, et ainsi de suite pour chaque forme à reconnaître.

*Dans les schémas qui vont suivre, nous ne tiendrons pas compte du fait que le cristallin de l'oeil inverse l'image. Cela facilite l'exécution des schémas et l'explication des divers schèmes de reconnaissance de formes. Il est évident que le principe qui consiste à relier les récepteurs entre eux demeure valable, que l'image soit inversée ou non.

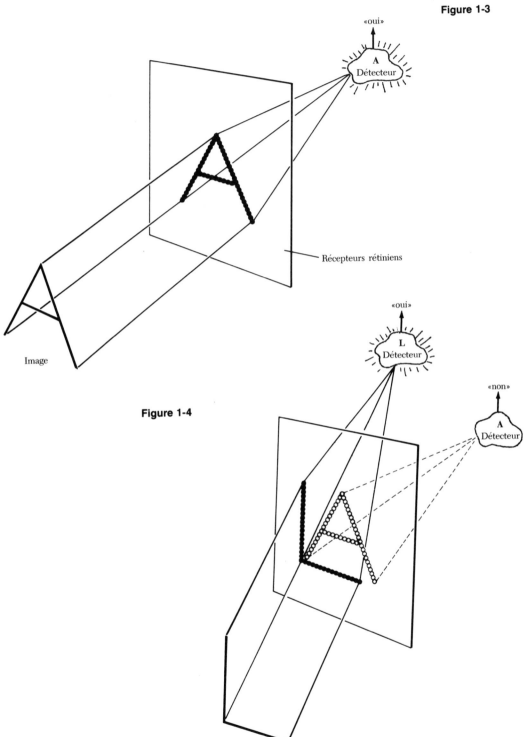

Figure 1-3

Figure 1-4

L'appariement de gabarits est donc un schème direct de reconnaissance de formes. Caractéristique intéressante, il confronte simultanément la forme présentée avec tous les gabarits possibles. Il n'a donc pas à considérer l'un après l'autre les gabarits pour trouver le plus approprié. Il envisage toutes les lettres en même temps, et le gabarit correspondant le mieux à la forme présentée est le plus fortement activé.

Cependant, ce modèle de reconnaissance de formes est trop simple pour expliquer la perception humaine. Voyons ce qui se produit d'abord si la lettre est présentée avec une légère inclinaison, ensuite, si elle est trop grande, et finalement, si elle est trop petite (figures 1-5*a*, 1-5*b* et 1-5*c*).

Ainsi, notre système ne peut fonctionner que s'il possède un gabarit qui corresponde exactement à la forme présentée.

On peut modifier le schème de diverses façons pour résoudre ces problèmes. Plusieurs gabarits peuvent être ajoutés, un pour chaque grandeur et chaque orientation possibles des lettres à reconnaître (figure 1-6).

Appariement de gabarits et orientation

Figure 1-5a

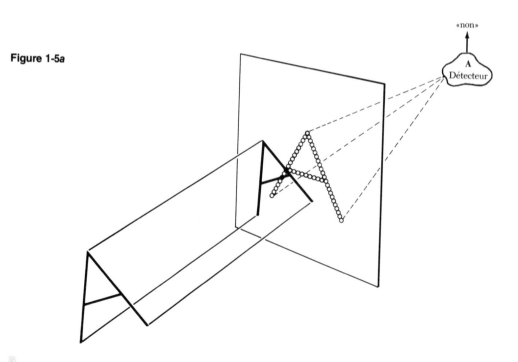

Appariement de gabarits et grandeur

Figure 1-5*b*

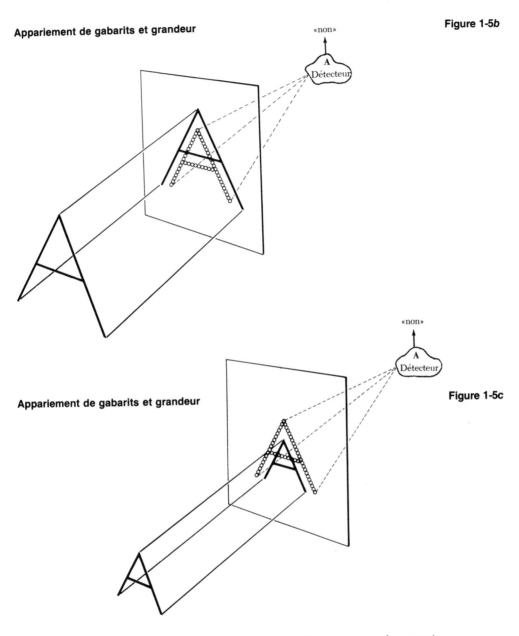

Appariement de gabarits et grandeur

Figure 1-5*c*

Autre possibilité, les symboles peuvent subir un prétraitement et être remis dans un format standard avant que ne soit effectué l'appariement de gabarits (figure 1-7).

De nombreux programmes d'ordinateurs et d'appareils qui utilisent le système de gabarits pour reconnaître des formes font du prétraitement. Avant d'essayer de reconnaître la forme, ils orientent la lettre de telle manière que son axe le plus long soit orienté à la verticale. La dimension est ensuite ajustée selon une hauteur et une largeur préétablies. Finalement, le signal prétraité est confronté à un ensemble standard de gabarits.

Figure 1-6

Appariement de gabarits et différentes grandeurs

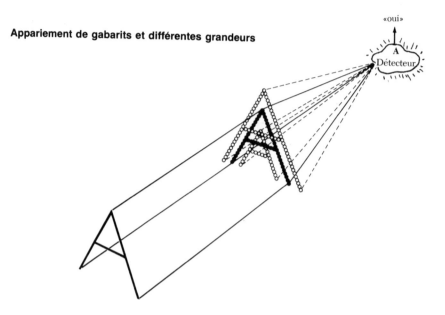

L'application pratique la mieux connue d'un système d'appariement de gabarits illustre certaines des limites de ce système comme méthode de reconnaissance de formes. Au bas des chèques de banque, le numéro d'identification de la banque et le numéro du compte sont souvent imprimés en caractères spéciaux qui peuvent être lus autant par des usagers que par une machine-trieuse de chèques reliée à l'ordinateur de la banque. Un dispositif à balayage lit les caractères sur le chèque, lesquels sont identifiés grâce à un système électronique d'appariement de gabarits.

Figure 1-7

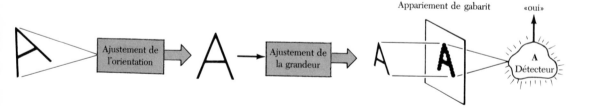

On a déployé beaucoup d'efforts pour que les caractères se distinguent au mieux les uns des autres. Ceux-ci doivent être imprimés avec une machine spéciale qui assure une grandeur et une position constantes. Lorsque le dispositif à balayage lit un chèque, le moindre écart par rapport à l'alignement normal produit une erreur. L'appariement de gabarits est le plus simple des schèmes à construire, mais il est aussi le plus susceptible de produire des erreurs.

Compte de Chèques Véritable

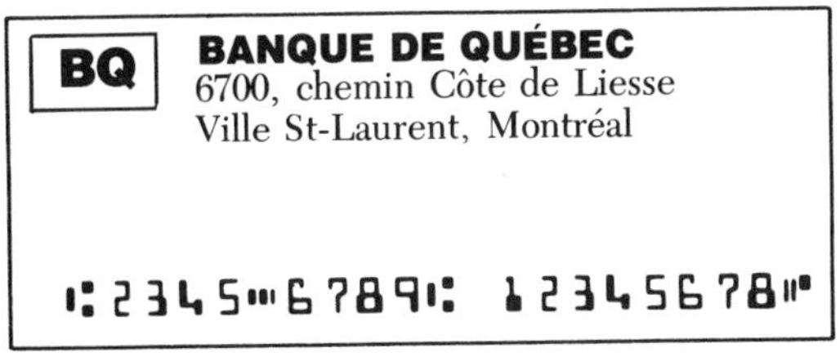

| **BQ** | **BANQUE DE QUÉBEC**
6700, chemin Côte de Liesse
Ville St-Laurent, Montréal |

Figure 1-8

⑈2345⑈6789⑈ ⑈12345678⑈

Il semble peu probable que les gabarits puissent expliquer la reconnaissance de formes chez l'humain. La variété des formes que l'on peut rencontrer pose des problèmes considérables pour l'élaboration d'un tel schème. On pourrait évidemment tenir compte de toutes ces formes; mais, chacune devant être traitée comme un cas spécial, le système deviendrait vite complexe et lourd. De plus, un tel schème ne peut reconnaître les nouvelles formes pour lesquelles il n'y a pas de gabarit. Pourtant, l'individu peut le faire. Donc, pour rendre compte des capacités humaines de reconnaissance de formes, on doit supposer l'existence d'un système plus puissant et plus flexible.

Traitements dirigé-par-données et dirigé-par-concepts

L'appariement de gabarits est déficient sous différents aspects. Premièrement, les gabarits manquent de souplesse. Pour qu'il y ait reconnaissance, il doit y avoir un gabarit exact pour chaque forme, sinon le système ne fonctionne pas. Nous avons vu plus haut qu'un prétraitement peut assouplir cette rigidité. Il est possible par exemple, de compenser de cette façon les changements de grandeur. Mais en général, ce prétraitement risque fort d'échouer.

On peut qualifier le schème d'appariement de gabarits de *traitement dirigé-par-données*. Regardez la figure 1-7; les opérations sont déclenchées par l'arrivée des données. Leur déroulement est séquentiel: elles vont de la présentation des données à l'ajustement, puis à l'étape suivante, etc. Le traitement est mis en marche par l'arrivée des données et s'effectue suivant une progression régulière et logique jusqu'à la reconnaissance de la forme présentée. Chaque étape de l'analyse fait son propre travail, recevant des données d'entrée et les utilisant. Les données de sortie de chaque étape sont les données d'entrée qui déclenchent l'étape suivante. Dans un système dirigé-par-données, il ne se passe rien tant que des données ne sont pas fournies en entrée. Le processus se déroule alors de manière bien déterminée et la réponse surgit. Malheureusement, la perception n'est pas si simple. À la figure 1-9 par exemple, nous ne pouvons reconnaître l'objet tant que nous ignorons ce dont il s'agit. Un système de traitement dirigé-par-données ne fonctionne pas pour cette figure.

Cet exemple nous permet de voir quelques-uns des processus d'organisation qui interviennent dans l'interprétation d'une image visuelle. Pour se rendre compte qu'il s'agit de l'image d'un chien dalmatien (faisant face au côté gauche), il faut ajouter de l'information qui n'est pas dans l'image. Dès qu'on perçoit le chien, il est difficile de ne plus le voir. Le fait de connaître ce que représente l'image semble accélérer le processus global d'interprétation. Bref, lorsqu'on sait quoi regarder, il est plus facile de voir.

Figure 1-9   *R.C. James* **(photographe).**

Dès qu'il y a connaissance de l'interprétation possible ou *conceptualisation* de quelque chose pour aider à sa perception, on dit que le traitement est dirigé-par-concepts. Autrement dit, le traitement commence par la conceptualisation de ce que l'image peut représenter, puis il cherche une confirmation, faussant les mécanismes de traitement pour obtenir le résultat escompté. Dans le schéma illustrant le mécanisme d'appariement de gabarits (figure 1-7), le traitement dirigé-par-concepts se déroulerait de droite à gauche, comme l'indique la figure 1-10. En effet, sous certains aspects, le traitement dirigé-par-concepts est l'opposé du traitement dirigé-par-données. Ce dernier travaille à partir de données concrètes, tandis que le traitement dirigé-par-concepts travaille à partir de ce qui est escompté.

Comme le montre la figure 1-10, le traitement dirigé-par-concepts et le traitement dirigé-par-données s'effectuent presque toujours simultanément; chaque mode de traitement contribue à l'analyse globale. Il est clair que la figure 1-9 ne pourrait être interprétée sans tenir compte des données provenant de l'image. De plus, puisqu'il est possible de voir le dalmatien en regardant la figure 1-9 pour la première fois, sans connaissance préalable de ce qu'elle représente, il faut en conclure que les conceptualisations relatives aux interprétations possibles qui sont à la base de l'analyse dirigée-par-concepts proviennent du traitement dirigé-par-données. Nous analyserons plus en profondeur cette situation complexe dans des chapitres ultérieurs.

Quelques phénomènes perceptifs

Avant d'aller plus loin dans l'analyse des mécanismes possibles de reconnaissance de formes, nous devons parfaire nos connaissances. D'abord, il nous

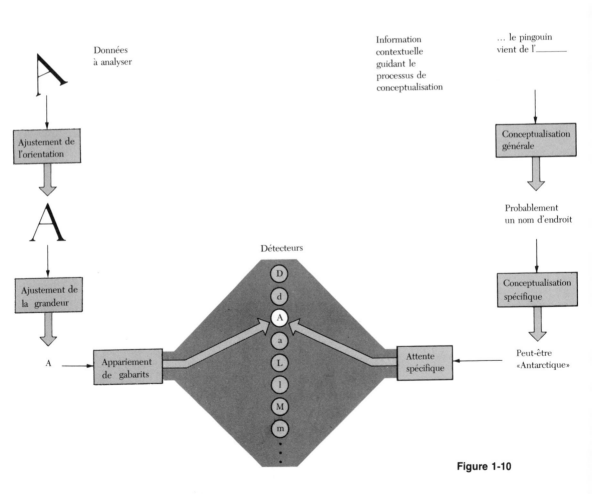

Figure 1-10

faut en savoir davantage sur la nature même de la perception, sur les difficultés que l'individu éprouve à percevoir les choses. Ensuite, nous devons mieux connaître les mécanismes de la pensée, le fonctionnement des systèmes sensoriels humains et les processus par lesquels les cellules nerveuses peuvent fonctionner et communiquer entre elles. Finalement, après cette analyse des phénomènes et des mécanismes, nous pourrons commencer à rassembler les fragments pour obtenir un tout cohérent. Dans le reste du présent chapitre, nous concentrerons notre attention sur les phénomènes de la perception, en insistant surtout sur la perception visuelle. Les quatres prochains chapitres porteront sur le fonctionnement de systèmes sensoriels: les chapitres 2 et 3 traitent du système visuel; les chapitres 4 et 5, du système auditif. Le chapitre 6 nous présente ensuite une description des activités des cellules qui sont à la base du système nerveux humain: les neurones. Nous verrons comment les neurones peuvent communiquer entre eux et comment ils peuvent être reliés pour former des détecteurs spécialisés. Enfin, au chapitre 7, nous reviendrons au problème de la reconnaissance de formes et tenterons de rassembler les connaissances actuelles sur la perception et sur le système nerveux pour dresser un tableau général du fonctionnement des processus perceptifs.

Les choses ne nous apparaissent pas toujours comme elles sont vraiment. Ce que nous voyons ou entendons ne correspond pas toujours à la réalité. En fait, le système perceptif commet souvent des erreurs. Nous avons parfois des illusions; à d'autres moments, le système perceptif peut demander un certain temps pour récupérer à la suite d'une stimulation prolongée; il lui arrive aussi de ne pas interpréter immédiatement l'image qui lui est présentée. Tous ces phénomènes sont intéressants puisque ce sont souvent de telles erreurs et de telles distorsions qui nous révèlent les mécanismes d'un système. Lorsque tout fonctionne normalement et sans accroc, il est difficile de savoir par où commencer la recherche. Mais quand surviennent des défaillances, leur analyse peut être très révélatrice. Examinons donc certains phénomènes perceptifs, pour voir si nous ne pouvons pas en tirer quelques principes fondamentaux.

Nous allons commencer par voir comment l'information sensorielle est interprétée. Mentionnons d'abord que nous utilisons certains trucs pour mieux mettre en évidence les processus d'interprétation. Une première méthode consiste à *dégrader une image* pour en rendre l'interprétation difficile (sinon impossible). Une autre méthode est celle des *formes incompatibles*, dans lesquelles plusieurs interprétations d'une même image sont possibles. Nous utilisons aussi des *formes dépourvues de sens*, pour voir l'effet de l'expérience passée sur les processus.

DÉGRADATION D'UNE IMAGE   Habituellement, l'interprétation des messages sensoriels s'effectue si rapidement et si automatiquement qu'il est impossible de prendre conscience de toute la complexité du phénomène. Pour rendre apparents les mécanismes et en permettre ainsi l'étude, il faut trouver un moyen de ralentir les processus. Par exemple, à la figure 1-9, l'information visuelle nécessaire à la perception du chien dalmatien a été réduite au minimum.

Une image peut être ambiguë en raison d'un manque d'information pertinente ou d'un surplus d'information non pertinente. Elle peut l'être aussi parce qu'il existe plusieurs façons de l'interpréter. Lorsque c'est le cas, il est difficile d'interpréter en même temps l'image de deux façons différentes. Un tableau de Salvador Dali illustre bien ce phénomène. Le titre du tableau nous fournit un indice quant aux interprétations possibles *(Marché aux esclaves avec buste de Voltaire qui disparaît)*. Au centre de l'image, on peut voir deux religieuses qui se tiennent côte à côte. Mais selon une autre interprétation, les figures des religieuses deviennent les yeux de Voltaire, le contact de leurs épaules devient un nez et la tache de blanc à leur taille devient un menton. Ainsi, selon notre façon de structurer l'information, nous voyons tantôt des personnages miniatures, tantôt un buste relativement énorme. Ces deux modes d'organisation de l'information visuelle sont incompatibles jusqu'à un certain point. En effet, il est difficile, sinon impossible, de percevoir les deux aspects de l'image simultanément.

Salvador Dali, «*The Slave Market with disappearing Bust of Voltaire*». Collection: M. et Mme A. Reynolds Morse. La photographie est une courtoisie du Salvador Dali Museum, Cleveland, Ohio.

Figure 1-11

ORGANISATION DE PERCEPTIONS AUDITIVES

Toute expérience perceptive se caractérise par la tendance à prêter attention aux données fournies par les systèmes sensoriels et à les structurer de façon sélective. Une conversation extraite de plusieurs autres et des bruits environnants devient la *figure*. Tous les autres sons constituent le *fond*. On observe en particulier un tel phénomène lorsque de nombreuses personnes discutent en petits groupes et que notre attention passe d'une conversation à une autre. Dès que notre attention se porte sur une conversation en particulier, celle-ci est comprise distinctement, tandis que toutes les autres sont reléguées à l'arrière-plan (ce phénomène est traité au chapitre 7, dans l'analyse de l'attention).

En musique, ces notions de «figure» et de «fond» sont bien connues. Même si une composition musicale est constituée de plusieurs partitions simultanées, l'auditeur porte surtout son attention sur l'une d'elles en particulier. Il est même possible qu'un seul instrument puisse jouer deux mélodies à la fois. Le musicien alterne alors entre une suite de notes aiguës et une suite de notes graves. Il est possible à l'auditeur d'écouter les notes aiguës et de suivre ainsi la ligne supérieure de la partition ou encore d'écouter les notes graves et de suivre ainsi la ligne inférieure. Il perçoit deux thèmes bien distincts.

Voyons un exemple de cette technique dans un passage d'un solo de flûte (figure 1-12). Nous avons séparé les deux thèmes en ombrageant la ligne inférieure. Il est à remarquer que le compositeur (Telemann) maintient une distinction nette entre les deux thèmes en séparant les notes et en obligeant le flûtiste à passer d'un thème à l'autre. L'auditeur peut choisir de suivre le thème aigu ou le thème grave. Quel que soit le thème sur lequel il porte son attention, celui-ci devient la figure, tandis que l'autre sert d'accompagnement.

Sous bien des aspects, la richesse de la musique dépend des structures de la perception. Nous pouvons choisir un thème et le suivre. Par exemple, nous écoutons la basse pendant un certain temps puis nous passons à d'autres instruments. Nous apprenons à suivre la «forme» musicale d'un instrument à l'autre. Plus on écoute un morceau, plus on y découvre de thèmes. Toujours, le thème sur lequel notre attention se porte constitue la figure, tout le reste devient le fond. Allez écouter de la musique, que ce soit une oeuvre complexe de Bach ou de Stravinsky, ou encore un bon morceau de rock ou de jazz. Essayez d'écouter cette musique de différentes façons. Le grand nombre des organisations possibles n'est pas évident tant qu'on n'a pas commencé à les remarquer. Il faut parfois écouter la même pièce des dizaines de fois avant qu'une forme particulière ressorte clairement et distinctement. Comme pour la perception visuelle, le fait

Figure 1-12

de savoir quoi écouter semble faciliter la perception, et dès qu'on a découvert une structure particulière, il est difficile, par la suite, d'y échapper.

La capacité de structurer et de distinguer les composantes particulières d'une image visuelle dépend-elle entièrement de l'aptitude à construire des perceptions familières? Pas du tout. Durant l'interprétation des messages visuels, nous semblons séparer et traiter,en tant qu'unité,tout groupe qui présente certaines caractéristiques distinctes. Un amas de formes similaires ou une interruption dans une séquence répétitive quelconque peuvent apparaître comme des figures. Un principe classique utilisé pour la composition de dessins intéressants est de s'assurer qu'il y ait un point d'attraction de l'intérêt, en prévoyant une telle interruption dans une séquence répétitive. Plusieurs artistes contemporains sont passés maîtres dans l'art de découvrir toute la gamme des compositions pouvant produire des regroupements «figure-fond» intéressants. Les illustrations 1-13 et 1-14 en sont des exemples.

FORMES DÉPOURVUES DE SENS

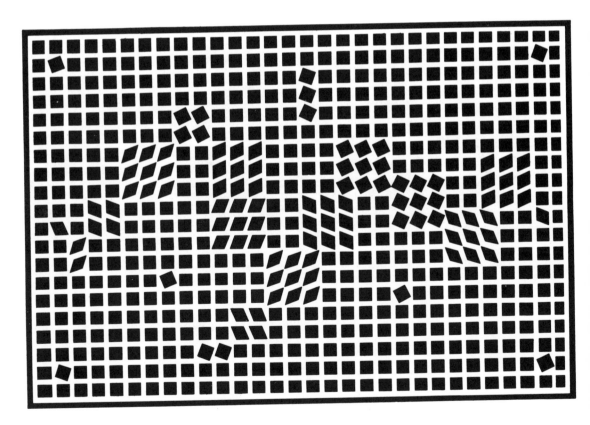

Victor Vasarely, «*Tlinko*». 1956. *Vasarely 1*, p. 120, Éditions du Griffon, Neuchâtel - Suisse.   Figure 1-13

Figure 1-14   François Morellet, «*Doubles trames, traits minces: 0°- 22,5° - 45°- 67,5°*». Collection: Musée d'Art Moderne, Paris. Courtoisie de l'artiste.

De quelle façon fragmentez-vous ces images? Qu'y regardez-vous? Pourquoi les organisations semblent-elles se modifier dans certaines des images? Ces illustrations nous éclairent sous différents aspects. D'abord, les objets n'ont pas besoin d'être significatifs ou familiers pour que les mécanismes d'organisation entrent en jeu. Deuxièmement, il est difficile, sinon impossible, d'empêcher l'organisation de l'information. Regardez attentivement ces figures. L'organisation fluctue, prenant tantôt une forme, tantôt une autre; il y a presque toujours une certaine structure, même si l'artiste a délibérément essayé d'éviter les formes habituelles d'organisation; c'est l'observateur qui les crée. La figure 1-15 est particulièrement intéressante puisqu'on peut y percevoir de longs tubes rectangulaires horizontaux ou verticaux, ou simplement des formes changeantes de grands triangles. Mais, peu importe la forme que nous y voyons, il y en a presque toujours une de présente. Que la figure soit significative ou non, familière ou nouvelle, le traitement dirigé-par-données et le traitement dirigé-par-concepts interagissent pour imposer une organisation.

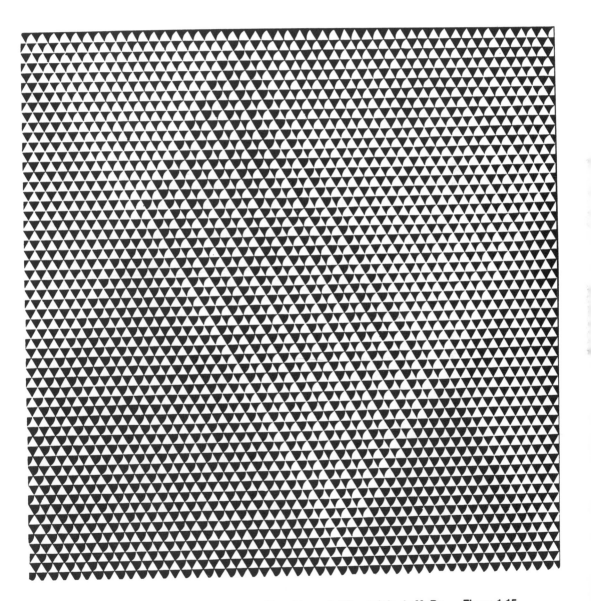

Bridget Riley, *«Tremor»*, 1962. 122 cm × 122 cm. (Tremblements) Courtoisie de M. David M. Winton.   Figure 1-15

ADAPTATION DES DONNÉES À LA CONCEPTUA- LISATION

Les illusions peuvent faire ressortir d'autres aspects importants de l'organisation de l'information visuelle. L'illusion consiste à présenter un ensemble ambigu de données sensorielles dans le but de cerner certaines caractéristiques du système perceptif par l'analyse des types d'erreurs qui sont effectuées. On peut donc, de cette façon, examiner plus en détail certaines opérations du système qui, normalement, ne seraient pas observables. Regardez la figure 1-16. Elle peut représenter soit un objet couché (figure 1-17), soit un objet debout (figure 1-18).

Pour fabriquer cet objet*, prenez une feuille de papier assez rigide, pliez-la et placez-la comme l'indique la figure 1-19. Installez-vous directement en face, fermez un oeil et regardez le pli en un point équivalent au point 0 sur la figure. Tout d'abord, l'image vous apparaît comme celle de la figure 1-17. Mais si vous continuez à la regarder attentivement, le papier semblera soudainement se tenir debout comme à la figure 1-18. Il vous faudra peut-être un peu de concentration et d'exercice, mais essayez. L'illusion en vaut la peine. Lorsque vous verrez la feuille comme à la figure 1-18, balancez légèrement la tête de l'avant vers l'arrière (souvenez-vous qu'il est nécessaire de garder un oeil fermé). Voyez ce qu'il advient de l'objet.

Il y a deux façons différentes d'organiser l'image de cette figure. Lorsqu'on perçoit l'objet comme s'il était couché, tous les indices de profondeur concordent. Cependant, lorsque la feuille se tient debout, les ombres et les contours ne sont plus ce qu'ils devraient être (ce qui fait paraître l'objet quelque peu lumineux), et si vous bougez la tête, l'objet semble constitué d'une substance élastique qui se tord et se déforme. Cela s'explique ainsi: lorsqu'on bouge la tête, l'image du point le plus rapproché du pli bouge plus vite sur la rétine que celle du point le plus éloigné. C'est là la forme de stimulation normale pour des éléments d'une scène qui ne sont pas à la même profondeur (on appelle ce phénomène la *parallaxe de mouvement*). Lorsqu'on perçoit l'objet dans son orientation réelle, la parallaxe de mouvement concorde avec le mouvement. Cependant, lorsqu'on voit l'objet comme s'il se tenait debout, tous les points le long du pli semblent à égale distance de l'oeil, et la seule façon de rendre le mouvement perçu cohérent avec l'organisation verticale, c'est de considérer que l'objet se tord et se déforme. Même si vous savez très bien que la feuille ne peut se comporter ainsi, les données sensorielles vous forcent à la percevoir de cette façon. Toutes les données sensorielles sont utilisées pour permettre de construire une interprétation cohérente du monde visuel.

Avant de jeter votre feuille de papier, tentez de nouveau l'expérience, mais cette fois, placez la feuille de telle sorte qu'un côté soit bien éclairé. Lorsque l'objet passe de la position horizontale à la position verticale, portez une attention particulière aux changements de la brillance apparente du côté ombragé de l'objet. Pouvez-vous expliquer ces différences de brillance?

---

*Il est préférable de faire vous-même l'expérience de chacune des illusions: une simple lecture n'apprend pas grand-chose.

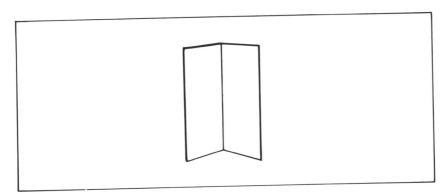

Figure 1-16

Figure 1-17

Figure 1-18

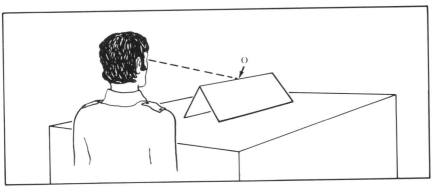

Figure 1-19

L'importance des règles

Les derniers exemples étudiés ont illustré un même aspect théorique: les perceptions sensorielles doivent être interprétées. Mais, suivant quelles règles se fait cette interprétation?

Regardez la figure 1-20. On y perçoit immédiatement un ensemble de blocs à trois dimensions, dont certains en recouvrent d'autres. Quelle information utilise-t-on pour déterminer comment les différentes surfaces d'un bloc se combinent pour former des figures? Comment sait-on que les surfaces 20 et 18 ou (pour prendre un exemple plus difficile) 3 et 29 appartiennent à la même figure? Pour répondre à ces questions, il faut prendre en considération les lignes et les angles extraits de l'image. Plusieurs méthodes peuvent servir à analyser cette figure. Ce diagramme provient des travaux de Guzmán (1969), un informaticien intéressé à dégager les règles qui pourraient permettre à un ordinateur d'effectuer cette tâche.

Guzmán a analysé plusieurs scènes de ce genre et en a conclu que l'information la plus pertinente, concernant les objets qui se recoupent, provient de l'étude des intersections, c'est-à-dire des endroits où plusieurs lignes se rencontrent (voir figure 1-21). Par exemple, si une intersection forme un **L**, il est probable que la surface de gauche (*a*) n'appartienne pas au même objet que la surface de droite (*b*). Cependant, dans le cas d'une **fourche**, les trois surfaces (*d*, *e* et *f*) peuvent appartenir au même objet. Une **flèche** signifie habituellement qu'il y a deux objets, dont l'un comporte les surfaces *h* et *i*, et l'autre la surface *j*.

Figure 1-20

Guzmán (1969).

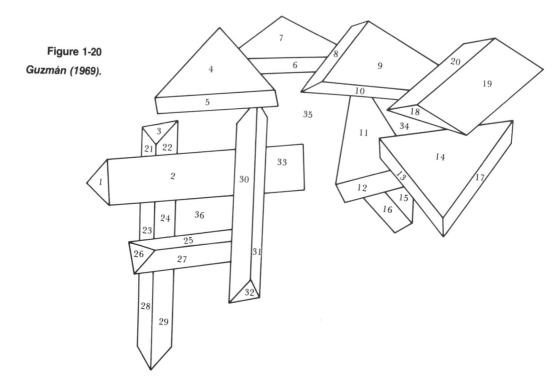

Figure 1-21

Guzmán (1969).

L — Deux lignes qui forment un angle.

Fourche — Trois lignes qui forment des angles inférieurs à 180°.

Flèche — Trois lignes, qui se rencontrent en un point, l'un des angles étant supérieur à 180°.

T — Trois lignes concourantes, dont deux forment une droite.

K — Deux des lignes forment une droite passant par le centre, et les deux autres se trouvent du même côté de celle-ci.

X — Deux des lignes forment une droite passant par le centre, et les deux autres se trouvent de part et d'autre de celle-ci.

Pic — Contient quatre lignes ou plus, et le point de rencontre est au sommet.

Multi — Quatre lignes concourantes ou plus, qui n'entrent dans aucune des catégories précédentes.

C'est souvent l'intersection de type **T** qui nous donne l'indice décisif quant à la construction finale de la figure. Un **T** peut signifier qu'un objet est devant un autre, de sorte que les surfaces k et l appartiennent à un objet qui est derrière la surface m. Donc, lorsqu'on trouve un **T**, on doit voir s'il y en a d'autres à proximité qui s'alignent correctement avec le premier.

À la figure 1-22, les deux **T** permettent à eux seuls de conclure que les surfaces *o* et *p*, *r* et *s*, *o* et *r*, ainsi que *p* et *s*, proviennent du même objet. À l'aide de l'information supplémentaire fournie par la **fourche** (*r*, *s* et *z* appartiennent à la même figure), nous pouvons interpréter la figure sans ambiguïté: *q* est un objet, *o*, *p*, *r*, *s* et *z* forment un autre objet et *u* constitue l'arrière-plan.

Cette analyse n'a illustré que certains des principes les plus simples qui interviennent dans l'interprétation de dessins, eux aussi, très simplifiés. Pour comprendre des agencements plus complexes, nous avons besoin de plus d'information. Ainsi, comme le montre la figure 1-23, les ombres peuvent jouer un rôle important lorsqu'il s'agit de situer les divers éléments d'une image les uns par rapport aux autres.

Figure 1-22

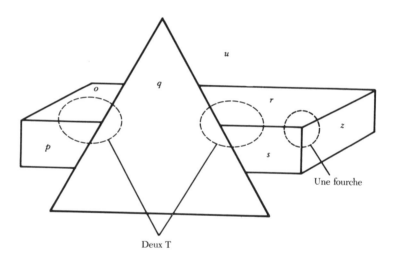

Une fourche

Deux T

Toutefois, même les ombres ne permettent pas toujours de comprendre complètement une image; nous devons aussi savoir ce que les objets représentent. Regardez la figure 1-24. Les deux formes coniques sont perçues comme deux objets distincts: l'un est une rue, l'autre est la partie supérieure d'un bâtiment. Ces cônes sont dessinés de façon presque identique et pourtant, ils représentent des objets fort différents. Le cône de gauche est de toute évidence orienté verticalement et ses côtés ne semblent pas parallèles. L'autre cône, de mêmes dimensions, est une rue dont les côtés, perçus comme parallèles, semblent se rejoindre à l'infini. La même information visuelle peut donc

Figure 1-23
Waltz (1975).

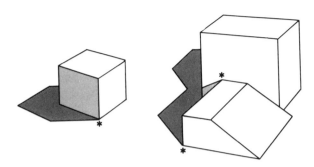

a) Dans ces scènes, les intersections marquées d'un (*) montrent bien que
les deux objets, ainsi que l'objet et la table, se touchent.

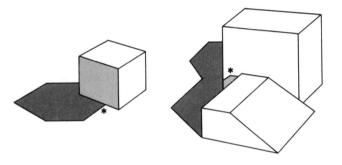

b) Dans ces scènes, les intersections marquées d'un (*) montrent bien
que les deux objets, ainsi que l'objet et la table, ne se touchent pas.

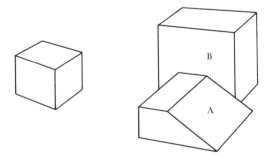

c) Dans ces scènes, aucun indice ne permet de relier les objets entre eux
ou à la table; il est impossible de décider s'ils se touchent ou non.

être interprétée de façons très différentes. Ici, comme dans la plupart des cas de perception visuelle, on ne peut interpréter une partie du tableau avant qu'il y ait une conceptualisation de la scène entière.

Ces exemples illustrent l'emploi de deux sources distinctes d'information: d'abord, l'information particulière sur la figure fournie par l'analyse de l'intersection des lignes; ensuite, l'interprétation de la signification de ces intersections. L'information fournie par les caractéristiques locales du tableau se combine avec son interprétation globale. Ce double processus — l'extraction des caractéristiques et l'interprétation — se rapproche de la distinction faite plus haut entre le traitement dirigé-par-données et le traitement dirigé-par-concepts. Ces processus reviendront continuellement à mesure que nous traiterons des expériences perceptives. De plus, les implications de ce double processus ne se font pas seulement sentir dans l'analyse des figures constituées de blocs par exemple, mais aussi dans des situations où il y a conflit entre les implications des caractéristiques locales et l'interprétation globale. Lorsque de telles contradictions se produisent, la perception qui en résulte fait apparaître le conflit de façon évidente.

PERCEPTION DE L'ESPACE

Nous percevons normalement l'espace en trois dimensions. Les objets éloignés apparaissent plus petits que les objets rapprochés. Les textures changent selon la distance et l'angle d'observation. Les lignes parallèles convergent à mesure qu'on s'éloigne. Puisque l'humain vit et se déplace dans un monde à trois dimensions, il est normal que son appareil visuel ait évolué vers un mode de représentation tridimensionnelle des images qu'il perçoit. Examinons certaines règles que l'appareil visuel pourrait avoir adoptées et voyons comment elles peuvent expliquer certains phénomènes.

Dans une forme visuelle, lorsque des lignes ou des arêtes convergent, deux interprétations sont possibles. Il peut s'agir d'un objet bidimensionnel vu directement du dessus; ses lignes sont alors réellement convergentes. Il peut s'agir aussi d'un objet à trois dimensions vu à un certain angle, auquel cas les lignes sont vraiment parallèles et la convergence apparente est le résultat de la distance. Il semble que le choix de l'interprétation s'effectue après l'analyse de tous les indices qui s'offrent à l'observateur. Les deux formes coniques de l'oeuvre de Magritte (figure 1-24) en sont un excellent exemple.

L'aptitude à percevoir le relief est indépendante, du fait que les objets soient familiers ou non à l'observateur. Dans la figure 1-25, le peintre Jeffrey Steele a su créer, par l'utilisation très précise de la perspective dans une forme répétée sans fin, une illusion de profondeur à laquelle on ne peut échapper.

Des lignes horizontales qui sont en réalité espacées également sont projetées sur la rétine avec des séparations de plus en plus petites. Regardez le dessin de la figure 1-26.

Si notre regard se déplace du centre vers la droite, la forme semble fuir vers l'arrière parce que l'espacement des lignes est réduit systématiquement. En fait, si nous examinons bien la géométrie de cette figure, nous constatons que

René Magritte, «*Les Promenades d'Euclide*». Courtoisie du Minneapolis Institute of Arts.   Figure 1-24

Figure 1-25   Jeffrey Steele, «*Baroque Experiment: Fred Maddox*». Collection: Hon. Anthony Samuel. Courtoisie de l'artiste.

le gradient de l'espacement entre les lignes donne des informations assez pré-cises sur l'angle et la distance. La figure 1-27 illustre bien ce phénomène; l'ob-servation, à différentes inclinaisons, d'une surface plane comportant une série de lignes horizontales espacées également permet de percevoir les différents gradients. L'espacement des lignes indique clairement l'angle que fait la surface. Cependant, la distance n'est pas connue, puisque dans ce dia-gramme, le gradient de l'espacement des lignes est le même, peu importe la distance de l'objet par rapport à l'observateur (nous assumons ici qu'il est impossible de connaître l'espacement réel des lignes horizontales). D'autre part, lorsqu'on possède des informations sur les côtés de la surface, comme c'est le cas ici, des contraintes supplémentaires interviennent.

Figure 1-26

Carraher et Thurston (1968).

La figure 1-27 montre que, selon l'inclinaison d'une surface plane compor-tant des lignes espacées également, celles-ci deviennent plus serrées et plus courtes sur l'image perçue, lorsqu'elles sont plus éloignées. Ce phénomène bien connu est responsable de bon nombre d'illusions d'optique.

Ainsi, à la figure 1-26, l'extrémité de l'objet nous semble plus éloignée, mais elle nous apparaît aussi plus large, même si (et justement à cause de ce fait) les lignes verticales sont toutes de même longueur. Puisque ce diagramme con-tient des informations incompatibles, il n'est pas surprenant que l'interpréta-tion qui en résulte soit, elle aussi, un conflit.

Figure 1-27

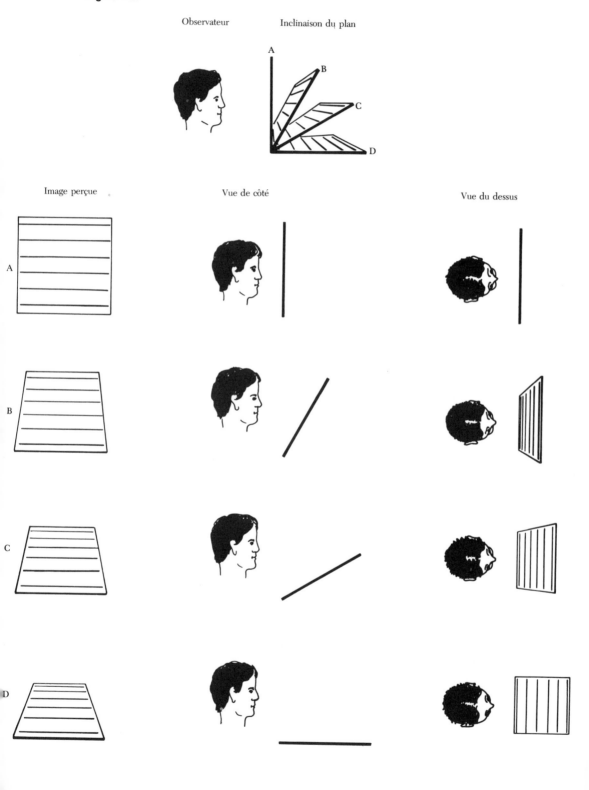

Observateur Inclinaison du plan

Image perçue Vue de côté Vue du dessus

Il n'est pas difficile de donner une impression de profondeur. Comme l'illustre la figure 1-28, plusieurs types de gradients de surface peuvent jouer ce rôle. Lorsqu'on perçoit un objet rectiligne de face, les lignes qui forment son contour se coupent à angle droit. Si l'on fait subir à l'objet une inclinaison ou une rotation dans l'espace, les angles ne sont plus perçus comme des angles droits sur la rétine, et l'importance du changement de l'angle perçu varie selon l'orientation de l'objet dans l'espace. L'interprétation en fonction de la profondeur de cet écart de l'angle perçu par rapport à l'angle droit permet d'extraire des informations sur la distance.

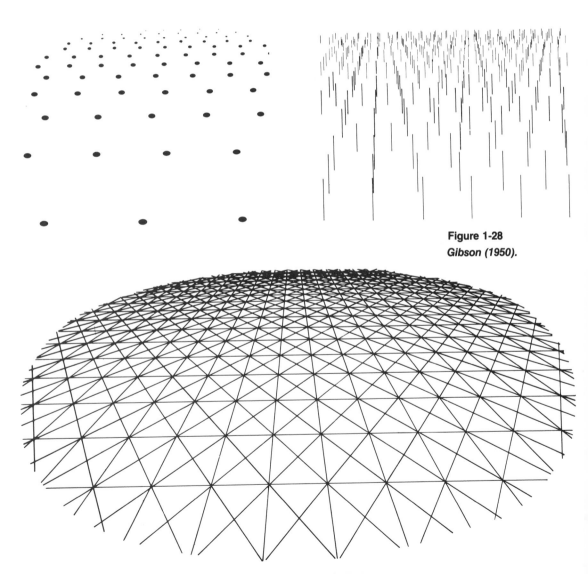

Figure 1-28
Gibson (1950).

Par exemple, à la figure 1-29, nous voyons facilement laquelle des deux barres coupe la ligne verticale à angle droit. Toutefois, à la figure 1-30, le même arrangement s'interprète différemment lorsqu'on ajoute de l'information sur la profondeur.

Figure 1-29

Figure 1-30

FORMES IMPOSSIBLES

Voici une autre façon d'étudier l'opération par laquelle nous essayons, durant leur interprétation, de rendre les objets tridimensionnels: construisons un dessin dans lequel les parties ne peuvent être mises ensemble et former un tout logique. La figure 1-31 illustre, à gauche, chaque partie séparée d'une image.

Elles ressemblent à des coins ou à des côtés d'un objet tridimensionnel quelconque. À droite, toutes les parties ont été mises ensemble.

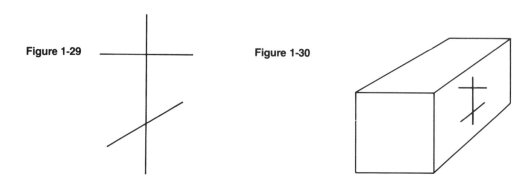

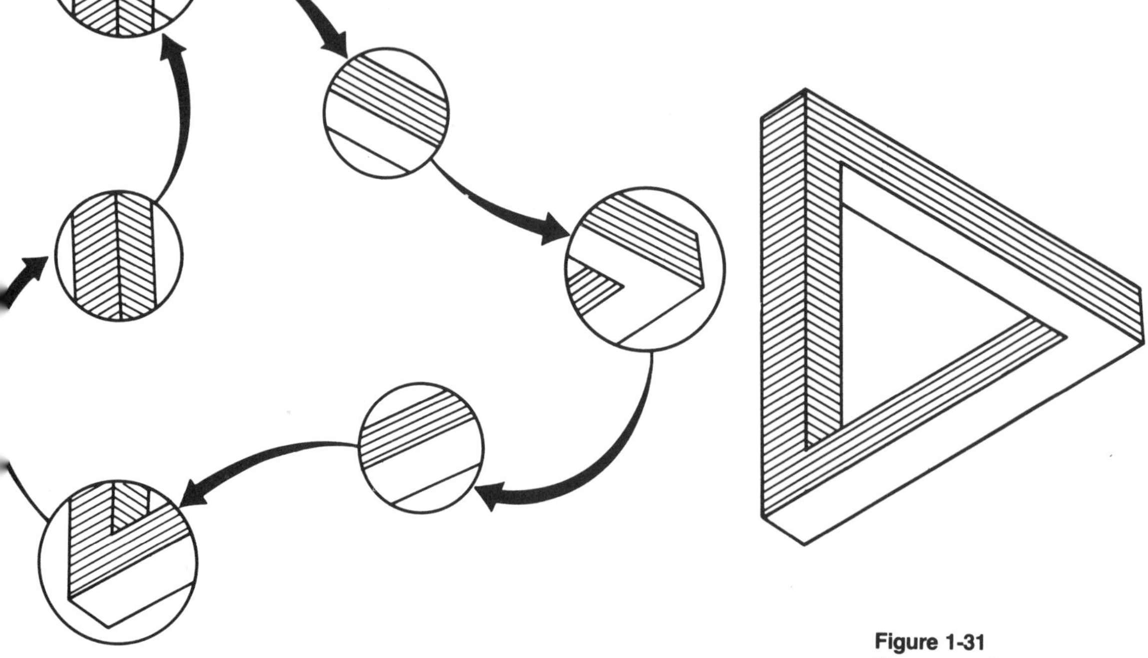

Figure 1-31
Penrose et Penrose (1958).

Penrose et Penrose (1958).

Figure 1-32

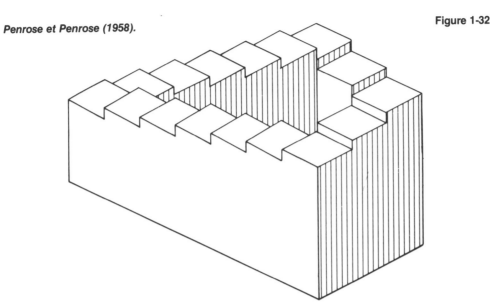

M.C. Escher, «*Cube with Magic Ribbons*». Collection: Haags Gemeentemuseum La Haye.

Figure 1-33

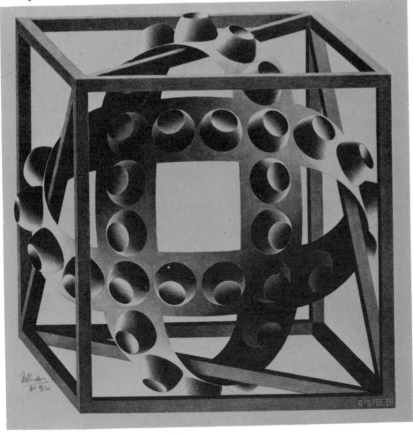

Figure 1-34   Josef Albers, «*Structural Constellations*». 1953-1958. Tiré de *Despite Straight Lines*, p. 63, 79. Courtoisie de l'artiste.

Qu'est-il arrivé? Les pièces ne vont pas bien ensemble, la figure est impossible. Mais dans un dessin, rien n'est impossible; toute réunion de lignes ou d'angles est permise. Ce sont les caractéristiques individuelles du dessin qui entrent en conflit avec notre interprétation globale. Les figures 1-32, 1-33 et 1-34 en sont d'autres exemples.

L'IMPORTANCE DU CONTEXTE

Rien n'est traité isolément. Toute information doit être intégrée dans une interprétation globale et cohérente de la scène visuelle. Ainsi, les trois barils de la figure 1-35 sont évidemment de grandeurs différentes et pourtant, il est facile de changer leurs dimensions relatives apparentes: il suffit d'ajouter de l'information contextuelle.

Encore ici, l'effet de contexte ne dépend pas du fait que les objets utilisés

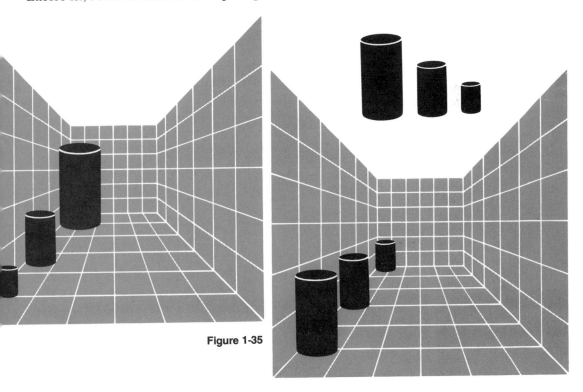

Figure 1-35

soient familiers ou non. À partir de simples dessins de lignes, nous pouvons obtenir des effets fort subtils.

Habituellement, toutes les informations contextuelles sont compatibles. L'image de la grandeur d'un objet varie proportionnellement à son éloignement. Les distances et les dimensions relatives sont exactement ce qu'elles doivent être. Cependant, ni les artistes ni les psychologues ne sont astreints à étudier des situations de la vie réelle. Les surréalistes se complaisaient à découvrir et à violer intentionnellement les règles de construction en ce qui a trait aux perceptions logiques.

Figure 1-36a

Figure 1-36b

Figure 1-36c

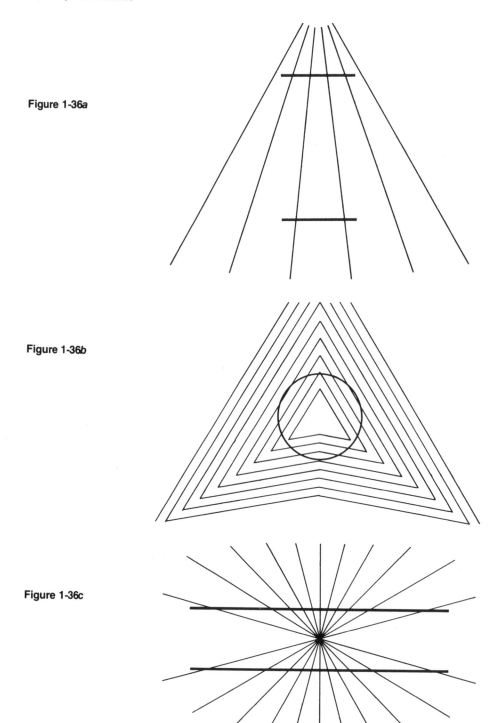

À la figure 1-36*a*, les deux lignes horizontales sont de même longueur. La figure 1-36*b* contient un cercle parfait. À la figure 1-36*c*, les deux lignes horizontales sont parallèles. *Luckiesh (1965).*

À la figure 1-37, nous pourrions percevoir la pomme comme étant de grosseur normale, si nous pouvons supposer que la chambre est très petite. Magritte a si méticuleusement peint la chambre et la pomme de façon réaliste qu'aucune des deux ne peut être aisément ramenée à l'échelle de l'autre. Il a violé les règles pour produire une image intéressante.

René Magritte, «*La chambre d'écoute*». Collection: M. William N. Copley.   Figure 1-37

Tous ces phénomènes suggèrent que le processus de mise en commun des bribes d'information sensorielle doit aboutir à une image cohérente du monde. En laboratoire, nous pouvons créer des situations où l'information visuelle est ambiguë ou incomplète. Ainsi, dans le truc du papier plié, l'information sur l'orientation réelle de la figure est éliminée lorsqu'on regarde l'objet avec un seul oeil et que la position de la tête est relativement stable. Ce n'est qu'une fois l'illusion perçue qu'il est possible de bouger légèrement la tête et d'ajouter de nouveaux éléments de profondeur. Cependant, ces éléments sont alors interprétés en fonction de la nouvelle perception. Aussi longtemps que l'interprétation est possible (peu importe qu'elle soit unique ou déconcertante), l'illusion est maintenue.

Analyse des caractéristiques

La dernière section portait sur l'interprétation des caractéristiques sensorielles et sur les règles de la perception. Mais que peut-on dire maintenant au sujet des caractéristiques elles-mêmes? Quelle information le système nerveux extrait-il des signaux qui arrivent aux organes sensoriels? Là encore, l'étude des anomalies de la perception permet de mieux comprendre les phénomènes. En fait, il est possible d'employer des techniques d'enregistrement physiologique pour étudier le fonctionnement du système sensoriel et les activités des cellules nerveuses elles-mêmes. Les résultats de ce mode d'investigation seront présentés au chapitre 6. Mais avant d'aborder l'étude du système nerveux, il est important d'examiner certaines des propriétés les plus générales du schème d'extraction des caractéristiques, en étudiant les effets qu'ont ces propriétés sur la perception.

Examinons les figures 1-38 et 1-39. À la figure 1-38, il y a une légère tache grise aux intersections de toutes les lignes blanches, sauf à l'intersection que vous regardez. À la figure 1-39, nous percevons les carrés gris intérieurs plus ou moins foncés alors qu'ils ont tous, en fait, la même intensité. Ces deux figures illustrent un principe d'analyse sensorielle: les cellules nerveuses sont en interaction. Ainsi, les récepteurs d'une certaine partie de l'image subissent l'effet de l'activité des récepteurs voisins. Ces effets n'apparaîtraient pas si les récepteurs étaient indépendants les uns des autres et envoyaient simplement un signal pur et ininterrompu au cerveau. En fait, à la figure 1-38, il y a un endroit de l'image où les récepteurs interagissent peu: c'est l'intersection regardée, qui n'est pas ombragée. (Ce point correspond, dans l'oeil, à une petite surface appelée la *fovéa*. Nous en reparlerons aux chapitres 2 et 3.) La figure 1-40 donne un autre exemple. Il semble y avoir des lignes diagonales entre les carrés. Elles ne sont pourtant pas là. Ce sont les interactions nerveuses qui les ajoutent à l'image.

Ces exemples simples illustrent bien toute la puissance du système d'extraction des caractéristiques, mais ils ne nous disent pas comment ce système fonctionne. Deux processus psychologiques nous permettent d'obtenir plus d'information sur le fonctionnement du mécanisme d'extraction des caractéristiques:

- premièrement, les yeux sont constamment en mouvement. Si ce mouvement est arrêté, les images disparaissent. Leur façon même de disparaître nous permet de déceler certaines des propriétés du mécanisme d'extraction des caractéristiques;
- deuxièmement, la perception prolongée d'une image laisse des traces qui affectent la perception ultérieure. L'effet de ces images consécutives nous fournit d'autres indices sur le fonctionnement du système visuel.

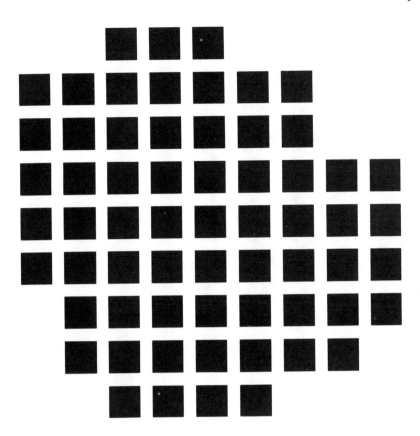

La grille de Hering: des taches grises apparaissent à chaque intersection, excepté à celle que vous regardez.   Figure 1-38

Contraste simultané: les petits carrés ont tous la même intensité. *Cornsweet (1970).*   Figure 1-39

Figure 1-40   *Lignes de Springer*: le phénomène des lignes diagonales apparentes (qui n'y sont pas en réalité) a été découvert par Robert Springer.

ARRÊT DES IMAGES   L'image dans l'oeil est en mouvement constant, non seulement en raison des mouvements de la réalité perçue, mais aussi parce que l'oeil tremble continuellement. On nomme ce petit mouvement sautillant le *nystagmus physiologique*. En fait, les yeux bougent de différentes façons sans qu'on s'en rende compte: l'un de ces mouvements est court et rapide, les yeux se mouvant dans un angle d'environ $20''$ (secondes d'arc), 30 à 70 fois par seconde [il y a $60''$ par minute et $60'$ (minutes d'arc) par degré; ainsi, $20''$ égalent $\frac{1}{180}°$ (degré)]; un autre mouvement est long et oscillatoire; un troisième s'effectue lentement, dans un sens ou dans l'autre, sur quelques minutes d'arc; enfin, il existe aussi de petits coups rapides, secs ou saccadés, d'une amplitude de $5'$ environ, lesquels corrigent souvent les mouvements lents. Vous verrez l'effet de ces mouvements dans l'expérience qui suit.

Fixez le point noir de la figure 1-41 (le point au centre de la figure) et essayez de garder vos yeux aussi immobiles que possible. Regardez-le jusqu'à ce que le noir et le blanc de l'image semblent miroiter (environ 30 s). Déplacez alors votre regard vers le point blanc. Vous devriez voir une série de blocs blancs sur fond sombre, qui se superposent à l'image. L'image consécutive de la grille oscillera constamment sur le dessin, peu importe les efforts que vous ferez pour la stabiliser. C'est ce qu'on appelle le nystagmus physiologique.

Ce qui est intéressant toutefois, ce n'est pas que les yeux soient continuellement en mouvement, mais que l'image visuelle disparaisse lorsqu'on arrête ce mouvement. Ce phénomène nous renseigne sur le fonctionnement des systèmes de réception et d'analyse sensorielle.

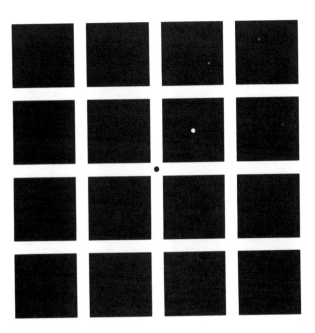

Verheijen (1961).

Figure 1-41

On peut utiliser plusieurs techniques pour arrêter le mouvement de l'image visuelle sur la surface de la rétine (Riggs, Ratliff, Cornsweet et Cornsweet, 1953). La figure 1-42 illustre l'une d'entre elles. Un petit miroir est attaché à une lentille de contact. L'image que le sujet doit voir est d'abord projetée sur ce miroir qui, à son tour, projette l'image vers un écran et des miroirs. Si l'oeil bouge vers la droite, le miroir le suit et l'image est déplacée vers la droite. Lorsque le système est bien calibré, il est possible de faire bouger l'image exactement du même angle visuel que l'oeil, de sorte que l'image perçue sur la rétine ne change pas de position, indépendamment des mouvements de l'oeil.

Lorsqu'on regarde une scène visuelle à l'aide d'un tel appareil, après quelques secondes, l'image s'estompe graduellement, ne laissant qu'un champ vide et homogène. La figure 1-43 montre comment la disparition se produit. L'image de gauche de chaque rangée est l'image originale; les quatre autres nous montrent comment elle disparaît. On peut remarquer que les images s'estompent d'une façon particulière; elles ne s'effacent pas progressivement, mais elles disparaissent par unité d'information significative. Des segments entiers s'effacent, laissant visibles d'autres parties de l'image. Plus une image a de sens, plus elle dure longtemps. La partie de l'image qui retient le plus l'attention est la dernière à disparaître. Vous pouvez essayer vous-même cette expérience en regardant attentivement les planches couleur I et V (qui suivent la page 121 du livre). Si durant 60 à 90 s, vous regardez sans bouger les yeux le centre de chacune de ces planches, les lignes disparaîtront

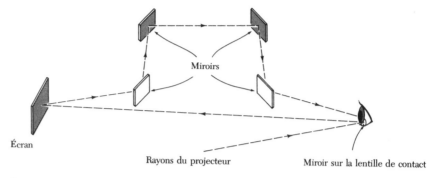

Figure 1-42   *Riggs, Ratliff, Cornsweet et Cornsweet (1953).*

non pas graduellement, mais par segments.

La planche couleur I présente une reproduction de la lithographie de l'artis-te anglais Peter Sedgley, *Looking Glass Suite No. 9.* Remarquez le flou des cercles concentriques: cette caractéristique est voulue. En fait, c'est l'un des secrets de l'effet produit. Maintenant, regardez cette image d'assez près, sans bouger les yeux. Soyez patient car l'effet n'apparaîtra pas immé-diatement. D'abord, le cercle du milieu disparaît. Puis, certaines parties des autres cercles sont éliminées, non pas graduellement, mais par seg-ments. Finalement, les deux cercles disparaîtront, faisant place à un champ

Figure 1-43   R.M. Pritchard, *Stabilized images on the retina.* Copyright 1961, Scientific American, Inc. Tous droits réservés.

jaune et homogène. Si vous bougez les yeux, même légèrement, l'image réapparaîtra. (Ne soyez pas surpris s'il faut un certain temps avant que l'image disparaisse complètement. L'effet de l'exercice est important: plus vous l'essayez, plus c'est facile. La première fois, c'est parfois extrêmement difficile, mais l'expérience en vaut la peine.)

Notez que lorsque les cercles disparaissent, un champ jaune les remplace. Lorsque les circuits de neurones cessent de fonctionner normalement, l'absence des cercles n'est pas remarquée. Ici, l'information concernant les cercles est absente, mais celle de la couleur est présente: c'est pourquoi nous ne percevons que la couleur.

Quelle est l'explication de ces effets? La perception d'une forme dépend de l'activité de détecteurs de caractéristiques très complexes, de circuits nerveux qui détectent les lignes, les arêtes, les angles et peut-être aussi les cercles. Tant que les récepteurs nerveux envoient de l'information, les détecteurs de caractéristiques peuvent répondre et la forme perçue reste intacte. Cependant, lorsque le mouvement de l'oeil s'arrête, les récepteurs cessent de répondre. N'obtenant plus, à son tour, suffisamment de réponses de l'oeil, le détecteur cesse lui aussi de répondre et la forme disparaît complètement. Nous pouvons maintenant comprendre les observations faites précédemment: 1) les images complexes persistent plus longtemps que les images simples; 2) des segments complets de l'image apparaissent et disparaissent brusquement; 3) il y a distorsion des images complexes lorsque le signal sensoriel s'affaiblit, obligeant les mécanismes perceptifs à faire des erreurs en interprétant les données encore disponibles.

Deux questions subsistent encore. 1) Les autres sens fonctionnent-ils ainsi? (Par exemple, un signal auditif constant devient-il inaudible après un certain temps?) 2) Pourquoi les cercles de Sedgley disparaissent-ils, même si aucun appareil n'arrête le mouvement des yeux? La réponse à la première question est simple: il n'existe pas de signal auditif qui soit constant. En effet, un timbre qui semble avoir une hauteur et une intensité constantes consiste, en réalité, en une forme changeante de la pression de l'air. Les signaux auditifs possèdent donc leur propre mouvement, tandis que le système visuel doit l'ajouter artificiellement. D'autres systèmes comme le goût et le toucher s'adaptent à la stimulation. Par exemple, on ne sent plus sa montre-bracelet après l'avoir portée quelques minutes. On ne la remarque que lorsqu'elle bouge. Un goût ou une odeur constante disparaît après un certain temps. Pour maintenir la perception, il semble que les systèmes sensoriels exigent des changements de stimulation. Si on arrête les mouvements de l'oeil, aussitôt la perception s'arrête.

Quant à la deuxième question, il suffit pour y répondre d'observer que l'image a été ingénieusement conçue de façon à ce que ses contours flous donnent l'impression qu'elle disparaît. Même si l'oeil bouge légèrement lorsqu'on regarde l'image, la forme vibratoire reproduite sur la rétine consiste en un ensemble flou qui se déplace entre les récepteurs (voir la figure 1-44). La transition d'une teinte à l'autre se fait si doucement que le mouvement de la forme floue ne permet pas aux cellules réceptrices de percevoir le changement de stimulation.

Les données sur le comportement ainsi obtenues, ne doivent pas nous conduire à conclure trop rapidement sur les mécanismes nerveux. Nous devons considérer soigneusement d'autres explications possibles. Ainsi, certaines difficultés techniques de l'appareil, telles qu'un glissement de lentilles, peuvent être la cause de ces disparitions et réapparitions de l'image. L'image n'est peut-être pas parfaitement arrêtée. Il se peut aussi que nous soyons portés à conclure que l'apparition et la disparition se font par segments significatifs, uniquement parce que ce sont là les seuls changements de perception qui soient faciles à décrire.

Ces dernières affirmations ne doivent pas jeter le discrédit sur le phénomène, mais au contraire, stimuler la recherche future. Les travaux sur l'arrêt des images nous aideront peut-être à mieux comprendre le lien entre nos expériences visuelles et les mécanismes nerveux propres à la vision humaine.

EFFETS CONSÉCUTIFS

Les effets consécutifs produits après une forte stimulation constituent une seconde source importante d'information sur la perception humaine. Lorsqu'on regarde une lumière de couleur durant un certain temps et que, tout de suite après, on regarde une surface blanche, on voit encore l'image, mais dans sa couleur complémentaire. Si la lumière originale est rouge, l'image consécutive est verte; si elle est bleue, elle apparaît jaune et si elle est noire, elle deviendra blanche.

De même, si vous vous tenez dans l'encadrement d'une porte et que vous poussez fortement sur les montants avec vos bras comme si vous essayiez de les soulever au-dessus de votre tête, après, vous sentirez vos bras s'élever lentement, comme si vous n'aviez aucun effort à faire. Encore une fois, la façon dont les effets consécutifs d'une stimulation intense sont ressentis nous renseigne sur le fonctionnement interne du système.

Le mouvement produit un effet consécutif particulièrement intense. Il suffit de regarder un objet mobile pendant un certain temps. La chute d'eau est l'exemple classique, mais beaucoup d'autres mouvements produisent le même effet. L'important, c'est de regarder fixement un point et de ne pas bouger les yeux pendant plusieurs minutes, alors que le mouvement suit son cours.

Ensuite, en déplaçant votre regard vers un objet à texture lisse (un mur, ou mieux, un tissu à texture fine comme un rideau ou un couvre-lit), vous verrez un mouvement apparent dans la direction *opposée* à celui de l'objet original. Si l'objet bougeait de haut en bas, le mouvement apparent serait de bas en haut; si vous regardiez une spirale qui, en tournant, donnait l'impression de se contracter, le mouvement consécutif résultant serait celui d'une spirale en expansion. Si vous examinez la surface à texture fine avec soin, vous remarquerez qu'il n'y a pas de mouvement réel; l'image visuelle ne bouge pas. Il y a donc apparence de mouvement même si l'image reste stable.

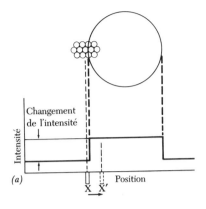

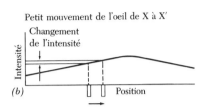

Petit mouvement de l'oeil de X à X'

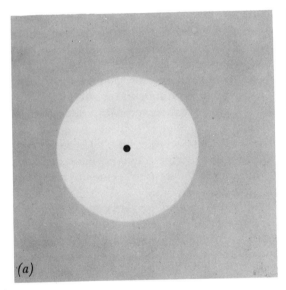

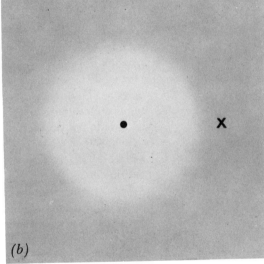

En haut: explication possible de la disparition du disque flou, contrairement au disque clair. Le mouvement involontaire des yeux (nystagmus) produit sur la rétine d'importants changements d'intensité lorsqu'on regarde fixement le disque clair *(a).* Si on regarde le disque flou *(b),* ce même mouvement des yeux ne produit qu'un faible changement d'intensité.

Cette hypothèse explique-t-elle la disparition des anneaux de l'image de Peter Sedgley (planche couleur I)?

En bas: démonstration du rôle des changements d'intensité. Si vous regardez attentivement le point de l'image *(b)* (pour faciliter la tâche, fermez un oeil), le disque flou disparaîtra. Si vous clignez des yeux ou déplacez votre regard vers le X, il réapparaîtra. Le disque clair *(a)* ne disparaîtra probablement pas.

Ces figures sont de Cornsweet (1969).

Figure 1-44

QUE FAUT-IL REGARDER POUR VOIR UN MOUVEMENT CONSÉCUTIF

Nous pouvons facilement produire un effet consécutif en regardant une roue qui tourne trois ou quatre fois par seconde. Pour que le mouvement soit facilement observable, la roue doit être marquée de lignes contrastantes. Une spirale montée sur un disque rotatif produit le meilleur effet de mouvement. Lorsque la spirale tourne, elle semble se contracter ou prendre de l'expansion, selon le sens de sa rotation.

Pour vous permettre d'observer le phénomène du mouvement consécutif, nous vous avons fourni une spirale (figure 1-45) qui peut être reproduite à partir du livre et montée sur le plateau d'un tourne-disque. La spirale est conçue pour tourner à 33⅓ tr/min. Si vous n'avez pas de tourne-disque, insérez un crayon dans le trou du centre et faites tourner la spirale. Mais tournez lentement, à la même vitesse environ qu'un disque microsillon.

Maintenant, regardez attentivement, pendant au moins 30 s, le centre de la spirale en rotation. Attention, ne détournez pas les yeux du centre. Regardez ensuite d'autres objets, ou bien le visage de quelqu'un.

Comme nous l'avons mentionné, l'observation prolongée d'une chute d'eau produit l'un des meilleurs effets de mouvement consécutif. S'il vous est impossible de trouver une chute d'eau ou de construire une roue, d'autres moyens s'offrent à vous. Utilisez un appareil de télévision: réglez d'abord l'image de façon qu'il y ait un maximum d'intensité et de contraste; ensuite, grâce au bouton de commande de synchronisme vertical, réglez soigneusement l'image de façon qu'elle soit continuellement entraînée vers le haut ou vers le bas de l'écran. Malheureusement, l'image du téléviseur, en particulier s'il s'agit d'un bon appareil, bougera par sauts et diminuera ainsi l'effet, de sorte qu'il vous faudra regarder l'image plus longtemps (n'oubliez pas de couper le son).

Finalement, vous pouvez simuler une chute d'eau en faisant couler l'eau du bain ou de la douche, afin d'obtenir un débit aussi élevé que possible. Regardez-le attentivement pendant au moins une minute. Cette dernière méthode n'est pas particulièrement recommandée, quoiqu'elle semble fonctionner.

EFFETS CONSÉCUTIFS DE COULEUR

Regardez la planche couleur II (qui suit la page 121). Regardez attentivement le point noir du panneau de gauche, celui qui contient des coeurs verts. Gardez la tête et les yeux immobiles et concentrez votre regard jusqu'à ce que la figure en entier commence à miroiter. Regardez alors le point noir du panneau blanc. Vous devriez voir une série de coeurs rouges (cligner des yeux peut quelquefois aider à faire apparaître l'image consécutive). L'image consécutive obtenue après avoir regardé attentivement une couleur correspond à la couleur complémentaire ou, si vous préférez, à la couleur opposée. Vous pouvez observer cet effet consécutif de couleur avec n'importe quelle surface bien colorée. Vous pouvez donc l'essayer avec la plupart des autres planches couleur.

En plaçant cette spirale (ou une copie) sur le plateau d'un tourne-disque et en regardant fixement le centre pendant 30 s, on obtient un effet de mouvement consécutif. *Gregory (1970).*   Figure 1-45

Deux aspects des effets consécutifs retiennent immédiatement l'attention: premièrement, un effet consécutif est toujours l'opposé ou le complément d'un mouvement, d'une pression d'un muscle ou d'une couleur (lorsque nous analyserons les mécanismes de la vision des couleurs, nous verrons pourquoi le rouge, par exemple, a pour complément le vert), ce qui laisse supposer l'existence de deux systèmes antagonistes; deuxièmement, l'effet consécutif nécessite la stimulation prolongée d'un des systèmes antagonistes: par exemple, l'exposition prolongée à une des couleurs complémentaires ou à un mouvement continu dans une direction; cela semble indiquer que la capacité de réponse des mécanismes nerveux sous-jacents peut s'adapter ou se fatiguer jusqu'à abaisser la sensibilité aux données sensorielles.

Examinons le mouvement consécutif. Supposons l'existence de détecteurs nerveux propres aux mouvements, où les détecteurs des mouvements dans une direction seraient couplés avec ceux des mouvements en sens opposé. Supposons, de plus, que ces deux classes de détecteurs soient antagonistes, le fonctionnement de l'une inhibant le fonctionnement de l'autre. Nous devons aussi supposer que les détecteurs de mouvements soient regroupés pour former un ensemble détecteur qui réagisse sous forme de réponses nerveuses accrues, lorsque le mouvement se fait dans un sens, et sous forme de réponses nerveuses réduites (quand le mouvement se fait dans la direction opposée). Lorsqu'il n'y a pas de mouvement, les deux classes de détecteurs s'équilibrent et l'ensemble détecteur n'émet qu'une faible réponse, indiquant qu'aucun mouvement n'est perçu.

Il ne reste qu'à faire l'hypothèse que chaque classe de détecteurs du circuit puisse se fatiguer à la suite d'une stimulation prolongée. Si, après un excès de stimulation (et de fatigue) dû à un mouvement, on regarde un objet stationnaire, les détecteurs fatigués ne peuvent plus réaliser l'équilibre avec les détecteurs des mouvements opposés. Le circuit signale alors un mouvement dans la direction contraire.

L'explication de l'effet consécutif de la couleur suit à peu près le même raisonnement. Les cellules nerveuses sont, elles aussi, appariées de sorte que les cellules qui répondent d'une certaine façon sont reliées à des cellules qui répondent de la façon opposée: la réponse résultant de leur appariement est simplement la différence entre les deux réponses. Si un récepteur **rouge** est couplé avec un récepteur **vert**, les deux répondront également en présence d'une lumière blanche, s'inhibant mutuellement. Les cellules **rouges** réagissent à la lumière **rouge** en émettant une réponse positive, tandis que les cellules **vertes** réagissent à la lumière **verte** en émettant une réponse négative. En présence d'une lumière blanche, les cellules **rouges** et **vertes** émettent des réponses qui s'annulent et empêchent les cellules combinées d'émettre une réponse finale. Supposons maintenant que l'on concentre son regard sur une couleur **rouge** pendant un certain temps. À cause de la fatigue, les cellules **rouges** perdent leur capacité de réponse. Si l'on regarde ensuite une lumière blanche, les cellules **vertes** continuent de réagir normalement alors que les cellules **rouges** ne réagissent plus. Puisque les réponses des cellules **vertes** dominent celles des **rouges**, la lumière blanche semble **verte**.

Même si les effets consécutifs nous apprennent que la fatigue peut intervenir à l'un des maillons de la chaîne des opérations qui conduisent à la perception, ils ne nous disent pas quelle partie du système subit cette fatigue. Pour le savoir, nous avons besoin d'information supplémentaire. La meilleure façon est de se demander si l'effet consécutif se transfère d'un oeil à l'autre; on stimule un oeil jusqu'à ce qu'il soit fatigué et on vérifie si l'autre oeil voit l'image consécutive. S'il n'y a pas d'effet consécutif, nous pouvons conclure que les mécanismes périphériques en sont responsables. L'effet consécutif de couleur que nous venons de décrire ne se transfère pas d'un oeil à l'autre. Il y aurait donc un effet de fatigue ou d'adaptation des mécanismes périphériques, probablement causé par l'épuisement des réserves chimiques des récepteurs de l'oeil.

Il est plus difficile de situer la fatigue sous-jacente à l'effet consécutif de mouvement. Certaines études ont démontré que l'effet consécutif du mouvement se transfère d'un oeil à l'autre, laissant supposer que la fatigue intervient au niveau des processus centraux. D'autres études n'ont pu vérifier le transfert.

En conclusion, les effets consécutifs démontrent que le système d'analyse sensoriel est muni de types particuliers de circuits nerveux. Ces effets semblent indiquer la présence de détecteurs particuliers de la couleur et du mouvement.

ADAPTATION À LA COULEUR BASÉE SUR UNE ORIENTATION SPÉCIFIQUE

En étudiant les divers types de détecteurs de caractéristiques chez l'humain, on a découvert une forme d'effets consécutifs pour le moins surprenante.

Nous avons mentionné plus haut qu'il pourrait exister des détecteurs spéciaux de lignes: supposons qu'il y ait non seulement des détecteurs de lignes, mais aussi des détecteurs de lignes colorées. Comment pourrait-on prouver leur existence? Si nous suivons le même raisonnement qu'à la section qui précède, nous pouvons fatiguer un ensemble quelconque de détecteurs de lignes et présenter ensuite un objet neutre. S'il existe un ensemble de caractéristiques complémentaires, nous pourrons ainsi les observer.

Supposons qu'il existe des détecteurs de lignes horizontales rouges et vertes. Après une exposition prolongée à des lignes horizontales vertes, les lignes horizontales blanches devraient apparaître rougeâtres (le blanc contient la même quantité de vert que de rouge). S'agit-il d'un effet propre aux lignes horizontales ou d'une simple adaptation à la couleur verte? Pour le découvrir, fatiguons aussi les détecteurs de lignes verticales rouges, de façon à ce que les lignes verticales blanches apparaissent vertes.

Ce phénomène est connu sous le nom d'effet McCollough (McCollough, 1965). Les sujets sont soumis pendant 5 min à la présentation alternée de lignes verticales rouges (figure 1-46*a*) et de lignes horizontales vertes (figure 1-46*b*), chaque pattern étant laissé pendant environ 5 s. On leur présente ensuite une forme-témoin constituée de lignes blanches et noires ayant plusieurs directions (figure 1-46*c*); les lignes blanches horizontales semblent rougeâtres et les lignes verticales semblent verdâtres; les lignes obliques sont blanches. En penchant légèrement la tête de côté pour que les lignes obliques deviennent verticales ou horizontales, elles prennent à leur tour la coloration appropriée.

Cet effet nous réserve plusieurs surprises. D'abord, il dure très longtemps. Certaines personnes continuent à voir les lignes blanches en couleur pendant plusieurs jours et même plusieurs semaines: pour un simple phénomène perceptif, il dure passablement longtemps! Il ne s'agit pas d'une image consécutive au même titre que les autres (par exemple, un carré noir dont l'image consécutive est un carré blanc). Les images consécutives nécessitent une stimulation prolongée sans mouvement des yeux. Mais ce qui est de loin le plus surprenant, c'est que cet effet ne confirme pas deux des hypothèses formulées à propos des détecteurs de lignes.

Si l'adaptation aux couleurs particulières était causée par des circuits de détection de lignes particuliers, le fait de brouiller le contour des lignes blanches et noires de la forme-témoin en détruirait l'effet (les lignes n'étant pas assez distinctes les unes des autres). D'autre part, modifier le contraste entre les lignes noires et blanches de la forme-témoin ne devrait pas avoir d'effet, puisque les lignes resteraient distinctes. Or, c'est l'inverse qui se produit; le brouillage des contours n'a aucun effet et une augmentation du contraste accentue l'effet consécutif.

L'effet McCollough démontre l'existence de deux systèmes complémentaires sensibles à certaines formes du stimulus visuel. Et en fait, comme nous le verrons plus loin, un petit nombre de détecteurs de lignes colorées — unités qui ont un maximum de sensibilité pour des lignes d'une certaine couleur — ont été découverts récemment dans le cerveau de singes. Cependant, il ne faut pas sauter aux conclusions. Les détecteurs de lignes sont beaucoup plus complexes que l'explication du simple phénomène perceptif.

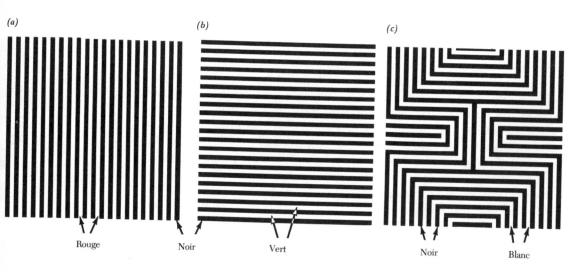

(a) *(b)* *(c)*

Rouge   Noir   Vert   Noir   Blanc

Figure 1-46   *Gibson et Harris (1968).*

Avant de terminer notre analyse de l'effet McCollough, il est intéressant de remarquer qu'il fonctionne même pour les images en mouvement. On présente une série de rayures horizontales qui peuvent bouger vers le bas ou vers le haut. Lorsque les rayures montent, elles sont vertes; lorsqu'elles descendent, elles sont rouges. On maintient le mouvement dans chaque direction pendant environ 5 s: l'observateur voit les deux directions alterner pendant approximativement 5 min. On lui présente ensuite une image témoin constituée de lignes horizontales noires et blanches bougeant vers le haut ou vers le bas. Lorsque l'image-témoin se déplace vers le haut, les lignes semblent rougeâtres; lorsqu'elle se déplace vers le bas, les lignes semblent verdâtres (Stromeyer, 1969; Stromeyer et Mansfield, 1970).

Il s'agit d'un effet analogue à celui de McCollough. La seule différence, c'est que l'on substitue à des lignes horizontales et verticales fixes des lignes horizontales en mouvement vertical. Cela signifie-t-il qu'il existe des détecteurs de mouvement sensibles à la couleur?

Les travaux sur l'arrêt des images et sur l'effet consécutif illustrent certaines techniques qui permettent d'étudier les types de détecteurs de caractéristiques propres à la vision humaine. Il ne fait aucun doute qu'il existe des détecteurs de caractéristiques chez l'individu, mais on peut encore s'interroger sur la façon dont ils fonctionnent et sur le rôle qu'ils jouent dans la perception humaine. Nous ne pouvons pas expliquer toutes les particularités de la perception en faisant appel simplement aux détecteurs de caractéristiques.

Retournez voir les illustrations de ce chapitre. Regardez le chien ou les autres figures. Quelles sont les caractéristiques présentes? Comment faites-vous pour percevoir le chien dalmatien parmi la multitude des taches noires, sans qu'il y ait de lignes ou d'arêtes? Comment peut-on expliquer par l'analyse des caractéristiques les structures en conflit de l'oeuvre de Dali ou les interprétations différentes des deux cônes dans le tableau de Magritte?

Revue des termes et notions

Voici, pour le présent chapitre, les termes et notions que nous considérons importants. Passez-les en revue; si vous êtes incapable d'en donner une courte explication, vous devriez revoir les sections appropriées du chapitre.

Gabarits
  prétraitement
  problèmes liés aux gabarits
  récepteurs
Dirigé-par-données
Dirigé-par-concepts
Phénomènes perceptifs
  organisation

parallaxe
règles permettant d'analyser des images
classification des intersections
contexte
Caractéristiques
Arrêt du mouvement des yeux
Effets consécutifs perceptifs

Lectures suggérées

Il existe de nombreuses sources d'information sur le système perceptif. Dans cette section, nous tenterons de vous en donner un bon aperçu. Il s'agit de lectures suggérées: il n'est pas absolument nécessaire de tout lire. Si vous désirez étudier certains thèmes plus en profondeur, les suggestions suivantes devraient vous mettre sur une bonne piste. De plus, si ces volumes ne vous satisfont pas, ils vous indiqueront d'autres références à consulter. Servez-vous de ces suggestions pour vous guider dans votre choix de lectures ou simplement comme commentaires sur les travaux que nous considérons importants. Toutefois, soyez audacieux; apprenez à utiliser les outils mis à votre disposition dans une bibliothèque. Cherchez d'autres sources d'information. Demandez aux gens qui travaillent dans le domaine de la perception quels sont les volumes qu'ils préfèrent. Ne vous limitez pas à ceux qui sont présentés ici.

PERCEPTION   Un bon point de départ serait de lire les petits livres, d'ailleurs très bien écrits, de Gregory: *L'oeil et le cerveau* (1966) et *The intelligent eye* (1970). Vous trouverez ces livres intéressants et faciles à lire. Les livres *L'oeil et la lumière* (Mueller, Rudolph et les éditeurs des livres Time-Life, 1969) et la *Pensée* de la série Life Science sont aussi excellents. Le meilleur livre sur les illusions visuelles est certainement celui de Robinson (1972). Il comporte des explications et des descriptions très détaillées.

Gibson (1950, 1966) a su montrer mieux que personne l'importance des indices physiques dans les phénomènes perceptifs. Ses deux volumes illustrent très bien son point de vue. Nous lui avons emprunté quelques idées et certains exemples, même si nous sommes parfois en désaccord avec son point de vue sur le rôle de la connaissance dans la perception. Quoi qu'il en soit, nous avons grandement profité de nos désaccords écrits ou verbaux et nous vous recommandons ses livres.

La petite monographie de Hochberg (1964) est un excellent livre sur la perception. Il présente explicitement les buts et phénomènes de la perception. Vous devriez de plus consulter l'article de Hochberg, «In the Mind's Eye» (1968), édité dans le livre de Haber (1968). Ce volume contient bon nombre de lectures intéressantes. Le chapitre sur «The Representation of Things and People», dans Hochberg (1972), aborde certains sujets fascinants. Le volume de Vernon, *Experiments in visual perception* (1966), regroupe aussi bon nombre d'articles intéressants.

Il existe aussi d'autres références intéressantes, mais traitant la perception plus en profondeur: Rock (1975) dans *An introduction to perception* et Kaufman (1974) dans *Sight and Mind*. (Rock, au chapitre de la perception de formes, réfère le lecteur au chapitre de ce volume-ci. Ainsi, remarquez que nous tournons en rond!) Le *Handbook of perception* est une série de volumes qui traitent de presque tous les aspects psychologiques de la perception. Ces volumes risquent de devenir éventuellement la source de référence la plus importante, mais ils sont relativement avancés (voir Carterette et Friedman dans la bibliographie à la fin de ce volume). Plusieurs ouvrages sur la perception proviennent des travaux effectués en «Intelligence Artificielle». Beaucoup d'entre eux seraient d'un grand intérêt pour les psychologues, mais très peu sont publiés. L'un d'eux est disponible: Winston (1975), *The psychology of computer vision*.

Le journal *Scientific American* et sa version française *Pour la Science* publient fréquemment des articles sur la perception. Même si en général, la qualité des articles de psychologie dans ces revues laisse parfois à désirer, leurs articles sur la perception sont excellents. Malheureusement, beaucoup de leurs travaux sur la perception auditive ne sont pas traités en profondeur. La meilleure démarche consisterait à aller à la bibliothèque et à feuilleter les publications plus anciennes. Il s'agit d'une façon agréable et facile de se mettre à jour. Les livres édités par Held et Richards (1972, 1976) regroupent les meilleurs articles sur la perception provenant du *Scientific American*.

Il existe de nombreuses revues techniques sur la perception, en psychologie: *Journal of Experimental Psychology (Human Perception and Performance; Perception; Vision Research; Perception and Psychophysics)* puis, occasionnellement, *Psychological Review* et *Cognitive Psychology*. Il s'agit d'articles plus techniques, plus limités, mais vous devrez éventuellement en lire si vous êtes sérieusement intéressés à approfondir la perception. Les articles de la revue *Scientific American* (ou *Pour la Science*), bien que divertissants, ne possèdent malheureusement pas le niveau technique des revues dites spécialisées. La meilleure façon de faire un relevé de littérature adéquat consiste à feuilleter les revues annuelles (*Annual Review*) sur un sujet précis; par exemple, la revue de Weintraub sur la perception (1975).

Plusieurs phénomènes perceptifs seront étudiés dans les cinq prochains chapitres. Ainsi, vous devriez consulter les lectures suggérées des chapitres 2 et 3 sur les phénomènes visuels, celles des chapitres 4 et 5 sur les phénomènes auditifs et la musique, ainsi que celles du chapitre 6 sur la reconnaissance de formes.

À l'exception de l'ouïe et de la vue, les autres sens ne sont pas très bien connus. Il y a donc peu d'ouvrages disponibles sur ces sujets. Les trois chapitres de Kenshalo, Bartoshuk et Mozell dans Kling et Riggs (1971) sont tout de même un bon point de départ. Mentionnons aussi le volume *Handbook of Perception* sur la *Sensation*, le *Goût*, l'*Odorat* et la *Douleur* (voir Carterette et Friedman, volume 6, dans la section «référence» de ce livre). Quant au sens cutané, il faut aussi consulter Geldard (1973).

ART   Les travaux de Arnheim (1969 a,b) et le livre de Gombrich, *L'art et l'illusion* (1971), nous fournissent de bons exposés sur l'art. Nos visites dans les musées et les galeries expliquent notre emphase sur les illusions, l'art optique et l'art contemporain. Les musées, comme le Musée d'Art Moderne à New York, offrent d'excellents catalogues (par exemple: *The responsive eye* de Seitz, 1965). Notre sélection des peintures de Magritte provient de deux catalogues; le premier, du Musée d'Art Moderne (Soby, 1965), et l'autre, du Arts Council of Great Britain (Sylvester, 1969). Des livres fascinants (mais dispendieux) sont disponibles sur Vasarely (1965, 1971) et sur les travaux de M.C. Escher (*L'oeuvre graphique*, 1973). Quiconque est sérieusement intéressé à l'art tel qu'abordé par ce chapitre devrait examiner l'ouvrage de Bridget Riley (de Sausmarez, 1970) ainsi que les livres de Albers (1963) et Kepes (1965). (Les figures de Albers reproduites dans ce chapitre proviennent de la section sur les illusions géométriques du livre de Bucher (1961), intitulé *Joseph Albers. Despite straight lines.*)

Vous trouverez certains points de vue intéressants sur l'histoire et le développement de la perspective en art dans *L'oeil et la vision* (1972) de Pirenne. Ce livre traite en détail des propriétés optiques de l'oeil. Le livre de Gombrich, Hochberg et Black (1972) montre certains résultats reliés à l'art et à la perception.

Le volume de Carraher et Thurston (1968), *Optical illusions and the visual arts*, étudie bon nombre d'exemples d'art optique et d'illusions. Le livre de Luckiesh, *Visual illusions* (1922), serait aussi une excellente source. Cependant, vous trouverez les meilleures explications dans Robinson (1972), déjà mentionné au premier paragraphe.

La collection de dessins ou de formes géométriques et optiques de Spyros Horemis (1970), fort amusante à regarder, est disponible dans toute bonne librairie. Le livre de Massaro (1975a) sur la psychologie expérimentale traite de l'art, de façon élaborée, dans la section sur la perception visuelle. Ses points de vue sont semblables aux nôtres; en fait, il utilise souvent les mêmes illustrations.

Reynolds (1975) nous donne une approche fascinante de la perception musicale dans son livre intitulé: *Mind Models: New forms of musical experience*.

En outre, pour mieux apprécier les bases perceptives de l'art, faites le tour des galeries d'art et visitez les centres d'art expérimentaux. De nombreux artistes expérimentent des phénomènes très complexes; la seule façon de les découvrir, c'est de vous promener et de chercher. Avec l'aide de ce que vous avez appris dans ce chapitre, vous pourrez probablement tenir une conversation sérieuse avec ces artistes, même si vous n'avez pas à proprement parler, une formation en art.

2. Le système visuel

Préambule

La lumière
LES DÉCIBELS

La voie optique
LA PUPILLE
LE CRISTALLIN
FOCALISATION ET CONVERGENCE
LA RÉTINE

Réactions chimiques à la lumière
LA RÉACTION PHOTOCHIMIQUE

Neuroanatomie de la vision
LE RÉSEAU RÉTINIEN

Trajet de l'influx nerveux de l'oeil au cerveau

Échantillonnage de l'information visuelle
MOUVEMENTS DES YEUX
LE CANAL DE LA LOCALISATION
VISION SANS CORTEX VISUEL
VISION SANS COLLICULUS SUPÉRIEUR

Revue des termes et notions
TERMES ET NOTIONS À CONNAÎTRE

Lectures suggérées

Préambule

Dans les quatre prochains chapitres, nous examinerons les systèmes visuel et auditif. Ces chapitres sont regroupés sous deux thèmes distincts: les deux premiers chapitres traitent de la vision; les deux autres, de l'audition. Le premier chapitre de chaque thème (chapitre 2, «Le système visuel» et chapitre 4, «Le système auditif») nous initie à l'aspect mécanique: la physique de la lumière et du son, la mécanique de l'oeil et de l'oreille puis le fonctionnement de base des organes sensoriels. Le second chapitre de chaque thème (chapitre 3, «Les aspects de la vision» et chapitre 5, «Les aspects du son») décrit comment le fonctionnement du système influe sur nos expériences sensorielles.

Le présent chapitre — le premier des deux sur la vision — est une introduction à la physique de la lumière, aux propriétés anatomiques et physiologiques de l'oeil et à certains des mécanismes visuels de base nécessaires au bon fonctionnement du système visuel.

Vous apprendrez comment la lumière pénètre dans l'oeil et se transforme de façon à ce que le cerveau puisse l'utiliser grâce aux réponses électriques des cellules nerveuses. Vous devrez vous faire une idée de la lumière, savoir comment elle est mesurée et quelles en sont les propriétés. Vous devrez aussi connaître les parties constituantes de l'oeil, en particulier les parties qui focalisent la lumière (la *cornée*, le *cristallin*) puis celles qui sont réceptives à l'énergie lumineuse et qui la transforment en activité électrique dans le système nerveux (les récepteurs et les autres cellules à l'arrière de l'oeil, la *rétine*). Enfin, vous vous demanderez comment on interprète l'information provenant du monde visuel: comment on extrait les couleurs, comment on détecte le mouvement, comment on détermine la position d'un objet. Le présent chapitre insiste surtout sur les structures de l'oeil et sur les premières étapes du traitement dans le cerveau. Le prochain chapitre analysera comment l'information est interprétée.

La lumière

La lumière arrive à l'oeil et traverse ses différentes parties — la cornée, l'humeur aqueuse, l'iris, le cristallin et l'humeur vitrée — pour atteindre finalement la rétine. Chacune de ces parties effectue une tâche simple, mais semble présenter des points faibles. À bien des égards, l'oeil est un instrument optique d'une espèce assez particulière. Si un spécialiste en optique voulait fabriquer un oeil, il essaierait probablement d'éviter certaines des imperfections de l'oeil humain, imperfections qui pourraient en faire un instrument imprécis et gauche. Cependant, comme c'est le cas pour les autres parties du corps, l'oeil se révèle au bout du compte un magnifique instrument, merveilleusement adapté à la fonction qu'il doit remplir, sensible, souple et fiable.

Physiquement, la lumière est caractérisée principalement par sa fréquence et son intensité. La *fréquence* d'une onde lumineuse est le principal facteur qui détermine la couleur (teinte) perçue. L'*intensité* est le principal facteur déterminant la brillance. Les ondes lumineuses font partie du spectre électromagnétique.

Les fréquences de la partie visible du spectre se situent au-dessus de celles de l'infrarouge et de la transmission radioélectrique par micro-ondes, puis en dessous de celles de l'ultraviolet et des rayons X (voir la planche couleur III qui suit la page 121). Étant donné que les fréquences lumineuses sont si élevées, on ne les utilise pas comme telles (les nombres sont de l'ordre

Tableau 2-1A

Tableau 2-1B

Intensité (dB)	Correspondance psychologique
160	
140	
120	Seuil de douleur Soleil
100	
80	Papier blanc sous éclairage moyen
60	Écran de téléviseur
40	La lumière la plus faible permettant la vision des couleurs
20	
0	Seuil de vision de l'oeil adapté à l'obscurité

Longueur d'onde (nm)	Correspondance psychologique
400	violet
450	bleu
500	vert
550	jaune-vert
600	orange
650	rouge
700	rouge

de 10^{15} cycles par seconde*); on décrit plutôt la lumière par sa *longueur d'onde*, c'est-à-dire la longueur du parcours d'un mouvement vibratoire pendant une période. Les longueurs d'onde de la lumière visible varient entre environ 400 (violet) et 700 (rouge) *nm***.

Le choix d'unités pour décrire l'amplitude, l'intensité et l'énergie de la lumière pose des problèmes très complexes. Puisque ces précisions ne sont pas utiles ici, nous n'utiliserons pas d'unités physiques. La gamme des intensités lumineuses pouvant stimuler l'oeil est énorme: la lumière la plus intense qui puisse être perçue sans douleur est environ un millier de milliards de fois plus intense que la plus faible lumière visible (une étendue d'environ 10^{12}).

LES DÉCIBELS ***

Afin de restreindre la gamme des valeurs des intensités physiques de la lumière, on emploie une méthode qui consiste à exprimer l'intensité en déterminant de combien de puissances de dix une intensité est plus grande qu'une autre. Cette méthode porte le nom de l'inventeur du téléphone, Alexander Graham Bell, bien qu'on ait supprimé la dernière lettre de son nom. Donc, si une intensité est égale à un million de fois une autre (10^6 fois), elle est de six bels supérieure à l'autre. Si une intensité équivaut à $\frac{1}{1000}$ d'une autre (10^{-3}), elle est donc de trois bels inférieure à l'autre. Le nombre de bels entre deux intensités est simplement le logarithme de leur rapport. En fait, comme il n'est pas pratique de travailler avec des bels, les rapports de deux intensités sont habituellement donnés en fonction du nombre de *dixième de bels* qui les séparent, soit en *décibels*, l'abréviation étant *dB*. Dans les deux exemples ci-dessus, les différences d'intensité sont respectivement de 60 et de –30 dB. Le nombre de décibels qui sépare deux intensités I et I_0 est donné par la formule:

$$\text{nombre de dB} = 10 \log (I/I_0)$$

1. En multipliant (ou divisant) par 2 le rapport des intensités, on ajoute (ou soustrait) environ 3 dB.
2. En multipliant (ou divisant) par 10 le rapport des intensités, on ajoute (ou soustrait) 10 dB.
3. Si deux signaux lumineux sont séparés par $10n$ dB, le rapport de leurs intensités est de 10^n. Par exemple, une différence de 60 dB entre les intensités de deux signaux lumineux signifie qu'un signal est 10^6 (1 million) fois plus intense que l'autre.
4. Puisque les décibels sont définis en fonction du rapport de deux intensités, dire qu'un signal a un niveau de 65 dB est sans signification si le niveau de comparaison n'est pas connu. Généralement, quand une intensité est exprimée sous cette forme, c'est que le signal est de 65 dB plus élevé que le niveau de

* Un *cycle par seconde* représente un *hertz (Hz)*. Le nom de cette unité provient du physicien allemand Heinrich R. Hertz (1857-1894) qui a produit et étudié des ondes électromagnétiques. Dans le système international, le cycle par seconde étant remplacé par le hertz, nous emploierons dorénavant cette unité (aussi, la retrouverez-vous très souvent au chapitre 5 traitant du système auditif).

**Un *nanomètre (nm)* correspond à un milliardième de mètre (10^{-9} m). Parfois, dans des livres plus anciens, la longueur d'onde est donnée en *millimicrons* (mμ), en *angströms* (Å) ou même en *pouces* (po). Un *nanomètre* est égal à un *millimicron*, à 10 Å ou à 40 x 10^{-9} po.

*** Il y a une autre section sur les décibels au chapitre 4. Si vous avez bien lu et compris cette section, vous n'aurez qu'à passer rapidement sur l'autre.

référence standard. Dans ce livre, nous utilisons le niveau standard de 10^{-6} cd/m² (*candela*-mètre²). Ce standard représente une intensité lumineuse très faible. C'est approximativement l'intensité lumineuse minimale qui peut être détectée par l'humain.

Décibels

Nombre de dB $= 10 \log (I/I_0)$

I/I_0	dB	I/I_0	dB
0,0001	-40	10000	40
0,001	-30	1000	30
0,01	-20	100	20
0,032	-15	31,6	15
0,1	-10	10	10
0,13	-9	7,9	9
0,16	-8	6,3	8
0,2	-7	5	7
0,25	-6	4	6
0,32	-5	3,2	5
0,4	-4	2,5	4
0,5	-3	2	3
0,63	-2	1,6	2
0,79	-1	1,3	1
1	0	1	0

La voie optique

Lorsque la lumière atteint l'oeil, elle rencontre premièrement une fenêtre protectrice extérieure, la *cornée* (voir figure 2-1). La plus grande part de la focalisation d'une image est, en fait, accomplie par la déviation de la lumière sur la surface de la cornée. La lumière traverse ensuite une substance gélatineuse, l'*humeur aqueuse*, puis l'ouverture de l'iris (la *pupille*).

LA PUPILLE   En principe, la pupille règle la quantité de lumière qui pénètre dans l'oeil. Cette ouverture se rétrécit lorsque les signaux sont très brillants (pour protéger l'oeil d'un excès de lumière) et s'agrandit lorsqu'il fait sombre (pour laisser entrer le plus de lumière). Mais remarquez ceci: les lumières les plus intenses, perçues sans douleur, sont plusieurs milliards de fois plus intenses que les plus faibles lumières décelables. Les changements de grandeur de la pupille sont donc minimes comparativement à l'immense étendue des intensités. La plus grande ouverture de la pupille humaine est d'environ 7 ou 8 mm de diamètre; la plus étroite est d'environ 2 ou 3 mm. Le changement total de la surface n'est donc pas très important. Le plus petit resserrement de la pupille laisse passer environ ⅟₁₆ de la quantité de lumière qui entre lorsqu'elle est grande ouverte. Les changements de grandeur de la pupille ne réduisent les intensités des signaux que par un facteur de 16 (ou environ 12 dB). En conséquence, la vaste étendue des intensités auxquelles l'oeil est exposé n'est pas très réduite. Un champ de variation de 10 milliards à 1 (100 dB) est réduit à celui de 0,6 milliard à 1 (88 dB): voilà qui n'est guère suffisant pour produire une différence appréciable.

Les ajustements de la grandeur de la pupille ne s'opèrent pas très rapidement. Passant de l'obscurité à la lumière vive, la pupille prend environ 5 s pour se contracter au complet et environ 1,5 s pour se contracter au ⅔ de sa grandeur maximum. Passant de la lumière vive à l'obscurité, il lui faut 10 s pour se dilater au ⅔ de sa grandeur maximum et un bon 5 min pour s'ouvrir complètement. Manifestement, la pupille ne contrôle pas l'intensité lumineuse. Sa fonction essentielle consisterait à restreindre la lumière aux régions centrales du cristallin. Ce dernier introduit en effet des distorsions, en particulier lorsque la lumière pénètre par les côtés (voir plus bas). La pupille aide aussi à maintenir une bonne profondeur de

Figure 2-1

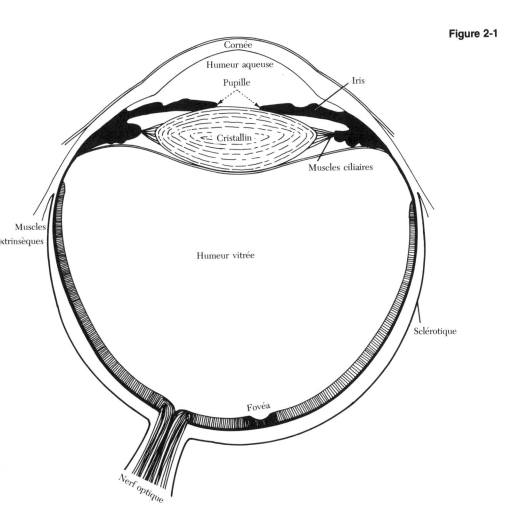

champ en gardant l'ouverture aussi petite que possible pour une intensité lumineuse donnée. Elle ajuste sa grandeur de façon à maintenir un équilibre entre la profondeur de focalisation (pour laquelle elle doit être aussi petite que possible) et l'entrée d'une quantité suffisante de lumière à la rétine (pour laquelle elle doit être aussi grande que possible).

Non seulement la grandeur de la pupille réagit-elle au changement d'intensité lumineuse, mais elle dépend, semble-t-il, des états du système nerveux. Ainsi, la grandeur change en fonction de facteurs émotionnels, ou encore lors d'une réflexion ou de la résolution d'un problème. On s'est servi des dimensions de la pupille pour étudier les réponses émotionnelles et suivre les progrès d'une personne essayant de résoudre des problèmes difficiles. Une pupille agrandie pourrait donc dénoter un bouleversement émotionnel.

LE CRISTALLIN

Par la pupille, la lumière atteint le cristallin. La fonction principale du cristallin est, bien entendu, de focaliser sur les récepteurs situés au fond de l'oeil et sensibles à la lumière,celle-là même qui provient d'un objet. Cependant, en termes de rendement global, les lentilles biologiques ne sont pas particulièrement de bonne qualité.

Un peu comme la pelure d'un oignon, le cristallin est composé de nombreuses couches minces de tissu transparent se recouvrant les unes les autres. Il focalise en augmentant et en diminuant son épaisseur (c'est-à-dire en changeant sa distance focale). Une membrane liée aux muscles commandant la focalisation enserre le cristallin, lui permettant ainsi de s'ajuster. Le cristallin produit aussi un certain nombre de distorsions. Lorsque la lumière heurte ses contours, la focalisation ne se fait pas sur le même plan que lorsqu'elle se retrouve au centre; cela produit une distorsion appelée *aberration sphérique*. Des lumières de différentes couleurs sont focalisées différemment, produisant une autre distorsion, l'*aberration chromatique*.

À ces problèmes s'en ajoute un autre: de par sa constitution, le cristallin meurt graduellement. Toutes les cellules vivantes ont continuellement besoin d'un approvisionnement de substances nutritives, apport dont se charge la circulation sanguine. Or, il est évident qu'il n'est pas souhaitable que des vaisseaux sanguins irriguent le cristallin, car la qualité optique s'en trouverait gravement affectée. Pour se nourrir, le cristallin doit donc compter sur les liquides environnants, ce qui n'est pas une situation idéale. Ses couches intérieures obtiennent difficilement un approvisionnement adéquat de nourriture; pendant la vie de l'organisme, elles meurent graduellement. Avec l'âge, ces cellules mortes gênent le fonctionnement du cristallin, plus particulièrement la focalisation.

FOCALISATION ET CONVERGENCE

Pour mieux comprendre ce qu'est la focalisation, prenez un crayon, tenez-le à bout de bras et regardez-le. Maintenant, ramenez-le lentement vers votre nez en continuant de le fixer. Quand le crayon est tenu à quelques

Figure 2-2

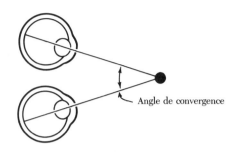

Un cristallin épais et un grand angle de convergence lorsque l'objet est près (la grandeur de la pupille diminue pour augmenter la profondeur de champ).

Angle de convergence

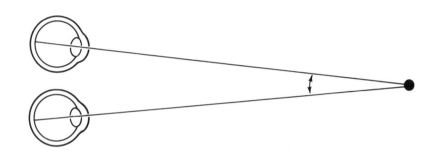

Un cristallin moins épais et un petit angle de convergence lorsque l'objet est plus éloigné.

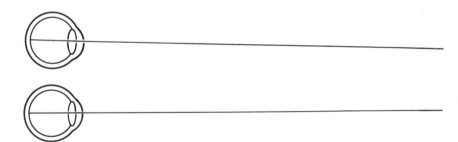

Un cristallin très mince et un angle de convergence négligeable lorsque l'objet est éloigné.

centimètres de vos yeux, l'image devient floue et vous sentez une certaine «traction». À mesure que vous déplacez le crayon, deux choses se produisent: un ensemble de muscles oculaires ajuste continuellement l'orientation des yeux afin de les garder fixés sur l'objet qui approche (c'est-à-dire pour maintenir la convergence); un deuxième ensemble de muscles augmente continuellement l'épaisseur du cristallin, faisant ainsi dévier les rayons lumineux pour maintenir une focalisation appropriée sur la surface rétinienne à l'arrière de l'oeil (figure 2-2).

Lorsque le crayon s'éloigne du nez, les deux ensembles de muscles se relâchent, le cristallin retourne à sa forme normalement allongée et les deux yeux regardent directement vers l'avant. Grâce à l'action de ces muscles, le cristallin d'une jeune personne peut focaliser des objets situés à quelques centimètres ou aussi éloignés que les étoiles. Cependant, avec l'âge, l'habileté à augmenter l'épaisseur du cristallin devient si réduite qu'une lentille extérieure (verre correcteur) devient nécessaire pour focaliser des objets très rapprochés.

Voici une autre façon de sentir l'action musculaire du cristallin: tenez un doigt devant les yeux à une distance d'environ 15 cm. Sans bouger votre doigt, concentrez-vous d'abord sur celui-ci, puis sur n'importe quel objet derrière (le plus loin sera le mieux). Vous pouvez sentir la différence entre le changement de focalisation de l'objet éloigné à l'objet rapproché (une contraction active des muscles de focalisation et d'accommodation) et de l'objet rapproché

Figure 2-3

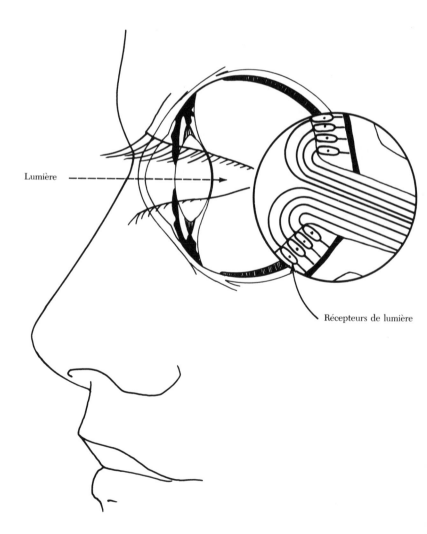

Lumière

Récepteurs de lumière

à l'objet éloigné (un relâchement passif des muscles).

Le cristallin d'une personne peut focaliser des objets à différentes distances en modifiant son épaisseur; en optique, il s'agit d'une lentille à focalisation variable. Dans les caméras et autres instruments que nous fabriquons, et même chez certaines espèces de poissons, la focalisation s'opère habituellement en maintenant l'épaisseur de la lentille, sans changer la distance entre celle-ci et les éléments sensibles à la lumière. Le changement de la distance focale produit un effet intéressant: plus la distance augmente, plus l'image grossit sur la rétine. Cela signifie qu'un objet focalisé à une certaine distance est légèrement agrandi par rapport à l'image rétinienne d'un objet focalisé de près. Le facteur de grossissement est d'environ 1,2 (l'oeil change sa distance focale, qui passe de 14 à 17 mm approximativement).

Le fonctionnement de l'oeil demeure en partie inexpliqué. Par exemple, on ignore comment l'oeil maintient la focalisation. Une hypothèse veut que le système de focalisation essaie de conserver une acuité maximum en maintenant le plus grand contraste possible dans l'image. Les cellules nerveuses sensibles aux contours ont un débit maximum lorsque l'image est nettement focalisée. Même si, en général, la focalisation se fait de façon automatique et inconsciente, il est possible de la changer consciemment. Même, il est possible de concentrer son regard sur rien, de telle sorte qu'aucun objet du champ visuel ne soit perçu clairement. On ne pourrait exercer consciemment de tels contrôles si le mécanisme de focalisation était complètement automatique et indépendant de centres plus spécialisés du cerveau.

LA RÉTINE

Enfin, après avoir traversé le cristallin et la substance gélatineuse qui emplit l'intérieur de l'oeil (*humeur vitrée*), la lumière parvient à la *rétine*, partie de l'oeil chargée de convertir les images lumineuses en réponses physiologiques. Mais même ici, la lumière rencontre encore d'autres obstacles. À l'arrière du globe oculaire se situe la rétine, étendue sur la surface interne de forme incurvée. Les éléments sensibles à la lumière sont orientés dans la mauvaise direction: ils sont tournés vers l'intérieur, en direction du cerveau, plutôt que vers l'extérieur d'où provient la lumière (voir figure 2-3). Il s'ensuit que les fibres nerveuses rattachées aux récepteurs de lumière se retrouvent pêle-mêle dans le cheminement direct de la lumière parvenant à l'oeil. Qui plus est, ces fibres nerveuses se situent à l'intérieur de l'oeil. Il doit donc y avoir une sortie vers le cerveau pratiquée dans la surface arrière. C'est ce qui produit dans chaque oeil une tache aveugle (nous y reviendrons plus loin; voir figure 2-6).

Réactions chimiques à la lumière

L'une des premières et des plus fantastiques démonstrations de la réponse photochimique de l'oeil à la lumière fut la création d'un «optogramme». On maintient un animal, par exemple une grenouille, complètement à l'écart de toute lumière pendant plusieurs heures. Le champ visuel de l'animal est ensuite illuminé brièvement par une lumière intense. On tue la grenouille, on détache sa rétine et on place cette dernière dans une solution chimique. Par la suite, on observe sur les cellules rétiniennes le résultat de la réaction photochimique à la lumière: l'environnement visuel de la grenouille s'y trouve reproduit en jaune et en rouge vifs. Cette technique a éveillé l'imagination de certains romanciers qui se sont plu à créer des situations où les meurtriers étaient identifiés à l'aide de l'optogramme observé dans les yeux de leur victime.

Des processus photochimiques sont responsables de la réponse initiale de l'oeil à un signal visuel. Quand la rétine n'a pas été exposée à la lumière, elle est pourpre-rougeâtre. Cette couleur caractéristique donne d'ailleurs son nom à la substance chimique: le *pourpre rétinien*. En réponse à la lumière, la couleur de la rétine passe du pourpre-rougeâtre au jaune pâle et finalement, *blanchit* jusqu'à devenir transparente et décolorée.

Les oiseaux et autres animaux nocturnes ont,en général,des concentrations relativement élevées de pourpre rétinien, ce qui explique peut-être leur excellente vision la nuit. Les reptiles, les oiseaux diurnes et diverses espèces de poissons ont des substances photochimiques qui se décolorent en présence de la lumière, mais qui diffèrent quelque peu du pourpre rétinien par leur sensibilité aux différentes couleurs. La méthode de base pour décrire les réactions chimiques en cause consiste à déterminer dans quelle mesure il y a décoloration pour des signaux lumineux d'intensité égale, tout en faisant varier la longueur d'onde. L'ensemble des mesures qui en résulte est appelé le *spectre d'absorption* de la substance photochimique.

LA RÉACTION PHOTOCHIMIQUE

La réaction photochimique qui se produit dans l'oeil est maintenant bien connue. En l'absence de lumière, il y a une forte concentration de *rhodopsine* (nom chimique du pourpre rétinien). Lorsqu'un signal lumineux se produit, une suite de changements ont lieu, dont la résultante est une substance appelée *rétinène*, substance finalement réduite en *vitamine* A. Le rétinène donne sa couleur jaune au pigment partiellement décoloré. La prédominance de vitamine A après une exposition prolongée à la lumière produit l'apparence incolore finale de la rétine.

Il est clair qu'il doit exister certains mécanismes de fabrication ou de régénération des substances photosensibles de l'oeil. En fait, deux réactions chimiques distinctes semblent assurer cette régénération. L'une permet un rétablissement relativement rapide du niveau de rhodopsine en combinant les produits partiellement décolorés, le rétinène et l'opsine, pour donner la rhodopsine. L'autre, par un processus beaucoup plus lent, produit la rhodopsine à partir des produits totalement décolorés, comme la vitamine A.

Les réactions chimiques jouent un rôle dans la détermination des caractéristiques générales de la sensibilité visuelle. Malheureusement, il ne semble pas exister de relation simple entre la sensibilité visuelle et les réactions photochimiques des récepteurs de la rétine. Sous un éclairage normal, seul un très faible pourcentage de la rhodopsine disponible est décoloré. De plus, la décoloration de seulement 2% de la rhodopsine peut modifier la sensibilité par un facteur de 50.

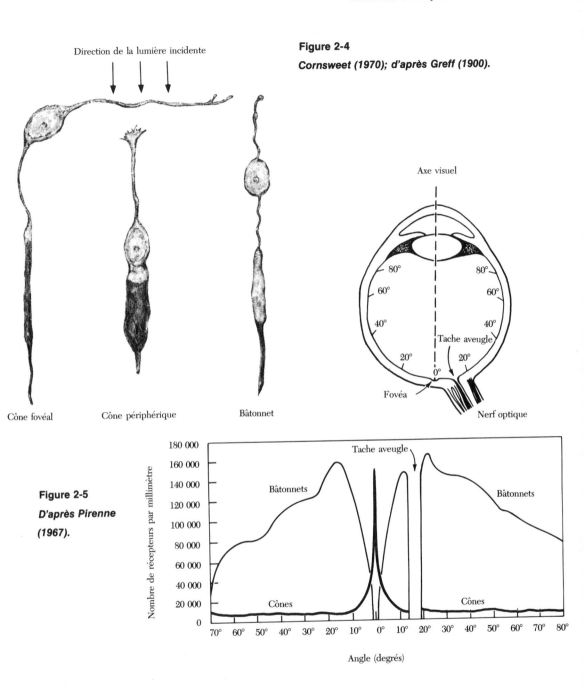

Direction de la lumière incidente

Cône fovéal   Cône périphérique   Bâtonnet

Figure 2-4
Cornsweet (1970); d'après Greff (1900).

Axe visuel

80°   80°
60°   60°
40°   40°
Tache aveugle
20°   20°
0°
Fovéa
Nerf optique

Figure 2-5
D'après Pirenne
(1967).

Nombre de récepteurs par millimètre

180 000
160 000
140 000
120 000
100 000
80 000
60 000
40 000
20 000
0

Tache aveugle

Bâtonnets   Bâtonnets

Cônes   Cônes

70° 60° 50° 40° 30° 20° 10° 0° 10° 20° 30° 40° 50° 60° 70° 80°

Angle (degrés)

En dépit d'efforts considérables, on n'a pu déterminer la nature exacte du lien entre la réponse photochimique et la naissance d'impulsions électriques dans les fibres nerveuses. On ne sait pas encore, en fait, comment les réactions chimiques produisent les impulsions nerveuses qui transportent les signaux visuels au cerveau.

Neuroanatomie de la vision

La rétine n'est pas une surface continue de matière sensible à la lumière. Elle est composée d'un très grand nombre d'éléments individuels sensibles à la lumière, ou récepteurs, chacun répondant à l'énergie lumineuse qui lui parvient. Chez des animaux comme le singe et l'homme, il existe deux types différents d'éléments sensibles à la lumière, les *bâtonnets* et les *cônes*. Chez d'autres animaux, on retrouve l'un ou l'autre des deux types, mais non les deux. Les pigeons, par exemple, ont seulement des cônes, tandis que la rétine du chat est constituée surtout de bâtonnets (figure 2-4).

Outre les distinctions anatomiques qui ont d'abord conduit à leur découverte, les bâtonnets et les cônes présentent certaines différences fonctionnelles bien définies. Il s'agit, en fait, de deux systèmes visuels distincts cohabitant

Figure 2-6

Tache aveugle pour
l'oeil gauche

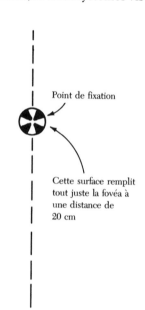

Point de fixation

Cette surface remplit
tout juste la fovéa à
une distance de
20 cm

Tache aveugle pour
l'oeil droit

20 cm

Tout ce qui est vu de
ce côté va au côté
droit de la rétine et
à la moitié droite du
cerveau

Tout ce qui est vu de
ce côté va au côté
gauche de la rétine
et à la moitié gauche
du cerveau

Figure 2-6 Instructions: fermez l'oeil droit. Tenez la page à environ 20 cm devant vous (voir l'échelle à gauche), bien droite, sans la pencher. Regardez le point central. Ajustez l'angle et la distance jusqu'à ce que la tache aveugle pour l'oeil gauche disparaisse.

- Ouvrez l'oeil droit. La tache aveugle réapparaît (continuez à regarder le point central).
- Fermez l'oeil gauche. La tache aveugle de droite devrait disparaître (il peut être nécessaire d'ajuster de nouveau la position de la feuille).
- Une fois que vous avez trouvé la tache aveugle, poussez le long du papier un crayon dans cette direction. Surveillez bien le bout du crayon: il va disparaître. (Souvenez-vous qu'il faut garder un oeil fermé.)

dans le même oeil et possédant chacun ses caractéristiques propres de réponse. Le pourpre rétinien, c'est-à-dire la rhodopsine, se retrouve uniquement à l'extrémité des bâtonnets, non dans les cônes. Les cônes contiennent diverses substances photochimiques nécessaires à la vision des couleurs. Un bâtonnet est environ 500 fois plus sensible à la lumière qu'un cône, mais il ne fournit pas d'information sur la couleur. Outre ces différences fonctionnelles, il existe aussi des différences au niveau de la structure nerveuse qui réalise le transfert de l'information des deux systèmes de la rétine au cerveau.

Chez l'humain, chaque oeil contient approximativement 6 millions de cônes et environ 120 millions de bâtonnets; on retrouve donc dans chaque oeil quelque 125 millions de récepteurs. Il s'agit d'une densité extraordinairement riche de cellules réceptrices, si l'on considère, par exemple, que l'image d'un téléviseur ne contient qu'environ 250 000 éléments indépendants. De plus, la densité des éléments sensibles à la lumière, plus forte au centre de l'oeil, décroît dans les régions périphériques (voir figure 2-5).

Les bâtonnets et les cônes ne sont pas répartis de manière analogue sur la rétine. Les bâtonnets sont plus nombreux à la périphérie, tandis que les cônes prédominent au centre. Au centre même de l'oeil existe une légère dépression ne contenant aucun bâtonnet, seulement des cônes. Cette région, appelée la *fovéa* (tache jaune), possède une très forte densité de récepteurs, environ 150 000 cônes par millimètre carré. Elle est située optimalement pour recevoir les parties centrales de l'image au point de fixation de l'oeil. La fovéa est aussi la région d'acuité maximale. Bien que la plupart des éléments récepteurs ne soient pas reliés directement au cerveau, les éléments de la fovéa semblent avoir leur propre voie d'intercommunication privée avec les centres spécialisés du cerveau*.

Les deux yeux, donc, recueillent l'information provenant de l'environnement visuel à l'aide d'environ 250 millions de récepteurs individuels au total, et ils envoient l'information au cerveau à l'aide d'environ 1,6 million de fibres nerveuses. Ces deux différents types de systèmes récepteurs se complètent l'un l'autre. Le système des cônes est un système à haute résolution, capable d'envoyer de l'information concernant la couleur, mais sa sensibilité est limitée. Le système des bâtonnets est très sensible à la lumière, mais son pouvoir de résolution est limité et il est insensible à la couleur. Grâce à l'action conjointe de ces deux systèmes, on dispose donc d'un instrument extraordinairement flexible et efficace pour la réaction initiale aux signaux visuels provenant de l'environnement.

LE RÉSEAU RÉTINIEN

À ce stade-ci, il serait utile de considérer brièvement le traitement qui s'effectue dans l'oeil (au chapitre 6, nous étudierons en détail l'activité nerveuse). On appelle *neurones* les cellules nerveuses traitant l'information et communiquant entre elles. Un neurone est constitué d'un corps cellulaire

---

* Bien des gens ont de la difficulté à se souvenir des fonctions respectives des bâtonnets et des cônes. Voici une façon de le retenir. La *fovéa* est au *foyer* de l'attention; c'est l'endroit où l'on peut voir les choses en couleur. Les *cônes*, au *centre* de l'oeil, sont sensibles à la *couleur*.

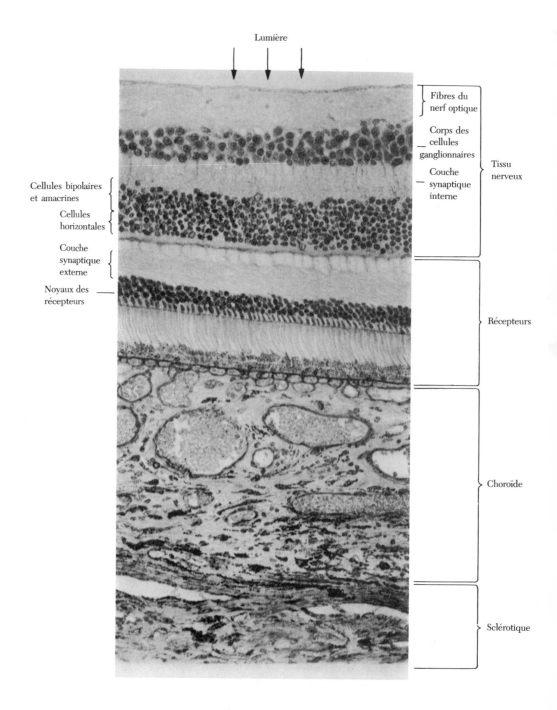

Figure 2-7   Coupe transversale de la rétine humaine. Grossissement approximatif: × 150. *Polyak (1957).*

Figure 2-8

Cornsweet (1970).

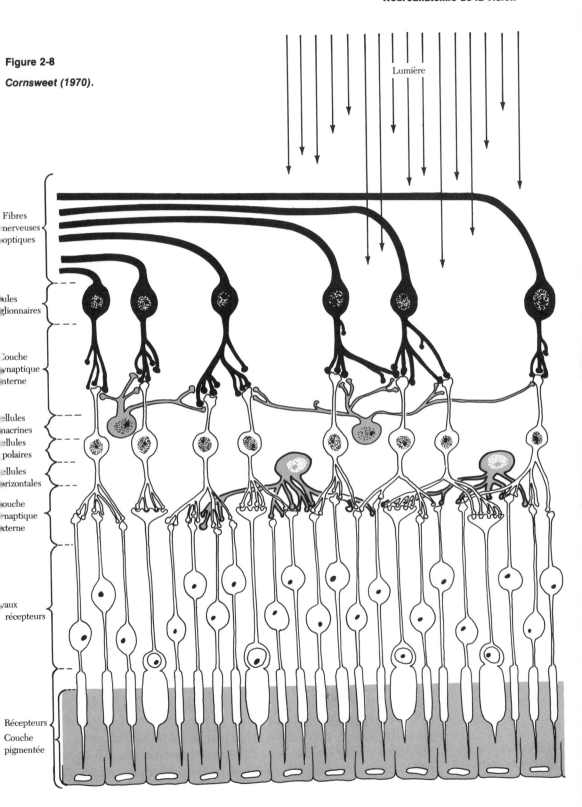

Lumière

Fibres nerveuses optiques

...ules ...glionnaires

Couche ...ynaptique ...nterne

...ellules ...nacrines
...ellules ...polaires
...ellules ...rizontales

...ouche ...naptique ...xterne

...vaux récepteurs

Récepteurs
Couche pigmentée

et d'un *axone* ou *fibre nerveuse*; c'est l'axone qui établit le contact avec un autre neurone. Ces contacts entre neurones se font soit au niveau du corps cellulaire lui-même, soit au niveau de prolongements filamenteux du corps cellulaire, dits *dendrites*. Ce contact est appelé une *synapse*. Les fibres nerveuses et les dendrites peuvent être considérées comme des conducteurs isolés servant à la transmission des signaux électriques provenant des neurones. De nombreuses cellules de la rétine ont pour principale fonction de relier des zones adjacentes entre elles; ces cellules forment ce qu'on appelle la *structure horizontale* de la rétine. La rétine peut être considérée comme un réseau de neurones (le mot «rétine» vient du mot latin «rete» qui signifie *réseau*). Certaines cellules participent à la transmission vers le cerveau des signaux produits au niveau des détecteurs rétiniens; ces cellules forment la *structure verticale* de la rétine. Les dernières cellules de la structure verticale s'appellent *cellules ganglionnaires*. Il y en a environ 800 000. Leurs axones ont plusieurs centimètres de long et forment le *nerf optique*; elles vont de l'oeil jusqu'au cerveau (voir figures 2-7 et 2-8).

Différents types de cellules nerveuses interviennent dans le transfert vers le cerveau du signal provenant des bâtonnets et des cônes. Les signaux provenant des cellules réceptrices franchissent dans le sens vertical deux synapses, la première entre le *récepteur* lui-même et une *cellule bipolaire*, la seconde entre la cellule bipolaire et une *cellule ganglionnaire*. Au même moment, la structure horizontale de la rétine analyse les signaux à l'aide de cellules appelées à juste titre *cellules horizontales*. Ces cellules horizontales relient les récepteurs entre eux, modifiant l'activité à la jonction entre les récepteurs et les cellules bipolaires. De plus, un second niveau de traitement horizontal est réalisé un peu plus haut grâce aux *cellules amacrines*. Celles-ci modifient en effet l'activité à la jonction entre les cellules bipolaires et ganglionnaires. Ces deux couches de contacts horizontaux constituent la base anatomique du traitement nerveux dans le réseau rétinien.

La densité des interconnexions n'est pas la même dans les différentes parties de la rétine. À la périphérie, une seule cellule ganglionnaire peut recevoir de l'information de milliers de bâtonnets. Au centre de la région fovéale de la rétine, un cône individuel peut être relié directement à une cellule ganglionnaire individuelle par l'intermédiaire d'une cellule bipolaire unique. De telles liaisons directes sont généralement établies par des cellules plus petites, des cellules *bipolaires* et *ganglionnaires naines*.

Pourquoi le système nerveux fonctionne-t-il de cette façon? Il se trouve que les premières étapes du traitement des signaux se produisent juste au niveau des récepteurs de la rétine. La lumière qui parvient à une partie de la rétine a un effet sur les réponses nerveuses des cellules connectées à d'autres parties de celle-ci. Nous analyserons plus en profondeur ces interactions aux chapitres 3 et 6; pour le moment, comprenons qu'elles ont pour résultat final de stimuler la réaction du système nerveux aux contours des objets perçus et de modifier la perception de la brillance et des couleurs. En général, une région très éclairée assombrit les objets en périphérie. Inversement, les régions sombres font paraître les régions éclairées adjacentes encore plus brillantes. Une tache rouge donnera l'impression que les régions avoisinantes se rapprochent davantage du vert, etc. Nous verrons les détails aux chapitres mentionnés plus haut.

Trajet de l'influx nerveux de l'oeil au cerveau

Chaque cellule ganglionnaire de la rétine fournit une fibre au nerf optique. Toutes ensemble, ces fibres, au nombre de 800 000 environ, forment un faisceau de l'épaisseur d'un crayon. Chez l'homme et la plupart des mammifères supérieurs, les fibres nerveuses provenant de chaque oeil se croisent à un endroit appelé le *chiasma optique* [le chiasma optique ressemble à la lettre khi (χ), d'où son nom]. Toutes les fibres provenant de la moitié gauche de chaque rétine se dirigent vers l'hémisphère gauche du cerveau; toutes les fibres provenant de la moitié droite de chaque rétine se regroupent et se rendent jusqu'à l'hémisphère droit.

Il n'y a pas de coupure des fibres nerveuses au chiasma optique: aucun nouveau contact synaptique ne s'y produit. Comme le montrent les figures 2-9, 2-10 et 2-11, ce regroupement au chiasma optique divise le champ visuel en deux moitiés. Les parties du champ visuel, situées à gauche du point où l'oeil regarde, aboutissent à la moitié droite du cerveau, tandis que toutes les parties qui se trouvent à droite aboutissent à la moitié gauche du cerveau (le cristallin inverse l'image visuelle: un objet situé du côté gauche

Figure 2-9

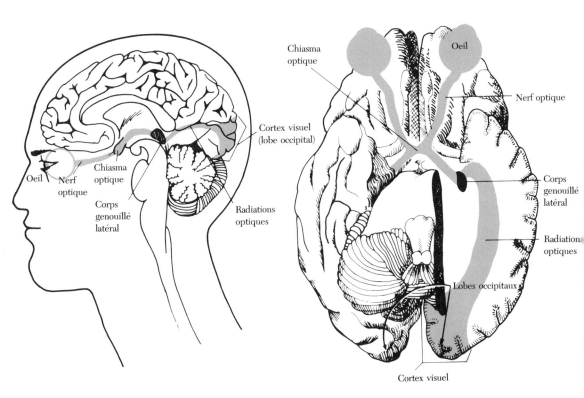

Figure 2-10

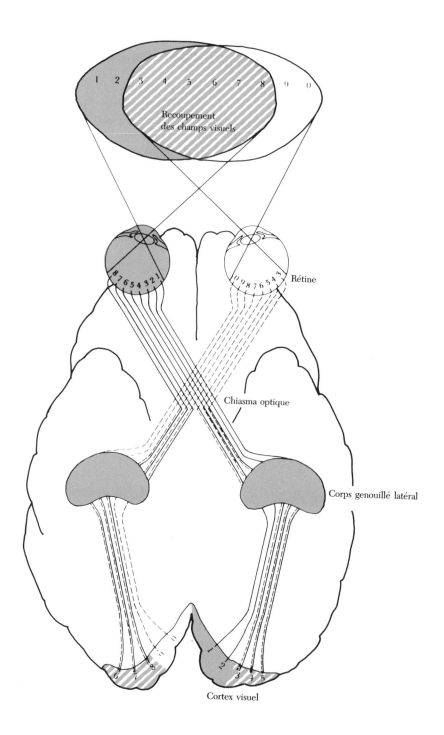

Recoupement
des champs visuels

Rétine

Chiasma optique

Corps genouillé latéral

Cortex visuel

est dirigé sur la moitié droite de la rétine, de sorte que les signaux nerveux de cette partie de l'image sont envoyés à l'hémisphère droit du cerveau).

Échantillonnage de l'information visuelle

Le traitement de l'image visuelle est principalement concentré sur la partie centrale du champ visuel, en particulier sur celle qui parvient à la fovéa. Comme l'indique la figure 2-5, la plupart des cônes sont situés dans la fovéa. Dans le cortex visuel, il semble que plus de 50% des neurones s'occupent de l'analyse de seulement 10% du champ visuel.

La périphérie de l'oeil est plus sensible à la lumière que l'est le centre, mais elle ne réagit pas autant que la fovéa aux détails subtils d'une image ou à la couleur.

Le mode d'organisation de la rétine présente évidemment certains avantages. Toutefois, comme il n'y a qu'une faible partie de la scène visuelle qui soit analysée en détail, le système de reconnaissance de formes doit disposer d'un moyen de guider l'oeil vers des points particuliers du champ visuel.

MOUVEMENTS DES YEUX

Les yeux bougent fréquemment, captant successivement différentes parties de la scène. Le mouvement des yeux présente une série de sauts discontinus, ou *saccades*, d'une partie à une autre de la scène visuelle. Ce mouvement saccadé peut se produire au maximum 4 ou 5 fois par seconde. Il résulte de l'application d'une force à certains muscles extraoculaires (au nombre de six), produisant un changement brusque et très rapide de la position de l'oeil.

Chez l'humain, l'oeil ne bouge pas plus de 4 ou 5 fois par seconde. De plus, lorsqu'un mouvement saccadé de l'oeil est amorcé, il aboutit à l'endroit prévu sans qu'aucune correction de trajectoire ne soit appliquée — le mouvement est *balistique*. Il ne s'agit pas d'un mouvement lent comme celui du bras se dirigeant vers un crayon, mouvement continuellement corrigé pour s'assurer que la main parvienne à la cible; ce mouvement ressemble plutôt à celui d'une balle qu'on vient de lancer: dès que la balle quitte la main, il n'y a plus rien à faire pour modifier sa trajectoire.

On ne connaît pas encore dans tous ses détails le mécanisme nerveux qui sert à déterminer et à contrôler la position des yeux. Les étapes finales de la chaîne d'événements qui mènent aux mouvements saccadés des yeux semblent associées aux régions antérieures du cerveau: les *aires visuelles frontales*. Une stimulation de ces régions au moyen d'électrodes déclenche des mouvements saccadés dont la direction et l'étendue dépendent de l'endroit particulier où celles-ci sont appliquées. En général, la stimulation de l'hémisphère gauche déclenche des mouvements saccadés vers la droite; celle de l'hémisphère droit produit des saccades vers la gauche. Lorsqu'on stimule les deux hémisphères simultanément, nous arrivons à un compromis: la direction et l'étendue des mouvements dépendent de l'intensité relative de la stimulation des deux hémisphères.

Toutefois, les mécanismes responsables du calcul de la direction et de l'étendue du mouvement à partir de l'analyse de l'image visuelle, demeurent inconnus. Certaines saccades semblent être relativement automatiques. Par exemple, si quelque chose bouge dans la partie périphérique du champ visuel, il arrive fréquemment que soit déclenchée une saccade involontaire dans la direction de ce mouvement. Cependant, pour la plupart, les mouvements des yeux semblent être le résultat d'un échantillonnage systématique de l'information du milieu, basé sur une interprétation significative des données sensorielles. Même durant le sommeil, il se produit des saccades. Depuis bien des années, le principal indicateur des périodes de rêve dans l'étude du sommeil est le mouvement saccadé de l'oeil. Les rêves s'accompagnent en effet de mouvements oculaires rapides (MOR)*.

* Ces mouvements oculaires rapides (MOR) correspondent à la dénomination REM: «Rapid Eye Movement» (note de l'éditeur).

Figure 2-11a

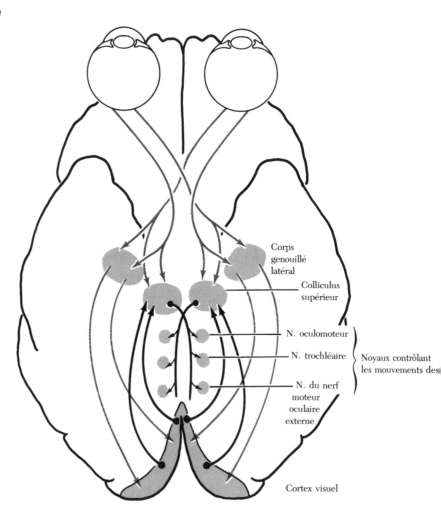

Corps genouillé latéral

Colliculus supérieur

N. oculomoteur

N. trochléaire

N. du nerf moteur oculaire externe

Noyaux contrôlant les mouvements des

Cortex visuel

Bien que les processus permettant de déterminer l'emplacement des cibles à l'intérieur de la scène visuelle ne soient pas bien compris, de récentes découvertes laissent croire qu'ils pourraient être contrôlés par un canal neural distinct de celui qui intervient dans le processus normal de reconnaissance de formes. Nous pouvions nous y attendre. En effet, bien que les opérations associées à la localisation d'un objet et celles qui interviennent pour le reconnaître soient généralement assez bien coordonnées, une analyse destinée à déterminer **où** sont les choses est, jusqu'à un certain point, incompatible avec l'analyse qui cherche à déterminer **ce que** sont les choses.

Pour **identifier** un objet dans une image visuelle, une personne ou une chaise par exemple, l'orientation exacte, la distance ou l'emplacement dans le champ visuel ne sont pas importants. Idéalement, le système de reconnaissance de formes devrait ne pas tenir compte de toutes ces propriétés

LE CANAL DE LA LOCALISATION

Figure 2-11*b*

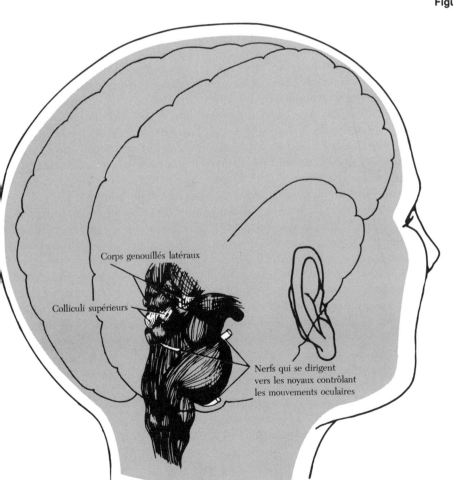

Corps genouillés latéraux

Colliculi supérieurs

Nerfs qui se dirigent vers les noyaux contrôlant les mouvements oculaires

et se concentrer uniquement sur les caractéristiques pertinentes à l'identification de l'objet (la chaise ou la personne). Cependant, pour **localiser** un objet, l'identification n'est pas importante. Seules la position et l'orientation sont pertinentes.

Y a-t-il deux canaux neuraux indépendants qui interviennent dans deux types distincts d'analyse? D'après l'anatomie du système visuel, il se pourrait bien qu'il en soit ainsi. Une partie des fibres nerveuses allant de l'oeil au cerveau s'éloigne des autres; plutôt que de se diriger, comme le reste des fibres, vers le *corps genouillé latéral*, elles atteignent un centre du cerveau appelé *colliculus supérieur**.

Comme pour les corps genouillés latéraux et le cortex visuel, les fibres qui quittent les régions adjacentes de la rétine aboutissent à des régions adjacentes dans le colliculus supérieur. La structure spatiale de la rétine se trouve ainsi préservée. Cependant, contrairement au cortex visuel, la région fovéale ne semble pas recevoir de traitement spécial. Les fibres issues du colliculus semblent connectées au système de contrôle moteur du mouvement des yeux, de l'orientation de la tête et des ajustements de la posture. Enfin, il semble que des signaux provenant des régions réceptrices du cortex soient dirigés vers cette structure colliculaire.

L'organisation anatomique de cette voie colliculaire en fait donc une candidate sérieuse au titre de canal neural servant à la localisation des objets dans l'environnement. Mais il existe des arguments plus persuasifs que l'anatomie. Lorsqu'on stimule à l'aide d'électrodes des neurones de ce canal chez un animal éveillé, il se produit certains mouvements de la tête ainsi que des ajustements de la posture. Lorsqu'on stimule des neurones associés à une certaine partie du champ visuel, l'animal s'oriente dans la direction appropriée, regardant l'endroit où se trouverait l'objet si l'activité avait été le résultat de conditions visuelles normales.

Les cellules du colliculus supérieur sont principalement activées par des cibles *mouvantes*. Différents systèmes sensoriels envoient de l'information à cette région: l'ouïe, la vue, le toucher. L'organisation du colliculus semble permettre l'intercommunication entre les sens, en vue d'obtenir de l'information sur la situation spatiale. Bref, il semble que cette région du cerveau soit importante pour la localisation des objets dans l'espace, indépendamment du mode sensoriel par lequel l'information est reçue. Cette région semble aider aussi au contrôle de l'orientation du corps. Nécessaires pour suivre un objet dans sa course, les mouvements du corps, de la tête et des yeux seraient également sous le contrôle du colliculus supérieur (Stein, Magalhães-Castro et Kruger, 1975).

De nouvelles aires de recherche s'ouvrent chaque fois qu'on identifie une structure nerveuse associée à une fonction particulière. Qu'advient-il à la vision lorsque l'un ou l'autre de ces deux principaux canaux visuels est coupé? Examinons d'abord les effets d'une coupure du canal présumément responsable de la reconnaissance de formes.

---

* Colliculus supérieur = tubercule quadrijumeau antérieur.

On peut couper le canal neural associé à la reconnaissance de formes en enlevant le cortex visuel (*ablation corticale*). Chez le chat et le singe, au départ, l'ablation du cortex visuel semble produire la cécité totale. Les animaux ne démontrent aucune aptitude à voir les objets, à réaliser la coordination normale entre les fonctions visuelles et motrices ou à s'acquitter d'une tâche qui exige une discrimination entre des signaux visuels. Cependant, en vérifiant plus attentivement, on peut observer qu'il existe encore certaines capacités visuelles. L'animal dépourvu de cortex visuel peut apprendre à faire des distinctions de brillance et peut-être même de dimension.

Les singes sans cortex visuel réussissent également à localiser des objets. Le mouvement semble être un facteur important. Lorsque l'expérimentateur montre au singe un petit morceau de nourriture appétissant, par exemple une noix, celui-ci ne semble pas la remarquer au départ; mais si l'expérimentateur bouge la main, le singe fait un mouvement dans la bonne direction. Il fait toutefois des erreurs d'estimation quant à la profondeur. Jamais l'animal n'est capable d'exécuter une tâche qui exige une discrimination entre des formes visuelles.

Il semble donc que la localisation demeure possible dans une certaine mesure lorsque le canal transportant l'information sur les formes est coupé. Puisque cette coupure n'a pas d'effet sur le colliculus supérieur, on pourrait supposer que ce canal neural s'occupe de l'information concernant la position. Pour le prouver, il suffit de couper le canal du colliculus et de tester chez l'animal l'habileté à localiser les objets. Si les deux canaux fonctionnent indépendamment, la reconnaissance de formes devrait alors s'effectuer normalement, tandis que les fonctions de localisation devraient être gravement altérées.

VISION SANS CORTEX VISUEL

L'animal choisi pour cette expérience est un hamster doré dont les canaux colliculaire et cortical sont particulièrement bien séparés, rendant plus aisée l'opération chirurgicale. Quand on coupe la voie colliculaire, le hamster perd toute son aptitude à localiser. Lorsqu'on lui offre de la nourriture (par exemple des graines de tournesol), il est incapable de s'orienter convenablement et de les atteindre. Mais cette inaptitude apparente à localiser pourrait être en réalité le résultat d'une reconnaissance de formes déficiente. Car peut-être ne reconnaît-il tout simplement pas la nourriture qu'on lui offre.

Nous sommes donc en présence d'un problème expérimental intéressant. En effet, suite à un test standard, le hamster semble incapable de discriminer des formes visuelles simples. Par exemple, s'il doit choisir entre deux formes situées aux extrémités de deux corridors, il n'apprend jamais à choisir celle qui donne accès à la nourriture. Les hamsters normaux, quant à eux, n'ont aucune difficulté à y parvenir: ils apprennent rapidement à identifier la forme appropriée et réussissent, chaque fois qu'ils sont placés dans la boîte, à s'approprier la nourriture.

Toutefois, pour exécuter la tâche, l'animal doit non seulement reconnaître la forme exacte, mais aussi la localiser; or, en rendant la tâche telle qu'il n'ait plus besoin de localiser, le hamster se comporte de façon radicalement

VISION SANS COLLICULUS SUPÉRIEUR

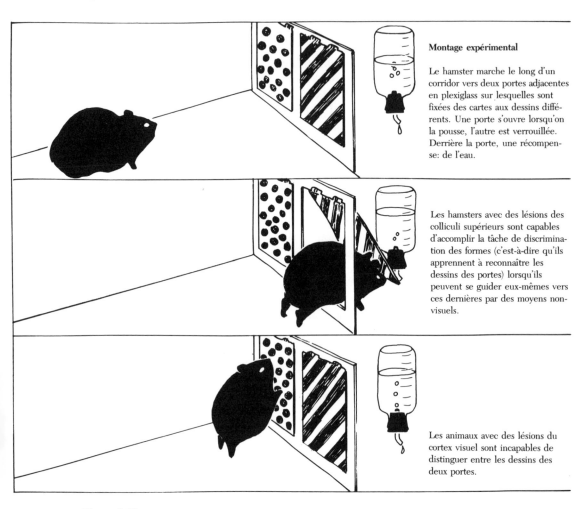

Montage expérimental

Le hamster marche le long d'un corridor vers deux portes adjacentes en plexiglass sur lesquelles sont fixées des cartes aux dessins différents. Une porte s'ouvre lorsqu'on la pousse, l'autre est verrouillée. Derrière la porte, une récompense: de l'eau.

Les hamsters avec des lésions des colliculi supérieurs sont capables d'accomplir la tâche de discrimination des formes (c'est-à-dire qu'ils apprennent à reconnaître les dessins des portes) lorsqu'ils peuvent se guider eux-mêmes vers ces dernières par des moyens non-visuels.

Les animaux avec des lésions du cortex visuel sont incapables de distinguer entre les dessins des deux portes.

Figure 2-12

différente. Il longe un côté de la boîte et parvient à une des portes à laquelle se trouve associé un dessin. Là, dressé sur ses pattes de derrière, il semble analyser la figure. Il franchit alors la porte ou continue à longer le mur et parvient à la porte suivante, où il inspecte à nouveau la figure. S'il n'entre pas par cette seconde porte, il peut contourner toute la boîte jusqu'à ce qu'il revienne à la première porte, où il recommence la séquence entière. Cette expérience montre la différence qui existe entre la localisation et la reconnaissance* (voir figure 2-12).

Dans ce domaine, les travaux expérimentaux n'en sont qu'à leurs débuts et les détails relatifs au système de localisation n'ont pas encore été élucidés. Jusqu'à présent, les résultats semblent concorder sur le fait que deux systèmes distincts soient en cause: l'un nous dit **où** sont les choses; l'autre,

---

* Voir G.E. Schneider (1969) pour les détails de l'expérience originale.

ce qu'elles sont. Mais deux systèmes ne peuvent fonctionner de façon indépendante; sinon, comment pourrions-nous reconnaître des objets en relation avec leur emplacement? Ensemble, les deux canaux constituent un dispositif puissant et raffiné permettant d'échantillonner et d'analyser l'environnement visuel.

Revue des termes et notions

Voici, pour le présent chapitre, les termes et notions que nous considérons importants. Passez-les en revue; si vous êtes incapable d'en donner une courte explication, vous devriez revoir les sections appropriées du chapitre.

Lumière
  intensité
    décibels (dB)
  longueur d'onde
    nanomètres
Les yeux
  cornée
  humeur aqueuse
  pupille
  humeur vitrée
  cristallin
  rétine
  fovéa
  accommodation (focalisation)
  convergence
L'organisation des structures nerveuses de la rétine
  bâtonnets
  cônes
  pourpre rétinien
  structure horizontale
  structure verticale
Système nerveux
  neurones
  synapse
  cellules ganglionnaires
  cellules horizontales
  cellules amacrines
  nerf optique
  chiasma optique
  corps genouillé latéral (CGL)
  colliculus supérieur
  cortex visuel
Vision
  la tache aveugle (de quoi dépend-elle?)
  mouvements des yeux

TERMES ET NOTIONS À CONNAÎTRE

Lectures suggérées

Puisque ce chapitre et le suivant traitent du fonctionnement de l'oeil, on devrait consulter les lectures suggérées au chapitre 3 pour disposer d'une liste plus complète. À ce stade, nous ne donnons qu'une liste succinte de références. Le meilleur point de départ concernant le traitement général de l'oeil et du système visuel (ainsi que les sujets traités au chapitre 1) est constitué par les deux livres de Gregory, *L'oeil et le cerveau* (1966) et *The intelligent eye* (1970). Pour une étude plus poussée, nous recommandons quatre ouvrages. Deux d'entre eux sont des volumes du *Handbook of perception* intitulés *Biology of perceptual systems* (vol. III) et *Seeing* (vol. V). Le volume III traite des fonctions de l'oeil et le volume V des propriétés psychologiques de la perception (Carterette et Friedman, 1973, 1975). Le troisième livre, de Cornsweet (1970), traite de plusieurs phénomènes discutés dans ce chapitre ainsi que d'autres sujets plus complexes. Finalement, si vous portez à l'oeil un intérêt vraiment exceptionnel, le livre extraordinaire de Rodieck (1973) contient 1044 pages de renseignements sur le système visuel et plus particulièrement sur la rétine.

On peut trouver dans Teuber (1960), au chapitre sur la «perception», une revue du rôle du cortex visuel. Pour faire d'excellentes études du sujet, l'*Annual Review of Physiology* et l'*Annual Review of Psychology* fourniront plusieurs articles intéressants.

La distinction entre la localisation et la reconnaissance de formes (et les rôles respectifs du colliculus et du cortex) est décrite dans diverses sources récentes. L'expérience sur le hamster et, en outre, une documentation complémentaire très élaborée font l'objet d'un article de G.E. Schneider dans *Science*: «Two Visual Systems» (1969). Un certain nombre d'articles pertinents sont parus dans le journal allemand *Psychologische Forschung* (1967 et 1968, vol. 31). (Les articles en question sont en anglais.) Parmi les principaux articles que vous aimerez peut-être parcourir, mentionnons ceux de Held (p. 338-348), de Ingle (p. 44-51), de G.E. Schneider (p. 52-62) et de Trevarthen (p. 299-337).

Nous vous rappelons que vous trouverez d'autres lectures suggérées à la fin du chapitre 3 (et du chapitre 6, pour les bases physiologiques de la vision).

3. Aspects de la vision

Préambule

Les expériences sensorielles

La perception de la brillance
LE CONTRASTE DE BRILLANCE
LES BANDES DE MACH
BRILLANCE ET PROFONDEUR

Analyse de la fréquence spatiale

La mesure de la sensibilité visuelle
PROFILS D'ISOSENSIBILITÉ À LA BRILLANCE

Caractéristiques temporelles de la vision
LA PÉRIODE D'ABSORPTION
LORSQUE DES LUMIÈRES CLIGNOTANTES
DEVIENNENT CONTINUES
LE POINT DE FUSION CRITIQUE

Couleurs
LE CERCLE DE LA COULEUR
LE MÉLANGE DE DEUX LUMIÈRES
LES PEINTURES ET LES LUMIÈRES
MÉLANGES ET POINTILLISME EN PEINTURE

La sensibilité des cônes à la couleur
LE CONTRASTE CHROMATIQUE
LA THÉORIE DES PROCESSUS ANTAGONISTES
IMAGES CONSÉCUTIVES

Revue des termes et notions
TERMES ET NOTIONS À CONNAÎTRE

Lectures suggérées
VISION DES COULEURS
ANALYSE DE LA FRÉQUENCE SPATIALE

Préambule

Voici le deuxième des deux chapitres sur le système visuel. Ici, nous allons parler de ce que vous expérimentez vraiment: la brillance, le contraste, le clignotement et la couleur. Une fois intégrés au vocabulaire scientifique, ces phénomènes peuvent paraître ennuyeux; ils sont pourtant au coeur de la perception visuelle. La brillance, vous le découvrirez rapidement, ne varie pas simplement en fonction du niveau de lumière. À mesure que l'intensité lumineuse grandit, il est fort possible que la brillance d'un objet diminue. Lorsque vous augmentez la quantité de lumière dans une pièce, certains objets deviennent plus clairs, d'autres plus sombres. Le système visuel fonctionne de telle façon que la perception d'une partie de l'environnement influe sur la perception des autres. Un objet clair peut rendre les objets environnants plus sombres; un objet vert peut les faire paraître plus rouges. En fait, la perception d'un objet dépend en partie de l'idée qu'on s'en fait.

Le présent chapitre relie les phénomènes de base de la perception visuelle aux connaissances acquises dans les chapitres précédents; notre but est d'expliquer comment quelques-uns de ces phénomènes se produisent. Certaines explications devront attendre au chapitre 6 où il sera question des circuits neuraux. Dans d'autres cas, les explications ne pourront tout simplement pas être fournies puisqu'elles ne sont pas encore connues. Ce chapitre constitue un bon point de départ pour quiconque s'intéresse à la perception visuelle: il donne certaines réponses, mais présente aussi grand nombre de problèmes en attente de solution.

En fait, le chapitre se divise en deux parties: d'abord, un exposé sur la vision en noir et blanc, puis un autre sur la couleur. Dans la partie consacrée à la vision en noir et blanc, nous introduisons bon nombre de principes fondamentaux s'appliquant tout autant à la couleur.

La distinction entre *réalité objective* et *réalité perçue* est le premier point important à considérer: il existe une différence entre ce qui *est* et ce qui *est perçu*. L'un relève du *physique* de la situation, l'autre du *psychologique*. Nous nous intéressons au psychologique et aussi à la relation entre le physique et le psychologique (champ d'étude parfois appelé *psychophysique*).

Ensuite, nous allons traiter d'un phénomène découvert par Ernst Mach (1838-1916), mieux connu sous le nom de *bandes de Mach*. Un des éléments fondamentaux à retenir de ce chapitre: ce qui est vu dans une partie de l'environnement influe sur la perception des parties avoisinantes. Étudiez bien les *bandes de Mach*, nous nous en servirons beaucoup par la suite.

L'analyse du monde visuel par les fréquences spatiales devient de plus en plus importante. Lisez la section sur ce type d'analyse, regardez bien les figures et faites l'expérience simple que l'on vous propose. Vous devriez essayer de comprendre ce qu'il en est exactement, étant donné l'importance majeure de ce genre d'analyse.

Dans l'étude de la couleur, nous faisons deux choses. D'abord, nous essayons de regrouper l'information de façon à ce que l'ensemble puisse rendre compte de la combinaison des couleurs telles que nous les percevons. En général, il s'agit d'un champ d'étude assez confus; les articles techniques et les livres sur le sujet ont tendance à être complètement incompréhensibles, même pour ceux qui oeuvrent dans le domaine. Les principes en sont relativement simples; c'est d'ailleurs tout ce que vous avez besoin de retenir de cette section. Aussi remarquerez-vous qu'ils diffèrent de ce qui est généralement enseigné dans les cours d'art.

De plus, nous étudions comment le cerveau traite l'information sur la couleur et nous jetons un regard sur quelques-uns des mécanismes psychologiques en cause. Pour ce faire, nous allons nous référer au contenu des chapitres précédents et à quelques principes que nous aurons retenus de l'étude des bandes de Mach, reconstituant ainsi toutes les étapes de la perception de la couleur.

Les expériences sensorielles

Lorsque nous parlons d'expériences sensorielles, comme celles de voir et d'entendre, il est important de distinguer la lumière physique et les ondes sonores faisant partie du monde extérieur, des expériences psychologiques qui sont dans notre esprit. Les aspects physiques de la lumière et du son s'étudient, se définissent et se mesurent facilement. Une onde physique se définit par sa forme ondulatoire (description de la variation d'énergie ou de la pression dans le temps) ou par son spectre (description de la quantité d'énergie présente à chaque fréquence). Les aspects psychologiques ne se laissent pas définir aussi facilement. Pour le son, les deux particularités psychologiques les plus apparentes sont la force et la hauteur*, mais il existe d'autres expériences de la qualité d'un son — le timbre, la dissonance, la consonnance et la musicalité. De même pour la lumière, les caractéristiques psychologiques les plus évidentes sont la brillance et la teinte, mais il existe aussi d'autres distinctions possibles.

Avec la plus simple des formes ondulatoires physiques, soit une onde sinusoïdale pure du même type que celle produite en lumière par un laser, ou en son par un simple sifflet ou par un oscillateur électronique, les aspects physiques s'expriment en termes de fréquence et d'intensité. Il est tentant d'associer ces simples variables physiques avec l'expérience psychologique de la couleur et de la brillance ou de la hauteur et de la force, mais ce serait une erreur. D'abord, les relations ne sont pas directement linéaires: doubler l'intensité d'une onde physique ne double pas la perception de sa brillance ou de sa force. Ensuite, les relations ne sont pas indépendantes: varier la fréquence affecte à la fois la brillance ou la force perçue aussi bien que la couleur ou la hauteur. Et finalement, les relations ne sont pas constantes: la perception de la couleur et de la brillance d'une lumière ou de la hauteur et de la force d'un son ne dépend pas uniquement de leur fréquence et de leur intensité, mais aussi du contexte dans lequel elle se produit, par exemple la nature des autres lumières ou des autres sons possiblement présents au même moment, comme l'illustre la figure 3-1.

Même le plus simple des aspects physiques fait l'objet d'une analyse complexe de la part du système nerveux. Ne commettez pas l'erreur de confondre les perceptions **psychologiques** de force, brillance, hauteur et couleur avec les propriétés **physiques** d'intensité et de fréquence. Il s'agit d'entités différentes. À ce sujet, le tableau 3-1 dresse un sommaire des principales variables en cause dans la perception visuelle.

Dans l'étude de la relation entre le physique et le psychologique, il est possible de mesurer exactement le physique, alors que nous disposons seulement de nos impressions personnelles pour nous guider dans notre évaluation du psychologique. Pour étudier les impressions psychologiques, il faut demander à des sujets de commenter leurs sensations. Mais, demander aux gens ce qu'ils perçoivent s'avère un jeu dangereux. Ce qui nous est confié est déterminé autant, sinon davantage, par la connaissance qu'ont

---

* Chez certains auteurs, notamment chez Piéron, force devient **sonie** et hauteur devient **tonie**. Nous emploierons ici force et hauteur pour faciliter la tâche à l'étudiant. (N. de l'Éd.)

Figure 3-1

les sujets de la langue et par ce qu'ils croient être le commentaire à fournir que par les réactions réelles de leurs systèmes sensoriels. Les introspections d'observateurs ont fait l'objet de nombreuses années d'étude et ont conduit à l'identification de quelques-unes des difficultés que comporte cette approche directe. Avec beaucoup de prudence, il est toutefois possible d'apprendre quelque chose sur les perceptions en risquant peu de se tromper. Cependant, il importe de poser les bonnes questions.

Variables psychologiques	Variables physiques	Tableau 3-1
Vision	*De première importance*	*D'importance secondaire*
Brillance	Intensité de la lumière	Longueur d'onde lumineuse, adaptation de l'oeil
Couleur (teinte)	Longueur d'onde	Composition spectrale, intensité et teinte des lumières environnantes
Saturation (qualité de la couleur)	Composition spectrale	Lumières environnantes
Contraste	Intensité, longueur d'onde, lumières environnantes	—

Une technique intéressante pour en arriver aux impressions sensorielles consiste à restreindre la tâche du sujet à des décisions élémentaires — par exemple, un signal a-t-il été émis; ou bien, deux signaux sont-ils identiques ou différents? — ou à des opérations de détection et de comparaison. Au lieu de demander à une personne: «Qu'est-ce que vous entendez?», demandez plutôt:«Entendez-vous quelque chose?» Au lieu de demander une description de la sensation, demandez: «Ces deux stimuli diffèrent-ils, oui ou non?» En posant ces questions non-ambiguës dans des expériences soigneusement préparées, il est possible d'en apprendre beaucoup sur les mécanismes fondamentaux du traitement de l'information sensorielle.

La perception de la brillance

L'image visuelle présente sur une partie de la rétine,affecte la perception d'une image sur les parties adjacentes de la rétine. Les connexions nerveuses horizontales (cellules horizontales et amacrines) joignant les récepteurs rétiniens entre eux font interagir les régions rétiniennes périphériques à mesure que l'information parvient à l'oeil. Cette interaction joue un rôle majeur dans le traitement des entrées visuelles et répond de certains phénomènes perceptifs fondamentaux. Nous avons étayé en détail, au chapitre 6, tout l'aspect de la mécanique impliquée. À ce stade-ci, nous nous concentrons sur les quelques expériences psychologiques produites par ces réseaux d'interaction sous-jacents.

Observons les carrés intérieurs dans l'illustration de la figure 3-2. Tous ces carrés sont imprimés de façon identique: ils réfléchissent la même quantité de lumière. Toutefois, la brillance perçue des carrés intérieurs varie en fonction de ce qui les entoure. À l'extrême gauche, le carré intérieur semble plus éclatant que celui à l'extrême droite.

LE CONTRASTE DE BRILLANCE

Figure 3-2

Cornsweet (1970).

Normalement, selon que l'intensité physique augmente, nous anticipons que la perception psychologique en fait autant. Ainsi, la brillance d'un objet devrait augmenter selon que celui-ci réfléchit une plus grande quantité de lumière, tout comme la force d'un son s'accroît lorsque son intensité augmente. Mais la brillance d'un objet dépend du champ périphérique. À mesure qu'augmente l'intensité d'une lumière sur une surface donnée, la brillance varie, mais en fonction de l'environnement présent. Regardons la paire de carrés à gauche de la figure 3-2. Appelons le carré interne la *cible* et l'aire externe le *cadre*. Si l'illumination générale augmente, l'intensité de la cible puis du cadre augmente proportionnellement et le contraste physique entre les deux demeure exactement le même. Cependant, la brillance de la cible ne s'accroît pas nécessairement selon la hausse de l'illumination. Elle peut devenir plus grande ou demeurer identique ou même sembler décroître. Tout dépend des intensités relatives de la cible et du cadre.

La figure 3-3 illustre la variation de la brillance de la cible en fonction de l'augmentation de l'illumination pour différents rapports de contraste

Figure 3-3

Stevens (1961b).

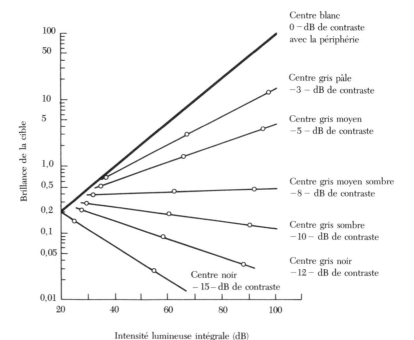

entre la cible et le cadre (le rapport de contraste s'exprime en décibels)*. Lorsque la brillance de la cible égale celle du cadre (*i.e.* une différence de contraste de 0 dB), son appréciation augmente alors lentement et constamment selon l'intensité lumineuse, tel qu'indiqué par la ligne supérieure en caractère gras. Lorsque le contraste entre la cible et le cadre s'accentue, la brillance de la cible n'évolue pas aussi rapidement que le niveau lumineux intégral. Pour une cible d'un gris sombre moyen (une différence de contraste d'environ 8 dB), nous obtenons une constance parfaite de brillance qui, indépendamment de l'augmentation des niveaux d'illumination, demeure identique. Pour un plus grand contraste, un effet intéressant survient: toute addition de lumière **assombrit** l'apparence de la cible.

Il vous est possible de tenter cette expérience en utilisant les carrés de la figure 3-2. Pour ce faire, il vous faut une chambre noire et un procédé quelconque pour varier l'intensité lumineuse sans affecter, du même coup, la couleur de la lumière. Dans une habitation courante, vous pouvez vous y prendre de deux façons seulement. Une première méthode consiste à s'enfermer dans une garde-robe, à fermer la porte, puis à l'ouvrir lentement. La quantité de lumière pénétrant à l'intérieur peut se contrôler par l'angle d'ouverture de la porte. (Attention: si la pièce extérieure est éclairée raisonnablement, il vous faut ouvrir la porte d'un centimètre ou deux seulement pour obtenir la lumière suffisante.) Une seconde méthode consiste à utiliser un téléviseur comme source lumineuse. Mettez en circuit le téléviseur dans une pièce sombre et réglez-le sur un canal libre. Le réglage de brillance de l'appareil agit ici comme source de lumière pour la pièce. (Il est préférable que le bouton de réglage du contraste soit au minimum afin d'éviter les points noirs qui apparaîtraient à l'écran.)

Maintenant, regardez les carrés. À mesure que vous augmentez l'illumination de la pièce en partant de sa plus petite valeur, le carré-cible droit tend à s'assombrir de plus en plus. Si vous tentez la même chose en regardant la cible gauche, celle-ci devient plus claire à mesure que la lumière de la pièce est accentuée. Rappelez-vous que tous les carrés-cibles sont identiques: les différences dans votre perception de leur brillance proviennent des différences dans le cadre. [**Note**: n'essayez **pas** de varier l'illumination en utilisant un rhéostat, car la couleur de l'illumination variera et vous ne pourrez vraisemblablement pas réduire l'éclairage à un niveau suffisamment bas.]

Même s'il vous semble étrange que la cible paraisse s'assombrir à mesure que l'illumination augmente, ce phénomène appert être véritable. Dans des conditions minimales d'illumination, lorsqu'aucune lumière n'excite vraiment l'oeil, on obtient une perception proche du gris plutôt que du noir. La perception de la brillance, à son état neutre, semble être le gris. En présence d'une certaine lumière, dès lors, nous pouvons voir les noirs, mais seulement si certaines surfaces plus claires inhibent les régions noires en apparence.

---

* Ces mesures de brillance ont été effectuées en utilisant la technique de l'estimation de la grandeur telle que décrite à l'appendice A de ce volume. L'expérience a été rapportée par S.S. Stevens (1961b).

L'écran d'un téléviseur offre un exemple simple de ce phénomène. Lorsque l'appareil est mis hors circuit, l'écran présente une brillance gris neutre. En circuit, certaines de ses aires laissent paraître des noirs intenses beaucoup plus sombres que le gris précédent. En fait, le téléviseur peut seulement intensifier l'écran: le faisceau électronique qui se heurte à la face phosphorescente du tube ne concourt qu'à l'émission de la lumière; il ne peut en absorber. L'assombrissement apparent de l'écran provient des mécanismes de contraste simultané de l'oeil.

LES BANDES DE MACH

L'un des plus intéressants effets d'interactions spatiales vient du phénomène de contraste de brillance, ainsi nommé en l'honneur du scientifique autrichien Ernst Mach. Dans ses premières recherches sur la physiologie sensorielle (vers 1860), Mach remarqua qu'il pouvait voir des bandes d'obscurité et de clarté là où il n'y avait aucun changement physique correspondant dans l'intensité lumineuse*.

Le phénomène se présente comme suit. La gradation, dans une image visuelle, d'une aire faiblement illuminée vers une aire qui l'est intensivement (voir les figures 3-4 et 3-5) donne l'illusion d'un changement beaucoup plus frappant de l'intensité lumineuse qu'il ne l'est en réalité. En fait, les bandes d'obscurité et de lumière s'échelonnent de chaque côté de la gradation: il s'agit des *bandes de Mach*.

Les artistes, spécialement les enfants, ne font quelquefois qu'ébaucher leurs dessins. Imaginons un dessin dans lequel toutes les surfaces claires sont esquissées en blanc, toutes les sombres en noir: ceci ressemble beaucoup au phénomène des bandes de Mach. En fait, le phénomène est si frappant que pendant plusieurs années, les gens ont cru que la scène réelle renfermait bien ces lisérés plus clairs et plus foncés, et toutes sortes d'erreurs de mesure se sont produites du fait que les scientifics croyaient à l'existence de ces lisérés sur les objets qu'ils examinaient au microscope ou au téléscope. (Ratliff, dans un livre sur le sujet, rapporte la fascinante histoire des bandes de Mach: pour plus de détails, voir «Lectures suggérées» à la fin du présent chapitre.)

Les bandes de Mach constituent l'exemple classique: il faut user de prudence quand il s'agit de distinguer les aspects psychologiques et physiques de la sensation. Regardons la figure 3-6: la ligne pointillée représente la situation physique (intensité lumineuse); la ligne pleine, la perception psychologique de la situation (brillance perçue). Le sommet de la brillance, désigné par le point β, n'existe que psychologiquement: il n'existe pas dans le signal physique. De même, la bande d'obscurité relative, désignée par le point γ, n'existe que psychologiquement, elle aussi: elle n'existe pas dans le signal physique. Les figures 3-4 et 3-5 illustrent deux façons de produire des bandes de Mach.

---

* En vérité, Léonard de Vinci avait déjà décrit ce phénomène (note des traducteurs).

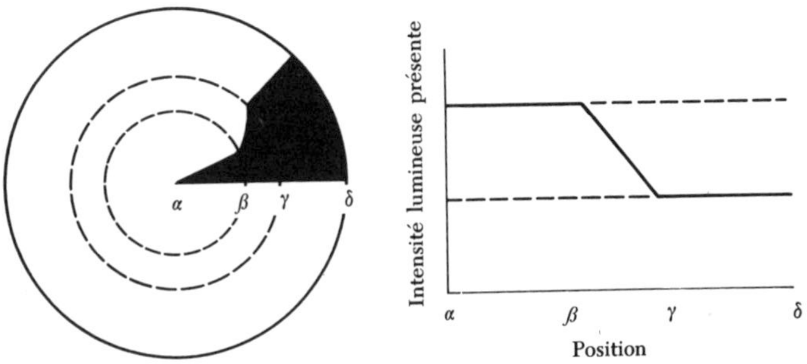

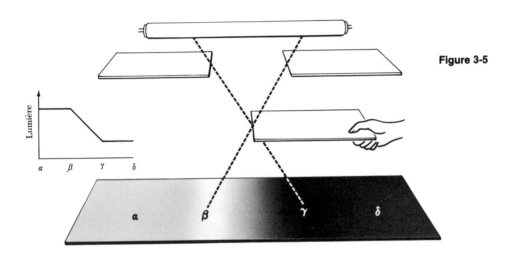

Figure 3-4

Le disque blanc avec un secteur noir, en rotation rapide autour du centre (vitesse supérieure à 1800 tr/min), produit une densité moyenne de lumière telle qu'indiquée sur le graphique, ce qui donne la même apparence qu'à la figure 3-6: les bandes de Mach. *Ratliff (1965).*

Figure 3-5

Méthode simple pour produire des bandes de Mach. Si la lampe se situe à environ 30 cm au-dessus du papier blanc, la hauteur de la carte devrait être de 3 à 5 cm. De légers mouvements avant et arrière augmenteront la visibilité des bandes de Mach. Le diagramme inférieur montre à quoi ressemblent les bandes de Mach, même si ce diagramme est construit artificiellement. *Ratliff (1965).*

Figure 3-6

Ratliff (1965).

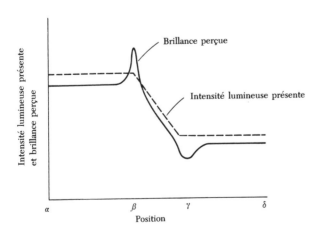

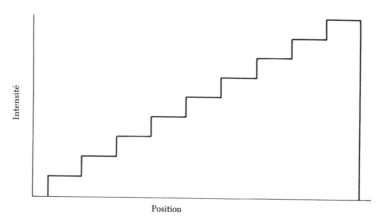

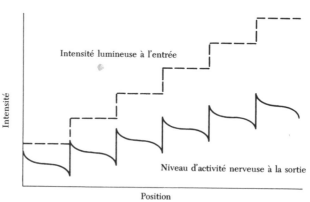

Figure 3-7

Schéma de sortie (ligne pleine) prédit pour telle entrée de distribution d'intensité (ligne pointillée).

Cornsweet (1970).

Ces interactions influencent aussi la façon dont les bandes verticales de la figure 3-7 sont perçues. Même si chaque bande a une intensité constante, elles ne sont pas vues comme telles. C'est plutôt une brillance non uniforme qui est perçue. Regardons attentivement la figure 3-7. Nous remarquons que chaque bande de gris semble, de la gauche vers la droite, varier en brillance. De plus, les limites entre les bandes paraissent bien définies, distinctes, tout comme si un artiste les avait légèrement accrues. Tout ceci vient des bandes de Mach. En fait, les bandes de gris sont d'intensité constante comme le démontre le graphique de la figure. Il est vrai que votre perception de la brillance change de la façon décrite précédemment (et tel qu'indiqué dans le graphique du bas), mais c'est votre oeil qui crée cette perception. Pour vous le prouver, prenez deux feuilles de papier et couvrez toutes les bandes, sauf une. Maintenant, vous pouvez constater que l'intensité ne varie pas d'un côté à l'autre de la bande: la bande de Mach n'apparaît pas sur une seule bande. Prenez encore un étroit morceau de papier, une plume fine ou un crayon et couvrez les limites entre deux bandes: une fois de plus, la bande de Mach disparaît, prouvant que cette perception relève bien de l'illusion. Ainsi, beaucoup de ce que vous percevez être dans la figure ne s'y trouve pas.

Il est facile d'avancer des arguments pour expliquer cette différence entre votre perception et la réalité. Il semble important de pouvoir délimiter les contours des objets, même dans des conditions de faibles différences d'intensité lumineuse entre un objet et les choses environnantes. L'amplification des différences aux aires limitrophes devrait aider n'importe quel processus de reconnaissance de formes à utiliser ces limites pour identifier les objets vus.

Les interactions nerveuses responsables de ces expériences visuelles ressemblent beaucoup aux mécanismes observés dans d'autres modalités sensorielles. En fait, ce même type d'affûtage sensoriel se retrouve presque partout — vision, audition, goût, toucher et odorat — où s'alignent des récepteurs sensoriels individuels les uns à côté des autres. Dans tous les systèmes sensoriels, les schémas d'interaction semblent d'une importance capitale pendant les premières phases d'analyse.

BRILLANCE ET PROFONDEUR

Notre perception de la brillance relève souvent de plusieurs facteurs complexes. L'expérience qui suit démontre comment brillance et profondeur interagissent pour produire une perception tenant compte de plusieurs facteurs différents (Hochberg et Beck, 1954).

Dans une chambre, quelques objets blancs sont placés sur une table (voir la figure 3-8). Par un trou dans le mur, l'observateur regarde la chambre. Ainsi, comme il ne peut tourner la tête, tout doit se voir d'un angle fixe. Un certain nombre d'objets sont visibles sur une table illuminée par une lumière verticale. Certaines surfaces sont illuminées directement, d'autres restent dans l'ombre. La figure 3-9 donne une vue de face de la scène.

Même si la quantité de lumière réfléchie par les différentes surfaces varie, toutes les surfaces semblent d'une même couleur: blanche. Pourquoi? L'observateur perçoit les objets en trois dimensions. Alors que certaines surfaces reposent directement sous la lumière, d'autres sont dans l'ombre. Leur orientation dans l'espace explique toutes les variations de lumière réfléchie; dès lors, les brillances sont perçues de façon constante.

Supposons que le morceau de papier marqué d'un x soit debout, en avant de la lumière verticale, comme le montre la figure 3-10. L'ombre recouvre alors le papier et la quantité de lumière réfléchie par celui-ci diminue rigoureusement. Toutefois, il paraît aussi blanc que les autres objets; encore ici, son orientation, telle que perçue

Figure 3-8

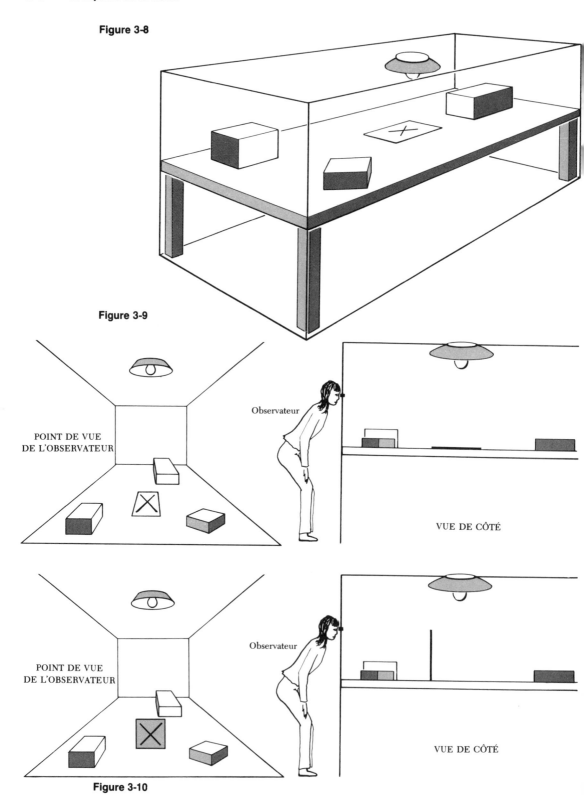

Figure 3-9

POINT DE VUE
DE L'OBSERVATEUR

Observateur

VUE DE CÔTÉ

POINT DE VUE
DE L'OBSERVATEUR

Observateur

VUE DE CÔTÉ

Figure 3-10

dans l'espace, est appropriée à la lumière qu'il réfléchit.

Pour affecter la brillance perçue, les pointes du papier doivent être coupées de façon qu'il ressemble à un trapèze (figure 3-11).

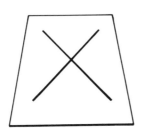

Figure 3-11

Figure 3-12

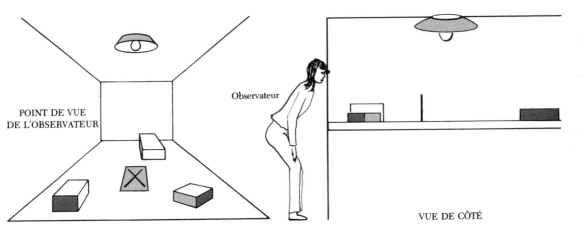

POINT DE VUE
DE L'OBSERVATEUR

Observateur

VUE DE CÔTÉ

Avec le papier placé verticalement en face de la lumière, les côtés convergent en apparence et l'observateur perçoit le trapèze debout comme un rectangle couché sous la lumière (figure 3-12). Maintenant, le papier est effectivement dans l'ombre et ne réfléchit pas une quantité de lumière appropriée pour un objet horizontal. La brillance perçue change alors et le papier paraît beaucoup plus gris que les autres objets sur la table. Si vous placez un bâton derrière le papier, l'interprétation par la profondeur ne tient plus; l'objet semble de nouveau vertical et retrouve son éclat normal. Dans la perception de la brillance, la même scène visuelle peut s'interpréter de plusieurs façons, et ce, dépendamment de l'interprétation globale des stimulations visuelles.

Figure 3-13

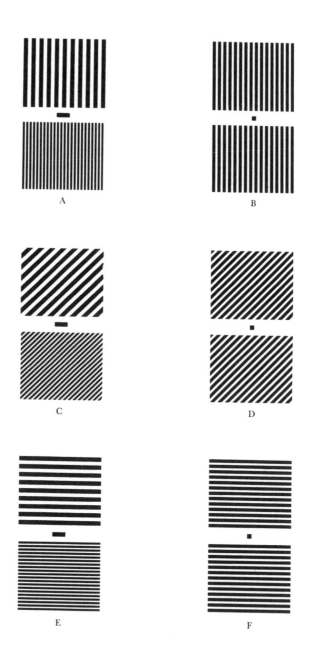

Analyse de la fréquence spatiale

Regardez la figure 3-13. Vous y voyez une série de grilles. Faites l'expérience suggérée dans la légende. Tenez la figure à environ une longueur de bras devant vous (à peu près 75 cm) et pendant ½ min environ, regardez fixement la ligne située entre les deux grilles de la partie A. (Fixez la barre horizontale jusqu'à ce que la figure commence à se déformer.) Puis rapidement, regardez le point entre les deux grilles de la partie B : la grille du haut semblera plus finement espacée que celle du bas. Si vous recommencez en

Figure 3-13

Tel que décrit dans le texte, vous pouvez utiliser ce diagramme pour faire l'expérience d'un changement dans la fréquence perçue. Tenez l'illustration à environ 75 cm de vous et, après vous être assuré que les trois paires de grilles à droite (B, D, F) ont des fréquences spatiales équivalentes, adaptez votre regard pendant environ 20 s à la paire de grilles verticales (A) à gauche, fixant la barre horizontale entre les fréquences du haut (basse fréquence) et du bas (haute fréquence). Puis, portez rapidement votre regard à droite (B) sur le point situé entre les grilles verticales identiques. Ont-elles la même apparence? Prenez au moins 2 min pour récupérer avant de répéter vos observations; mais cette fois, adaptez votre oeil aux grilles diagonales (C) et regardez l'effet sur les grilles inclinées (D) ou bien sur les grilles verticales (B). Finalement, vérifiez sur les trois paires de grilles-tests (F, D, B) l'effet d'adaptation aux schémas horizontaux (E). Lors de cette adaptation, ayez soin de déplacer votre regard de haut en bas sur la barre afin d'éviter la formation d'une image consécutive. L'adaptation aux grilles diagonales (C) peut occasionner un trouble léger dans la fréquence spatiale apparente des verticales (B), mais les fréquences d'adaptation horizontales (E) ne devraient influencer aucunement la perception des verticales. (Blakemore, Nachmias et Sutton, 1970.)

A et portez votre regard sur D ou F, vous découvrirez que fixer les barres verticales n'affecte aucunement la perception des barres horizontales, très peu celle des diagonales, mais bien celle des verticales. (Comme la légende de la figure le suggère, vous obtiendrez des résultats similaires en commençant par les parties C ou E de la figure.)

Regardez B de nouveau. Les grilles verticales au-dessus et en dessous du point central ont réellement le même espacement. Mais après observation des grilles A, la perception en B change. Regarder un ensemble espacé fait paraître plus étroit un autre qui l'est moyennement. Regarder un ensemble étroit fait paraître cet autre plus espacé. Ce résultat s'apparente étroitement aux résultats habituels des effets consécutifs visuels: regarder une image pendant un certain temps crée une perception opposée. Mais il s'agit d'un étrange opposé: il implique que le système visuel possède des détecteurs spéciaux pour reconnaître des barres ayant un espacement spécifique et que, par suite d'une trop longue observation des grilles ayant tel espacement, les récepteurs pour les barres de cette taille se fatiguent, si bien que pour un nouvel ensemble de grilles, l'espacement perçu serait modifié en faveur des propriétés opposées à celles des récepteurs fatigués.

La mesure de la sensibilité visuelle

Si vous demandiez à un passant d'entrer dans votre maison afin de mesurer sa sensibilité visuelle, vous n'iriez pas sans rencontrer certaines difficultés. En fait, vous trouveriez probablement son comportement très frustrant. Supposons que vous désiriez trouver le *seuil de vision*, soit la plus petite quantité de lumière perceptible. Une façon pratique serait d'utiliser une lumière-test relativement intense et d'en réduire graduellement l'intensité jusqu'à ce qu'il affirme qu'il ne la voit plus. Ce serait là une approximation grossière de la valeur du seuil. Juste au moment où vous inscririez cette valeur, vous seriez probablement interrompu, car la lumière serait redevenue visible. Vous réduiriez l'intensité encore une fois et la même chose se reproduirait. D'abord la lumière disparaîtrait et, quelques secondes plus tard, redeviendrait visible. Le processus d'adaptation visuelle — la capacité de l'oeil d'ajuster sa sensibilité aux illuminations changeantes — vous aurait alors pris au piège.

Si l'on voulait retracer ce processus de façon plus précise, il faudrait d'abord exposer le sujet à une lumière intense (pour vous permettre de connaître le point de départ de l'oeil) puis le faire entrer dans une chambre noire. La sensibilité visuelle se mesure en présentant des lumières-tests toujours plus faibles. Avec le temps, le sujet devient de plus en plus sensible à la lumière. La figure 3-14 montre le changement typique de la sensibilité en fonction du temps passé dans une chambre noire. Ce changement porte le nom de *courbe d'adaptation à l'obscurité*.

Même une analyse rapide de cette courbe indique que quelque chose d'inusité se produit à la dixième minute. Une courbe si nettement accidentée porte à croire que plus d'un mécanisme sous-tend pareil phénomène. Dans le cas de la vision, le terrain se prête évidemment bien à ce genre d'interprétation, car il existe deux systèmes séparés de réception en opération dans l'oeil: les bâtonnets et les cônes, dont nous avons parlé au chapitre précédent. L'interaction de ces deux systèmes, voudrait-on croire, devrait produire cette accentuation de la courbe après 10 min.

Les différences anatomiques et fonctionnelles entre les deux systèmes peuvent servir de cadre de référence pour découper en ses parties composantes la courbe d'adaptation à la lumière. Les bâtonnets sont concentrés à la périphérie de la rétine, les cônes au centre. Restreindre à la périphérie le test de la lumière devrait produire une courbe *d'adaptation aux bâtonnets*; le restreindre au centre devrait produire une courbe basée principalement sur les changements dans la sensibilité des cônes. De plus, bâtonnets et cônes réagissent différemment aux lumières de longueurs d'onde diverses. À la figure 3-15 apparaissent les courbes respectives des cônes et des bâtonnets en réaction à des lumières de longueurs d'onde variées.

Ainsi, le profil de la courbe d'adaptation à l'obscurité devrait dépendre de la longueur d'onde de la lumière-test. Nous devrions pouvoir obtenir à volonté une courbe d'adaptation des bâtonnets ou des cônes. Tester à la périphérie

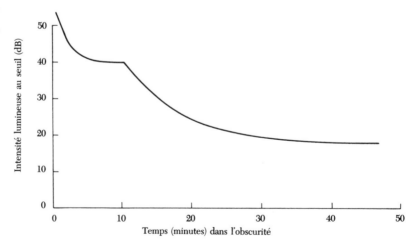

Figure 3-14

Chapanis (1947).

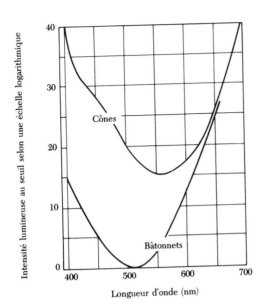

Figure 3-15

Hech et Hsia (1945).

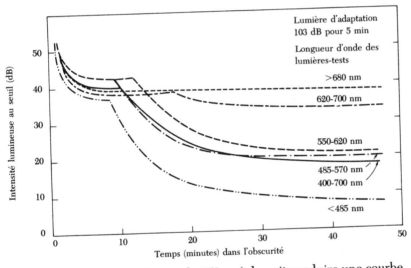

Figure 3-16

Chapanis (1947).

ou avec une lumière violette (moins de 450 nm) devrait produire une courbe d'adaptation des bâtonnets relativement pure. Tester au centre de l'oeil ou avec une lumière rouge (plus de 650 nm) devrait produire une courbe d'adaptation basée principalement sur la vision des cônes.

En fait, toutes ces assertions s'avèrent vraies. Par exemple, nous retrouvons à la figure 3-16 un ensemble de courbes d'adaptation à l'obscurité. La seule différence entre celles-ci vient de la couleur de la lumière-test. Pour les lumières-tests de couleur rouge et de très grande longueur d'onde (plus de 680 nm), la courbe d'adaptation à l'obscurité ne présente aucun signe de distorsion; il s'agit d'une courbe d'adaptation pure des cônes. À mesure que la longueur d'onde décroît, le point de rupture devient de plus en plus manifeste sur la courbe; celle de la lumière verte (485-570 nm) est presque identique à celle de la lumière blanche. Finalement, la sensibilité maximale et le plus haut niveau d'adaptation se retrouvent pour les longueurs d'onde visibles les plus courtes, comme cette lumière-test violette (moins de 485 nm) excitant, pour toute réponse, presque uniquement le système des bâtonnets. Il est possible de reproduire un ensemble de courbes similaires en déplaçant du centre du champ visuel la lumière vers la périphérie. Au centre, la lumière donnera une courbe semblable à la courbe supérieure de la figure 3-16; à la périphérie, elle donnera une courbe semblable à celle du bas.

PROFILS D'ISOSENSIBILITÉ À LA BRILLANCE

L'oeil modifie sa sensibilité à la lumière en fonction de la quantité de lumière à laquelle il a été exposé. Maintenu dans l'obscurité, il s'adapte comme l'indique les courbes des figures 3-14 et 3-16. Parallèlement, exposé à une lumière constante, l'oeil change sa sensibilité en fonction de ce niveau de lumière: ceci s'appelle l'*adaptation à la lumière*. Un oeil, une fois adapté, émet des réponses aux lumières d'intensités et de longueurs d'onde différentes, et ce, en fonction de son propre niveau d'adaptation. Une manière pratique d'examiner ses réponses pour différents niveaux d'adaptation consiste à l'exposer à quelque intensité lumineuse pendant une période raisonnable, puis à lui présenter une lumière-test. L'intensité de la lumière-test est ajustée de façon que le sujet perçoive cette stimulation à un niveau toujours constant de brillance alors que varie la longueur d'onde. Cette procédure donne les résultats décrits à la figure 3-17: un ensemble de *profils d'isosensibilité*. L'ensemble des courbes illustre les changements pertinents aux différents niveaux d'adaptation à la lumière.

À mesure que change le niveau d'adaptation, les profils d'isosensibilité ne se trouvent plus, au maximum, sensibles aux mêmes longueurs d'onde. Cette modification vient de la différence du taux d'activité des cônes et des bâtonnets pour chaque niveau d'adaptation. La vision par cônes joue le rôle prépondérant dans l'adaptation à un niveau lumineux élevé (courbe supérieure) et les longueurs d'onde plus longues semblent plus éclatantes. Dans l'adaptation à faible luminosité, la vision dépend principalement des bâtonnets et le maximum de sensibilité se retrouve au niveau des longueurs d'onde plus courtes. C'est le physiologiste Jan-Evangelista Purkinje (1787-1869) de Bohême qui remarqua le premier ce phénomène; ce fut là, en vérité, un des premiers ensembles d'observations du comportement dont on se servit pour découvrir la différence entre les systèmes de cônes et de bâtonnets.

Cette variation dans la sensibilité présente un aspect très pratique. La brillance relative des rouges et des bleus change lors de l'exposition à une lumière qui, d'éclatante, devient faible. Ainsi, sous une lumière éclatante, un rouge peut paraître plus brillant qu'un bleu, mais sous une lumière faible, il paraîtra plus terne. La planche couleur IV illustre bien ce phénomène.

S'il faut que vos yeux restent adaptés à l'obscurité et qu'occasionnellement, vous ayez aussi à travailler dans des pièces bien éclairées, il convient alors de conserver le niveau d'adaptation des bâtonnets. Cela est possible en contrôlant la longueur d'onde de la lumière à laquelle vous êtes exposé. Le port de verres permettant seulement à la lumière rouge d'atteindre l'oeil pro-

Figure 3-17

Judd (1951).

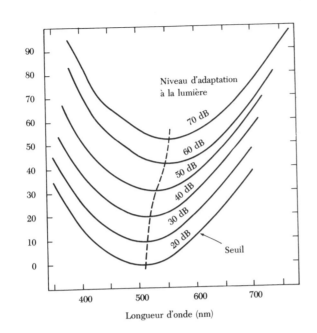

Figure 3-18

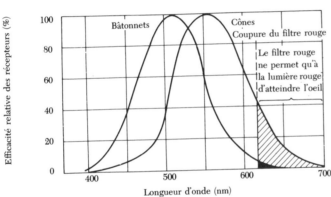

Les aires hachurées indiquent la région dans laquelle le filtre rouge permet à la lumière de passer. Pratiquement aucune lumière n'excite alors les bâtonnets, *Hecht et Hsia (1945).*

tègera le système de bâtonnets contre les lumières éclatantes (figure 3-18). Avec des verres rouges, même dans un environnement bien éclairé, seuls les cônes seront exposés à la lumière et le niveau d'adaptation des bâtonnets ne sera pas affecté. Dans un environnement faiblement éclairé, une fois les verres retirés, vous découvrirez que les bâtonnets n'ont rien perdu de leur sensibilité; même si les cônes sont maintenant adaptés à la lumière, ils n'affecteront pas votre vision scotopique. Ce principe explique l'usage de verres rouges ou de chambres illuminées en rouge pour les gens comme les observateurs de radar, dont les yeux doivent rester adaptés à l'obscurité, et ce, même durant les moments de repos, lors même qu'ils se déplacent dans des pièces normalement éclairées.

Combien de temps faut-il pour s'adapter à l'obscurité? La courbe de la figure 3-16 indique que les variations les plus rapides dans la sensibilité se produisent au cours des dix à vingt premières minutes. Dans la plupart des cas, 30 min suffisent à une adaptation presque maximale, mais des mesures soignées montrent que la sensibilité continué à changer très lentement (pendant 6 h, période assez longue). Souvenez-vous toutefois qu'une adaptation de 20 à 30 min s'applique dans une situation où les sujets sont exposés à des lumières intenses (comme un flash se produisant près des yeux). Pour une lumière plus faible — soit le niveau d'illumination d'une assez grande pièce éclairée par quelques ampoules incandescentes de 50 W —, seulement 5 min suffiraient pour s'adapter à l'obscurité. De plus, une fois l'oeil adapté à l'obscurité, allumer une faible lumière pendant 10 s environ ne change à peu près pas le niveau d'adaptation; mais, seulement 60 s suffisent pour revenir à l'état original. Si ces résultats étaient faux, la conduite de nuit occasionnerait des difficultés considérables, car les phares d'une voiture venant en sens inverse interféreraient avec l'adaptation à l'obscurité, gênant sérieusement le conducteur dans sa perception des objets. Or, ces lumières n'affectent que très peu la sensibilité visuelle.

Caractéristiques temporelles de la vision

LA PÉRIODE D'ABSORPTION   La vision ne se produit pas instantanément. Réagir à une stimulation visuelle demande un certain temps; cette réaction, une fois amorcée, persiste alors quelques instants, même si le stimulus est disparu. Les réactions chimiques, semble-t-il, exigent un certain temps pour convertir l'information lumineuse en activité électrique nerveuse. L'image rétinienne disparaît lentement et, de ce fait, sa persistance peut se maintenir quelques dixièmes de seconde (voir l'exposé sur le stockage visuel à court-terme au chapitre 8).

Tout s'organise comme s'il y avait un accord de réciprocité entre l'intensité lumineuse et la durée d'illumination. Tout ce qui compte à l'intérieur des limites du temps de réponse de l'oeil est le total de l'énergie présentée. Ainsi, pour une intensité de lumière diminuée de moitié et pour une double durée, l'aptitude de l'observateur à détecter un signal ne change pas. Cette équivalence temps-intensité s'applique fort bien pour des périodes n'excédant pas 20 ms (millisecondes). Pour des flashes plus longs que 20 ms, une augmentation dans la durée du signal ne compense pas vraiment une diminution correspondante de l'intensité lumineuse. Lorsque la stimulation lumineuse dépasse environ un quart de seconde (250 ms), l'habileté à détecter le signal devient complètement indépendante de la durée; elle dépend alors uniquement de l'intensité de la lumière.

Cette interaction entre la durée et l'intensité ne caractérise pas uniquement le système visuel. Elle se retrouve dans les processus photochimiques de tous genres. Par exemple, l'exposition appropriée d'une pellicule photographique peut s'obtenir par une foule de combinaisons du temps d'intégration (vitesse d'obturation) et des intensités (ouverture). Les appareils photographiques possèdent généralement un temps d'intégration de 0,001 à 1 s

— écart beaucoup plus grand que celui de l'oeil humain. Néanmoins, le système visuel est de beaucoup plus sensible à la lumière que la moyenne des pellicules photographiques.

Une fois en cours, la perception visuelle persiste pendant une courte période suivant la disparition de la lumière. La persistance de l'image visuelle fut d'abord mesurée par un chercheur ingénieux dans les années 1700. Pour ce faire, il attacha une braise incandescente à une corde et la fit tourner dans l'obscurité. Vous pouvez faire la même chose avec une lampe de poche. La vitesse de rotation créant l'illusion d'un cercle continu permet en même temps de calculer la persistance de l'image. L'expérience donne le même résultat tant avec un appareillage électronique complexe qu'avec une lampe de poche ou une braise ardente: l'estimation est environ de 150 ms. Cette valeur se rapproche beaucoup de la durée de l'activité électrique de la rétine en réponse à un bref éclair de lumière. Le fait que le système visuel semble retenir l'image lumineuse pendant environ 150-250 ms constituera la clef de voûte de notre étude sur la mémoire (chapitre 8).

Avec un bon synchronisme, il est possible d'amener des lumières clignotantes à paraître continues. Supposons qu'une lumière brille soudainement; la réponse visuelle survient et persiste environ 100 ms. Si une seconde stimulation suit d'assez près la première, la réponse à cette lumière s'amorcera avant que ne cesse la réaction au premier flash. Les lumières clignotantes produisent alors une réaction continue dans le système visuel; elles sont perçues de façon continue. La fréquence à laquelle la lumière clignotante paraît continue s'appelle le *point de fusion critique (PFC)**.

N'importe quel facteur altérant la vitesse d'intégration et la persistance dans le système visuel modifie aussi le rythme auquel les lumières clignotantes sont perçues de façon continue. Les flashes intenses produisent de courtes périodes d'intégration et doivent alors se présenter à un rythme beaucoup plus rapide afin de permettre la fusion et la continuité. Les flashes faibles se fusionnent à un rythme lent. Le clignotement se remarque davantage en périphérie plutôt qu'au centre de l'oeil. Souvent, vous pouvez voir le clignotement des lumières fluorescentes et des images de télévision en regardant de côté, de façon à ce que leurs images se présentent dans le «coin de l'oeil».

On peut prévoir le degré de brillance apparente d'une lumière clignotante fusionnée à partir des mécanismes d'intégration produisant la fusion. Une lumière qui s'allume et s'éteint à des temps égaux et à un rythme plus rapide que sa fréquence de fusion paraît aussi brillante qu'une lumière allumée continuellement, mais d'une intensité moindre de moitié (c'est la

---

* Ceux d'entre vous qui sont familiers avec les circuits électroniques remarqueront que les caractéristiques temporelles de l'oeil s'apparentent à celles d'un filtre de passe-bande qui bloquerait toute entrée excédant 50 Hz. L'oeil détecte ainsi les fluctuations pour les stimulations de moins de 60 Hz; au-delà de cette fréquence, il ne peut plus détecter les variations temporelles et interprète les stimulations successives comme une seule et même stimulation durable. [Voir Cornsweet (1970) pour plus de renseignements sur la méthode d'analyse du type des filtres passe-bande.]

Loi de Talbot). Le système visuel établit la moyenne de l'intensité pendant toute la période d'intégration, et la perception suit conformément.

Ces aspects d'intégration du traitement de l'information visuelle réduisent nettement la vitesse à laquelle l'oeil peut détecter et suivre tous les changements dans la succession des stimulations qui excitent la rétine. Ce processus (qui établit la moyenne) fusionne une image à une autre, créant une perception visuelle sans heurt ni soubresaut. Il permet à cette succession d'images distinctes projetées sur un écran de télévision ou sur un écran de cinéma de créer l'illusion d'un environnement visuel continu et régulier.

Sur un écran de téléviseur ou de cinéma, les images clignoteraient si des procédés ingénieux n'étaient point utilisés. Les films professionnels sont projetés à une vitesse de 24 images/seconde (parfois 30). La lumière projetée sur l'écran est coupée durant le passage d'une image à l'autre. Si cette projection se faisait normalement, nous verrions du clignotement. Pour l'éviter, chaque image du film est projetée plusieurs fois sur l'écran. C'est dire qu'au lieu d'une projection continue de chaque image, la lumière est interrompue une ou plusieurs fois. Donc, même si vingt-quatre images seulement sont présentées chaque seconde, l'oeil reçoit une fréquence d'au moins quarante-huit flashes par seconde, rythme suffisamment élevé pour éviter le clignotement (certains projecteurs interrompent le faisceau lumineux deux fois par image, produisant une fréquence de soixante-douze flashes par seconde).

La télévision présente un problème similaire. Aux États-Unis, une image télévisée est reproduite point par point sur l'écran; cette image présente cinq cent vingt-cinq lignes; chaque ligne a une résolution théorique d'environ cinq cents points. L'image complète est présentée trente fois par seconde. Si l'on reproduisait celle-ci de façon consécutive, commençant dans le coin supérieur gauche pour aller par-delà les rangées jusqu'en bas à droite, il y aurait clignotement du fait que chaque point s'allumerait pour un temps très bref par rapport au temps pris pour décrire une image toute entière. Cependant, ceci n'existe pas dans le cas d'un film où chaque élément de l'image est exposé quand toute la scène est illuminée.

Pour éviter le clignotement, l'on divise l'image en deux et l'on présente d'abord celle-ci à toutes les deux lignes. Cela prend ⅟₆₀ de seconde. Le faisceau électronique revient alors en arrière et remplit les lignes manquantes. Ainsi, même s'il faut ⅟₃₀ de seconde pour présenter toute l'image, chaque partie de l'écran possède une part de celle qui lui est présentée tous les ⅟₆₀ de seconde. Cet entrelacement élimine effectivement le clignotement*.

---

* Dans d'autres pays, les standard pour les images télévisées diffèrent de ceux utilisés aux États-Unis. Ainsi, en Europe de l'Ouest, la plupart des signaux de télévision possèdent une résolution plus élevée: l'image a environ six cents lignes, chacune ayant une résolution approximative de six cents points. Celle-ci est produite moins souvent toutefois: complète, elle est présentée seulement vingt-cinq fois par seconde. Comme aux États-Unis, elle se divise en deux images entrelacées; l'écran possède alors un rythme de renouvellement de cinquante images par seconde. Mais un signal de 50 Hz est suffisamment lent pour que le clignotement soit souvent perceptible. Ceci s'applique encore davantage à la périphérie du champ visuel. Par conséquent, la télévision européenne offre une meilleure qualité d'image, mais aussi un clignotement plus évident que la télévision américaine.

L'industrie du divertissement introduit parfois de façon délibérée du clignotement, nous donnant ainsi la chance de voir ce à quoi ressemblerait notre environnement si notre système visuel ne disposait pas de ces mécanismes d'intégration. Les lumières stroboscopiques utilisées quelquefois dans les spectacles de lumière produisent une série de flashes distincts, espacés d'un temps suffisamment long pour que l'image produite par une de ces stimulations s'estompe avant qu'une autre n'apparaisse. À ces hautes intensités et à ces rythmes lents de clignotement, le système visuel ne fusionne plus désormais une image avec la suivante; la perception devient alors irréelle et saccadée.

Couleurs

L'origine des théories modernes sur la perception des couleurs remonte à Isaac Newton (1642-1727) et à ses observations sur un prisme apte à diviser la lumière solaire en un spectre complet des couleurs. Ce fait simple conduit à une première théorie élémentaire: la couleur perçue dépend de la longueur d'onde qui excite l'oeil. Comme dans bien d'autres théories, si les faits sont véridiques, la théorie en elle-même ne l'est pas (voir la planche couleur III suivant la page 121).

Un prisme (ou son équivalent dans la nature: un arc-en-ciel) sépare les différentes longueurs d'onde contenues dans la lumière blanche en les juxtaposant clairement des plus grandes aux plus courtes. Le spectre est perçu composé de différentes couleurs clairement alignées des rouges aux violets. Peut-être y a-t-il un récepteur spécifique pour chaque longueur d'onde de la lumière (lumière *monochromatique*), tout comme il existe dans le système auditif différents neurones répondant à différentes fréquences du son...

Un examen attentif de la perception des couleurs montre que cette théorie pèche par sa simplicité. Dans le spectre des lumières pures produites par un prisme, certaines couleurs sont absentes. Il n'y a pas de brun, de mauve ou de rose. Ces couleurs doivent avoir pour origine autre chose qu'une lumière monochromatique simple.

Quand deux longueurs d'onde différentes se mélangent, nous ne voyons pas deux couleurs, mais plutôt une nouvelle créée par le mélange. Une fois les lumières combinées, il est absolument impossible pour l'humain de déterminer l'ensemble initial des couleurs qui ont composé le mélange. Cela diffère considérablement de l'audition, où les hauteurs tonales individuelles qui forment un accord peuvent être identifiées par l'auditeur. De plus, dans la vision des couleurs, le mélange de certaines longueurs d'onde semble neutraliser leur couleur respective. Par exemple, si une lumière monochromatique bleu-vert (d'une longueur d'onde de 490 nm) est mélangée avec une lumière monochromatique jaune-rouge (d'une longueur d'onde de 600 nm) et que leurs quantités relatives sont ajustées correctement, les couleurs s'annulent, laissant un gris incolore. On dira alors des lumières composant ce mélange qu'elles sont *complémentaires*.

Ces paires complémentaires facilitent la description de la vision des couleurs chez l'humain. La première chose qu'il nous faut trouver, c'est quelque moyen d'exprimer les relations existantes entre toutes les perceptions possibles de la lumière et des couleurs. Théoriquement, il devrait exister un paradigme capable de prédire la couleur perçue pour tout mélange de lumières. Souvent, un diagramme représente les couleurs et les mélanges possibles avec un ensemble de règles permettant de prédire la résultante des combinaisons de lumières. Pareils diagrammes (et leur représentation mathématique) s'appellent *solides des couleurs* ou *arbres des couleurs*. Ceux-ci peuvent prendre plusieurs formes, depuis le simple cercle jusqu'au modèle tridimensionnel.

LE CERCLE DE LA COULEUR

Nous pouvons utiliser les ensembles de couleurs complémentaires pour établir un premier système capable de décrire les mélanges de couleurs. L'éventail des couleurs produites par un prisme décrit passablement bien les perceptions engendrées par une lumière monochromatique unique. Il serait sage de tirer profit de cette description. Pour ce faire, notons deux choses: premièrement, certaines couleurs sont «opposées» ou complémentaires à d'autres; deuxièmement, les deux extrémités du spectre se ressemblent passablement — un bleu foncé ou violet à l'extrémité des courtes longueurs d'onde, un pourpre à l'extrémité des grandes. Combinées, ces deux observations nous mènent à une solution aisée: prendre la succession des couleurs rendues par le spectre et la dessiner en cercle, tout en prenant soin de disposer les couleurs complémentaires à chaque extrémité du diamètre du cercle, directement à l'opposé les unes des autres.

Le cercle de la couleur (figure 3-19) présente les noms des couleurs et les positions approximatives des longueurs d'onde lumineuses qui produisent ces

Figure 3-19

Boynton (1975).

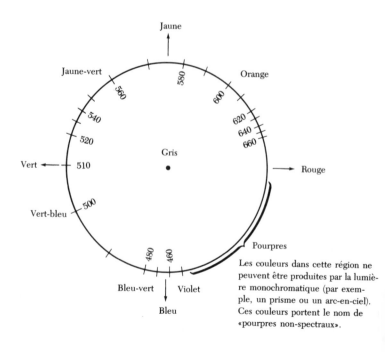

couleurs spectrales. Les couleurs dites complémentaires correspondent aux deux couleurs reliées par un diamètre du cercle. (La région marquée «pourpres» ne peut être produite par une lumière monochromatique. Nous en discuterons plus loin.) Comme le mélange en quantités approximativement égales de deux couleurs complémentaires produit du *gris*, celui-ci est placé au centre du cercle. Ainsi, le centre représente un point sans couleur, un gris. (Toutes les perceptions sans couleur portent le nom de gris. Le gris, par conséquent, réfère à la classe générale des perceptions qui s'étendent du noir — de brillance très faible — en passant par les gris jusqu'au blanc — de brillance très élevée. Pour nos fins de description des teintes de la couleur, considérons que le noir, le gris et le blanc se ressemblent tous.) Le cercle de la couleur a été inventé par Isaac Newton comme une façon utile de la représenter. De nos jours, toutefois, son utilisation est fort limitée parce qu'il ne peut rendre compte de tous les phénomènes de la vision des couleurs et aussi, parce qu'il existe maintenant des schémas plus exacts.

Le cercle de la couleur est utile en ce qu'il permet de définir le mot **couleur** d'une façon plus précise. Pour représenter n'importe quelle couleur, trois attributs psychologiques différents sont requis: la *teinte*, la *saturation* et la *brillance*.

La *teinte* correspond à la signification normale de la couleur: c'est ce qui varie à mesure que changent les longueurs d'onde. La position le long de la circonférence du cercle de la couleur représente la teinte.

La *saturation* réfère à la quantité relative de lumière monochromatique pure devant être mélangée avec la lumière blanche pour produire la couleur perçue. Tous les points sur la circonférence du cercle représentent des couleurs hautement saturées. Se déplacer de l'extérieur vers le centre du cercle réduit la saturation: le point étiqueté **gris** a une saturation égale à zéro. Un point à mi-chemin entre le **gris** et le **vert** a une quantité intermédiaire de saturation.

La *brillance* se définit exactement de la même façon que nous l'avons fait dans les sections antérieures du chapitre. Cette dimension n'a **pas** sa place sur le cercle de la couleur. L'intensité de la lumière constitue le lien physique le plus rapproché de la brillance (en tenant compte des restrictions mentionnées antérieurement).

Figure 3-20

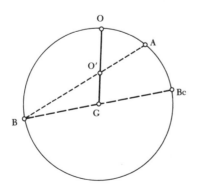

LE MÉLANGE DE DEUX LUMIÈRES

Pour voir comment deux couleurs se combinent pour en former une troisième, il faut d'abord localiser les couleurs individuelles sur les circonférences du cercle et relier les deux points par une ligne droite. N'importe quel mélange de deux couleurs individuelles devrait produire une troisième couleur placée quelque part sur cette ligne: le lieu précis dépend des quantités exactes (intensités) des deux couleurs individuelles présentes dans le mélange.

Supposons le mélange de deux couleurs complémentaires monochromatiques: appelons-les B et Bc. Celles-ci sont représentées sur le cercle de la couleur (figure 3-20) par deux points de la circonférence situés à des extrémités diamétralement opposées. Disons que le mélange de B et Bc s'annulant parfaitement est donné par le point situé à mi-chemin entre les deux: le point étiqueté G (pour gris) au centre du cercle.

Supposons le mélange de deux couleurs non-complémentaires, disons A et B. Résultat: une nouvelle couleur O' telle que montrée à la figure 3-20. Quelle est cette couleur O'? La façon la plus simple de la trouver est de considérer les changements qui surviennent dans la perception à mesure que nous nous déplaçons du point B, sur la circonférence du cercle de la couleur, vers G. Au point B, il y a une couleur spectrale produite par une lumière monochromatique pure. Supposons que le point B soit **bleu**. Pour nous déplacer de B à G, nous combinons deux lumières; l'une est grise, l'autre bleue monochromatique. À mesure que change la proportion relative des deux lumières, du point B (une lumière toute bleue, sans gris), nous allons vers quelque point représentant les quantités égales des deux lumières. L'attribut essentiel de ce que la plupart des gens considèrent comme **couleur** serait peu altéré par l'addition de gris; par contre, la saturation — la «phanie» ou la «blancheur» — changerait. Pour vous le prouver, prenez n'importe quel point sur la ligne B-G (excepté B et G) puis demandez à des observateurs de regarder les couleurs spectrales et de sélectionner celle qui correspond le plus à ce point. Ils choisiront la couleur spectrale qui, de près, correspond à B.

Maintenant, revenons à la question initiale: quelle est cette couleur O' à la figure 3-20? Un rayon tracé du centre du cercle (G) en passant par O' jusqu'à la circonférence (point O sur la figure) indique la teinte. La distance G-O' indique la saturation. Les points O et O' ont la même teinte, mais O est plus saturé. Nous voyons que le mélange de A et B produit O', une couleur ayant la teinte de O, mais moins saturée.

Si nous voulions obtenir O en mélangeant A et B, nous échouerions puisque les seuls résultats possibles du mélange se trouvent sur la ligne droite AB; la position exacte dépend des intensités relatives de A et B. Plus A est intense, plus le résultat final du mélange se rapproche de A. Pour obtenir O par le mélange de A et B, le résultat le meilleur est O': même teinte, mais à saturation réduite.

LES PEINTURES ET LES LUMIÈRES

Le cercle de la couleur s'applique aux mélanges des lumières, non à ceux des peintures. Pour déterminer comment les peintures se mélangent ensemble, nous devons considérer le fait qu'elles produisent leur couleur en absorbant de la lumière toutes les longueurs d'onde, sauf celles qui engendrent leur couleur. Les longueurs d'onde produisant la couleur sont réfléchies. Pour voir comment deux peintures se mélangent, il faut examiner les longueurs d'onde absorbées par la nouvelle combinaison. Parce que l'absorption des longueurs d'onde chromatiques est l'attribut le plus important de la peinture, ces mélanges sont dits *soustractifs*; celui des lumières est dit *additif*.

Le mélange de la lumière rouge et verte peut produire du jaune; celui de la lumière bleue et jaune peut produire du gris (regardez de nouveau la figure 3-19). Tels sont les faits quant au mélange de la couleur; mais ils sont contraires à tout ce que la plupart des gens apprennent à ce sujet dans les classes d'art. Pourquoi cette différence? La réponse dépend des différentes façons qu'ont deux lumières et deux peintures de se fondre. Pour prédire le résultat d'un mélange, nous ne devrions pas demander quelles sont les couleurs additionnées ensemble (elles n'y sont pour presque rien), mais plutôt quelles couleurs sont finalement perçues par l'oeil?

Considérons le mélange des lumières. Voyons la figure 3-21. Éclairons d'une lumière bleue une feuille de papier: le papier reflète le bleu vers l'oeil et paraît bleu.

Éclairons d'une lumière jaune cette feuille. Le jaune est réfléchi, le papier paraît jaune.

Éclairons d'une lumière jaune et d'une lumière bleue cette même feuille de papier. Les lumières bleue et jaune sont retransmises et captées toutes les deux. Résultante perçue et donnée par le mélange: le gris.

Considérons le mélange des peintures. Peignons un papier en bleu. La lumière blanche illumine le papier. La peinture absorbe les grandes longueurs d'onde, ne laissant réfléchis que les verts, bleus et violets. L'oeil voit une combinaison de vert, de bleu et de violet. Le papier paraît bleu.

Peignons un papier en jaune. La lumière blanche illumine le papier. La peinture absorbe les longueurs d'onde courtes, ne laissant réfléchis que les verts, jaunes, oranges et rouges. L'oeil perçoit le mélange de ces couleurs, le papier paraît jaune.

Peignons un papier avec un mélange de bleu et de jaune. La lumière blanche illumine le papier. La peinture bleue absorbe les grandes longueurs d'onde (les jaunes, les oranges et les rouges) tandis que le jaune absorbe les longueurs d'onde courtes (les bleus et les violets). Tout ce qui reste est de longueur d'onde intermédiaire: les verts. Par conséquent, le mélange de la peinture bleue et jaune paraît vert.

MÉLANGES ET POINTILLISME EN PEINTURE

Les principes du mélange des couleurs, issus de l'étude des lumières, peuvent aussi s'appliquer aux peintures. Pour ce faire, nous devons prendre certaines précautions en mélangeant les peintures ensemble. Supposons que nous voulions créer un jaune par un mélange de peintures verte et rouge. En mélangeant tout simplement les peintures et en les appliquant sur le papier, nous obtiendrions une combinaison foncée, probablement rougeâtre. C'est parce que les peintures furent mélangées ensemble que leurs effets sur la lumière ont interféré. Supposons que le rouge ait été appliqué en plusieurs petits points de peinture. Vu à distance, cela paraîtrait rouge uni. De même, le vert pourrait être peint en une multitude de petits points disposés de telle sorte que les points rouges et verts rempliraient le papier en entier, sans se recouper les uns les autres. Ces nombreux petits points rouges et verts seraient visibles

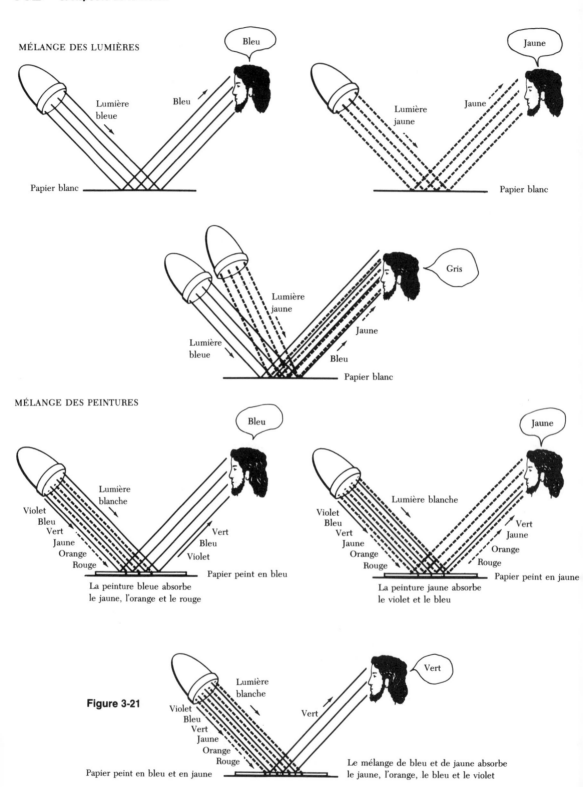

Figure 3-21

de près. À une distance assez éloignée pour ne plus percevoir les points individuels, l'oeil recevrait un mélange de lumière rouge et verte. La lumière paraîtrait jaune.

Un téléviseur couleur utilise ce même principe pour assurer le mélange des couleurs. Si vous examinez l'écran de près, les points individuels de couleur deviennent visibles. Bien avant l'ère de la télévision couleur, le peintre impressionniste Georges Seurat (1859-1891) avait expérimenté les mélanges de couleur additive en peignant des toiles avec une multitude de petits points individuels de couleur*. Vu à distance, le mélange des lumières formait les couleurs désirées.

La sensibilité des cônes à la couleur

Par mesures directes de la sensibilité des cônes à la couleur dans la rétine humaine, trois différents types de cônes ont été découverts, chacun contenant un pigment spécifique responsable de sa réactivité différentielle à une couleur. Chaque pigment absorbe la lumière différemment et sélectionne un ensemble spécial de longueurs d'onde. L'un assimile mieux les longueurs d'onde de 445 à 450 nm, l'autre retient optimalement celles de 525 à 535 nm environ, le troisième celles de 555 à 570 nm. Les propriétés générales d'absorption des différents pigments ressemblent de très près à ce qui est indiqué à la figure 3-22. Ce sont les trois récepteurs primaires qui contrôlent la vision normale de la couleur.

Partant de la description de la sensibilité des récepteurs primaires, il est possible de démontrer la plupart des phénomènes de la vision des couleurs. Par exemple, le cercle de la couleur suggère que le mélange d'un vert (à 520 nm) et d'un rouge (à 620 nm) devrait correspondre à un jaune de 564 nm. Quel lien existe-t-il avec les sensibilités des cônes de la figure 3-22?

L'axe vertical du graphique (l'ordonnée) représente la quantité d'excitation fournie à chaque récepteur de couleur grâce à une lumière d'intensité 100 ayant une longueur d'onde spécifiée par l'axe horizontal (l'abcisse). Considérons maintenant ce qui se passe quand cent unités de 620 nm sont mélangées avec cent unités de 520 nm. Le total nous donne l'excitation produite sur chaque récepteur soumis à deux cents unités de lumière: cent de la couleur rouge, cent de la couleur verte. Ici, pour l'utilisation de ces courbes, nous avons dû modifier l'échelle des valeurs; les nouvelles apparaissent au tableau 3-2.

	Quantité d'excitation des récepteurs chromatiques			
	A	*B*	*C*	
Rouge (620 nm)	10	2	0	
Vert (520 nm)	7	15	0,2	
Total:	17	17	0,2	

Tableau 3-2

---

* La technique du peintre Seurat, comme le mouvement qu'il créa en peinture, porte le nom de pointillisme (note des traducteurs).

Figure 3-22
Wald (1964).

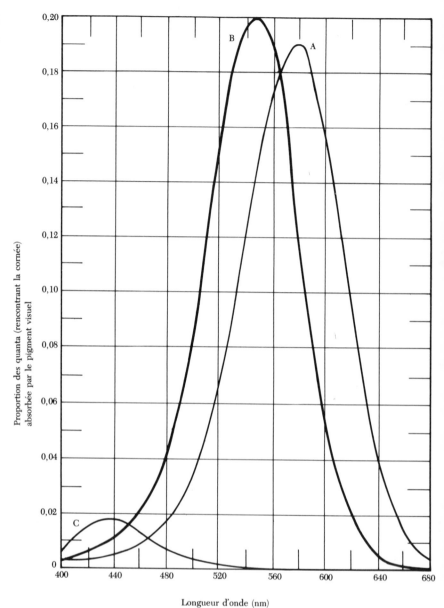

Longueur d'onde (nm)

Sur un total de 34,2 unités d'excitation nerveuse, A représente 17/34,2 unités ou 50% du total; B, 17/34,2 unités ou 50%; C, seulement 1%. Revenons maintenant aux courbes de la figure 3-22 et trouvons une longueur d'onde qui excite A, B et C dans ces pourcentages relatifs. Facile à trouver dans ce cas-ci. Le seul endroit où A est excité autant que B et où C l'est de façon négligeable se trouve dans la région située entre 560 et 565 nm. On perçoit jaune le mélange, comme l'indique également le cercle de la couleur.

Partant de ces calculs, il est évident que c'est une affaire assez simple, quoique ennuyeuse, de calculer, pour n'importe quelle combinaison de lumière, les quantités relatives de stimulation qui se produiront dans les trois récepteurs chromatiques et alors, de déterminer quelles autres combinaisons de lumières (ou lumière monochromatique) correspondront à cette excitation relative.

LE CONTRASTE CHROMATIQUE

En couleur, comme pour le noir et blanc, ce qui est vu en un lieu donné affecte la perception des points environnants. Ce phénomène dépend de l'inhibition latérale: le même qui est responsable de l'augmentation des contrastes et de la constance de brillance. Le fait de regarder du bleu à un endroit donné réduit la sensibilité au bleu dans les aires environnantes, d'où une plus grande sensibilité au jaune. Regarder du noir augmente la sensibilité au blanc avoisinant. Regarder du rouge augmente la sensibilité au vert. Ces effets de contraste s'appellent *contraste marginal* ou *contraste chromatique*: une couleur suscite l'apparition de son complément dans les régions avoisinantes.

Le plus grand effet de contraste se produit avec les paires complémentaires. En fait, les paires de couleur complémentaire peuvent être très choquantes à voir. La couleur à laquelle donnent lieu les interactions spatiales peut faire paraître une couleur plus intense et plus saturée qu'elle ne l'est en réalité (planche couleur V, suivant la page 121).

Examinez les coeurs verts de la planche couleur II. Fixez — jusqu'à ce que les couleurs vacillent quelque peu — votre regard sur le point noir pour former une image consécutive. Maintenant, regardez la surface blanche. Effectivement, vous voyez des images consécutives de coeurs roses; mais pourquoi y a-t-il toujours du vert? C'est parce que c'est le complément du rose: contraste marginal.

Incidemment, vous savez maintenant pourquoi survient cette fluctuation des couleurs lorsque vous regardez une scène pendant un certain temps. Le vacillement se produit aux contours du dessin. Les petits mouvements inévitables des yeux font que cette partie du dessin oscille de l'avant vers l'arrière, de telle sorte que l'image rétinienne n'est pas stationnaire: de chaque côté de la frontière, elle fluctue entre deux couleurs. Alors que certains récepteurs sont fatigués par la fixité du regard, les récepteurs correspondant aux contours ne le sont pas autant; ils sont plus sujets aux effets de contraste. Les bordures s'adaptent donc différemment, produisant des perceptions chancelantes.

LA THÉORIE DES PROCESSUS ANTAGONISTES

Les observations des phénomènes de la couleur font fortement penser à ceux des bandes de Mach que nous avons étudiés antérieurement dans ce chapitre. En général, elles semblent illustrer une propriété générale du système nerveux: les composantes nerveuses existent en paires complémentaires, si bien qu'à chaque fois qu'un effet quelconque se produit, un effet contraire survient aussi simultanément. Regarder du noir rend les aires environnantes plus blanches, regarder du vert les rend plus rouges et ainsi de suite. Ces phénomènes sensoriels semblent résulter du fait qu'un récepteur de couleur de base, une fois excité, contrecarre l'opération de tous les autres récepteurs environnants de la même classe.

Comme nous l'avons vu, il paraît y avoir trois différents types de cônes que nous avons appelé A, B et C. Ces trois récepteurs de base semblent reliés entre eux dans un système produisant un ensemble de perceptions complémentaires et opposées de la couleur. En matière de perception, il y a, semble-t-il, quatre couleurs uniques: bleu, vert, rouge et jaune (voir le cercle de la couleur, figure 3-19). Les récepteurs de couleur sont jumelés de telle sorte que le bleu et le jaune s'opposent: nous ne pouvons jamais les voir en même temps (à n'importe quel endroit) étant donné qu'une partie bleue rend son environnement plus jaune (et vice-versa) et que leur égal mélange s'annule en produisant du gris. De même, le rouge et le vert forment une paire de couleurs opposées. De fait, ceci explique pourquoi le jaune et le bleu se retrouvent en haut et en bas du cercle de la couleur de la figure 3-19, le rouge et le vert des deux côtés.

La théorie des processus antagonistes ou théorie de Hering a été proposée pour la première fois en 1878 par Ewald Hering. Il suggéra l'existence de trois systèmes de base opposés: un système *bleu-jaune*, un système *rouge-vert* et un système *noir-blanc*. L'estimation de la brillance dépend de la réponse du système noir-blanc. Les teintes proviennent des combinaisons des deux sorties des systèmes bleu-jaune et rouge-vert. La saturation provient de la quantité de sortie du système noir-blanc relativement aux systèmes bleu-jaune et rouge-vert.

Même si les détails exacts ne sont pas connus, il s'agit d'un fait bien établi que les récepteurs de couleur se combinent probablement en un système de processus antagonistes. Par exemple, des études physiologiques sur les singes montrent que des cellules nerveuses augmentent leur rythme de réaction aux lumières rouges et qu'elles le diminuent pour des lumières vertes: exactement le type du processus antagoniste postulé par la théorie. D'autres cellules nerveuses se comportent précisément à l'inverse: elles augmentent leur rythme de réaction au vert, le diminuent au rouge.

Des appariements bleu-jaune ont aussi été découverts, mais en moins grand nombre que les paires rouge-vert (du moins chez les singes étudiés jusqu'à ce jour). Ceci correspond bien au fait que le système bleu-jaune présente une sensibilité moindre que le système rouge-vert. Nous examinerons ces études ainsi que le système antagoniste au chapitre 6.

IMAGES CONSÉCUTIVES

Sans bouger les yeux, fixez la tache colorée de la planche-couleur II pendant un certain temps, jusqu'à ce que l'image commence à «luire» légèrement. Regardez alors une surface blanche; vous verrez une image consécutive de la tache colorée. La couleur d'une image consécutive correspond presque exactement à la couleur complémentaire de l'image précédente. Ainsi, le cercle de la couleur décrit-il les couleurs des images consécutives: sur la circonférence, la couleur de l'image consécutive est presque vis-à-vis celle qui fut fixée.

Les images consécutives sont réciproques: si un bleu produit une image consécutive jaune, alors, une lumière du même jaune produira une image consécutive bleue. Quelques verts, toutefois, produisent des images consécutives pourpres, étant donné qu'aucune longueur d'onde ne peut produire de pourpre par elle-même. Le pourpre et les couleurs connexes sont des couleurs *non-spectrales* parce qu'elles ne peuvent être produites par aucune longueur d'onde du spectre visuel. Par la connaissance que nous avons de leurs compléments (permettant de spécifier leur longueur d'onde), elles ont toutefois leur place sur le cercle de la couleur. Si vous regardez à nouveau le cercle de la couleur, vous pouvez voir que des mélanges de lumières produiront du pourpre. Un violet de 400 nm mélangé avec un rouge de 700 nm produira un pourpre intense. Ainsi, le cercle de la couleur contribue non seulement à expliquer les mélanges, mais il dispose aussi les couleurs non-spectrales au bon endroit.

L'explication des images consécutives est facile. La vue prolongée d'une scène fatigue les récepteurs stimulés, amenant d'autres récepteurs à prendre la relève lors du retour de l'oeil à une stimulation neutre. Ainsi, comme avec les contrastes marginaux, il devient possible par ce moyen de produire des couleurs «artificielles». Regardez d'abord un vert saturé pendant un certain temps, puis déplacez votre regard sur un rouge saturé: vous percevrez un rouge sursaturé. Les récepteurs verts vont se fatiguer. Il ne travaillent plus désormais à se mélanger avec le rouge pour contrer la saturation. Finalement, ce rouge brille plus que n'importe lequel simplement produit par une lumière monochromatique.

Nous pouvons augmenter l'effet en ajoutant du contraste de couleur. Regardez un rouge foncé entouré d'un vert foncé. Puis, déplacez votre regard vers un vert foncé entouré de rouge foncé. Vous pouvez créer facilement cette situation vous-même grâce à des diapositives en couleur positives et négatives de la scène initiale (il est possible de les obtenir à une agence locale de développement de film puisque plusieurs films couleur différents — comme le **Kodacolor** — produisent des négatifs couleur complémentaires à l'original). Projetez-les alternativement sur l'écran de telle sorte qu'elles se superposent. Une alternance rapide produit d'excellents résultats.

Revue des termes et notions

Voici, pour le présent chapitre, les termes et notions que nous considérons importants. Considérez-les un à un; si vous êtes incapable d'en donner une courte explication, vous devriez revoir les sections appropriées du chapitre.

La différence entre les variables physiques et psychologiques
    intensité, brillance
    longueur d'onde ou fréquence, couleur ou teinte

TERMES ET NOTIONS À CONNAÎTRE

Le contraste de brillance
  ce que c'est
  les bandes de Mach (et pourquoi elles peuvent être utiles)
  autres influences sur la perception de la brillance
    (information sur la profondeur, par exemple)
Adaptation à l'obscurité — adaptation à la clarté
  le rôle des cônes et des bâtonnets dans l'adaptation à l'obscurité
  profils d'isosensibilité à la brillance
    (pourquoi le port de lunettes rouges maintient-il l'adaptation à
    l'obscurité?)
Point de fusion critique
Couleur
  toutes les couleurs n'apparaissent pas dans le spectre
  couleurs complémentaires
  une fois les lumières (ou peintures) mélangées, ne pas pouvoir déterminer
    comment le résultat fut obtenu
  teinte
  saturation
  brillance
  les principaux mélanges de couleur
  les lumières diffèrent des peintures (pourquoi?): mélanges additifs et
    soustractifs
La sensibilité à la lumière
Contraste chromatique
Théorie des processus antagonistes
  (les détails de cette théorie se trouvent au chapitre 6)
Couleur de l'image consécutive
Analyse de la fréquence spatiale
  pourquoi des grilles fixées pendant un certain temps changent-elles
    l'apparence des autres grilles?

Lectures suggérées

Le début de ce chapitre porte principalement sur le rôle de l'inhibition latérale et sur les interactions d'excitation (entre différents points du champ visuel) qui s'ensuivent. À ce sujet, nous recommandons fortement trois volumes. D'abord, le volume de Ratliff, *Mach bands* (1965), constitue une excellente introduction à l'inhibition latérale, à un ensemble de données psychologiques pertinentes à son analyse et à un vaste assortiment de questions d'ordre psychologique et physiologique résultant de l'étude de ce phénomène. Ensuite, le volume de Georg von Békésy, *Sensory inhibition* (1967), étend le phénomène de l'inhibition latérale à une grande variété de systèmes sensoriels y compris le goût et l'odorat. Ce volume est aussi fascinant par ses entrelacements d'observations sur la façon d'un scientifique de procéder dans l'étude de n'importe quel champ de recherche. Si vous trouvez que nous recommandons par trop les volumes de Ratliff et de von Békésy, vous ne faites pas erreur, mais nous le faisons pour de bonnes raisons.

Finalement, le volume *Visual perception* de Cornsweet (1970) montre comment appliquer les mécanismes de l'inhibition latérale aux phénomènes rencontrés dans la perception visuelle. Le volume de Cornsweet nous semble le meilleur travail que nous ayons rencontré en ce qui a trait au fonctionnement de l'oeil au niveau des processus rétiniens. De plus, il présente d'une façon minutieuse et intelligible les résultats des concepts les plus récents de l'analyse spatiale de Fourier tels qu'appliqués en vue de la compréhension de notions comme la constance de brillance et la fusion critique du clignotement. Ce sont des notions importantes et les étudiants les plus avancés auraient avantage à étudier avec attention les dernières sections du volume de Cornsweet. (Cornsweet traite aussi de la vision en couleur d'une façon unique et hautement intelligible. Il est mieux, cependant, de ne pas essayer de lire son ouvrage en même temps que le nôtre. Nous utilisons des systèmes différents pour expliciter ce phénomène. Même si le lecteur chevronné pouvait suivre les deux exposés, le débutant risquerait de s'y perdre.)

Comme il est d'usage dans tous les chapitres traitant des phénomènes perceptifs, nous recommandons hautement la série *Handbook of perception*, spécialement les volumes III et V (Carterette et Friedman, 1973, 1975). Pour les phénomènes de base de l'adaptation, la meilleure source demeure le volume *The handbook of experimental psychology* écrit par Stevens en 1951. Le volume est vieux mais préparé avec minutie, et la description du fonctionnement de base de l'oeil n'a pas changé depuis. Le chapitre 16 du volume III de *Handbook of perception* couvre aussi cette matière, mais avec moins de minutie que ne le fait Stevens. Tout le volume édité par Graham (1965) traite aussi de ces sujets.

Hochberg et Beck (1954) ont fait l'expérience des effets des indices de profondeur sur la perception de la brillance. Un examen plus récent de ce phénomène se trouve dans l'article de Flock et Freedberg (1970); même si le texte est passablement technique, il en vaut la peine parce qu'il confronte quelques théories et donne aussi de nombreuses références.

Il existe un grand nombre d'études fascinantes sur le contraste de brillance. Le volume de Coren (1969) contient un résultat particulièrement intrigant en montrant comment le contraste de brillance peut changer selon la perception d'une figure: selon l'interprétation que l'on donne à une figure ambiguë, le contraste de brillance peut changer. Une revue du phénomène complet existe dans Festinger, Coren et Rivers (1970). Mershon et Gogel (1970) ont écrit un autre article important sur le phénomène communément appelé l'effet Gelb. Hurvich et Jameson (1966) ont écrit un excellent volume sur la constance de brillance.

Quelques autres phénomènes visuels importants, non traités dans ce volume-ci, le sont dans le volume *Perception* de Hochberg (1964). De plus, l'article de Harris (1965) discute du recouvrement de la vision après la perception du monde à travers des prismes déformants. Ce sujet est particulièrement intrigant et Harris en fait non seulement une bonne étude, mais fournit aussi des références pertinentes. Les travaux de Julesz (1960, 1964) constituent une introduction particulièrement originale et importante aux problèmes de la perception tridimensionnelle de l'espace. Son volume est spécialement important (Julesz, 1971) et très divertissant aussi, particulièrement quand on examine ses images tridimensionnelles avec les verres colorés fournis avec le livre. L'article de Enright (1970) sur l'illusion (connue sous le nom de «Pendule de Pulfrich») est important aussi, combinant à sa façon un exposé sur une illusion visuelle, un autre sur la perception de la profondeur et des calculs sur le rythme de réaction de la rétine aux signaux visuels. Comme d'habitude, l'*Annual Review of Psychology* donne un bon aperçu des travaux sur la perception visuelle.

VISION DES COULEURS La vision des couleurs présente un problème. Même s'il s'agit d'un sujet très important, les volumes qui en parlent d'une façon intelligible n'existent à peu près pas! Cornsweet (1970) s'en rapproche, mais sa façon de procéder demeure incompatible avec la nôtre, comme nous l'avons souligné. Le volume de Graham (1965) contient presque toute l'information importante, mais il demeure difficilement compréhensible. Le meilleur traité est peut-être celui de LeGrand (1957). Malheureusement, il ne tient pas beaucoup compte des travaux modernes. Mais, la meilleure chose à faire consiste probablement à commencer avec le volume de LeGrand et, à partir de là, à aborder les autres travaux.

Kaufman (1974) a écrit une introduction à la couleur pouvant être utile à ceux qui ont éprouvé des difficultés avec le contenu de notre chapitre. Des examens poussés sur les réponses physiologiques à la couleur apparaissent dans le chapitre de DeValois et DeValois (volume V du *Handbook of perception*); dans le même volume, Boynton traite de façon poussée des mécanismes psychologiques de la couleur (ce volume V est de Carterette et Friedman, 1975).

ANALYSE DE LA FRÉQUENCE SPATIALE Jusqu'à maintenant, il existe plusieurs bons textes sur l'analyse de la fréquence spatiale, mais aucun n'explique vraiment son utilité dans le système perceptif humain. L'article paru dans *Scientific American* et écrit par Campbell et Maffei (1974) est un bon point de départ. De là, l'exposé de Cornsweet (1970) offre au chapitre 12 une bonne introduction aux aspects techniques de la spécification des fréquences spatiales. Le chapitre de Anstis (1975) passe en revue les données psychologiques et tente de décrire l'utilité de cette méthode d'approche. Le volume V de *Handbook of perception*, consacré à la vision, demeure une référence très utile. Un coup d'oeil sur l'index sous *fréquence spatiale* et *analyse de la fréquence spatiale* prouve la pertinence de ce volume sur le sujet (voir le chapitre de Robson). L'*Annual Review of Psychology* (quoique technique et aride) s'avèrera utile si vous entreprenez des recherches livresques sur la fréquence spatiale. Consultez les chapitres sur la *vision spatiale* et sur la *perception*.

PLANCHE COULEUR I

Si vous fixez du regard le centre du dessin à une distance approximative de 15 cm, les cercles disparaîtront. Pour l'explication de ce phénomène, voir la figure 1-47. (Peter Sedgley, *Looking Glass Suite*, Nº 9, Lithographie, Collection: D.A. Norman.)

PLANCHE COULEUR II

Fixez le point noir du cadre gauche en gardant la tête et les yeux immobiles jusqu'à ce que la figure entière commence à chatoyer. Puis regardez le point noir à droite, dans le cadre blanc. Vous verrez des cœurs roses sur fond verdâtre. (Le clignotement des yeux à quelques reprises facilite l'apparition de l'image consécutive.) Le rose est une image consécutive. Le vert est «induit». (Adapté de *The Color Tree*, Inmont Corporation, New York, 1965.)

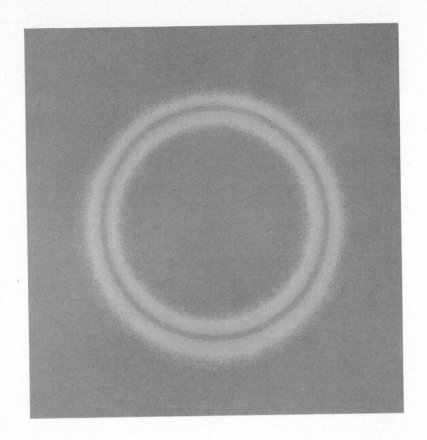

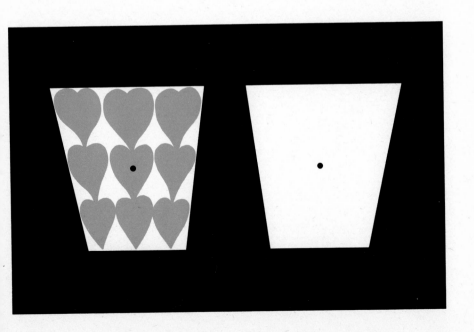

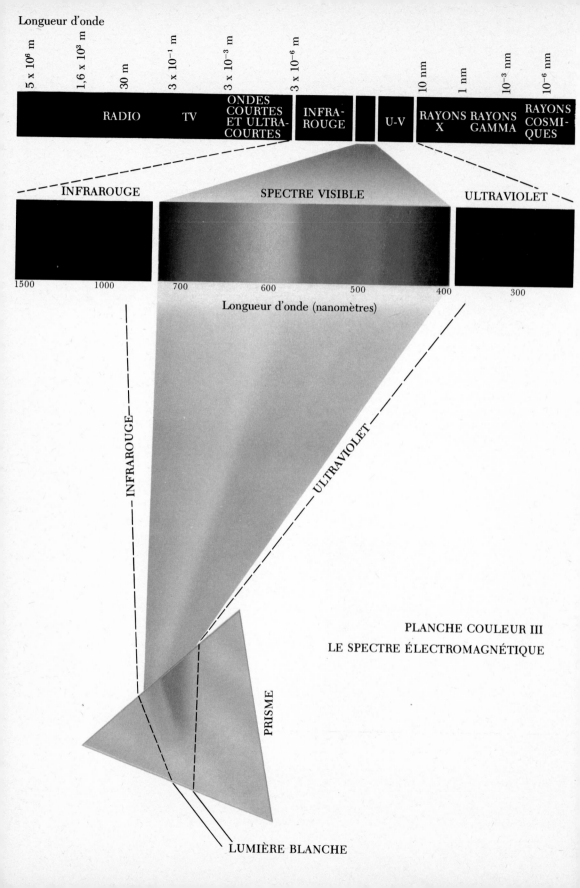

Longueur d'onde

5×10^6 m $1,6 \times 10^3$ m 30 m 3×10^{-1} m 3×10^{-3} m 3×10^{-6} m 10 nm 1 nm 10^{-3} nm 10^{-6} nm

RADIO TV ONDES COURTES ET ULTRA-COURTES INFRA-ROUGE U-V RAYONS X RAYONS GAMMA RAYONS COSMI-QUES

INFRAROUGE SPECTRE VISIBLE ULTRAVIOLET

1500 1000 700 600 500 400 300

Longueur d'onde (nanomètres)

INFRAROUGE

ULTRAVIOLET

PRISME

PLANCHE COULEUR III

LE SPECTRE ÉLECTROMAGNÉTIQUE

LUMIÈRE BLANCHE

PLANCHE COULEUR IV

Effet de Purkinje: la différence entre la sensibilité visuelle diurne et nocturne (vision par cônes et bâtonnets). Normalement, les fleurs bleue et rouge sont également perceptibles, le rouge paraissant plus éclatant que le bleu. Les cônes sont responsables de la perception de ces deux couleurs. Au bout de cinq minutes de fixation de l'image dans la pénombre, la fleur rouge disparaît complètement, mais la bleue reste visible. Sous un éclairage assez faible, les bâtonnets seuls entrent en activité.

Il est possible d'accélérer l'effet en fixant le centre de la fleur rouge. De cette façon, le rouge excite la région de la rétine ayant une forte densité de cônes; le bleu en active une autre plus dense en bâtonnets. (Adapté de *The Color Tree*, Inmont Corporation, New York, 1965.)

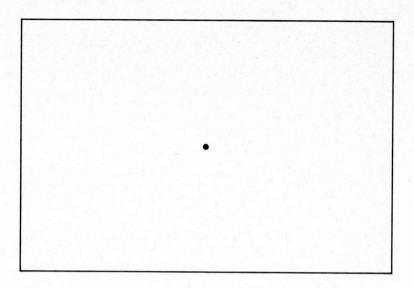

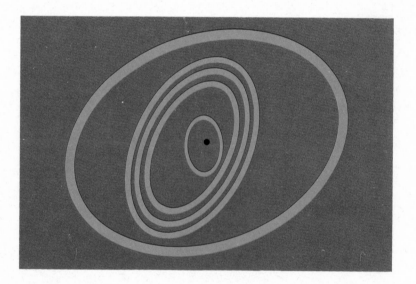

PLANCHE COULEUR V
Regardez le point de fixation au centre de l'image inférieure. La figure chatoiera et certaines parties disparaîtront. Maintenant, regardez le point de fixation du rectangle supérieur. Les anneaux et le fond apparaîtront en couleurs complémentaires. (Adapté de *The Color Tree,* Inmont Corporation, New York, 1965.)

4. Le système auditif

Préambule

L'oreille

L'aspect physique du son
LA FRÉQUENCE DU SON
L'INTENSITÉ DU SON
DÉCIBELS

La mécanique de l'oreille
L'OREILLE INTERNE
MOUVEMENTS DE LA MEMBRANE BASILAIRE
LES CELLULES CILIÉES

Réponses électriques à la stimulation auditive
COURBES DE SYNTONISATION
CODAGE TEMPOREL DANS LES RÉPONSES NERVEUSES
CODAGE DE L'INFORMATION RELATIVE À L'INTENSITÉ

Revue des termes et notions
TERMES ET NOTIONS À CONNAÎTRE
LES PARTIES DE L'OREILLE
LE SON

Lectures suggérées

Préambule

Ce chapitre est le premier d'une série de deux sur le système auditif. L'oreille est une machine fascinante. Elle est composée d'os fins et de membranes, avec des tubes en forme de spirale emplis de liquide. Lorsque les ondes sonores atteignent l'oreille, elles se dirigent vers des passages bien définis et traversent des séries complexes de membranes et d'os les transformant en variations de pression dans une cavité pleine de liquide. Ces variations de pression produisent des renflements dans la membrane, lesquels agissent sur un ensemble de cils situés tout le long de celle-ci. Chaque cil est branché à une cellule qui, par la voie du nerf auditif, envoie un signal au cerveau dès que le cil s'incurve. Ainsi, ce que nous entendons dépend du fléchissement des cils.

Comparativement à l'oreille, tous les autres systèmes sensoriels sont beaucoup moins complexes. L'oeil par exemple a une organisation mécanique simple; toute sa complexité relève de l'interaction des cellules nerveuses à l'arrière de l'oeil, dans la rétine. Dans l'oreille par contre, si les connexions nerveuses sont relativement simples, toute la complexité réside dans les structures mécaniques transformant les ondes sonores en configurations particulières de renflements le long de la membrane basilaire. (Dans le cerveau, les circuits neuraux de l'audition sont passablement complexes, bien sûr. En revanche, les circuits neuraux à l'intérieur de l'oreille sont relativement simples.)

Ce chapitre aborde le fonctionnement de l'oreille en donnant une explication élémentaire de l'aspect physique du son; ensuite, il décrit en détail la structure de l'oreille, pour finalement conclure par des considérations sur les réponses électriques aux sons. Le prochain chapitre traitera des expériences perceptives portant sur l'audition.

Pour commencer, il faut vous faire une idée de la nature du son, de sa mesure et de son aspect physique. Le concept de décibels (dB) est important; ceux parmi vous qui détestez les mathématiques ne doivent pas s'en effrayer. Les décibels sont aisément compréhensibles et vous n'avez pas besoin d'en connaître long sur ceux-ci pour lire ces chapitres. Ici, ils seront de moindre importance, mais nous les utiliserons beaucoup au prochain chapitre.

En lisant la section sur l'oreille, vous n'avez pas à apprendre tous les détails de l'anatomie. Les termes importants à connaître apparaissent à la fin du chapitre (comme d'habitude); peut-être trouverez-vous avantage à y référer au cours de cette lecture. Vous devriez connaître les distinctions entre l'oreille externe, moyenne et interne, le tympan, les fenêtres ronde et ovale puis les trois osselets de l'oreille moyenne (ainsi que les muscles qui y sont associés). La cochlée est importante; vous devriez essayer d'en comprendre la mécanique. Faites-vous l'image d'une membrane dont la vibration prend la forme d'un gonflement se déplaçant d'une extrémité à l'autre. Forme et position du gonflement occupent une grande importance dans l'audition.

Au prochain chapitre, nous essaierons de regrouper toute cette information, illustrant les applications des détails que vous lisez dans celui-ci. Éventuellement, vous pouvez faire une première lecture rapide des deux chapitres pour ensuite revenir sur celui-ci et en faire une plus approfondie.

L'oreille

L'oreille humaine est étonnamment compliquée. De l'extérieur, elle consiste principalement en un tube situé entre le monde extérieur et une petite membrane interne, le tympan. Les vibrations de l'air provoquent celles du tympan. Ces parties les plus externes de l'oreille, telles que le pavillon, le canal auditif et le tympan, constituent toutefois les composantes les moins importantes pour le bon fonctionnement de l'oreille. La vibration du tympan en réponse au changement de pression dans l'air représente seulement le commencement d'une longue chaîne d'événements qui produisent finalement notre perception du son.

Le processus par lequel le son se propage à travers l'oreille pour créer des signaux nerveux implique un ensemble d'étapes plutôt difficiles à distinguer les unes des autres. Examinez les figures 4-1 et 4-2. D'abord, l'onde sonore qui parvient à l'oreille se déplace dans le canal auditif, produisant la vibration de la membrane qui se trouve à l'extrémité: *le tympan*. Cette

Figure 4-1

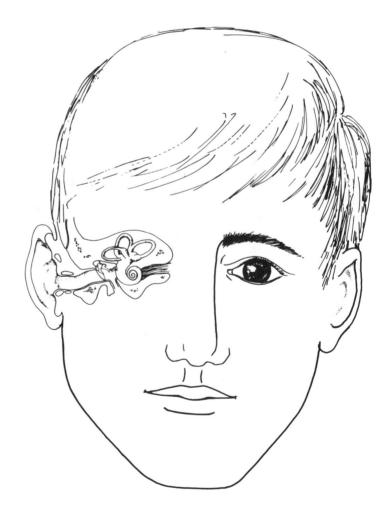

vibration est transmise par les trois petits osselets de l'oreille moyenne à une autre membrane, *la fenêtre ovale*. Cette fenêtre offre une voie d'accès à la structure osseuse et spiralée de l'oreille interne: *la cochlée*. Les fluides de la cochlée se déplacent sous l'effet des mouvements de la fenêtre ovale, causant ainsi la vibration d'une membrane située le long de la spirale, à l'intérieur de la cochlée. Le schème vibratoire de cette dernière, *la membrane basilaire*, est ressenti par quelques rangées de cils alignés sur celle-ci, amenant les cellules nerveuses auxquelles les cils sont reliés à déclencher des impulsions qui véhiculent l'information acoustique au cerveau. Chaque composante de cet étrange cheminement existe pour une raison bien particulière. Notre tâche consiste à découvrir comment chacune de ces composantes contribue au développement du message nerveux transmis au cerveau par la voie du nerf auditif et aussi, à découvrir comment le cerveau décode ce message pour en tirer une expérience psychologique du son, de la musique et du langage.

L'aspect physique du son

Le son consiste en variations de pression. Lorsqu'un objet «produit un son», des ondes de pression se propagent dans le milieu environnant. Les pressions sonores mesurées à quelque distance de la source créent une image imparfaite des pressions initialement produites. D'une part, cela dépend de

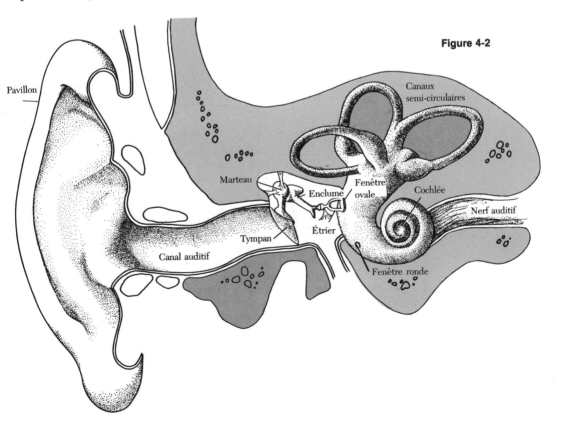

Figure 4-2

l'atténuation de l'onde sonore lors de son déplacement dans l'air et d'autre part, des différents types de réflexion et de réfraction causées par la rencontre d'objets situés sur la trajectoire de l'onde.

LA FRÉQUENCE DU SON   Pour le plus simple des sons, les variations de pression dans l'air produisent, en fonction du temps, une forme ondulatoire ressemblant à celle de la figure 4-3. Pour décrire cette forme ondulatoire (une *onde sinusoïdale*),

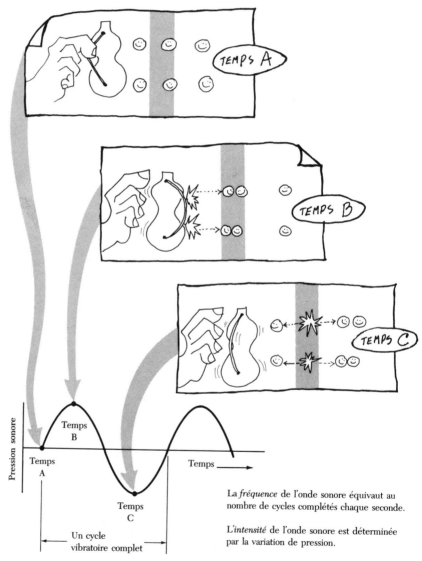

La *fréquence* de l'onde sonore équivaut au nombre de cycles complétés chaque seconde.

L'*intensité* de l'onde sonore est déterminée par la variation de pression.

Figure 4-3   Le graphique indique la pression telle que mesurée dans l'aire hachurée (grise) de chaque rectangle.

nous devons en spécifier trois aspects: sa vitesse de variation (sa *fréquence*), la force de pression produite (son *amplitude*) et son décalage dans le temps (sa *phase*). En général (sauf les exceptions que nous décrirons plus loin), plus grande est l'amplitude de l'onde sinusoïdale, plus puissant est le son; plus la fréquence est élevée, plus la hauteur tonale l'est aussi. Ainsi, une onde sinusoïdale d'une fréquence de 261,63 cycles par seconde a la hauteur du *do* international. Un *cycle par seconde* s'appelle un *hertz* (Hz)*.

Même si la représentation des variations de pression sonore en fonction du temps fournit une description complète du son, il est souvent plus pratique de décrire l'onde d'une façon tout à fait différente. Regardons les graphiques de pression sonore aux figures 4-4 et 4-5. Complexes, ces ondes temporelles sont embarrassantes à manier. Nous pouvons les aborder beaucoup

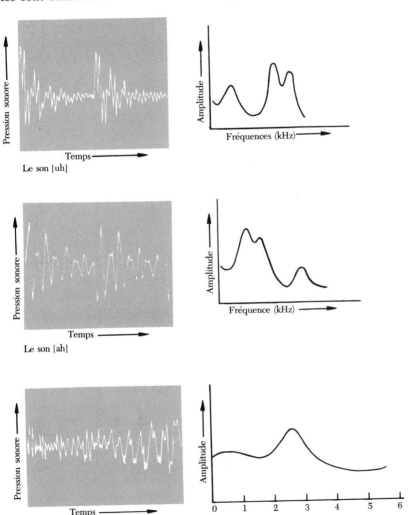

Figure 4-4
Denes et Pinson (1963).

Figure 4-5
Denes et Pinson (1963).

* La fréquence est souvent exprimée en termes de *kilohertz (kHz)*, où 1 kHz équivaut à 1000 Hz.

plus facilement en réduisant leur complexité à leurs composantes élémentaires, soit les ondes sinusoïdales dont nous avons parlé. Le principe de cette décomposition vient d'un théorème énoncé par le mathématicien *Fourier* (1768-1830) qui a prouvé que n'importe quelle longueur d'onde complexe (avec certaines restrictions) peut être représentée par une combinaison d'ondes sinusoïdales de fréquences, d'intensités et de temps de départ spécifiques. La décomposition d'une forme ondulatoire en ses fréquences composantes simples s'appelle l'*analyse de Fourier*.

La représentation des ondes complexes par leurs composantes sinusoïdales, dont la figure 4-6 ne suggère qu'un exemple, semble s'approcher le plus de la façon qu'a l'oreille de traiter le son. En fait, l'oreille semble grossièrement effectuer une analyse de Fourier du signal intervenant. Si un son de 440 Hz (*la* immédiatement supérieur au *do* international) est accompagné d'un autre de 689 Hz (*fa*), il est possible d'entendre chacune des deux notes de la combinaison finale. Ce fait a d'abord été souligné par le physicien allemand Georges Ohm (1787-1854); la correspondance entre ce qui est entendu et la représentation des sons en termes de composantes simples de fréquences est maintenant connue sous le nom de la loi d'Ohm acoustique.

Figure 4-6

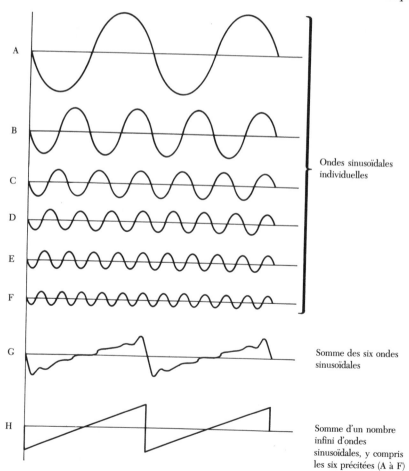

Ondes sinusoïdales individuelles

Somme des six ondes sinusoïdales

Somme d'un nombre infini d'ondes sinusoïdales, y compris les six précitées (A à F)

(Le même Ohm a proposé la loi d'Ohm en électricité; même Ohm, loi différente.) Le processus diffère cependant quand il s'agit de la lumière. Lorsqu'une lumière d'une certaine fréquence donnant du rouge (longueur d'onde de 671 nm) se mélange à une lumière d'une fréquence donnant du vert (longueur d'onde de 536 nm), la lumière résultante paraît jaune (longueur d'onde de 589 nm). Contrairement au système auditif, le système visuel ne sépare pas les différentes fréquences qui le stimulent: l'oeil combine les formes ondulatoires visuelles, ne laissant aucune trace des composantes individuelles.

Son	*Intensité (dB)*	
	200	**Tableau 4-1**
Décollage d'un avion chargé (à une distance de 45 m)	● 180	
	160	
Seuil de douleur	●	
	140	
Tonnerre puissant; musique rock	●	
	120	
Cri	● 100	
Conversation	● 80	
	60	
Chuchotement	● 40	
	20	
Seuil d'audition à 1000 Hz	● 0	

Son	*Fréquence (Hz)*
Plus basse note de piano	27,5
Plus basse note d'une voix de basse	100
Plus basse note d'une clarinette	104,8
Do international sur le piano	261,6
Hauteur tonale standard d'accord (*la* supérieur au *do* international)	440
Plus haut registre de soprano	1 000
Plus haute note de piano	4 180
Harmoniques des instruments de musique	10 000
Limite d'audibilité des personnes âgées	12 000
Limite d'audibilité humaine	16 000 — 20 000

L'INTENSITÉ DU SON

Comme pour les intensités lumineuses, grande est la différence entre le plus faible son audible et celui qui est susceptible de produire une souffrance physique. À 2000 Hz par exemple, le son le plus intense, mais tolérable, dépasse de mille billions de fois l'intensité du plus faible son audible. Cette très grande étendue des intensités ne permet pas de s'attaquer directement à leur description. Aussi pouvons-nous éviter ce problème en décrivant les intensités sonores en termes de *décibels*.

DÉCIBELS*

Afin de restreindre la gamme des valeurs des intensités physiques sonores, nous utilisons une formule permettant d'exprimer ces intensités selon le nombre de puissances de dix qui les sépare. Cette méthode tient son nom de l'inventeur du téléphone, Alexander Graham Bell, quoique pour les besoins de la cause, nous ayons quelque peu écourté son nom. Ainsi, pour une intensité un million de fois (10^6) supérieure à une autre, nous disons qu'elle la dépasse de six bels. En revanche, une intensité 1000 fois (10^{-3}) inférieure à une autre est de trois bels moins intense. Le nombre de bels séparant deux intensités est donc exprimé par le logarithme de leur rapport. Actuellement, vu l'étendue des intensités sonores, nous manquons souvent de bels, si bien que les rapports d'intensité s'expriment habituellement par le nombre de *dixièmes de bels*. Ceux-ci s'appellent des *décibels*, *dB* en abrégé.

Dans les deux exemples ci-dessus, les différences d'intensité sont respectivement de 60 et de -30 dB. Le nombre de décibels séparant deux intensités I et I_0 se calcule par la formule:

$$\text{Nombre de dB} = 10 \log (I/I_0)$$

1. En doublant (ou en diminuant de moitié) le rapport des intensités du signal, on ajoute (ou soustrait) approximativement 3 dB.
2. En multipliant (ou en divisant) le rapport des intensités du signal par 10, on ajoute (ou soustrait) 10 dB.
3. Si l'écart entre deux sons est de $10n$ dB, leur rapport d'intensité est de 10^n. Par exemple, une différence de 60 dB dans les intensités de deux sons signifie qu'un son est de 10^6 (un million) fois plus intense que l'autre.
4. Étant donné que les décibels réfèrent au rapport de deux intensités, dire qu'un son se situe à un niveau de 65 dB perd tout son sens s'il n'en existe pas un autre pour le comparer. Généralement, lorsque vous rencontrez des énoncés de cette sorte, cela signifie que le son est de 65 dB plus intense que le niveau de référence standard international de 0,000 2 dyn/cm². Ce standard représente une pression sonore très basse et correspond approximativement à l'intensité sonore minimale perçue par l'être humain pour un son de 1000 Hz.

Dans ce volume, nous référerons généralement aux niveaux sonores en utilisant les abréviations *dB nps* pour *niveau de pression sonore*. Cela signifie que nous utilisons le niveau de référence standard de 0,000 2 dyn/cm². Dans des manuels techniques, vous pouvez rencontrer aussi *dB ns* et *dBA*. Ce sont des mesures d'intensité sonore désignées pour leur pertinence à l'oreille humaine: *dB ns* représente le ni-

---

*Même si cette section ressemble à celle sur les décibels (au chapitre 2), de grâce! étudiez-la assez longtemps pour remarquer les différences entre les références standard pour le son et la lumière.

veau de sensation — le niveau de référence est le son le plus faiblement audible —, *dBA* possède une courbe de sensibilité intégrée à l'instrument de mesure et comparable à celle de l'humain (figure 5-2).

Décibels

Nombre de dB = $10 \log (I/I_0)$

I/I_0	dB	I/I_0	dB
0,0001	−40	10 000	40
0,001	−30	1 000	30
0,01	−20	100	20
0,032	−15	31,6	15
0,1	−10	10	10
0,13	− 9	7,9	9
0,16	− 8	6,3	8
0,2	− 7	5	7
0,25	− 6	4	6
0,32	− 5	3,2	5
0,4	− 4	2,5	4
0,5	− 3	2	3
0,63	− 2	1,6	2
0,79	− 1	1,3	1
1	0	1	0

La mécanique de l'oreille

Le psychologue s'intéresse surtout à la minuscule structure osseuse (en forme de limaçon) située dans l'oreille interne et portant le nom de *cochlée*. C'est en fait un tube enroulé deux fois et demie sur lui-même (chez l'humain) et empli d'une solution saline. De plus, sa dimension (humaine) se rapproche de celle d'un cube de sucre — 0,5 cm de long par 1 cm de large (voir les figures 4-7 et 4-8).

L'OREILLE INTERNE

L'os qui entoure la cochlée possède deux ouvertures. La première, petite membrane appelée *fenêtre ovale*, est tendue contre le dernier os de la chaîne d'osselets de l'oreille moyenne. Les vibrations du tympan, par les os de l'oreille moyenne, atteignent la cochlée grâce à cette membrane. Comme la cochlée est emplie d'un fluide incompressible, soulager la fenêtre ovale des pressions qui s'y exercent s'avère nécessaire. Une autre petite ouverture pratiquée dans la structure osseuse puis recouverte par une fine membrane s'acquitte de cette tâche. Il s'agit de l'ouverture au bas de la cochlée, la *fenêtre ronde*. Vous pouvez différencier les fenêtres l'une de l'autre par un procédé mnémonique aisé: l'*O*uverture dans la cochlée s'appelle la fenêtre *O*vale (**O**); la fenêtre en *R*etrait s'appelle la fenêtre *R*onde (**R**).

À l'intérieur de la cochlée existe un mécanisme hautement sophistiqué pour convertir les variations de pression en signaux électriques voyageant le long de plusieurs milliers de fibres du nerf auditif. Ce mécanisme s'ob-

serve plus aisément en déroulant la cochlée (possible par schéma, mais non
dans les faits) de manière à en voir l'intérieur, tel qu'à la figure 4-9.

Les deux membranes qui parcourent la cochlée dans le sens de la longueur
la divisent en trois régions différentes emplies de fluide (figure 4-10).
Celle qui nous intéresse le plus s'appelle la *membrane basilaire*. Elle s'étend
du point de départ de la cochlée (la *base*), là où l'étrier de l'oreille moyenne fait vibrer la fenêtre ovale, pour atteindre presque l'extrémité finale
interne de l'enroulement (*l'apex*). Où se trouve l'apex, il y a un tout petit

Figure 4-7

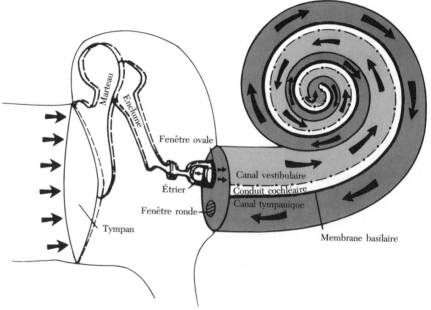

espace entre la membrane et les parois de la cochlée. Étirée, la membrane
basilaire mesure environ 3,5 cm de long, mais son épaisseur croît de la fenêtre
ovale vers l'apex. L'augmentation de l'épaisseur joue un rôle important dans
son fonctionnement. Notez les particularités propres à cette membrane.
D'abord, elle prend son point de départ aux fenêtres ovale et ronde, la
fenêtre ovale se trouvant au-dessus, la fenêtre ronde au-dessous. Aussi,
lorsque nous retraçons une position le long de la membrane, nous le faisons
en nous basant sur la distance qui la sépare de la fenêtre ronde ou ovale et

même sur celle qui la sépare de l'apex. Deuxièmement, si la cochlée rétrécit au fur et à mesure de son évolution de la base vers l'apex, au contraire, la membrane croît: plus épaisse près de l'apex, elle l'est moins près de la base. Finalement, la membrane basilaire perd de sa rigidité en se rapprochant de l'apex. Tous ces facteurs — épaississement, augmentation de la masse et diminution de la rigidité — rendent la région de l'apex plus sensible aux sons de basse fréquence et les régions adjacentes aux fenêtres ronde et ovale plus sensibles à ceux de haute fréquence.

Figure 4-8

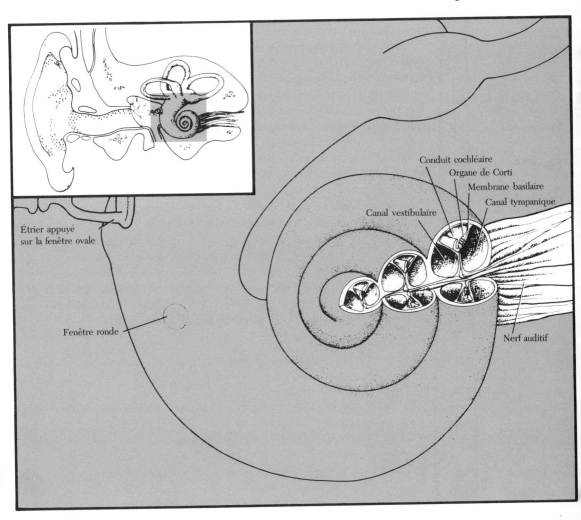

MOUVEMENTS DE LA MEMBRANE BASILAIRE

La pression exercée intérieurement sur la fenêtre ovale produit une pression dans les liquides au-dessus de la membrane basilaire; cette pression se propage instantanément tout le long de la membrane. La figure 4-11 donne un aperçu de cette propagation ondulatoire. (L'onde de pression requiert seulement 20×10^{-6} s environ pour traverser la cochlée dans toute sa longueur.) Ainsi, le mode d'activité se rapportant à la membrane basilaire ne dépend pas de l'une ou de l'autre extrémité stimulée de la cochlée: si le système était activé dans la région de l'apex plutôt qu'au niveau de la fenêtre ovale, il fonctionnerait tout aussi bien.

Quant à la membrane basilaire, elle ne réagit pas immédiatement à la pression exercée. En l'observant là où la fenêtre ovale commence à vibrer, une onde de déplacement semble se profiler: d'abord, cette onde s'amplifie près de la fenêtre ovale pour graduellement se déplacer le long de la membrane jusqu'à l'apex. Elle ne prend que quelques millisecondes pour franchir toute la membrane basilaire. La distance parcourue dépend de la fréquence de l'onde sonore. La hauteur de l'onde est directement proportionnelle à l'amplitude du son: à l'accentuation du niveau sonore correspond une augmentation de la hauteur de l'onde en mouvement.

L'ampleur gagnée par l'onde tient des propriétés élastiques de la membrane. Rappelez-vous que de la fenêtre ovale à l'apex, la membrane gagne en épaisseur et perd en rigidité, étant quelque 100 fois plus rigide au niveau de la fenêtre qu'à l'apex. Ces facteurs, combinés avec la géométrie propre à la cochlée, provoquent une augmentation graduelle de l'ampleur au fur et à mesure que l'onde se meut vers l'apex. Le long de la membrane, le point où l'onde trouve son ampleur maximale dépend de la fréquence du son. À mesure que l'onde avance vers l'extrémité de la membrane, le déplacement s'estompe rapidement. Pour les sons de haute fréquence, comme l'indique la figure 4-12, c'est près de la fenêtre ovale qu'a lieu le déplacement maximal de la membrane basilaire qui, hors de ce point, manifeste une activité minime. Pour les sons de basse fréquence, l'onde se déplace sans arrêt jusqu'à l'apex, atteignant son point culminant juste avant l'extrémité de la membrane.

C'est donc le schème vibratoire qui établit la conversion des fréquences sonores en activité à différents endroits le long de la membrane basilaire. Ce codage de la fréquence d'un signal acoustique en un point particulier de vibration revient à ce que nous avons déjà énoncé: «L'oreille semble effectuer grossièrement une analyse de Fourier du signal intervenant.»

Figure 4-9

Membrane basilaire

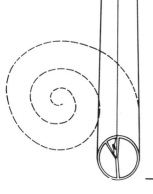

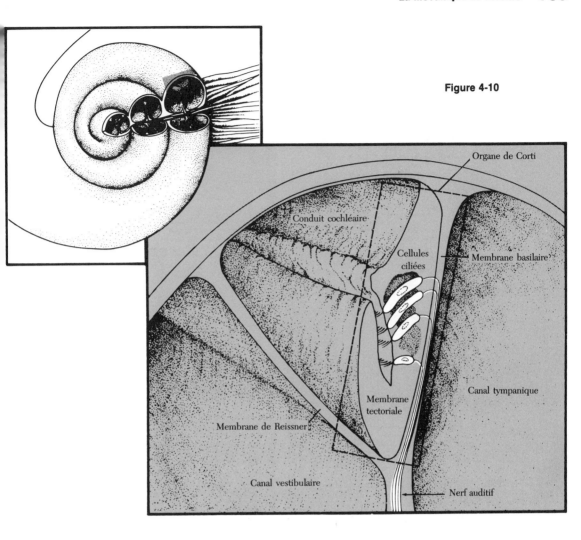

Figure 4-10

Organe de Corti

Conduit cochléaire

Cellules ciliées

Membrane basilaire

Membrane tectoriale

Canal tympanique

Membrane de Reissner

Canal vestibulaire

Nerf auditif

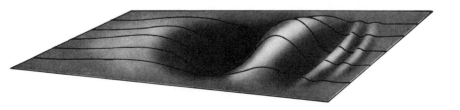

G.L. Rasmussen et W.F. Windle, **Mécanismes nerveux des systèmes auditif et vestibulaire, 1960. Courtoisie** de *Charles C. Thomas, Publisher, Springfield, Illinois.*

Figure 4-11

Figure 4-12

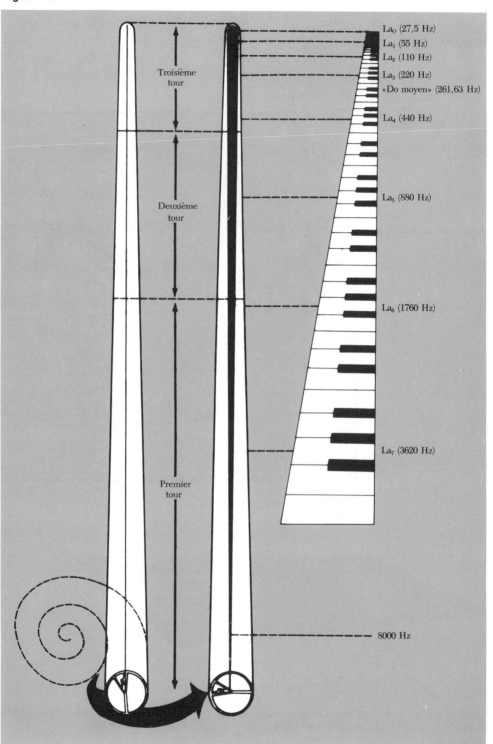

La₀ (27,5 Hz)
La₁ (55 Hz)
La₂ (110 Hz)
La₃ (220 Hz)
«Do moyen» (261,63 Hz)
La₄ (440 Hz)
La₅ (880 Hz)
La₆ (1760 Hz)
La₇ (3620 Hz)

Troisième tour

Deuxième tour

Premier tour

8000 Hz

La membrane basilaire est vraiment faite d'un morceau de peau auquel adhèrent, comme sur l'épiderme, des cellules ciliées (figure 4-13). Ces cellules ciliées font partie d'une structure complexe appelée *organe de Corti*; elles sont situées en repli le long de la membrane. Chez l'humain, il en existe environ 23 500 organisées en deux subdivisions, séparées par une arche. Les cellules du côté de l'arche le plus rapproché de la fenêtre ovale s'appellent *cellules ciliées externes*; elles sont disposées en trois ou cinq ran-

LES CELLULES CILIÉES

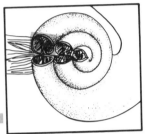
Cochlée humaine (sectionnée)

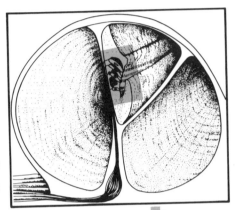
Agrandissement d'une partie de la cochlée montrant la position de l'organe de Corti et la sortie du nerf auditif

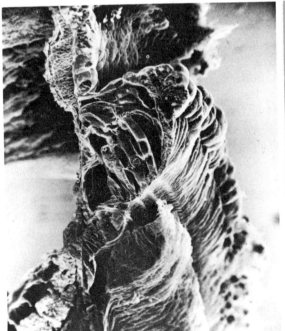

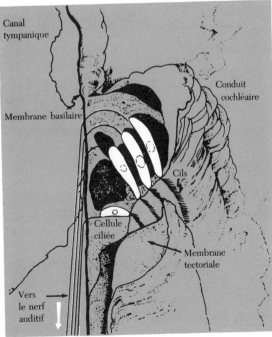
Canal tympanique
Membrane basilaire
Conduit cochléaire
Cils
Cellule ciliée
Membrane tectoriale
Vers le nerf auditif

Photographie de l'organe de Corti prise au microscope électronique. Grossissement: ×370. *Bredberg, Lindeman, Ades, West et Engström* (1970). **Figure 4-13**

gées. Les cellules ciliées de l'autre côté de l'arche s'appellent *cellules ciliées internes*; elles forment habituellement une seule rangée. Il existe environ 20 000 cellules externes desquelles sortent respectivement une centaine de cils. Il existe approximativement 3500 cellules ciliées internes. Environ 30 000 fibres nerveuses relient toutes ces cellules au cerveau.

Ainsi comprimées entre deux membranes, le moindre mouvement de la membrane basilaire produit mille torsions ou fléchissements des cellules ciliées. De plus, comme les membranes sont attachées, le mouvement associé aux cellules ciliées externes est plus ample que celui associé aux cellules internes. Les forces et les tensions exercées sur les cellules ciliées déclenchent une activité nerveuse dans les fibres liées à celles-ci, activité à l'origine des impulsions électriques du nerf auditif.

Réponses électriques à la stimulation auditive

Malgré la grande élégance des réponses mécaniques de l'oreille, elles resteraient sans valeur s'il n'existait un moyen de convertir cette activité en signaux propres à être utilisés par le système nerveux. Les réponses mécaniques transforment fréquence et intensité auditives en schèmes vibratoires le long de la membrane basilaire. Les cellules nerveuses doivent donc analyser cette information et l'acheminer au cerveau.

Dans un chapitre ultérieur (chapitre 6), nous passerons en revue les mécanismes physiologiques du cerveau de façon détaillée. Ici, il suffit de savoir que les différentes parties du système nerveux sont reliées entre elles par des neurones, cellules formant l'élément de base de la structure du cerveau. Pour le moment, considérons simplement le neurone comme une cellule ayant deux parties: un corps cellulaire et une fibre nerveuse. La fibre achemine l'information d'une cellule à une autre; sa grandeur peut varier du microscopique jusqu'à quelques décimètres. Nous pouvons imaginer les fibres nerveuses comme des fils transportant les signaux de base du système nerveux d'un endroit à un autre. Les signaux acheminés par les neurones sont des impulsions électriques ayant une durée d'environ une milliseconde et une amplitude de quelques microvolts.

COURBES DE SYNTONISATION   Grâce à une intervention chirurgicale soignée, il est possible d'insérer une minuscule électrode dans le nerf auditif pour enregistrer les impulsions parcourant une seule fibre auditive. Le premier phénomène observable est son activité propre. Même lorsqu'aucun son n'est produit, elle répond sporadiquement par un dynamisme de l'ordre de 150 impulsions par seconde. Cette activité d'*arrière-plan* ou *spontanée*, en l'absence d'un signal externe, constitue une caractéristique de presque tous les types de neurones sensoriels*.

La première étape dans l'étude d'un neurone est de déterminer la nature du stimulus générateur de réponse. Nous commençons par présenter un son pur d'intensité moyenne et de fréquence élevée, disons 10 000 Hz, puis

* En fait, c'est une caractéristique essentielle propre à tous les neurones (note des traducteurs).

nous diminuons lentement sa fréquence. Au début, le neurone ne réagit pas au son; il continue de décharger à son rythme spontané. Aussitôt que la fréquence atteint un point critique, la réponse du neurone augmente, atteignant une pointe pour une fréquence particulière du signal appelée *fréquence critique*. À mesure que nous abaissons la fréquence, l'activité du neurone

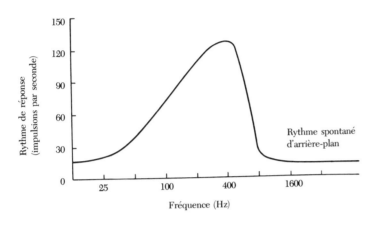

Figure 4-14

redevient moins marquée pour revenir à son rythme spontané d'arrière-plan. La réponse de l'unité à différentes fréquences s'appelle la *courbe de syntonisation* et ressemble à la courbe de la figure 4-14.

Cette unité particulière semble plus sensible à un son d'une fréquence de 400 Hz. Pour les fréquences supérieures à 400 Hz, son rythme de réponse décroît rapidement. Pour les fréquences inférieures, le rythme de réponse change plus lentement en fonction de la variation des fréquences.

Voilà le type de réponse escompté lorsque le neurone étudié réagit directement à la somme d'activité dans une région locale de la membrane basilaire. Supposons que le neurone enregistre les réponses des cellules ciliées dans une région située à environ 24 mm de la fenêtre ovale. À ce point, la vibration de la membrane atteint son maximum en présence d'un son de 400 Hz. Mais il s'y produira une certaine activité en présence de fréquences autres que 400 Hz. Voici, à la figure 4-15, un diagramme de l'amplitude de la vibration pour des fréquences s'échelonnant de 25 à 1600 Hz. À droite, l'amplitude de la membrane est exprimée en fonction de la fréquence.

CODAGE TEMPOREL DANS LES RÉPONSES NERVEUSES

Jusqu'ici, nous nous sommes préoccupés uniquement du nombre d'impulsions nerveuses produit par un signal. L'organisation temporelle de l'activité des neurones individuels importe beaucoup aussi. Considérez une cellule nerveuse avec une fréquence critique de 500 Hz. Ce signal traverse un cycle complet de pressions sonores en 2 ms. Les impulsions de la cellule reflètent les propriétés temporelles de la fréquence critique: l'intervalle entre les pulsations dure approximativement 2 ms; la cellule décharge en synchronisme avec son signal. Quelquefois, une pulsation n'apparaîtra pas au bon moment mais, lors de sa réapparition, elle sera de nouveau en synchronisme avec les

Figure 4-15

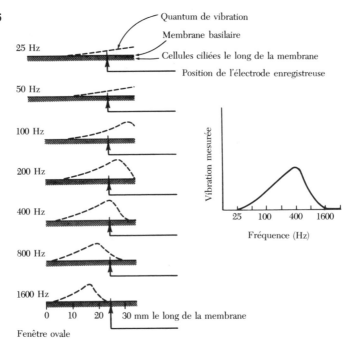

cycles répétés du signal externe. En résumé, un son de 500 Hz tend à produire une réponse régulière de cinq cents impulsions par seconde.

Même si la cellule ne peut décharger aussi rapidement qu'à sa fréquence critique, elle maintient quand même le synchronisme (voir la figure 4-16). Supposons qu'une cellule d'une fréquence critique de 500 Hz ne puisse fournir qu'un maximum de deux cent cinquante ou cent vingt-cinq impulsions par seconde. Elle répondra à une fréquence égale au diviseur commun de la fréquence du signal, disons 250, 125 ou même 62,5 impulsions par seconde. Elle ne répondra pas à un son de 500 Hz à 73 ou 187 impulsions par seconde.

Pour qui connaît les mécanismes de la membrane basilaire, ce genre de décharge synchronisée est prévisible. Lorsque, répondant à un changement de pression, la membrane se déplace, elle fait fléchir les cellules ciliées comprimées entre elle et la membrane de Corti (ou membrane tectoriale), créant ainsi l'impulsion nerveuse. Par contre, aucune réponse n'est déclenchée par le retour de la membrane à sa position normale. Son mouvement ascendant apparaît lors d'une réduction de pression dans les liquides lymphatiques au-dessus de celle-ci, réduction produite par le bombement (vers l'extérieur de la cochlée) de la fenêtre ovale au moment où l'onde sonore atteint sa phase de basse pression (raréfaction).

La capacité des neurones individuels à suivre les changements de pression du signal intervenant semble sous-tendre un mécanisme réservé au codage de la fréquence. Celle-ci peut se déterminer directement à partir du rythme d'impulsions ou de l'intervalle moyen entre les pulsations. Le fait que des fibres individuelles ne puissent pas s'accommoder des changements de pression d'un signal donné (particulièrement de haute fréquence) ne pose aucun problème. Un grand nombre de fibres participent à l'enregistrement de la membrane basilaire en ses différents points. Une fibre peut sauter quelques cycles, mais ses voisines, réagissant à la même fréquence, répondront sans doute à ces composantes manquantes. Lorsque nous considérons globalement les réponses de toutes les unités, nous devrions observer une recrudescence de l'activité de décharge pour chaque phase de raréfaction du signal.

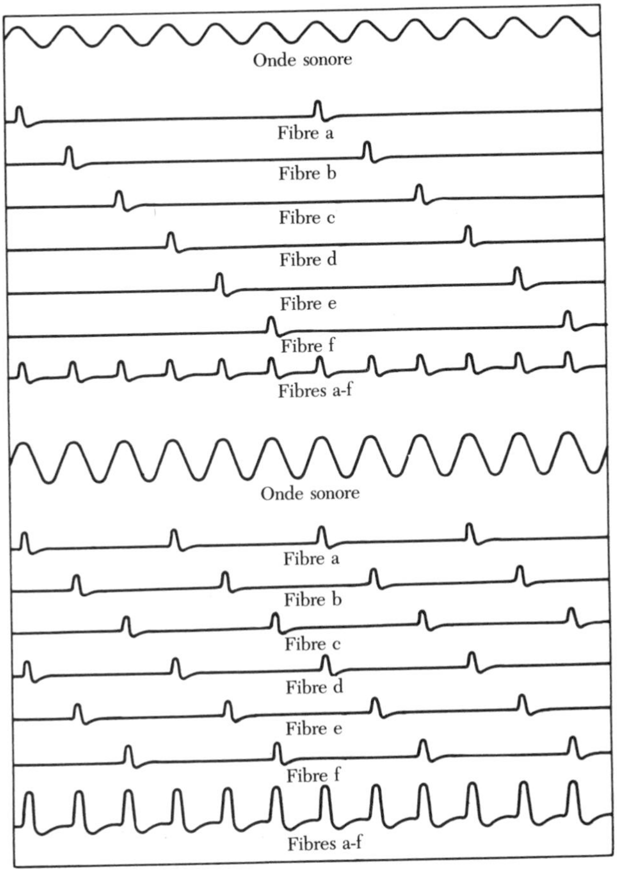

La théorie de la salve. Chaque cycle de l'onde sonore produit une réponse chez au moins une fibre de la matrice; conséquemment, la fréquence du stimulus est représentée dans le schéma combiné. Pour un stimulus de plus haute intensité (en bas), plus d'une fibre à un cycle donné. *Wever (1970).*

Figure 4-16

C'est justement ce que nous constatons dans les enregistrements physiologiques. L'activité croît et décroît régulièrement, en synchronisme avec les changements de pression du signal. Le nerf auditif semble apte à suivre des signaux de fréquences aussi élevées que 3000-4000 Hz, lesquelles se situent bien au-delà du rythme de réponse accessible à n'importe quelle unité individuelle. Au-delà de 4000 Hz, cette réponse cyclique régulière du nerf auditif s'effondre en un courant d'impulsions désorganisé et continu (à ce sujet, revoir la figure 4-16).

CODAGE DE L'INFORMATION RELATIVE À L'INTENSITÉ

Les réponses des neurones du nerf auditif aux changements d'intensité sont beaucoup moins complexes que leurs types de réponse aux changements de fréquence. Fondamentalement, si l'intensité augmente alors que la fréquence reste constante, le rythme de réponse de l'unité croît. Bien sûr, ne peut croître indéfiniment. En fait, une cellule individuelle peut commencer à réagir à un niveau spontané de deux cents réponses par seconde, augmenter son rythme jusqu'à environ trois cents réponses par seconde pour un changement d'intensité de 10 dB, mais ne démontre plus aucun changement de rythme pour les augmentations additionnelles d'intensité. L'étendue sur laquelle la plupart des cellules codifient l'intensité du signal est alors fort réduite comparativement à l'étendue totale de l'audition. De plus, existe une grande variabilité des rythmes de base et des réactions des cellules individuelles aux augmentations de l'intensité du signal.

Bien entendu, l'augmentation du rythme de décharge d'une cellule doit se faire en synchronisme avec l'onde sonore. Ainsi, une cellule individuelle déchargeant à un rythme spontané de deux cents impulsions par seconde réagira à un son en modifiant d'abord sa décharge spontanée de façon se synchroniser avec le signal, puis elle augmentera le nombre d'impulsions nerveuses produites en réaction au son, tout en maintenant le synchronisme.

Une fois que les nerfs auditifs ont codé la fréquence de base et l'information relative à l'intensité, le signal est finalement transmis au cerveau. Différents phénomènes se présentent à mesure que le signal se dirige vers le cerveau. En effet, il se produit une extraction de l'information auditive une localisation de l'origine du son et une estimation approximative de sa force et des composantes de sa hauteur tonale. Au chapitre 6, nous discuterons de structures physiologiques et des réponses nerveuses du système auditif (voir «Traitement de l'information nerveuse»).

Revue des termes et notions

Voici, pour le présent chapitre, les termes et notions que nous considérons importants. Passez-les en revue; si vous êtes incapable d'en donner une courte explication, vous devriez revoir les sections appropriées du chapitre.

TERMES ET NOTIONS À CONNAÎTRE

LES PARTIES DE L'OREILLE

Oreille externe
  le pavillon
Oreille moyenne
  marteau
  enclume
  étrier
  tympan
Oreille interne
  cochlée

fenêtre ovale
fenêtre ronde
membrane basilaire
apex
la représentation sur schéma d'une cochlée déroulée
embrane basilaire
onde de déplacement: à quoi elle ressemble
cellules ciliées
courbes de syntonisation
fréquence critique
la représentation de la fréquence le long de la membrane
la synchronisation des impulsions nerveuses avec l'onde sonore

E SON

ndes sonores
mplitude
réquence
écibels
ertz
nalyse de Fourier

Lectures suggérées

Les deux volumes de *Foundations of modern auditory theory* fournissent
un bon résumé de la plupart des travaux (Tobias, 1970, 1972). Dallos
1973) offre une bonne description de la périphérie auditive (qui est aussi
e titre de son volume). Le volume IV de la série *Handbook of perception*
de Carterette et Friedman (1976), (volume IV), est probablement le meilleur point de départ pour une analyse en profondeur. Les travaux de Georg
von Békésy lui ont valu un prix Nobel pour ses études sur l'oreille interne. Quiconque entend travailler dans le domaine de l'audition devra
tôt ou tard se référer à ses recherches. La plupart des articles importants qu'il a écrits sur l'audition se retrouvent dans son volume *Experiments
in hearing* (1960). Les écrits de von Békésy sont intéressants à lire parce
qu'ils ne se limitent jamais à un seul sujet; l'auteur nous captive par sa façon de
démontrer comment le sujet discuté est relié à une grande variété d'autres
phénomènes.

Nous suggérons aussi deux ouvrages français: *Le son* (1977) de Matras,
aux Presses Universitaires de France, édition «Que sais-je?», puis toujours
aux Presses Universitaires de France, une traduction du volume de Ira
Hirsch, *La mesure de l'audition* (1956).*

Vous retrouverez néanmoins une liste des principales lectures relatives à
ce sujet à la fin du prochain chapitre (voir «Lectures suggérées» au chapitre 5).

---

* Ces lectures sont suggérées par les traducteurs.

5. | Les aspects du son

Préambule

Les expériences sensorielles

La force sonore

PROFILS D'ISOSENSIBILITÉ À LA FORCE SONORE

L'AUDITION MUSICALE
COMPENSATEURS DE FORCE SONORE

MASQUAGE
PETITE EXPÉRIENCE DE MASQUAGE
LE MASQUAGE ET SES MÉCANISMES SOUS-JACENTS
LE MASQUAGE DE LA MUSIQUE

LA MESURE DE LA FORCE SONORE
SONES

La hauteur tonale

L'ÉCHELLE MUSICALE

L'ÉCHELLE EN MEL

LA THÉORIE DE LA LOCALISATION: VARIATIONS SUR UNE MEMBRANE BASILAIRE

PÉRIODICITÉ DE LA HAUTEUR
FORCE ET HAUTEUR
LE CAS DE LA FRÉQUENCE MANQUANTE

LE MASQUAGE DE LA FRÉQUENCE MANQUANTE
LA THÉORIE DE LA LOCALISATION
LA THÉORIE DE LA PÉRIODICITÉ
DISCRIMINATION DE LA HAUTEUR SANS MEMBRANE BASILAIRE

ARGUMENTATION À L'ENCONTRE DE LA THÉORIE DE LA PÉRIODICITÉ

UN AGENT DOUBLE EST PARMI NOUS, OU LA THÉORIE DE LA DUPLICITÉ

La bande critique

Perception spatiale du son

LA LOCALISATION

INTÉRÊT DE L'ÉCOUTE BINAURALE
LA LOCALISATION
DISPARITÉ DE MASQUAGE
LE MASQUAGE

L'EFFET DE PRÉCÉDENCE

LES ENREGISTREMENTS
SON BINAURAL
SON STÉRÉOPHONIQUE
SON QUADRIPHONIQUE

Revue des termes et notions

TERMES ET NOTIONS À CONNAÎTRE

Lectures suggérées

réambule

Notre intérêt se portera maintenant sur la nature même de l'expé-
ence auditive. Avec la connaissance que nous avons acquise précédem-
ent de la physique des sons et du fonctionnement de l'oreille, nous
ouvons maintenant analyser notre perception auditive et tenter de l'expli-
uer. Nous débuterons le chapitre par l'étude de deux éléments du son
uxquels les psychologues se sont intéressés particulièrement jusqu'ici: la
orce et la hauteur. Mais nous étudierons aussi d'autres aspects, entre
utres, la localisation des sources du son. Bref, nous essaierons de démontrer
ar le biais des analyses en laboratoire comment ces différents éléments
e l'expérience quotidienne s'intègrent pour constituer la perception audi-
ve. Ce chapitre a été écrit de manière à fournir une explication *psycholo-
ique* de l'expérience musicale.

Le musicien risque d'être déçu par ce chapitre. Notre analyse de la hau-
eur tonale lui semblera par trop élémentaire. Nous abordons à peine la
erception des sons complexes, la qualité sonore, le timbre et les autres
ttributs si importants à l'expérience musicale. Le psychologue a des no-
ions de la hauteur et de la force sonore qui diffèrent sensiblement de
elles du musicien. Notre terminologie réfère à une sensation très précise,
 savoir comment un auditeur fait correspondre un son complexe à la force
t à la hauteur d'un son simple, pur et sinusoïdal. Ainsi, le psychologue
réfère parler d'un son comme ayant une hauteur et une force uniques,
andis que les musiciens conçoivent facilement qu'un son puisse possé-
er plusieurs hauteurs et plusieurs forces. Une compréhension globale de
oute la richesse de l'expérience auditive et de la qualité du son n'existe
as encore. Cependant, de plus en plus de psychologues et de musiciens
xplorent l'univers du son. Ainsi, notre connaissance de la perception audi-
ive s'élargit considérablement de jour en jour.

Ce chapitre aborde aussi la question de l'interprétation de l'information
coustique. Il importe de connaître la physiologie de l'oreille et les mesures
lu son (fréquence en *hertz* et intensité en *décibels*) étudiées au chapitre
récédent. Si ces notions ne vous rappellent rien, il serait bon de revoir
e chapitre.

Assurez-vous aussi de bien comprendre le diagramme des profils d'isosensibilité à la force sonore et ses implications quant à l'audition (figure 5-2).
Si vous pouvez expliquer comment fonctionne un compensateur de force
sonore sur un système de son et quelle est son utilité, vous comprendrez
sans doute la sensibilité de l'oreille.

Le concept de masquage est important aussi, parce qu'il se retrouve dans
plusieurs phénomènes auditifs. Ainsi, nous expliquerons pourquoi le son d'un
avion en plein vol couvre nos voix alors qu'à force égale, celui d'une flûte
ne les couvre pas.

La mesure de la force est importante. Il faut vous rendre compte que la
force tend à doubler quand l'intensité du son décuple. Si une échelle en
sones indique la *force* d'un son, il vous faut les distinguer des décibels qui,
eux, indiquent son *intensité*. La force (ou sonie) est à toute fin pratique une
mesure psychologique du son; l'intensité en est sa mesure physique. La

force dépend de l'intensité du son, de sa fréquence et d'autres variable
Il ne faut donc pas confondre force et intensité.

De même pour la hauteur tonale, il faut distinguer plusieurs notio
la fréquence n'est pas la hauteur (ou tonie). De plus, l'échelle psychologiq
de hauteur (en mels) n'est pas identique à l'échelle musicale. C'est ici q
nous commençons à faire le lien entre ce qui se passe au niveau de la memb
ne basilaire puis des neurones de l'oreille et ce qui est perçu. C'est d'ailleu
le but de ce chapitre que de considérer les rapports entre les mécanism
de l'oreille et nos perceptions psychologiques.

Deux points doivent retenir votre attention: 1) comment l'activité de
fibre nerveuse et la vibration de la membrane basilaire affectent notre perce
tion; 2) comment la hauteur est perçue. Il faudra prendre soin de not
les raisons qui ont mené à l'élaboration des théories de la localisation
de la périodicité du son. Nous exposerons d'abord ces deux théories, pu
nous vous expliquerons pourquoi elles sont inadéquates. Mais il ne faut p
désespérer. Ces théories sont extrêmement importantes. Nous compreno
bien votre réaction. De prime abord, il semble inutile d'apprendre quelq
chose de désuet. Néanmoins, ces deux théories sur la perception de
hauteur sont importantes, utiles et près de la vérité. Nous croyons qu'il e
essentiel que vous sachiez pourquoi chacune a été proposée, pourquoi c
y a déjà cru et quelles en sont les critiques actuelles.

La localisation des sons constitue notre dernier sujet d'étude; à nouvea
deux théories s'affrontent. Mais les deux théories sur la localisation du sc
sont correctes; l'une concerne les basses fréquences, l'autre les hautes fr
quences. Il faut évidemment comprendre quels sont les motifs à la base c
leur élaboration. Ces théories devraient vous aider à comprendre la repr
duction du son par stéréophonie et par quadriphonie.

es expériences sensorielles*

Comme nous l'avons déjà dit au début du chapitre 3, il importe de ne pas onfondre les attributs psychologiques d'une expérience avec ses attributs urement physiques. Les aspects physiques du son peuvent être déterminés vec une grande précision. Les impressions psychologiques qui découlent de a perception d'un son physique particulier sont, par contre, plus difficiles à cer- ier. En effet, ces impressions peuvent dépendre de l'ensemble des expérien- es qu'a pu vivre le sujet. En ce qui concerne le son, les deux aspects psycho- ogiques les plus évidents sont la *force* et la *hauteur*, bien qu'il existe d'autres acettes d'un son — le timbre, la dissonance, la consonnance et la musicalité.

Dans le cas d'une forme ondulatoire réduite à sa plus simple expression — ine onde sinusoïdale pure comme celle produite par un simple coup de sifflet ou un oscillateur électronique — les aspects physiques peuvent se limiter à la fréquence, à l'intensité et à la phase (à quel moment le signal se déclenche). Si 'intensité de cette onde pure est augmentée, le son augmentera en force. Si sa fréquence est augmentée, c'est la hauteur qui variera. Il serait alors tentant d'identifier ces deux notions psychologiques que sont la force et la hauteur aux notions physiques d'intensité et de fréquence, mais ce serait là une erreur. Premièrement, les relations entre ces deux échelles ne sont pas linéaires: dou- bler l'intensité n'équivaut pas à doubler la force. De plus, les relations ne sont pas indépendantes les unes des autres: faire varier la fréquence d'un son affec- terait à la fois sa force et sa hauteur. Enfin, les relations ne sont pas constantes: la perception de la hauteur et de la force d'un son dépend du contexte dans lequel celui-ci apparaît, de la nature des autres sons présents au même moment ou le précédant légèrement. Même la plus simple altération physi- que du stimulus sonore fera l'objet d'une analyse complexe de la part du sys- tème nerveux.

Il importe donc de ne pas faire l'erreur de confondre la perception toute psychologique d'un son — sa force, sa hauteur, son timbre — avec ces pro- priétés physiques que sont la fréquence, l'intensité et le spectre. Ce sont là des éléments différents. Un orchestre crée une riche expérience auditive. Des groupes rock, des synthétiseurs musicaux, des sons électroniques s'unis- sent pour former une combinaison expérimentale de sons qui stimulent l'audi- teur. Les nouvelles techniques d'enregistrement et de présonorisation per- mettent de recréer pour l'auditeur l'expérience d'un événement unique, fût-ce une conférence, un discours, une performance musicale ou même les effets spéciaux imaginés par quelque ingénieux compositeur et qui n'existe- raient pas sans ces enregistrements.

D'autre part, des sources de bruit polluent notre environnement. Le bruit d'un avion nous ennuie et nous dérange. Ce bruit peut parfois être tolérable; en d'autres circonstances, il peut aussi perturber nos activités et parfois même, causer des dommages physiques ou psychologiques.

---

* Cette section est presque identique au début du chapitre 3. Si vous avez lu ce chapitre, vous pouvez vous contenter d'une lecture rapide.

Figure 5-1

Variables psychologiques	Variables physiques	
	Primaires	Secondaires
Audition		
Force (sonie)	Intensité du son (dB)	Fréquence des ondes sonores (Hz)
Hauteur (tonie)	Fréquence des ondes sonores (Hz)	Intensité du son (dB)
Timbre (qualité)	Complexité de l'onde sonore	
Dimension	Fréquence et intensité	
Densité	Fréquence et intensité	
Consonnance (harmonie)	Structure harmonique	Affinage musical
Dissonnance (disharmonie)		
Bruit	Intensité	Paramètres temporaux dans la fréquence
Irritation	Intensité	Signification et structure de la fréquence

Tableau 5-1

Tous ces caractères du son relèvent du domaine de la psychologie. À partir de la connaissance actuelle des mécanismes auditifs, de la compréhension de la portée psychologique de la hauteur et de la force puis de l'étude du phénomène de masquage et de la perception spatiale du son, le psychologue peut aborder, expliquer et prévoir plusieurs des attributs de l'expérience auditive.

Dans ce chapitre, nous examinons quelques-unes des riches sensations produites par les sons. Tour à tour, nous explorons quatre sujets: la force, la hauteur, la bande critique et la perception spatiale du son. Pour chaque sujet, nous vous présentons ce que la science nous a appris et les implications pratiques qui en découlent. Nous étudierons le rôle de ces quatre facteurs dans la perception de la musique, du langage et du bruit.

La force sonore

La force d'un son dépend à la fois de son intensité et de sa fréquence. Quand la fréquence est constante, les sons intenses semblent plus forts que ceux de moindre intensité. Par contre, quand l'intensité est constante, ce sont les sons de basse ou haute fréquence qui semblent plus faibles que ceux de fréquence moyenne. Dans les cas extrêmes, cela se rapproche évidemment de la vérité. Par exemple, prenons un coup de sifflet de fréquence et d'intensité moyennes. L'intensité étant maintenue, varions la fréquence du sifflet jusqu'à moins de 20 ou plus de 20 000 Hz (cette expérience nécessite un contrôle électronique; impossible d'y parvenir en sifflant simplement). À ces fréquences extrêmes, le son devient inaudible. La force dépend alors des fréquences, l'oreille humaine étant limitée quant à leur perception. Néanmoins, considérée à l'intérieur de ces limites, la force dépend aussi de la fréquence.

En ce qui a trait à la perception de la force, l'interaction entre la fréquence et l'intensité peut être établie par des gens dont la tâche sera de comparer deux sons de fréquence et d'intensité différentes. Prenons donc un son *standard* et donnons-lui une fréquence, une intensité et une durée fixes — 1000 Hz pour la fréquence, 40 dB comme niveau de pression sonore (nps) et 0,5 s de durée. Prenons ensuite un son de même durée, mais avec une fréquence différente (3000 Hz), et appelons-le le son *comparé*. La tâche de l'auditeur consiste maintenant à écouter alternativement les deux sons et à ajuster le niveau sonore du son comparé en vue d'obtenir une force identique à celle du son standard. Cela fait, recommencez en donnant une nouvelle fréquence au son comparé. La figure 5-2 montre ce que vous obtiendrez: une courbe décrivant les niveaux sonores pour lesquels les sons de différentes fréquences prennent pour l'auditeur une force identique à celle du son standard. Nous appelons cette courbe un *profil d'isosensibilité*. Le niveau du son standard constitue le *niveau de force* de la courbe entière puisqu'elle a été dessinée en variant systématiquement la fréquence du son comparé tout en maintenant les forces des deux sons au même degré.

La figure 5-2 fournit les résultats d'une expérience utilisant différents standard. Pour chaque courbe obtenue, le son standard conservait une fréquence de 1000 Hz, mais variait en intensité. Sous le chiffre 40, correspond la courbe de l'exemple tantôt cité: le son standard a une intensité de 40 dB nps et une fréquence de 1000 Hz. La courbe chiffrée 100 montre un profil d'isosensibilité obtenu lorsque différentes fréquences sont comparées au son standard d'une intensité de 100 dB nps et d'une fréquence invariable de 1000 Hz.

La figure 5-2 indique comment les variations de force dépendent à la fois du niveau sonore et de la fréquence. Examinons, sous le chiffre 50, cette courbe correspondant au son standard de 50 dB nps et de 1000 Hz. Quand le son comparé a une fréquence de 20 Hz, il faut le rendre très intense (95 dB nps) pour qu'il devienne aussi fort que le son standard de 1000 Hz. Plus la fréquence du son comparé augmente, plus son niveau sonore se rapproche de celui du son standard. De fait, à 500 Hz, le son comparé peut être un peu plus faible que le son standard, mais il demeure aussi fort. Finalement, bien que cela ne soit pas indiqué par notre graphique, un son comparé dépassant 10 000 Hz devrait augmenter encore plus son intensité pour égaler la force du son standard.

Au bas du graphique, le profil d'isosensibilité (lignes pointillées) montre la sensibilité absolue de l'oreille à différentes fréquences. En deçà de cette ligne, les sons ne peuvent être entendus. Au niveau de la ligne, ils sont à peine perceptibles (nous présumons donc l'équivalence quant à la force). À l'opposé, au profil supérieur, l'extrême intensité des sons produit d'abord une sensation de chatouillement dans l'oreille puis, à mesure qu'elle augmente encore, une sensation de douleur. À ce niveau, les sons peuvent être dommageables à l'oreille (il en va de même pour ceux de plus faible intensité mais de durée prolongée). Remarquez que le profil d'isosensibilité au seuil de douleur est plus plat que le profil au seuil d'audition. Ainsi, les sons d'assez haute intensité tendent à avoir la même force, indépendamment de leur fréquence.

Vous devez être surpris de voir où les sons des instruments d'un orchestre se situent par rapport aux profils d'isosensibilité à la force. Le piano possède la gamme la plus étendue de fréquence, variant de 30 à 4000 Hz. Le *do* moyen (*do*4)* d'un piano est approximativement de 260 Hz (261,63 pour être exact).

Pour vous aider à voir où se situent ces fréquences par rapport aux profils d'isosensibilité, nous avons intégré à la figure 5-2 un clavier de piano, indiquant ainsi quelle partie des courbes s'en trouve affectée. La figure 5-3 présente la gamme de fréquence d'un grand nombre d'instruments musicaux.

L'AUDITION MUSICALE

* Les chiffres suivant la note indiquent l'octave. Cette notation constitue la mesure standard utilisée habituellement par les acousticiens, mais pas toujours par les musiciens. Le premier *do* du clavier d'un piano est appelé *do*1. Toutes les notes de la même octave porteront en indice le même chiffre: *ré*1, *mi*1,..., *si*1. Le deuxième *do* et les notes subséquentes porteront l'indice 2. De cette manière, le *do* moyen du clavier devient le *do*4; tous les instruments de l'orchestre s'accordent sur le *la*4. La plus haute note de piano est le *do*8 et la plus basse, le *la*0 (voir Backus, 1968).

Figure 5-2

Profils d'isosensibilité à la force sonore. D'après les données de Robinson et Dadson (1956).

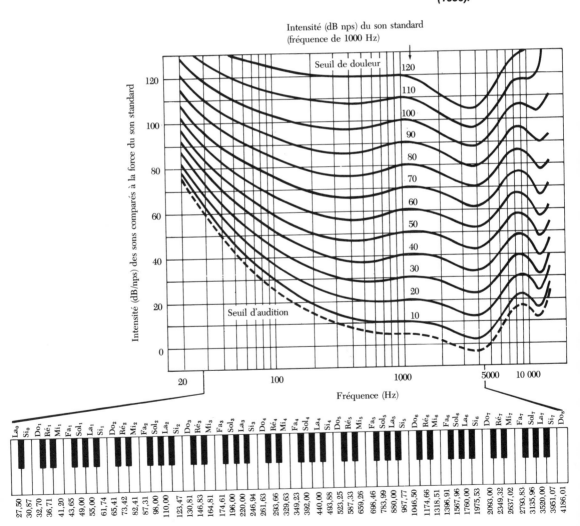

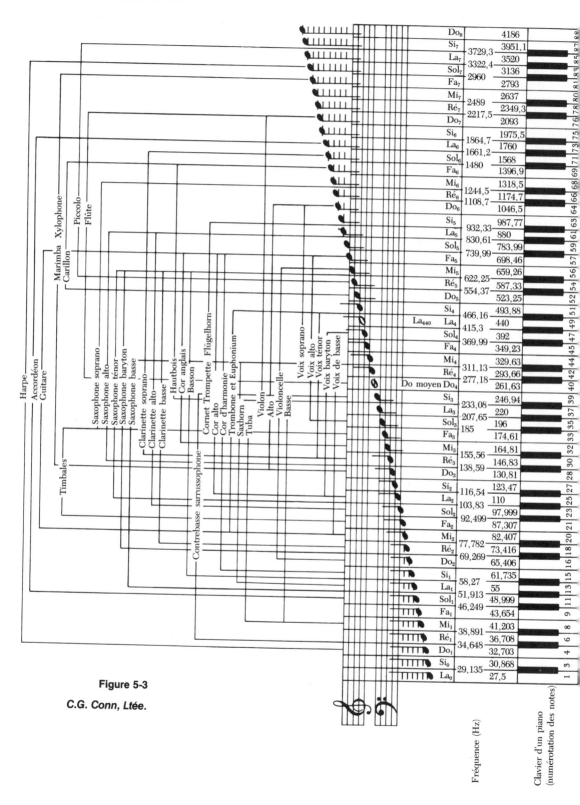

Figure 5-3

C.G. Conn, Ltée.

Ainsi remarquera-t-on que la plupart des sons instrumentaux correspondent à la région où la perception de la force sonore est la plus sensible aux changements de fréquence. Deux conséquences s'ensuivent: premièrement, à moins d'écouter un orchestre à un niveau d'intensité adéquat, vous perdrez plusieurs fréquences émises par les instruments; deuxièmement, la perception du jeu des forces sonores entre les divers instruments, malgré tout le soin apporté par le chef d'orchestre quant à leur agencement et à leur contrôle, dépend de la possibilité que vous avez d'écouter cette musique à la même intensité qu'il a prévue pour son auditoire. À la maison, lorsque vous écoutez des enregistrements d'oeuvres symphoniques, mieux vaut que vous n'augmentiez pas le niveau de votre système sonore pour recréer les intensités de la salle de concert. Vous entendez la musique selon des profils d'isosensibilité différents de ceux qui furent planifiés par le chef d'orchestre; car le morceau de musique que vous entendriez serait en quelque sorte différent de celui qu'il voulait vous faire entendre.

La difficulté à reproduire le plus fidèlement possible de la musique pré-enregistrée est un fait bien connu. Considérez un extrait d'une oeuvre symphonique interprété de façon que l'intensité sonore soit approximativement égale à toutes les fréquences (voir la figure 5-4). Chez vous, la reproduction d'un tel enregistrement donne un effet similaire, mais à une intensité moindre. Aussi, quelques-uns de ces sons se retrouvent-ils en deçà du seuil de l'audition. Parfaitement audibles à la salle de concert, les basses fréquences ne sont plus perçues maintenant. De plus, suite au changement du niveau d'intensité, la force sonore relative aux différentes fréquences change, elle aussi. Supposons qu'une gamme de très haute intensité soit jouée sur un orgue, allant des notes les plus basses aux notes les plus élevées; dans la salle de concert, toutes les notes devraient être perçues presque à la même force (à haute intensité, les profils d'isosensibilité à la force sont relativement plats). Par contre, si cette gamme était reproduite chez vous à un niveau normal d'écoute, non seulement les plus basses fréquences deviendraient inaudibles, mais elles se retrouveraient alors en cette région où la force sonore en est affectée: les notes sembleraient de plus en plus fortes jusqu'à deux ou trois octaves au-dessus du *do* moyen, où elles commenceraient à perdre de leur force (on se rappelle qu'à la figure 5-2, plus les fréquences descendent en bas de 1000 Hz, plus leur intensité doit être accrue en vue d'obtenir une même force sonore; inversement, pour une intensité constante, les notes sont plus faiblement perçues quand leur fréquence diminue).

COMPENSATEURS DE FORCE SONORE

La plupart des amplificateurs basse fréquence de haute qualité sont maintenant équipés de circuits qui compensent ces mécanismes psychologiques. Le bouton de réglage appelé *compensateur de force sonore** accentue les sons

---

* Sur la plupart des appareils de fabrication américaine, le compensateur de force sonore équivaut au «volume» (note de l'éditeur).

Figure 5-4

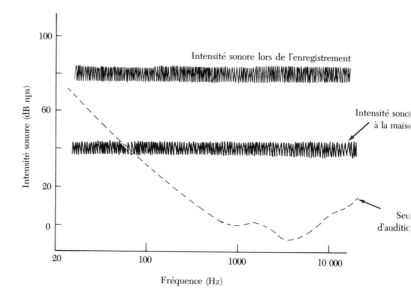

de très basse et de très haute fréquence quand leur niveau est faible. Quand le niveau sonore est haut, le compensateur de force sonore, automatiquement déconnecté, cesse d'agir. Obtenu au moyen d'un bon appareil de reproduction, l'effet de compensation sur les niveaux sonores est montré à la figure 5-5. Les résultats de force sonore perçue apparaissent à la figure 5-6. Cependant

Figure 5-5

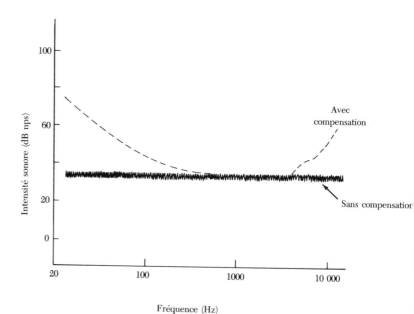

ette compensation ne vaut que dans des circonstances idéales. Le mécanisme compensateur dépend des particularités acoustiques du local où sont
placés les haut-parleurs ainsi que des particularités de votre système de son.

La force d'un son ne dépend pas seulement de l'intensité qui lui est propre, **MASQUAGE**
mais encore des autres sons présents au même moment. Les sons se *masquent*
es uns les autres: la présence d'un son en rend un autre plus difficile à capter.
Le bruissement des feuilles de papier, les applaudissements, les toussote-
ments tendent à masquer le langage ou la musique. Pour déterminer l'effet
d'un masquage, il faut mesurer l'accroissement d'intensité que doit subir un
on-test pour être entendu malgré la présence d'un *son masquant*. On procède alors, grosso modo, comme pour déterminer les profils d'isosensibilité à
la force sonore.

PETITE EXPÉRIENCE DE MASQUAGE

L'expérience se déroule ainsi: deux sons sont présentés à un sujet; l'un s'appelle le *son-test*; l'autre, le *son-masque*, produit à une certaine fréquence et à
une certaine intensité. Par la suite, le son-test (de fréquence X) doit être ajusté
à une intensité telle qu'il soit à peine perceptible. Ce procédé est répété avec
différentes valeurs de fréquence jusqu'à l'obtention d'une *courbe de masquage* indiquant exactement l'intensité nécessaire au son-test pour être perceptible en présence du son-masque. Lorsque la courbe est établie pour un

Figure 5-6

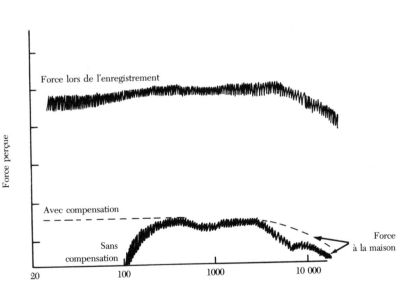

Figure 5-7

Zwicker et Scharf (1965).

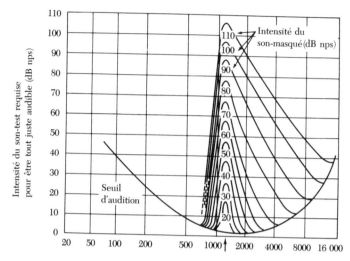

Intensité du son-test requise pour être tout juste audible (dB nps)

Intensité du son-masqué (dB nps)

Seuil d'audition

Indication de la fréquence du son-masque

Fréquence du son-test (Hz)

son-masque particulier, on peut alors changer l'intensité ou la fréquence de celui-ci et décrire une nouvelle courbe de masquage.

Le résultat typique d'une telle expérience apparaît à la figure 5-7. Dans notre cas, la fréquence du masque* était de 1200 Hz et son intensité variait entre 20 et 110 dB nps par étapes de 10 dB pour donner 10 différentes courbes de masquage.

L'asymétrie des résultats est très remarquable. Le son-masque a relativement peu d'effets sur les sons en deçà de sa propre fréquence, mais au-delà de 1200 Hz, ceux-ci deviennent plus difficiles à percevoir à cause de sa présence.

LE MASQUAGE ET SES MÉCANISMES SOUS-JACENTS

Une des explications quant à cette asymétrie repose sur le mode vibratoire de la membrane basilaire. Prenons la figure 5-8: les sons de basse fréquence tendent à répartir leur activité sur presque toute la surface de la membrane, alors que ceux de haute fréquence n'en affectent qu'une portion plus réduite. Un examen plus détaillé, comme dans la figure 5-9, compare les modes vibratoires produits sur la membrane basilaire par le son-masque et le son-test. Quand le son-test est de faible intensité et de fréquence légèrement supérieure, l'activité déjà produite par le bruit masquant l'emporte sur le mode vibratoire de celui-ci. En revanche, ce faible son, à une fréquence inférieure à celle du masque, activera dans une zone indépendante une activité nouvelle dès lors nettement perçue. À noter: à mesure que le niveau du signal augmente, les rôles du signal-test et du masque sont inversés. Un son-test de basse fréquence et de haute intensité masquera le son-masque.

---

* De fait, notre masque n'était pas un son pur, mais plutôt une bande étroite de bruit. Le bruit donne des résultats plus uniformisés que ne le fait un son. De toute façon, les différences entre un son pur comme masque et une bande étroite de bruit sont minimes et d'importance purement technique.

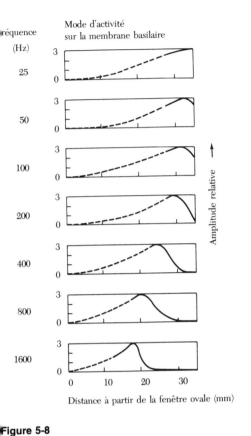

Mode d'activité sur la membrane basilaire

Distance à partir de la fenêtre ovale (mm)

Figure 5-8

von Békésy (1949).

Figure 5-9

Zwicker et Scharf (1965).

SON FAIBLE

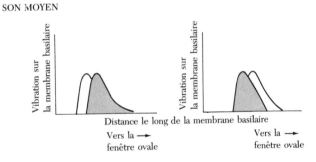

SON MOYEN

SON INTENSE

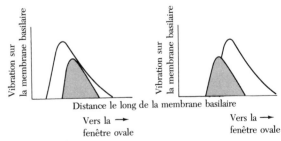

LE MASQUAGE DE LA MUSIQUE

L'effet de masque ajoute une nouvelle dimension à la perception de la force sonore et de la musique. Les instruments de sonorité intense et de basse fréquence masquent les sons des instruments de faible intensité et de haute fréquence. Les altos masquent les violons. Les timbales masquent les altos. Les cuivres masquent les bois. Cependant, on se souviendra que la musique, une fois enregistrée, émet une intensité moindre que celle qui prévalait pendant l'enregistrement, si bien que les modes de masquage s'en trouvent affectés. Soudainement, vu la perte d'intensité des sons de basse fréquence, on peut entendre les fins maniements du violon ou de la guitare. Est-ce avantageux? Pas nécessairement. Car le compositeur, le chef d'orchestre et les instrumentistes ne peuvent prévoir le changement de l'effet de masque à la reproduction; leurs intuitions musicales ont tenu compte de l'effet de masque et l'ont utilisé, croyant qu'il aurait un impact sur l'auditeur. Éliminer l'effet de masque met en péril l'équilibre sonore entre les instruments, équilibre si minutieusement planifié jusque-là, lors de leur agencement.

LA MESURE DE LA FORCE SONORE

Les mesures de la force s'avèrent nécessaires pour simplifier une foule de problèmes pratiques. Puisque notre perception psychologique de la force ne correspond pas directement aux échelles d'intensité physique, il importe de trouver des mesures tenant compte de ces différences.

SONES

Une des méthodologies expérimentales fait appel à l'estimation d'une grandeur donnée (méthode dite d'estimation de la grandeur ou «*magnitude estimation*»). Nous présentons deux sons de 1000 Hz à un sujet, lui demandant d'évaluer la force du premier son par rapport au second. La question peut paraître singulière; néanmoins, les gens acceptent l'expérience et répondent avec acuité. (Pour plus d'information et pour tenter vous-même l'expérience, voir l'appendice A.)

Les résultats de la méthode d'estimation de la grandeur montrent que la force augmente en fonction de la racine cubique de l'intensité sonore. C'est dire que l'*E*stimation psychologique de la force, E, est reliée à l'*I*ntensité physique du son, I, par une loi de puissance de la forme

$$E = kI^{0,3} \text{ (où } k = \text{constante).}$$

La valeur de l'exposant (0,3) est très pratique. Si la mesure de l'intensité sonore est en décibels, une augmentation de 10 dB change toujours la force sonore par un facteur de 2. Chaque fois que l'intensité physique est multipliée par 10, la force est psychologiquement perçue comme ayant doublé* (voir figure 5-10).

---

* N'oublions pas que **multiplier** le rapport des intensités par 10 équivaut à **ajouter** 10 dB. À ce sujet, voyez la section «Les décibels» au chapitre 2 (note des traducteurs).

Cette façon de procéder est maintenant reconnue par l'Organisation Internationale des Standard. L'unité de force sonore est le *sone*. Par définition, la force d'un son de 1000 Hz à une intensité de 40 dB nps équivaut à un sone. Ainsi, un son de 50 dB nps aurait pour 1000 Hz une force de deux sones; un son de 100 dB nps aurait pour 1000 Hz une force de soixante-quatre sones.

On peut connaître la force des sons de fréquences différentes en consultant le tableau des profils d'isosensibilité à la force. Tous les sons du même profil (sous le chiffre 40) auront une force de 1 sone. Ceux du profil chiffré 50 auront deux sones; au profil 60, la force sera de quatre sones. Chaque augmentation de 10 dB d'un profil double la valeur de force; chaque baisse de 10 dB diminue de moitié le nombre de sones.

Cette mesure ne s'applique véritablement qu'à la force perçue des sons purs. Pour des sons plus complexes composés de plusieurs fréquences, comme pour les voix, les orchestres ou les automobiles et les avions, la force est déterminée en comparaison avec un standard de 1000 Hz. La valeur en sone pour laquelle un son de 1000 Hz semble aussi fort qu'un son complexe constitue le niveau en sone de celui-ci. On trouvera à la figure 5-10 la valeur en sone de quelques sons typiques.

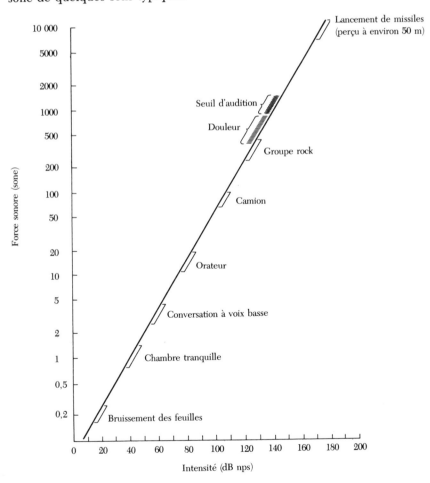

Figure 5-10

Le calcul des forces en sone est un procédé assez complexe, mais il existe maintenant des *sonomètres* capables de déterminer directement la valeur en sone. Ces sonomètres sont munis d'ordinateurs qui combinent les valeurs en sone obtenues en divers points de la gamme de fréquence d'après une formule basée sur la sensibilité différentielle de l'oreille à des fréquences différentes (voir figure 5-2) et aussi, d'après les propriétés de la *bande critique* (que nous verrons ultérieurement).

La hauteur tonale (ou tonie)

L'ÉCHELLE MUSICALE
L'échelle musicale des hauteurs tonales est fonction du logarithme de la fréquence sonore. Chaque octave dans l'échelle musicale standard est exactement le double de la fréquence de l'octave précédente. Le la_4 (au-dessus du *do* moyen), sur lequel tous les instruments de l'orchestre s'accordent, présente une fréquence de 440 Hz. Les la_5 et la_6 ont respectivement des fréquences de 880 et 1760 Hz. De même, les la_3 et la_2 ont une fréquence de 220 et 110 Hz. Ainsi, dans une échelle musicale bien ordonnée, augmenter la note d'une octave double sa fréquence. En fait, comme il y a douze notes également espacées dans une octave (en comptant les demi-tons) et qu'il faut diviser la gamme de fréquence répartie sur une octave en douze intervalles égaux, on s'entend pour dire que chaque note équivaut exactement à $2\frac{1}{12}$ fois la fréquence de la même note de l'octave précédente.

L'ÉCHELLE EN MEL
Dans une octave, perçoit-on réellement une note comme ayant double hauteur par rapport à son homonyme de l'octave précédente? Intuitivement, on pourrait répondre oui, mais les données expérimentales nous affirment le contraire. Quand on présente à des sujets des notes différentes, leur demandant d'établir entre celles-ci des relations de hauteur, leur perception ne suit pas l'échelle musicale. Doubler ou diminuer de moitié la fréquence d'une note ne double ni ne diminue de moitié la hauteur perçue. (On applique encore ici la méthode de l'estimation de la grandeur décrite à l'appendice A.) La relation qu'on établit alors apparaît à la figure 5-11. L'unité déterminant la hauteur s'appelle le *mel*. Par définition, un son de 1000 Hz (à 60 dB nps) a une hauteur de 1000 mels.

Bien qu'un pareil phénomène semble non compatible avec notre intuition de la hauteur, il l'est parfaitement avec quelques-uns des concepts d'écriture musicale. Quand il s'agit de transposer une oeuvre d'une clé à une autre, les musiciens sont souvent appelés à en évaluer les conséquences. À votre avis, la transposition en *la* majeur d'une oeuvre écrite en *do* majeur pose-t-elle quelque problème? Si l'équilibre psychologique des grandeurs est respecté lors de la transposition d'une note à une autre, et ce, indépendamment de celles-ci (de façon équivalente, le passage d'une octave à une autre double la hauteur de chaque note), en quoi alors la transposition ferait-elle défaut? L'écart psychologique entre les notes sera le même, quelle que soit la clé. Néanmoins, la plupart des musiciens soutiennent que pareille transposition altère le carac-

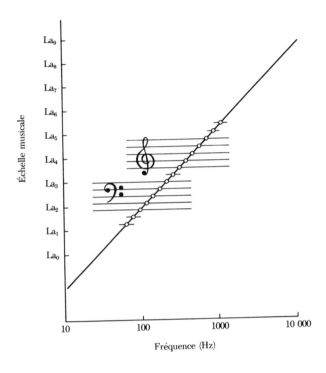

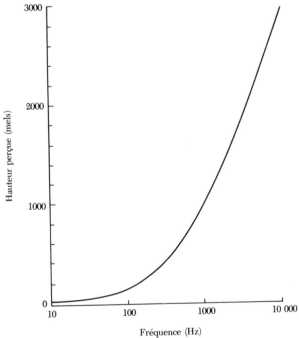

$$Mels = 2410 \log (1,6 \times 10^{-3} f + 1)$$

Figure 5-11

Zwislocki (1965).

tère de l'oeuvre. Cet effet, si subtil qu'il soit, existe vraiment. Il est compatible avec le type d'appréciation psychologique que l'on porte sur les relations entre les diverses hauteurs. Le changement de hauteur perçu en passant d'un do_4 à un $ré_4$ diffère de celui d'un fa_4 à un sol_4 ou encore d'un do_5 à un $ré_5$ dans une octave plus élevée.

LA THÉORIE DE LA LOCALISATION: VARIATIONS SUR UNE MEMBRANE BASILAIRE

Pour mieux approfondir notre perception de la hauteur tonale, revenons au schème vibratoire le long de la membrane basilaire. Des fréquences différentes créent divers types d'activité sur la membrane. Ainsi, au fur et à mesure que la fréquence décroît, le point de vibration maximale se déplace systématiquement de la fenêtre ovale de la membrane vers l'apex. Déjà en 1863, le physicien allemand von Helmholtz proposait que la hauteur dépendît de la position de la vibration maximale le long de la membrane. Bien que ses explications ne fussent pas tout à fait adéquates, sa conclusion demeure vraie. Les variations psychologiques de la hauteur entre deux sons semblent attribuables à la distance physique entre les sites d'activité maximale produite par les deux sons. Ces deux fonctions sont reproduites à la figure 5-12. Le site de vibration maximale produit par des sons de différentes fréquences est conforme à la distance qui le sépare de l'extrémité de la membrane (l'apex). La hauteur perçue est mesurée selon l'échelle des mels. Les deux fonctions sont très similaires, quoique non identiques.

Pourquoi accorder tant d'importance à cette distance? Celle-ci n'aurait en soi aucune valeur s'il n'y avait des mécanismes nerveux pour en tirer profit. La façon dont les 30 000 fibres du nerf acoustique sont réparties sur la membrane sous-tend un tel mécanisme. Près de la fenêtre ovale, dans les premières spirales de la cochlée, la densité des neurones est maintenue presque constamment à environ 1150 cellules ganglionnaires par millimètre. Mais cette densité diminue vers l'apex. Si une plus haute densité des neurones fournit une information plus précise quant au site, il y aurait donc, en tenant compte de leur distribution, moins de sensibilité aux changements dans les types d'activité concentrés dans la région de basse fréquence — aux environs de l'apex. Lorsqu'on apporte à la courbe les corrections relatives à la densité des neuro-

Figure 5-12
Zwislocki (1965).

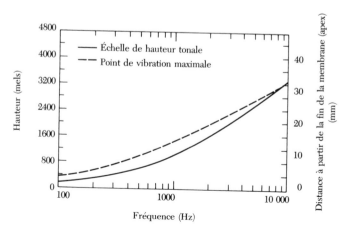

nes, on s'aperçoit que chaque variation de hauteur sur l'échelle des mels équivaut approximativement, sur la membrane, à un mouvement vibratoire à tous les douze neurones.

On peut mesurer avec précision la sensibilité de l'oreille à des changements de fréquence, en présentant successivement des sons jumelés à un sujet devant, dès lors, établir s'ils sont de même fréquence ou non. Ainsi, on peut obtenir une mesure de la *différence juste perceptible* (la *djp*) entre les fréquences. Cependant, cette habileté à discriminer varie avec les fréquences: à 100 Hz, un changement de 3% dans la fréquence (3 Hz) est nécessaire pour qu'on puisse tout juste percevoir une différence entre deux sons. Ainsi, à 100 Hz, la djp équivaut à 3 Hz ou 3% de la fréquence. Cette valeur en pourcentage diminue graduellement jusqu'à un minimum de 0,2 ou 0,3% à 1000 Hz. Pour les basses fréquences, la djp est relativement constante en valeur absolue. Par la suite, le pourcentage requis pour une discrimination demeure raisonnablement constant à environ 0,3%*.

En termes de fréquence, si nous comparons la djp avec la distance (le long de la membrane basilaire) entre les sites de l'activité maximale produite par les deux fréquences discriminées, les résultats s'accorderont pour les régions de haute fréquence, mais non pour celles de basse fréquence (voir figure 5-13). Aussi, comme nous l'avons fait auparavant, il nous faut tenir compte de la répartition des cellules nerveuses sur la membrane. La comparaison est meilleure lorsqu'on apporte à la courbe les corrections relatives à la densité des neurones: on peut alors percevoir la différence entre deux fréquences chaque fois que leur activité optimale est séparée le long de la membrane par cinquante-deux neurones.

C'est donc le site d'activité maximale sur la membrane, pour une distribution pondérée des cellules, qui décrit le mieux la perception subjective de la hauteur ainsi que la sensibilité de l'oreille aux changements de fréquence:

- 1 djp équivaut approximativement à cinquante-deux neurones.
- 1 mel équivaut approximativement à douze neurones.

Une variation de hauteur de 1 mel est donc moindre qu'une variation de 1 djp: notre système auditif ne pourrait pas la percevoir. Pour percevoir une différence, la hauteur doit équivaloir à 4 ou 5 mels. Pour les hautes fréquences (au-delà de 500 ou 1000 Hz), la djp représente une distance constante de

---

* Cette méthode dite des seuils différentiels est employée avec un certain nombre de stimuli aux proportions diverses dans différents systèmes sensoriels. La discrimination entre les intensités d'un signal sonore par exemple, peut s'apparenter à la djp quand celle-ci demeure relativement constante en valeur absolue pour des signaux de faible intensité, ayant ainsi une valeur en **pourcentage** relativement constante pour les champs d'intensité moyenne. Plusieurs types d'instruments de mesure associent la discrimination à un pourcentage constant. Cela tient au fait que la variabilité des mesures dépend du niveau mesuré et qu'elle va en augmentant selon l'accroissement des niveaux. Conséquemment, il y aura aussi augmentation de la grandeur absolue devant être atteinte lors d'un changement de signal (pour que celui-ci soit discriminé). Lorsque toutes ces hausses équivalent à un changement de pourcentage constant, on dit alors qu'elles obéissent à la loi de Weber, d'après le nom du physiologiste allemand Weber (1795-1878), contemporain de Helmholtz. Supposons que ΔI égale la grandeur de la djp (l'augmentation nécessaire à un signal pour produire la différence juste perceptible) et que I corresponde à l'intensité du signal, la loi de Weber stipule que

$$\Delta I = kI,$$

où k est un changement relatif ($100k$ = le pourcentage de changement).

0,05 mm sur la membrane et, comme nous l'avons vu, la densité des neurones y est relativement la même.

L'analyse des modes vibratoires le long de la membrane basilaire explique bon nombre de phénomènes associés à notre perception de la hauteur. Voyons maintenant les cas exceptionnels.

FORCE ET HAUTEUR

L'oreille n'est pas très sensible aux sons de basse fréquence. Pourtant, plusieurs instruments de musique produisent des fréquences sonores en cette région peu sensible. Ainsi, une note jouée *piano* (doucement) produira la plus grande part de son énergie en deçà du seuil d'audition. Qu'arrive-t-il à nos perceptions? Pourquoi une note jouée *piano*, puis *pianissimo*, nous paraît-elle identique? Ne devrait-on pas s'attendre à ce que la même note altère sa hauteur à mesure qu'elle devient *pianissimo* et que ses composantes de basse fréquence deviennent inaudibles?

Sur le piano, prenons la note *do₃*, antérieure au *do* moyen, — et qui n'est pas particulièrement basse. Elle possède la même hauteur qu'un son de 131 Hz (en fait: 130,81 Hz). Mais une note de piano n'est pas un son simple. Regardez son spectre à la figure 5-14. Même s'il y a plus d'énergie à 131 Hz qu'à toute autre fréquence, il s'en répand toujours un peu sur une bonne partie de la gamme de fréquence. Plus le *do₃* est joué *piano* puis *pianissimo*, plus ses composantes de basse fréquence perdront de leur intensité au point de tomber en deçà du seuil d'audition. Ainsi, la plus basse fréquence présente passera de 131 Hz, pour un *do₃* joué raisonnablement, à 262 et 393, puis à 524 Hz, pour le même *do* joué *pianissimo*. Un son pur d'une fréquence de 524 Hz correspond à la hauteur d'un *do₅*. Il s'agit d'une note de hauteur assez élevée — une octave au-dessus du *do* moyen. Il y a donc ici quelque chose d'étrange. Jouer une note de musique plus doucement ne semble pourtant pas diminuer

Figure 5-13
Zwislocki (1965).

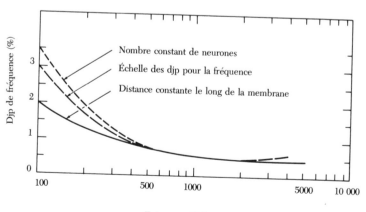

sa hauteur aussi simplement. Si la hauteur dépend d'un site le long de la membrane basilaire, pourquoi la hauteur d'un son complexe, comme celle d'une note de piano, demeurerait-elle constante alors que sa structure de fréquence est modifiée? Comment la note de piano conserve-t-elle la hauteur de sa fréquence fondamentale de 131 Hz, lorsque la plus basse fréquence audible est de 524 Hz? Cette fréquence fondamentale étant absente, comment pouvons-nous la percevoir?

LE CAS DE LA FRÉQUENCE MANQUANTE

Pour répondre à la question, prenons un cas plus simple (voir à la figure 5-16). L'addition de deux sons purs, l'un à 1000 Hz (ligne supérieure), l'autre à 1100 Hz (ligne médiane), produit une forme d'onde complexe (ligne inférieure). Même si la seule énergie sonore présente dans le système est émise aux deux fréquences de 1000 et 1100 Hz, le type d'onde résultante semble accuser une variation totale de 100 Hz. Ce phénomène s'appelle *battement*. Deux ondes sinusoïdales produites dans un même temps provoquent une forme de battement: augmentation puis diminution régulières de l'énergie sonore quantifiées d'après la différence entre les fréquences des composantes sinusoïdales. En revanche, sur la membrane basilaire, cette composante de battement ne saurait être présente, puisqu'aucune fréquence physique ne correspond à la sienne. Les maxima du pattern d'activité ne se produisent qu'aux sites correspondant aux composantes physiques du son, soit 1000 et 1100 Hz. Si la hauteur d'un son n'est transmise que par les sites de vibration maximale, nous ne devrions percevoir que les composantes de 1000 et 1100 Hz, mais non ce battement de 100 Hz. Pourtant, nous l'entendons bien.

Deux théories peuvent expliquer ce phénomène. La première propose que la perception de la fréquence du battement tienne au fait que l'oreille soit un transmetteur imparfait du son: facteur de *distorsion*. La structure mécanique de l'oreille (surtout l'oreille moyenne) rajoute des fréquences supplémentaires au signal acoustique intervenant, dont la fréquence de battement,

Figure 5-14

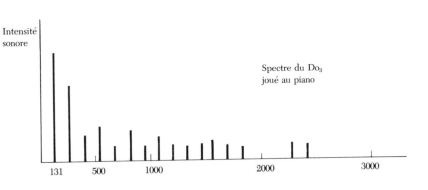

Intensité sonore

Spectre du Do₃
joué au piano

131   500   1000   2000   3000

Fréquence (Hz)

Figure 5-15

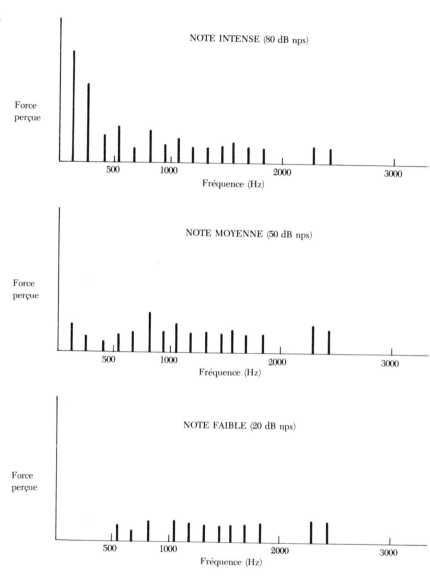

laquelle produit sur la membrane basilaire une activité en cette région de fréquence. Cette manière de concevoir les choses est tout à fait appropriée à l'optique d'une *théorie de la localisation* de la hauteur perçue en fonction de l'amplitude maximale de l'onde sur la membrane basilaire.

En revanche, la deuxième théorie insiste plutôt sur l'importance du synchronisme des réponses des neurones avec les variations de pression dans l'onde acoustique. Les cellules nerveuses, réagissant aux types d'activité sur la membrane basilaire, déchargent en synchronisme avec les hausses et les baisses régulières de la fréquence de battement. Cette synchronisation des réponses nerveuses est à la base de la hauteur perçue: elle constitue la

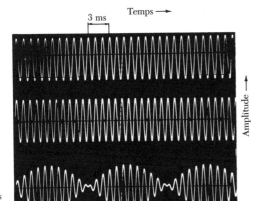

Onde sinusoïdale de 1000 Hz

Onde sinusoïdale de 1100 Hz

Les deux signaux ci-dessus combinés

3 ms

Temps →

Amplitude →

Figure 5-16

Battements. Fluctuation rythmique de pression sonore, engendrée par l'addition d'ondes sinusoïdales de différentes fréquences. Le nouveau type ondulatoire présente des battements dont la fréquence équivaut à la différence des fréquences des ondes composantes. Nous avons ici une onde sinusoïdale de 1000 Hz qui, unie à une autre de 1100 Hz, produit un battement d'une fréquence de 100 Hz. Le battement se répète donc à chaque 10 ms. Soulignons qu'il n'y a pas d'énergie sonore à la fréquence de 100 Hz, ni de nouvelle onde sinusoïdale créée par l'addition des signaux de 1000 et 1100 Hz: simplement, l'enveloppe des pressions sonores varie à la fréquence de battement.

théorie de la périodicité de la hauteur perçue. Ce sont là les deux principales théories qui expliquent la perception de la hauteur; l'étude du cas de la fréquence manquante sera notre seule façon de les évaluer. Dans la prochaine section, nous verrons par une expérience précise, comment nous pouvons distinguer ces deux théories l'une de l'autre.

Imaginons un son complexe ayant toutes ces fréquences:

| 1000 Hz | 1200 Hz | 1400 Hz | 1600 Hz |
| 1800 Hz | 2000 Hz | 2200 Hz | |

LE MASQUAGE DE LA FRÉQUENCE MANQUANTE

Si l'on demandait à des sujets d'ajuster un oscillateur pour que sa hauteur soit identique à celle du son complexe, ils l'ajusteraient à 200 Hz*. Les deux théories de la perception de la hauteur peuvent expliquer la simplicité de ce phénomène.

LA THÉORIE DE LA LOCALISATION

L'oreille ne transmet pas l'information linéairement, mais plutôt à partir des différences de fréquences: pour nos sept composantes, il existe six possibilités qu'une différence de 200 Hz soit rajoutée par distorsion mécani-

* L'expérience que nous rapportons a été effectuée par Patterson (1969).

que durant la transmission régulière de l'information. Cette différence de fréquence constitue donc un élément majeur dans la perception de la hauteur du son.

LA THÉORIE DE LA PÉRIODICITÉ

Le train des impulsions suit dans le nerf auditif le schème de battement des sons. Il y a des distorsions. Mais l'activité oscille entre des hausses et des baisses régulières 200 fois par seconde. C'est ce type d'activité qui détermine la hauteur perçue du son.

La question critique est de savoir si la membrane est en fait activée dans la région de 200 Hz. Les tenants de la théorie de localisation croient que le sujet perçoit une vibration de la membrane basilaire au site de 200 Hz. Ceux de la théorie de périodicité soutiennent que la membrane ne vibre que dans les régions de haute fréquence, soit entre 1000 et 2200 Hz, et que les décharges des neurones à l'intérieur de ces régions sont synchronisées à 200 Hz. Quelle expérience pourrait trancher le débat? Coupons la membrane dans la région avoisinant 200 Hz et voyons si le sujet peut toujours entendre la hauteur tonale correspondante.

Il est assez facile d'éliminer cette partie de la membrane. Une bonne méthode consiste à ajouter un bruit de basse fréquence au signal — un son qui, sous un seuil donné, maintient de l'énergie à toutes les fréquences. Pour être sûr que notre bruit masquera toute activité de basse fréquence sur la membrane, déterminons-en un pour lequel seraient présentes toutes

Figure 5-17

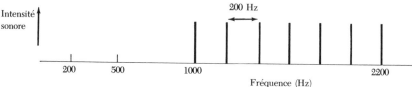

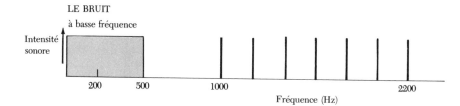

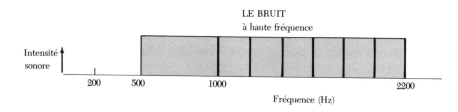

les composantes de fréquence jusqu'à concurrence de 500 Hz. Il importe aussi de veiller à ce que l'intensité du bruit soit assez grande pour noyer un son réel, au cas où il s'en trouverait un en cette région de la membrane. Pour mieux établir cette valeur, présentons un son réel de 200 Hz et demandons au sujet d'ajuster son niveau d'intensité à celui d'un son complexe de 200 Hz. Maintenant, il ne reste qu'à ajouter un bruit de basse fréquence pour masquer complètement le son réel de 200 Hz. Ce niveau de bruit devrait suffire à masquer toute activité produite par des distorsions. En présence de notre premier son complexe, le bruit-masque est donc émis. Qu'advient-il de la composante de 200 Hz? Est-elle toujours perceptible?

Or, c'est la théorie de la périodicité qui est vraie: la fondamentale manquante continue d'être entendue lorsque toute activité au site de sa fréquence a été physiquement masquée par le bruit. Mieux encore, pour démontrer clairement que le bruit créé présente tous les attributs de l'effet de masque, un bruit de haute fréquence peut être testé — bruit contenant toutes les fréquences au-delà de 500 Hz. La réponse nerveuse sera alors compromise par le bruit de haute fréquence et la fondamentale manquante ne sera plus perçue comme auparavant. Bref, suite à l'émission d'un bruit de haute fréquence, la fondamentale de basse fréquence n'est plus audible.

DISCRIMINATION DE LA HAUTEUR SANS MEMBRANE BASILAIRE*

Une manière de tester la pertinence de la théorie de la périodicité consiste à étudier un animal qui n'a pas de membrane basilaire: pourra-t-il discriminer différentes fréquences sonores? Pour la théorie de la localisation, il ne peut y avoir perception de hauteur sans membrane basilaire. Pour la théorie de la périodicité, la discrimination de la hauteur serait valable, au moins jusqu'à ce point où le signal n'excéderait pas les limites de la décharge des neurones.

Le poisson rouge possède des cellules ciliées, mais pas de membrane. D'ailleurs, le système auditif de la plupart des poissons diffère de celui des mammifères — et ce, pour des raisons évidentes. S'ils n'occupent pas une place de choix dans l'échelle de l'évolution, sachez qu'ils vivent dans un milieu propice à la propagation du son. L'eau étant plus dense que l'air, le son y voyage cinq fois plus vite. De plus, sa densité diffère peu de celle des tissus et des liquides organiques. Une oreille externe et une oreille moyenne seraient donc superflues, peut-être même nuisibles. Le son peut traverser le poisson sans perte d'intensité. Le système auditif est situé près de la vessie natatoire. Aussi, la position de cet organe semble-t-elle déterminante lorsqu'il s'agit de distinguer un type d'appareil auditif d'un autre. Ce qui nous importe ici, naturellement, c'est que le poisson — le poisson rouge en particulier — possède des cellules ciliées et des racines nerveuses acoustiques, mais pas de membrane basilaire. Comment peut-il alors identifier les fréquences?

Un poisson rouge bien entraîné peut, de fait, distinguer une fréquence donnée d'une autre. L'expérience consiste à maintenir le poisson en toute sécurité dans un harnais rembourré de coton à fromage et à jumeler l'émission d'un son à un choc électrique. Le poisson reçoit des séries de sons de même fréquence. Un son change alors de fréquence, puis on associe un choc. Le poisson apprend vite à anticiper

* Ces expériences sur le poisson rouge sont rapportées dans la littérature par Fay (1970) et Fay et MacKinnon (1969).

Figure 5-18
Fay et MacKinnon (1969).

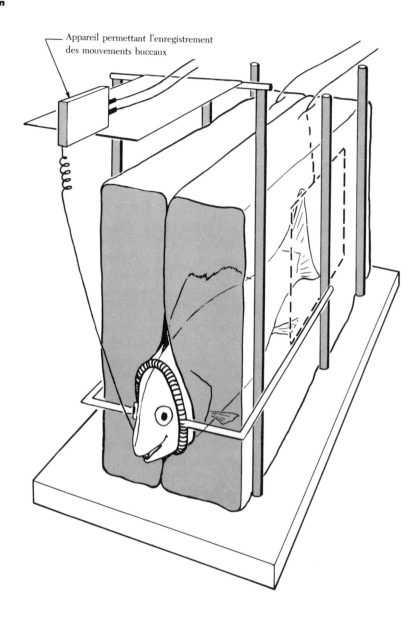

Appareil permettant l'enregistrement des mouvements buccaux

le choc chaque fois que change la fréquence: il manifeste cette anticipation en arrêtant brièvement sa respiration.

Les données compilées sont reproduites à la figure 5-19. Soulignons que la plus petite variation de fréquence que peut détecter le poisson rouge est approximativement dix fois plus grande que celle détectée par l'homme. Même si le poisson est beaucoup moins sensible en termes absolus, sa façon de réagir aux fréquences est similaire à celle de l'humain. L'aptitude du poisson rouge à discriminer les fréquences ne se manifeste plus vers 1000 à 2000 Hz, tout comme pouvait le prédire la théorie de la périodicité. À ces fréquences, les fibres nerveuses ne pourraient plus décharger en synchronisme avec le signal sonore.

Figure 5-19
Fay (1970).

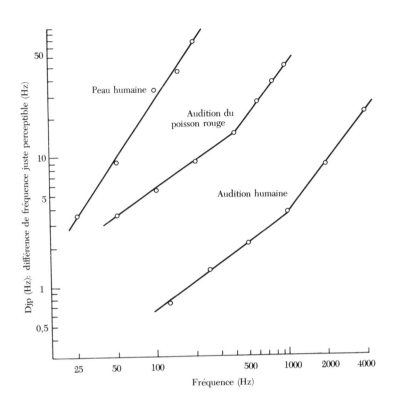

Bien que la théorie de la périodicité s'accorde avec ces expériences de masquage, deux phénomènes peuvent encore mettre en doute son explication de la hauteur perçue. Voici le premier: un seul nerf ne peut réagir plus rapidement que trois cents ou quatre cents fois par seconde. Comment donc cette théorie peut-elle servir de base à l'explication de la perception des hauteurs pour des signaux de 4000 Hz? Le deuxième problème tient à cette anomalie auditive appelée *diplacousie*: un même son est perçu par chaque oreille à une hauteur différente. Comment est-ce possible si les terminaisons nerveuses déchargent simplement selon le rythme de vibration de la membrane?

Pour répondre à la première critique, les théoriciens de la périodicité se reposent fortement sur le principe de la salve (voir page 141). Les neurones déchargent en salves; regroupées, les fibres nerveuses obéissent ensemble à une fréquence, alors qu'aucune d'entre elles n'y parvient seule. Alors qu'une cellule nerveuse décharge à un rythme de 300 Hz, pourvu que tout soit bien synchronisé, quatre neurones groupés peuvent décharger à un rythme de 1200 Hz. Même là, on ne peut vraiment croire que des cellules, soit une à une, soit en salves, puissent suivre des modèles de fréquences sonores plus grandes que 2000 ou 3000 Hz.

L'un des plus forts arguments contre l'exclusive théorie de la périodicité est la diplacousie; cette anomalie vient appuyer l'autre théorie, selon laquelle la hauteur serait déterminée plutôt par le site où l'onde atteint son amplitude maximale sur la membrane. Quelqu'un qui souffre d'une affection sévère de diplacousie entendra deux hauteurs différentes pour le même son émis à l'une

**ARGUMENTATION
À L'ENCONTRE DE
LA THÉORIE DE LA
PÉRIODICITÉ**

et l'autre oreille. De fait, tout le monde perçoit de petites différences dans la hauteur d'un son perçu par chaque oreille, particulièrement dans le cas des hautes fréquences. L'explication la plus sommaire veut qu'il n'y ait pas correspondance parfaite des sites le long de la membrane basilaire. En fait, si l'on considère la précision nécessaire à l'assemblage nerveux pour que, sur les deux membranes, chaque paire de sites corresponde exactement, il est surprenant que le phénomène n'ait pas plus d'ampleur. Ce serait déjà surprenant que les deux membranes fussent absolument de même grandeur. Il ne faudrait donc pas s'attendre à un arrangement particulier de neurone à neurone. De plus, s'il fallait suivre les voies nerveuses reliées au cerveau, il est bien évident qu'en plusieurs endroits, il pourrait exister des dissimilitudes entre les fibres nerveuses et les fréquences critiques pour lesquelles elles sont le plus sensibles.

UN AGENT DOUBLE EST PARMI NOUS OU LA THÉORIE DE LA DUPLICITÉ

Nous venons tout juste de mentionner les deux façons par lesquelles le système auditif pourrait déterminer la hauteur d'un son. Ces deux théories s'appellent *théorie de localisation* puis *théorie de périodicité*: le *point* sur la membrane basilaire choisi par l'onde en mouvement pour étaler sa saillie maximale, puis le rythme et la *période* auxquels les fibres nerveuses répondent. L'existence de ces deux théories concurrentes, basées sur des arguments jouant pour et contre chacune d'elles, nous incite à chercher une troisième voie. Il est possible que les deux théories soient exactes, mais dans des conditions-limites d'opération. Il se pourrait donc, dans une perspective renouvelée, que chacune des deux théories trouve son compte.

Considérons comment est obtenue l'information sur la hauteur. L'endroit où se produit la vibration maximale sur la membrane basilaire semble être un des principaux facteurs déterminant la hauteur tonale; à ce facteur, il faut ajouter l'information provenant de la vitesse du rythme auquel réagissent les cellules. Si les fibres situées dans la région correspondante à 1000 Hz ont à leur tour un taux de décharge de 1000 Hz, tout concorde. La hauteur propre à un son de 1000 Hz déterminera la perception. Si, par contre, les fibres de cette région de 1000 Hz déchargent en salves de 100 Hz, nous obtiendrons alors la perception d'un son complexe, dont la hauteur fondamentale serait celle d'un son de 100 Hz, mais dont la structure harmonique pourrait s'étendre jusqu'à la région de 1000 Hz. Dans un cas comme celui-ci, le rythme des décharges aide à déterminer la hauteur: la région la plus activée sur la membrane détermine la *couleur* du son ou son *timbre*. L'excitation d'une région le long de la membrane basilaire est toujours accompagnée d'un rythme de décharge approprié à cette région. Ces rythmes-là, par contre, ne sont pas toujours concomitants à l'excitation du point approprié sur la membrane. Nous pouvons donc en conclure que les théories de la périodicité et de la localisation sont exactes: peut-être faudrait-il songer à une *théorie dualiste* qui puisse les combiner.

Les théories de la localisation et de la périodicité (décharge nerveuse) posent de grandes difficultés. Les travaux récents ont soulevé certains problèmes fondamentaux sans pour autant suggérer de meilleure issue. L'argument qui condamne la théorie de la localisation note le fait que la même sensation de hauteur puisse provenir autant de la stimulation sur la membrane de la région de haute fréquence que de celle de basse fréquence (tel ce cas de la «fondamentale manquante» décrit auparavant). Le sujet peut facilement distinguer les sons, mais leur *hauteur* ne paraît guère affectée par l'endroit stimulé le long de la membrane.

Quant à la périodicité, elle ne vaut guère mieux, car le profil de la forme d'onde peut être transformé radicalement sans que la hauteur perçue ne le soit.Il y a,en effet,peu de changements dans la perception d'un son dont l'onde aurait subi de grandes modifications. À la salle de concert par exemple, l'endroit où vous vous assoyez détermine le profil d'une forme d'onde acoustique. Les échos, les différences dans le cheminement des ondes de basse et haute fréquences, les types de réfraction et les différences provenant des systèmes d'amplification sonore provoquent tous divers types de son à chacun des endroits où vous vous assoyez. De plus, vous pouvez modifier vous-même les ondes sonores en plaçant vos mains près des oreilles de manière à orienter la surface du pavillon vers l'avant ou l'arrière de la salle. Ceci affectera notoirement les composantes des sons de plus haute fréquence qui atteignent l'oreille, altérant le profil des formes d'onde acoustique. Néanmoins, malgré les changements que vous noterez dans la qualité du son, les hauteurs que vous percevrez ne seront pas affectées par le choix de votre siège, ni par la position de vos mains sur vos oreilles.

Il y a quelques années, les psychologues ont cru que le problème du codage de la hauteur avait été résolu. La théorie qui l'emportait était une théorie de la duplicité qui combinait celles de localisation et de périodicité; les basses fréquences étaient étudiées d'après une analyse temporelle et périodique, alors que les hautes fréquences étaient analysées selon le site d'excitation le long de la membrane basilaire. On croit maintenant que pareille théorie manque de finesse. L'analyse de la hauteur est tenue pour compliquée, impliquant des mécanismes complexes au niveau du cerveau. Il reste beaucoup de chemin à parcourir avant de pouvoir formuler clairement une théorie pour expliquer tous les mécanismes inhérents.

Les théories modernes ont tendance à insister sur un système d'analyse spectrale centralisée (fréquence) ou sur un système de reconnaissance temporelle de formes. Partant de là, leurs analyses privilégient tout le modèle complexe d'excitation le long des voies nerveuses plutôt qu'une seule composante telle que le point stimulé ou le rythme de décharge. D'après ces théories, les observateurs dégagent une quelconque représentation globale de l'excitation sonore, à partir de laquelle ils se font une idée générale de la hauteur. Ces analyses se passent à l'échelle du cerveau, non au niveau de la membrane basilaire ou des cellules ciliées. Ainsi donc, conformément à ces vues, localisation et périodicité déterminent la hauteur tonale. Néanmoins, le modèle complet d'excitation sur la membrane est tout de même pris en considération.

La bande critique

Supposons que deux sons purs soient émis et qu'un sujet doive évaluer la force du son résultant. Alors que les deux sons s'écartent par leur fréquence (maintenant leur fréquence moyenne constante), la force du son combiné ne change pas tant qu'une fréquence critique de séparation n'est pas dépassée. Par la suite, la force des sons appariés augmente selon l'accentuation de l'écart entre leurs fréquences.

De façon similaire, un son composé de toutes les fréquences entre une limite inférieure f_i et supérieure f_s semble conserver une force constante même si la différence entre f_i et f_s augmente, et ce, jusqu'à une valeur critique de séparation. Au-delà de ce point critique, la force du son augmente d'autant plus que de nouvelles fréquences s'ajoutent*.

Prenons un troisième cas: un sujet essaie de détecter un son pur masqué par une passe-bande de bruit centrée aux environs de la fréquence du son. En augmentant l'écart entre f_s et f_i, la détection devient de plus en plus difficile jusqu'à ce qu'un point critique de séparation ne soit atteint. Au-delà de ce point, la capacité de détecter le son n'est plus affectée par une augmentation de la largeur de la passe-bande de bruit.

Ces trois exemples démontrent bien qu'à l'intérieur d'un champ de fréquence critique, les énergies sonores agissent les unes sur les autres. Hors de ce champ, elles ne sont plus en interaction, quoiqu'interviennent d'autres attributs psychologiques. Ce champ critique s'appelle la *bande critique* et sa grandeur dépend de sa fréquence centrale.

---

* À noter: il faut maintenir le son à un niveau constant d'énergie (appelé *passe-bande de bruit*, référant aux fréquences limites comprises entre f_i et f_s). Plus simplement, prenez le cas où un son composé de sons séparés est présenté à un sujet. Si l'on ajoute d'autres sons, il importe de maintenir à un niveau constant l'énergie totale du son. Ainsi, pour doubler le nombre de sons, l'énergie de chaque composante doit être diminuée de moitié afin de conserver l'énergie totale de façon constante. Il en va de même pour le bruit: le niveau d'énergie pour chaque fréquence est maintenu proportionnellement à $1/(f_s - f_i)$.

Figure 5-20
Scharf (1970).

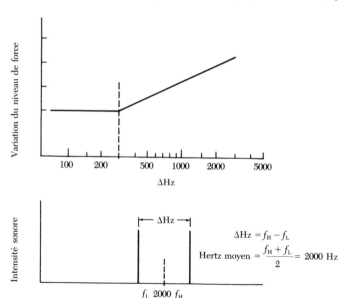

Si deux sons appartiennent à la même bande critique, leurs énergies onores s'additionnent. Or, combiner deux sons de même énergie à l'intérieur e la même bande critique a pour effet de doubler l'*énergie*. En termes de orce, nous obtenons un son unique ayant le *double* d'énergie de l'un ou autre son initial, ce qui équivaut à une augmentation de 3 dB d'énergie onore et environ 20% de force. Si ces deux sons accusaient une séparation e fréquence telle qu'ils ne se situeraient plus à l'intérieur de la même bande ritique, ce serait alors leur *force* qui s'additionnerait. S'ils avaient la même orce, leur combinaison produirait un effet deux fois plus fort en *force*. En ermes de force, la résultante constituerait un son unique ayant *dix* fois énergie de l'un ou l'autre son initial, ce qui équivaut à une augmentation de 0 dB d'énergie et 100% de force.

Si nous nous référons maintenant au mode d'excitation sur la membrane asilaire, comme il est facile d'y trouver pour la bande critique un corrélatif emblable à ceux que nous avons décelés pour la hauteur, à savoir les chelles de djp et de mel. La bande critique semble déterminée par le mode e vibration. C'est comme si les vibrations sonores qui affectent des sites approchés de la membrane interagissent différemment de celles à des sites lus distants. La figure 5-22 présente le schème vibratoire d'un son de 000 Hz et sa partie correspondant à une bande critique. Remarque intéres- ante: même si chaque partie de la membrane répond partiellement au son, eule une bande relativement étroite autour du point de vibration maximale ossède les propriétés des interactions caractéristiques à la bande critique.

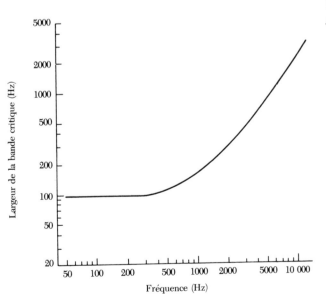

Figure 5-21
Scharf (1970).

Figure 5-22

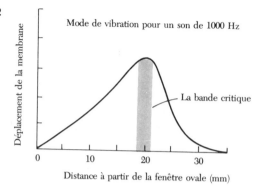

En comparant la figure 5-22 aux propriétés de la membrane basilaire e
aux échelles de mel et de djp, les relations entre tous ces éléments peuven
se résumer ainsi:

- 1 mel représente approximativement 12 neurones avec 0,23 djp et 0,00ç
  de bande critique;
- 1 djp représente approximativement 52 neurones avec 4,3 mels e
  0,04 de bande critique;
- 1 bande critique représente approximativement 1300 neurones, 108 mels
  et 25 djp.

La bande critique a plusieurs propriétés importantes. Les battements entre
différents sons ne sont perceptibles que s'ils appartiennent à la même bande
critique. On a également suggéré que les effets de dissonance associée
à la combinaison de certains sons puissent être attribuables à la bande
critique. La dissonance, croit-on, provient des battements causés par deux
sons dont les fréquences appartiennent à une même bande critique.
Les instruments de musique produisent des sons complexes, incluant plusieurs fréquences harmoniques. Deux notes pourraient être dissonnantes si
deux de leurs harmoniques donnaient à l'intérieur de la même bande critique. Plus il est aisé d'entendre ces harmoniques, plus le son paraît
dissonnant.

Perception spatiale du son

Nous possédons deux oreilles et pourtant, nous n'entendons qu'une réalité
acoustique. Les différences de l'information captée par deux oreilles (écoute
binaurale) plutôt qu'une seule (écoute monaurale) nous renseignent sur
l'information reçue et nous permettent de déterminer la provenance du son,
facteur important autant pour notre plaisir que pour l'intelligibilité qu'il
apporte aux messages acoustiques. Il nous est pourtant difficile d'apprécier
à sa juste valeur l'importance de la localisation sonore puisque nous en
sommes rarement dépourvus: c'est un phénomène si usuel que nous le
prenons pour acquis.

Avec les nouveaux systèmes de son, l'importance de la localisation est
cependant facile à démontrer. Il suffit, muni d'un casque d'écoute, de prêter

attention à un enregistrement stéréophonique de bonne qualité*. En alternant entre stéréophonie et monophonie, on peut comprendre la différence. Les enregistrements stéréophoniques et quadriphoniques non seulement permettent de situer le son dans un environnement imaginaire, mais ils donnent aussi une sensation plus riche, chacun des sons étant plus distinct et plus facile à percevoir.

LA LOCALISATION

Les indices dont nous nous servons pour localiser une source sonore sont le temps exact et l'intensité auxquels le son nous parvient. Évidemment, le son atteint d'abord l'oreille la plus rapprochée de la source d'émission, et ce, avec une plus grande intensité. La tête a tendance à former une ombre acoustique entre la source et l'oreille la plus éloignée (voir figure 5-23).

Par des calculs élémentaires, il est possible de déterminer approximativement le délai maximum entre les signaux percutant les deux oreilles. La largeur de la tête est d'environ 18 cm. Si une source sonore se trouve directement sur un côté, le son percute une oreille de façon directe, mais doit parcourir la circonférence de la tête avant d'atteindre la seconde. La tête ayant un rayon d'environ 9 cm, la distance à parcourir sera de 9π ou $28,27$ cm. Puisque le son voyage dans l'air à près de $335,5$ m/s^{-1}, il prend donc 30 μs (microsecondes) pour parcourir 1 cm. Ainsi, pour passer d'une oreille à l'autre, le son a besoin d'environ 840 μs.

Évidemment, cette différence de temps dépend de la position précise de la source. Quand le son provient de l'avant, il atteint les deux oreilles en même temps. À 3° sur la droite, il percute l'oreille droite 30 μs avant l'autre. Cette petite variation de 30 μs est perceptible; elle est même suffisante pour qu'un auditeur puisse identifier un changement dans la localisation de la source sonore. Performance remarquable, compte tenu que les signaux percutant les deux oreilles doivent être comparés ensemble pour localiser la source. Le système nerveux préserve donc l'information transmise à une oreille pendant 30 μs.

Cet écart dans les temps d'arrivée d'un signal aux deux oreilles produit une différence de phase entre les signaux: l'un d'eux comporte un délai. Pour les signaux à haute fréquence, ce délai est ambigu et ne peut pas servir d'indice à une localisation. Prenons pour exemple un signal de 10 000 Hz complétant un cycle de variation à chaque 100 μs. Quand d'une part, ce signal est perçu de front et d'autre part, selon un angle de 55° sur la droite, le son atteint l'oreille gauche 450 μs après avoir atteint l'oreille droite. La forme d'onde perçue par l'oreille droite est donc de 4½ cycles en avance sur celle de l'oreille gauche. Mais comment dire si la différence entre deux sons est bien de 4½, 3½, 2½, 1½ ou même ½ cycle? Inversement, comment savoir si la source sonore est 55° à droite plutôt que 40°, 27°, 17° ou 6°? Pour tout dire, il n'y a pas de solution à ces problèmes. Le plus long intervalle de temps entre les deux oreilles est d'environ 840 μs; toute fréquence sonore qui prendrait plus de temps pour compléter un cycle fournirait une information ambiguë sur la localisation. Les

---

* Vous obtiendrez un effet moindre si le son provient de haut-parleurs, à moins que l'un soit placé directement à votre droite et l'autre, directement à votre gauche. L'enregistrement que vous écoutez doit avoir été réalisé par un studio conçu pour la reproduction stéréophonique — les disques anciens ou les reproductions sonores à petit budget ne sont pas à conseiller. La plupart des enregistrements contemporains des groupes rock ou des symphonies sont excellents.

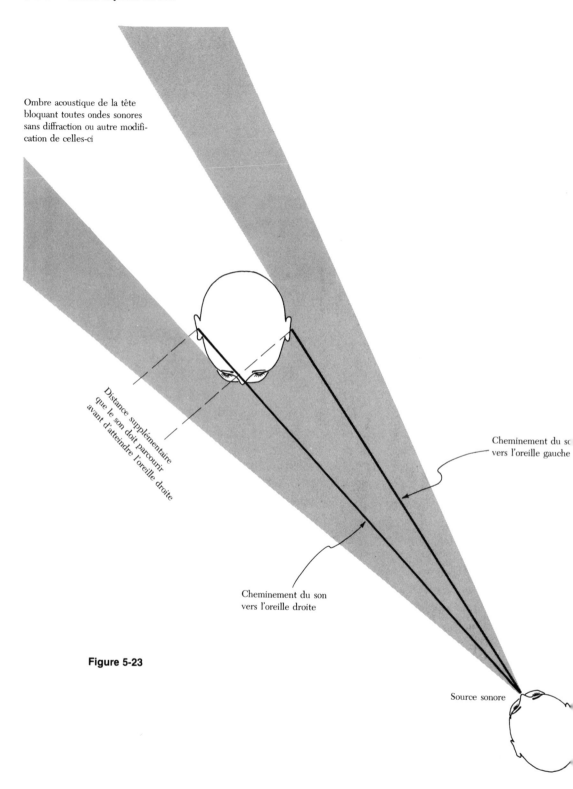

Ombre acoustique de la tête
bloquant toutes ondes sonores
sans diffraction ou autre modification de celles-ci

Distance supplémentaire
que le son doit parcourir
avant d'atteindre l'oreille droite

Cheminement du so
vers l'oreille gauche

Cheminement du son
vers l'oreille droite

Figure 5-23

Source sonore

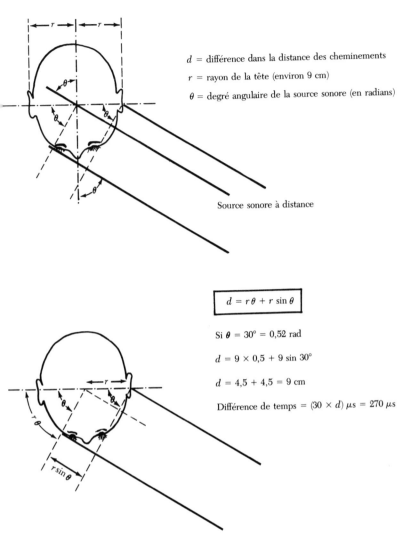

d = différence dans la distance des cheminements

r = rayon de la tête (environ 9 cm)

θ = degré angulaire de la source sonore (en radians)

Source sonore à distance

$$d = r\theta + r \sin\theta$$

Si $\theta = 30° = 0,52$ rad

$d = 9 \times 0,5 + 9 \sin 30°$

$d = 4,5 + 4,5 = 9$ cm

Différence de temps = $(30 \times d)\,\mu$s = $270\,\mu$s

Évaluation approximative de la différence dans la distance des cheminements lors de la réception binaurale d'une source de son éloignée.   Figure 5-24

différences temporelles ne peuvent servir d'indice à une bonne localisation que pour des fréquences inférieures à 1300 Hz.

Actuellement, la localisation est un processus mal compris pour les basses fréquences aussi. Même si la tête est absolument fixe, le décalage en lui-même ne suffit pas à déterminer si le son provient d'en haut ou d'en bas, ou même de l'avant ou de l'arrière. Un son de provenance frontale et latérale comporte le même type de décalage qu'un autre qui, venant de l'arrière, aurait relativement la même position. En réalité, nous remédions à ces ambiguïtés en bougeant la tête, en recueillant des indices visuels et en analysant, quant à la qualité du son, les dissimilitudes causées par la réflexion et la réfraction des fréquences au niveau de la tête et du pavillon de l'oreille.

Deuxième facteur jouant un rôle dans la localisation du son: l'ombre acoustique de la tête. Pour les sons de basse fréquence, il y a diffraction de l'onde; celle-ci *suit* le contour de la tête, ne causant que peu ou point d'ombre. Quant aux sons de haute fréquence — la longueur d'onde étant courte comparativement aux dimensions de la tête — il n'y a plus de diffraction possible. Prenons par exemple un son de 100 Hz ayant une longueur d'onde de 3,33 m. Il peut donc aisément se plier aux contours de la tête. Par contre, un son de 10 000 Hz d'une longueur d'onde de seulement 3,3 cm est réverbéré ou réfléchi par la tête, créant ainsi une ombre sonore*. Pour une source sonore placée à un angle de 15°, les effets de l'ombre acoustique peuvent être mesurés:

Fréquences	*Rapport des Intensités Sonores aux Deux Oreilles*
300 Hz	1 dB
1 100 Hz	4 dB
4 200 Hz	5 dB
10 000 Hz	6 dB
15 000 Hz	10 dB

À partir de 3000 ou 4000 Hz, la différence d'intensité est suffisamment grande pour être discriminée sans ambiguïté, fournissant ainsi un bon indice à la localisation.

La localisation du son est établie grâce à un double système: écarts de temps pour les basses fréquences et différences d'intensité pour les hautes fréquences. Le passage d'un système à un autre se situe en cette région des fréquences allant de 1000 à 5000 Hz, champ des fréquences sonores comportant le plus grand nombre d'erreurs en matière de localisation.

Plusieurs autres indices peuvent encore servir à déterminer la position d'un objet dans l'espace. Jusqu'ici, nous avons surtout démontré comment les variations de temps et d'intensité peuvent indiquer la position d'une source sonore; mais l'oreille humaine est capable de plus encore, elle peut distinguer le niveau d'élévation de la source (hauteur) aussi bien que sa distance. Le pavillon de l'oreille (peau et cartilage de l'oreille externe) joue un rôle de première importance dans notre aptitude à localiser les sources sonores. À cause du pavillon, les sons provenant de l'arrière créent une ombre acoustique, laquelle affecte davantage les hautes fréquences plutôt que les basses. De plus, les anfractuosités et les dénivellations du pavillon facilitent la localisation en obligeant les composantes de haute fréquence à rebondir quelque peu avant d'entrer dans le canal tympanique, créant ainsi de très légers «échos» liés à cette portion particulière de l'onde (l'exactitude sonore dépendant de la position exacte de la source). Remplissez ces cavités et dénivellations avec du mastic, et vous affecterez votre aptitude à reconnaître la hauteur tonale et la direction avant-arrière propres au son.

---

* De la même façon qu'un rayon lumineux heurtant un objet dessine en contrepartie l'ombre de cet objet sur le sol (note des traducteurs).

La nature réverbérante du son nous aide à évaluer l'éloignement de sa source. Cet indice n'est pas très sûr mais fournit quand même une information utile, spécialement à l'auditeur averti d'avance de la nature du son (entendu de plus près): ainsi, les différences dans la nature du son peuvent servir de guide à l'évaluation de sa distance.

INTÉRÊT DE L'ÉCOUTE BINAURALE

En plus d'ajouter une dimension spatiale à notre perception, l'écoute binaurale ajoute aussi de la clarté au son. Ceci tient essentiellement à trois mécanismes: localisation, baisse apparente de l'interférence et réduction de l'effet de masque.

LA LOCALISATION

La localisation nous permet de répartir dans l'espace plusieurs des sons entendus. Supposons qu'à une surprise-partie, nous soyons en compagnie de personnes assommantes. Nous pouvons, tout en continuant d'approuver par des signes de tête, écouter une conversation voisine. La localisation rend cela possible. Nous pouvons choisir la fréquence, l'intensité et l'endroit de l'espace auxquels nous désirons prêter attention.

Quand nous enregistrons une conversation, le résultat est souvent pénible à écouter. Il y a des échos et des bruits. La voix que nous voudrions entendre est étouffée par les sons des gens qui toussent et qui bougent. Dans la réalité, nous ne sommes pas conscients de ces bruits, même s'ils sont présents. Les indices de localisation permettent de porter attention aux seuls signaux acoustiques qui nous intéressent. L'addition d'un second microphone — produisant un enregistrement stéréophonique — améliore grandement la clarté. Subitement, nous pouvons nous concentrer sur *le lieu d'où provient* la voix, ce qui élimine les distractions. Tout ce qu'il faut: deux microphones différemment réceptifs à la direction du son. Ils sont disposés de façon appropriée si l'un reçoit les sons venant de la droite, quand l'autre perçoit ceux provenant de la gauche. Quelqu'un parlant entre les microphones serait capté également par eux deux. S'il se tenait plus d'un côté, sa voix sortirait mieux de ce côté.

Les problèmes liés à l'écoute d'une voie unidirectionnelle sur un magnétophone monaural illustrent bien les difficultés qu'ont les personnes sourdes d'une oreille. Ces ennuis ne tiennent pas tant de la perte de la sensibilité sonore comme de l'inaptitude à localiser les sons. Problème intéressant, si le sujet porte un appareil auditif, où donc doit-il placer son microphone? S'il le place dans sa poche de chemise, la localisation normale ne sera plus possible. Le microphone doit être placé le plus près possible de l'oreille. Le mieux serait même d'utiliser deux appareils auditifs, un pour chaque oreille (même si l'audition est bonne dans une oreille), afin de recouvrer l'aptitude à localiser les sons.

DISPARITÉ DE MASQUAGE

Deuxième façon d'accentuer la clarté de la réception binaurale: grâce au phénomène de *la disparité de masquage*. Lorsqu'avec une oreille, on essaie d'entendre une voix faible mêlée à du bruit, l'addition du même bruit dans l'autre oreille améliore significativement la clarté. Dans une oreille, le bruit et le message; dans l'autre, le bruit seulement. Une manière de concevoir ce phénomène est d'imaginer que les entrées aux deux oreilles se soustraient l'une l'autre, annulant le bruit. Ainsi donc, la présence du signal et du bruit aux deux oreilles n'améliorerait pas notre audition puisque la soustraction des entrées aux deux oreilles ne laisserait rien. Autre façon de considérer le phénomène: il y aurait latéralisation au centre de la tête du bruit présenté aux deux oreilles, permettant ainsi à une seule oreille de percevoir le signal. Cette différence dans la localisation hémisphérique peut améliorer la clarté du message.

LE MASQUAGE

Il existe une troisième façon d'améliorer la clarté de la réception binaurale. Imaginez ceci: vous écoutez un orchestre; une grosse caisse bat la mesure alors qu'une clarinette joue à son registre grave. Dans un enregistrement monaural, les très basses fréquences de la caisse masqueront les basses fréquences de la clarinette. Le chevauchement de l'excitation le long de la membrane basilaire en est la cause. Cependant, si l'on entendait la clarinette dans l'oreille droite et la grosse caisse dans l'oreille gauche, il n'y aurait plus d'interaction le long de la membrane, ni de masquage. Évidemment, lors d'un concert, les sons de la caisse et de la clarinette parviendront aux deux oreilles, mais différemment pour chacune. Lorsque la localisation de deux sons est connue comme étant différente, l'effet de masque de l'un sur l'autre s'en trouve très réduit. Cette diminution du masquage rend les sons plus clairs et plus distincts lors d'un enregistrement binaural plutôt que monaural.

L'EFFET DE PRÉCÉDENCE

Théoriquement, la localisation s'effectue simplement selon les disparités sonores perçues par les deux oreilles. Cependant, le signal initial est immédiatement suivi de nombreux échos. Une fois que l'on a identifié la provenance de tous les échos, même un simple clic peut devenir très complexe. D'abord, le clic percute une oreille, et puis l'autre; enfin, toutes les composantes qui ont rebondi sur les murs et le plafond arrivent aux deux oreilles. Celles-ci entendent une succession rapide de sons. Comment donc une seule oreille peut-elle utiliser toutes ces composantes et procéder à une localisation?

Le premier son, fort heureusement, semble être le seul utilisé. Bien que ce phénomène soit encore mal compris, nous l'appelons *effet de précédence*. Les échos importent relativement peu lors de l'analyse psychologique du son, bien qu'ils soient entendus. Si nous enregistrons divers sons, quelques-uns suivis d'échos, d'autres pas, il est facile de saisir la différence entre eux. Ainsi, l'information acoustique est entendue, mais heureusement ignorée par les mécanismes responsables de la localisation.

SON BINAURAL

Pour obtenir un enregistrement d'aussi bonne qualité que celui obtenu lorsque vous êtes assis dans un auditorium, un enregistrement *binaural* est requis. Une réalisation adéquate exige que la réplique d'une tête soit placée sur un siège d'auditorium, avec un microphone dans chaque oreille. Pareil enregistrement entendu sous un casque d'écoute donnera une reproduction de très haute fidélité.

SON STÉRÉOPHONIQUE

L'enregistrement binaural est très différent des enregistrements *stéréophoniques* dont on se sert pour produire la plupart des disques et cassettes. Un enregistrement stéréophonique s'efforce de capter une tranche du front d'onde en un point choisi dans un auditorium et de la reproduire dans la maison d'un auditeur. Une reproduction fidèle s'avère impossible avec seulement deux microphones et deux haut-parleurs. Pour cette raison, un son quadriphonique est maintenant testé en vue de cet usage. Idéalement, deux haut-parleurs nécessitent deux microphones autant espacés l'un de

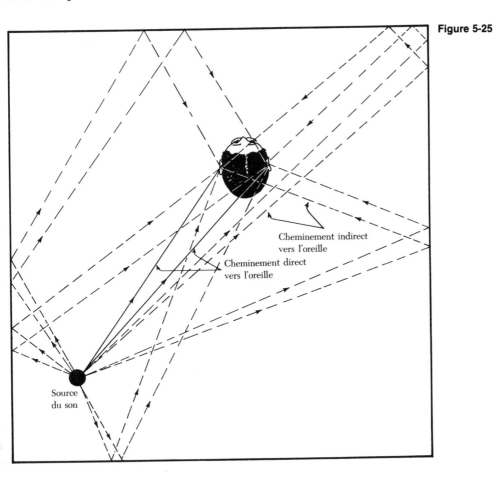

Figure 5-25

Cheminement indirect
vers l'oreille

Cheminement direct
vers l'oreille

Source
du son

Figure 5-26

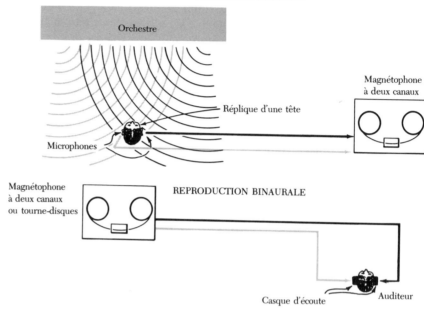

ENREGISTREMENT BINAURAL

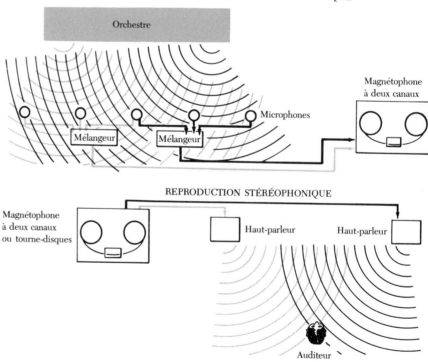

ENREGISTREMENT QUADRIPHONIQUE

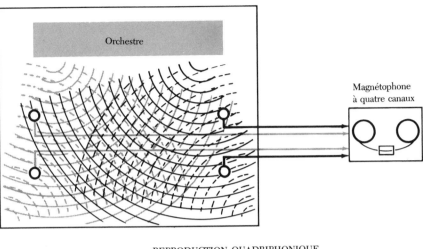

Orchestre

Magnétophone
à quatre canaux

REPRODUCTION QUADRIPHONIQUE

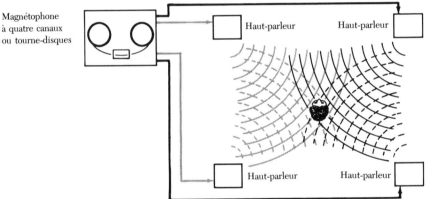

Magnétophone
à quatre canaux
ou tourne-disques

Haut-parleur   Haut-parleur

Haut-parleur   Haut-parleur

l'autre que le seront ces haut-parleurs. C'est là un système guère viable et qui demande beaucoup trop de contrôles pour la reproduction. Finalement, plus ou moins par essais et erreurs, les ingénieurs du son ont appris à combiner plusieurs microphones. De cette façon, des résultats intéressants ont pu être obtenus et ces enregistrements ont été couramment employés. Règle générale, pour obtenir un très bon enregistrement, plusieurs microphones doivent être disposés dans l'auditorium; il revient aux ingénieurs du son le soin de les répartir sur deux canaux afin de produire l'effet approprié. Les lois psychologiques de l'acoustique ne nous aident guère ici, car les meilleures combinaisons varient selon chaque auditorium, le nombre de personnes présentes et même les vêtements alors portés.

SON QUADRIPHONIQUE

Tel que nous le voyons à la figure 5-26, le son que nous entendons normalement inclut des réflexions. Le caractère spacieux d'une salle de concert est dû, en partie, à ces réflexions. Ainsi, le son stéréophonique n'arrive pas à saisir toutes les qualités de l'expérience sonore originale parce que les deux haut-parleurs sont placés en avant de l'auditeur. Ce problème n'existe pas avec le son binaural, parce qu'alors l'auditeur reçoit exactement les mêmes sons qu'une personne assise dans un auditorium. Le désavantage de l'écoute binaurale tient au fait qu'elle soit conçue pour une seule position de la tête: si jamais l'auditeur tourne la tête, le casque d'écoute fait de même et les sources sonores initiales semblent toujours provenir de l'avant. Cela donne un mystérieux pouvoir à l'auditeur; car chaque mouvement de la tête lui donne l'impression que tout l'orchestre et même la salle se déplacent pour rester droit devant.

Une manière d'enrichir la qualité de notre expérience sonore sans se buter aux limites de l'enregistrement binaural est d'utiliser quatre haut-parleurs, deux placés à l'avant de l'auditeur, deux à l'arrière. L'emploi de quatre haut-parleurs améliore nettement la fidélité, même si nous n'en sommes toujours qu'à une pauvre approximation de l'événement original. L'utilisation de quatre haut-parleurs fait ressortir davantage le rôle du pavillon de l'oreille dans la distinction des sons avant et arrière. Pareille nouveauté ouvre de nouvelles voies à l'expérience auditive. Quelques compositeurs ont expérimenté une musique conçue explicitement en vue d'une diffusion par quatre haut-parleurs (ou plus), où la dimension spatiale variait directement, créant ainsi une expérience musicale plus riche de force, de hauteur ou de couleur sonore [voir Reynolds (1975), pages 117-125].

Revue des termes et notions

Voici, pour le présent chapitre, les termes et notions que nous considérons importants. Passez-les en revue; si vous êtes incapable d'en donner une courte explication, vous devriez revoir les sections appropriées du chapitre.

TERMES ET NOTIONS À CONNAÎTRE

La différence entre:
    hauteur tonale et fréquence (mels et hertz)
    force sonore et intensité (sones et décibels)
Profils d'isosensibilité à la force sonore
Compensation de force sonore
Force sonore (sones)
Masquage
    définition
    mesures
    explication
djp
hauteur tonale
    mels
    gamme musicale
    périodicité de la hauteur fondamentale manquante
    battements

héorie de la localisation
héorie de la périodicité
héorie de la duplicité
ande critique
ocalisation
   par temps d'arrivée
   par différence d'intensité
   ombre acoustique de l'oreille et masquage

ectures suggérées

La référence la plus simple est sûrement le volume IV du *Handbook f perception: Audition* (Carterette et Friedman, 1976). Les deux volumes *oundations of modern auditory theory* par Tobias (1970, 1972) comptent lusieurs chapitres importants, particulièrement sur la mesure de la force, ur les théories de la hauteur, le masquage, la bande critique et la localisaion.

Nous recommandons hautement le volume *Mind Models: New forms f musical experience* par le compositeur Roger Reynolds (1975) à quiconque 'intéresse à l'utilisation actuelle du son dans les expériences musicales. e livre *Introduction to the physics and psychophysics of music* de Roederer 1975) constitue une introduction plus technique à la relation entre les oncepts discutés dans notre volume et la perception musicale.

Le chapitre de Zwislocki (1965) dans le *Handbook of mathematical sychology* (volume III) est excellent, quoique passablement avancé. Ne ous laissez pas décourager par les équations de la première partie du hapitre. Nous avons réalisé que les étudiants peuvent tirer profit de ce hapitre en passant rapidement sur les premières sections. L'autre partie oncerne spécialement les rapports entre l'anatomie et la physiologie de 'oreille ainsi que la perception de la hauteur, de la force et du masquage. L'article de Wightman et Green (1974) est aussi une excellente introduction à la hauteur tonale.

Le volume *The effect of noise on man* de Kryter (1970) couvre en détail les effets du bruit sur l'homme. Malheureusement, malgré ce sujet d'importance capitale, son niveau d'écriture le rend difficile à lire.

Une grande partie de nos connaissances actuelles sur la hauteur nous vient des Hollandais, spécialement de Schouten. Référez-vous au texte de Wightman et Green (1974) pour vous familiariser davantage avec cette littérature. La thèse de Plomp (1966) est aussi un bon guide pour l'analyse de la consonnance et de la dissonnance.

Hélas! les références françaises sont encore plus pauvres et nous ne pouvons signaler que deux textes. Comme première approche, le petit volume de Jean-Jacques Matras, *Le son*, aux éditions «Que sais-je?», vous donnera une connaissance toute différente de la hauteur des sons et de leurs rapports avec la gamme.*

---

* Ces lectures sont suggérées par les traducteurs.

Un classique digne de mention est le volume de Ira Hirsh, *La mesure de l'audition*, traduit en français aux P.U.F. Le lecteur ne pourrait cependant pas compter y trouver des notions trop actuelles, car le texte date déjà.

* Ces lectures sont suggérées par les traducteurs.

6. Traitement de l'information nerveuse

Préambule

PARTIE I: LES PROCESSUS NERVEUX

L'oeil de la grenouille
L'ANATOMIE DES DÉTECTEURS

Les constituantes physiologiques
LE NEURONE
ENREGISTREMENT DES RÉPONSES NERVEUSES

Circuits neuronaux fondamentaux
LES ÉLÉMENTS DE BASE
LES RÉCEPTEURS
LA CELLULE NERVEUSE

Inhibition latérale
CIRCUITS D'EXTRACTION DES CONTOURS
LES CHAMPS CENTRE-PÉRIPHÉRIE
LA THÉORIE DU PROCESSUS ANTAGONISTE
CONTRASTE CHROMATIQUE

Réponse au mouvement
CIRCUITS DÉTECTEURS DE MOUVEMENT

PARTIE II: LES PROCESSUS DU CERVEAU

De l'oeil au cerveau
LE CORPS GENOUILLÉ LATÉRAL
LE CORTEX VISUEL

L'extraction des caractéristiques
CELLULES SIMPLES
CELLULES COMPLEXES
CELLULES HYPERCOMPLEXES
SYSTÈMES W, X ET Y
ANALYSE DE LA FRÉQUENCE SPATIALE

Traitement de l'information acoustique
DÉTECTEURS DE FRÉQUENCE MODULÉE
INTERACTIONS BINAURALES

Et ensuite?

Conclusion

Revue des termes et notions
TERMES ET NOTIONS À CONNAÎTRE

Lectures suggérées

Préambule

> Pourquoi les choses ont-elles l'apparence qu'elles ont? Parce qu'elles
> sont ce qu'elles sont? Non, parce que nous sommes ce que nous som-
> mes.
> . . . Il semble clair que la réponse à la question: «Pourquoi les choses
> ont-elles l'apparence qu'elles ont?» ne sera formulée adéquatement
> qu'au moment où les principes de l'organisation nerveuse seront con-
> nus.[Hurvich et Jameson, 1974, p. 88.]

Ce chapitre est long. C'est pourquoi nous l'avons divisé en deux parties.
La **première partie** traite des fonctions élémentaires des neurones, de la
façon dont ils sont connectés entre eux pour former des circuits spécialisés
et finalement, du fonctionnement du système nerveux au niveau de la rétine
et de l'oeil.

La **deuxième partie** traite des processus subséquents du système sensoriel: ceux qui agissent sur les signaux sensoriels au delà de la rétine et de
l'oreille interne, puis dans le cerveau lui-même.

La première partie parle des unités structurales fondamentales du système
nerveux. Les premiers paragraphes racontent comment on a découvert des
cellules nerveuses spécialisées dans l'oeil de la grenouille et décrivent les
étapes qui y menèrent. Cette découverte illustre bien notre façon d'aborder
la problématique propre à l'analyse des parties et des fonctions du système
nerveux.

Il est important d'étudier le fonctionnement des unités nerveuses: quels
sont leurs éléments essentiels, comment se présentent leurs interconnexions,
comment elles sont en interaction. Nous présentons un modèle arithmétique très simple de l'interaction des cellules nerveuses, considérant qu'il est
important d'apprendre à effectuer ces calculs; vous aurez une excellente idée
du fonctionnement du système nerveux.

Les interactions des cellules nerveuses de la rétine de l'oeil sont la cause
d'une quantité de phénomènes perceptifs importants. Nous voulons que
vous compreniez ces phénomènes ainsi que le fonctionnement du système
nerveux qui pourrait sous-tendre ces perceptions particulières.

Vous devriez acquérir des connaissances sur la nature spécialisée des
cellules nerveuses, particulièrement celles qui forment les circuits accentuant les contrastes entre deux objets et celles qui permettent la détection
des fentes, des lignes, des angles, du mouvement, de la couleur. Le concept
d'interaction nerveuse est essentiel à la compréhension de ces phénomènes.

La deuxième partie met en veilleuse l'analyse détaillée des circuits neuraux spécifiques et s'intéresse plutôt aux propriétés générales du traitement
de l'information sensorielle effectué par le cerveau. Dans cette section,
vous apprendrez de nouveaux termes anatomiques et vous verrez qu'il
existe des cellules encore plus spécialisées; finalement, vous découvrirez
comment le cerveau se met à rassembler l'information provenant du système
sensoriel.

PARTIE I: LES PROCESSUS NERVEUX

L'oeil de la grenouille

De quelle manière entreprendre l'étude du traitement de l'information nerveuse? Que chercher? Examinons l'approche de Lettvin, Maturana, McCulloch et Pitts (1959), auteurs d'un article maintenant classique sur le système visuel de la grenouille:

> «Nous avons alors décidé de la façon dont nous devrions travailler. Premièrement, nous devions trouver une façon d'enregistrer une seule... fibre dans le nerf optique intact. Deuxièmement, nous devions présenter à la grenouille un vaste ensemble de stimuli visuels, non seulement des points lumineux, mais aussi des choses qu'elle serait disposée à manger, d'autres qui la feraient fuir, des figures géométriques diverses, certaines stationnaires, d'autres en mouvement, etc. Partant de la variété des stimuli, nous devions alors tenter de découvrir quels traits communs auraient dégagés de cet ensemble les groupes de fibres que nous pourrions identifier dans le nerf optique. Troisièmement, nous devions chercher les bases anatomiques de leur regroupement.»

Qu'ont-ils trouvé dans l'oeil de la grenouille? Selon toute apparence, la grenouille ne vit pas dans un monde visuel très riche. Généralement, elle semble négliger la plus grande partie de son environnement visuel et accuse un comportement peu exploratoire. À condition de l'approcher par derrière, nous pouvons l'attraper facilement, étant donné cette absence de balayage actif et d'exploration qui lui est propre. Elle semble se fier principalement aux mouvements des ombres pour l'avertir de la présence de prédateurs et d'autres dangers possibles. En fait, le seul trait intéressant au sujet du système visuel de la grenouille est son habileté à attraper les insectes qui volent rapidement. Elle y réussit, attendant patiemment qu'un insecte s'approche d'elle, et l'attrape d'un mouvement vif et précis de sa langue.

Lettvin et ses collaborateurs ont trouvé un système nerveux visuel qui correspondait au comportement visuel de la grenouille. L'oeil de celle-ci semble extraire seulement quatre types d'information pour un signal visuel donné. Trois des quatre types de détecteurs sont associés à des caractéristiques relativement générales du champ visuel: les *détecteurs d'arête*, qui répondent fortement aux frontières entre les régions claires et obscures, les *détecteurs de contraste mouvant*, qui répondent lorsque l'arête bouge, les *détecteurs d'obscurcissement*, réagissant lorsque l'illumination générale du champ visuel est abaissée.

Ce sont les réponses d'une quatrième classe de détecteurs qui sont les plus fascinantes: les *détecteurs d'arête convexe*, qui répondent seulement lorsqu'un petit objet noir se déplace dans le champ visuel. Trois conditions sont requises pour obtenir une réponse: l'objet doit être noir, être en mouvement et de plus, avoir une forme relativement circulaire. Quand ce type d'objet se présente d'abord dans le champ visuel de la grenouille, le *détecteur d'arête convexe* se met à répondre faiblement. Mais plus l'objet se rapproche de la grenouille, plus le détecteur répond vigoureusement. Même si l'objet disparaît subitement du champ visuel, la réponse est maintenue (quoiqu'elle puisse être interrompue par un changement soudain d'illumination, comme celui qui résulte d'un clignement de l'oeil). Le détecteur dont nous venons de parler est, en fait, un détecteur d'insecte: il fournit exactement l'information visuelle nécessaire pour attraper des insectes volants.

Ces recherches suggèrent donc que l'oeil de la grenouille possède un circuit nerveux lui permettant de détecter les insectes. La grenouille a un cerveau extrêmement primitif. La présence d'un détecteur d'insecte dans l'oeil simplifie les opérations requises pour la coordination visuo-motrice inhérente à la capture d'insectes. Mais plaçons notre grenouille dans un endroit où il y aurait des centaines d'insectes fraîchement tués, tous bons à manger, mais immobiles: le détecteur étant inefficace (en raison de l'absence de mouvement), la grenouille mourra de faim. Comme nous pouvons le constater, la spécialisation de l'oeil de la grenouille dénote un haut degré de raffinement et d'efficacité nerveuse, mais d'un autre côté, un manque presque total d'adaptation. Ce système de reconnaissance de formes n'est tout simplement pas assez souple pour permettre à l'animal de s'adapter à de nouvelles conditions.

L'ANATOMIE DES DÉTECTEURS

Les différences présentes dans le fonctionnement des quatre classes de détecteurs découvertes dans l'oeil de la grenouille semblent se refléter aussi bien dans l'organisation des cellules nerveuses que dans leur morphologie. Ces quatre types de récepteurs conduisent l'information à différentes régions du cerveau et de plus, ils ont une forme différente.

La figure 6-1 montre: (*a*) la classification des cellules prévue par Lettvin, Maturana, Pitts et McCulloch (1961); (*b*) la classification réelle pour le têtard, trouvée par Pomeranz et Chung (1970); (*c*) les photographies des cellules découvertes par Pomeranz et Chung.

Il n'est pas facile d'identifier par son apparence chaque type de récepteur. Il nous est possible de disséquer l'oeil de la grenouille et de l'examiner sous le microscope. Alors, nous pouvons voir quatre types différents de cellules; mais le problème demeure: quelle cellule correspond à quel détecteur?

Pour déterminer quel type de cellule correspond à quel type de détecteur, nous avons recours à certains stratagèmes. La dissection tue les cellules, ce qui constitue un problème majeur: il est donc impossible d'enregistrer le travail d'une cellule et de l'examiner au microscope sans en altérer le fonctionnement normal et sans en perturber les structures nerveuses. La dissection chirurgicale implique, pour les examiner au microscope, l'exposition des cellules; cela entre en conflit avec leur fonction de détecteur de formes. Pomeranz et Chung ont donc eu recours à la logique déductive.

La première stratégie fut d'étudier le têtard au lieu de la grenouille. Le têtard semble n'avoir, au niveau de l'oeil, que trois types de cellules au lieu de quatre. Cela nous permet d'identifier le groupe de cellules manquantes. Si nous procédons avec soin à des enregistrements physiologiques des réponses d'un têtard vivant,

Figure 6-1

Classification prévue		*Classification actuelle*	
Physiologie	Anatomie	Physiologie	Anatomie
Classe 1 détecteur d'arête pure		Classe 1 détecteur d'arête pure	
Classe 2 détecteur d'arête convexe		Classe 2 détecteur d'arête convexe	
Classe 3 détecteur de contraste mouvant		Classe 3 détecteur de contraste mouvant	
Classe 4 détecteur d'obscurcissement		Classe 4 détecteur d'obscurcissement	

Photomicrographies (de même grossissement) de trois types de cellules ganglionnaires trouvées dans la rétine du têtard. *Pomeranz et Chung (1970).*

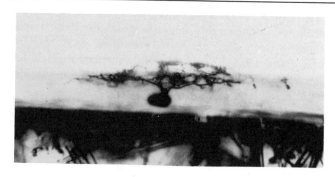

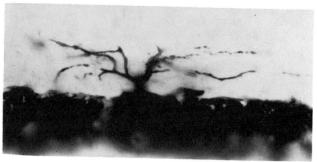

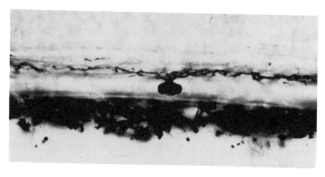

nous remarquons l'absence de réponse aux arêtes. Selon toute apparence, les *détecteurs d'arête* ne se développent que chez l'animal adulte.

Nous ne trouvons qu'un seul type de cellule dans la périphérie de l'oeil du têtard. Après avoir enregistré les réponses de celui-ci à des signaux présentés en périphérie, il nous est facile d'identifier le *détecteur d'arête convexe*. Il ne reste dès lors que deux types de cellules à identifier: le *détecteur de contraste mouvant* et le *détecteur d'obscurcissement*. Ceux-ci le furent en procédant par logique déductive. Des deux groupes de cellules restantes, un seul possède des cellules à deux couches; l'autre, à une seule couche. De plus, la cellule formée de deux couches est moins étendue que l'autre. Ces indices permettent de résoudre le casse-tête: le *détecteur d'obscurcissement* a un champ récepteur plus large que le *détecteur de contraste mouvant*. De plus, il est évident que c'est un circuit plus simple. Par conséquent, ce doit être la cellule qui présente la forme la plus simplifiée, donc, celle qui a une seule couche et non deux qui fait fonction de détecteur d'obscurcissement.

L'étude de l'oeil de la grenouille illustre bien les méthodes et la philosophie des recherches en physiologie. Les résultats démontrent que la grenouille a développé un système d'analyse sensorielle hautement raffiné destiné à extraire des informations précises d'une image visuelle. En fait, nous n'espérons pas trouver chez tous les animaux des détecteurs d'insectes. Le traitement de l'information sensorielle chez les espèces plus évoluées que la grenouille est plus simple dans un certain sens, mais plus élégant et plus souple. L'analyse procède par petites étapes, utilisant des principes simples mais puissants afin de combiner, de réarranger et d'analyser les données parvenant aux récepteurs à partir de l'environnement. Pour comprendre ceci, nous devons connaître le fonctionnement de l'unité élémentaire du système nerveux, le neurone, et les techniques utilisées pour étudier son comportement. Nous devons examiner comment ces unités se regroupent pour former des circuits neuronaux qui analysent l'information produite par le système sensoriel.

Les constituantes physiologiques

LE NEURONE

L'élément de base du système nerveux est le *neurone*, cellule qui permet la communication interne de l'information provenant des différentes parties du corps. Pour notre exposé, une connaissance schématique et simplifiée du neurone suffira. Une *unité nerveuse* (neurone) se compose de plusieurs parties (voir figure 6-2): le *corps cellulaire* (aussi appelé *soma*), une *fibre nerveuse* (aussi appelée *axone*) qui véhicule l'information d'un neurone à l'autre et une *jonction* terminale (*synapse*) par laquelle l'activité d'un neurone influence les caractéristiques électriques d'un autre.

Les jonctions entre les neurones sont établies soit par le corps cellulaire lui-même, soit par de fins prolongements (du corps cellulaire) appelés *dendrites*. D'ailleurs, un seul axone peut compter plus ou moins de ramifications susceptibles d'établir des connexions synaptiques avec les cellules avoisinantes. De façon similaire, le corps cellulaire peut n'être influencé que par un petit nombre d'influx seulement ou recevoir des influx provenant de milliers de neurones différents.

Figure 6-2

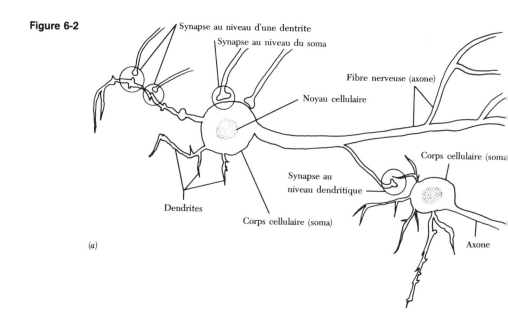

Synapse au niveau d'une dentrite

Synapse au niveau du soma

Noyau cellulaire

Fibre nerveuse (axone)

Corps cellulaire (soma)

Synapse au niveau dendritique

Dendrites

Corps cellulaire (soma)

Axone

(a)

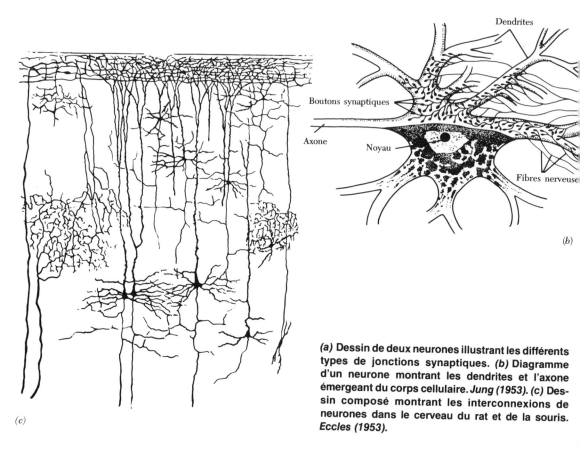

Dendrites

Boutons synaptiques

Axone

Noyau

Fibres nerveuses

(b)

(c)

(a) Dessin de deux neurones illustrant les différents types de jonctions synaptiques. (b) Diagramme d'un neurone montrant les dendrites et l'axone émergeant du corps cellulaire. *Jung (1953).* (c) Dessin composé montrant les interconnexions de neurones dans le cerveau du rat et de la souris. *Eccles (1953).*

Les fibres nerveuses peuvent être considérées comme des conducteurs isolés permettant la transmission des signaux fondamentaux du système nerveux — les impulsions électriques. Ces entrées électriques (plus précisément ioniques) sont produites dans le corps cellulaire en réponse à l'activité synaptique. Au niveau même de la synapse, l'impulsion qui arrive déclenche la libération d'un *médiateur chimique* qui traverse le minuscule espace synaptique entre l'axone du premier neurone et la membrane réceptrice du second. L'arrivée de ce médiateur chimique à la nouvelle cellule produit un changement dans son potentiel électrique normal. Si la membrane reçoit suffisamment du neuro-transmetteur, le changement du potentiel électrique dans le corps cellulaire suffira à créer une nouvelle impulsion. Cette impulsion voyagera alors le long de l'axone jusqu'à la jonction synaptique suivante, où le processus entier sera répété.

Il est rare que l'activité d'une seule jonction synaptique suffise à produire une impulsion dans la cellule réceptrice. Normalement, un grand nombre d'impulsions doivent arriver à une cellule avant qu'elle ne réponde à son tour par une impulsion. Il existe deux types de jonction synaptique: 1) *excitatrice*, quand l'effet de l'impulsion qui arrive augmente les chances de réponse de la cellule, 2) *inhibitrice*, quand l'impulsion qui arrive réduit les chances de réponse de la cellule réceptrice.

La réponse d'une cellule aux types d'activité exercés au niveau synaptique résulte d'une espèce de vote chimique où l'équilibre des influences excitatrices et inhibitrices détermine le niveau d'activité final de la cellule. Généralement, le taux de réponse de la cellule réceptrice dépend du taux et des modes d'impulsions qui parviennent à la synapse. Cependant, le système accuse certaines contraintes. Ainsi, après avoir produit une impulsion, la cellule requiert environ 0,001 s de récupération. En théorie, la plus grande fréquence de réponses possible pour toute cellule serait donc environ 1000 décharges par seconde. En pratique, le maximum de réponses observées est plus petit, soit 300 à 800 impulsions par seconde.

Il y a, en fait, plusieurs types différents de cellules nerveuses auxquels correspondent des fonctions spécialisées. Un type important de cellule spécialisée est appelé *récepteur*. Cette unité est responsable de la conversion de l'énergie d'un stimulus physique externe en signaux électriques. Ainsi, les *cônes* et les *bâtonnets* de l'oeil sont des récepteurs qui transforment l'énergie électromagnétique d'un signal lumineux en réponses nerveuses. De même, les *cellules ciliées* situées dans l'oreille interne sont des récepteurs qui transforment l'énergie mécanique des signaux acoustiques en signaux électriques.

ENREGISTREMENT DES RÉPONSES NERVEUSES

Pour mesurer l'impulsion nerveuse, il nous faut brancher un conducteur électrique aux neurones: une *électrode*. Habituellement, l'électrode est connectée à un amplificateur électronique capable d'amplifier les petites impulsions électriques. La sortie de l'amplificateur est alors reliée à des moniteurs électroniques permettant à l'expérimentateur de voir et d'entendre les réponses nerveuses produites par le signal externe.

Nous utilisons habituellement un oscillographe pour tracer, en fonction du temps, une courbe des différences de voltage produites au niveau du neurone. Les impulsions nerveuses captées par l'électrode dessinent des pics ou pointes brèves sur l'écran. Si le signal enregistré est transmis à un haut-parleur, il est possible d'entendre un clic toutes les fois qu'une impulsion se produit au niveau du neurone. De plus, les configurations des réponses nerveuses sont enregistrées sur un magnétophone ou photographiée sur l'écran de l'oscilloscope, en vue d'analyses ultérieures. Enfin, une calculatrice numérique peut compter les impulsions à mesure qu'elles sont créées.

Les fibres nerveuses de la grande majorité des systèmes sensoriels sont petites — habituellement de l'ordre de 3 à 5μ (microns) de diamètre (un micron = un millionième de mètre). On utilise une très petite électrode, une *micro-électrode*, pour isoler l'activité d'un seul neurone. Selon le type d'électrode, la pointe enregistreuse d'une micro-électrode peut varier de 0,1 à 1μ de diamètre. En revanche, on se sert d'une électrode plus grosse, une *macro-électrode*, pour enregistrer l'activité combinée d'un groupe de cellules voisines. La pointe d'une micro-électrode est souvent si petite qu'il est impossible de la voir à l'aide d'un microscope optique; dans ce cas, on a recours au microscope électronique.

Figure 6-3

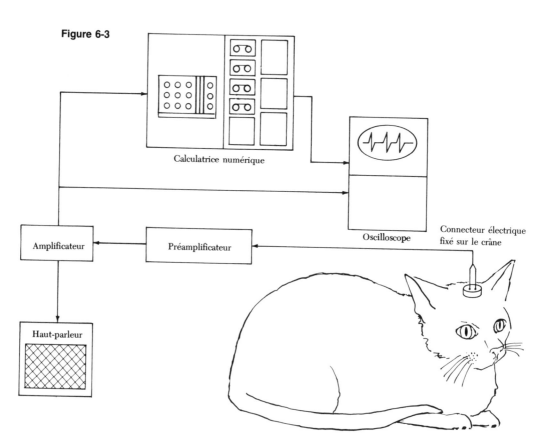

Calculatrice numérique

Oscilloscope

Connecteur électrique fixé sur le crâne

Amplificateur

Préamplificateur

Haut-parleur

Les deux types d'électrode ont leur utilité. Souvent, un grand nombre de neurones voisins semblent extraire,du signal intervenant, les mêmes types d'information, et aucune fibre n'est particulièrement responsable de la transmission des données pertinentes au cerveau. Dans un tel cas, il est bon d'utiliser une macro-électrode pour étudier les caractéristiques des réponses moyennes des neurones voisins. Dans d'autres situations, il est préférable d'utiliser une micro-électrode. Fréquemment, les neurones interagissent les uns avec les autres de manière complexe durant l'analyse et le codage des signaux sensoriels. Pour découvrir la nature de ces interactions, il faut alors examiner en détail les modes de réponse au niveau de chacune des unités individuelles.

Où placer l'électrode? Dans le système sensoriel, les synapses des fibres transportant les messages sensoriels tendent à se regrouper dans une région précise appelée *station synaptique* ou *station relais*. Puisque la majeure partie du calcul des données effectué par le système nerveux se déroule aux jonctions entre les neurones,ces stations relais deviennent,par le fait même, des endroits stratégiques pour entreprendre les recherches. En étudiant à la fois les entrées et les sorties, nous tentons de déterminer comment l'information sensorielle est réorganisée au fur et à mesure qu'elle passe par une station synaptique.

Le choix de l'espèce animale qu'on utilisera dans l'expérimentation dépend de plusieurs facteurs. Bon nombre d'études fondamentales se sont concentrées sur l'oeil du *limule*, ou du *crabe des Moluques*, du fait que les axones de ses cellules rétiniennes étaient relativement grosses et leur enregistrement facile à contrôler. Lorsque nous souhaitons étudier des systèmes plus directement comparables à l'homme, nous utilisons des animaux plus évolués, habituellement des chats et des singes. D'autres animaux, comme les poissons et les oiseaux, sont étudiés lorsque leurs systèmes sensoriels offrent des avantages particuliers quant à l'investigation de certains types de codage nerveux. Les humains servent occasionnellement de sujets, surtout lorsqu'une intervention chirurgicale au cerveau s'avère déjà nécessaire. Dans ce cas, l'enregistrement des réponses nerveuses ne représente qu'une très brève digression dans les étapes opératoires ou fait partie des opérations déjà nécessaires à l'intervention elle-même.

Circuits neuronaux fondamentaux

Au chapitre 3, nous avons étudié la dépendance qui lie la perception visuelle à la stimulation. Si nous voulions mesurer la réponse d'un neurone connecté à un point de la rétine de l'oeil, neurone présumé réactif à la seule lumière qui frappe ce point, nous découvririons que cette réponse est affectée par celles des neurones avoisinants. Une interaction importante et intéressante s'exerce entre les divers neurones qui participent au traitement de l'information sensorielle. Cette interaction rend plus obscure une surface foncée lorsque celle-ci est placée contre une surface pâle, et la rend plus claire lorsqu'elle est placée contre une surface encore plus foncée qu'elle. De même, l'éclat du vert entouré de rouge et l'accentuation du contour des objets (le phénomène des bandes de Mach étudié au chapitre 3) sont des effets de cette interaction.

Les modes d'interaction des neurones fournissent une image fascinante des principes élémentaires des circuits du cerveau. En outre, il est assez aisé de démontrer comment de simples interconnexions expliquent certains phénomènes visuels que nous percevons. Néanmoins, pour décrire ces phénomènes, il faut être suffisamment explicite pour rendre compte des façons dont les neurones interagissent les uns avec les autres. Aussi, devrons-nous imaginer un circuit théorique pour les neurones, et montrer comment les effets numériques des réponses de l'un jouent sur celles des neurones voisins. Ainsi, dans les sections à venir, nous présentons un modèle élémentaire très simplifié de l'opération d'un neurone. Ce modèle permet de concevoir des circuits nerveux se rapprochant assez dans leur fonctionnement de ceux que nous rencontrons dans le système sensoriel et le cerveau; mieux encore, il rend possible l'évaluation de votre compréhension des opérations de neurones de façon explicite et systématique. Notez que même si le modèle présenté est arithmétique, les mathématiques s'y limitent à l'addition, à la soustraction et à la multiplication; ces opérations simples sont suffisantes pour calculer la plus grande partie des interactions nerveuses.

LES ÉLÉMENTS DE BASE

Lorsque nous étudions la structure de circuits sensoriels, nous devons considérer deux niveaux du système: l'ensemble des cellules qui **transforment** les signaux physiques externes en réponses (de sortie) nerveuses — les *récepteurs* ou *transducteurs* — et celles qui **combinent** les signaux nerveux de différentes façons. Dans le système visuel, les cellules qui combinent les signaux nerveux sont habituellement appelées *cellules bipolaires* ou *ganglionnaires*. Nous ne respecterons pas toujours scrupuleusement la terminologie neurologique. Souvent, des concepts abstraits comme ganglions et récepteurs sont employés, quand tout un complexe d'éléments se trouve impliqué: cellules amacrines, cellules horizontales, récepteurs de toutes sortes et grande variété de mécanismes synaptiques. Mais, les aspects importants des circuits neuronaux peuvent être plus facilement perçus lorsque nous nous limitons aux deux types élémentaires du modèle conçu: les **transformateurs** et les **combinateurs**, ou ce que nous appelons les **récepteurs** et les cellules **nerveuses**.

LES RÉCEPTEURS

Le récepteur réagit à des signaux externes — son, lumière, toucher, goût — et produit une réponse nerveuse. Le symbole d'un récepteur est présenté à la figure 6-4. Nous représentons sa sortie par un nombre indiquant l'ampleur de la réponse électrique. En général, nous simplifions les choses en faisant fi des mécanismes qui traduisent une intensité physique en valeur de réponse particulière. En conséquence, nous indiquons simplement l'intensité du signal par la quantité des réponses produites au niveau du récepteur. Un signal d'intensité 5 signifie que son intensité produit 5 unités en termes de réponse nerveuse. La figure 6-4 illustre les symboles et leur utilisation.

LA CELLULE NERVEUSE

La cellule nerveuse est conçue pour relier les influx (entrée) nerveux. Nous la représentons par un cercle. Elle possède deux sortes de connexions ou *entrées:* l'une, *excitatrice;* l'autre, *inhibitrice.* Un neurone a toutes les entrées dont il a besoin, mais il ne possède qu'une seule sortie (quoique celle-ci puisse se distribuer à plusieurs endroits différents).

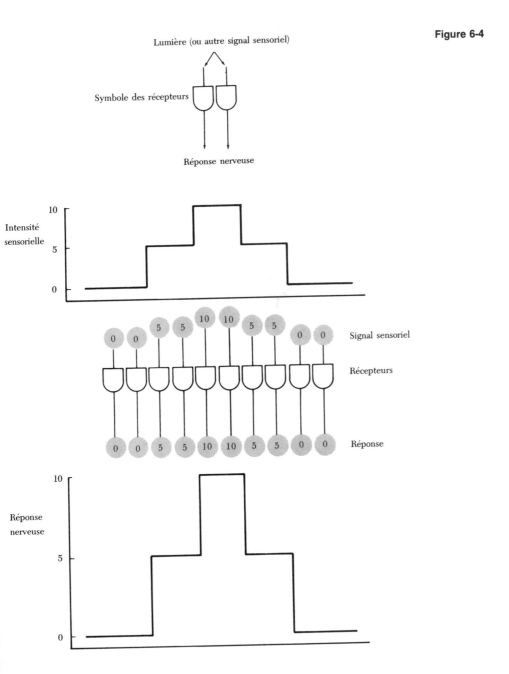

Figure 6-4

Plusieurs neurones ont une activité spontanée. Même en l'absence de signal, la cellule conserve toujours la possibilité d'émettre une décharge. C'est ce qu'on appelle le *taux de réponse fondamental*. Dans les circuits que nous allons décrire, le taux de réponse fondamental correspondant à l'activité spontanée est souvent fixé à 100. Ce nombre peut varier: quelquefois plus élevé, quelquefois plus bas, parfois même à 0, selon les circonstances.

Un nombre négatif ou positif est assigné à chaque entrée d'une cellule nerveuse. Ce nombre représente son amplification. Une cote positive (+) symbolise l'excitation; une cote négative (−), l'inhibition. À titre d'exemple, supposons une entrée ayant une amplification de 0,5. Cela signifie que

Figure 6-5

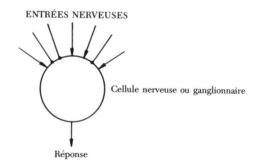

ENTRÉES NERVEUSES

Cellule nerveuse ou ganglionnaire

Réponse

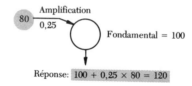

ENTRÉES EXCITATRICES

Amplification

80

0,25

Fondamental = 100

Réponse: 100 + 0,25 × 80 = 120

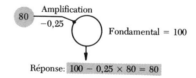

ENTRÉES INHIBITRICES

Amplification

80

−0,25

Fondamental = 100

Réponse: 100 − 0,25 × 80 = 80

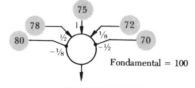

ENTRÉES COMBINÉES

75

78

72

80

70

$\frac{1}{2}$

$\frac{1}{8}$

$-\frac{1}{8}$

$-\frac{1}{2}$

Fondamental = 100

Réponse: $100 - \frac{1}{8}(80) + \frac{1}{2}(78) + 75 + \frac{1}{8}(72) - \frac{1}{2}(70) = 178$

chaque fois que 100 unités d'activité nerveuse s'ajoutent à l'entrée, la sortie de neurone s'accroît de 0,5 × 100 ou 50 unités de sa valeur initiale (valeur initiale + (0,5 × 100) = valeur résultante). Par contre, une amplification de −0,5 *réduirait* la décharge du neurone de 50 unités par chaque 100 unités à l'entrée. Pour simplifier les dessins, nous représentons les connexions excitatrices par des flèches; les connexions inhibitrices, par des points. La sortie d'un neurone est la somme algébrique du taux de réponse fondamental plus l'apport de toutes les entrées excitatrices, moins l'apport de toutes les unités inhibitrices. Pour éviter toute confusion, les valeurs d'entrée et de sortie sont ombragées sur le diagramme, alors que les amplifications et les valeurs fondamentales ne le sont pas (voir figure 6-5).

Inhibition latérale

L'essence de l'information contenue dans une image visuelle nous est transmise par les variations d'intensité lumineuse affectant différentes parties de la surface rétinienne. Ces variations peuvent se répartir sur une grande étendue du champ visuel et correspondent aux changements de brillance des divers éléments qui entrent dans ce champ. Le point de contour des objets peut présenter un changement d'intensité soudain et considérable. La disposition des interconnexions nerveuses au niveau de l'appareil récepteur détermine le codage des stimulations lumineuses en impulsions nerveuses effectué par le système visuel.

Les techniques utilisées pour découvrir le schéma des circuits de l'oeil sont sujettes à caution. On ne peut enregistrer que quelques cellules individuelles différentes en même temps. Il faut donc une expérimentation ingé-

Oeil latéral

Limule, le crabe des Moluques. *Cornsweet (1970).*

Figure 6-6

nieuse pour réussir à dégager l'ensemble de la structure des interconnexion
nerveuses.

Une bonne part de nos connaissances sur l'oeil provient de l'étude du
limule ou crabe des Moluques. Cet animal a un oeil facile d'accès, avec
de grosses fibres nerveuses faciles à disséquer. En premier lieu, il faut pro
céder à la dissection de telle sorte que les récepteurs individuels puissent
être directement stimulés, et ce, sans avoir à traverser le cristallin et les
humeurs, ce qui permettra à l'expérimentateur d'activer une seule cellule
réceptrice à la fois; ensuite, il s'agit de connecter une électrode à une cellule
ganglionnaire puis de produire une lumière.

Figure 6-7

Très gros plan de l'oeil latéral du limule. *Cornsweet (1970).*

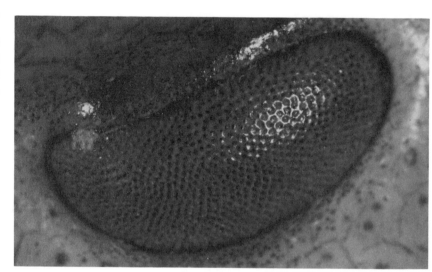

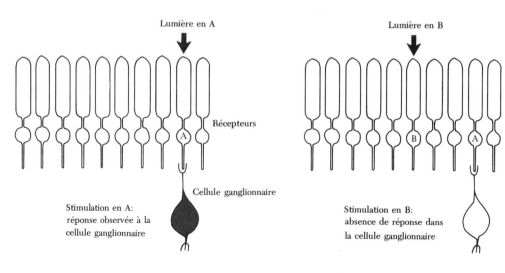

Figure 6-8

Figure 6-9

Supposons que nous guettions les réponses de la cellule ganglionnaire quand la lumière est dirigée vers le récepteur A de la figure 6-8. Si la réponse nerveuse de la cellule ganglionnaire augmente, c'est alors, selon toute apparence, que cette cellule témoigne d'une activité dans le récepteur A.

Dirigeons la lumière vers le récepteur B. Cette fois, l'électrode n'enregistre aucun changement d'activité au niveau de la cellule ganglionnaire (voir figure 6-9) et apparemment, le récepteur B n'influence pas la cellule ganglionnaire reliée à A. Mais avant de conclure que *seul* le récepteur A affecte cette cellule ganglionnaire, voyons ce qui se produit avec une combinaison de lumières. Émettons donc une lumière en A, puis une seconde en B: la réponse de la cellule ganglionnaire *décroît* (voir figure 6-10).

Même si les émissions lumineuses vers des récepteurs autres que A ne peuvent déclencher une réponse de la cellule ganglionnaire, elles peuvent cependant réduire toute activité ganglionnaire en cours.

Cette expérience simple met en évidence un des mécanismes les plus importants du traitement de l'information sensorielle: l'*inhibition latérale*. L'activité d'une cellule est modifiée par celle des cellules voisines. C'est là une notion élémentaire qui traduit l'opération d'un processus inhibiteur, responsable du fait que les réponses d'une cellule soient soustraites des réponses d'une autre, déterminant ainsi la différence entre deux entrées. Apparemment simple et de moindre importance, ce mécanisme fournit toute la puissance nécessaire pour convertir un signal lumineux complexe émis au niveau des récepteurs en un message sensoriel abstrait, restructuré et transmis éventuellement aux centres supérieurs du cerveau.

Figure 6-10

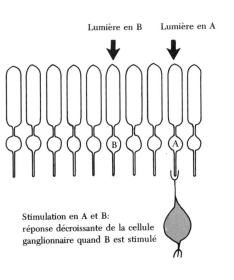

Lumière en B   Lumière en A

Stimulation en A et B:
réponse décroissante de la cellule
ganglionnaire quand B est stimulé

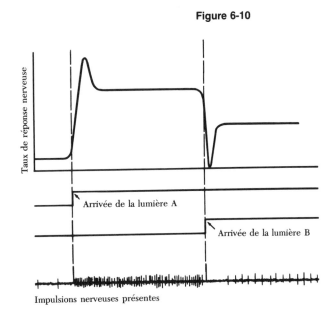

Taux de réponse nerveuse

Arrivée de la lumière A

Arrivée de la lumière B

Impulsions nerveuses présentes

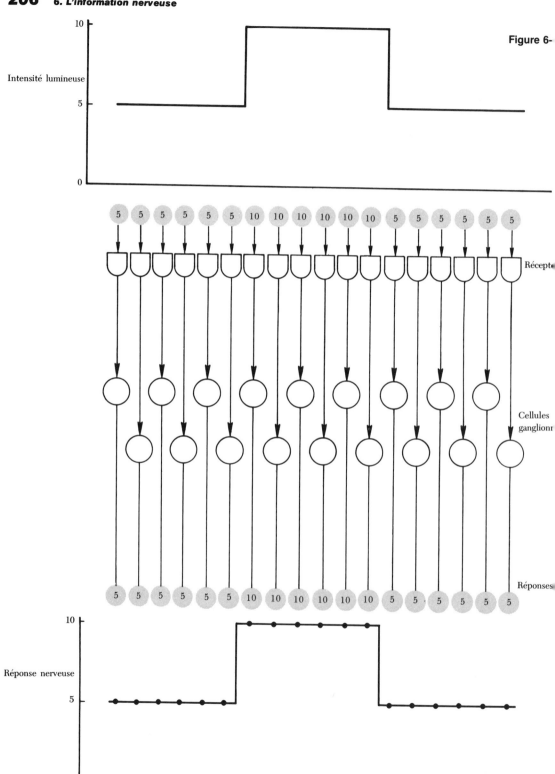

Figure 6-

Intensité lumineuse

Récept

Cellules
ganglionr

Réponses

Réponse nerveuse

À l'aide du mécanisme d'inhibition latérale, considérons les propriétés ndamentales d'un réseau qui extrait les contours d'une figure. Commen- ons par un réseau unidimensionnel où tous les récepteurs s'alignent sur ne rangée. Une lumière éclaire les récepteurs. Le problème de détection e contours consiste à déterminer où se produisent les changements d'inten- té lumineuse. Si une connexion directe établissait simplement la liaison ntre récepteurs et cellules ganglionnaires, le type de réponse nerveuse eproduirait presque fidèlement les signaux lumineux parvenant aux récep- urs (voir figure 6-11). Un tel état de fait convient à certains objectifs, ais il ne révèle pourtant aucun mécanisme propre à extraire les contours 'une figure. Nous devons donc améliorer notre système.

Fondamentalement, pour extraire les contours, il faudrait peu d'activité le réponse) aux points où la lumière est constante, et une grande aux oints où varie l'intensité lumineuse. Une bonne façon d'y arriver serait utiliser l'inhibition pour que les réponses d'un seul récepteur soient modifiées ar les récepteurs adjacents. Par exemple, supposons une source lumineuse onstante de 10 unités; les récepteurs excités produisent un taux de réponse e 10 unités. Mais comme il ne faut pas que la cellule ganglionnaire réagisse cette source lumineuse, il faut donc soustraire 10 unités d'activité; cela st possible en retranchant 5 unités de part et d'autre. Pour ce faire, il suffit implement de régler à $-0,5$ la connexion entre la cellule ganglionnaire et on récepteur voisin. Regardons maintenant les figures 6-12 et 6-13. Ces gures illustrent un système qui, confronté au schéma lumineux, répond niquement aux contours. En fait, si vous étudiez attentivement ce système, ous constaterez qu'il ne répond que lors du changement des **différences** ntre les intensités lumineuses qui affectent les paires successives de cellules voisinantes.

Ce circuit illustre plusieurs aspects. Premièrement, il nous fait voir 'importance de l'activité spontanée ou taux de réponse fondamental. Sans aux de réponse fondamental, impossible d'observer la part négative de la éponse à l'entrée, puisqu'un taux négatif de décharge n'a aucun sens. Foutefois, avec le taux de réponse fondamental, les réponses négatives et ositives correspondent respectivement à l'augmentation et à la diminution lu taux normal de réponse du ganglion. La figure 6-13 montre cette baisse le décharge en fonction d'un taux d'activité spontanée de 20 réponses par econde.

Deuxièmement, ce circuit ne répond qu'aux arêtes: il transforme le monde n dessin animé. Les différences dans l'intensité globale des multiples égions du champ visuel ne sont pas codées. Ce circuit illustre tout l'avan- age du traitement de l'information: amplifier les contours dans un champ visuel, facilitant ainsi les analyses ultérieures. Cependant, ne tenant compte que des contours puis mettant de côté les autres composantes de la scène, notre modèle n'est pas conforme à la réalité.

Il nous faut donc trouver un compromis entre le premier système qui ne transforme pas le signal et le second qui ne s'occupe que des arêtes. Une manière d'y parvenir consisterait à réduire l'effet des connexions inhibitrices. Voyons ce que nous obtenons avec une amplification de $-0,2$ (voir figure 5-14). Le résultat n'en est que meilleur: la réponse la plus vigoureuse se

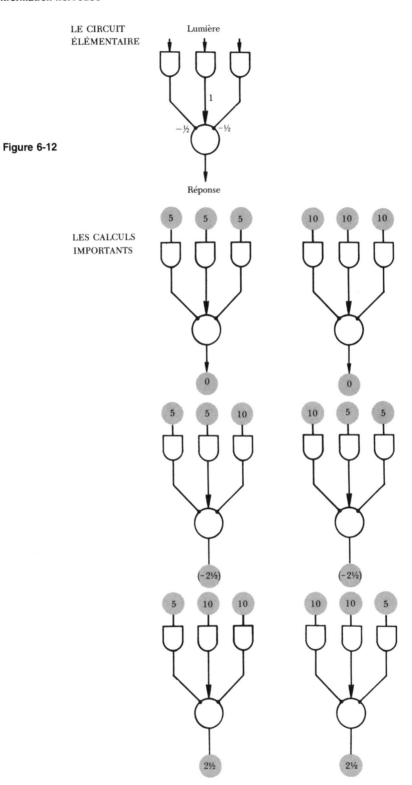

LE CIRCUIT
ÉLÉMENTAIRE

Lumière

Figure 6-12

Réponse

LES CALCULS
IMPORTANTS

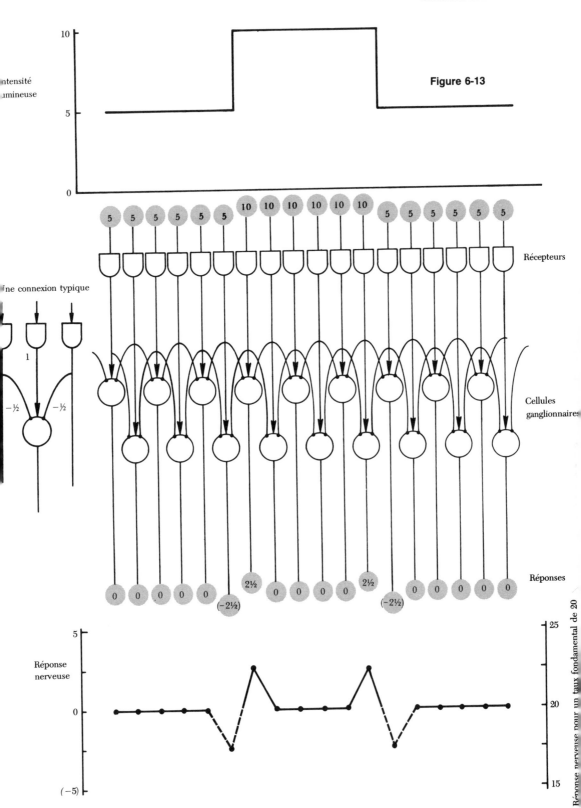

Figure 6-13

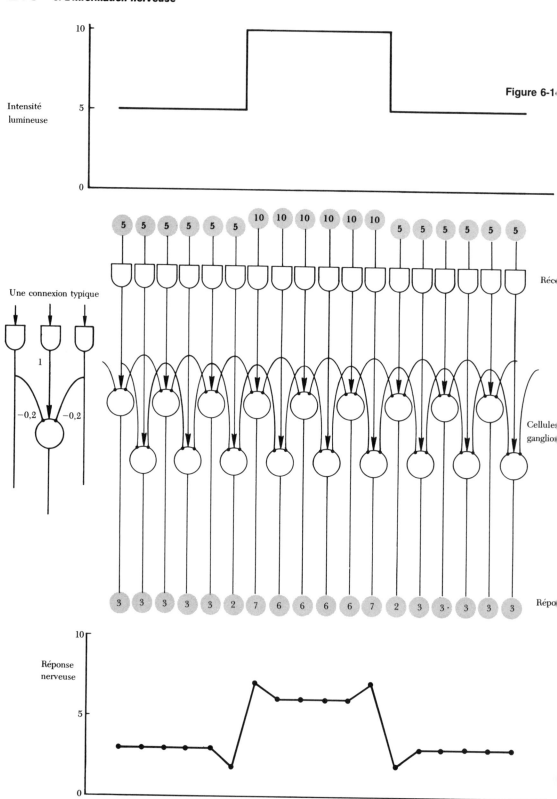

Intensité lumineuse

Figure 6-1

Une connexion typique

Réce

Cellules ganglio

Répo

Réponse nerveuse

·oduit aux contours; mais l'information quant aux intensités relatives des fférentes régions est quand même préservée.

La figure 6-15 illustre une expérience effectuée sur l'oeil d'un crabe. La hotographie de la figure montre son oeil. Un appareil de projection focalise beil de façon à présenter l'image d'une forme-témoin rectangulaire. Cette ·rme-témoin figure sur la photographie. Notez aussi qu'elle comporte un iangement d'intensité: sa moitié gauche est plus intense que sa moitié roite. Le cercle au centre de la forme indique la position de l'électrode nregistreuse. À mesure que la lumière se déplace de l'avant vers l'arrière ·omme l'indiquent les flèches) on évalue la réponse de la cellule ganglion-aire à l'intérieur du cercle: le graphique de la figure 6-15*b* présente les ·ponses en fonction de la position de la forme lumineuse. Notez que parce ue l'électrode enregistreuse était fixée à une cellule ganglionnaire, il était écessaire, pour observer la réponse produite par le signal, de déplacer la imière tout en maintenant constante la position de l'électrode. Il est certai-

Figure 6-15
a) *Ratliff (1965).*
b) *Ratliff et Hartline (1959).*

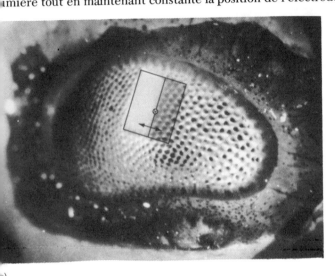

·)

(*b*)

nement plus facile (et même équivalent) de procéder ainsi, plutôt que de maintenir la lumière à un point donné et de déplacer l'électrode (ou d'en avoir plusieurs).

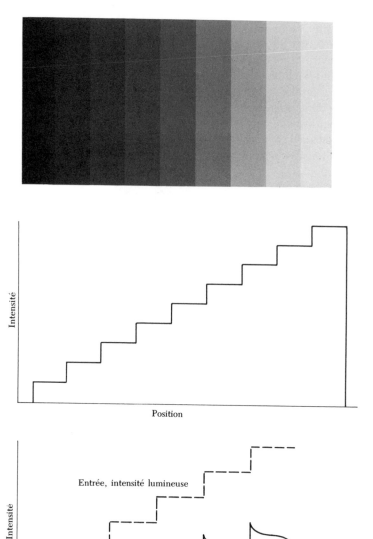

Figure 6-16   **Chacune des bandes de la photographie est d'intensité uniforme, mais l'intensité perçue de chacune des bandes ne l'est pas. Modèle de sortie (ligne pleine) prévu pour la distribution d'intensité à l'entrée (ligne pointillée).** *Cornsweet (1970).*

Au haut du graphique de la figure 6-15*b*, nous voyons les réponses de la cellule ganglionnaire quand il n'y a pas inhibition latérale. On parvient à ce résultat en masquant l'oeil, sauf à l'endroit situé directement au-dessus de l'électrode. De cette façon, seule la partie excitatrice du champ récepteur reçoit la lumière. Nous constatons que sans inhibition latérale, la réponse nerveuse fournit une représentation plutôt exacte de la forme lumineuse.

Pour mesurer les effets d'inhibition latérale, on retire le masque, confrontant l'oeil au signal lumineux tout entier. Tous les facteurs inhibiteurs entrent ainsi en action. La résultante de l'activité nerveuse est indiquée par la seconde courbe de la figure 6-15*b*. La cellule ganglionnaire ne reproduit plus exactement la forme lumineuse.

La figure 6-16 vous donne la possibilité d'expérimenter les effets de l'inhibition latérale. Remarquez que l'intensité à l'intérieur de chacune des bandes grises ne semble pas constante, même si elle l'est effectivement (les niveaux d'intensité réels sont illustrés dans le graphique au centre de la figure). Cet exemple s'apparente au phénomène des bandes de Mach, décrit au chapitre 3. Si vous évaluez la réponse du circuit de la figure 6-14 à l'intensité lumineuse de la figure 6-16, vous obtiendrez une courbe de réactions nerveuses semblable à celle qui est représentée au bas de la figure 6-16 et très près de ce que vous percevez réellement en regardant les bandes grises.

Tous les systèmes sensoriels étudiés jusqu'à présent semblent posséder des mécanismes d'extraction de contour basés sur les principes de l'inhibition latérale. Du reste, ce mécanisme de base, très souple, peut être utilisé pour effectuer d'autres types d'analyses de l'image visuelle. On peut apprendre beaucoup en essayant de tracer ces circuits.

Au chapitre 3, nous avons apporté l'exemple d'un schéma visuel dans lequel une surface foncée s'assombrissait lorsqu'on augmentait l'éclairage (p. 91). Nous sommes maintenant en mesure d'expliquer comment il pourrait en être ainsi. Considérez le circuit neuronal de la figure 6-17. Lorsqu'aucune lumière ne stimule les trois récepteurs, chacun répond selon son taux de réponse fondamental, soit 50. Lorsqu'une faible lumière est présentée — deux régions d'intensité 20 entourant une région d'intensité 10 —, les réponses nerveuses des régions externes A et C augmentent avec l'intensité, tandis que les réponses de la région centrale B sont réduites, et ce, malgré une augmentation de la stimulation lumineuse en B. (Pour vos calculs, considérez que la région de plus grande intensité s'étend indéfiniment vers la gauche et la droite.) Quand le signal lumineux augmente en intensité par un facteur de 4,tel que la région externe la plus intense atteigne 80 et la région interne la plus faible 40, le phénomène persiste toujours. Les réponses nerveuses de A et de C augmentent avec l'illumination, tandis que les réponses de la région centrale B **diminuent** davantage.

Chez les mammifères, les fonctions rétiniennes diffèrent quelque peu de celles du crabe, mais les caractéristiques fondamentales de l'analyse restent les mêmes. Toutefois, plusieurs problèmes surgissent à l'étude de ces sys- **LES CHAMPS CENTRE- PÉRIPHÉRIE**

Figure 6-17

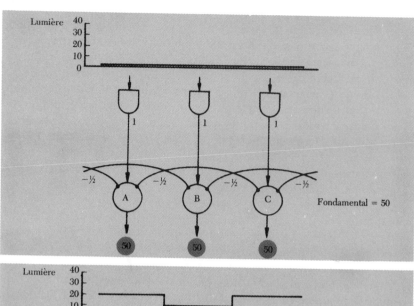

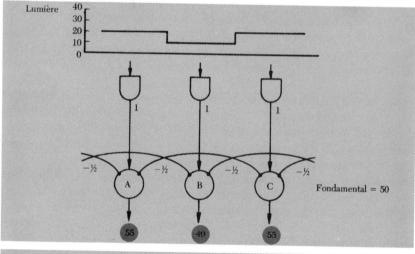

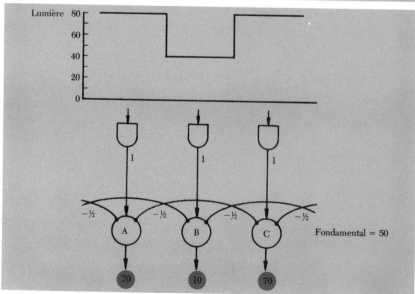

èmes visuels plus complexes. Premièrement, il est possible qu'un récepteur individuel soit connecté à plusieurs cellules ganglionnaires différentes, ce qui ſous empêche de restreindre la source lumineuse pour ne stimuler qu'une ſeule cellule ganglionnaire. Deuxièmement, les interconnexions entre les récepteurs et les cellules ganglionnaires chez les organismes supérieurs sont ſ la fois excitatrices et inhibitrices. Dans l'oeil d'un crabe, une cellule ne peut avoir qu'un effet négatif sur sa voisine, ce qui n'est pas le cas chez les ſutres animaux. Les cellules réceptrices avoisinantes peuvent à la fois augmen-ter et diminuer la réponse d'une cellule ganglionnaire.

Considérons l'enregistrement typique obtenu à partir de la rétine d'un chat (figure 6-18). L'électrode est d'abord branchée à une cellule ganglion-naire et les réponses à la lumière sont enregistrées. Puis, en déplaçant un

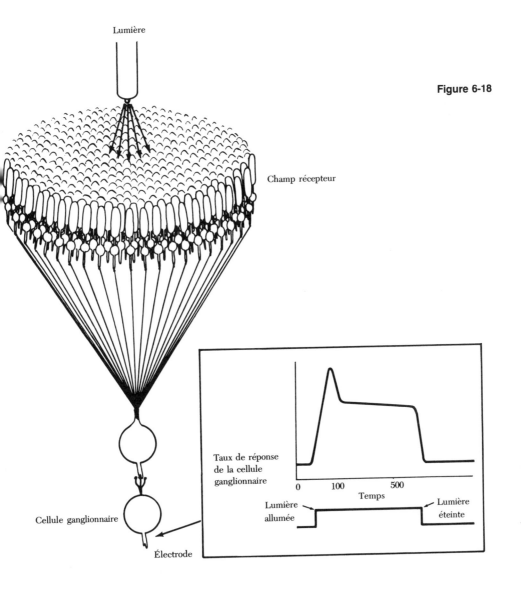

Figure 6-18

spot lumineux, on circonscrit la région de la rétine où une stimulation lumineuse accroît le taux des réponses — la zone d'excitation. L'unité répond
à la lumière présentée, par une salve initiale d'activité, supérieure à son
taux soutenu de réponse. Effectivement, le taux soutenu, après cette salve
initiale, peut être à peine supérieur aux niveaux d'activité spontanée.

Si nous déplaçons soigneusement la lumière afin de délimiter la région
précise de la rétine capable d'activer la cellule ganglionnaire, nous découvrirons une zone d'excitation formant un cercle allongé d'un diamètre moyen
mesurant approximativement 0,1 à 1 mm. Lorsque la source lumineuse
est placée à l'extérieur de ce cercle ou de la zone d'excitation, un autre type
de réponse se produit. La lumière provoque maintenant une diminution
du taux de réponse. Quand la lumière est éteinte, le taux de réponse, au lieu

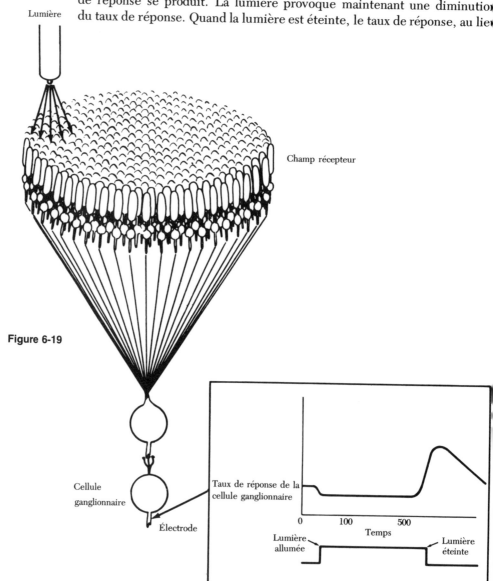

Figure 6-19

e revenir au taux fondamental normal, augmente substantiellement pendant
ne brève période de temps. La région qui produit ces réponses à la dispa-
ition de la lumière a aussi une forme circulaire et entoure la zone d'excita-
on (voir figure 6-19).

Cette cellule ganglionnaire, à cause de ses champs récepteurs, est dite
centre *on* et à périphérie *off*. Quand elle stimule la région centrale, la
umière produit une augmentation de la réponse ganglionnaire; en périphé-
ie, elle crée une baisse du taux de réponse, mais avec une brève recrudes-
ence d'activité quand elle s'éteint. Une lumière répandue sur toute la zone
éceptrice, centre et périphérie, pourrait ne produire aucune réponse per-
eptible.

En général, le système nerveux est plutôt symétrique. Chaque fois qu'un

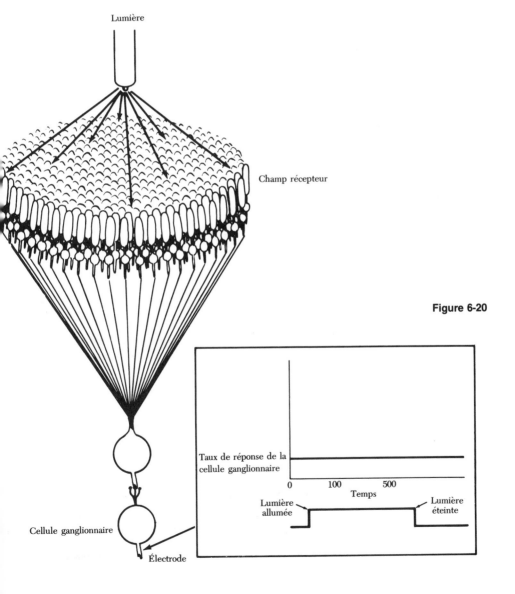

Figure 6-20

type de réponse nerveuse est produit, on peut s'attendre à en trouver
type complémentaire. En plus de l'unité à centre *on* et à périphérie *off*,
existe un nombre équivalent d'unités contraires, inhibées par une stim
lation en région centrale et excitées par une stimulation en région périph
rique. Ces cellules sont alors dites à centre *off* et à périphérie *on*.

Dans la rétine du chat, ce ne sont pas toutes les cellules ganglionnair
qui répondent ainsi. Les autres cellules présentent des comportemen
propres. Quelques-unes peuvent répondre soit à la hausse de lumière, so
à la baisse, mais sans qu'il y ait de champ récepteur concentrique. Plusieu
cellules ganglionnaires sont du type centre-périphérie, mais leurs champ
récepteurs ont des formes particulières. Certaines semblent tout à fait inse
sibles aux tests standard appliqués lors des expériences classiques. Mêm
la cellule simple,à champ récepteur concentrique,peut émettre des répons
complexes, selon les circonstances. La figure 6-21 montre les répons
nerveuses d'une unité ganglionnaire à centre *on* et à périphérie *off*. En
la lumière frappe la région «**on**» à deux niveaux d'intensité différents: inte
sité moyenne à la première image, faible intensité à la deuxième, pu
encore une intensité moyenne à la troisième. En *b*, la lumière stimule u
région «**off**», dont nous voyons les réponses pour des signaux d'intensit
moyennes et élevées. Remarquez la salve de la réponse «**off**» quand
lumière s'éteint. La troisième rangée donne la réponse de la combinaiso
des formes *a* et *b*. La résultante dépend du mariage relatif de la lumiè
aux régions «**on**» et «**off**».

Le mécanisme fondamental centre-périphérie peut fonctionner auta
avec des lumières de différentes couleurs qu'avec des lumières blanch
émises en différentes régions. La figure 6-22 montre les réponses d'un
cellule ganglionnaire de la rétine d'un poisson rouge à des lumières d
différentes couleurs. On stimule la même partie du champ récepteur, mais d

Figure 6-21

Kuffler (1953).

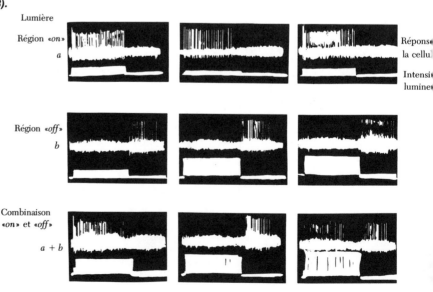

arie la longueur d'onde de la lumière. La cellule passe d'une réponse
entrale «**on**» et d'une réponse «**off**» par simple variation de la longueur
'onde de la source lumineuse. Il s'agit là d'une propriété importante des
ellules sensibles à la couleur.

Le chapitre 3 traitait de la vision des couleurs. Nous y avons vu qu'elle
rocédait d'une combinaison spéciale des récepteurs de lumière sensibles
la couleur. Il appert que cette combinaison est presque identique au
rocessus des cellules centre-périphérie.

LA THÉORIE DU PROCESSUS ANTAGONISTE

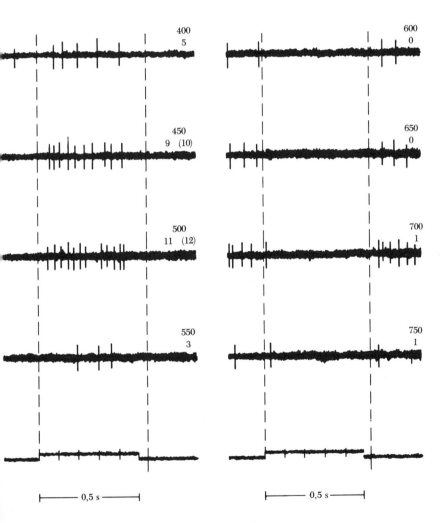

Les impulsions de la cellule ganglionnaire rétinienne du poisson rouge en réponse à des flashes lumineux de 0,5 s. La longueur d'onde en nanomètres est indiquée en haut de chaque estimation. *Wagner, MacNichol et Wolbarsht (1960).*

Figure 6-22

Tel qu'indiqué au chapitre 3, il existe dans la rétine trois types fondamentaux de cônes, chacun étant sensible à différentes fréquences lumineuses. Un récepteur accuse une sensibilité optimale à une longueur d'onde de 440 nm environ, un deuxième de 530 nm et un troisième de 750 nm. Les chercheurs ont donné différents noms à ces trois récepteurs: *bleu, vert* et *rouge; court, moyen* et *long* (par référence aux longueurs d'onde); et *α, β, γ*. Pour éviter de prendre parti et prévenir toute confusion, nous les appellerons *A, B* et *C*. Or, ces trois récepteurs de couleur sont combinés en un système qui transmet de l'information au cerveau sous forme de paires complémentaires. Essentiellement, le cerveau reçoit l'information chromatique selon trois canaux de transmission distincts:

> le canal rouge-vert
> le canal bleu-jaune
> le canal noir-blanc

Chacun de ces trois canaux constitue un continuum dans le monde de la perception de la couleur. Ainsi, la dimension noir-blanc va du très noir aux gris, jusqu'au très blanc. Mélanger une égale quantité de noir et de blanc produit un gris neutre. Le canal noir-blanc nous indique simplement à quel point l'intensité lumineuse se situe le long du continuum noir-blanc. Une fibre nerveuse du canal noir-blanc décharge à son taux fondamental normal lorsque l'intensité lumineuse devient plus noire ou plus blanche. De quelle façon le taux de décharge s'accroît-il? De deux manières. Certaines fibres *noir-blanc* augmentent leur taux de réponse quand la lumière devient plus noire et le diminuent quand elle devient plus blanche. D'autres fibres *blanc-noir* répondent de façon inverse: leur taux de décharge augmente lorsque la lumière devient plus blanche et diminue lorsqu'elle devient plus noire. Nonobstant la direction du changement dans le taux de décharge, le contenu de l'information reste le même: les fibres intégrées au canal noir-blanc indiquent bien la position de l'intensité lumineuse le long du continuum noir-blanc.

Le même principe vaut aussi pour les canaux rouge-vert et bleu-jaune. Rouge et vert forment un continuum de couleur (ils sont complémentaires). Une perception chromatique peut varier du rouge très vif, à celui qui l'est de moins en moins, jusqu'à dilution complète de la couleur, soit la perception d'un gris neutre. Ce gris neutre peut évoluer vers un vert dilué qui, accentué de plus en plus, passe à un vert très vif. Un mélange de vert et de rouge, en quantités égales, donne le même gris neutre obtenu par le mélange, en quantités égales, de blanc et de noir (toutes proportions d'énergies lumineuses étant gardées). Ajouter un peu de vert à une grande quantité de rouge diminue la saturation de celui-ci. La teinte n'est pas altérée — on ne perçoit pas de vert dans le rouge. Le canal rouge-vert est donc constitué de fibres nerveuses qui signalent où se situe la teinte par rapport au continuum rouge-vert. Tout comme pour le canal noir-blanc, il existe deux classes de canaux rouge-vert: l'une augmente son taux de décharge au delà du taux fondamental lorsqu'une lumière rouge est présente, le diminuant lorsque la lumière devient verte; l'autre fait l'inverse.

Le canal bleu-jaune fonctionne exactement de la même façon. Une lumière très bleue à laquelle on ajoute un peu de jaune devient moins bleue. Mélanger en quantités égales du bleu et du jaune produit un gris neutre. (Pour le mélange des lumières, l'addition de bleu et de jaune ne produit *pas* de vert. Si ceci vous étonne, revoyez la section du chapitre 3 traitant du mélange des couleurs.)

La figure 6-23*a* montre un enregistrement typique d'une fibre nerveuse rouge-vert à des stimulations lumineuses de différentes fréquences. Les figures 6-23*b* et *c* indiquent la moyenne des taux de réponses des canaux rouge-vert et bleu-jaune à des lumières de différentes longueurs d'onde. Les hausses et les baisses des taux de décharge des fibres nerveuses en regard de leur taux spontané (fondamental) sont évidentes dans ces figures.

Quel montage d'interconnexions cellulaires produit ces processus antagonistes? La réponse reste incertaine, mais il est possible d'établir des suppositions pleines de sens. Deux de ces hypothèses sont présentées à la figure 6-24. Le fait de proposer deux approches au lieu de donner «la» réponse, dépeint assez bien l'état de la science en ce domaine. Essentiellement, tous s'accordent quant aux principes fondamentaux qui régissent le fonctionnement du système chromatique, mais des désaccords persistent quant aux détails. Notez qu'à chacun des canaux nous avons attribué deux cellules qui reçoivent les mêmes influx, excitateurs pour l'une et inhibiteurs pour l'autre. Les cellules sont présentées par paires pour insister sur le fait que l'important n'est pas que la cellule réponde par l'augmentation ou la diminution de son taux de décharge, mais que c'est le type de variations lumineuses provoquant un changement du taux de réponse qui l'est.

CONTRASTE CHROMATIQUE

Comme nous avons pu le constater au chapitre 3, la couleur perçue en un point est affectée par celle des points voisins. Cela est dû à l'inhibition latérale: le même phénomène est responsable de l'accentuation des contrastes et des constances de brillance. Regarder une tache bleue en un point précis réduit la sensibilité au bleu en des régions avoisinantes et accroît, par conséquent, la sensibilité au jaune. Regarder du noir augmente la sensibilité au blanc dans les environs; voir du rouge augmente la sensibilité au vert. Ces effets de contraste s'appellent *contraste marginal* ou *contraste chromatique* parce qu'une couleur induit sa complémentaire aux régions avoisinantes.

L'explication du contraste chromatique découle directement de notre compréhension des cellules nerveuses. Nous n'avons qu'à supposer que les cellules voisines à processus antagoniste soient connectées entre elles de la même façon que celles qui produisent l'inhibition latérale: quand une classe de cellule antagoniste est activée, elle inhibe les cellules voisines de même classe. Habituellement, une cellule à processus antagoniste possède un certain taux de décharge fondamental. Quand elle est activée, le taux de décharge devient supérieur au taux fondamental. Quand sa couleur antagoniste lui est présentée, le taux de décharge passe en dessous du taux fondamental normal. Le système responsable de la vision des couleurs peut ainsi identifier

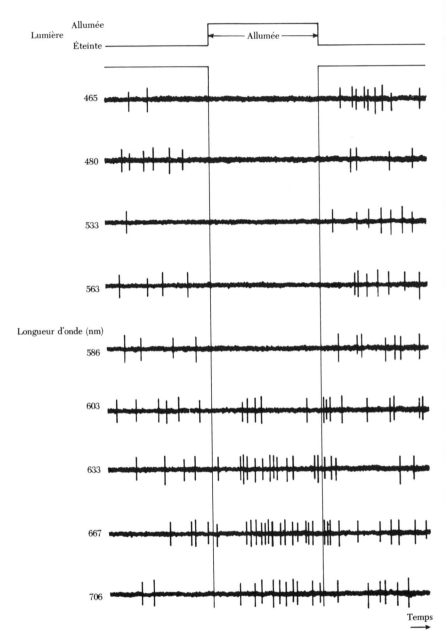

Figure 6-23a

(a) Réponses enregistrées à partir d'une micro-électrode située dans le corps genouillé latéral du singe, montrant une cellule à processus antagoniste; (+): réponses aux grandes longueurs d'onde (rouge); (−): réponses aux courtes longueurs d'onde. (b, c) Moyenne des réponses de différentes classes de cellules spectralement antagonistes dans le cerveau du singe. Dans chacun des diagrammes, les trois courbes représentent trois niveaux d'intensité différents (énergie) selon des unités arbitraires. *DeValois, Abromov, et Jacobs (1966)*. (Les parties (b) et (c) furent publiées dans *DeValois et DeValois, 1975.*)

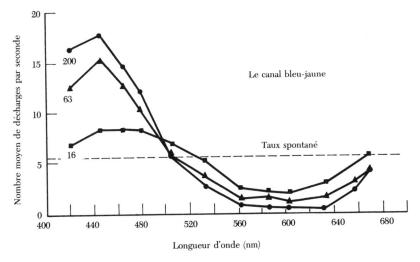

Le canal bleu-jaune

Taux spontané

200

63

16

Nombre moyen de décharges par seconde

Longueur d'onde (nm)

Figure 6-23*b*

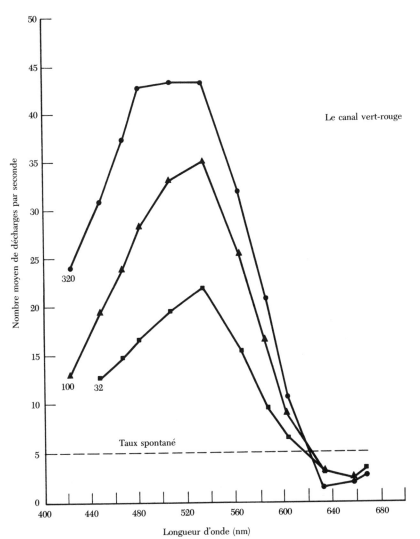

Le canal vert-rouge

320

100   32

Taux spontané

Nombre moyen de décharges par seconde

Longueur d'onde (nm)

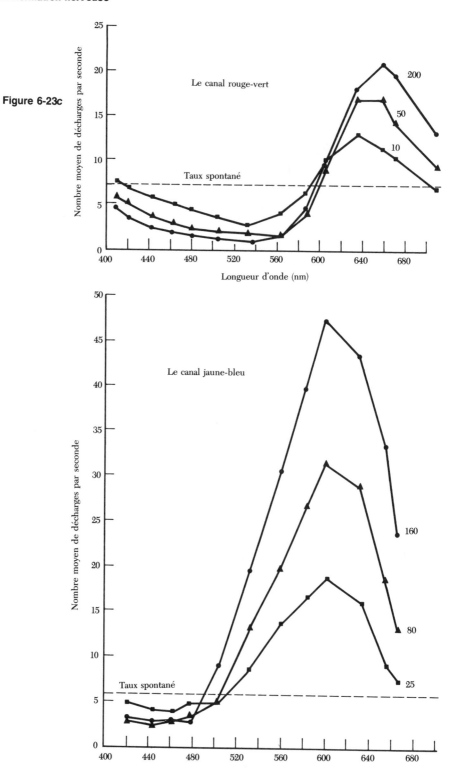

Figure 6-23c

la couleur présentée, en évaluant si le taux de décharge est supérieur ou inférieur au taux fondamental. Supposons qu'une cellule rouge-vert soit excitée par la présence d'un point rouge. Cette cellule inhibera les réponses des cellules voisines rouge-vert. Les cellules voisines diminueront leur taux de réponse tout comme si une lumière verte éclairait la périphérie. Ce qui donne le contraste des couleurs.

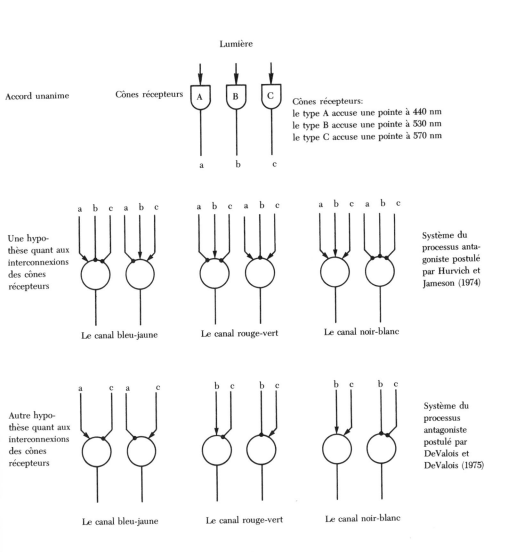

Deux hypothèses sur les interconnexions nerveuses produisant le système du processus antagoniste de la couleur.   **Figure 6-24**

Réponse au mouvement

Finalement, le problème fondamental que doit résoudre le système nerveux visuel concerne le mouvement. La plupart des récepteurs étudiés jusqu'à maintenant ne sont pas particulièrement assignés à faire la distinction entre des objets mouvants et stationnaires. Des détecteurs de mouvement ne devraient répondre que lorsqu'un objet se déplace, et non autrement. Idéalement, ils devraient aussi être spécifiques quant à la direction et peut-être même quant à la vitesse du stimulus en mouvement.

Si nous cherchons des détecteurs de mouvement dans le système nerveux visuel, il est facile d'en trouver. Les rétines du lapin, de l'écureuil et de la grenouille ont des unités sélectivement sensibles à des types particuliers de mouvement. Voyons, à la figure 6-25, les données recueillies sur le système visuel du lapin. Le centre du diagramme indique la disposition des champs récepteurs. La région centrale produit des réponses «on-off» (symbolisées par ±), tandis qu'une stimulation lumineuse à la région périphérique ne produit apparemment aucune réponse (symbolisée par 0). Les flèches indiquent la direction d'un spot lumineux balayant le champ récepteur: les taux de réponse sont inscrits pour chaque direction. La réponse maximale

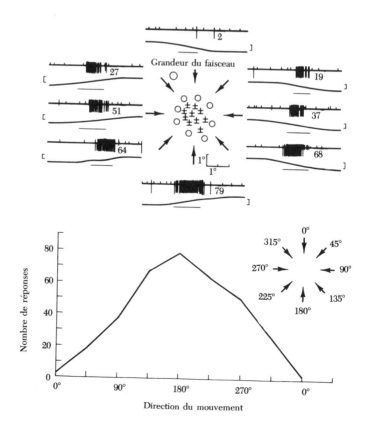

(79 décharges) correspond au balayage vertical du spot se déplaçant directement vers le haut. La réponse minimale (2 décharges) correspond exactement au mouvement dans la direction opposée, soit vers le bas. Le nombre des réponses produites par des mouvements intermédiaires est illustré au bas du graphique.

Comment fonctionne le détecteur de mouvement? Un champ récepteur normal comporte des mécanismes d'inhibition latérale. Il faut deux caractéristiques pour les rendre sensibles à la direction. Premièrement, les connexions inhibitrices doivent être asymétriques; deuxièmement, l'inhibition latérale doit comporter un certain délai. La figure 6-26 présente le circuit de base qui répondra au déplacement d'un faisceau lumineux de gauche à droite, mais non de droite à gauche.

CIRCUITS DÉTECTEURS DE MOUVEMENT

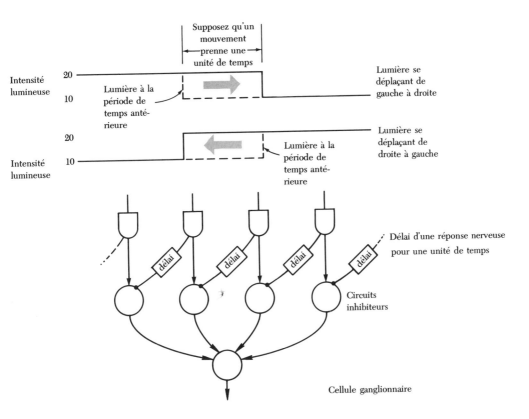

Si, selon notre unité de temps, chaque délai retarde l'effet du signal inhibiteur et si la lumière se déplace au rythme d'une cellule réceptrice par unité de temps, ce circuit ne donnera aucune réponse à une lumière se déplaçant de droite à gauche, mais en émettra une de 20 si le pattern lumineux établi en haut de la figure se déplace de gauche à droite.

Figure 6-26

Il est possible d'élaborer des détecteurs de mouvement relativement complexes à partir de ce schéma de base. Notez, par exemple, que le détecteur de mouvement devrait répondre de façon optimale à une cible qui voyagerait à une vitesse spécifique — vitesse correspondant au rythme auquel les influences inhibitrices traversent les champs récepteurs. Aussi, le délai de l'inhibition produite en un point donné dépendrait-il de la distance séparant le récepteur de la cible en mouvement. De plus, les temps de réaction des processus excitateur et inhibiteur dépendent de l'intensité du signal. Ainsi, il est fort probable que les réponses des détecteurs de mouvement dépendent de l'intensité d'un signal, tout comme de la vitesse de son déplacement.

Rien dans les circuits étudiés jusqu'ici, ne permet de discriminer entre les mouvements provoqués par la tête et les yeux et ceux produits par le déplacement réel des objets. D'une façon ou de l'autre, les mécanismes supérieurs du cerveau doivent coordonner l'information fournie par les détecteurs de mouvement rétiniens avec les contrôles moteurs des yeux et de la tête lorsqu'il s'agit de distinguer, dans l'image rétinienne, les changements procédant des mouvements du corps et ceux procédant des objets du monde extérieur.

PARTIE II: LES PROCESSUS DU CERVEAU

De l'oeil au cerveau

Dans la première partie de ce chapitre, nous avons analysé les processus nerveux élémentaires qui constituent seulement les premiers niveaux de l'analyse d'un signal. Le nerf optique transmet les signaux nerveux vers des étapes de traitement beaucoup plus avancées (voir figure 6-27). Examinons maintenant l'acheminement de l'information visuelle jusqu'au cerveau.

LE CORPS GENOUILLÉ LATÉRAL   Les signaux nerveux partent de la rétine, traversent les axones des cellules ganglionnaires rétiniennes pour parvenir à la prochaine station relais, le *Corps Genouillé Latéral (CGL)*. C'est ici que les fibres provenant des cellules rétiniennes se joignent par synapses à de nouvelles cellules qui transmettent le message sensoriel jusqu'aux aires réceptrices corticales du cerveau (voir figure 6-27). Les fibres provenant de régions adjacentes de la rétine aboutissent également à des parties adjacentes du CGL. Ainsi, des régions voisines dans le CGL reçoivent l'information nerveuse de parties voisines dans le champ visuel.

Le CGL est constitué de couches séparées, disposées les unes sur les autres, comme des gâteaux feuilletés: trois couches chez le chat, six chez le singe et chez l'être humain. Chaque couche reçoit les fibres nerveuses d'un seul oeil, la couche suivante recevant l'information de l'oeil opposé et ainsi de suite. Les couches sont alignées de telle sorte que, lorsqu'on regarde un objet, l'activité nerveuse produite dans un oeil se dirige vers une région particulière d'une couche du CGL et l'activité de la région correspondante de l'autre oeil se dirige vers des régions correspondantes des couches du CGL situées immédiatement au-dessus et en dessous des couches activées par l'autre oeil.

L'élégant traitement informationnel effectué aux jonctions synaptiques de la rétine et la belle organisation anatomique du CGL laissent supposer qu'il se produit une restructuration et une analyse de l'information sensorielle additionnelle en ce centre supérieur du cerveau. Ces prévisions ne se réalisent pourtant pas: à l'heure actuelle, l'arrangement anatomique soigné du CGL reste encore une énigme.

Quelle pourrait être la fonction du CGL? Bien que le puzzle ne soit pas encore résolu, certaines réponses semblent plausibles. D'une part, les influx qui arrivent au CGL ne proviennent pas exclusivement de la rétine. D'autres parties du cerveau envoient aussi des signaux au CGL, en particulier, une région mésencéphalique appelée *formation réticulaire* (nous reviendrons sur cette structure nerveuse à la page 675, dans notre étude de l'activation). Nous avons des raisons de croire que l'activité de ces voies non sensorielles peut aider à déterminer si les signaux qui parviennent au CGL seront transmis au niveau supérieur suivant du système. Ainsi, il semble possible que le CGL serve normalement à contrôler l'intensité des signaux visuels entre l'oeil et le cerveau. Il s'agit là d'une possibilité fascinante, mais il reste encore à le prouver.

L'information visuelle ayant quitté le CGL parvient sans autre interruption aux *aires réceptrices corticales* du cerveau. Ici, dans le *cortex visuel*, apparaissent encore des circuits neuraux pour traiter les signaux, dont certains fonctionnent comme ceux de la rétine.

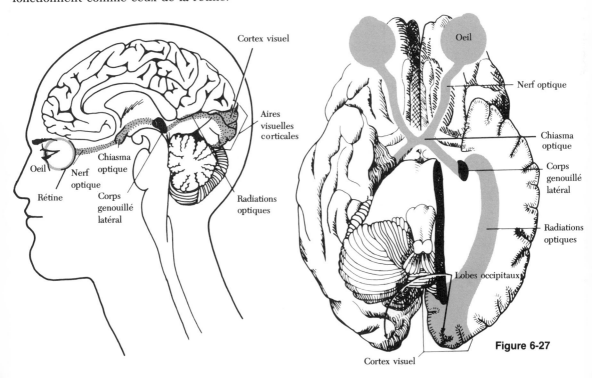

Figure 6-27

LE CORTEX VISUEL Du CGL, les messages sont envoyés aux aires réceptrices visuelles du cortex (les lobes occipitaux). Dans ces aires réceptrices, les fibres provenant de régions adjacentes de la rétine aboutissent à des parties adjacentes des centres récepteurs corticaux. Les fibres qui quittent ces aires réceptrices se rendent principalement aux aires associatives adjacentes du cortex visuel et de là, aux *lobes temporaux* situés sur les côtés du cerveau; cette région semble impliquée dans l'apprentissage et la rétention d'habitudes visuelles (voir figure 11-1).

Comme le CGL, le cortex visuel est stratifié; il contient six couches. En comptant de la surface externe du cerveau vers l'intérieur, on constate que les fibres intervenantes provenant du CGL aboutissent principalement aux quatrième et cinquième couches. Cependant, dans le cortex, contrairement au CGL, il semble exister plusieurs interconnexions entre les couches. L'analyse d'un message sensoriel est entamée aux quatrième et cinquième couches et se développe dans les couches corticales successives jusqu'à ce que l'information quitte finalement les aires visuelles et se dirige vers d'autres parties du cerveau.

L'extraction des caractéristiques

L'image générale du traitement cortical est celle d'un réarrangement progressif et d'une analyse des aspects spécifiques du signal. L'analyse est exécutée région par région, à l'aide d'un grand nombre de détecteurs corticaux différents responsables des caractéristiques d'une région donnée. Est-ce un contour? Est-ce une arête? Une ligne? L'arrière-plan est-il clair? Ou est-ce une forme lumineuse sur un fond sombre? Quelle est son orientation? Dépasse-t-elle une région spécifique? Change-t-elle de direction? Telles sont les questions auxquelles doivent répondre les détecteurs corticaux.

CELLULES SIMPLES Le CGL transmet directement son information à la quatrième couche du cortex; c'est donc là que nous entreprendrons notre analyse. Si nous enregistrons l'activité électrique à la quatrième couche, introduisant délicatement une électrode à travers les trois couches externes situées à moins d'un centimètre de la surface du cerveau, nous découvrons des cellules qui répondent aux petites lumières-tests affectant la rétine. On appelle la région de la rétine, à laquelle une cellule nerveuse est sensible, le champ récepteur de cette cellule. On détermine l'étendue du champ récepteur par l'émission de lumières-tests sur la rétine, tout en enregistrant les réponses de la cellule observée.

La structure type est telle qu'un point lumineux augmente la réponse de la cellule, quel que soit l'endroit stimulé tout le long d'une ligne imaginaire. Habituellement, chaque fois qu'une telle ligne d'excitation est découverte, à proximité de celle-ci s'en trouve une autre, parallèle, qui par suite d'une stimulation lumineuse, diminue la réponse de la cellule. Il existerait donc deux champs récepteurs parallèles, chacun de forme linéaire, l'un excitateur, l'autre inhibiteur (figure 6-28).

Cette configuration des champs excitateur et inhibiteur constitue un *détecteur d'arête:* la cellule répond au maximum lorsque l'arête lumineuse est parfaitement alignée avec l'axe des champs. Tout autre type de signal produit une réponse moindre.

D'autres cellules simples ont des types de champs récepteurs différents. Le *détecteur de fente* est un modèle semblable, mais plus complexe. Dans ce cas, une zone inhibitrice se profile de chaque côté de la région excitatrice

RÉPONSES À UNE LUMIÈRE-TEST

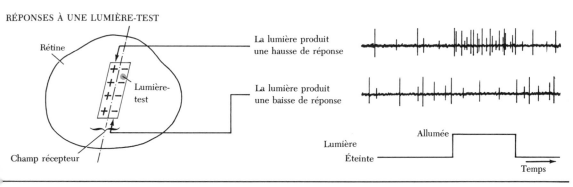

RÉPONSE MAXIMALE À UNE ARÊTE CLAIR-OBSCUR

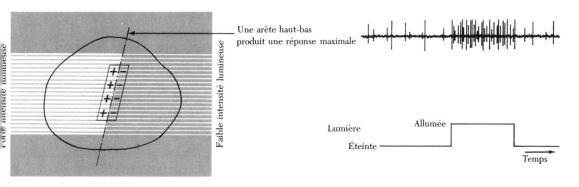

RÉPONSE MINIMALE À UNE ARÊTE CLAIR-OBSCUR

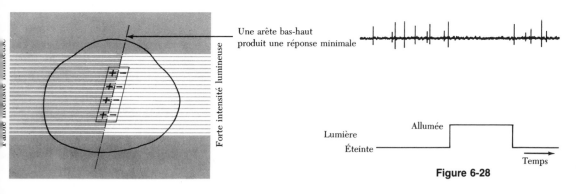

Figure 6-28

(figure 6-29). Ainsi, c'est une ligne lumineuse entourée de deux régions sombres qui produit la réponse maximale; une ligne sombre entourée de deux régions lumineuses, une réponse minimale. Selon la symétrie propre au système nerveux, l'existence d'un arrangement des champs, à savoir inhibiteur-excitateur-inhibiteur, laisse entrevoir un arrangement complémentaire: c'est en effet le cas. Si le premier arrangement est représenté par les symboles − + −, nous pouvons symboliser le second par + − +. Le premier étant un *détecteur de fente*, le deuxième est un *détecteur de ligne*.

Notons en passant que la cellule fournit à la fois de l'information par une hausse ou par une baisse de son taux de réponse. Toute réaction est informative; aucune réponse ne peut être considérée plus essentielle ou plus importante qu'une autre. Le système nerveux utilise, à titre de signaux, autant les hausses que les baisses du taux d'impulsions nerveuses, si bien que ce serait une erreur de croire que les réponses positives «**on**» sont plus fondamentales ou plus importantes que les réponses négatives «**off**». Ce sont les changements d'activité qui importent.

Les détecteurs d'arête, de fente et de ligne correspondent à des régions spécifiques de la rétine. À l'intérieur d'une région précise, la fente ou arête doit être parfaitement alignée pour produire une réponse maximale. Ainsi, bien que ces cellules réagissent à des caractéristiques plus complexes de l'image visuelle, elles demeurent sélectives quant à la position et quant au type de signal requis pour produire une réponse.

CELLULES COMPLEXES À un niveau suivant du traitement cortical, les choses sont un peu différentes. À la base, on retrouve les mêmes types de caractéristiques — arêtes, lignes, fentes, lignes en mouvement, etc — mais sans certaines des restrictions. Au niveau des cellules simples, un détecteur de ligne ne répondait que lorsque celle-ci occupait une position précise sur la rétine. Au niveau supérieur suivant, si la ligne requiert encore une orientation et une largeur exactes, sa position importe moins: elle peut occuper n'importe quelle position sur une surface assez étendue de la rétine (voir figure 6-30). Ces cellules sont plus complexes que celles du niveau cortical inférieur. Voilà ce qu'expliquent les qualificatifs attribués à ces cellules: si les unes sont simples, les autres doivent être complexes.

Comme les cellules simples du niveau inférieur, les détecteurs complexes de ligne et d'arête ne sont pas influencés par la projection des stimuli au delà du champ récepteur. De plus, comme dans le cas des cellules simples, les cellules complexes réagissent lorsque le signal approprié se déplace dans leur champ récepteur et souvent, elles ont une direction préférée.

Donc, dans le cas des cellules complexes, le type, la direction et la largeur du signal excitateur déterminent de façon décisive la réponse. Cependant, l'information fournie par ces détecteurs est en quelque sorte plus abstraite qu'aux niveaux inférieurs, puisque la position du stimulus dans le champ visuel est moins importante. Ainsi, les aires rétiniennes pour lesquelles les détecteurs complexes réagissent à leurs stimuli préférés sont considérablement plus étendues que le champ visuel des détecteurs corticaux simples.

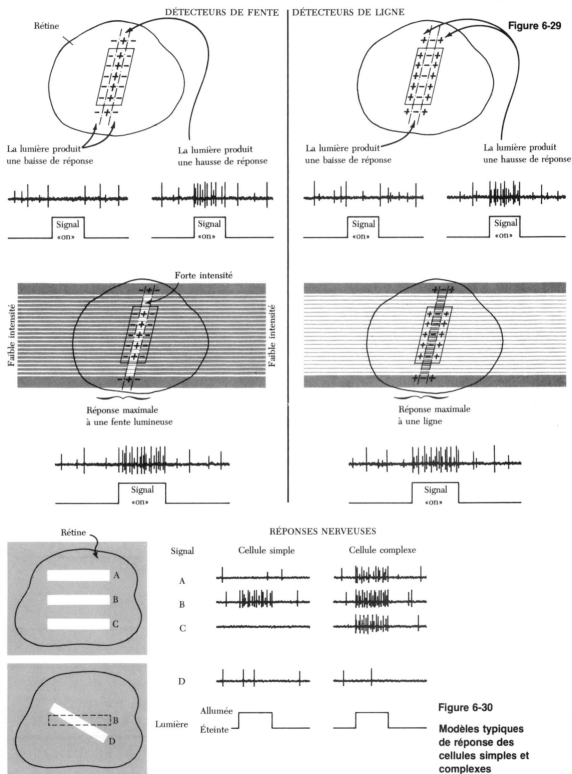

DÉTECTEURS DE FENTE | DÉTECTEURS DE LIGNE

Figure 6-29

Rétine

La lumière produit une baisse de réponse

La lumière produit une hausse de réponse

La lumière produit une baisse de réponse

La lumière produit une hausse de réponse

Signal «on»

Signal «on»

Signal «on»

Signal «on»

Forte intensité

Faible intensité

Faible intensité

Réponse maximale à une fente lumineuse

Réponse maximale à une ligne

Signal «on»

Signal «on»

Rétine

RÉPONSES NERVEUSES

Signal   Cellule simple   Cellule complexe

A

B

C

A

B

C

D

D

Lumière   Allumée   Éteinte

Figure 6-30

Modèles typiques de réponse des cellules simples et complexes

Il serait utile d'obtenir plus de précision quant à certaines caractéristiques du signal; par exemple en ce qui a trait à la longueur des lignes. Le dernier niveau de cellules corticales qui a fait l'objet de recherches, semble jouer ce rôle. Ces cellules sont encore plus complexes que celles du deuxième niveau — on les appelle *cellules hypercomplexes*.

Seule caractéristique additionnelle de ces cellules: l'arête ou la ligne doit se terminer correctement pour que la réponse soit maximale. Les figures 6-31 et 6-32 montrent quelques exemples des types de réponse propres aux cellules hypercomplexes. À la figure 6-31, nous avons esquissé le champ récepteur d'un détecteur de ligne en mouvement. Seule une ligne horizontale se déplaçant vers le bas donne lieu à une réponse maximale. Les lignes orientées différemment ou se déplaçant dans une autre direction produisent des réponses réduites. Il va sans dire que c'est là le résultat typique d'une cellule complexe. Mais remarquez ce qui arrive lorsque la ligne dépasse le champ récepteur: la cellule hypercomplexe ne répond plus. Voilà la nouvelle dimension ajoutée à ce niveau de traitement: la spécificité de la dimension.

Cette spécificité de la dimension n'est pas absolue, tel que les détails de la figure le montrent. Si la ligne est trop longue, comme dans les figures 6-31 et 6-32, il y a peu ou pas de réponse. Cependant, si une ligne de même

Figure 6-31

Hubel et Wiesel (1965).

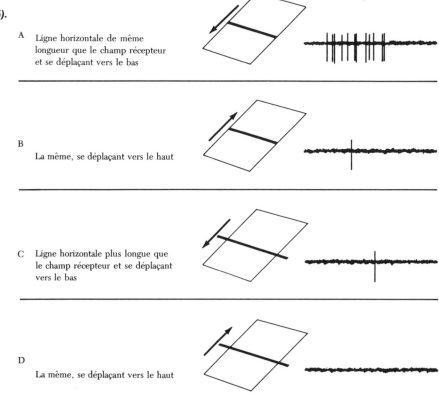

Réponse

A Ligne horizontale de même longueur que le champ récepteur et se déplaçant vers le bas

B La même, se déplaçant vers le haut

C Ligne horizontale plus longue que le champ récepteur et se déplaçant vers le bas

D La même, se déplaçant vers le haut

Figure 6-32

Réponse

Figure 6-33

Figure 6-34

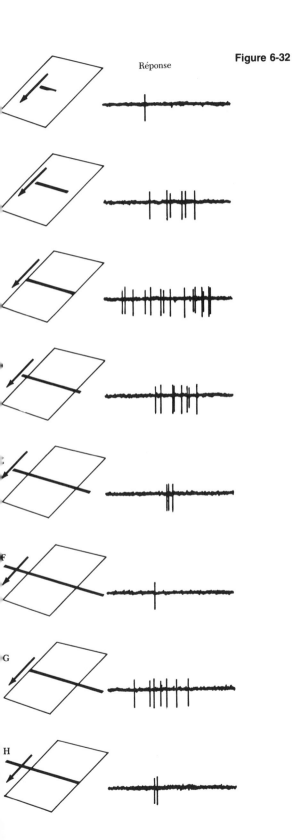

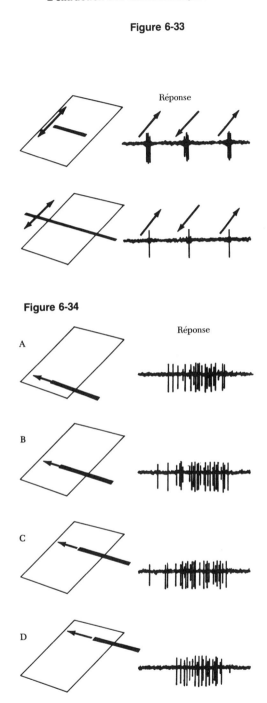

Figures 6-32 et 6-33: *Hubel et Wiesel (1965).*
Figure 6-34: *Hubel et Wiesel (1968).*

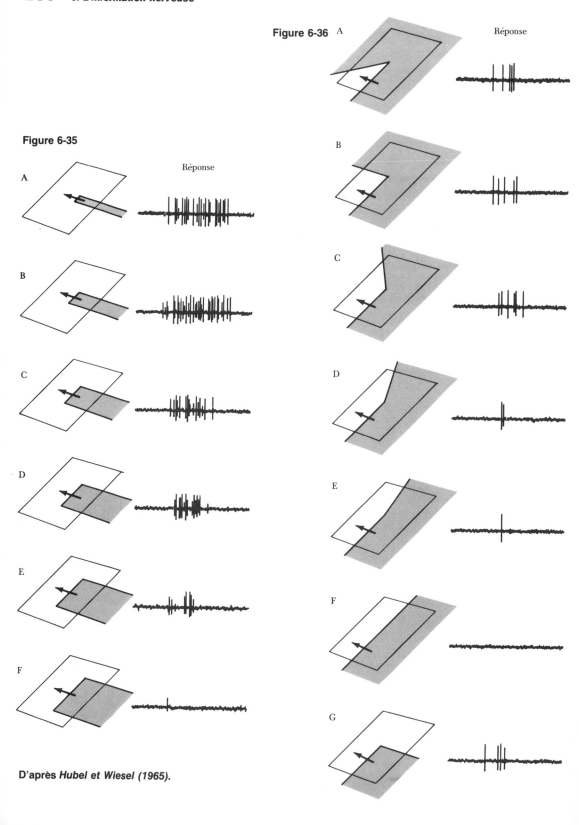

Figure 6-36 A   Réponse

Figure 6-35

A   Réponse

B

C

D

E

F

B

C

D

E

F

G

D'après *Hubel et Wiesel (1965).*

longueur est déplacée de façon à ce qu'une de ses extrémités se trouve au bon endroit, elle peut faire réagir la cellule hypercomplexe, comme l'indique la figure 6-32.

Autre innovation: bien que la nature même d'un détecteur de mouvement le rende spécifique aux mouvements dans une seule direction, les cellules hypercomplexes accusent parfois une spécificité au mouvement dans deux directions. Ainsi, à la figure 6-33, nous voyons que la cellule répond quand la ligne se déplace à droite et vers le haut, ou à gauche et vers le bas. Toutefois, si la ligne est trop longue, la cellule ne répond plus.

Les détecteurs d'arête ont aussi cette spécificité de dimension. Les figures 6-34 et 6-35 illustrent un détecteur d'arête qui répond à un rectangle étroit se déplaçant vers le haut, à l'intérieur du champ, suivant plusieurs positions différentes — il s'agit encore d'une réponse propre à la cellule complexe. En revanche, dès que la largeur du rectangle dépasse une grandeur critique, la réponse cesse.

À ce niveau de traitement, on rencontre encore une autre innovation chez les cellules hypercomplexes: un détecteur d'angle. La figure 6-36 montre une cellule plus sensible à un angle droit se déplaçant vers le haut, à travers le champ récepteur. D'autres angles activent la cellule, mais beaucoup moins efficacement.

SYSTÈMES W, X et Y

Vers la fin des années 60 et au début des années 70, on croyait qu'il existait une hiérarchie simple de traitement. Les cellules rétiniennes étaient groupées en unités centre-périphérie. Ces unités constituaient alors les cellules simples, celles-ci sous-tendaient les cellules complexes, lesquelles sous-tendaient les cellules hypercomplexes. En fait, deux classes différentes de cellules hypercomplexes avaient été identifiées (les hypercomplexes I et II) et l'on croyait que la deuxième était construite à partir de la première. Nous savons maintenant que cette façon de voir est trop simple: elle peut être correcte dans la mesure où une certaine partie de l'analyse visuelle est conforme à cette hiérarchie, mais chose certaine, ce n'est pas toujours le cas.

Le premier indice permettant de reconsidérer l'organisation nerveuse provient de l'étude du délai nécessaire aux cellules pour réagir à une stimulation exercée aux premiers niveaux de la voie visuelle. Le calcul du temps de réponse requis a démontré que certaines cellules complexes pouvaient répondre plus rapidement à un signal que ne le faisaient les cellules simples. Mais comment cela pouvait-il être possible puisque les cellules complexes étaient formées à partir des cellules simples? Voici la réponse: les cellules complexes ne sont pas constituées de cellules simples; elles sont probablement connectées directement au CGL.

On croit aujourd'hui qu'il y a trois types différents de cellules rétiniennes: les cellules *W*, *X* et *Y*. Parmi elles, *X* et *Y* semblent constituées des unités de type centre-périphérie. La figure 6-37 montre comment leurs interconnexions peuvent se présenter suivant les différentes étapes du traitement visuel. Il faut noter que les connexions indiquées sont purement spéculatives et que deux des lignes de la figure se terminent par des points d'interrogation, indiquant que leurs origines restent inconnues.

Les cellules rétiniennes de type X possèdent de petits corps cellulaires et de petits axones. Elles envoient des signaux plutôt lents le long de la voie visuelle (environ 20 m/s). Ce sont des cellules de type centre-périphérie, mais de petite dimension. Elles occupent généralement la partie centrale de la rétine. Les cellules rétiniennes de type Y ont des corps cellulaires et des axones de grande dimension et elles transmettent les signaux assez rapidement (environ 40 m/s). Ce sont des unités centre-périphérie de dimension assez grande; elles occupent habituellement la périphérie de la rétine. Les cellules de type Y sont généralement sensibles au mouvement et répondent principalement aux changements de stimulation. Par contre, les cellules de type X sont plutôt sensibles à la stimulation continue et aux contrastes lumineux, mais non au mouvement. Les cellules rétiniennes de type W véhiculent les impulsions très lentement (environ 10 m/s). On croit qu'elles ont des corps cellulaires minuscules et leurs unités ne semblent pas du type centre-périphérie.

Les cellules Y sont efficaces pour détecter les changements. Leurs champs récepteurs très étendus ne permettent pas de localisation précise. Les cellules X nous renseignent sur l'aspect permanent de la stimulation. Elle transmettent de l'information sur la lumière ambiante; leurs petits champs récepteurs permettent une bonne localisation des stimuli (notons, comme aide-mémoire, que le X est un symbole plus courant que le Y pour indiquer un endroit).

La figure 6-37 montre le trajet hypothétique des cellules W, X et Y. Nous n'avons pas encore parlé du colliculus supérieur: nous le ferons au chapitre 11. Cependant, pour anticiper sur le sujet de ce chapitre, disons que le cortex visuel (tout comme le CGL) semble travailler principalement à la détermination de l'*identité* de l'objet perçu, tandis que le colliculus supérieur s'attache plutôt à sa *localisation* (et à ses déplacements).

ANALYSE DE LA FRÉQUENCE SPATIALE

Nous venons tout juste de parler des détecteurs spécialisés du système visuel: détecteurs pour les lignes, les angles, les couleurs et les mouvements. Un peu plus loin, nous parlerons des détecteurs pour les formes de patte de singe. Mais, est-ce ainsi que fonctionne le système visuel? Est-ce qu'il

Figure 6-37

Les voies visuelles du chat. Adapté de *Blakemore* (1975; ainsi que d'une communication personnelle).

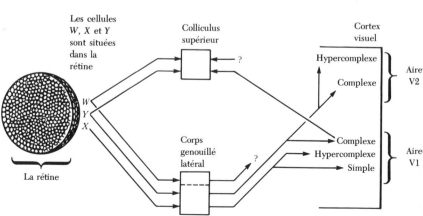
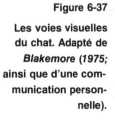

assemble les parties du champ visuel en en disséquant les éléments, cher-chant une ligne par-ci et une arête par-là? Est-ce que les lignes et les arêtes, les coins et les angles représentent les caractéristiques fondamentales de la perception visuelle?

Lorsque nous avons étudié le système visuel au chapitre 3, nous y avons vu qu'il existait un autre ensemble de phénomènes pertinents dans l'analyse des scènes visuelles. Rappelez-vous, nous vous avons présenté l'image d'une grille formant un ensemble de barres noires verticales très rapprochées; vous aviez à les fixer pendant environ 30 s. Ensuite, vous deviez regarder un ensemble de barres verticales plus espacées et elles vous parurent encore plus distantes qu'elles ne l'étaient en réalité. Au chapitre 3, nous avons émis la possibilité que le système visuel ait un ensemble de récepteurs spécialisés pour détecter les barres de différents espacements. Ce qui était arrivé lors de cette expérience, c'était que vos détecteurs de barres verticales finement espacées s'étaient bel et bien fatigués. Il s'est donc produit un changement dans votre perception, si bien que le monde vous est apparu comme grossi (à gros grains), avec moins de détails. (Si vous ne vous souvenez pas de cette expérience ou si vous n'avez pas lu le chapitre 3, revenez à la page 98 et lisez la section dont il est question.)

La fréquence spatiale fait référence à la rapidité avec laquelle la scène visuelle change dans l'espace, par exemple, lorsqu'on lit une page. Les lettres imprimées que vous lisez présentement apparaissent nettes et tran-chées sur la page, ce qui signifie qu'elles ont plusieurs composantes spatia-les de haute fréquence. Brouillez l'image des lettres (louchez ou enlevez vos lunettes), il ne reste que les basses fréquences spatiales: les lettres sont moins lisibles. Il y a beaucoup de spéculation à faire au sujet de l'analyse de la fréquence spatiale et du rôle qu'elle joue dans le système nerveux.

L'analyse des scènes visuelles en termes de lignes et d'angles puis celle en termes de fréquence spatiale sont intimement liées. Supposons l'existence d'une cellule hypercomplexe spécialement conçue pour réagir à une certaine longueur et largeur de lignes. Nous pourrions décrire aussi cette cellule en mentionnant qu'elle ne répond qu'à une fréquence spatiale spécifique. Plus la cellule répond à une ligne large, plus la fréquence spatiale à laquelle elle est sensible est basse. Les modes d'analyse examinés jusqu'à présent — les cellules de type centre-périphérie, les cellules simples, complexes et hypercomplexes, les systèmes W, X et Y — se prêtent tous à des inter-prétations directes en termes de cellules spécialement conçues pour répondre à une certaine fréquence spatiale.

Rappelons ici l'analyse de l'inhibition latérale, des bandes de Mach et des cellules servant à amplifier les réponses nerveuses aux arêtes et aux contours. Ce chapitre a démontré comment ces cellules pouvaient être analysées selon des schémas lumineux et par l'effet d'une cellule sur sa voisine. Une autre façon de voir cette analyse est de considérer qu'elle représente une mise en valeur des hautes fréquences spatiales et une suppression des basses. Est-ce bien important de savoir quelle description nous devons employer pour rendre compte du fonctionnement de ces cellules? Non, puisqu'il s'agit tout simplement de deux façons différentes de décrire l'action de cellules identi-ques. Mais d'un autre côté, oui, car il est parfois plus pratique de parler

d'un modèle plutôt que d'un autre. Ainsi, lorsqu'il s'agit d'expliquer comment l'oeil focalise une image, il semble assez logique de maximiser les composantes de haute fréquence. Pour parler de l'extraction des contours d'une
image, il convient à la fois d'insister sur l'information ayant trait aux hautes
fréquences et de minimiser la valeur des lignes et des angles. Finalement,
lorsqu'il s'agit de reconnaissance de formes, il semble pertinent de parler
des détecteurs spécialisés pour les lignes et les segments d'une scène. Il
convient donc de conserver deux façons différentes de décrire l'analyse:
les **fréquences spatiales** pour les discussions sur l'ensemble des caractéristiques globales de l'analyse schématique, et les **caractéristiques** pour traiter
des détails spécifiques des analyses.

La réponse des cellules nerveuses aux différentes fréquences spatiales
apparaît à la figure 6-38. Ce graphique montre comment trois différentes
cellules corticales réagissent à des grilles de différentes fréquences spatiales.
Chaque courbe se nomme *courbe de syntonisation*. Remarquez qu'elles ne
sont pas très prononcées: une vaste gamme de fréquences spatiales entraînent
des réactions dans les trois cellules à la fois. Ainsi, bien que nous puissions
dire que les trois cellules se syntonisent aux fréquences spatiales d'environ
0,07 et 0,2 puis 0,5 cycles par degré, en réalité, chacune répond à une vaste
étendue de fréquences.

Avant d'être traitée en fonction de la fréquence spatiale, l'analyse de l'image
visuelle affectant la rétine est soumise à plusieurs paliers nerveux. Les
courbes de syntonisation propres à chacune des cellules se recouvrent considérablement. Maintenant, nous sommes en mesure de comprendre pourquoi le fait de percevoir une fréquence spatiale assez longtemps, et de
fatiguer ainsi les récepteurs de cette fréquence, modifie l'aspect des autres

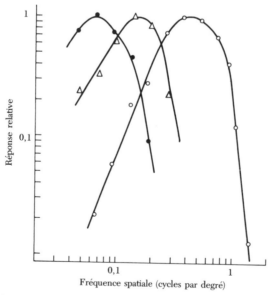

Figure 6-38 **Les réponses des cellules nerveuses du chat à des grilles de différentes fréquences spatiales. (*Robson, 1975*, page 108).**

ojets. Les courbes de syntonisation des analyseurs individuels sont très étendues et se recouvrent considérablement. Ainsi, chaque fois qu'une image particulière est perçue, un grand nombre de courbes sont activées, et notre perception de la fréquence doit être déterminée par la valeur moyenne des fréquences spatiales impliquées. Par conséquent, chaque fois qu'un ensemble de fréquence est soustrait à l'image à cause de la fatigue, la valeur moyenne résultant d'une stimulation à une autre fréquence se modifie.

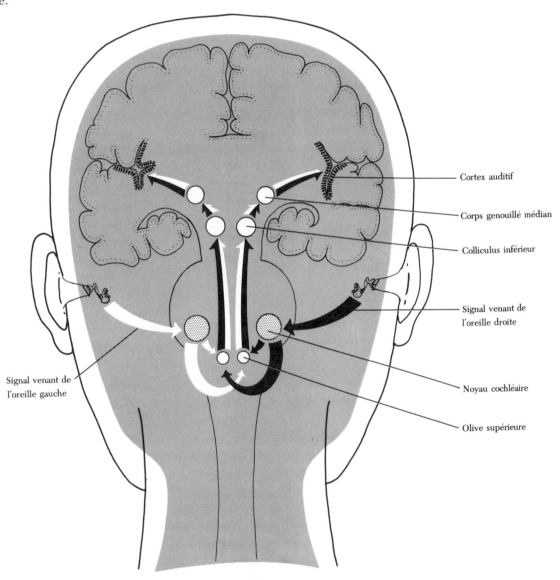

Cortex auditif

Corps genouillé médian

Colliculus inférieur

Signal venant de l'oreille droite

Signal venant de l'oreille gauche

Noyau cochléaire

Olive supérieure

(a) Voies de l'oreille au cortex auditif. Vue arrière du cerveau avec ablation des parties postérieures.
(b) Vue du bulbe rachidien, montrant la position des noyaux mentionnés en (a).

Figure 6-39a

Traitement de l'information acoustique

Comme nous l'avons vu, les neurones du système visuel réagissent a
caractéristiques les plus significatives du signal visuel. Ils détectent les lign
et les angles, le mouvement et la couleur. Il existe de nombreux détecteu
nerveux spécialisés, allant des unités centre-périphérie aux cellules simple
complexes et hypercomplexes. Mais que sait-on du système auditif ? Qu'arr
ve-t-il au message auditif lorsqu'il passe de l'oreille au cerveau ?

La réponse à ces questions est décevante, car on connaît très peu la natu
du traitement nerveux auditif. En un sens, notre ignorance reflète bien not
manque de compréhension de l'analyse des modes auditifs. Pour les signau
visuels, il est évident que les lignes et les contours, les angles et le mouv
ment doivent jouer un rôle important lors de la reconnaissance de forme
Mais quels sont les caractéristiques analogues pour les modes auditifs
S'agit-il de sons purs ou de sons complexes, de sons constants ou de so
qui changent ? Nous ne le savons pas.

La nature du langage humain nous porte à croire qu'il existe fort prob
blement des détecteurs de son spécialisés dont il faille tenir compte. Cons
déré globalement, le langage parlé semble réglé selon les particularités de

Figure 6-39b

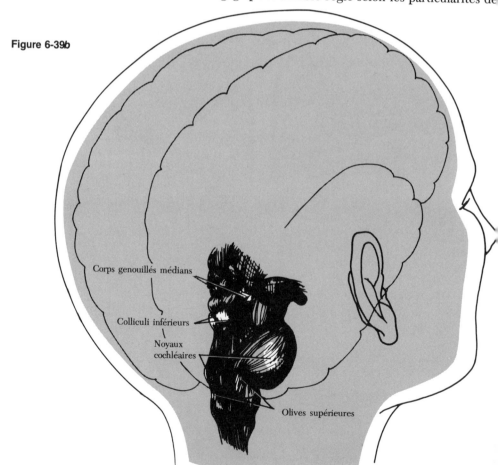

pareils vocal et auditif, mais on ignore comment les mécanismes auditifs
uvent dégager les caractéristiques propres au discours. Il est vrai que la
upart des expériences physiologiques concernant l'audition sont pratiquées
r des chats et des singes; mais, même si ces animaux ne possèdent pas le
ngage, leurs mécanismes auditifs devraient révéler certaines caractéris-
ques uniques de leurs systèmes de reconnaissance de formes.

La nécessité d'une analyse complexe quelconque au niveau des neurones
i cortex auditif ne fait aucun doute. Certaines preuves existent: environ
0% des neurones de cette région ne répondent pas du tout aux sons purs,
ais seulement aux sons plus complexes comme les grands bruits soudains
i les clics nombreux et inattendus (Whitfield, 1967). Il est possible que ces
nités nerveuses soient effectivement conçues pour répondre seulement aux
ons spéciaux, uniques, mais la meilleure approximation du son approprié
ue nous ayons pu obtenir jusqu'à présent se limite au clic ou au bruit
udain.

Même 60% des unités nerveuses qui répondent aux sons purs ne le font
as simplement. Certaines augmentent leur taux de décharge lorsqu'un son
e présente (réponse *excitatrice*), d'autres le diminuent (réponse *inhibitrice*).
ertaines ne répondent qu'à l'émission initiale du son (réponse «*on*»),

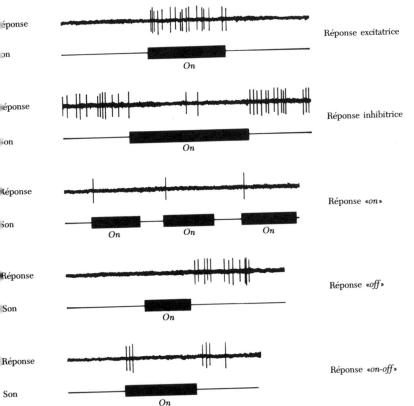

**Différents types d'unité de réponse à des stimuli sonores, provenant du cortex auditif   Figure 6-40
primaire d'un chat non anesthésié.** *Whitfield (1967).*

d'autres uniquement lorsqu'il cesse d'être émis (réponse «*off*»). De plu
certaines répondent dans chacun des deux cas (réponse «*on-off*») (voir
figure 6-40). Ces réponses ressemblent bien sûr à celles observées dar
le système visuel.

Certaines unités nerveuses du cortex auditif ont des courbes de syntoni
sation nettes, d'autres n'en ont pas. Certaines répondent seulement au
changements de fréquence (*détecteurs de fréquence modulée*), d'autres pos
sèdent un seuil au delà duquel un son d'une certaine fréquence interromp
la réponse à un son d'une autre fréquence (*cellules interactives*).

DÉTECTEURS DE FRÉQUENCE MODULÉE

Un certain nombre de cellules du cortex auditif (du moins chez le cha
semblent répondre uniquement aux **changements** de fréquence. Elles n
répondent pas à un son pur de fréquence constante, quelle que soit so
intensité ou sa fréquence. Un son régulier d'intensité constante et de fré
quence variable est appelé signal de *fréquence modulée*. La figure 6-4
montre la réponse typique de certains types spécifiques de neurones à u
signal de fréquence modulée (les variations de la fréquence prennent ici l
forme d'une courbe sinusoïdale).

Les changements linéaires de la fréquence d'un signal produisent quel
que chose ayant l'aspect d'une rampe: un *signal modulé en forme de rampe*
La figure 6-42 présente un signal type accompagné de sa réponse nerveuse

Il est à noter que les unités nerveuses particulières que l'on voit ici répon
dent seulement aux changements de fréquence dans des directions particu
lières. Avec la modulation sinusoïdale, l'unité illustrée ne répond qu'au:
augmentations de fréquence du signal. Avec la modulation en forme de

Figure 6-41

Whitfield et Evans (1965).

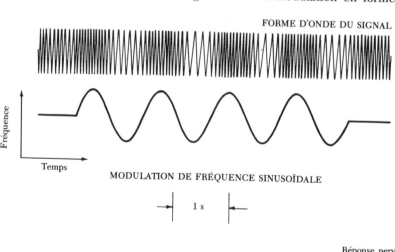

FORME D'ONDE DU SIGNAL

Fréquence

Temps

MODULATION DE FRÉQUENCE SINUSOÏDALE

1 s

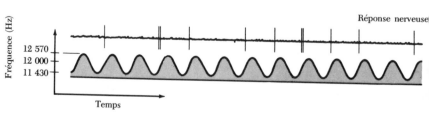

Réponse nerveuse

Fréquence (Hz)

12 570
12 000
11 430

Temps

rampe, apparaissent deux types différents d'unités: l'un qui répond uniquement aux augmentations de fréquence, l'autre uniquement à leurs diminutions.

Quel genre de circuit neural pourrait convenir à ces détecteurs de fréquence modulée? Si l'on considère l'effet d'une fréquence variable sur la
membrane basilaire, l'on voit qu'un changement de fréquence produit un
mouvement du point d'excitation maximale le long de la membrane. En
conséquence, si nous voulions construire un détecteur de mouvement capable de déceler une activité le long de la membrane, en connectant ensemble
les cellules de fréquence caractéristique fondamentale exactement de la
même façon que nous l'avons fait avec les unités centre-périphérie un peu
plus tôt dans ce chapitre, nous obtiendrions un détecteur de fréquence
modulée. Ces détecteurs seraient sensibles soit aux augmentations de
fréquence, soit aux diminutions, mais non aux deux, tout comme les détecteurs de mouvement n'étaient sensibles qu'au mouvement dans une seule
direction.

On a découvert trois types différents d'unités de fréquence modulée
chez le chat (Whitfield, 1967). Toutes ces unités semblent réagir uniquement

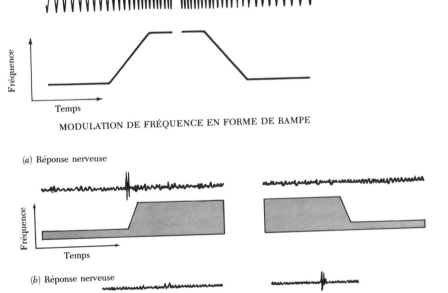

(a) L'unité décharge en réponse à un son de fréquence croissante, mais non à un son
dont la fréquence diminue selon la même gamme; (b) l'unité décharge en réponse à un
son de fréquence décroissante, non à un son dont la fréquence augmente, *Whitfield et
Evans (1965).*

Figure 6-42

à des fréquences variant entre certaines limites, comme c'était le cas pour les caractéristiques de la courbe de syntonisation. Mais, au lieu de répondre à n'importe quel son faisant partie de la courbe de syntonisation, ces unités répondent uniquement à ceux dont la direction du changement de fréquence correspond à l'une de ces trois possibilités:

1. fréquence croissante
2. fréquence décroissante
3. croissance de la partie basse fréquence de la réponse, décroissance de la partie haute fréquence.

Que fait le chat avec ces détecteurs de fréquence modulée? Nous l'ignorons. Nous savons que les chauves-souris possèdent un très grand nombre de ces détecteurs. Ils semblent essentiels pour qu'elles puissent se diriger grâce à la localisation des échos: en émettant des signaux acoustiques, et en analysant les échos, elle détermine ainsi la distance et la direction des objets qui l'entourent. Les humains possèdent-ils et utilisent-ils des détecteurs de fréquence modulée? Nous ne le savons pas. Il est possible qu'une telle information soit des plus utiles à l'analyse des formes sonores très complexes, telle celle inhérente au langage.

INTERACTIONS BINAURALES

Pour localiser les sons avec précision, le système auditif doit pouvoir détecter des différences temporelles de l'ordre de 10 ou 20 μs. Son organisation anatomique semble bien équipée pour conserver l'information temporelle contenue dans les neurones auditifs primaires*. Plus tôt, nous avons noté que les signaux nerveux de l'oreille n'ont qu'une très courte distance à parcourir avant d'arriver au point où les messages en provenance des deux oreilles sont combinés: *l'olive supérieure*. Là, des interactions inhibitrices

*Remarque: étant donné que le temps de calcul requis pour des localisations précises est le même pour tous les animaux, comment les grands animaux s'en sortent-ils? L'éléphant a peut-être la plus grosse tête de tous les mammifères terrestres. Mais la taille des différentes composantes de son système auditif n'est pas simplement proportionnelle à sa grandeur. L'éléphant possède plutôt un très long conduit auditif d'environ 12 cm, ce qui rapproche les oreilles internes de 20 ou 25 cm par rapport à ce que pourrait impliquer la grosseur de la tête. Sans ces longs conduits auditifs, l'éléphant aurait besoin de longs canaux nerveux reliant les deux oreilles, ce qui pourrait augmenter le risque de perdre la précision temporelle nécessaire à la localisation.

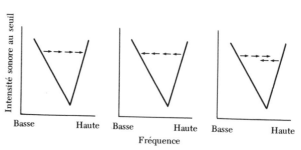

Figure 6-43   À gauche: les unités ne répondent qu'aux sons croissants, n'importe où à l'intérieur de leur aire de réponse. Au centre: les unités ne répondent qu'aux sons décroissants, n'importe où à l'intérieur de leur aire de réponse. À droite: dans une demi-aire de réponse, les unités répondent aux sons croissants de basse fréquence; dans l'autre moitié, aux sons décroissants de haute fréquence. *Whitfield et Evans (1965).*

et excitatrices se produisent entre les signaux provenant des deux oreilles — mécanisme requis pour la localisation binaurale. La figure 6-44 présente, par exemple, un schéma des types généraux d'interconnexions retrouvées dans l'olive supérieure (E indique un signal excitateur; I, un signal inhibiteur). Notons ici que l'anatomie exacte n'est pas encore connue. Plusieurs neurones individuels de l'olive supérieure répondent différemment, selon que l'une ou l'autre des oreilles reçoive le message la première. Si le signal arrive d'abord dans une oreille, le taux de réponse de l'unité activée est plus grand que si le signal parvient d'abord à l'autre oreille. Les différents neurones semblent avoir leurs côtés préférés. De plus, chez le chat, on observe cet effet pour des différences temporelles allant jusqu'à 250 μs, ce qui représente à peu près le temps requis pour qu'un son passe d'un côté de la tête du chat à l'autre. C'est relativement la même chose pour les différences d'intensité sonore. Les résultats de chacune de ces deux variables se combinent pour appuyer très fortement l'hypothèse que ce relais nerveux fournit l'information qui est importante pour la localisation des sons dans l'environnement.

D'autres niveaux supérieurs du système auditif semblent aussi impliqués dans la comparaison des signaux reçus aux deux oreilles, par exemple, le *colliculus inférieur*. Plusieurs unités du colliculus inférieur peuvent être activées par des sons provenant de l'une ou l'autre oreille. Certaines unités sont excitatrices, d'autres inhibitrices; d'autres encore produisent le genre d'interactions requises pour la localisation. Les modes de réponse sont similaires à ceux trouvés dans l'olive supérieure. De plus, la structure même du colliculus offre une représentation bien ordonnée des différentes fréquences auditives. Cette caractéristique peut aider autant à l'identification tonale des sons qu'à la séparation et à la localisation des différentes fréquences de son.

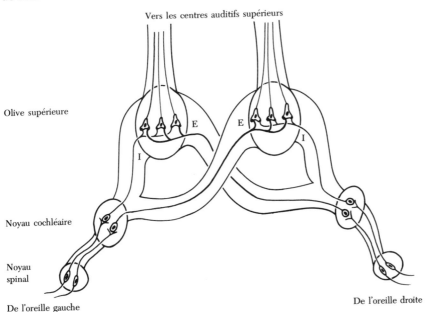

Vers les centres auditifs supérieurs

Olive supérieure

E   E

I   I

Noyau cochléaire

Noyau spinal

De l'oreille gauche

De l'oreille droite

Figure 6-44

van Bergeijk (1962).

Nous commençons tout juste à découvrir quelques-uns des mécanismes nerveux impliqués dans la comparaison et la combinaison des signaux provenant des deux oreilles; l'explication de la localisation des sons est donc loin d'être complète. Nous ne savons pas, par exemple, quel mécanisme nerveux nous permet de dire qu'un objet est situé à 37° à droite et légèrement vers le haut. Comment fait-on pour démêler et localiser les élément de configurations sonores complexes, comme les voix de plusieurs personnes parlant en même temps? De telles questions dépassent notre compréhension actuelle.

Et ensuite?

Jusqu'ici nous avons limité nos analyses aux toutes premières étapes du traitement nerveux, et ce, avec raison. En fait, nous connaissons très peu les processus cérébraux subséquents (voir quand même à ce sujet le chapitre 11). Nous avons quand même identifié un certain nombre de caractéristiques propres aux cellules nerveuses corticales de la vision et de l'audition. Nous avons montré plus particulièrement qu'il existe plusieurs types différents de cellules, lesquelles répondent généralement de façon sélective aux signaux qui leur parviennent.

Les caractéristiques spécifiques du signal auditif ou visuel provoquant une réponse des cellules spécialisées s'appellent *traits critiques*. Ces traits critiques semblent avoir certaines propriétés. Notons que plus on avance dans les étapes de traitement du cerveau, plus les traits critiques sont spécifiques à l'objet identifiable, moins ils sont spécifiques à la position de l'objet. Ainsi, aux premières étapes de l'analyse, plusieurs objets différents peuvent déclencher une réponse des cellules, mais à condition que ces objets soient situés à des endroits très précis et, dans le cas des objets visuels, qu'ils excitent une région très restreinte de la rétine. Par la suite, en passant des cellules simples aux cellules complexes et hypercomplexes, nous trouvons des cellules qui répondent à des traits de plus en plus spécifiques, tels certains angles ou longueurs de lignes, des couleurs déterminées, certaines vitesses et directions particulières du mouvement et enfin, certaines combinaisons très précises de ces caractéristiques. Mais, en même temps, ces cellules deviennent très peu rigoureuses quant à la position de l'objet qui déclenchera leur réponse. Il n'y a là aucune contradiction. En effet, ces cellules combinent probablement les signaux d'autres cellules; la combinaison peut inclure des données provenant de cellules réparties sur toute la surface de la rétine ou de la membrane basilaire, les amenant ainsi à ne plus tenir compte de la position du signal. En même temps, combiner les caractéristiques de cellules moins spécialisées rend les nouvelles cellules plus sélectives; elles ne répondent plus qu'en présence d'une combinaison donnée de certains traits critiques. Nous ne savons pas comment ces interconnexions et ces décisions sont réalisées. Les propriétés des cellules W, X et Y (on tente actuellement de comprendre leurs interconnexions) constituent le principal pôle d'attraction de la recherche actuelle. Un des points à l'étude consiste à déterminer lesquelles des modulations lumineuses spécifiques ou des fréquences spatiales décrivent le mieux leurs propriétés. Il reste beaucoup à faire: ce domaine aborde à peine l'étude des propriétés fasci-

,antes du système nerveux qui sont à l'origine du traitement visuel et auditif. .es autres systèmes sensoriels sont d'ailleurs encore à explorer.

Quelques études ont tenté d'examiner les caractéristiques de la réponse .es neurones visuels au delà des aires corticales. Une série d'études s'attache cette région du cerveau appelée colliculus supérieur, dont nous traiterons u chapitre 11. Quelques chercheurs ont retracé l'activité de neurones ndividuels dans des régions du cerveau recevant leur information du cortex isuel. Il se dégage de ces analyses que le courant va dans le sens d'une lus grande spécificité des traits critiques, mais aussi d'une dépendance noins spécifique de l'endroit où l'objet visuel doit se situer.

Dans sa recherche de traits critiques très spécifiques, comment le chercheur sait-il où frapper? Comment est-il venu à l'idée de ceux qui étudiaient a grenouille, d'utiliser de petits objets noirs? La grenouille se nourrissant le mouches, n'était-il pas logique de choisir des signaux qui ressemblaient . des mouches? Bien sûr, cela vaut dans le cas de la grenouille, mais qu'es-ayer alors avec le chat ou le singe, et que faire lorsque tous les choix ·vidents n'ont pas donné de résultats? Une investigatrice raconte qu'elle . découvert que des cellules de la partie *visuelle* du colliculus supérieur ont sensibles aux sons lorsque, par hasard, elle heurta un robinet qui, en 'ouvrant, laissa échapper un jet d'air dont le sifflement déclencha une ·éponse intense de la cellule nerveuse du félin sur laquelle elle expérimentait 'Gordon, communication personnelle — voir Gordon, 1972). L'accident fut leureux, mais plus important encore, il fallait que le chercheur sache ibserver l'apparition de la réponse et en réalise la signification (dont nous raiterons au chapitre 11). Qui aurait pensé à étudier l'effet des sons sur ine cellule supposément sensible à la lumière?

Peut-être que le meilleur témoignage des frustrations et récompenses ¡ue comporte ce type de recherche se trouve dans les propos de celui qui . découvert le plus remarquable ensemble de traits critiques connu à ce jour: les cellules du singe ne répondant sélectivement qu'aux signaux visuels lont la forme s'apparente à celle d'une patte de singe pointée vers le haut. Ces cellules ont été découvertes dans la région inféro-temporale du cerveau — au delà des niveaux étudiés dans le présent chapitre. Le concept de «détecteur de patte de singe» est invraisemblable aux yeux de plusieurs cientifiques, bien qu'ils ne contestent pas les résultats en soi. [Les articles le Blakemore (1975) et Barlow (1972) présentent deux opinions opposées ¡uant à la valeur de l'étude des traits critiques spécifiques comme indices le fonctionnement du système nerveux. Nous présentons notre point de vue au chapitre 7.]

Comment le chercheur choisit-il les signaux à présenter à l'animal durant ıne expérience? Comment a-t-on découvert le détecteur de patte de singe? Voici ce qu'en disent Gross, Rocha-Miranda, et Bender (1972) qui ont ·apporté la découverte du phénomène:

«Souvent, nous ne pouvions pas être sûrs d'avoir trouvé les meilleures conditions possibles de stimulation. La découverte accidentelle de quelques douzaines de neurones dont les traits critiques sont très complexes et très spécifiques souligne cette difficulté. Parmi ces neurones,

certains semblaient répondre principalement à l'ombre d'une mai
de singe (figure 6-45), à des formes rondes, à l'ombre d'une pince hé
mostatique et à une brosse à laver les bouteilles. Certains neurone
étaient plus sensibles à un stimulus tridimensionnel qu'à toutes le
représentations bidimensionnelles. L'existence de telles cellules
traits critiques hautement spécifiques soulève la possibilité que nou
ne soyons jamais arrivés à découvrir les traits critiques propres au
autres cellules. Ainsi, il est possible qu'un neurone (plus typique) répor
dant principalement à une fente rouge de 1° × 5° orientée à 45° dar
son champ récepteur n'ait pas pour fonction de «coder» ces grandeur
forme, couleur et orientation. Son trait critique aurait pu être un st
mulus plus spécifique, complexe et significatif qui n'aurait jamais é¶
testé et qui partageait accidentellement certains paramètres avec ¶
stimulus dont nous nous étions servis. Ainsi lancés à la quête du st
mulus idéal en variant systématiquement la longueur, la largeur, ¶
couleur ...d'une fente, nous devions rappeler les aveugles de K
pling, chacun ayant sa part de l'éléphant.» (Gross, 1973, page 107)*

Conclusion

Le matériel présenté jusqu'à maintenant est relativement simple. Nou
avons vu comment les bâtonnets et les cônes de la rétine transformen
l'énergie optique qu'ils reçoivent en signaux électriques. Ces signaux son
traités par les interconnexions des cellules rétiniennes et les messages son
alors envoyés aux corps genouillés latéraux (CGL) et aux colliculi supérieurs
puis du CGL vers le cortex visuel. Quelques-unes des cellules corticales son
spécialisées et ne répondent qu'à un ensemble bien déterminé de caracté
ristiques visuelles. En plus de détecteurs d'arête, de contour et de mouve
ment dont nous avons parlé, il existe certaines cellules sensibles à la couleu
et à l'intervalle entre les régions claires et sombres d'une image (si on pré
fère, à la fréquence spatiale). Les cellules semblent parfois combiner toute
ces caractéristiques, si bien que quelques-unes ne déchargent au maximun
qu'à des stimulations visuelles d'une grandeur, d'une orientation, d'un

1   1   1   2   3   3   4   4   5   6

Figure 6-45 **Exemples de formes utilisées pour stimuler une unité inféro-temporale dont les trait**
critiques sont très complexes. Les stimuli sont présentés de gauche à droite,en ordr
croissant de capacité,à provoquer une réponse nerveuse allant de nulle (1) ou faible (
et 3) à maximale (6). (Gross et al., 1971, reproduit de Gross, 1973.)

* Charles Gross (1973) réfère ici à un conte de Rudyard Kipling où des aveugles autour d'un éléphan¶
touchant chacun une partie différente, essaient de se figurer à quoi peut ressembler cet animal. (No¶
du traducteur.)

couleur, d'une vitesse et d'une direction de mouvement précises. Cette spécificité semble poussée à son extrême limite dans le cas de la cellule corticale du singe qui n'est stimulée à son meilleur que par une image de patte de singe orientée vers l'extérieur (comme la vision qu'aurait un singe de sa propre patte). Le même genre de processus paraît s'appliquer au système auditif, quoique les détails soient moins bien définis.

Cette simplicité est illusoire. Nous avons vu (au chapitre 1 et encore au chapitre 7), en traitant des processus perceptifs de la reconnaissance de formes, que pareille structure constituerait un système *de bas en haut, dirigé-par-données*. Un système identique ne peut répondre aux exigences de la perception humaine, parce qu'il est trop dépendant des détails exacts des signaux qui lui sont présentés. Notre système perceptif requiert un traitement *de haut en bas, dirigé-par-concepts*, en même temps qu'un traitement parallèle des signaux grâce à des canaux alternatifs. Ces commentaires s'appliquent à toutes les analyses sensorielles; non seulement à la vision. Le système doit être structuré autrement que la chaîne simple et linéaire que laissent supposer les résultats généralement obtenus lors d'investigations neurophysiologiques des systèmes sensoriels. Même l'analyse des cellules rétiniennes en termes de systèmes *X*, *Y* et *W* ne s'écarte pas suffisamment de la nature séquentielle des étapes de traitement. Du reste, il serait sage de se rappeler que grâce à la recherche, des schémas d'organisation autres que ceux reconnus aujourd'hui feront sans doute leur apparition dans l'avenir.

Revue des termes et notions

Voici, pour le présent chapitre, les termes et notions que nous considérons importants. Passez-les en revue; si vous êtes incapable d'en donner une courte explication, vous devriez revoir les sections appropriées du chapitre.

TERMES ET NOTIONS À CONNAÎTRE

La grenouille et la plupart des animaux ont, dans les yeux, des cellules particulières détectant des types spéciaux de signaux visuels.

Le neurone
   axone
   corps cellulaire
   dendrite
   fibre nerveuse
   soma
   synapse
      inhibitrice
      excitatrice
Les transducteurs
   cellules réceptrices
   bâtonnets
   cônes
   cellules ciliées
L'électrode

comment procéder à un enregistrement
Comment faire le calcul des circuits neuronaux
Comment construire un circuit qui produise des bandes de Mach
  amplification
  excitation
  inhibition
  taux d'activité spontanée, taux de réponse fondamental
Cellules spécialisées
  centre-périphérie
  détecteurs de mouvement
  cellules «on-off»
  détecteurs de fente
  détecteurs d'arête
  cellules auditives spécialisées
  cellules simples
  cellules complexes
  cellules hypercomplexes
  cellules X, Y, W
Le codage de la couleur
  système de processus antagoniste
Anatomie
  rétine (voir chapitre 2)
  membrane basilaire (voir chapitre 4)
  CGL
  cortex
  lobes temporaux
  voies auditives
  interactions binaurales
Analyse de la fréquence spatiale
Traits critiques

Lectures suggérées

Une bonne introduction aux problèmes soulevés dans ce chapitre pourrait être le volume de Ratliff, *Mach Bands* (1965). Bon nombre de nos illustrations sont tirées de ce livre. Le lecteur intéressé aux mécanismes d'interactions nerveuses peut commencer par les travaux classiques de Barlow, Hill et Levick (1964), la série d'études de Hubel et Wiesel (1962, 1963, 1965, 1968) et l'article original, devenu classique, «What the Frog's Eye Tells the Frog's Brain» de Lettvin *et al.* (1959). Presque toutes les données physiologiques sur les cellules simples qui font l'objet de ce chapitre proviennent des sept sources que nous venons d'indiquer.

Georg von Békésy a révisé le rôle de l'inhibition latérale dans plusieurs modalités sensorielles dans son petit livre *Sensory Inhibition* (1967). En fait, le volume de Ratliff sur les bandes de Mach et le volume de von Békésy peuvent être considérés *sine qua non* par ceux qui s'intéressent au sujet. Les deux volumes traitent abondamment de l'inhibition latérale, notion première qui sous-tend toute construction de circuits neuronaux. De plus, même s'ils traitent tous les deux du sujet à fond, ils sont quand même de lecture facile.

Les volumes de Cornsweet (1970) et de Dodwell (1970) présentent une recension des mécanismes nerveux, un peu comme nous l'avons fait ici. Ils sont pertinents à plusieurs chapitres de notre livre: Cornsweet traite des problèmes de la perception visuelle en termes élégants et de façon excellente; Dodwell discute surtout du problème de la reconnaissance de formes. Deutsch, un ingénieur en électricité, présente un éventail des modèles neurologiques dans son livre *Models of the nervous system* (1967).

Plusieurs sources d'information sur les structures neurologiques ont été évaluées dans notre livre. Revoyons d'abord les livres les plus importants: le volume III du *Handbook of perception* s'attarde à la biologie des systèmes perceptifs (Carterette et Friedman, 1973)*; il en fait même une bonne recension, y incluant des systèmes sensoriels que nous avons, ici, complètement ignorés. Les volumes du *Handbook* qui traitent des sens pris un à un (IV, *Audition*; V, *Vision*; VI, *Sensation, goût, odorat, et douleur*) peuvent évidemment être consultés pour satisfaire des intérêts plus prononcés pour ces sujets. Le *Handbook of Psychobiology* (Gazzaniga et Blakemore, 1975) est un résumé remarquable du travail important effectué sur les systèmes sensoriels et sur les structures cérébrales supérieures. Nous vous recommandons fortement ce livre. *The Neurosciences: Second study program* (Schmitt, 1972) et *The neurosciences: Third study program* (Schmitt et Worden, 1974) constituent des bibles pour les étudiants du monde des sciences neurologiques et, malgré leur prix élevé, ils sont essentiels pour qui entend faire carrière en ce domaine. Le volume extraordinaire de Rodieck (1973) en dit plus sur la rétine qu'aucun de vous ne puisse espérer en savoir: 1044 pages d'informations denses vous attendent. Ce volume ne s'adresse qu'aux étudiants sérieux fascinés par l'oeil; pour eux, il peut être un atout inestimable (il est d'ailleurs suffisamment dispendieux pour que ce qualificatif lui soit conféré).

Il y a plusieurs articles sur le traitement de l'information nerveuse. Une des sources d'articles récents et instructifs peut être le *Scientific American*. Quelques-uns de ces articles rejoignant les thèmes de ce chapitre sont: Campbell et Maffei (1974) sur l'analyse des fréquences spatiales; Ratliff (1972) sur l'inhibition latérale; Werblin (1973) sur les mécanismes nerveux qui contrôlent la sensibilité rétinienne; et Pettigrew (1972) sur la vision binoculaire. Il y a d'autres excellents articles encore et nous vous recommandons, à notre manière favorite, d'en trouver. Allez à la bibliothèque et prenez tous les exemplaires du journal, puis feuilletez-les à partir du plus récent. Held et Richards (1972, 1976) et Thompson (1972, 1976a) ont colligé les meilleurs articles du *Scientific American* sur la perception et sur les mécanismes physiologiques (respectivement); leurs quatre livres sont à utiliser pour ce chapitre-ci.

Au cours du chapitre, nous avons recommandé les écrits de Blakemore (1975) et Barlow (1972) sur la philosophie des détecteurs nerveux. Vous

---

* Une parution récente: le Volume IV du *Handbook of Perception* (1978) traite uniquement de l'audition. (Note des traducteurs.)

pouvez souhaiter consulter les travaux de Gross (1973) sur l'histoire des cellules spécialisées situées au delà du cortex sensoriel et le détecteur de patte de singe. Un article intéressant sur les circuits neurologiques de la perception du mouvement a été présenté par Sekuler et Levinson (1974). Pour des résultats plus intéressants sur le développement des circuits nerveux spécialisés, voyez le chapitre de Hirsh et Jacobson (1975: dans le *Handbook* de Gazzaniga et Blakemore). Comme toujours, le *Annual Review of Psychology* et le *Annual Review of Physiology* constituent de bonnes sources de références*.

---

* Voilà qui peut satisfaire toute personne à la recherche d'informations supplémentaires, à condition qu'elle sache lire l'anglais. La liste des références françaises disponibles qui abordent le traitement de l'information sensorielle est d'une étonnante brièveté, surtout lorsqu'on recherche un point de vue relativement contemporain. Nous recommandons néanmoins de faire, pour nos revues françaises, ce qu'on vous a proposé pour les fascicules du *Scientific American*. Deux revues, *La Recherche* et *Pour la Science*, présentent fréquemment des articles fort intéressants sur la vision, la perception ou la physiologie du système nerveux. (Note des traducteurs.)

7. La reconnaissance de formes et l'attention

Préambule

La reconnaissance de formes
LE PANDÉMONIUM

COMMENT CONSTRUIRE UN PANDÉMONIUM
L'IMPORTANCE DES ERREURS
LES RÉPONSES AUX DISTORSIONS

Les caractéristiques liées à la reconnaissance du langage
LE PROBLÈME DE LA SEGMENTATION

LA CLASSIFICATION DES SONS DU LANGAGE
LES PHONÈMES
LES CARACTÉRISTIQUES DISTINCTIVES

L'insuffisance de l'analyse des caractéristiques
LE RÔLE DU CONTEXTE
LES CHAUSSETTES MOUILLÉES

L'IMPORTANCE DE LA REDONDANCE

Les traitements dirigé-par-données et dirigé-par-concepts
LES DÉMONS SPÉCIALISTES

LE TABLEAU NOIR ET LE DIRECTEUR

L'ANALYSE D'UNE PHRASE

PUISSANCE ET FAIBLESSE DU SYSTÈME DES SPÉCIALISTES

Le phénomène de l'attention
LA SÉLECTION DE MESSAGES
LA FILATURE

LE TRAITEMENT DU MESSAGE REJETÉ

LES DÉMONS SPÉCIALISTES ET LE DIRECTEUR

Conclusion

Revue des termes et notions
TERMES ET NOTIONS À CONNAÎTRE

Lectures suggérées

Préambule

Considérons le problème de la reconnaissance des signaux parvenant aux organes sensoriels. Pour reconnaître un objet dans notre environnement, nous devons extraire, de tous les signaux sensoriels qui parviennent jusqu'à nous, les stimuli visuels et sonores pertinents. Cela fait, il reste encore à déterminer ce qu'ils représentent. Ces problèmes font appel à deux mécanismes intimement liés: la reconnaissance de formes et l'attention.

Lorsque nous essayons de réunir les mécanismes responsables de la reconnaissance de formes et de l'attention, nous faisons face à un paradoxe. Très souvent, nous devons comprendre la signification d'un signal pour pouvoir en analyser adéquatement les composantes. Or, comment pouvons-nous comprendre sa signification avant d'en avoir analysé les composantes? C'est comme dire que pour reconnaître un objet, nous devons d'abord le reconnaître! Supposons que vous soyez au milieu d'une foule de personnes qui parlent. Vous pouvez décider d'écouter une voix et ignorer les autres. Cependant, si une autre personne vous appelle, vous entendrez probablement votre nom. Comment pouvez-vous comprendre votre nom, s'il vient d'une voix à laquelle vous ne portez pas attention?

Ce paradoxe peut être résolu si l'on considère que l'esprit humain traite simultanément l'information sur plusieurs plans: le système de traitement de l'information est à la fois *dirigé-par-données* et *dirigé-par-concepts*. Ces deux niveaux de traitement interagissent l'un avec l'autre et leur puissance combinée est capable d'analyser les signaux qu'aucun des deux ne pourrait analyser seul.

Ce chapitre fait la transition entre l'étude des aspects plus ou moins périphériques du fonctionnement du cerveau et l'analyse des aspects plus centraux. Nous en arrivons à l'étude des processus mentaux dits *cognitifs*. Le but de ce chapitre est d'étudier comment les opérations mentales utilisent l'information fournie par les sens. Les chapitres précédents ont décrit le trajet de l'information à partir des yeux et des oreilles jusqu'aux parties du système nerveux qui traitent l'information visuelle et auditive. Il s'agit d'un type de traitement *dirigé-par-données*. Ce genre de traitement, amorcé par l'arrivée des données sensorielles, tente de les analyser au maximum.

Nous essaierons de voir, dans ce chapitre, comment le cerveau sélectionne ensuite l'information pertinente parmi la multitude des signaux qui lui parviennent et comment il interprète correctement ces mêmes signaux. Nous constaterons qu'un type de traitement basé sur les conceptualisations et les attentes requiert la participation additionnelle des processus mentaux supérieurs. Il s'agit du traitement *dirigé-par-concepts*. Nous verrons comment la combinaison des traitements dirigé-par-données et dirigé-par-concepts produit un système intelligent et efficace.

Ce chapitre met l'emphase sur la nature des mécanismes de la reconnaissance de formes et de l'attention. Nous présentons un modèle hypothétique de fonctionnement de ce système. Votre tâche consiste à comprendre le phénomène fondamental et ensuite le modèle que nous avons construit. De fait, nous élaborerons divers modèles au cours de ce chapitre, chacun étant développé à partir des précédents, tout en cherchant à remédier aux failles antérieures. Nous avons décidé de vous présenter les modèles suivant la séquence de leur élaboration, dans le but de montrer pourquoi ils ont été modifiés pour rendre compte des phénomènes nouveaux. Il est important de comprendre comment sont construits ces modèles et pourquoi ils ont été modifiés. La construction et la mise à l'épreuve de modèles est un outil fondamental pour la recherche scientifique. Le dernier modèle présenté n'est pas encore définitif — il sera modifié dans les années à venir. Malgré tout, il semble jusqu'à maintenant le plus satisfaisant. Une réflexion sérieuse sur ces problèmes vous permettra peut-être d'y apporter une autre amélioration.

Vous remarquerez que les modèles que nous avons construits dans ce chapitre sont représentés par des démons et des tableaux noirs. Évidemment, nous ne prétendons pas qu'il existe de tels objets dans la tête des gens. Ils représentent simplement des processus neurologiques réels. En illustrant les opérations par des démons, nous pouvons plus aisément décrire en termes simples, imagés, faciles à comprendre, les processus de la reconnaissance de formes et de l'attention. Ces démons sont de très simples créatures, tout comme les détecteurs de caractéristiques étudiés au chapitre 6. Ne croyez pas qu'il y ait quelque chose de mystérieux ou de complexe sous ces modèles de démons.

Au fur et à mesure que vous lirez ce chapitre, essayez de voir si les phénomènes décrits correspondent aux modèles proposés. Souvenez-vous des notions apprises aux chapitres précédents. Essayez de faire correspondre ces notions aux modèles. Songez à vos propres expériences et voyez comment on pourrait les interpréter au moyen des modèles présentés. Si vous croyez pouvoir corriger un modèle pour le rendre plus satisfaisant, faites-le, tout en vous rappelant que votre modèle doit rendre compte de tous les phénomènes connus. Il est souvent plus facile de trouver une faille dans un modèle que de le corriger. Peut-être désirerez-vous approfondir vos connaissances sur les modèles de traitement perceptifs en consultant certaines revues scientifiques connues. Les modèles exposés dans ce chapitre sont des versions simplifiées de modèles déjà étudiés et développés. Vous n'y trouverez pas, comme dans ce volume d'introduction, de petits démons pour les illustrer, mais vous y retrouverez les mêmes concepts formulés dans un langage plus technique et plus aride.

La reconnaissance de formes

Au chapitre 6, nous avons étudié quelques-uns des mécanismes nerveux à la base des expériences perceptives. Ces systèmes de détection sont-ils suffisants pour rendre compte de la reconnaissance de formes chez l'homme? Une courte réflexion sur ce problème suffit à soulever certaines questions fondamentales.

Quand il s'agit de construire un modèle de reconnaissance de formes propre à l'être humain, le système se doit d'être très flexible. Par exemple, il devrait pouvoir reconnaître une lettre quelconque, peu importe sa **GRAN-DEUR** ou son ᵒʳⁱᵉⁿᵗᵃᵗⁱᵒⁿ· De plus, il devrait être tolérant à certaines distorsions provenant de la forme. Nous pouvons facilement reconnaître une forme, même si certaines parties sont manquantes

ou lorsqu'il y a des lignes superflues

ou lorsque diverses formes représentent la même lettre:

A ᵃ ⒜ *a* 🎨 🖋️ ᵃ 𝔸 A

ꞱⱯ ʌunʌ 'uɐ ʟı ꞁɐ ᴉʌ ɟ ᴉɐ ᴉ 'snou snoʌnod ʟᴉʟɐ sǝp sǝꞁ ʇʇʟǝs ǝɔʇᴉʟɐs ᵉ ꞁ, ǝuʌǝʌs.

En fait, si nécessaire, nous pouvons lire des lettres écrites à l'envers.

Voici donc toute une série d'exigences. Cependant, nous devrons en tenir compte si nous voulons comprendre le traitement de l'information perceptive. Examinons maintenant le type de système qui intervient quand nous essayons de combiner la puissance et la flexibilité de la perception humaine aux caractéristiques extraites par les processus visuels, et ce, dans le but de construire un modèle de reconnaissance de formes propre à celui de l'être humain.

LE PANDÉMONIUM

L'une des méthodes permettant d'utiliser l'analyse des caractéristiques pour reconnaître les formes s'appelle le *Pandémonium* (Selfridge, 1959). Ce système est composé d'une série de *démons*, chacun accomplissant une tâche différente en vue de reconnaître une forme (voir figure 7-1).

Le premier groupe de démons, les *démons de l'image*, ont la tâche la plus simple. Ils enregistrent simplement l'image initiale du signal externe. L'image est ensuite analysée par les *démons des caractéristiques*. Chacun de ces démons est à la recherche d'une caractéristique particulière de l'image: présence d'un certain type de ligne; des angles semblables; peut-être de certaines courbes ou contours. Les *démons cognitifs* surveillent les réponses des démons des caractéristiques. Chaque démon cognitif est responsable de la reconnaissance d'une forme spécifique. Ainsi, un démon cognitif sera chargé de reconnaître le **A**, un autre de reconnaître le **B**, et ainsi de suite. Le démon cognitif **A** cherche à trouver les caractéristiques associées à sa forme. Lorsqu'un démon cognitif trouve une caractéristique appropriée, il commence à hurler. Plus il trouve de caractéristiques pertinentes, plus il hurle fort. Finalement, un *démon de la décision* écoute les hurlements produits par chacun des démons cognitifs. Il choisit celui qui hurle le plus fort, puisqu'il s'agit de la forme correspondant probablement le plus à celle perçue dans l'environnement.

Au chapitre 1, nous avons examiné et expliqué certains phénomènes perceptifs. Nous avons considéré aussi un mécanisme par lequel le système nerveux pouvait reconnaître les signaux qui lui étaient présentés. Il s'agissait du schème de gabarits servant à la *reconnaissance de formes*. C'est-à-dire que nous avons étudié comment un système, composé d'un ensemble de gabarits (ou d'images précises d'objets possibles), recevait un signal sensoriel et essayait de le faire correspondre aux gabarits existants. Nous avons aussi conclu que ce schème était trop restreint et trop rigide pour reconnaître des formes qui s'éloignaient tant soit peu des gabarits déjà existants.

Au chapitre 6, nous avons étudié des cellules nerveuses qui semblaient avoir des fonctions spécialisées qui extrayaient des caractéristiques spéciales des signaux sensoriels. Les caractéristiques du système visuel que nous avons considérées correspondaient à une variété d'éléments: segments de ligne

Figure 7-1

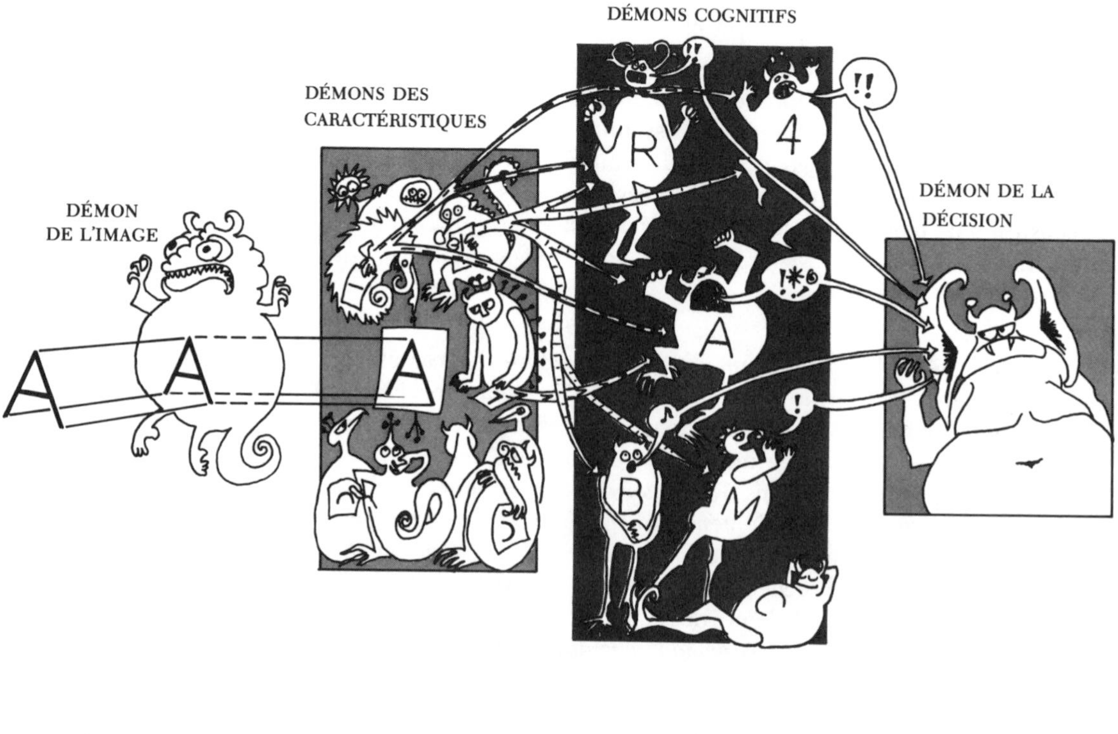

ayant une certaine orientation, angles, contrastes lumineux, mouvements et couleurs. Certains neurones semblaient faits plus spécifiquement pour reconnaître des fréquences spatiales ou certains espacements des contours d'une image. Il existait des caractéristiques analogues pour le système auditif. Nous avons découvert des cellules qui réagissaient à certaines fréquences auditives, aux changements de hauteur tonale des sons et au déclenchement ou à la cessation des signaux. Au fur et à mesure que nous délaissions l'analyse effectuée au niveau des organes des sens et que nous approfondissions de plus en plus le système nerveux en remontant jusqu'aux centres du cerveau, les analyses des caractéristiques semblaient de plus en plus explicites, plus spécialisées en termes de *descriptions* des signaux auxquels elles devaient répondre, mais moins sensibles à la localisation de ces caractéristiques dans le champ visuel (et probablement auditif). Ces cellules, qui détectent les caractéristiques spéciales contenues dans les signaux, sont comme les démons du Pandémonium. Chaque neurone spécialisé est un démon des caractéristiques. Peut-être ces caractéristiques sont-elles envoyées à d'autres neurones qui recherchent des combinaisons de caractéristiques spéciales et qui, par conséquent, agissent comme les *démons cognitifs* du Pandémonium. Le «détecteur de patte de singe», abordé brièvement au chapitre 6, correspond peut-être à un de ces démons cognitifs.

Le schème du Pandémonium et celui du gabarit ont quelques points en commun: dans les deux cas il y a appariement d'ensembles spécifiques de caractéristiques pour les items spécifiques à reconnaître. Mais un gabarit de caractéristiques est beaucoup plus puissant qu'un gabarit de lignes et d'angles spécifiques. Les systèmes de type Pandémonium tolèrent des changements de grandeur, d'orientation et autres distorsions. Le Pandémonium décrit donc la séquence des événements nécessaires à l'analyse des caractéristiques des formes. Il diffère du schème de gabarit (décrit au chapitre 1) uniquement parce que l'image est d'abord recodée en un ensemble de caractéristiques au lieu d'être directement appariée avec une représentation ou une réplique interne. Le Pandémonium, tout comme le schème de gabarit, compare toutes les formes simultanément. Chaque démon cognitif fournit un compte rendu du degré de concordance entre le signal d'entrée et l'ensemble des caractéristiques qu'il possède. Il s'agit d'un schème de reconnaissance de formes particulièrement souple. Par exemple, il est possible d'imaginer qu'un tel système puisse apprendre. Chaque démon cognitif peut apprendre graduellement à interpréter diverses caractéristiques associées à sa forme particulière. Il est assez facile d'y ajouter des effets de contexte en incluant des *démons de contexte* qui hurleront, eux aussi, dans le Pandémonium. D'ailleurs, l'analyse des caractéristiques est compatible avec ce que nous savons de la façon dont le système nerveux analyse les signaux externes. Comme les chapitres précédents l'ont montré, les neurones individuels du système perceptif ont des formes de réponse qui permettent de les comparer aux démons des caractéristiques.

Mais un système de reconnaissance par caractéristique résout-il entièrement les problèmes associés aux changements de grandeur, d'orientation et de position d'une forme donnée? Pas directement. En fait, tout dépend de la nature des caractéristiques analysées. Supposons que l'ensemble des caractéristiques d'un **H** soit deux grandes lignes verticales et une petite ligne horizontale. Avec un tel ensemble de caractéristiques, tout changement d'orientation pose autant de problèmes à l'analyse des caractéristiques qu'à l'appariement de gabarits. Le Pandémonium décrit la façon dont un ensemble de caractéristiques peut être utilisé pour reconnaître des formes; il ne spécifie en aucune façon quelles seront, en fait, les caractéristiques extraites de toute l'information visuelle qui parvient jusqu'à nous.

Supposons que nous voulions construire une machine capable de reconnaître des formes. Il nous faut d'abord examiner l'ensemble des formes à reconnaître et essayer de déterminer les caractéristiques qui permettent de classifier chaque forme sans ambiguïté. En principe, nous sommes entièrement libres de choisir tout ensemble de caractéristiques qui pourrait, à notre avis, le mieux discriminer les formes à reconnaître. Ce choix doit cependant se conformer à un certain nombre de critères: les caractéristiques doivent être aussi simples que possible, doivent entraîner le moins d'erreur possible et être analysables à l'aide d'un circuit assez simple. Cependant, notre tâche n'est pas de construire une machine quelconque; elle consiste plutôt à comprendre le système de reconnaissance de formes de l'être humain.

COMMENT CONSTRUIRE UN PANDÉMONIUM

L'étude de la nature des réponses nerveuses aux stimuli spécifiques suggère que le système perceptif de la plupart des organismes supérieurs en dégage une foule de données sur les caractéristiques spécifiques d'une image visuelle. Souvenez-vous qu'il existe, dans les centres du cerveau qui reçoivent l'information à partir de récepteurs, des neurones qui réagissent uniquement à la présence d'une ligne droite ayant une orientation particulière dans une partie spécifique de l'image rétinienne. Leur réponse ne tient pas compte de la longueur de la ligne. Des neurones voisins peuvent aussi réagir au maximum à une ligne ayant une orientation particulière, mais peuvent être moins sensibles quant à sa position exacte sur la rétine. D'autres sont sensibles aux contours de certaines formes ou à l'intersection de lignes formant un angle donné. Le système visuel extrait donc une quantité énorme d'information détaillée concernant les caractéristiques spécifiques de l'image. Il extrait même beaucoup plus d'information qu'il n'en faut pour reconnaître une lettre à l'aide d'un schème tel que le Pandémonium.

L'information peut être combinée en appliquant le même principe que pour la construction de gabarits: relier simplement un certain nombre de cellules pour former un détecteur plus général des caractéristiques. Par exemple, des neurones répondant à des lignes verticales en différentes parties de l'image rétinienne peuvent être connectés ensemble pour former un détecteur général de ligne verticale. La force de réponse de ce démon des caractéristiques correspondrait au **nombre** de lignes verticales de l'image, indépendamment de la longueur, de l'intensité et de «l'exactitude» de chaque ligne. De même, un démon des caractéristiques générales répondant aux lignes horizontales et diagonales peut être créé en reliant les détecteurs nerveux appropriés. On peut faire la même chose avec l'information sur les angles: un démon des caractéristiques pourrait spécifier le nombre d'angles roits dans une image; un autre, le nombre d'angles aigus. Finalement, il audrait pouvoir obtenir aussi des informations concernant les courbes. Nous ouvons inventer deux démons des courbes utilisables dans un système de econnaissance de formes: l'un répondrait au nombre de courbes continues comme dans **O** et **Q**); l'autre au nombre de courbes discontinues (**D** et **C**). Jne fois établies les connexions appropriées, le système obtenu ressemble-ait à celui de la figure 7-2.

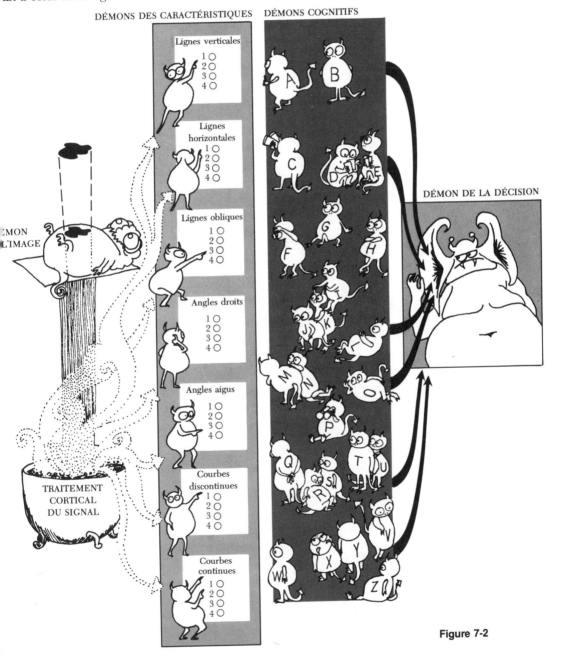

DÉMONS DES CARACTÉRISTIQUES   DÉMONS COGNITIFS

Lignes verticales
1 ○
2 ○
3 ○
4 ○

Lignes horizontales
1 ○
2 ○
3 ○
4 ○

Lignes obliques
1 ○
2 ○
3 ○
4 ○

Angles droits
1 ○
2 ○
3 ○
4 ○

Angles aigus
1 ○
2 ○
3 ○
4 ○

Courbes discontinues
1 ○
2 ○
3 ○
4 ○

Courbes continues
1 ○
2 ○
3 ○
4 ○

DÉMON DE L'IMAGE

TRAITEMENT CORTICAL DU SIGNAL

DÉMON DE LA DÉCISION

Figure 7-2

Voici une analyse de l'information visuelle selon sept types généraux de caractéristiques. Chaque démon rapporte le nombre d'un certain type de caractéristiques perçues dans une forme. Les démons cognitifs recherchent les valeurs particulières des caractéristiques correspondant à leur forme. La force de leurs réactions est déterminée par le nombre de caractéristiques décelées. La forme adéquate est finalement déterminée par le démon de la décision qui réagit au démon cognitif répondant le plus vigoureusement. Le type et la valeur des caractéristiques propres à chaque lettre majuscule sont rapportés au tableau 7-1.

Tableau 7-1	Lignes verticales	Lignes horizontales	Lignes obliques	Angles droits	Angles aigus	Courbes continues	Courbes discontinues
A		1	2		3		
B	1	3		4			2
C							1
D	1	2		2			1
E	1	3		4			
F	1	2		3			
G	1	1		1			1
H	2	1		4			
I	1	2		4			
J	1						1
K	1		2	1	2		
L	1	1		1			
M	2		2		3		
N	2		1		2		
O						1	
P	1	2		3			1
Q			1		2	1	
R	1	2	1	3			1
S							2
T	1	1		2			
U	2						1
V			2		1		
W			4		3		
X			2		2		
Y	1		2		1		
Z		2	1		2		

Mais il faut résoudre un autre problème pour que le système devienne onctionnel. Certaines lettres ne diffèrent entre elles que parce qu'elles ont les caractéristiques **additionnelles.** Par exemple, F a une ligne verticale, leux lignes horizontales et trois angles droits. La lettre **P** possède toutes es caractéristiques, plus une courbe discontinue. Si un **P** est confronté au ystème, aucun problème: le démon **P** répondra plus fort que le démon **F**. Mais si F survient, les démons **F** et **P** répondront avec la même force: le lémon de la décision sera incapable de choisir entre les deux. On rencontre e même problème avec les lettres **P** et **R**, **V** et **Y**, **O** et **Q**, etc.

Une façon de résoudre ce problème est de déterminer un niveau de éponse standard maximale pour chaque démon. Un démon répond à son aux maximum seulement si **toutes** les caractéristiques recherchées sont présentes. L'absence de caractéristiques pertinentes aussi bien que la présence de caractéristiques indésirables empêchent le démon de crier à sa pleine capacité.

Voici donc, en gros, les principes régissant un système de reconnaissance par caractéristiques. Fonctionnera-t-il? La seule façon de le savoir est de le mettre à l'épreuve pour voir comment il se comporte. Observons ce qui se passe lorsqu'une lettre — disons **R** — est présentée (voir figure 7-3).

La lettre **R** est d'abord encodée par les démons de l'image et l'information passe ensuite à d'autres étapes du traitement. Les démons des caractéristiques commencent enfin à réagir. Le premier note la présence d'une ligne verticale. Jusqu'à présent, il ne s'agit pas d'un indice suffisant pour classifier la forme. La figure 7-3 montre des démons cognitifs réagissant à la présence d'un simple trait vertical. Parmi les 26 lettres de l'alphabet, 13 ont une seule ligne verticale et 6 ont deux lignes horizontales. Au fur et à mesure que nous parcourons cette liste, nous voyons que différentes caractéristiques activent différents groupes de démons cognitifs. Dans ce cas-ci, le démon de la décision a un choix facile à effectuer, puisque **R** est, sans contredit, le plus activé. La forme la plus probable après **R** est **P**, qui apparaît dans quatre des sept listes. Vient ensuite **D** qui a trois des sept caractéristiques comparables.

L'IMPORTANCE DES ERREURS

Voyons l'une des caractéristiques les plus importantes de ce système de reconnaissance de formes. Par exemple, pour reconnaître le **R**, les sept démons des caractéristiques ne sont pas tous utiles. Il suffit de savoir qu'il y a un angle aigu et un contour fermé. De même, on peut reconnaître le **R** en extrayant l'information sur les angles: la présence de trois angles droits et d'un angle aigu est suffisante. Ainsi, pour n'importe quelle lettre, les sept démons des caractéristiques fournissent plus d'information qu'il n'en faut. Cela signifie que même si certains démons des caractéristiques manquent à leur tâche, le système de reconnaissance de formes peut quand même détecter certains signaux correctement. Les sept caractéristiques ne sont requises que lorsque toutes les formes possibles sont considérées en même temps. Nous avons besoin des sept pour inscrire les valeurs attribuables aux caractéristiques propres à chaque lettre. Si de nouvelles formes sont ajoutées, de nouvelles caractéristiques doivent être utilisées et leur nature dépendra de ces nouvelles formes.

Autre particularité du système: l'ensemble des caractéristiques sélection-nées pour la reconnaissance de formes détermine le type d'erreur fait à la reconnaissance. En moyenne, s'il y a difficulté à reconnaître un **R**, nous pouvons supposer que la lettre **P** sera le choix alternatif le plus probable.

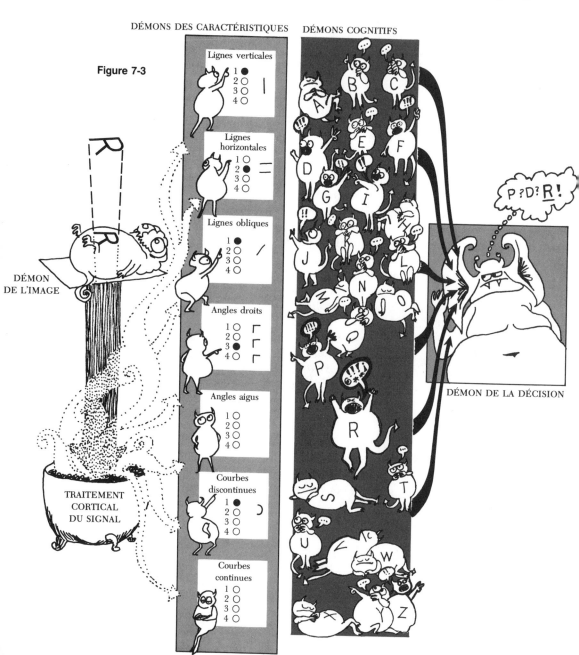

Figure 7-3

lorsque le signal est transformé en un ensemble de caractéristiques, **P** devient la forme la plus semblable à **R**.

Pour vérifier cette hypothèse, il suffit de confronter les gens à différentes lettres difficilement identifiables et d'observer les types d'erreurs produites. Les résultats d'une telle expérience donnent une *matrice de confusion* décrivant les types d'erreurs liés à l'identification des lettres. La figure 7-4 présente une matrice de confusion constituée à partir des résultats de l'expérience de Kinney, Marsetta et Showman (1966). Une à une, les auteurs ont présenté brièvement les lettres de la figure 7-5 sur un écran, en demandant aux sujets de dire ce qu'ils voyaient.

La figure 7-4 indique sur l'axe vertical gauche les lettres présentées aux sujets; sur l'axe horizontal supérieur, les lettres perçues par ceux-ci. Pour la lettre **R** de l'axe vertical, la ligne horizontale correspondante présente les réponses émises lorsque les sujets tentent d'identifier cette lettre. Nous constatons qu'ils ont fait un total de six erreurs, dont quatre correspondent à la lettre **P**.

Troisième point à noter à propos du schème de reconnaissance des caractéristiques: les erreurs d'identification des lettres ne sont pas nécessairement symétriques. Prenons, à titre d'exemple, la lettre **C**. Lorsque cette lettre est présentée, seul répond le démon des courbes discontinues. Ainsi, avec un **C**, le démon de la décision pourrait avoir de la difficulté à choisir entre **C** ou **G**. Voyons les erreurs de reconnaissance produites pour la lettre **C** dans la matrice de confusion. Les sujets ont plus de difficulté à reconnaître un **C** que toute autre lettre: la lettre **G** est rapportée 21 fois, lorsque la lettre **C** est exposée. Cependant, la lettre **C** n'est pas nécessairement la réponse la plus fréquente lorsqu'un **G** survient.

LES RÉPONSES AUX DISTORSIONS

Maintenant que nous avons examiné certaines caractéristiques du Pandémonium, considérons le problème résultant de la distorsion de la forme présentée. Un changement de grandeur des caractères ne représente aucun problème pour ce système d'extraction des caractéristiques. Les démons des caractéristiques recueillent l'information des détecteurs de lignes, eux-mêmes insensibles à la longueur de celles-ci. Les angles droits restent des angles droits, les angles aigus, des angles aigus, et ce, indépendamment de la dimension de la lettre.

Mais, en ce qui concerne l'orientation, il en va tout autrement. Pencher un **F** sur le côté risque de confondre ces démons particuliers, puisqu'on a alors une forme contenant deux lignes verticales, une ligne horizontale et trois angles droits. Cependant, tourner un **F** sens dessus dessous ne crée pas de problème au niveau du système de reconnaissance de formes: les démons des lignes verticales et horizontales produisent les mêmes réponses que pour la lettre **F**.

Les caractéristiques liées à la reconnaissance du langage

Il est assez aisé de voir pourquoi le schème d'extraction des caractéristiques

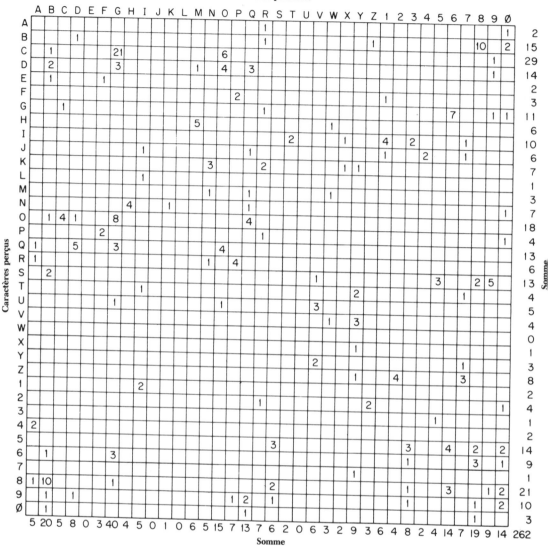

Figure 7-4 *Kinney, Marsetta, et Showman (1966).*

Figure 7-5 A B C D E F G H I J K L M N O P Q R

S T U V W X Y Z 1 2 3 4 5 6 7 8 9 0

ffre un bon point de départ à l'élaboration d'un système de reconnaissance e lettres. Même un ensemble très simple de caractéristiques fonctionne ssez bien au niveau des lettres. Cependant, ce n'est pas aussi simple pour e langage. La nature propre à la forme d'onde du langage parlé pose des ifficultés supplémentaires à son analyse.

Il y a en fait trois grands problèmes reliés à la reconnaissance du langage. Premièrement, le problème de la segmentation: les contours des unités reconnaître ne sont pas clairement définis. Deuxièmemment, il y a une rande variabilité dans les formes d'ondes physiques lorsque différentes ersonnes prononcent un même mot ou lorsqu'une même personne prononce n mot dans différents contextes. Finalement, il y a peu d'accord au sujet e l'identité des caractéristiques fondamentales qui pourraient être utilisées ans la reconnaissance des mots parlés.

Dans un texte imprimé, il est facile de déterminer les limites entre les mots, les lettres ou les phrases. Chaque lettre est clairement séparée de ses voisines par une quantité d'espace déterminée; chaque mot est séparé des utres par un espacement encore plus grand. Malheureusement, tel n'est pas le cas du langage.

LE PROBLÈME DE LA SEGMENTATION

Lorsqu'on écoute une conversation, les mots semblent distincts et, dans a plupart des cas, bien articulés. Il semble y avoir une séparation nette entre a plupart des mots. Il ne s'agit, en fait, que d'une illusion. Les distinctions claires que nous percevons si facilement n'existent pas dans le signal physique, mais résultent plutôt d'un processus de reconnaissance de formes: elles sont créées par l'analyse. En fait, la forme d'onde propre au langage est une combinaison de sons peu articulés, de segments mal prononcés, de suppressions et de contractions. Qui plus est, il n'existe pas de liaison apparente entre les coupures de cette forme d'onde et les limites entre les mots. Voyons la phrase: «Elle utilise un **stéthoscope.**» Lorsqu'on la prononce, il se produit exactement trois pauses au niveau du schéma sonore. Cependant, aucune d'elles ne correspond à la limite entre les mots; toutes se produisent dans le mot **stéthoscope:** l'une après *s,* l'autre après *é,* une autre avant *c.*

Écoutez quelqu'un parler une langue étrangère. Si vous ne connaissez pas cette langue, le débit vous semblera continu et très rapide. Même l'étudiant qui vient péniblement d'apprendre quelques mots du vocabulaire de cette langue aura de la difficulté à les isoler du discours apparemment continu de l'interlocuteur. En fait, la rapidité apparente des langues étrangères n'est, dans la plupart des cas, qu'une illusion. Les différences que nous percevons sont attribuables au fonctionnement d'un système de reconnaissance de formes. Dans un cas, les mots sont significatifs et nous les percevons comme des entités distinctes; dans l'autre, le système de reconnaissance n'étant pas approprié, les sons nous semblent confus et sans signification.

Certaines propriétés de la forme d'onde physique peuvent être utilisées pour segmenter le message verbal. Cependant, aucune des caractéristiques physiques étudiées jusqu'à présent ne fournit un indice sûr pour évaluer la démarcation entre les mots. Pourtant, dans plusieurs cas, il semble que le

système d'analyse doive connaître le mot avant d'en établir les limite
Comment segmenter correctement la composition sonore *parlamā* (v
l'alphabet phonétique international au tableau 7-2) pour savoir si les m
sont associés avec la phrase **«As-tu vu le parlement?»** ou **«Alors, pa**
m'en»? Le processus de reconnaissance de formes est circulaire. Nous devo
comprendre les sons avant de les analyser et nous devons d'abord les analys
afin de les comprendre. Le système doit opérer simultanément à différe
niveaux d'analyse.

LA CLASSIFICATION DES SONS DU LANGAGE

LES PHONÈMES

Les linguistes essaient depuis longtemps de caractériser les composant
sonores du langage articulé. Dans le français écrit, les syllabes et les lettre
représentent les unités élémentaires d'un mot. Dans le français parlé, le
unités fondamentales sont plus difficiles à discerner. Mais, pour l'oreil
habituée, il semble exister un ensemble limité de sons de base servant
construire tous les mots. Un son particulier est qualifié d'unité fondamenta
s'il a une fin fonctionnelle dans le langage. Les mots **bas**, **pas**, **ras** ont de
significations différentes déterminées uniquement par le changement d'u
seul son — les sons initiaux «b», «p» et «r» respectivement. Un son qu
par lui-même, peut changer la signification d'un mot est un *phonème*. Un
façon de déterminer les phonèmes d'une langue consiste à changer systé
matiquement l'un des sons du mot jusqu'à ce qu'un mot différent soit formé
Si le changement d'un seul son conduit à la formation d'un autre mot, o
vient alors d'identifier deux phonèmes: un qui correspond au son initia
un autre au son final.

Considérons l'expérience suivante avec le mot **bol**. Il s'agit d'un mot CV(
parce qu'il est composé d'une consonne (symbolisée par C) suivie d'un
voyelle (V) suivie d'une autre consonne (C). En variant systématiquemen
le son de la première consonne du CVC, nous créons différents mots. Chaqu
son qui produit la formation d'un mot nouveau (**fol**, **mol**, **sol**, **vol**, etc.) cons
titue un nouveau phonème. Cette simple expérience permet de détermine
un certain nombre de phonèmes: *b, c, f, m, p, s, v*. De façon similaire, l
variation systématique de la partie V du mot **bol** révèle les phonèmes suivants
a (comme dans **bal**), è (comme dans **belle**), i (comme dans **bile**), o (comm
dans **bol**), u (comme dans **bulle**) et ou (comme dans **boule**). En tout et partout
la substitution systématique du système CVC et l'utilisation de mots diver
font ressortir au moins 36 phonèmes en français: 16 voyelles, 3 semi
consonnes et 17 consonnes. Tous les phonèmes de la langue française
apparaissent au tableau 7-2. Comme il n'y a pas de correspondance exacte
entre les lettres de l'alphabet et les phonèmes, des symboles spéciaux son
utilisés pour désigner ces derniers.

Il faut noter que toutes les lettres ne correspondent pas nécessairement
à un phonème. De plus, le nombre et la nature des phonèmes différen
d'un dialecte à l'autre dans la langue française. Dans certaines régions du
Québec, les mots **jouet** et **joie** sont prononcés de la même façon. Pour la
plupart des gens de langue française, par contre, les deux mots sont prononcés

éremment. Lorsque les accents sont très différents, le système de recon-
ssance peut ne pas opérer. Différentes prononciations du français de
ris, de Marseille, de Montréal et de la Gaspésie diffèrent tellement du
nçais international qu'elles peuvent ne pas être reconnues par des per-
nes d'expression française non familières avec ces accents.

Si les phonèmes sont les unités fondamentales pour l'élaboration des mots,
rions-nous trouvé les caractéristiques essentielles d'un système (Pandé-
onium) de reconnaissance du langage parlé? Probablement pas. Faire cor-
spondre les phonèmes aux caractéristiques n'est pas très utile. Contraire-
ent aux détecteurs de ligne et d'angle du système visuel, on ne connaît
s de façon, à l'heure actuelle, d'analyser et d'extraire les phonèmes d'une
rme d'onde du langage. Jusqu'à présent, seul l'être humain peut reconnaî-
e un phonème à partir de l'onde émise.

Alphabet phonétique

Tableau 7-2

oyelles

| il, vie, lyre
] blé, jouer
] lait, jouet, merci
] plat, patte
] bas, pâte
] mort, donner
] mot, dôme, eau, gauche
] genou, roue
] rue, vêtu
] peu, deux
œ] peur, meuble
ə] le, premier
ɛ̃] matin, plein
] sans, vent
ɔ̃] bon, ombre
œ̃] lundi, brun

Consonnes

[p] père, soupe
[t] terre, vite
[k] cou, qui, sac, képi
[b] bon, robe
[d] dans, aide
[g] gare, bague
[f] feu, neuf, photo
[s] sale, celui, ça, dessous, tasse,
    nation
[ʃ] chat, tache
[v] vous, rêve
[z] zéro, maison, rose
[ʒ] je, gilet, geôle
[l] lent, sol
[ʀ] rue, venir
[m] main, femme
[n] nous, tonne, animal
[ɲ] agneau, vigne

[h] hop! (exclamatif)
['] haricot (pas de liaison)

Semi-consonnes

[j] yeux, paille, pied
[w] oui, nouer
[ɥ] huile, lui

[ŋ] mots empr. anglais, camping
[x] mots empr. espagnol, jota; arabe,
    khamsin, etc.

LES CARACTÉRISTIQUES DISTINCTIVES

La difficulté à identifier les phonèmes nous oblige à proposer d'autr schèmes pour classifier les sons du langage. Une méthode consiste à examin comment le langage est produit, afin de déterminer si les opérations variée impliquées dans la création des sons peuvent servir à la description de forme d'onde. Les sons du langage résultent d'une interaction complexe c plusieurs parties de l'appareil vocal. Le diaphragme pousse l'air dans trachée. Le voile du palais ouvre et ferme les voies nasales au passage c l'air. La langue, les dents et les lèvres se déplacent simultanément pou produire la structure harmonique et temporelle des compositions sonore.

Les sons peuvent être classifiés selon le fonctionnement de ces diverse composantes. Si l'air passant dans la trachée fait vibrer les cordes vocale le son est dit *sonore* ou *voisé*, comme dans le cas de «a» ou «z». Si les co des vocales ne vibrent pas durant l'émission du son, celui-ci est dit *sour* ou *non voisé*, tel «s» dans **poisson**. C'est le voisement qui permet de distin guer les consonnes «s» et «z» l'une de l'autre. Pour observer ce voisemen¢ prononcez les mots «zoo», «sous», «zèle», «selle» en vous bouchant le oreilles. Vous remarquerez les vibrations dans «zoo» et «zèle», mais leu absence dans «sous» et «selle». Notez aussi que tous les sons murmurés son sourds ou non voisés. Murmurée, la phrase *«Ils sont tous casés»* sonn comme *«Ils sont tous cassés»*.

Autre caractéristique: la possibilité de restreindre le passage de l'air e¢ quelque endroit de la bouche produit le son d'une *fricative* (ou constrictive marqué par un bruit de souffle, de chuintement ou de sifflement — «v» «f», «ch», «s». En d'autres cas, l'échappement d'air, complètement inter rompu pendant une courte période de temps, explose après relâchement produisant le son d'une *plosive* (ou occlusive) — «t» et «d» par exemple Ces arrêts créent de réelles coupures dans le schéma de l'onde; mais, mal heureusement, celles-ci ne correspondent pas à la démarcation entre le¢ mots. Lorsqu'on prononce le mot **hippopotame** par exemple, trois coupures distinctes ressortent du débit de la parole.

Nous pouvons ainsi coder les sons du langage en caractéristiques distinc tives établies selon leur production. Chaque son présente une caractéristique unique lors de son émission. Le tableau 7-3 fournit une classification des caractéristiques distinctives des phonèmes de la langue française.

L'insuffisance de l'analyse des caractéristiques

L'analyse des sons par phonèmes et la division subséquente de ces derniers en caractéristiques distinctives doivent être prises en considération dans l'étude des éléments fondamentaux de la perception du langage, mais elles font défaut à certains problèmes importants liés à la perception. Encore nous faut-il comprendre comment on déchiffre les mots contenus dans le flot de parole et comment on accorde un sens aux phrases. De plus, comme nous le verrons plus loin, certains mots ne peuvent être compris que lors- qu'un sens leur est assigné. Par conséquent, le type d'analyse des caracté- ristiques que nous venons de décrire est absolument essentiel au processus

Tableau Valeur des caractéristiques distinctives des phonèmes de la langue française.

Caractéristiques

Phonèmes

Caractéristiques	i	e	ɛ	a	ɑ	ɔ	o	u	y	ø	œ	ə	ɛ̃	ɑ̃	ɔ̃	œ̃	j	w	ɥ	p	t	k	b	d	g	f	s	ʃ	v	z	ʒ	l	ʀ	m	n	ɲ	ŋ	x
vocalique / non vocalique	+	+	+	+	+	+	+	+	+	+	+	+	+	+	+	+	−	−	−	−	−	−	−	−	−	−	−	−	−	−	−	−	−	−	−	−	−	−
consonantique / non consonantique	−	−	−	−	−	−	−	−	−	−	−	−	−	−	−	−	−	−	−	+	+	+	+	+	+	+	+	+	+	+	+	+	+	+	+	+	+	+
nasal / oral	−	−	−	−	−	−	−	−	−	−	−	−	+	+	+	+	−	−	−	−	−	−	−	−	−	−	−	−	−	−	−	−	−	+	+	+	+	−
allongeant / non allongeant																													+	+	+		+					
sourd / sonore																				+	+	+	−	−	−	+	+	+	−	−	−	−	−	−	−	−	−	+
explosif / implosif																				+	+	+	+	+	+	−	−	−	−	−	−	−	−	−	−	−	−	−
fricatif / non fricatif																				−	−	−	−	−	−	+	+	+	+	+	+	−	−	−	−	−	−	+
latéral / non latéral																				−	−	−	−	−	−	−	−	−	−	−	−	+	−	−	−	−	−	−
vibrant / non vibrant																				−	−	−	−	−	−	−	−	−	−	−	−	−	+	−	−	−	−	−
bilabial / non bilabial																				+	−	−	+	−	−	−	−	−	−	−	−	−	−	+	−	−	−	−
labiodental / non labiodental																				−	−	−	−	−	−	+	−	−	+	−	−	−	−	−	−	−	−	−
guttural / non guttural																				−	−	+	−	−	+	−	−	−	−	−	−	−	+	−	−	−	+	+
antérieur / postérieur	+	+	+	+	−	−	−	−	+	+	+	+	+	−	−	+	+	−	+	+	+	−	+	+	−	+	+	−	+	+	−	+	−	+	+	−	−	−
fermé / non fermé	+	−	−	−	−	−	−	+	+	−	−	−	−	−	−	−																						
mi-fermé / non mi-fermé	−	+	−	−	−	−	+	−	−	+	−	−	−	−	−	−																						
ouvert / non ouvert	−	−	−	+	+	−	−	−	−	−	−	−	−	+	−	−																						
mi-ouvert / non mi-ouvert	−	−	+	−	−	+	−	−	−	−	+	−	+	−	+	+																						

Le symbole + signifie que le phonème possède la caractéristique mentionnée avant le séparateur (/); le symbole — signifie qu'il possède la caractéristique mentionnée après le séparateur. Par exemple, à la ligne des caractéristiques vocalique / non vocalique, les phonèmes allant de i à œ̃ sont vocaliques, tandis que ceux qui vont de j à x sont non-vocaliques. Les cases vides indiquent que la caractéristique ne s'applique pas ou n'est pas spécifiée, et ce, parce qu'il existe dans toute langue certains traits qui demeurent prévisibles. Par exemple, toutes les voyelles françaises étant sonores ou voisées, leur valeur en tant que sourdes ou non voisées n'a pas besoin d'être déterminée. Par contre, certaines langues, comme le japonais, possèdent des voyelles sourdes. En d'autres langues, comme l'anglais, toutes les voyelles sont orales. Il serait donc vain de spécifier leur valeur en tant que nasale / orale et d'en établir la distinction, ce qui s'avère essentiel pour les voyelles de notre langue. Le symbole ± signifie que le phonème possède les deux caractéristiques.

perceptif, mais il n'est pas suffisant par lui-même.

Les schèmes d'extraction des caractéristiques échouent dans nombre de situations que l'être humain rencontre continuellement. Comment une analyse des caractéristiques peut-elle déterminer si les sons «ilsem» représentent les mots **ils sèment** ou **ils s'aiment**? Quelles caractéristiques nous indiquent que les symboles 13 sont des nombres lorsqu'ils apparaissent dans un contexte — 13 579 — ou des lettres lorsqu'ils apparaissent dans un autre contexte — 13 AS? Que fait un système de reconnaissance des caractéristiques avec cette forme — quelles caractéristiques rendent compte de la cathédrale dans la figure 7-6?

Les démons du Pandémonium sont donc insuffisants. Il faut intégrer beaucoup plus d'information au processus de reconnaissance de formes pour expliquer la puissance extraordinaire du système de reconnaissance de l'être humain. Mais qu'y a-t-il d'autre alors, si les caractéristiques échouent?

LE RÔLE DU CONTEXTE

Une part importante de l'interprétation des données sensorielles provient plutôt de notre connaissance de ce que doit être le signal que de l'information contenue dans le signal lui-même. Cette information supplémentaire provient du *contexte* lié à l'événement sensoriel. Le contexte comprend l'environnement intégral dans lequel s'inscrivent les expériences. Lorsque vous lisez cette page, ce que vous recevez d'information ne se limite pas simplement aux caractères imprimés. Vous savez que le texte est écrit en français, qu'il traite généralement de la psychologie et particulièrement, de la psychologie de la reconnaissance de formes. De plus, vous avez probablement remarqué le style d'écriture, si bien que lorsque vos yeux parcourent le texte, vous pouvez aisément prédire les mots vous anticipez. Ces prédictions sont suffisamment bonnes pour vous permettre de combler automatiquement le «que» manquant dans la phrase précédente* ou, ce qui est la même chose, de ne pas en remarquer l'absence. Cette quantité importante d'information accumulée et utilisée continuellement pour comprendre les événements constitue ce que nous appelons le contexte de ces événements. La capacité de tirer profit du contexte rend le système perceptif humain beaucoup plus souple et nettement supérieur à tout système électronique de reconnaissance de formes inventé jusqu'à maintenant.

Les effets du contexte sont faciles à illustrer. Nous percevons les images plus rapidement et plus aisément lorsqu'elles ont un sens, que si elles sont simplement décoratives. La lecture et la mémorisation de lettres deviennent beaucoup plus difficiles si celles-ci sont présentées au hasard dans une série sans signification, — **sndeacaulx** — que si on les dispose selon un ordre significatif — **scandaleux**. Il en est de même lorsque les lettres peuvent former des mots significatifs:

tsé   nob
los   veu
egl   li
tacsi

* Un bon exemple de ceci est la difficulté que nous avons à maintenir une préposition anticipée hors d'une phrase. En effet, dactylographes et éditeurs ont tendance à la répéter automatiquement.

Roy Lichtenstein, «*Cathedral # 5.*» Lithographie, 123 cm × 83 cm. Collection: D.A. Norman.

Figure 7-6

Ceux-ci deviennent difficiles à percevoir s'ils ne se présentent pas sous leur forme habituelle.

LES CHAUSSETTES MOUILLÉES

Plusieurs techniques expérimentales ont tenté de démontrer les effets du contexte dans l'analyse perceptive des signaux intervenants. Dans une expérience de Miller (1962), les sujets écoutaient une suite de mots comme **chaussettes, ses, porte, mouillées, qui**. Ces éléments verbaux étaient mêlés à des bruits afin que chaque mot individuel n'ait des chances d'être identifié correctement que dans 50% des cas. Dans un second test, les mots apparaissaient dans un ordre significatif: **qui, porte, ses, chaussettes, mouillées**. Dans les deux cas, les sujets devaient identifier les mots. Lorsqu'on les prononça dans un ordre grammaticalement acceptable, le taux de reconnaissance devint nettement supérieur. En fait, les indices contextuels améliorèrent la reconnaissance de la même façon que l'aurait fait une diminution de 50% de l'intensité du bruit initial. Il est à remarquer que l'information physique était la même dans les deux cas. Seul le contexte fut responsable d'une telle amélioration dans la perception d'un même signal physique.

Voyons maintenant ce qui se passe lorsqu'un mot est entendu hors de tout contexte, comme le mot **porte** dans la série: **chaussettes, ses, porte, mouillées, qui**. Il est perçu comme un gargouillis sifflé dans un bruit de fond. Quelques caractéristiques sont peut-être extraites. Le son «p» et l'existence de deux syllabes seront peut-être remarqués. Ces deux caractéristiques sont suffisantes pour éliminer un grand nombre de mots, tels que **avantage, travailleur, mouvement** et **platebande**, mais il reste encore beaucoup de possibilités, telles que **porte, partie, perle, parle, parmi, poêle, pensée, pousse**. Considérons ces huit mots comme étant la meilleure sélection possible. Sans information supplémentaire, on ne saurait prendre de décision. Si on risque un choix, il sera correct une fois sur huit: 12,5%.

Maintenant, supposons que le mot à reconnaître soit inséré dans l'expression **qui p_____ ses chaussettes mouillées**, seconde étape de l'expérience de Miller. Le contexte permet de réduire considérablement le nombre de possibilités. Le mot cherché est probablement un verbe; ainsi, **perle, parmi** et **poêle** s'éliminent. Il doit admettre un complément d'objet: on ne peut pas «partir» ses chaussettes mouillées. Cela exclue une autre possibilité. La phrase doit avoir un sens. «Qui pense ses chaussettes mouillées» est fort improbable. Nous abandonnons **pense**. Il reste donc trois hypothèses: **porte, parle** et **pousse**. Avec un peu plus d'information au niveau des caractéristiques, nous pouvons réduire encore ce nombre. Y avait-il un son sifflant, comme «s»? Non? Alors, le mot est **porte** ou **parle**. Même en choisissant au hasard, nous avons 50% des chances de tomber juste; il s'agit d'une belle amélioration par rapport au 12,5% précédent, lorsque nous n'avions recours à aucune information contextuelle.

La puissance du contexte est évidente. On peut se servir de règles pour diminuer le nombre des possibilités à considérer à un moment donné. Ceci n'implique pas, bien sûr, que la perception doive recourir à une approche consciente par essais et erreurs pour déterminer l'hypothèse qui se rapproche

plus de l'information contextuelle. Nous ne savons pas exactement quels
ont les mécanismes sous-jacents à l'utilisation de cette information, mais il
st évident que le contexte joue un rôle primordial dans nos perceptions.
fournit les règles qui président à l'élaboration de notre monde perceptif,
nous renseigne sur ce que nous devons anticiper et nous apporte des expli-
ations raisonnables de ce que nous percevons.

Remarquez que, pour tirer plein avantage de l'information découlant du
ontexte, la perception doit se laisser devancer par l'information provenant
es systèmes sensoriels. La perception du mot **porte** est facilitée non seule-
nent par les mots qui le précèdent (**qui**), mais aussi par ceux qui le suivent
chaussettes). Ce décalage entre la réception d'une information sensorielle
t l'interprétation finale du message est un aspect important de la structure
le notre analyse perceptive. Lorsque nous lisons tout haut par exemple,
los yeux devancent sensiblement la partie du texte verbalisé. Un dactylogra-
phe bien entraîné lit son texte bien au delà de la partie qu'il est en train
le taper. Nous cherchons à rassembler le plus d'information contextuelle
possible avant de passer à l'exécution des réponses exigées par ce que nous
aisons. Plus nous prévoyons ce qui va arriver, plus il est facile de percevoir
'immédiat.

L'IMPORTANCE DE LA REDONDANCE

La structure du langage est conçue de façon telle, qu'elle semble renforcer
a capacité qu'a l'être humain de retrouver le sens d'une communication, à
partir de quelques fragments isolés. Le langage est des plus redondant. Nous
lisons et écrivons beaucoup plus de mots qu'il n'en faut pour nous faire
comprendre. Omettre beaucoup de mots rend texte plus court. Vous pas
avez de difficulté comprendre. Une façon d'évaluer la redondance propre
au langage consiste à mutiler un texte de manière systématique et à demander
à une personne de reconstruire les parties manquantes. La facilité à exécuter
cette tâche permet de mesurer la redondance du langage. Aixsi, xoux poxvoxs
rxmpxacxr cxaqxe txoixièxe lxttxe pxr ux x, ex voxs vxus xn txrex asxez xiex.
Le chse deienet u pe pls dffcies orqu nos sppimns arémnt es etre.*

Si le langage était plus fonctionnel, ou si l'être humain était moins apte
à utiliser l'information contextuelle pour guider ses perceptions, la communication deviendrait une tâche pénible et hasardeuse. Il faudrait être très
attentif à chaque mot exprimé: un mot mal compris, une syllabe déformée,
et tout le sens d'une phrase risquerait d'être perdu ou mal perçu. Nous ne
pourrions nous permettre aucun moment d'inattention. Même le plus léger
bruit pourrait devenir désastreux. C'est pourquoi la redondance du langage
nous permet d'être plus particulièrement attentif aux petits détails du discours, d'anticiper ce qui viendra par la suite et de choisir les mots-clés et
les phrases qui véhiculent le sens fondamental du message. Nous pouvons
donc relâcher notre attention, persuadés de pouvoir ignorer plusieurs détails
sans perdre pour autant le sens du discours parlé ou écrit.

*Voici la version complète des phrases: «Ainsi, nous pouvons remplacer chaque troisième lettre par un x, et vous vous en tirez assez bien. Les choses deviennent un peu plus difficiles lorsque nous supprimons carrément ces lettres.»

Les traitements dirigé-par-données et dirigé-par-concepts

La séquence des opérations du Pandémonium peut être qualifiée de diri-gée-par-données. Un signal parvient d'abord aux démons de l'image qu transmettent leurs résultats à des niveaux supérieurs. Au second niveau d l'analyse, les caractéristiques importantes sont probablement identifiées — les caractéristiques distinctives propres aux phonèmes. Celles-ci sont en voyées aux démons cognitifs, qui les traitent à leur tour. Finalement, ur démon de la décision choisit l'hypothèse qui semble la mieux fondée. L'ana lyse du signal procède donc de façon séquentielle, partant de la réceptior du signal lui-même, via différentes étapes de traitement, pour aboutir enfir à une prise de décision quant à son identité. Dans le Pandémonium, ce type de traitement est indiqué par les flèches orientées de la gauche vers la droite. Nous disons que ce système d'analyse est *dirigé-par-données*, puisqu'à l'intérieur de celui-ci, toute activité s'amorce grâce à l'arrivée de données sensorielles. Le traitement dirigé-par-données commence donc avec les données sensorielles et se développe systématiquement tout au long des étapes successives de l'analyse.

À ce stade-ci, nous avons poussé jusqu'à sa limite l'analyse dirigée-par-données. Nous avons étudié le fonctionnement des systèmes sensoriels et nous avons vu comment peuvent s'amorcer les premières étapes de la recon-naissance de formes. Nous avons pu apprécier la puissance de l'analyse des caractéristiques. En ce qui a trait à la reconnaissance des formes, le modèle du Pandémonium a permis de combiner notre connaissance des systèmes sensoriels au traitement nerveux. Malheureusement, nous avons remarqué qu'il y a des phénomènes que ce système d'analyse ne peut expliquer, phé-nomènes où la nature des items à reconnaître demande une certaine con-naissance pour qu'ils soient reconnus.

Attentes et conceptualisations doivent jouer un rôle primordial dans l'analyse. Notre système de mémoire enregistre les expériences passées et maintient une connaissance générale tant de la forme et de l'organisation des événements courants que de la structure du langage. L'information stockée en mémoire doit se combiner à celle qui provient de l'analyse sensorielle. Comme l'analyse dirigée-par-données joue un rôle primordial dans la com-préhension, l'analyse *dirigée-par-concepts* devient une partie essentielle du traitement.

Le traitement dirigé-par-concepts commence avec la connaissance géné-rale des événements que nous vivons et les attentes spécifiques engendrées par cette connaissance. Celles-ci sont, en fait, de simples théories ou des hypothèses concernant la nature des signaux sensoriels auxquels nous nous attendons. Ces attentes orientent les étapes de l'analyse à tous les niveaux, depuis la mise en alerte du système d'analyse du langage (si l'entrée prévue s'avère être du langage) à l'assemblage des détecteurs de caractéristiques propres à déceler les entrées prévues, jusqu'à l'orientation de l'attention du système vers les détails des événements particuliers. Le traitement dirigé-par-concepts est l'inverse du traitement dirigé-par-données. Alors que ce dernier commence avec les signaux sensoriels et finit avec les interprétations, es systèmes dirigés-par-concepts vont dans le sens opposé. Nous avons dit dans ce chapitre (et au chapitre 1) que *l'un et l'autre* processus étaient indispensables. Aucun, par lui-même, n'est suffisant; les deux doivent être présents. Comment ces deux processus contraires peuvent-ils fonctionner en même temps? Comment communiquent-ils ensemble? Comment évitent-ils les conflits?

LES DÉMONS SPÉCIALISTES

La solution au problème de la combinaison de ces deux types de traitement s'avère plutôt simple. En effet, nous avons vu comment nous pouvions représenter l'analyse sensorielle grâce à des démons, chacun étant responsable d'une tâche particulière, chacun pouvant transmettre le résultat de son analyse à un autre ensemble de démons. Ce système semble fournir une excellente description du fonctionnement de l'analyse sensorielle tel qu'on le conçoit actuellement — alors, pourquoi ne pas concevoir le système de traitement dirigé-par-concepts selon le même principe? Il y aurait des démons spécialistes du contexte, des attentes, des syntagmes et des phrases. Il y aurait aussi des démons de la syntaxe et de la sémantique, rajoutés à ceux que nous connaissons déjà pour les phonèmes et les caractéristiques. En fait, il n'est plus nécessaire de faire la distinction entre les démons qui font du traitement dirigé-par-données et ceux qui effectuent du traitement dirigé-par-concepts. Le système peut fonctionner à partir d'un très grand nombre de démons spécialisés exerçant leur activité particulière sur toute donnée pertinente qui existe à un moment précis. On doit cependant faire appel à un nouveau concept important: tous les démons doivent pouvoir communiquer entre eux.

Maintenant, il ne s'agit plus de reprendre les vieilles analyses. Il vaut mieux recommencer à neuf. Nous devons baser le système sur les démons spécialistes et leur donner la possibilité de communiquer entre eux. On peut y arriver de plusieurs façons. Nous symboliserons le processus central de communication en imaginant qu'il s'effectue grâce à un *tableau noir* auquel tous les démons ont accès. Chaque démon surveille le tableau noir, attentif à l'information qu'il pourrait analyser. Aussitôt qu'une information relevant de sa spécialité apparaît, celui-ci se met au travail. Facteur de grande importance, une fois sa tâche terminée, chaque démon écrit le résultat de son analyse au tableau afin qu'un autre puisse la relever. Ainsi, aucun démon n'a besoin de connaître l'existence des autres. Chacun surveille simplement le tableau en quête d'informations à analyser et rend accessible aux autres, en les inscrivant, les résultats de sa propre analyse.

Remarquez que toute information sensorielle s'ajoute indifféremment sur le tableau: il n'est donc pas nécessaire de distinguer entre les traitements dirigé-par-données et dirigé-par-concepts. Tout se passe automatiquement. Si de nouvelles données sensorielles surviennent, elles prennent place sur le tableau, incitant à l'action les spécialistes du système sensoriel aptes à s'en occuper: voici le début d'un processus dirigé-par-données. Si quelque démon croit que le prochain mot acheminé le long du canal sensoriel sera «menthe», il ajoute cette information au tableau, ce qui incite des démons

spécialistes à rechercher chacune des lettres de ce mot ainsi que leurs cara-
téristiques: voilà un traitement dirigé-par-concepts. Mais remarquez qu'e
ce qui concerne chaque démon, il surveille simplement le tableau en quêt
d'informations pertinentes, ajoutant ce qu'il peut aux analyses en cours.
n'importe quel instant, un démon peut faire partie d'une chaîne dirigée-pai
données ou dirigée-par-concepts. Il ne le sait pas et il ne s'y intéresse pas

LE TABLEAU NOIR ET LE DIRECTEUR

Avec tous ces démons spécialisés en plein travail, chacun effectuant s
propre analyse, chacun recherchant sur le tableau une nouvelle informatio
et y ajoutant sa contribution, il faudrait qu'il soit possible de diriger tout
cette activité. Les gens ont des capacités de traitement limitées; une personn
est incapable d'analyser tout ce qui se présente au niveau du système senso
riel. En regard de notre système de démons spécialisés qui s'affairent autou
du tableau noir, cela signifie qu'il y a des limites à ce qui peut être accompli
En fait, deux limitations sont évidentes. Premièrement, il existe un nombr
limité de démons. Un démon spécialiste qui travaille sur un ensemble d
données ne peut s'occuper simultanément d'un autre ensemble. Deuxièmement, la surface du tableau est probablement limitée: on ne peut y inscrir
toutes les analyses possibles. (En effet, ce tableau entretient sans doute de
rapports étroits avec les registres de l'information sensorielle et les système
de la mémoire à court terme dont il sera question au chapitre 8. Ces système
mnémoniques ont une durée et une capacité limitées en ce qui regarde la
conservation de l'information.)

Pour éviter qu'il n'y ait conflit dans les ordres adressés aux démons et
pour s'assurer que les analyses ne s'effectuent que dans la bonne direction,
une forme de supervision générale s'avère nécessaire. Nous ajoutons donc
à notre système un *directeur* général qui incitera les démons spécialistes
à coopérer. La tâche du système consiste à donner une interprétation logique
au signal sensoriel qui se présente, en utilisant toutes les sources de rensei-
gnement dont il dispose. Le directeur voit à ce que les démons ne se nuisent
pas entre eux, s'assure qu'aucune voie prometteuse ne soit ignorée du fait
que le démon spécialiste responsable soit occupé ailleurs et, enfin, que le
tableau noir ne soit surchargé de façon telle qu'une information pertinente
vienne à se perdre ou à s'effacer.

Le directeur prend ses décisions en se référant au tableau noir et en tenant
compte de la distribution des activités des démons spécialistes. Il n'est en
fait qu'un autre démon spécialiste, sauf qu'il peut diriger le travail des autres.
Remarquez que le démon directeur donne ses instructions en fonction des
analyses portées au tableau noir: il peut faire des erreurs. (Plus loin dans ce
chapitre, nous étudierons les limites de la capacité de traitement. De plus,
le rôle du démon directeur est examiné plus en détail au chapitre 15.)

L'ANALYSE D'UNE PHRASE

Pour voir comment fonctionne le système du tableau noir, examinons le
processus d'interprétation d'une phrase écrite. Une phrase capable d'illustrer ce qu'on veut dire serait idéale. Prenez cette phrase comme exemple.

La figure 7-7 montre le système en train d'analyser: «**PRENEZ CETTE PHRASE COMME EXEMPLE**». Au moment précis que représente cette figure, l'analyse sensorielle travaille sur le troisième mot. Les caractéristiques analysées, jusqu'à cet instant, sont inscrites au côté droit du tableau noir. Quelques démons spécialistes ont déjà commencé à intégrer les éléments de la phrase et, à partir de leur analyse des mots **PRENEZ CETTE**, ils ont fait l'hypothèse que le prochain mot devrait être soit un adjectif, un adverbe ou un nom. D'autres démons spécialistes ont appuyé cette prédiction en suggérant un ensemble de mots éventuels en accord avec le contexte de la phrase. Toutes ces prédictions sont inscrites au tableau noir.

Pendant ce temps, les démons analystes des caractéristiques exécutent leur tâche et ajoutent de l'information au tableau noir. Après avoir surveillé le tableau, un démon spécialiste des lettres a décidé que la première lettre doit être un **P**. Dès cet instant, les démons appropriés se mettent à restreindre la liste des mots possibles. Certains spécialistes ont rayé tous les mots qui ne commencent pas par **P**. D'autres ont comparé la longueur des mots restants avec la longueur apparente du mot analysé, rejetant ainsi tous les mots suggérés, sauf **PHRASE** et **PISTE**. Finalement, un démon spécialiste travaillant sur le mot **PISTE** décide que ses caractéristiques sont incompatibles avec les caractéristiques sensorielles inscrites au tableau. Il ne reste donc qu'une seule interprétation possible: le mot **PHRASE**.

PUISSANCE ET FAIBLESSE DU SYSTÈME DES SPÉCIALISTES

Cette analyse aurait bien pu être fausse. Remarquez qu'aucune lettre, à l'exception de **P**, ne fut analysée ou reconnue isolément. Notez aussi que la liste des mots inscrits au tableau noir n'épuise pas tout l'ensemble des possibilités. Nous avons simulé une situation dans laquelle l'analyse se déroulait sans problème, combinant l'information fournie par le contexte avec celle effectivement présente sur la page imprimée. La phrase analysée fut d'ailleurs utilisée dans le texte, conséquente aux propos tenus précédemment, alors qu'on examinait comment l'information contextuelle pouvait servir à l'analyse d'une phrase. Ainsi, les mots de la phrase donnée en exemple s'adaptaient naturellement au traitement de celle-ci. Mais prenons cette phrase clavecin comme exemple. Cette phrase ne se conforme plus aux règles. Le mot «clavecin» n'a pas de sens dans la phrase. Vous n'auriez sûrement pas pu prévoir sa présence. Néanmoins, tout lecteur devrait avoir été en mesure de lire le mot «clavecin».

Chez l'être humain, le système de reconnaissance de formes opère de façon optimale lorsque l'information contextuelle et sensorielle se combinent harmonieusement, chacune contribuant à l'analyse intégrale. Toutes les fois que cela se présente, ni l'analyse sensorielle, ni l'analyse contextuelle n'a besoin d'être complétée. Dès que les informations combinées fournissent une interprétation non-ambiguë, le traitement peut cesser. Ainsi, à la figure 7-7, nous avons montré comment le mot **PHRASE** pouvait être reconnu avant même que l'analyse des caractéristiques ne soit complétée. De plus, l'humain peut réussir à trouver une interprétation lorsque l'une ou l'autre des sources d'information s'avère déficiente. Lorsqu'il y a faiblesse au niveau

Figure 7-7

le l'information sensorielle, l'information contextuelle doit alors compenser comme nous le montrerons bientôt). Lorsque l'information contextuelle est aible, comme dans l'exemple de «clavecin», c'est l'analyse des caractéristiques qui doit alors compenser. Dans ce cas, l'identification des mots ne peut être établie avant la fin de l'analyse des caractéristiques. Or, même si nous nous attendions à ce que tous soient en mesure de lire la phrase contenant e mot «clavecin», nous supposons que certains d'entre vous ont eu un peu le difficulté. Vous avez dû mettre plus de temps à lire «clavecin» que tout autre mot de la phrase. Certains ont pu être tellement influencés par leurs attentes qu'ils n'ont pas même perçu le mot «clavecin», tant que le texte ne leur eut indiqué que quelque chose dans cette phrase leur avait effectivement échappé.

Voici donc un schème de reconnaissance de formes qui, continuellement, construit et revise ses attentes quant à ce qu'il perçoit durant l'interprétation d'un message sensoriel. Il ne s'en tient exclusivement ni à ses propres modèles internes, ni à l'information manifeste qui provient de ses sens. Néanmoins, les deux sources d'information doivent s'accorder pour que le schème conclue à l'interprétation correcte du signal intervenant.

Ce type de système de reconnaissance de formes nécessite la capacité d'élaborer et de vérifier simultanément des hypothèses à plusieurs niveaux différents. Les règles inscrites dans la grammaire et la sémantique du langage favorisent certaines prévisions. Dans ce contexte général, on trouve un nombre restreint de mots spécifiques qui concordent à la fois avec le contexte et avec les signaux sensoriels déjà interprétés. À leur tour, ces attentes donnent suite à des prédictions concernant la forme spécifique sur le point d'être déchiffrée. Dès que les démons spécialistes en cause rapportent le résultat de leur analyse, toutes les attentes s'ajustent simultanément et le système peut passer au segment suivant.

À l'autre extrémité, le système sensoriel doit fournir un certain nombre de signaux sensoriels de différents niveaux. Les données sensorielles portant sur la longueur et la forme globale du mot sont associées à l'information contextuelle pour réduire l'ensemble des possibilités. L'information sur la dimension, la forme approximative et le nombre des mots voisins est sans doute utilisée pour décider comment interpréter la suite. En plus de ces caractéristiques générales, une petite partie du message est simultanément analysée en détail.

Dirigé à la fois par-données et par-concepts, ce processus a le grand avantage de permettre un échantillonnage sélectif de l'information provenant de l'environnement; ainsi, seule l'information nécessaire à l'interprétation d'un signal a besoin d'être recueillie. Le processus de synthèse dirige l'attention vers les parties les plus importantes du message et, au sein même de ce centre d'attention, vers les caractéristiques les plus pertinentes de la forme. Il peut formuler des hypothèses incorrectes et fournir de mauvaises prédictions concernant les événements sensoriels, mais il a aussi plusieurs mécanismes internes de protection. Supposons que, une fois toutes les données recueillies, les caractéristiques sensorielles ne correspondent à aucune des lettres prévues. Le cours normal du traitement doit alors s'interrompre temporairement, jusqu'à ce que l'ambiguïté puisse être résolue. Mais considérons les options qui s'offrent à un tel système pour l'identification et l correction des erreurs. Il manque des lettres? Des vérifications peuvent êtr faites. Les nouvelles données sensorielles corroborent-elles les prévision en cours? Si oui, la discordance précédente dépendait peut-être d'un signa déformé ou mal identifié. Dans ce cas, le système peut quand même opére S'il n'y a pas de correspondance, le système doit faire marche arrière et vérifie s'il n'est pas sur une mauvaise piste. Peut-être maison qu'un mot est appar totalement hors contexte, si bien que les contraintes contextuelles doiven se relâcher pour permettre à l'information sensorielle de jouer un rôle pré dominant dans l'orientation des interprétations. Dans une phrase, un mo hors contexte peut être compris, bien qu'il force souvent le système à u retour en arrière. Même des mots jamais vus auparavant peuvent être ana lysés, quoique, de toute évidence, aucune signification ne puisse être trouvé pour telle entrée malidriote.

Remarquez comment le système a pu reconnaître le mot **PHRASE** malgr le fait qu'une seule lettre ait pu être identifiée à partir des caractéristique qui avaient été dégagées. La preuve qu'un tel résultat se présente couram ment: considérez comment la série de symboles de la figure 7-8*a* pourrai être analysée. Aucune lettre n'est identifiable. Par contre, si cette séquenc est présentée à sa place à l'intérieur de la phrase de la figure 7-8*b*, on peu habituellement la déchiffrer. À la figure 7-8*b*, alors qu'une tache d'encr masque exactement la même portion des symboles de la figure 7-8*a*, il es facile de lire la phrase **LE TRAVAIL DOIT ÊTRE FAIT**. La perceptio des segments brouillés des **A** nous aide à percevoir le **V**, tout comme l perception des segments brouillés du **V** nous aide à percevoir les **A**. Chaqu partie de cette séquence aide à la perception des autres. Malgré l'ambiguïté de chaque segment, le mot se lit assez facilement. Nous avons donc ic l'exemple d'un mot se prêtant difficilement à une analyse lettre par lettre mais devant être analysé globalement. De plus, la perception de chaque élé ment s'appuie sur le contexte que procurent les six autres parties, et ce, même si aucun élément n'est perçu clairement.

Avant de mettre un terme à notre analyse des processus de reconnaissance de formes, nous devons considérer d'autres phénomènes liés aux aspects plus globaux du traitement des signaux. Une partie importante du système spécialistes-tableau est celle qui détermine quel message attirera l'attention ou sera analysé: c'est là, en partie, le rôle du directeur. La prochaine section porte sur l'étude de l'attention sélective. Aussi sera-t-il intéressant de vérifier si les données relatives à l'attention sélective correspondent bien au modèle que nous avons développé jusqu'ici.

Le phénomène de l'attention

Imaginez une grande réception avec bien des gens et beaucoup de bruit Vous vous tenez avec un groupe de personnes, entourés d'autres groupes Quelle conversation écouterez-vous? Malgré tout ce bruit, vous pouvez choisir laquelle, parmi toutes, vous préférez entendre — celle derrière vous celle à votre gauche ou à votre droite. Mais, la conversation à laquelle vous prêterez l'oreille vous empêchera d'entendre les autres. Il s'agit du phénomè-

Figure 7-8

(a)

(b) LE TRAVAIL DOIT ÊTRE FAIT

...e de la sélectivité de l'attention. On peut choisir, parmi plusieurs échanges verbaux, d'en suivre un en particulier, mais il est impossible de prendre part simultanément à deux conversations ou plus. Certes, on peut en suivre plusieurs en écoutant quelques mots de chacune et en tenant compte de la position des personnes. Mais, si les conversations sont le moindrement sérieuses, le sens de chacune d'elles risque de se perdre si vous tentez d'en écouter un peu trop à la fois. Malgré tout le bruit de la réception, il est possible, de façon sélective, de concentrer votre attention pour en dégager un sens, mais il y a une limite quant à la capacité de comprendre différentes conversations simultanément.

D'une certaine façon, l'attention est une arme à deux tranchants. D'une part, elle nous permet de suivre la série d'événements capables de nous intéresser parmi tout ce qui se passe au même moment, même si chaque événement a tendance à brouiller les autres. Sans cette faculté de sélectionner, la vie serait un tohu-bohu, puisque nous ne pourrions tirer aucun sens des événements qui surviennent dans le monde, à moins que chacun ne se produise de façon isolée et sans interférence avec les autres. D'autre part, l'attention limite notre capacité à tenir compte de tous les événements qui ont lieu simultanément. On a souvent avantage à porter attention à plusieurs choses à la fois. Même si une seule série d'événements semble d'un intérêt immédiat, il est peu souhaitable d'y accorder une attention telle que nous perdions de vue d'autres événements qui, en puissance, revêtiraient plus d'importance que celui sur lequel nous nous concentrons. Il n'est souhaitable de pouvoir fixer son attention sur un événement à l'exclusion de tous les autres que si cette concentration peut s'interrompre s'il survient quelque chose de plus important. Pour qu'il en soit ainsi, il faut trouver un mécanisme capable de filtrer les événements auxquels nous ne portons pas attention en laissant passer les aspects non pertinents, pour interrompre la concentration, quand il se présente des aspects plus pertinents.

LA SÉLECTION DE MESSAGES   Tentons d'abord une petite expérience. Dans les extraits des figures 7 et 7-10, deux messages différents sont imprimés ensemble. Votre tâche consiste à suivre un message (un message pertinent) et à ignorer l'autre (un message non pertinent). Lisez tout haut le message hachuré le plus vite possible et ignorez l'autre. Soyez bien sûr de ne lire le plus rapidement possible que le message ombragé. Tentez dès maintenant l'expérience à la figure 7-9.

En faisant une expérience comme celle-ci sur homme l'attention auto maison est garçon d'une chapeau importance soulier capitale bonbon qui vache le vieux texte cheval fourni arbre au plume sujet téléphone dans livre l'exécution chaud de ruban sa épingle tâche agréable pertinente ressort soit ciel cohérent homme et auto grammaticalement maison acceptable garçon mais chapeau sans soulier être bonbon d'une cheval facilité arbre telle plume qu'une téléphone attention vache complète livre ne vieux soit chaud requis ruban pour épingle le ressort lire agréable ni trop difficile.

Sans revenir en arrière, qu'avez-vous remarqué concernant les mots non pertinents. Vous rappelez-vous certains d'entre eux? Avez-vous remarqué que chacun des mots apparaissait deux fois? Probablement pas.

Voici le premier genre d'indication qui se présente spontanément à propos des indices utilisés dans la sélection des messages. Vous pouvez réussir assez bien à limiter votre attention à un seul passage. Les caractéristiques physiques du message — dans ce cas-ci, les hachures — peuvent servir à séparer le message pertinent de celui qui ne l'est pas. C'est comme si vous possédiez une sorte d'aiguilleur interne qui laisserait passer le message aux propriétés physiques adéquates, mais qui détournerait le reste.

Or, dans quelle mesure avez-vous analysé le texte non pertinent? L'avez-vous vraiment rejeté du simple fait qu'il n'était pas hachuré? S'il ne vous reste en mémoire aucune trace du message non pertinent, c'est peut-être que le premier principe de l'attention est le suivant: l'analyse d'un matériel non pertinent se limite à la détermination de ses caractéristiques physiques générales. Cette limite atteinte, le traitement du matériel non pertinent est interrompu.

Cette première hypothèse est évidemment trop simple. Exécutez la tâche de la figure 7-10. Comme auparavant, lisez le texte hachuré à voix haute et aussi vite que possible, tout en ignorant le texte qui ne l'est pas.

Figure 7-10   Il est important que le sujet homme soit auto poussé maison légèrement garçon au delà chapeau de soulier ses bonbon limites cheval normales arbre de plume compétence être car téléphone c'est vache la livre seule façon chaud de ruban s'assurer épingle qu'il ressort porte morceaux attention avec à sa la dents tâche dans pertinente et vue une vide attention air minimale chapeau à soulier la bonbon seconde tâche dite périphérique ou non pertinente.

Remarquez ce qui s'est passé. Soudainement, le texte hachuré s'est transformé en une série de mots sans rapport entre eux. La phrase elle-même s'est poursuivie avec les caractères non hachurés — la partie que vous deviez ignorer. Par conséquent, si vous pouvez rejeter le matériel non pertinent en vous basant uniquement sur ses caractéristiques physiques générales, vous devriez avoir eu peu de difficultés à poursuivre la lecture des mots hachurés. En fait, vous n'auriez même pas dû remarquer que la phrase se continuait avec les caractères non hachurés. Pourtant, la majorité des gens se mettent à lire les mots non hachurés pour s'attacher au sens du texte, au lieu de se plier aux instructions et de traiter exclusivement l'information aux propriétés physiques adéquates*.

Les indices physiques aident à séparer l'information pertinente de celle qui ne l'est pas. Mais il faut plus que ces indices pour établir une sélection des mots à lire; sinon, cette tendance de notre attention à dévier vers les mots non hachurés, lorsqu'ils concordent avec le contexte, n'existerait pas. Le problème consiste donc à savoir précisément vers quoi se porte l'attention et ce qui est négligé. Chose évidente, il faut, pour y arriver, trouver une meilleure façon de contrôler l'attention. Tout à l'heure, portiez-vous vraiment une attention exclusive au message hachuré, ou avez-vous triché un peu (sans vous en rendre compte) en regardant l'autre message pour en connaître la signification? Pour découvrir les limites de la capacité d'attention, il faut être sûr que toute l'attention se porte sur une seule tâche. Si cela s'avère impossible, à tout le moins, nous devons pouvoir mesurer la quantité d'attention accordée à la tâche pertinente; ce n'est qu'à cette condition que nous pourrons découvrir quelle quantité d'information peut être extraite d'un matériel non pertinent.

LA FILATURE

Pour déterminer quel type d'information l'on extrait du message auquel on ne porte pas attention, il faut une tâche expérimentale nous permettant de savoir si le sujet est vraiment pris par la tâche qui l'occupe. Une expérience courante consiste à demander aux sujets de *filer* le matériel qui leur est présenté. Lors d'une tâche de filature, on lit à haute voix une série de mots et on demande aux sujets de répéter tout haut (de filer) chaque mot dès qu'ils l'entendent. La tâche est difficile, spécialement si le matériel à filer est présenté à un rythme assez rapide. De cette façon, les sujets sont obligés d'accorder une part importante de leur capacité d'attention à la tâche de filature. En tant qu'expérimentateurs, nous pouvons évaluer le degré d'attention accordé à la tâche de filature selon l'exactitude avec laquelle les sujets répètent les mots qui leur sont présentés. En général, il vaut mieux fixer le niveau de difficulté du matériel et le rythme de lecture à des valeurs telles

---

*Malheureusement, cet exemple est un peu faible puisqu'il est possible de bouger les yeux de façon qu'ils ne s'attachent qu'aux mots hachurés: les mots non hachurés ne projettent jamais leur image sur la fovéa. Durant l'expérience, les mots sont tous prononcés à haute voix, permettant ainsi au système sensoriel de traiter les deux messages de façon identique.

que les sujets ne commettent qu'un faible pourcentage d'erreur, environ 10%. Ainsi, nous pouvons évaluer les variations du degré d'attention porté à la tâche de filature en notant les changements du taux d'erreur. (Il est important que les sujets soient incapables de filer parfaitement le matériel, car s'ils ne faisaient aucune erreur, la tâche leur permettrait peut-être aussi d'accorder du temps libre à autre chose.) C'est pourquoi, lors d'une séance expérimentale type, chaque sujet est requis de filer un texte sélectionné (habituellement reproduit par magnétophone) et transmis à une seule oreille au moyen d'écouteurs. Le matériel-test est alors transmis à l'autre oreille (ou parfois, visuellement). Après la séance, on questionne le sujet sur le contenu du matériel non pertinent afin de voir quels aspects ont pu être retenus.

Vous devriez essayer cette tâche de filature. Prenez deux autres personnes avec vous. Faites asseoir l'une d'elles juste à votre droite, puis faites-la lire tout haut, à un rythme raisonnable, un extrait de ce texte ou d'un journal. Essayez maintenant de le filer. Le texte doit être lu d'une voix calme et uniforme. Répétez chaque mot dès qu'il est prononcé — n'attendez **pas** que ces phrases ou syntagmes soient complétés avant de les filer. Après avoir pratiqué un peu, faites asseoir l'autre personne à votre gauche, puis faites-la lire un second passage pendant que vous répétez le premier (par exemple, les mots au hasard du tableau 9-1). Essayez de porter attention au second message, mais sans interrompre la filature du premier. La personne lisant le matériel que vous filez devrait vous avertir (par un petit coup de coude) si vous faites une erreur. Essayez différents types de matériel pour chacun des messages et voyez si cela modifie la difficulté de la tâche. Qu'avez-vous perçu ou retenu du second message? Il vous sera assez facile de répéter la plupart des expériences sur la filature dont nous vous parlons ici.

Figure 7-11

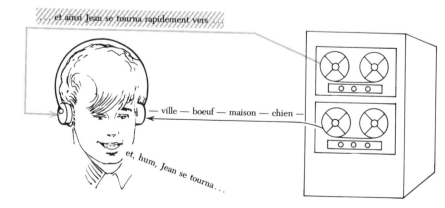

Lorsque nous sommes complètement absorbés par une activité, qu'il 'agisse d'une tâche de filature, de la lecture d'un bon roman, de l'intérêt porté à un film de suspense ou à une bonne pièce de théâtre, ou même d'un noment de rêverie, nous avons l'impression d'être complètement envahis par le matériel sur lequel nous nous concentrons. C'est comme si un commutateur coupait l'accès à la conscience de tout signal sauf, bien entendu, ceux auxquels nous portons attention. Imaginez ceci: en plein milieu d'un cours, vous vous mettez à rêver. Les sons émis par le professeur parviennent bien à vos oreilles, mais ne laissent aucune impression dans votre esprit. Les mots prononcés ne sont pas compris. Par un exercice conscient de la volonté, il est possible d'interrompre le rêve et de reporter son attention sur le cours. Même si aucun mouvement des muscles ou d'une partie du corps n'est requis pour passer de la rêverie aux paroles du professeur, votre perception s'avère pourtant fort différente. Dans les deux cas, vous «entendez» le professeur: dans l'un, vous suivez ce qu'il dit; dans l'autre, pas. À quel niveau y a-t-il interruption? Où l'analyse des paroles du professeur s'arrête-t-elle?

La position théorique la plus simple veut que les signaux provenant de l'environnement passent par les systèmes sensoriels et les mécanismes d'analyse qui s'y trouvent. Il doit en être ainsi, puisque nous «entendons» effectivement les sons auxquels nous ne portons pas attention, et ce, même s'ils restent incompris. En un endroit quelconque, cependant, il doit se trouver un commutateur bloquant tout, sauf les signaux auxquels nous désirons porter attention (voir figure 7-12).

Une simple étude de l'attention suffit à montrer que certains aspects du matériel négligé par l'attention peuvent être remarqués. Quand on occupe les gens à une tâche de filature, ils se souviennent quand même de certains aspects du matériel non répété.

LE TRAITEMENT DU MESSAGE REJETÉ

Figure 7-12

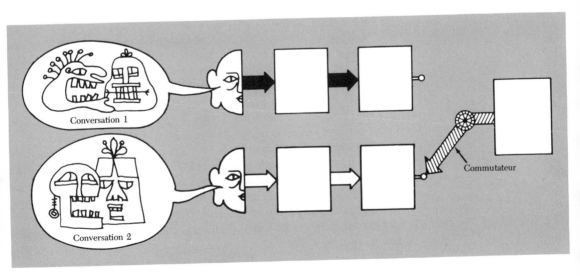

Conversation 1

Conversation 2

Commutateur

Ils peuvent:

- se rappeler de la présence ou de l'absence d'une voix;
- dire si la voix masculine est devenue une voix féminine, ou vice-vers
- remarquer des signaux tels qu'un coup de sifflet.

Ils ne peuvent pas:

- se souvenir du contenu du message;
- reconnaître la langue du message;
- dire si la langue a changé au cours de l'expérience;
- faire la distinction entre des paroles et des sons sans signification.

Ces résultats indiquent que les gens ne remarquent que les caractérist
ques physiques générales des signaux auxquels ils ne portent pas attention
y a-t-il quelque chose de présent? Est-ce un homme ou une femme? Ils n
peuvent remarquer ce qui requiert une interprétation, tel le sens des mots
la langue du message ou même le caractère sémantique ou non des sons

Bien que le matériel pertinent semble faire l'objet d'une analyse relative
ment complète, l'analyse de tous les autres signaux intervenants s'interromp
apparemment très tôt. À première vue, il semble qu'un mécanisme de sélec
tion examine les caractéristiques des stimuli et départage les aspects perti
nents des non pertinents à partir des caractéristiques physiques présentes
puis active un commutateur qui ne laisse passer que les signaux pertinent
en vue d'une analyse plus poussée.

Même si, parfois, vous avez l'impression qu'une très grande concentration
déclenche un commutateur qui vous coupe du reste du monde, ce modèle
de traitement est erronné. Ce n'est pas qu'il ne puisse exister un tel commu
tateur dans nos têtes, mais simplement que le modèle du commutateur ne
rend pas compte de toutes les données.

Souvenez-vous de l'exemple dans lequel vous ne deviez lire que les caractères hachurés tout en ignorant les autres. Soudain, la phrase significative,
rendue par les mots hachurés, devint incompréhensible, mais la phrase elle-
même s'est trouvée continuée par des mots non-hachurés — ceux-là mêmes
que vous deviez ignorer. Lorsque l'expérience est associée à une tâche de
filature où les sujets doivent filer uniquement le matériel présenté à l'oreille
gauche et ignorer le reste, il est fort probable que les sujets transfèrent à
l'oreille droite et répètent le mauvais matériel quand les mots qui forment
une phrase changent de côté (voir figure 7-13). Le contexte et le sens des
messages entraînent des erreurs (quoique, souvent, il arrive aux sujets de
se rendre compte de leur erreur et de s'arrêter pour s'excuser). On a exécuté
plusieurs variantes de cette expérience et toutes ont abouti sensiblement à
la même conclusion: on est, dans une certaine mesure, conscient du matériel
qui se trouve dans les canaux non filés. Ainsi, il arrive souvent que les sujets
perçoivent leur nom lorsqu'il est transmis à l'oreille qu'ils sont sensés ignorer.
Ils captent aussi les mots qui s'accordent assez bien avec la tâche qu'ils
exécutent. Ils perçoivent mal le matériel provenant à l'oreille non filée, mais
ne manquent pas tout, comme le laisserait supposer le modèle du commutateur.

En tout dernier lieu, il nous reste à revenir en arrière et à nous assurer que e modèle de la reconnaissance de formes développé jusqu'ici s'accorde avec notre compréhension du phénomène de l'attention. C'est là l'impératif majeur de toute théorie scientifique: pouvoir rendre compte de tous les phénomènes pertinents. Il est souvent facile d'élaborer une théorie qui ne rende compte que d'un ensemble restreint de phénomènes. La valeur d'une théorie se reconnaît à sa capacité d'expliquer une vaste gamme de phénomènes. Ce point est très important. Nous n'arriverons jamais à une vraie compréhension des mécanismes psychologiques tant que les différents aspects du comportement humain n'auront pas été rattachés les uns aux autres. La situation présente le démontre: les phénomènes de l'analyse sensorielle, de l'analyse perceptive, de la reconnaissance de formes et de l'attention sont tous intimement liés. Une théorie devrait pouvoir les englober tous.

Retournons à notre modèle final de reconnaissance de formes (voir figure 7-7) et demandons-nous s'il rend bien compte du phénomène de l'attention. La réponse est positive, ce qui n'a pas de quoi surprendre, puisqu'il a été effectivement conçu à partir de notre compréhension des deux phénomènes, reconnaissance de formes et attention. Néanmoins, examinons-le comme un problème de l'attention.

La figure 7-14 illustre notre modèle final. Les démons spécialistes travaillent fébrilement à comprendre les données sensorielles parvenant aux organes des sens. Ils recherchent des données pertinentes et ajoutent le fruit de leurs analyses au tableau noir. Mais deux messages différents arrivent en même temps, ce qui divise les démons: certains captent les caractéristiques d'une voix; les autres, celles de la seconde. Dans cet exemple particulier, nous simplifions la tâche des deux groupes de démons en employant une voix de femme et une voix d'homme. Ainsi, dès que les caractéristiques du flot de paroles ont été analysées par les démons spécialistes appropriés, il

LES DÉMONS SPÉCIALISTES ET LE DIRECTEUR

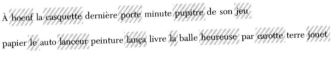

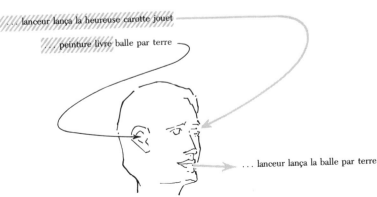

Figure 7-13

est possible d'orienter le travail des autres sur les caractéristiques associée à la voix féminine. De cette façon, le démon directeur peut surveiller l tableau noir et orienter le travail de la plupart des spécialistes sur le discour jugé le plus pertinent. Ceci permet de centrer les analyses de contexte et d signification sur cette seule et unique tranche verbale.

Nous assumons que les démons spécialistes ne limitent pas leur attentior à une seule section du tableau: ils regardent tout l'ensemble des résultats Donc, si l'autre voix produit un son pertinent à l'analyse en cours, il es probable qu'il soit capté par un spécialiste. Néanmoins, dans les situation relativement simples concernant l'attention, alors les diverses entrées senso rielles sont facilement distinguables grâce à la position dans l'espace ou au» caractéristiques physiques des voix, il est peu probable que les analyses ne soient poussées à un point tel dans la direction du canal non pertinent, que les démons spécialistes y contribuent fortement.

Cependant, chaque fois qu'il est difficile de distinguer entre différents messages, par exemple lorsque les voix similaires de plusieurs personnes proviennent d'un même endroit, la division du travail ne peut s'opérer qu'après analyse suffisante de chaque tranche verbale, et ce, en vue de véfi fier sa pertinence vis-à-vis l'analyse principale. C'est ici que le démon direc teur joue un rôle majeur en poussant les démons spécialistes à travailler sur l'analyse principale. Dans le cas relativement complexe de la figure 7-14 où les caractéristiques des voix permettent de les distinguer, nous voyons que les structures qu'ils sont en train de construire pour la voix féminine sont beau coup plus élaborées que celles de la voix masculine. Plus il est difficile de distinguer le message pertinent de ceux qui ne le sont pas, moins il y aura de différences entre les structures établies pour chacun d'eux. Mais plus on met d'efforts dans l'interprétation des canaux non pertinents, moins élabo rée sera l'analyse du message pertinent. Ce sont là des compromis inhérents à la capacité d'attention du système. Il existe une quantité fixe d'énergie disponible, et le traitement de toute tâche peut porter atteinte au traitement d'une autre.

Vous rappelez-vous de l'expérience rapportée à la figure 7-13? L'auditeur devait filer le matériel présenté à une oreille, mais celui-ci fut brusquement transféré à l'autre. Dans de tels cas, souvent, les gens répètent les mots qui correspondent à la suite du matériel au lieu de s'en tenir bel et bien à l'oreille à filer. Ceci se produit lorsque les structures établies pour le matériel à filer sont bien développées. Même lorsque l'information commence à apparaître à l'autre oreille, les démons spécialistes continuent de la recevoir parce qu'elle répond aux attentes et s'ajuste bien aux structures existantes. Cette expérience démontre clairement qu'il est impossible d'interrompre complè tement l'analyse de tout canal sensoriel. Toutes les données sensorielles s'inscrivent au tableau noir et tous les spécialistes pertinents à ces données travailleront sur elles. L'arrivée de toute information fait l'objet d'un traite ment dirigé-par-données. Toutefois, la profondeur exacte de l'analyse de chaque canal sensoriel et l'importance accordée aux résultats dépendent de l'interaction entre les demandes auxquelles tous les démons doivent faire face et leurs analyses inscrites au tableau noir.

Figure 7-14

La figure 7-14 répond à l'objectif que nous poursuivions, à savoir l'établissement d'un modèle unique qui incorpore tout ce que nous avons dit au
sujet de la reconnaissance de formes et de l'attention. Ce modèle est dirigé
à la fois par-données et par-concepts. À tous les niveaux d'analyse, les systèmes spécialisés sont en mesure d'y aller de leur interprétation. La connaissance générale du sujet traité et les structures déjà existantes orientent

le traitement par-concepts; l'information sensorielle qui s'ajoute continuellement permet le traitement dirigé-par-données. Ces deux directions de l'analyse se complètent mutuellement.

Conclusion

Nous avons vu que les processus de reconnaissance de formes et de l'attention nécessitent une combinaison de tous les niveaux de traitement, depuis
l'analyse sensorielle des caractéristiques jusqu'à l'interprétation de la signification des messages. Pour cette raison, les domaines de la reconnaissance
de formes, de la perception et de l'attention ont été des sujets d'étude
centraux en psychologie. Les mécanismes dont nous avons traité dans ce
chapitre s'appliqueront à une bonne partie des travaux abordés dans les chapitres ultérieurs. Pour conclure ce chapitre, revenons à certains des phénomènes perceptifs étudiés au chapitre 1. Nous devrions maintenant pouvoir
les comprendre.

La figure 7-15 montre une photographie où les analyses dirigée-par-
données et dirigée-par-concepts concordent. Maintenant, regardez à la
figure 7-16 les dessins constitués de simples lignes. Les caractéristiques sont
présentes, les attentes sont presque satisfaites — mais pas complètement.
Notre perception de l'image fluctue, alors que nous tentons d'appliquer
à son interprétation l'un ou l'autre de deux ensembles de règles. S'il n'y a
que des caractéristiques, mais pas d'attentes, la perception entière fluctue
radicalement, incapable de former une interprétation stable. Dans la figure
7-17, il y a des caractéristiques distinctes, mais aucune contrainte quant
aux interprétations, si bien qu'il est possible d'y voir soit des plaques de
réseaux triangulaires se transformant continuellement, soit des tubes rectangulaires verticaux ou horizontaux s'étendant en profondeur, soit d'autres
variantes. Finalement, rappelez-vous la photographie du chien dalmatien
(figure 7-18). Ici, il n'y a pas de caractéristique digne de mention, mais
seulement de l'interprétation. Lorsqu'on sait qu'il s'agit d'un chien, toutefois,
le processus dirigé-par-concepts fait correspondre l'ensemble des taches
pâles et foncées à celles de l'image du chien dalmatien, permettant ainsi
d'identifier correctement et sans ambiguité la photographie. Sans le processus
d'interprétation, cette image serait inintelligible. Avec l'interprétation, le
chien ressort clairement et distinctement.

Pour saisir le processus de reconnaissance de formes, nous devons comprendre plusieurs étapes différentes dans l'analyse de l'information. Les
différentes formes d'énergie parvenant aux organes sensoriels ne sauraient
prendre une signification par interprétation que grâce à la combinaison de
l'analyse sensorielle, de l'activité mnémonique et de la pensée.

Le modèle du tableau noir représente un système qui s'intéresse à la tâche
sous tous ses angles. Il tente de convertir les données sensorielles en une
interprétation consistante avec notre connaissance du monde. Il est constamment à construire, vérifier et reviser des hypothèses sur ce qui est perçu.
Quand les prédictions échouent ou que le contexte est faible, il procède
lentement, faisant appel surtout aux données sensorielles. Quand il opère

Robert Glasheen (photographe), «*La Jolla.*» Copyright 1966, Glasheen Graphics. Figure 7-15

dans un monde familier et facilement prévisible, il peut travailler rapidement et efficacement, échantillonnant juste assez de données pour confirmer ses attentes et reconstruisant ce qu'il ne voit pas à partir des règles de son modèle interne. De plus, le besoin de conceptualiser impose certaines exigences intéressantes à la mémoire et aux fonctions cognitives. Il doit exister une mémoire temporaire capable d'enregistrer les résultats de l'analyse au fur et à mesure. Cette mémoire doit pouvoir récupérer rapidement et efficacement l'information pertinente contenue dans les structures de la mémoire permanente. Elle doit pouvoir travailler simultanément sur différents types d'information, à des niveaux différents d'analyse, afin d'intégrer harmonieusement les processus sensoriels, cognitifs et mnémoniques. Il s'agit d'un mécanisme compliqué, mais tel est le cerveau humain.

Figure 7-16   Josef Albers, «*Structural Constellations*» *1953-1958. Despite Straight Lines, p. 63, 79.* Courtoisie de l'artiste.

Figure 7-17
*Carraher et Thurston
(1968).*

Revue des termes et notions

Voici, pour le présent chapitre, les termes et notions que nous considérons importants. Passez-les en revue; si vous êtes incapable d'en donner une
courte explication, vous devriez revoir les sections appropriées du chapitre.

Pourquoi les modèles de gabarit sont insuffisants
Pandémonium
    son rôle
    les démons de l'image
    les démons des caractéristiques

**TERMES ET
NOTIONS À
CONNAÎTRE**

Figure 7-18 *R.C. James* (photographe). Courtoisie du photographe.

les démons cognitifs
le démon de la décision
les matrices de confusion
La reconnaissance du langage
le problème de la segmentation
les phonèmes
les caractéristiques distinctives
Les difficultés de l'analyse des caractéristiques
Le rôle du contexte
Le rôle de la redondance
Le modèle des spécialistes
le rôle des démons spécialistes
le rôle du tableau noir
le rôle des attentes
le rôle de l'analyse des caractéristiques
Les traitements dirigé-par-données et dirigé-par-concepts

ce que ces termes veulent dire

pourquoi les deux sont nécessaires

pourquoi chacun, pris individuellement, est insuffisant

l'attention

    la filature

    les caractéristiques des canaux non suivis qui sont traités ou ignorés

    les problèmes liés au modèle du commutateur

    comment le modèle des spécialistes s'applique à l'attention

    le rôle de l'analyse dirigée-par-concepts et par-données dans l'attention

Lectures suggérées

Une grande partie de la matière présentée dans ce chapitre est traitée plus en détail dans *Memory and Attention* de Norman (1976, 2ᵉ édition). Les livres de S. Reed (1973) et Dodwell (1970) couvrent une bonne partie de la documentation, en psychologie, sur la reconnaissance de formes: nous vous suggérons de commencer par Reed. (Ils n'abordent pas le modèle du tableau noir.) La majorité des publications sur la reconnaissance de formes proviennent de deux sciences, le génie et l'informatique, mais la majorité de ces travaux est plutôt technique. Vous trouverez de bonnes introductions dans *The psychology of computer vision* (Winston, 1975) et *The thinking computer* (Raphael, 1976).

L'analyse des caractéristiques, les matrices de confusion et, en particulier, le modèle du Pandémonium lié à la reconnaissance des lettres imprimées, tel que présenté dans la première édition de ce volume, sont traités assez en détail dans le chapitre 6, *Understanding language* de Massaro (1975b). Tout cet ouvrage touche d'assez près aux problèmes de la reconnaissance de formes soulevés dans le présent chapitre. Massaro étudie aussi les caractéristiques spécifiques qui peuvent s'appliquer à la reconnaissance du langage, à son rôle (grammatical) et aux mouvements des yeux durant la lecture.

Notre modèle du tableau noir concernant la reconnaissance de formes et l'attention s'inspire des travaux du groupe qui étudie la reconnaissance du langage au département de l'informatique de l'université Carnegie-Mellon. Vous trouverez un recueil de textes appréciables et avancés sur la reconnaissance du langage dans le volume édité par Reddy (1975), incluant aussi des études de tableaux noirs et autres modèles de reconnaissance du langage. Un excellent traité sur les problèmes théoriques concernant la reconnaissance de formes, la lecture et les problèmes qui y sont reliés est celui de Rumelhart (1977). Ce livre est conçu pour les étudiants en psychologie du premier et du second cycle.

On peut trouver, à plusieurs endroits, de bons articles sur la perception du langage. Nous vous recommandons le chapitre de Stevens et House (1972); ils y traitent deux types de modèles: les modèles linéaire et d'analyse-par-synthèse. En gros, ceux-ci correspondent à notre distinction entre les traitements dirigé-par-données et dirigé-par-concepts. Vous trouverez des analyses fort utiles sur le langage dans *Cognitive Theory*, édité par Restle, Shiffrin, Castellan, Lindeman et Pisoni (1975). La section I du livre contient quatre chapitres (par Studdert-Kennedy, Cooper, Wood et Pisoni) entièrement consacrés aux problèmes actuels touchant la perception du langage

Fromkin et Rodman (1974) offrent une introduction à l'analyse phonétiqu et phonémique du langage. L'ouvrage classique sur l'analyse du langage es *The sound pattern of English* (Chomsky et Halle, 1968). Cependant, u professeur de linguistique qui a revisé ce chapitre, nous a déconseillé d l'inclure dans notre liste. Elle disait: «Même si le livre Chomsky et Hall est le meilleur sur l'analyse du langage, il est beaucoup trop avancé: il es même trop avancé pour des étudiants diplômés.»

Les principaux livres récents sur l'attention sont ceux de Broadbent *Decision and Stress* (1971), où il analyse une bonne part des écrits sur c sujet; ceux de Kahneman, *Attention and effort* (1973), de Moray (1970) e de Norman (1976).

Plusieurs écrits importants sont parus sur la reconnaissance de formes e sur l'attention. Deux importants symposiums furent organisés par Solso, e les chapitres des livres qui en ont résulté offrent une bonne révision de c domaine (Solso, 1973, 1975). Pour commencer, il serait bon de lire le chapitr de Weisstein (1973) intitulé *Beyond the yellow Volkswagen detector and th grandmother cell: A general strategy for the exploration of operations i human pattern recognition.* Les chapitres de Shiffrin et Geisler (1973) e de Winston (1973) couvrent dans ce même livre (Solso, 1973), avec des titre un peu plus conventionnels, quelques-uns des problèmes de la reconnais sance visuelle, y compris le problème de l'utilisation de la perception de lignes dans la vision tridimensionnelle des objets. Le livre sur le second symposium (Solso, 1975) contient un chapitre sur l'identification des lettre (Estes, 1975), un autre sur le traitement de l'information visuelle (Mayzner 1975) et un troisième sur l'attention et le contrôle cognitif (Posner et Snyder 1975).

Posner a étudié divers problèmes relatifs aux analyses de ce chapitre. S revue des aspects psychophysiologiques de l'attention (Posner, 1975) et l texte de Posner et Snyder 1975 sur le contrôle cognitif présentent un intérê tout spécial. Posner, Nissen et Klein (1976) traitent du rôle déterminant de entrées visuelles par rapport aux autres types d'information. Hillyard et Pic ton (1977) offrent un relevé complet des mesures physiologiques des état de vigilence.

Un important et fascinant sujet concerne l'étude des anomalies de l'atten tion. Le livre de G. Reed (1972) en donne une excellente introduction. L'ouvrage le plus souvent proposé sur la pathologie de l'attention serait celu de McGhie (1969).

8. Les systèmes de mémoire

Préambule

Les systèmes de stockage
LE REGISTRE DE L'INFORMATION SENSORIELLE
LA MÉMOIRE À COURT TERME
LA MÉMOIRE À LONG TERME

Le registre de l'information sensorielle
LES EXPÉRIENCES AVEC DES DISPOSITIFS VISUELS
Le tachistoscope
L'oscilloscope et les dispositifs TRC
LA CAPACITÉ DU RIS
L'EXPÉRIMENTATION

La mémoire à court terme
LES ERREURS DANS LE RAPPEL DE LA MÉMOIRE À COURT TERME
CONFUSIONS ACOUSTIQUES

L'autorépétition
L'OUBLI
L'OUBLI PAR INTERFÉRENCE
L'OUBLI PAR DÉGRADATION AVEC LE TEMPS
L'OUBLI: QUESTION DE TEMPS OU D'INTERFÉRENCE?
LES ATTRIBUTS DE LA MÉMOIRE
LE PROCESSUS DE RECONSTRUCTION DE LA MÉMOIRE
L'INTERFÉRENCE SÉLECTIVE: UN OUTIL EXPÉRIMENTAL UTILE
Y A-T-IL DES MÉMOIRES À COURT TERME DISTINCTES POUR LES MOTS ET POUR LES IMAGES?

Revue des termes et notions
TERMES ET NOTIONS À CONNAÎTRE

Lectures suggérées

Préambule

Tout système intelligent exige une mémoire. La mémoire joue un rôle important dans notre vie. Parler, écrire, lire, écouter, marcher dans la rue: tout demande de la mémoire. Pour se brosser les dents ou manger, pour s'engager dans des processus de création, simples ou complexes, nous avons besoin d'un système mnémonique actif capable de guider nos actions et d'enregistrer nos réalisations.

Le système mnémonique humain est capable d'une grande variété de fonctions. D'un côté, il tient un registre très détaillé des images sensorielles, et ce, assez longtemps pour permettre l'identification et la classification des stimulations visuelles, sonores, olfactives, gustatives et tactiles. D'un autre côté, la mémoire enregistre nos expériences pour les réutiliser toute notre vie durant. Cependant, malgré toute leur puissance, nos souvenirs peuvent faillir de façon désespérante. Nous pouvons nous rappeler ce que nous avons mangé hier, mais oublier le nom d'une personne que nous venons tout juste de rencontrer dans une soirée. Certaines choses semblent faciles à se rappeler; d'autres, presque impossibles.

Dans les prochains chapitres de ce livre, nous étudierons différents aspects de la mémoire. Nous allons voir quel rôle elle joue dans la pensée, dans le langage et dans la prise de décision. Nous examinerons ses bases neurologiques et la représentation de l'information en mémoire. Ce chapitre-ci présente une vue d'ensemble des systèmes mnémoniques: le registre de l'information sensorielle, la mémoire à court terme et la mémoire à long terme. Ici, nous traitons à la fois de leurs buts et de leurs opérations.

Les distinctions entre les différents types de mémoire constituent l'aspect le plus important à retenir. Tout au long de ce chapitre, nous parlons de trois systèmes mnémoniques: registre de l'information sensorielle, mémoire à court terme, mémoire à long terme. Vous devriez apprendre les propriétés de ces trois systèmes et comprendre les études expérimentales permettant de déduire leur existence.

Le prochain chapitre traitera de l'utilisation de la mémoire et de quelques techniques d'acquisition d'informations nouvelles. Le contenu de ce chapitre est essentiel à la compréhension du prochain: la structure des systèmes de mémoire constitue la base de nos futures analyses. Le chapitre 9 s'appuiera donc sur le profil de celui-ci et s'attachera à la mémoire à long terme et au processus d'acquisition de l'information en mémoire à long terme. De plus, le contenu de ce chapitre y sera interprété à nouveau.

Les systèmes de stockage

La mémoire n'est pas un processus unitaire. Au moins trois aspects de so
fonctionnement peuvent être identifiés. L'un de ces aspects a une importanc
capitale pour le fonctionnement adéquat du traitement perceptif, y compr:
les mécanismes de reconnaissance de formes. Ainsi, nous semblons dotés d'u
système mnémonique qui maintient en place une image détaillée (pendar
quelques dixièmes de seconde) de l'information sensorielle parvenue à u
organe particulier des sens. Ce système mnémonique est appelé *registre d
l'information sensorielle*. Un deuxième aspect du fonctionnement de l
mémoire consiste dans le maintien de l'information pendant quelques secor
des, peut-être même quelques minutes. C'est le système de la *mémoire
court terme*. Cependant, la mémoire à court terme ne peut être comparée a
registre de l'information sensorielle, puisque l'information y est déjà encodé
et classée par les mécanismes de reconnaissance de formes. De plus, l
mémoire à court terme constitue cette étape où nous conservons pendar
quelques minutes une information dont nous avons besoin temporairemen
ou, encore, que nous essayons d'organiser et de stocker de façon permanente
Le troisième aspect a trait au système de la *mémoire à long terme*. C'est là qu
sont conservés les enregistrements permanents de nos expériences. Cett
partie de la mémoire a une capacité essentiellement illimitée. Les principale
questions liées à l'étude de la mémoire à long terme se résument donc à l'orga
nisation de l'information lors du processus de stockage et aux opérations d
recherche nécessaires pour recouvrer cette information à une période ulté
rieure.

En plus des composantes qui maintiennent l'information pendant diverse
périodes de temps (voir figure 8-1), d'autres parties du système ont trait a
contrôle, c'est-à-dire la supervision et la sélection générales des opérations d
la mémoire. Les mécanismes de contrôle déterminent le mode de transfert d
l'information aux diverses parties de la mémoire ainsi que les opérations qu
sont effectuées par le système. Ces aspects de la mémoire seront abordés a
chapitre 9.

Figure 8-1

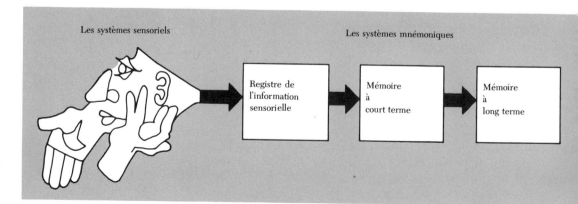

Les systèmes sensoriels   Les systèmes mnémoniques

| Registre de l'information sensorielle | Mémoire à court terme | Mémoire à long terme |

Commençons par l'étude du *registre de l'information sensorielle*. Ce système conserve une image assez précise et complète du monde telle que captée par le système sensoriel. Sa persistance est de courte durée, peut-être de 0,1 à 0,5 s.

- Faites tapoter quatre doigts contre votre bras. Vous obtenez une sensation immédiate. Notez comment elle s'évanouit: d'abord, vous conservez la sensation du tapotement; ensuite, il ne reste que le souvenir de cette sensation.
- Fermez les yeux, puis ouvrez-les pendant le plus bref instant possible avant de les refermer. Notez que l'image claire et nette que vous avez captée se maintient un instant pour ensuite s'effacer lentement.
- Écoutez quelques sons, tels qu'un claquement de doigts ou quelques notes sifflées. Remarquez comment la clarté des sons s'évanouit dans votre esprit.
- Tenez le poing fermé devant vous. Ouvrez rapidement la main, étendez deux doigts, puis refermez complètement le poing. Remarquez dans votre esprit l'image diffuse des doigts qui reste encore un moment, même après que le poing se soit refermé.
- Faites bouger un crayon (ou un doigt) par un mouvement de va-et-vient devant vos yeux, tout en regardant fixement droit devant vous. Voyez l'image fugace qui traîne derrière l'objet en mouvement.

Cette dernière démonstration est la plus importante, car elle permet d'évaluer la durée de la persistance de l'image. Changez la vitesse à laquelle vous bougez l'objet. Notez que si vous allez trop lentement, vous perdrez la continuité de l'image entre les points extrêmes du mouvement de va-et-vient. À quelle vitesse l'image diffuse conserve-t-elle tout juste sa continuité? Vous devriez découvrir qu'il faut environ 10 cycles par 5 s pour conserver la continuité de l'image consécutive. Le mobile passe donc devant vos yeux 20 fois toutes les cinq secondes ou 4 fois par seconde — la trace visuelle persiste durant 0,25 s (250 ms).

Les caractéristiques du registre de l'information visuelle sont intimement liées à celles du temps de réaction du système visuel, déjà étudié au chapitre 3. Nous y suggérions de mesurer la persistance du système en partant de l'observation d'une lampe de poche décrivant un cercle. La vitesse de rotation permettant de voir la trace d'un cercle lumineux complet donne une évaluation du temps de réaction visuelle. Voyez si cette évaluation concorde avec celle de «l'image diffuse du mouvement de va-et-vient d'un crayon».

Le contenu de la *mémoire à court terme* (MCT) est différent de celui du registre de l'information sensorielle. L'information qu'elle retient n'est pas une image complète des événements qui ont eu lieu au niveau sensoriel. La mémoire à court terme semble retenir plutôt l'**interprétation** immédiate de ces événements. Après verbalisation d'une phrase, vous n'entendez pas tellement les sons qui ont produit la phrase, vous vous souvenez plutôt des mots. Il y a une distinction nette entre le souvenir d'une image des événements et le souvenir de l'interprétation de ces événements, distinction dont nous reparlerons plus en détail ultérieurement.

La mémoire à court terme peut retenir des éléments tels que les quelques derniers mots de la phrase que vous venez tout juste d'entendre ou de lire, un numéro de téléphone ou le nom d'une personne, mais sa capacité est limitée. Elle ne peut retenir que les quelques cinq ou six derniers items qui furent présentés. Il est possible de conserver quelque chose dans la mémoire à court terme pendant une période de temps indéfinie en faisant un effort conscient en répétant cette chose intérieurement sans s'arrêter. Une des caractéristiques les plus importantes du système mnémonique est cette capacité de garder vivant le contenu de la mémoire à court terme grâce à la **répétition** de items. L'information inscrite au registre de l'information sensorielle ne peut pas faire l'objet d'autorépétition. Elle ne persiste que quelques dixièmes de seconde et il n'existe aucun moyen de la prolonger. En mémoire à court terme, quelques éléments peuvent être maintenus indéfiniment grâce à l'autorépétition.

LA MÉMOIRE À LONG TERME

Il y a une différence claire et indéniable entre la mémoire des événements qui viennent tout juste de se produire et celle des événements depuis longtemps passés. La première est directe, immédiate; la seconde, lente et tortueuse. Les événements qui viennent de se produire restent présents à l'esprit — ils n'ont jamais quitté la conscience. Il faut par contre du temps et de l'effort pour insérer du nouveau matériel en *mémoire à long terme* (MLT). Les événements passés reviennent difficilement à la surface. La mémoire à court terme est directe et immédiate; la mémoire à long terme est laborieuse et compliquée. Ainsi, pour la mémoire à court terme:

Quels étaient les premiers mots de cette phrase?

Pour la mémoire à long terme:

Qu'avez-vous mangé pour dîner, dimanche dernier?

La mémoire à long terme est probablement le plus important et aussi le plus complexe des systèmes de mémoire. La capacité des systèmes de registre de l'information sensorielle et de la mémoire à court terme est très limitée — l'une, à quelques dixièmes de seconde; l'autre, à quelques items. En revanche, il semble n'y avoir pratiquement pas de limite à la capacité de la mémoire à long terme*. Tout ce qui excède quelques minutes de rétention doit évidemment se retrouver en mémoire à long terme. Tout ce qui est appris, y compris les règles du langage, doit faire partie de la mémoire à long terme. En fait, on peut dire qu'une grande partie de la psychologie expérimentale s'occupe du problème d'intégrer de l'information en mémoire à long terme, de l'y maintenir, de la retrouver et de l'interpréter correctement.

Les difficultés réelles que présente la mémoire à long terme proviennent surtout du recouvrement. La quantité d'information retenue en mémoire est si grande qu'il devrait être fort problématique d'y retrouver quoi que ce soit. Cependant, les choses peuvent être recouvrées rapidement; même dans un

---

* Inévitablement, il devrait y avoir une limite: le cerveau est une masse nerveuse finie. Or, il y a approximativement 100 milliards (10^{11}) de neurones dans le cerveau et chacun a la capacité de stocker une assez bonne quantité d'information. À toute fin pratique, nous pouvons donc considérer que la capacité mnémonique du cerveau humain est illimitée.

cte aussi simple que la lecture, les symboles imprimés sur la page doivent être interprétés en ayant directement et immédiatement accès à la mémoire à long terme. Les problèmes liés à la capacité d'atteindre le seul bon item stocké parmi des millions ou milliards d'autres déterminent de beaucoup la structure globale de toutes les étapes du système mnémonique. Aussi consacrerons-nous le chapitre 10 à l'étude de l'organisation de la mémoire à long terme.

Tels sont les systèmes de mémoire. Commençons notre étude en examinant les deux stades initiaux de la mémoire: les *mémoires transitoires* — registre de l'information sensorielle et mémoire à court terme. Chaque mémoire joue un rôle différent, emmagasine une forme différente d'information, a des limites de capacité différentes et opère selon des principes quelque peu différents. Voyons comment chacune de ces mémoires transitoires fonctionne.

Le registre de l'information sensorielle

Le travail d'extraction des caractéristiques et d'identification d'un message sensoriel peut prendre du temps, encore plus de temps que la durée du signal ne le permet. Le système de *registre de l'information sensorielle* (appelé RIS) remplit la fonction logique de donner aux systèmes d'extraction des caractéristiques et de reconnaissance de formes le temps d'opérer sur les signaux parvenant aux organes sensoriels.

Suite à un stimulus visuel, une image se maintient pendant quelques dixièmes de seconde. Cette image constitue l'information sensorielle visuelle inscrite au registre. Ceci veut dire qu'il est possible de travailler sur un événement sensoriel pendant une période de temps plus longue que l'événement lui-même. Le registre a son utilité dans les situations où l'image n'est présentée que très brièvement: quand nous regardons des films, la télévision, ou que nous devons maintenir une continuité de perception, le temps de compléter un mouvement ou de cligner des yeux. En fait, pour de courtes expositions à un signal, la durée de l'image visuelle importe peu: la durée déterminante est bien celle pendant laquelle l'information demeure dans le RIS.

Le RIS semble retenir une bonne image des événements sensoriels survenus au cours des derniers dixièmes de seconde, et de plus, on y trouve stockée plus d'information qu'on ne peut en extraire. Cet écart entre la quantité d'information maintenue dans le système sensoriel et celle qui peut être utilisée dans des stades ultérieurs d'analyse est très important. Il implique une sorte de limite quant à la capacité des stades ultérieurs, limite qui ne dépend pas des stades sensoriels eux-mêmes. Celle-ci se manifeste durant les tentatives de rappel du matériel présenté. L'énorme quantité d'information contenue dans une image sensorielle ne sert habituellement pas à l'interprétation de sa signification. En fait, dans plusieurs cas, l'abondance des détails ne fait que compliquer le travail. Les ordinateurs qui essaient de lire des textes ou même de la musique imprimés, ou de décoder les formes d'onde du langage parlé sont facilement déroutés par les détails insignifiants au niveau des entrées, détails qui ne sont jamais remarqués par l'être humain qui exécute la même tâche. Des petites taches de saleté ou des brisures dans les lettres imprimées confondent les ordinateurs. Chez l'humain au contraire, même des erreurs graves comme des fautes d'orthographe passent souvent inaperçues.

Le système sensoriel doit conserver une image parfaite de tout ce qui parvient aux organes des sens puisque même si la plus grande partie de cette information doit s'avérer inutile, il n'a aucun moyen de déterminer quels aspects de ce matériel seront utilisés. Seuls les systèmes qui reconnaissent et interprètent les signaux peuvent le faire. Le RIS semble idéalement adapté à ses propres objectifs. Il retient tout pendant une courte durée, laissant ainsi le temps aux processus de reconnaissance de formes d'opérer une sélection et un choix.

LES EXPÉRIENCES AVEC DES DISPOSITIFS VISUELS

Le tachistoscope

L'appareil le plus fréquemment utilisé pour l'étude des processus visuels humains est le tachistoscope. Il s'agit d'un dispositif permettant de présenter des images visuelles pendant des périodes de temps très courtes. Il a été inventé vers 1880 et, bien qu'il soit maintenant totalement contrôlé par des circuits électroniques (et même des ordinateurs), ses principes de base n'ont pas changé depuis environ 1907.

Le tachistoscope type est une boîte imperméable à la lumière, souvent constituée d'un long tube rectangulaire fermé, fait d'une matière opaque. Le sujet regarde à l'une des extrémités. L'objet à voir se trouve à l'autre extrémité (voir figure 8-2). Au départ, cependant, tout est noir; on ne peut rien voir. Lorsqu'une lumière s'allume à l'intérieur de la boîte, ce qui se trouve à l'extrémité du tube peut être aperçu. En utilisant des lumières spéciales, habituellement des ampoules à gaz ionisé grâce aux différences de potentiel élevées entre les électrodes, on peut contrôler avec précision, à des fractions de milliseconde près, la durée de l'émission lumineuse.

Souvent, l'expérimentateur désire contrôler la présentation visuelle de plusieurs objets différents. On peut le faire en ajoutant des miroirs à la boîte. On utilise des miroirs spéciaux dont la surface du verre est semi-étamée de telle sorte qu'une moitié de la lumière émise traverse le miroir, tandis que l'autre moitié se trouve réfléchie. Avec le dispositif illustré à la figure 8-3, le sujet peut voir en trois endroits différents. S'il n'y a que la lampe A qui éclaire, seul le stimulus A est visible. De même, la lampe B permet de voir le stimulus B; la lampe C, le stimulus C. Ainsi, on peut présenter de l'information à tous les endroits ou à chacun d'entre eux. Il suffit simplement de contrôler exactement les durées d'illumination de chacune des lampes.

Ce tachistoscope, appelé *tachistoscope à trois champs*, est le type d'instrument utilisé dans la plupart des expériences rapportées dans ce chapitre. Certains tachistoscopes présentent cependant une modification. La qualité de l'image perçue par

Figure 8-2

Lampe

Carte-stimulus

e sujet dépend du nombre de miroirs rencontrés et traversés. Si l'on considère 'instrument de la figure 8-3, il y a plus de lumière qui peut provenir de C (le rajet n'implique qu'un miroir) que de B ou A (le trajet implique deux miroirs). Aussi, les tachistoscopes ont-ils des miroirs non réfléchissants et des filtres supplémentaires pour que les images de chacun des champs (le plus possible):

. parcourent exactement la même distance de la carte-stimulus au sujet;
. traversent le même nombre de miroirs;
. soient réfléchies par le même nombre de miroirs.

'oscilloscope et les dispositifs TRC

Il est possible de produire directement une image visuelle à partir d'un ordinateur u d'un microprocesseur. Dans de tels cas, l'ordinateur contrôle l'opération d'un ube à rayons cathodiques (TRC) ou de celui d'un oscilloscope dans lequel l'émission

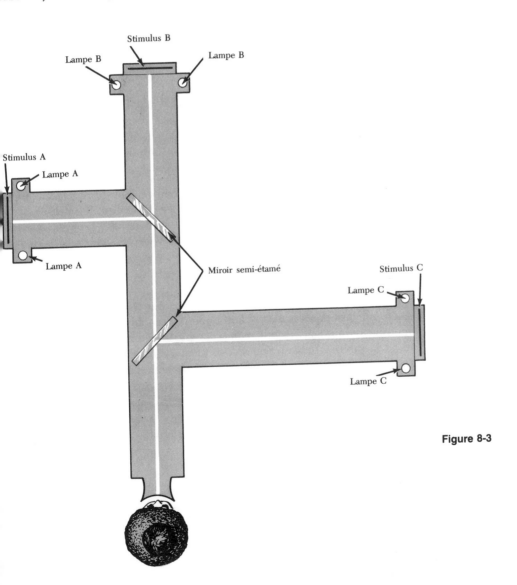

Figure 8-3

lumineuse s'obtient à partir d'un faisceau d'électrons heurtant la couche phospho rescente à l'arrière de la partie visible du tube. On a, dans l'écran des téléviseurs un exemple de TRC. Parmi ces dispositifs, deux types sont d'usage courant. Dan l'un des deux, l'ordinateur contrôle les points mêmes de l'illumination du TRC Il peut diriger le faisceau d'électrons vers n'importe laquelle des quelque 1 000 000 de parties de la surface du tube en déterminant les coordonnées horizontale e verticale du point désiré avec un risque d'erreur ne dépassant pas 0,001. En plu, des points, les ombres et les lignes peuvent être parfois contrôlées directement Dans l'autre, l'ordinateur contrôle la production d'un signal télévisé pouvant alor être perçu sur l'écran d'un téléviseur standard. Ici, la résolution de l'image dépend de celle du téléviseur: en Amérique du Nord, elle équivaut au nombre de point répartis sur une matrice comportant 500 points de hauteur par 500 points de largeur, soit 250 000 sites sur l'écran. Dans la plupart des expériences en laboratoire, la résolu tion n'est seulement que de 250 points par 250 points, soit 62 500 sites.

Ces dispositifs contrôlés par ordinateur remplacent le tachistoscope dans une grande variété d'applications. Pourtant, ils ne sont pas aussi bons que ceux que l'on retrouve dans un tachistoscope, et ce, pour plusieurs raisons. Premièrement, le contraste et l'intensité de l'image présentent de sérieuses limites. Deuxièmement, sa qualité n'est pas aussi bonne, puisqu'une image réalisée même à partir de 1 000 000 de points ne saurait rivaliser avec une photographie de bonne qualité. Troisièmement, il est difficile d'obtenir de bonnes images en couleur avec des TRC. Quatrièmement, on ne peut contrôler le temps avec précision. Lorsque l'ordinateur contrôle direc tement la construction de l'image, il prend souvent autant de temps à créer l'image que celui que l'on prévoyait allouer à son exposition (produire 100 000 points, même à un rythme de 10 points par microseconde, prendrait 10 ms). Lorsque l'ordinateur contrôle une image télévisée, les choses se compliquent encore plus. Ici, la limite dépend du système de télévision en usage: en Amérique du Nord, chaque image prend exactement 1/60 s à se produire; en Europe, un peu plus, soit 1/50 s. (En Amérique comme en Europe, ces durées s'appliquent à toutes les deux lignes de l'image télévisée). Voilà pourquoi le dispositif par ordinateur n'a pas encore complè tement remplacé le tachistoscope.

LA CAPACITÉ DU RIS

Il est facile de démontrer que le RIS contient initialement plus d'infor mation que les étapes d'analyse subséquentes n'ont la capacité d'en utiliser. Supposons une image visuelle complexe présentée brièvement. Les obser vateurs ne pourront extraire qu'une petite quantité de l'information contenue dans l'image. Ils prétendront qu'ils n'ont pas eu assez de temps pour toute la «voir». Pourtant, si on leur demande de regarder un point particulier de l'image, ils peuvent concentrer leur attention sur ce point et le rapporter avec une grande précision. Ce phénomène fondamental montre que la restriction imposée à notre capacité de traitement des entrées sensorielles survient lors du processus d'analyse.

L'EXPÉRIMENTATION

Il est important d'examiner cette expérience avec soin puisqu'elle constitue la technique fondamentale utilisée pour l'étude des systèmes de registre de l'information sensorielle. Dans une version de l'expérience de base, la carte de la figure 8-4, contenant neuf lettres disposées en trois rangées de ois lettres, est présentée dans un tachistoscope pendant 50 ms. En général, e sujet ne parviendra à lire que quatre ou cinq des neuf lettres. Que l'on arie la quantité des lettres ou la durée de la présentation, le nombre de ettres rapportées reste presque le même: à peu près quatre ou cinq.

Pour découvrir ce que les sujets voient vraiment, nous ne devrions pas eur demander de rapporter tout ce qu'ils voient. Peut-être voient-ils toutes es lettres, mais ils en oublient ensuite quelques-unes. Pour vérifier cette ypothèse, on peut demander de fournir un **rapport partiel** des lettres présentées. C'est-à-dire, qu'on présente le groupe des neuf lettres comme uparavant, mais en identifiant avec un marqueur une des lettres de l'enemble et en ne demandant de rapporter que cette lettre. Les sujets ignorent oujours laquelle des neuf lettres est marquée jusqu'à la présentation de a carte (voir figure 8-4)*.

Or, pour pouvoir rapporter n'importe quelle lettre marquée au hasard, ls doivent être en mesure de voir **toutes** les neuf lettres lors de leur présentation. S'ils ignorent jusqu'à la présentation quelle lettre sera marquée, les neuf lettres doivent se trouver dans le RIS pour qu'ils soient capables de rechercher le marqueur et de rapporter la lettre exacte.

Les résultats de l'expérience apparaissent à la figure 8-6: les sujets identifient presque toujours la lettre marquée. Ils en voient donc plus qu'ils ne peuvent en rapporter. Évidemment, lors de l'expérience originale, toutes les lettres se trouvaient dans le RIS, mais après qu'ils en eurent traité trois ou quatre, les autres étaient disparues (voir figure 8-5).

La technique du marqueur est une méthode précieuse pour l'étude de la perception. Une autre façon d'utiliser cette technique consiste à retarder l'apparition du marqueur pour qu'il n'apparaisse pas en même temps que les autres lettres. Ceci devrait nous indiquer à quoi ressemble le RIS. Le résultat général d'une telle manipulation est facile à déterminer, et ce, même sans faire l'expérience. Premièrement, sans marqueur, les sujets ne peuvent normalement se rappeler que quatre ou cinq des lettres présentées. Deuxièmement, ils peuvent déceler n'importe quelle lettre marquée quand le marqueur apparaît en même temps que les lettres. Or, si le marqueur est retardé pendant une très longue période de temps — assez longue pour que l'image se soit complètement évanouie et que les sujets rapportent ne plus pouvoir «voir» les lettres — alors, d'après la figure 8-5, les sujets ne devraient pouvoir se rappeler qu'environ la moitié (quatre ou cinq) des neuf lettres. La probabilité de se rappeler une des neuf lettres (celle indiquée par le marqueur) est donc environ de 50%. Le score oscillera donc entre 100% et 50% selon que l'on augmente le délai dans la présentation du marqueur.

Les résultats habituels d'une telle expérience apparaissent à la figure 8-7. La capacité de rapporter une lettre désignée au hasard diminue graduellement à mesure que la présentation du marqueur est retardée, le score se stabilisant après environ 500 ms (0,5 s). Il semble que le RIS consiste en une image du signal qui se détériore avec le temps, de façon telle qu'il

---

*Ces expériences ont été réalisées par Sperling (1959, 1960). Celui-ci identifiait les lettres à remarquer avec une teinte de couleur plutôt qu'avec un marqueur. Ceci donne des résultats légèrement différents de ceux que l'on rapporte ici, mais la différence est *mince* et le principe illustré ici s'applique.

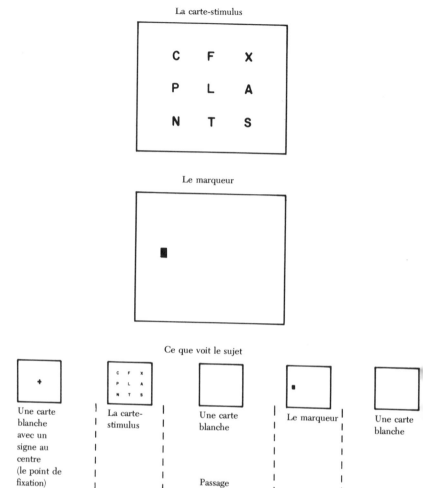

Figure 8-4

reste peu de chose de celle-ci après environ 0,5 s. (En d'autres termes: la dégradation de l'image mnémonique ressemble à un processus exponentiel ayant une constante de temps d'environ 150 ms).

Un phénomène étrange se produit dans le cas de certains types de marqueurs. Dans les premières études sur le système de registre de l'information visuelle, on utilisait un marqueur circulaire et la tâche des sujets consistait à rapporter la lettre apparaissant à l'intérieur du cercle. Or, contrairement à la situation où l'on utilise un trait comme marqueur, le cercle apparaissant

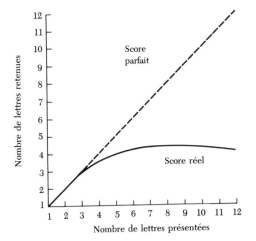

Figure 8-5

Sperling (1959).

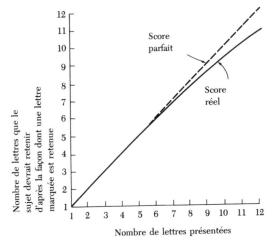

Figure 8-6

Sperling (1959).

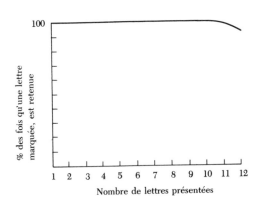

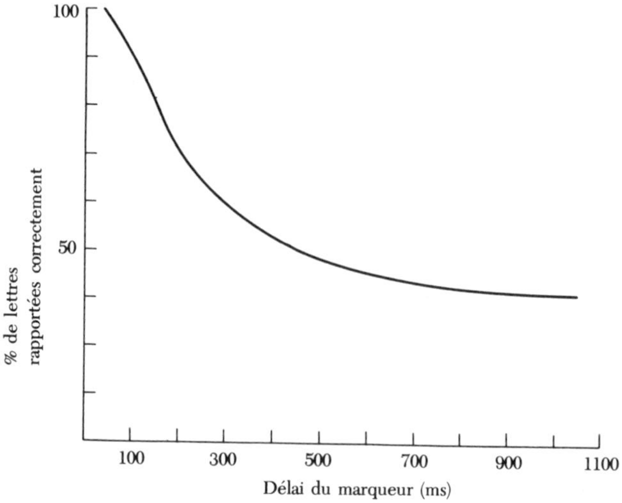

Figure 8-7

*Données de Sperling
(1959).*

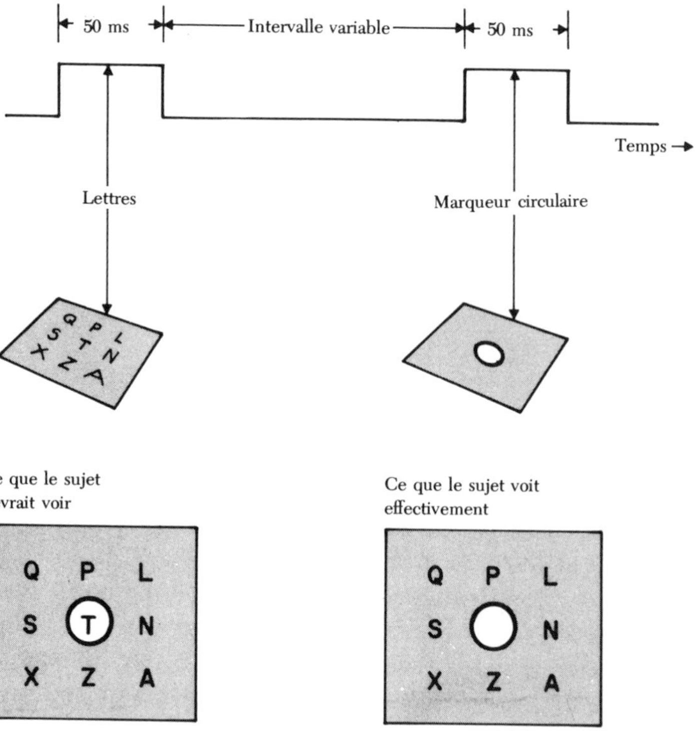

% de lettres rapportées correctement

Délai du marqueur (ms)

Figure 8-8

50 ms — Intervalle variable — 50 ms

Temps →

Lettres

Marqueur circulaire

Ce que le sujet
devrait voir

Q	P	L
S	(T)	N
X	Z	A

Ce que le sujet voit
effectivement

Q	P	L
S	(O)	N
X	Z	A

tout juste après l'ensemble de lettres semble «effacer» la lettre qu'il entoure
(figure 8-8). Ce phénomène est à la fois intrigant et important. C'est un
outil potentiellement utile pour contrôler la durée pendant laquelle le RIS
conserve l'image.

Chaque fois qu'un signal succède à un autre, deux choses différentes semblent se produire. Premièrement, il y a sommation de la trace d'un signal avec l'image de l'autre. Cela peut amener une réduction dans le contraste et la clarté de l'image évanescente de la première figure, réduisant ainsi l'importance du traitement appliqué à cette figure. Deuxièmement, il peut y avoir perturbation du traitement de la première image si une deuxième se présente avant que la première n'ait été complètement analysée. La prédominance de l'un ou de l'autre de ces deux processus dépend de la séquence particulière des images: les deux processus sont toujours présents, mais quelquefois, l'un s'avère plus important que l'autre.

Peu importe comment on explique ce phénomène d'effacement, il est tout de même un outil important car, lorsque le second stimulus (le masque) se présente, il stoppe effectivement le traitement du premier (le signal). Ainsi, même si le RIS persiste encore quelque temps après la présentation du signal, le temps requis pour procéder au traitement du signal peut être contrôlé de façon précise en présentant un masque au moment voulu.

C'est maintenant chose courante que de faire suivre par un stimulus masquant le matériel présenté au tachistoscope. Comme le RIS conserve l'image quand il n'y a pas de masque, il est impossible de savoir exactement combien de temps les sujets ont employé à traiter le matériel. Grâce au masque, l'expérimentateur contrôle le temps de façon précise.

La mémoire à court terme

En 1954, deux psychologues de l'université d'Indiana, Lloyd Peterson et Margaret Peterson (1959) firent une expérience très simple, mais obtinrent des résultats surprenants. Ils avaient demandé à des sujets de retenir trois lettres et, 18 s plus tard, de nommer ces lettres. La tâche semble tout à fait banale. Pourtant, les sujets étaient incapables de se souvenir des trois lettres. Que se passait-il donc? Très simple. Entre le moment où les trois lettres étaient présentées et celui de leur rappel, les sujets devaient exécuter un travail mental. Ils devaient compter à rebours, par trois, à une cadence rapide*.

Cette petite expérience rend compte de la propriété la plus importante du système de la mémoire à court terme. Mais il y a plus encore, on constate avec surprise qu'un changement du matériel à mémoriser ne produit que peu de changement dans la mémoire, et ce, aussi longtemps que le nombre d'items demeure constant. Regardons la figure 8-9. Elle indique à quel taux les sujets oublient. La courbe désignée «trois consonnes» représente les résultats de l'expérience précédente. L'axe horizontal indique le temps (en secondes) entre la présentation des trois lettres (toutes des consonnes) aux sujets et le moment de leur rappel. (Rappelons que pendant tout ce temps, les sujets sont occupés à compter à rebours, par trois). L'axe vertical indique le pourcentage des fois où les sujets peuvent se souvenir du matériel après

---

*Pour «compter à rebours par trois», les sujets commencent avec un nombre de trois chiffres choisi arbitrairement, comme 487, et disent ensuite tout haut la série de nombres obtenus en soustrayant 3 du nombre précédent, tel que 487, 484, 481, 478, 475,... Les sujets doivent compter à un rythme accéléré, et ce, soit en leur disant: «Rapidement!» ou en leur demandant de suivre la cadence d'un métronome. Essayez-le: la tâche est plus difficile qu'elle ne semble.

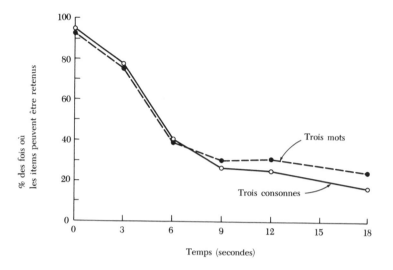

Figure 8-9

Murdock (1961)

différents intervalles de rétention. Ainsi, pour aussi peu que 6 s entre la présentation des trois consonnes et le test de rappel, seulement 40% des sujets peuvent retenir les trois consonnes.

Que pensez-vous qu'il se produirait si l'on présentait aux sujets trois **mots** au lieu de trois **consonnes**? Quelle pourrait être la différence entre mémoriser **maison-pomme-livre** et **C-X-Q**? Comparez les courbes marquées «trois consonnes» et «trois mots». Elles sont sensiblement les mêmes.

Quels sont donc les mécanismes qui pourraient produire un tel système mnémonique? Ce type de mémoire semble avoir une très faible capacité et une persistance très brève. Or, cette capacité n'est pas très sensible à la longueur des items stockés. De toute évidence, il ne s'agit pas du RIS étudié précédemment puisque la mémoire du RIS ne dure qu'une fraction de seconde. Il ne s'agit pas non plus du système de mémoire à long terme puisque le matériel, est alors retenu indéfiniment. Dans cette mémoire, le matériel ne persiste qu'un court moment: il s'agit donc de la mémoire à court terme.

LES ERREURS DANS LE RAPPEL DE LA MÉMOIRE À COURT TERME

Soit une suite d'items présentés **visuellement**, tels que des lettres de l'alphabet. Pour tester la mémorisation de ces lettres, demandons au sujet d'**écrire** toutes les lettres dont il puisse se souvenir. Quand le sujet fait une erreur en essayant de se rappeler la lettre **F**, c'est plus souvent en faveur d'un **S** que d'un **E**. Bien que **F** et **E** aient des caractéristiques visuelles communes, **F** et **S** possèdent un son initial commun. De même un **C** est plus souvent confondu avec un **T** qu'avec un **O**. Quand le sujet se trompe, cela tient plus au fait qu'une lettre présente une **sonorité** similaire à la bonne, plutôt qu'un **profil** semblable.

En ce qui a trait au système de reconnaissance de formes du chapitre 7, on retrouvait un type d'erreur exactement à l'opposé de celui-ci: les lettres **C** et **O** pouvaient être confondues, mais certainement pas **C** et **T**. Cette différence résulte du fait que la mémoire à court terme se situe à un stade ultérieur du système de traitement de l'information humaine. Lorsqu'un stimulus visuel en est aux premières étapes de la reconnaissance de formes, les erreurs visuelles peuvent survenir. Le premier type d'erreurs (basé sur la sonorité) démontrent que, au cours du processus de codage, dans la mémoire à court terme de l'information présentée visuellement, cette dernière a pris une forme acoustique. Pourtant, rien dans cette expérience n'incitait les sujets à recourir à une représentation verbale: ils **voyaient** les lettres lorsqu'elles leur étaient présentées et on leur demandait d'**écrire** les réponses.

CONFUSIONS ACOUSTIQUES

Ce concept a suscité une foule d'expériences et d'interprétations théoriques. À prime abord, les observations semblent naturelles et évidentes. La plupart des gens peuvent «s'entendre» verbaliser ce qu'ils lisent. Si vous vous parlez à vous-même, n'est-il point naturel que vous vous rappeliez des sons plutôt que des images ou profils? Mais qu'entend-on par «se parler»? Même si on peut s'écouter parler, il s'agit d'une audition mentale — un discours tout intérieur, silencieux.

Ce discours intérieur est-il absolument nécessaire aux processus verbaux? Tous les signes visuels doivent-ils être recodés en un discours intérieur? S'il en est ainsi, que dire des muets de naissance? Ils parviennent à lire et cela, évidemment sans avoir besoin de transformer les signes visuels en phonèmes.

Et que dire de ceci: les confusions proviennent-elles vraiment des **sons** liés aux mots verbalisés, ou ne sont-elles pas plutôt de nature **articulatoire**? C'est-à-dire que, jusqu'ici, nous avons laissé entendre que l'encodage des mots présentés visuellement s'effectuait par une mise en correspondance des formes des lettres et des **sons** produits lors de la prononciation de ces mots. Ce processus engendrerait des confusions **acoustiques.** En revanche, il est possible aussi que le recodage ne se fasse pas en termes de sons, mais en termes de la séquence des mouvements musculaires nécessaires à la verbalisation des mots. Dans ce cas, les sons qui sont **produits** de façon similaire deviennent source de *confusions articulatoires*. Plusieurs des théories sur la reconnaissance des sons parlés se fondent sur l'un ou l'autre de ces modes. Il serait très utile de pouvoir faire une distinction entre les deux, mais personne ne sait encore comment. Le problème tient du fait que deux formes verbales qui ont une sonorité similaire se produisent aussi de façon semblable. À quelques exceptions près, les types de confusions dus à des sonorités similaires ressemblent beaucoup à ceux qui résultent d'articulations similaires.

Par surcroît, une autre question se pose: pourquoi l'encodage acoustique serait-il nécessaire? (Désormais, on utilisera les mots «encodage acoustique» pour indiquer que la représentation visuelle se transforme en quelque chose ayant rapport au son ou à la production des mots; cela n'implique aucunement une préférence pour les théories acoustiques comparativement aux théories articulatoires). Pourquoi les gens ne peuvent-ils tout simplement pas lire un texte sans transformer les mots en quelque format acoustique? C'est précisément ce que certains cours de lecture rapide promettent d'enseigner.

Regardez à droite, puis à gauche. Pendant que vous regardez à gauche, essayez de vous rappeler ce que vous avez vu à droite: croirait-on vraiment que vous pouvez y arriver de façon acoustique, en vous remémorant une description verbale de la scène? Certainement pas. Pensez à un geste, comme se laver les mains (avec du savon). Encore une fois, un format acoustique pour appuyer le souvenir semble impensable. Il est évident qu'il ne faut pas pousser trop loin l'idée d'un encodage acoustique. La preuve de son existence ne vaut que pour les études de la mémoire impliquant un matériel verbal, c'est-à-dire une information qui requiert l'usage du langage: lettres, mots ou phrases. Cependant, pour ce type d'information, les données sont très concluantes. Il semble y avoir représentation acoustique des items, même lorsque cela pourrait sembler inutile.

Il est bien évident que tout ce que nous voyons n'a pas besoin d'être traduit en mots. Cependant, on peut croire que le concept selon lequel toutes les données fournies afin d'être assimilées par le système sont effectivement traduites en un codage spécifique. Chose certaine, il serait insensé de stocker les menus détails de chaque donnée individuelle. Il importe peu qu'une phrase soit débitée lentement ou à la hâte, qu'un texte écrit soit lu sous un angle droit ou incliné. Ce sont là des variations physiques insignifiantes. Il faut se rappeler du sens des mots, non de leur forme extérieure. De même, qu'elle soit verbalisée ou lue, une phrase ne change pas de signification — alors, pourquoi devrait-on préserver ces différences? Ne pourrait-on croire que les mêmes mécanismes qui éliminent ces variations superflues à l'entrée, telles que l'angle de vision des lettres, puissent éliminer aussi d'autres aspects?

Comme l'a démontré le chapitre 7, il est très difficile de déterminer la signification des signaux sensoriels. Mais il est clair que les processus de pensée doivent opérer sur la base d'un codage interne quelconque, codage qui rende compte de la signification du matériel auquel on pense, et non de sa représentation physique. Pour faciliter l'accession de l'information en mémoire à long terme, il serait utile que toute information soit transformée en une même forme commune.

Notons cependant qu'en transformant l'information en un format commun, nous n'entraînons pas nécessairement le rejet de l'information concernant la nature physique des signaux qui parviennent au système sensoriel. Vous pouvez probablement vous rappeler bien des détails physiques de ce volume, y compris les parties de pages où ont été présentées certaines affirmations ou illustrations particulières, et probablement quelques détails quant à l'apparence de la page imprimée. C'est une expérience commune (vérifiée expérimentalement) que de se rappeler la partie de la page où l'on a lu quelque chose. Si nous transformions tout simplement l'information en fragments acoustiques, ces détails physiques seraient perdus.

L'autorépétition

En ce qui a trait au langage, pourquoi le format commun ne serait-il pas acoustique, indépendamment du fait que le matériel linguistique soit lu, entendu ou pensé? Supposez que vous ayez une liste de noms à apprendre ou un numéro de téléphone à composer. La plupart des gens le font en se répétant les items constamment. En général, chaque fois qu'il faut retenir une information plus de quelques secondes, on en perd une partie, à moins de la répéter consciemment encore et encore. On appelle *autorépétition* cette répétition mentale silencieuse du matériel à apprendre. Plus loin, nous verrons qu'il existe au moins deux formes d'autorépétition. L'une d'elles semble contribuer principalement à la rétention de l'information en mémoire à court terme (et est, par conséquent, appelée *autorépétition de maintien*). L'autre semble faciliter l'intégration du matériel sur lequel porte l'autorépétition à l'intérieur des structures de la mémoire à long terme (et est donc appelée *autorépétition d'intégration*). Nous parlerons de l'autorépétition d'intégration plus tard (chapitre 9), quand nous traiterons de certaines propriétés d'organisation du matériel en mémoire à long terme.

La rétention de l'information en mémoire à court terme ne peut s'effectuer par autorépétition qu'à condition qu'il n'y ait pas trop de matière à retenir. L'autorépétition peut, bien sûr, maintenir l'information active, mais elle ne saurait augmenter la capacité de la mémoire. Tout se passe comme si le processus d'autorépétition de maintien récupérait simplement la trace d'un signal affaibli et évanescent pour le réactiver en le réintroduisant effectivement en mémoire à court terme. C'est pourquoi nous illustrons le processus d'autorépétition à la figure 8-10 comme une boucle qui entre et sort de la mémoire à court terme. Cependant, si trop d'items doivent être autorépétés, l'autorépétition de tous ces items ne pourra être complétée à temps. Le dernier item s'effacera avant que le processus d'autorépétition ne puisse entrer en action.

Quelle est la vitesse de l'autorépétition? Le discours intérieur se déroule à un rythme comparable à celui du discours normal. Pour mesurer le rythme de ce discours interne, prenez un crayon et comptez mentalement (par conséquent, en silence) de 1 à 10, aussi rapidement que vous le pouvez. Aussitôt que vous avez atteint 10, recommencez en faisant une marque sur un papier. Continuez pendant 10 s, puis comptez les traits. Combien en comptez-vous? Si vous vous êtes rendu à 82, c'est que vous pouvez autorépéter 8,2 chiffres par seconde. Vous pouvez vérifier ce chiffre en essayant avec un autre type de matériel: l'alphabet. Notez que le nombre d'items que vous pouvez garder en

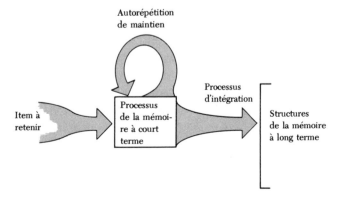

Figure 8-10

Autorépétition
de maintien

Item à
retenir

Processus
de la mémoi-
re à court
terme

Processus
d'intégration

Structures
de la mémoire
à long terme

mémoire à court terme à l'aide de l'autorépétition de maintien est fonction du temps pris pour prononcer ces items*.

L'OUBLI   Comment l'information se perd-elle au niveau de la mémoire à court terme? Deux possibilités: l'oubli pourrait résulter de l'interférence d'un autre matériel ou, simplement, du passage du temps. Examinons les implications de chacune de ces possibilités.

L'OUBLI PAR INTERFÉRENCE

Dans le cas d'oubli par interférence, l'on suppose que la mémoire à court terme a une capacité limitée quant au nombre d'items pouvant être retenus. Il y a plusieurs façons de le voir. Par exemple, on pourrait concevoir la mémoire à court terme comme un ensemble de cases situées quelque part dans le cerveau. Chaque fois qu'un item apparaît, il passe par le traitement standard du système sensoriel et est identifié au cours des étapes de reconnaissance de formes. Ensuite, la représentation significative de l'item présenté vient s'insérer dans l'une des cases vides de la mémoire à court terme. Si le nombre de cases est limité à sept, par exemple, l'arrivée du huitième item provoquera la disparition d'un des sept items déjà imbriqués.

L'hypothèse de base d'une mémoire à court terme de capacité limitée suggère que l'oubli résulte d'une interférence de la part des items nouvellement présentés, étant donné que toute nouvelle présentation provoque la disparition d'un ancien item. (Certes, cela ne se produit que lorsque la mémoire à court terme est complètement remplie.) Cette version particulière du modèle de cases est trop simple: elle suppose, par exemple, qu'il y a toujours un nombre exact d'items qui sont mémorisés, jamais plus, jamais moins; elle veut aussi qu'un item soit ou parfaitement mémorisé, ou alors oublié totalement. Néanmoins, il n'est pas trop difficile de modifier le modèle pour tenir compte de ces dernières objections.

Une façon de le faire consiste à réaliser tout simplement qu'une trace mnémonique n'est pas nécessairement complètement présente ou complètement absente: elle peut exister partiellement. Imaginez ceci: vous essayez d'entendre une voix faible perdue parmi d'autres voix — plus la voix est forte, plus il est facile de l'entendre; plus elle est faible, plus c'est difficile, jusqu'à ce qu'elle devienne si faible qu'il soit absolument impossible de dire si, oui ou non, elle est encore présente. Si la voix constitue le **signal** et les voix de fond, le **bruit,** c'est donc le rapport signal/bruit qui détermine la capacité de comprendre la voix. Il pourrait en être ainsi de la mémoire. La représentation d'un item en mémoire constitue sa *trace mnémonique.* C'est le **signal** que nous essayons d'identifier par le souvenir malgré le bruit de fond des autres souvenirs. Plus la trace mnémonique est forte, plus elle est facile à déceler; en vieillissant, le souvenir s'évanouit jusqu'au point où sa trace devient si faible qu'elle est irrécupérable.

---

* Il est intéressant de tenter une autorépétition **visuelle.** Parcourez visuellement l'alphabet aussi vite que possible, en imaginant mentalement l'image de chacune des lettres avant de passer à la suivante. Vous découvrirez que l'autorépétition visuelle est plus lente que l'autorépétition acoustique. Pour vous éviter de tricher, dites **oui** ou **non** tout haut, chaque fois qu'une lettre majuscule possède ou non une ligne horizontale. Ainsi, les cinq premières lettres donnent: **oui, oui, non, oui, oui.** (Cette technique a été inventée par Weber et Castelman, 1970.)

Il y a donc une analogie entre l'acte de déceler un signal faible à partir d'un bruit et celui de retrouver un vieux souvenir. Les items fraîchement présentés sont très résistants, les plus vieux le sont moins. Tout comme on se trompe facilement dans l'interprétation d'une voix dont le rapport signal/ bruit est faible, de même aussi l'on commet des erreurs dans la récupération de contenus à trace mnémonique faible. De plus, lors du recouvrement à partir de la mémoire à court terme, ces erreurs auront tendance à être acoustiquement liées aux mots stockés.

Mais à quoi attribuer l'effacement des traces mnémoniques? Selon cette théorie, la force du souvenir dépend du nombre d'items présentés. Suppo- sons au départ, qu'au tout début, quand un item se présente à la mémoire, il obtient une trace mnémonique de force A. La présentation de chaque item supplémentaire provoquera une diminution de la force des items précédents selon un pourcentage constant de leur valeur initiale. Si l'on représente la fraction de la force de la trace mnémonique qui persiste après présentation de chaque nouvel item par le facteur d'oubli f (f est nécessairement une fraction située entre 0 et 1), on peut suivre les péripéties d'un item (appelons- le l'*item critique*) à mesure que d'autre matériel vient s'ajouter (voir figure 8-11).

Lorsqu'un premier item se présente, sa trace a une force f.

Lorsqu'un second item s'ajoute, la force de la trace de l'item critique tombe à Af.

Lorsqu'un troisième item fait son apparition, la force critique descend à $(Af)f$ ou Af^2.

En fait, s'il est survenu i items d'interférence après la présentation de l'item critique, la force de ce dernier devient Af^i — dégradation géométrique simple de la force de la trace mnémonique en fonction du nombre d'items présentés.

L'OUBLI PAR DÉGRADATION AVEC LE TEMPS

Seconde façon dont la capacité de la mémoire à court terme pourrait être limitée: par un processus dépendant du temps, processus par lequel un item devient de plus en plus faible à mesure que le temps s'écoule, jusqu'à ce que, finalement, il disparaisse complètement. Ici, le temps seul suffit à effacer le matériel de la mémoire, un peu comme le temps intervient dans la perte de charge électrique d'un condensateur ou dans la dégradation des substances radioactives. Toutefois, cette différence exceptée, la descrip- tion ressemble beaucoup à celle de la dégradation de l'item critique.

La théorie du temps postule que chaque moment écoulé produit une réduction de la force de la trace mnémonique des items déjà acquis, l'équivalence à une fraction donnée de leur valeur initiale. C'est dire que dans la théorie de la dégradation avec le temps, chaque instant agit à peu près comme chaque présentation d'un nouvel item dans la théorie de l'inter- férence. Remplaçons simplement le nombre d'items i par la quantité de temps écoulé t. Si t secondes sont intervenues depuis la présentation de

Traitement
sensoriel

Reconnaissance
de formes

Mémoire à court terme

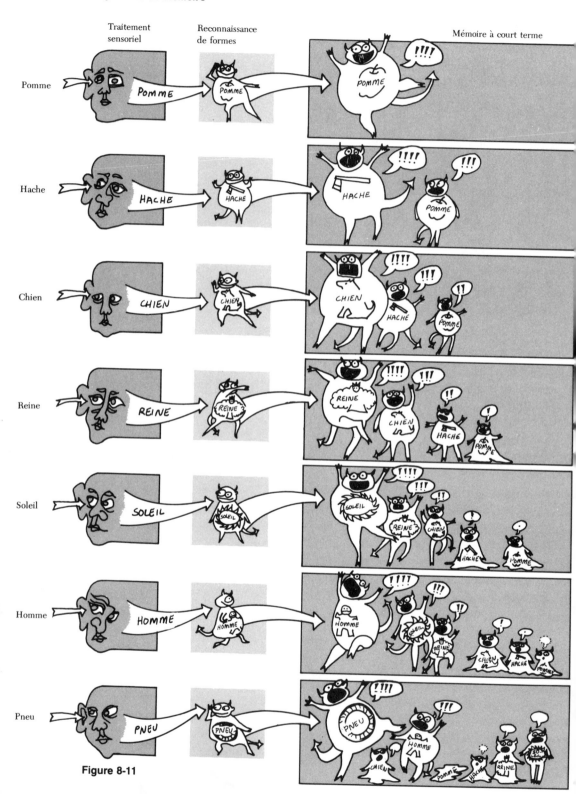

Pomme

Hache

Chien

Reine

Soleil

Homme

Pneu

Figure 8-11

l'item critique, la force de la trace passera de la valeur originale A à la valeur Af^{t*}.

L'OUBLI: QUESTION DE TEMPS OU D'INTERFÉRENCE?

Pour décider entre ces deux théories opposées, il faut trouver un moyen de présenter d'abord un matériel à des sujets, puis de les tenir inoccupés jusqu'à ce que leur mémoire du matériel fasse l'objet d'un examen. La théorie de la dégradation due au temps prédit une perte de mémoire; la théorie de l'interférence, aucune. Le problème ici réside dans la difficulté à tenir les sujets «inoccupés». S'ils n'ont vraiment rien d'autre à faire, on ne pourra les empêcher d'autorépéter le matériel déjà présenté. Un rappel parfait dans une telle expérience peut tout aussi bien s'expliquer par l'autorépétition que par l'absence d'interférence: les résultats ne prouvent rien. Si l'on élimine l'autorépétition en donnant aux sujets une autre tâche à exécuter, celle-ci risque alors de créer de l'interférence, si bien qu'un rappel imparfait suite à cette expérience ne prouve rien: la perte de mémoire peut aussi bien s'expliquer par la dégradation due au temps que par les effets de l'interférence.

Une façon de réaliser cette expérience consiste à trouver une tâche assez difficile pour que le sujet soit incapable d'autorépéter le matériel en mémoire, mais tellement différente de la tâche de rappel qu'elle ne crée pas d'interférence. Une telle tâche consiste à détecter un faible signal sur un fond de bruit. Ainsi si le sujet est d'abord confronté avec un ensemble de lettres à apprendre, s'il doit ensuite exécuter une tâche de détection difficile pendant 30 s et finalement répondre au test sur le rappel des lettres, il est possible qu'il n'y ait eu ni autorépétition, ni interférence.

Ce genre d'expérience est très difficile à réaliser et, jusqu'ici, les résultats n'ont pas été très concluants. Les premières tentatives ont d'abord laissé croire que les résultats démontraient l'exactitude de la théorie de l'interférence. Il semblait ne pas y avoir de perte pour des délais aussi longs que 30 s. Cependant, une difficulté majeure restait liée à ces expériences: déterminer si, oui ou non, les sujets ne se seraient pas secrètement adonnés à l'autorépétition pendant l'intervalle de 30 s. Au départ, on ne le pensait pas. Or, depuis ce temps, des analyses plus poussées des résultats provenant de nouvelles expériences, y compris un examen plus attentif de ce que les sujets prétendent avoir fait, indique qu'une autorépétition furtive survient probablement durant cet intervalle de temps. Même si le fait n'est pas complètement prouvé, il semblerait que, à moins de s'adonner à une auto-répétition furtive, les sujets oublient vraiment.

Comme il arrive souvent lorsque deux théories rivales tentent d'expliquer le même phénomène, la vérité se trouve probablement quelque part entre les deux. Il est évident que l'oubli, en mémoire à court terme, tient autant d'une dégradation due au temps que d'une interférence produite par la présentation de matériel nouveau.

---

* Ceux d'entre vous qui pensent qu'une fonction exponentielle devrait s'exprimer par la valeur e peuvent traduire cette expression en sa forme équivalente:

où $k = -\ln(f)$. $\qquad\qquad Af^t = Ae^{-kt}$.

LES ATTRIBUTS DE LA MÉMOIRE

Retournons maintenant à l'unité de base du stockage. En quoi consisten ces traces mnémoniques de la mémoire à court terme? Un fait déjà démontré nous donne de bonnes indications à ce sujet: celui de l'apparition des confusions acoustiques dans la mémoire à court terme.

Considérons le mot **mouche**. Il s'agit de déterminer comment ce mot est représenté en mémoire à court terme. Supposons que ce soient les **attributs** qui y sont retenus et non les mots. Par exemple, supposons pour le moment que chaque son soit un attribut. Bien sûr, c'est là une simplification excessive de la réalité, mais elle se rapproche suffisamment de la vérité pour illustrer les concepts*. Supposons qu'on veuille stocker l'item **mouche**. Il n'est pas tout simplement rangé en mémoire à court terme en tant qu'unité individuelle. Au contraire, cette unité mnémonique individuelle contient trois attributs de base: les sons **m**, **ou** et **ch**. Ainsi, chaque attribut de **mouche** peut être oublié de façon indépendante. Lorsqu'il s'agit de retrouver le mot en mémoire, nous procédons au recouvrement de tous les attributs qui y sont encore présents, pour ensuite tenter de reconstruire le mot qu'ils ont dû représenter.

- Si le **m**, le **ou** et le **ch** sont retenus, alors, le mot remémoré sera **mouche**.
- Si seulement le **ou** et le **ch** sont retenus, alors, le mot remémoré pourrait être **douche**, **souche**, **couche** ou même **mouche**.
- Si seulement **m** et **ch** sont retenus, le mot remémoré pourrait être **moche**, **miche**, **manche** ou même **mouche**.
- Si seulement **m** et **ou** sont retenus, le mot remémoré pourrait être **moule**, **mousse** ou **mouche**.

Lorsqu'un seul attribut fait défaut, l'éventail des mots pouvant être reconstruits à partir de ce qui reste (plus le fait qu'il y a un total de 3 composantes) est plutôt restreint. Tous, évidemment, ressemblent acoustiquement au mot original. Notez que le mot correct sera remémoré selon un assez bon pourcentage, et ce, simplement par une reconstruction chanceuse à partir des éléments restants. Si deux attributs sont perdus, ne laissant en mémoire que le son **m**, **ou** ou **ch**, il se trouve alors plusieurs items pouvant correspondre à l'information retenue, et il y a donc peu de chance de tomber sur le mot juste. Lorsque les trois attributs disparaissent, il ne reste plus rien qui puisse orienter le processus de reconstruction.

LE PROCESSUS DE RECONSTRUCTION DE LA MÉMOIRE

Examinons maintenant le caractère de reconstruction de la mémoire à court terme. Nous venons justement de voir comment les confusions acoustiques se produisent durant la reconstruction de l'information partielle. C'est là un élément à l'appui de l'hypothèse que ce serait les attributs qui sont stockés. Si tel est le cas, il est clair que plus le nom de l'item présenté sera long, moins il y aura d'items qui pourront être retenus. Voyons comment la nature des items eux-mêmes détermine la quantité de ce qu'on pourra retenir.

---

* En ce qui a trait à l'information verbale, les attributs sont vraisemblablement les phonèmes ou les caractéristiques distinctives présentés au chapitre 7. En ce qui a trait à l'information visuelle (perception visuelle et images) ce sont probablement les caractéristiques visuelles traitées au chapitre 6.

Supposons qu'on doive se rappeler cette série de lettres:

L

B

S

K

F

M

L'ensemble complet des attributs phonémiques de ces lettres est:

è, l

b, é

è, s

k, a

è, f

è, m

Nous savons que la capacité de la mémoire à court terme a des limites. Pour les besoins de cet exemple, supposons que la mémoire à court terme ne peut retenir que six attributs. Combien de lettres peut-on se rappeler? Cela dépend de l'identité des six attributs retenus. S'ils s'étaient répartis de cette façon:

_____, l

b, _____

_____, s

k, _____

_____, f

_____, m

probablement que chacune des six lettres pourrait être correctement reproduite par une simple reconstruction de ce qui devait avoir été présenté à la mémorisation. Après tout, quelle autre lettre, sauf **M**, se termine par le son «m»?

Supposons maintenant que les six attributs soient dispersés ainsi: un attribut par lettre

è,_____

_____, é

è, _____

_____, a

è, _____

è, _____

Même là, le processus de reconstruction fonctionnerait relativement bien. Dans l'exemple, quatre items commencent par «è_____». Combien y a-t-il de lettres de l'alphabet qui commencent par le son «è»?

F, L, M, N, R et **S.**

Six lettres sont possibles et le processus de reconstruction doit en choisir quatre. Ainsi, le hasard ferait retrouver deux à quatre éléments commençant par le son «è».

Similairement, en ce qui a trait au souvenir des autres attributs, le simple jeu de la devinette suffit toujours à un rappel assez précis. En moyenne,

on peut, à partir de toute la série de six attributs, se rappeler avec exacti
tude de trois ou quatre des lettres.

Point important de cette démonstration: le processus de la mémoire
court terme ne se limite pas simplement à compter le nombre d'attribut
retenus. Il comprend aussi un processus de reconstruction qui regroup
l'information disponible pour donner la description la plus adéquate possibl
de ce qui a été présenté. Avec un peu d'habileté et de chance, il est for
probable qu'on puisse avec seulement six attributs en mémoire, se sou
venir des six lettres — exploit qui requerrait la totalité des douze attri
buts s'il n'y avait pas de reconstruction des lettres éventuelles à parti
de l'information retenue.

Le processus de reconstruction ne donne pas toujours d'aussi bons résul
tats. On peut former des séries de mots qui présentent des difficultés pou
le traitement. Considérons celle-ci:

BAI
SAI
PAI
LAI
MAI
FAI

Voici les attributs:

b, ai
s, ai
p, ai
l, ai
m, ai
f, ai

Comme auparavant, supposons que six attributs seulement aient été retenus.
Avec un peu de chance, les six items pourraient être reconstruits:

b, _____
s, _____
p, _____
l, _____
m, _____
f, _____

Mais, puisque le choix des attributs offre les mêmes probabilités, le processus de reconstruction pourrait rencontrer de sérieuses difficultés:

_____, ai
_____, ai
_____, ai
_____, ai
_____, ai
_____, ai

Partant de ces six attributs, comment retrouver les items originaux? Vous ne pouvez le faire. Effectivement, en moyenne, moins d'items pourraient être récupérés à partir de cette dernière liste qu'à partir de la première. Dans le premier cas, avec les lettres **L, B, S, K, F** et **M**, nous pouvions toujours, dépendant des attributs retenus, récupérer trois à six items. Cela représente une moyenne de quatre lettres et demie. Mais, quand les items sont BAI, SAI, PAI, LAI, MAI et FAI, zéro à six items peuvent être retenus selon les attributs mémorisés. Cela représente une moyenne approximative de trois items. De plus, dans le premier cas, nous pourrions retenir l'**ordre** exact des lettres, ce qui s'avère impossible dans le second cas.

Ces considérations font ressortir plusieurs points. Le nombre d'attributs en mémoire ne nous apprend pas directement le nombre d'items qui peuvent être retenus. Pour le déterminer, il est nécessaire de connaître quelque chose du processus de reconstruction. À partir des attributs encore présents en mémoire, tel type de matériel sera plus facile à reconstruire qu'un autre. En général, l'on se souvient mieux des items **acoustiquement distincts** que des items **acoustiquement semblables**.

Envisagée dans cette optique, la mémoire des mots très longs, comme ceux de certaines villes du Québec, ne pose pas de problème particulier. Supposons que la liste à mémoriser soit:

KAMOURASKA
CHICOUTIMI
SHAWINIGAN
MATAGAMI
DONNACONA
REPENTIGNY

À prime abord, il semblerait qu'il soit plus difficile de se rappeler de noms aussi longs, affublés d'un nombre d'attributs aussi élevé. Il n'en est rien. Il faut beaucoup d'attributs pour encoder KAMOURASKA — *k-a-m-ou-r-a-s-k-a* —, mais seulement quelques-uns pour le reconstruire. Après tout, il n'y a pas beaucoup de mots qui soient aussi longs que KAMOURASKA et qui aient des attributs en commun avec lui. Quand un item en mémoire est reconstruit seulement à partir de quelques-uns de ses attributs, d'autres mots erronés peuvent être générés à partir des attributs qu'ils ont en commun avec cet item. Mais comme il y a moins de mots longs que de mots courts, les chances de confusion sont plus minces avec des mots longs: quelques attributs seulement suffisent à reconstruire le bon item.

Notons que la regénération d'un mot à partir de ses attributs requiert l'intervention de la mémoire à long terme. La sélection des mots qui conviennent aux attributs de la mémoire à court terme se fait certainement à partir de l'information stockée en mémoire à long terme. Vous avez peut être remarqué que d'autres attributs se sont glissés furtivement, comme par exemple la longueur du mot, sujette à devenir un indice utile pour reconstruire l'item original: cela veut dire que la longueur du mot constitue un des attributs inscrits dans la mémoire à court terme. Il y a souvent d'autres informations disponibles. Par exemple, une fois qu'on a découvert que tous

les mots à apprendre sont des noms de villes du Québec, la tâche de reconstruction de chaque mot à partir de ses attributs devient encore plus facile
puisque l'ensemble des items possibles se trouve largement réduit. En
revanche, une information telle que «ce sont tous des noms de ville» soulève
un point que nous discuterons plus tard en traitant de la mémoire à long
terme.

L'INTERFÉRENCE SÉLECTIVE: UN OUTIL EXPÉRIMENTAL UTILE

On peut étudier les propriétés de la MCT à l'aide d'une technique appelée
interférence sélective. Examinons d'abord cette technique. Nous avons déjà
fait l'hypothèse que l'information était retenue en MCT sous forme d'*attributs*. Lorsque des mots constituent l'information à retenir, nous croyons
que les attributs sont liés à la structure phonémique (ou à des caractéristiques
distinctives) des mots. Lorsqu'une personne essaie de récupérer une information de la MCT, un processus de reconstruction entre en jeu afin de
déterminer quel item précis pourrait avoir été présenté, item correspondant
à l'ensemble des attributs encore en MCT.

Considérons l'*expérience d'interférence* suivante. Elle fut mise au point
pour mettre en évidence la reconstruction des items à partir des attributs
en MCT. L'expérience se divise en trois parties:
- La présentation des *stimuli* — items à mémoriser.
- La présentation d'une *tâche d'interférence* — tâche choisie précisément
  pour interférer avec la rétention des stimuli.
- Le *test* — déterminant ce qui a été retenu des stimuli.

Dans l'expérience de Peterson et Peterson, que nous avons rapportée plus
haut, on a présenté trois lettres à des sujets, puis on leur a demandé de
compter par intervalles de trois à rebours. Après un certain temps, on leur
dit de cesser de compter et de nommer les trois lettres: les lettres constituaient les stimuli; le fait de compter constituait la tâche d'interférence; et le
rappel représentait le test.

Considérons maintenant une autre tâche dont nous avons déjà parlé:
l'apprentissage d'une liste de mots aux sonorités semblables. Supposons
que les mots soient:

BÉE	CHEZ
NEZ	DÉ
FÉE	QUAI

Tels sont les items-stimuli. Ensuite, après avoir montré ces items aux sujets,
nous leur présentons rapidement une tâche d'interférence qui consiste à
écrire les six mots suivants tout en les répétant à voix haute:

AI	HUÉ
RÉ	SUÉ
THÉ	YÉ-YÉ

On dit aux sujets de ne pas retenir les mots de cette seconde liste, mais on
imagine facilement que ces mots interfèrent de toute façon. Évidemment,
les attributs de la liste d'interférence ressemblent tellement à ceux de la liste

de stimuli que, lorsque vient le temps de nommer les stimuli, il y a beaucoup de confusion.

Examinons maintenant une variante de cette expérience, comportant une tâche d'interférence différente. Voici les mots que les sujets doivent écrire tout en les répétant à voix haute:

ESKIMO	VIOLON
BUFFLE	CRAYON
TÉLÉPHONE	HIVER

Cette seconde liste de mots est choisie de sorte que leurs attributs diffèrent de ceux des items de la liste de stimuli. Par conséquent, nous devrions nous attendre à ce que les sujets aient plus de facilité à se souvenir des stimuli dans cette deuxième expérience que dans la première, et ce, même si ces listes de stimuli sont identiques dans les deux expériences.

Cette technique de l'interférence sélective constitue un outil important pour l'identification des propriétés du système mnémonique. En précisant dans la liste d'interférence la nature des items qui créent le plus de difficulté dans la rétention des items de la liste de stimuli, nous pouvons identifier les attributs du système mnémonique. Cette technique a été utilisée pour étudier les trois systèmes de mémoire: RIS, MCT, MLT.

Une conclusion ressort de ces études: il y a des différences entre la rétention de l'information visuelle et verbale. Un exemple percutant de ceci apparaît dans le paragraphe intitulé: *y a-t-il des mémoires à court terme distinctes pour les mots et pour les images?* D'autres études ont démontré l'existence de résultats différents, selon qu'il s'agissait de mots vus ou entendus. Les travaux sur la mémoire dans le cas des autres systèmes sensoriels (et sur la mémoire de l'activité motrice) ne sont pas assez avancés pour que l'on puisse émettre des conclusions définitives quant à leurs propriétés. On est sûr d'une chose cependant: quelle que soit la modalité sensorielle ou la tâche, la trace mnémonique des stimuli et des actes les plus récents semble avoir un statut particulier. Ce statut correspond à la description que nous avons faite de la *mémoire à court terme;* il joue un rôle important dans le traitement normal des activités humaines*.

Y A-T-IL DES MÉMOIRES À COURT TERME DISTINCTES POUR LES MOTS ET POUR LES IMAGES VISUELLES?

La technique de l'interférence sélective peut servir à illustrer une caractéristique importante du système mnémonique: l'absence d'interférence entre des informations empruntant différentes modalités sensorielles. Lee Brooks est peut-être celui qui a réalisé les expériences les plus intéressantes à ce sujet. Pour vous présenter son

---

*Notons que même si tous les chercheurs s'accordent à reconnaître le statut particulier des stimuli récents et des actions récentes, tous ne s'entendent pas pour distinguer les systèmes de mémoire à court terme et à long terme. Certains chercheurs croient qu'il n'y a simplement qu'un grand système de mémoire et que le statut particulier de certains items reflète simplement les types d'attributs de ces items et la nature du recouvrement du système mnémonique. Il n'y a cependant pas de désaccord à propos des phénomènes eux-mêmes. Nous reviendrons sur ce point lors de l'analyse de «la profondeur de traitement».

Figure 8-12

Figure 8-13

O   N

O   N

   O   N

O   N

     O   N

  O   N

 O   N

   O   N

    O   N

O   N

travail, nous reproduisons simplement un extrait d'un article dans lequel il explique les types d'expériences qu'il a menées. Essentiellement, Brooks essayait de démontrer que l'exécution de tâches impliquant une conservation de l'information en MCT pouvait être soumise à une interférence sélective découlant de la nature de la tâche que le sujet doit exécuter sur le matériel présenté. Voici l'exemple d'une tâche d'interférence qui consiste à effectuer une opération directe sur le matériel-stimulus:

Laissez-moi vous donner une courte démonstration de ce type d'expérience. Je vais lire une courte phrase comme: «Voici le mauvais garnement qui a volé le bonbon d'un enfant». J'aimerais que vous disiez «oui» à chacun des mots qui est un nom dans la phrase et que vous disiez «non» dans le cas contraire. Dans cet exemple, vous diriez: «Non, non, non, oui, non, non, non, non, oui, non, oui.» Essayez de le faire *de mémoire* avec la phrase suivante: «Un oiseau dans la main n'est pas dans le bosquet.» La tâche est d'une difficulté surprenante, étant donné qu'il est si facile d'omettre un mot ou de perdre la trace du chemin parcouru. La difficulté diminue de beaucoup lorsque vous utilisez une méthode différente pour indiquer votre décision. Par exemple, essayez d'analyser la même phrase, mais au lieu de dire «oui» ou «non», tapez de la main droite si le mot est un nom et tapez de la gauche dans le cas contraire. Lorsqu'on présente ces conditions dans une expérience systématique, pratiquement tous les sujets prennent plus de temps et font plus d'erreurs en répondant verbalement qu'en tapant de la main (Brooks, 1968). Dans les deux cas, la phrase doit être reproduite intérieurement et les mêmes décisions doivent être rendues avec le même taux d'incertitude. La seule variable qui pourrait rendre compte du degré différent de difficulté concerne le mécanisme ou le processus employé pour produire la réponse. On est tenté de conclure qu'une partie des mécanismes qui président à la formation des formes verbales oui et non sert aussi à la production interne de la phrase ou des décisions.

Cette interprétation devient plus convaincante lorsqu'on montre que pareil conflit peut se produire avec un stimulus visuel. Par exemple, regardons la lettre F à la figure 8-12. Les points marquant chacun des angles peuvent être traités comme des items à catégoriser, tout comme les mots dans les phrases. Étudiez le F pendant une minute puis, *de mémoire*, retracez le contour dans le sens des aiguilles d'une montre en partant de l'astérisque et décidez si chacun des points se situe en haut ou en bas de la figure, ou entre les deux. Par exemple, retracez le contour en disant «oui» pour chaque point situé au-dessus ou en dessous, et «non» pour ceux qui se trouvent intercalés. Vous pouvez éprouver une certaine difficulté à vous rappeler la figure, mais le conflit éprouvé entre les «oui» et «non» dans la catégorisation de la phrase dans l'exemple précédent ne semble pas se présenter ici. C'est la différence à laquelle on devrait s'attendre si la difficulté dans le cas de la phrase venait de la surcharge de quelque mécanisme verbal ou articulatoire résultant de la simultanéité de l'évocation des «oui» ou des «non» et de la production intériorisée de la phrase. Le F est perçu de façon visuelle; conséquemment, l'on doit s'attendre à ce qu'il donne lieu à un conflit si vous tentez simultanément de faire quelque chose qui impliquerait le système visuel. Vous pouvez facilement créer un tel conflit en indiquant les décisions en *pointant du doigt* et donc en regardant des oui et des non imprimés. On peut le constater en utilisant la disposition des lettres O et N de la figure 8-13, d'abord pour les phrases, puis pour le F. Avec la phrase «Un oiseau dans la main n'est pas dans le bosquet», vous devriez pointer le N (non) à la première ligne de la figure 8-13 et le O (oui) à la deuxième, le N aux deux suivantes, le O à la suivante, et ainsi de suite jusqu'au bas de la figure. Cette façon d'indiquer vos décisions ensemble beaucoup, en définitive, à la tâche où il s'agissait de taper de la main; il semble assez facile de se répéter la phrase à soi-même et d'indiquer simultanément sa décision. Mais l'utilisation de ce mécanisme de réponse pour le F est autre chose. Essayez-le rapidement pour les points inférieurs et supérieurs du F. Pensez encore une fois au F comme à une suite de points; parcourez en descendant la figure 8-13 en pointant un O pour un point situé en haut ou en bas, un N pour un point intercalé. La plupart des gens éprouvent une difficulté réelle après les toutes premières catégorisations. Ils pointent les trois premiers O, deux N, puis abandonnent la liste pour dire qu'ils ont de la difficulté à se rappeler où ils en sont rendus. Les temps de réaction et les erreurs que nous avons enregistrés donnent l'impression que la difficulté éprouvée avec le F provient du fait qu'on essaie de regarder autre chose simultanément.

La démonstration que je viens de décrire a été incluse dans une expérience utilisant deux types de stimuli (phrases et tracés de lignes) et trois types de réponses (pointer du doigt, taper de la main et parler). La catégorisation des phrases exige les temps les plus longs lorsqu'on utilise des réponses verbales (oui, non); la catégorisation des tracés linéaires, lorsqu'on pointe du doigt. Aucun de ces modes de réponse n'était vraiment plus difficile que les autres. Il semble plutôt que la difficulté provienne du fait de cette combinaison: dire «oui» et «non» en pensant à la phrase ou émettre une réponse à base visuelle en visualisant les tracés. Dans cette situation, il semble donc que lorsqu'une personne prétend visualiser, elle veuille apparemment dire qu'elle fait quelque chose de visuel; elle visualise au sens où elle est moins disponible à toute autre activité visuelle simultanée. Quand elle prétend penser à des mots, elle se parle apparemment à elle-même au sens où elle est moins disponible pour dire n'importe quelle autre chose simultanément. [Tiré de L. Brooks (1970). *Visual and verbal processes in internal representation.* Communication présentée au Salk Institute, La Jolla, Californie. Avec la permission de l'auteur.]

Que conclure de cet ensemble d'expériences? Y a-t-il des systèmes de MCT distincts pour les matériels verbal et visuel? Les signaux qui contrôlent les mouvements des bras se situent-ils également dans un autre système de MCT? Ou peut-être n'existe-t-il qu'un seul système de MCT, mais construit de telle sorte que lorsque les attributs des items intégrés au système diffèrent radicalement les uns des autres, il n'y ait pas interférence entre eux? Jusqu'à présent l'accord n'est pas fait, personne ne sachant exactement ce qu'il en est vraiment.

Si vous réfléchissez soigneusement sur les différences entre les deux membres de l'alternative que nous venons de présenter, vous constaterez que, en fait, il y a peu de différence *fonctionnelle*. Dans un cas, il y aurait plusieurs MCT différentes, situées peut-être à différents endroits. Dans l'autre, il n'y en aurait qu'une seule, mais elle contiendrait différents types d'attributs n'interférant pas les uns avec les autres. Si vous vous intéressez seulement à la façon dont les gens exécutent leurs tâches, il importe peu de savoir quelle explication est exacte: pour vos fins, l'une et l'autre explication débouchent exactement sur le même comportement. Par conséquent, elles sont fonctionnellement équivalentes. Si, par ailleurs, vous êtes un psychophysiologue intéressé aux structures de la MCT, il vous faut toutefois tenir compte de ces différences: dans un cas, vous devez repérer plusieurs MCT; dans l'autre, seulement une. En psychologie, comme dans toutes les sciences, la valeur de l'explication dépend de la question posée.

La fin de cet exposé sur les différentes formes d'interférence reliées à différents types de tâche constitue un bon endroit pour interrompre temporairement notre étude des systèmes mnémoniques. Ce chapitre vous a présenté les questions et les concepts les plus importants. Le prochain chapitre revient sur ces questions pour aborder l'étude des modes d'acquisition de l'information par le système de la mémoire à long terme, tout en insistant sur la façon d'utiliser la mémoire. Le contenu de ce chapitre-ci constitue donc la toile de fond des analyses à venir.

Revue des termes et notions

Voici, pour le présent chapitre, les termes et notions que nous considérons importants. Passez-les en revue; si vous êtes incapable d'en donner une courte explication, vous devriez revoir les sections appropriées du chapitre.

TERMES ET NOTIONS À CONNAÎTRE

Registre de l'information sensorielle (RIS)
    sa persistance
    fonction éventuelle
    sa capacité
    la technique du marqueur pour mesurer la capacité du RIS
    le masquage
Tachistoscope
Mémoire à court terme (MCT)
    sa capacité
    l'utilité et la fonction du comptage à rebours, par trois
    confusions acoustiques
Autorépétition
    autorépétition de maintien
    processus d'intégration
    théories sur l'oubli (temps et interférence)
    attributs
        leur rôle
        leur composition éventuelle
    la nature reconstructive de la mémoire
    interférence sélective
Mémoire à long terme (MLT)

Lectures suggérées

Comme le chapitre 9 couvre l'utilisation des systèmes de mémoire décrits dans ce chapitre-ci (en insistant spécialement sur les relations entre la MCT et la MLT), nombre des références fournies dans les «Lectures suggérées» de ce chapitre s'avèrent très pertinentes ici: voyez cette section du chapitre 9.

Les premiers travaux sur le registre de l'information sensorielle furent exécutés par Sperling (1960) et par Averbach et Coriell (1960). Dans

otre volume, toutes les expériences sur le RIS proviennent des travaux
e Sperling. Un article de Dick (1974) présente un excellent relevé des tra-
aux effectués sur le RIS. Notez que Dick donne à ce système le nom de *mé-
,oire iconique*. On l'a parfois également appelé *mémoire à court terme
isuelle*. Les chapitres 4 et 6 du livre de Massaro (1975) présentent d'ex-
ellentes analyses du RIS et insistent sur son rôle dans la compréhension
u langage, spécialement dans la lecture.

Un phénomène que nous n'avons point abordé dans ce chapitre a trait
la mémoire visuelle «photographique» ou «eidétique». C'est un phénomène
trange et complexe. Tout ce que nous connaissons sur le sujet se retrouve
ans un petit nombre d'articles. L'article de Haber (1969) dans *Scientific
,merican* offre peut-être le meilleur point de départ. De là, on pourrait
hoisir de passer à la monographie de Leask, Haber et Haber (1969). Le
neilleur recensement de cette question a été fait par Gray et Gummerman
1975); le résultat le plus intrigant est décrit par Stromeyer et Psotka (1970);
tromeyer (1970) nous en offre aussi une description plus élémentaire dans
sychology Today.

Weber et Castleman (1970) ont mesuré expérimentalement le temps qu'il
aut pour visualiser les lettres de l'alphabet. Brooks (1968) a étudié de
uelles façons des phénomènes auditifs visualisés interfèrent avec un traite-
nent visuel, et vice-versa. Des expériences sur la dégradation de la mémoire
nt été faites par Reitman (1971, 1974) et, aussi, par Atkinson et Shiffrin
1971). Dans *Models of human memory* (1970), Norman, Sperling et Speel-
nan font une analyse poussée de la notion des attributs dans la mémoire
t du processus de reconstruction. De la même façon, Norman et Rumelhart
n font une étude très avancée dans le deuxième chapitre.

Les premiers travaux sur les confusions acoustiques furent l'oeuvre de
Conrad (1959) et Sperling (1959, 1960). Des travaux ultérieurs furent réalisés
par nombre de chercheurs; par conséquent, la meilleure source dont nous
pourrions disposer actuellement se trouverait dans un article ou un livre,
e livre de Neisser, *Cognitive Psychology* (1967) ou celui de Kintach (1970)
sur la mémoire; ou encore, les articles de Wickelgren, Sperling et Speelman
dans *Models of human memory* de Norman (1970). Une longue série d'analyses sur les implications des confusions acoustiques sur la forme de stockage
du matériel verbal (spécialement, le matériel imprimé) se retrouvent dans
le livre édité par Kavanagh et Mattingly (1972). Ce livre fait le bilan des
résultats d'une conférence sur la lecture et le langage et donne un compte
rendu des discussions entre participants, lesquelles revêtent peut-être plus
d'importance que les écrits eux-mêmes.

L'article de Peterson sur la mémoire à court terme, paru dans le numéro
de juillet 1966 du Scientific American serait tout à fait pertinent. Perterson
et Perterson ont réalisé l'expérience originale dans laquelle les sujets
devaient compter à rebours, par trois, après avoir reçu un simple item à
mémoriser. Quelques études sur la mémoire des primates non humains
c'est-à-dire des singes) se retrouvent dans le livre de Jarrard (1971).

9. Utilisation de la mémoire

Préambule

De la mémoire à court terme à la mémoire à long terme

APPRENTISSAGE DE LISTES
TESTER LA MÉMOIRE
Contrôle de l'apprentissage original du matériel
Types de tests de mémoire
RAPPEL
RECONNAISSANCE
MÉMOIRE ET ATTENTION
MÉMOIRE SANS ATTENTION

Mécanismes d'intégration
LE BESOIN D'ORGANISATION
FORMATION DE STRUCTURES EN INTERCONNEXIONS: UN EXEMPLE
TRAITEMENT EN PROFONDEUR
NIVEAUX D'ANALYSE

Stratégies mnémoniques
MNÉMOTECHNIQUES
MÉTHODE DES LIEUX
MÉTHODE DES ASSOCIATIONS
MÉTHODE DES MOTS-CLÉS
UTILITÉ DES MNÉMOTECHNIQUES
COMMENT SE SOUVENIR?

L'étude de la mémoire à long terme
RÉPONDRE À DES QUESTIONS
CONTRÔLE DE LA RÉPONSE
QUAND RETROUVER UNE INFORMATION?
LE RECOUVREMENT D'UNE IMAGE
LE RECOUVREMENT, UNE RÉSOLUTION DE PROBLÈME
RETROUVER LES NOMS D'ANCIENNES CONNAISSANCES
MÉTAMÉMOIRE: CONNAISSANCE DE VOTRE PROPRE SYSTÈME DE MÉMOIRE

Revue des termes et notions
TERMES ET NOTIONS À CONNAÎTRE

Lectures suggérées

Préambule

Au chapitre précédent, nous avons étudié les systèmes de mémoire: registre de l'information sensorielle (RIS), mémoire à court terme (MCT), mémoire à long terme (MLT). Dans ce chapitre, nous examinons quelques-unes des opérations effectuées au niveau de la mémoire et certaines stratégies mnémoniques utiles à l'apprentissage, ce qui constitue le côté pratique. De plus, nous nous intéressons aux processus de contrôle relatifs à l'utilisation des mécanismes de mémoire appelés *interprète* et *moniteur*. Enfin, c'est ici que nous commençons à ébaucher les principes fondamentaux du traitement mental.

Lorsque quelqu'un vous pose une question, la réponse dépend en partie de votre appréciation des intentions de l'interlocuteur. En général, vous ne dites pas aux gens ce qu'ils savent déjà (à moins qu'il s'agisse de passer un examen; dans quel cas vous dites au professeur uniquement ce que vous croyez qu'il sait déjà). C'est le système de contrôle appelé moniteur qui sélectionne la réponse appropriée à une question. Ce qu'il importe de retenir dans ce chapitre, c'est que la mémoire est plus qu'un simple entrepôt d'informations où l'on cherche seulement les réponses aux questions. Souvent la tâche la plus facile de la mémoire est celle de trouver une réponse; la plus difficile, savoir comment l'utiliser.

Ce chapitre porte sur deux points principaux. Nous étudions d'abord comment l'information entre en mémoire à long terme. En fait, le problème qui concerne l'apprentissage d'une information nouvelle n'est pas tant d'acheminer celle-ci en mémoire que de s'assurer de pouvoir la retrouver plus tard, au besoin. Ainsi, la personne qui acquiert une information nouvelle, doit pouvoir l'incorporer adéquatement au matériel déjà intégré au système de mémoire. Dans la première partie de ce chapitre, nous nous attardons aux découvertes des psychologues relatives aux processus d'acquisition de nouvelles informations. Nous examinons aussi le rôle de l'attention et de ce que nous appelons les *mécanismes d'intégration*, pour conclure que l'approfondissement du traitement d'une information détermine en grande partie le degré de facilité avec laquelle elle pourra être récupérée ultérieurement. Nous donnons enfin quelques conseils pratiques au sujet des techniques mnémoniques, systèmes qui permettent d'apprendre et de retenir une information nouvelle. Nous dévoilons certains secrets des cours sur l'art mnémonique, ce dont vous avez peut-être déjà entendu parler. Ces systèmes mnémoniques peuvent vous aider de deux façons. Première-ment, ils démontrent l'application pratique des principes énoncés dans ce chapitre. Deuxièmement, ils sont réellement efficaces: si vous apprenez à vous en servir, vous améliorerez votre propre capacité de mémorisation.

Dans la dernière partie du chapitre, nous examinons les propriétés globales du système de mémoire — nous étudions son fonctionnement, tout en portant une attention particulière aux modes de supervision établis par les processus d'interprétation (interprète) et de contrôle (moniteur). Nous décrivons le mécanisme de réponse aux questions et le processus de recherche des vieux souvenirs. Tous deux nécessitent une résolution de problème et une prise de décision considérables de la part du système de mémoire. Vous devriez en apprécier les conséquences et comprendre les problèmes qui en découler (Vous devriez aussi vous rendre compte du rôle important que ces mêm principes doivent jouer dans les interactions sociales, ce qui vous préparera l'étude du chapitre 16).

Ce chapitre vous permet de réfléchir sur l'usage que vous faites de vot propre mémoire. Comment répondez-vous aux questions? Posez-en à d'a tres personnes: voyez comment elles y répondent. Essayez de vous rappel les noms d'amis que vous n'avez pas rencontrés depuis trois ou quatre an à quels mécanismes faites-vous alors appel? Ce chapitre est conçu pour vo initier à une meilleure compréhension de la mémoire.

De la mémoire à court terme à la mémoire à long terme

Lorsqu'il s'agit d'apprendre du matériel nouveau, la tâche essentielle consiste à l'incorporer adéquatement à la structure de l'information déjà en mémoire à long terme. Le matériel à retenir doit être organisé de façon à favoriser son recouvrement ultérieur. Entre autres choses, cela signifie qu'il doit exister en mémoire une voie de liaison entre le point de départ de la recherche et l'item recherché. Les mécanismes d'intégration qui interviennent durant l'apprentissage ne sont pas encore très bien compris. Quelquefois, ces processus interviennent de façon naturelle sans qu'on ait vraiment conscience de leurs opérations. Quelquefois, ils requièrent un effort mental volontaire et exigent alors une élaboration minutieuse du matériel.

Au cours de nos routines quotidiennes, nous faisons rarement des efforts pour retenir ce qui se passe. Cependant, à la fin de la journée, il nous est possible d'énumérer certaines de nos expériences, telles la nourriture prise, les vêtements portés, nos allées et venues et peut-être même les gens que nous avons rencontrés. Cette tentative de rappel en fin de journée s'effectue aisément et tout naturellement. Mais, quoique ce rappel quotidien dénote une rétention et une intégration de ces activités, il est fort probable qu'après plusieurs semaines, nous ne nous en souvenions plus. Il est relativement facile de se rappeler ce que nous avons mangé la dernière fois; il est plus difficile de se rappeler ce que nous avons mangé avant-hier et presque impossible de se remémorer les repas d'il y a une semaine ou un mois, sauf s'ils étaient associés à un événement exceptionnel. Le problème vient de la *différenciation* des événements du jour même, de tous ceux qui les précèdent dans le temps. Le problème de la différenciation survient chaque fois qu'il y a apprentissage de deux types de matériel similaires. Il soulève certaines questions intéressantes sur le système mnémonique: pourquoi ne peut-on se souvenir des repas pris il y a un mois exactement? L'information se trouve-t-elle encore en mémoire — sans être accessible — ou s'est-elle effacée graduellement au fur et à mesure que nous avons vécu de nouvelles expériences alimentaires? Les théories actuelles accordent plus de faveur à la première interprétation qu'à la seconde; néanmoins, ce point demeure encore en litige.

L'apprentissage d'un matériel nouveau entraîne souvent une activité spécifique et consciente. Essayer d'apprendre les noms des gens à qui l'on a été présenté, un numéro de téléphone ou le vocabulaire d'une langue étrangère, voilà autant d'exemples typiques qui supposent habituellement une période de mémorisation intentionnelle. Il est possible de retenir le matériel à acquérir dans la mémoire à court terme pendant une brève période en recyclant l'information en cause — grâce à *l'autorépétition de maintien*. En revanche, cette autorépétition n'assure pas à elle seule une bonne rétention. Certains mécanismes d'intégration doivent donc intervenir.

Dans les prochaines parties de ce chapitre, nous considérons quelques-uns des facteurs responsables de la rétention de l'information en mémoire à long terme. Nous commençons par les expériences les plus classiques —

celles sur la rétention de simples listes de mots. Ces expériences font ressortir les fonctions distinctes des mémoires à court et à long terme; elles mettraient également en relief le rôle de l'autorépétition de maintien. Nous examinons ensuite la nature des activités d'intégration auxquelles on peut faire appel dans l'apprentissage de nouvelles informations. Ceci débouche sur l'examen de quelques questions théoriques, aussi bien que sur l'étude de techniques spéciales de mémorisation. Ces techniques spéciales — les systèmes mnémoniques — peuvent aussi s'avérer fort utiles, puisqu'en apprenant à vous en servir, vous pourrez améliorer considérablement votre capacité de mémorisation.

APPRENTISSAGE DE LISTES

Vous cherchez un numéro de téléphone ou vous rencontrez une personne dans une soirée; vous retenez le numéro ou le nom pendant quelques minutes, mais, ensuite, vous les oubliez complètement. Le matériel, parfaitement inscrit en mémoire à court terme, ne semble pas être passé en mémoire à long terme. Il est facile de démontrer la différence entre le souvenir précis qu'on a du matériel encore en mémoire à court terme et le souvenir vague et dénudé du matériel qui n'est plus en mémoire à court terme.

Voici qu'on vous demande d'apprendre une liste de mots sans rapport les uns avec les autres. Un à un, chaque mot à mémoriser apparaît devant vous, projeté sur un écran ou prononcé clairement et distinctement. Vous avez exactement 1 s pour prêter attention à chacun des mots avant que le suivant n'apparaisse. Finalement, après la présentation des 20 mots l'on demande de vous en rappeler le plus grand nombre possible. Tentez l'expérience en utilisant 20 mots du tableau 9-1. L'exécution de cette tâche vous donnera un aperçu de ce qui se passe au cours de telles expériences et facilitera votre compréhension des prochaines analyses.

La plupart des gens qui exécutent cette tâche trouvent avantageux avant d'essayer de se remémorer toute autre chose, de retracer le plus vite possible les derniers mots qui leur furent présentés. Ces derniers mots se retrouvent dans une sorte de «boîte-écho» ou de mémoire temporaire à partir de laquelle ils peuvent être facilement récupérés, en autant que rien ne vienne interférer avec elle. S'il y a une conversation en cours ou si la personne essaie de recouvrer d'abord d'autres mots, le contenu de la «boîte-écho» s'évanouit. Bien entendu, cette «boîte-écho» représente la mémoire à court terme. La majorité des sujets apprennent vite à vider immédiatement leur mémoire à court terme avant de passer aux autres items.

Une façon d'analyser les résultats consiste à numéroter les mots suivant leur ordre de présentation et de calculer le pourcentage de rappel de chacun en fonction de sa position dans la liste. Cette analyse nous permet d'établir la *courbe de position sérielle* de la figure 9-1. Cette série de données provient d'une expérience classique menée par Murdock en 1962. Les listes utilisées contenaient 30 mots. La figure présente le pourcentage de rappel des mots selon leur position respective dans la liste. Dans cette expérience, 19 sujets écoutaient une liste de 30 mots sans rapport les uns avec les autres,

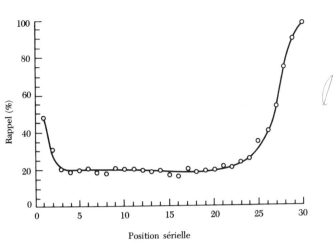

Figure 9-1

Murdock (1962).

à la cadence d'un mot par seconde. À la fin de chaque liste, ils eurent 1,5 min pour écrire, indépendamment de leur ordre, tous les mots qu'ils avaient retenus. Cinq à dix secondes après, on leur présentait une nouvelle liste. Le même manège fut répété 80 fois (répartition: quatre jours distincts, 20 listes par séance).

La courbe de position sérielle s'avère un outil important en psychologie. Mais il ne s'agit vraiment pas d'une seule courbe. Il faudrait la diviser en deux, comme le démontre la figure 9-2. La dernière partie de la liste

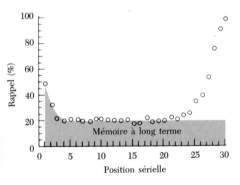

Figure 9-2

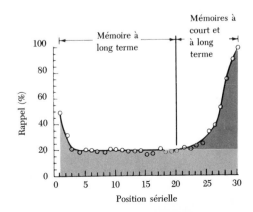

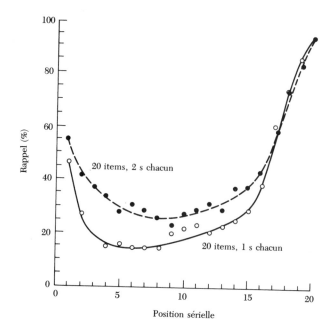

Figure 9-3

Murdock (1962).

se retient mieux que le reste: on se rappelle le dernier item 97% des fois. Cette dernière partie de la courbe représente le rappel de la mémoire à court terme. Le reste de la courbe représente un processus mnémonique différent — le recouvrement de l'information de la mémoire à long terme*.

Comment le savons-nous? Tout d'abord, certaines opérations affectent l'une des mémoires à l'exclusion de l'autre. Par exemple, si l'on alloue 2 s plutôt qu'une lors de la présentation de chaque mot, on obtient les résultats indiqués à la figure 9-3. Il n'y a pas de changement dans la portion de la courbe représentant la mémoire à court terme, mais on note une amélioration au niveau de la mémoire à long terme. (Ces données furent compilées aussi par Murdock, à la différence que cette fois ses listes comptaient 20 items présentés au rythme de 2 s chacun). Évidemment, cette seconde supplémentaire permettait aux sujets d'accorder plus de temps à une auto-répétition de maintien et de travailler davantage sur le matériel, favorisant ainsi le stockage de plus d'informations en mémoire à long terme, sans

---

* Dans le cas de la figure 9-2, on ne saurait additionner tout simplement les pourcentages des mémoires à court terme et à long terme pour calculer le rappel global. Nous croyons au contraire qu'un item est retenu **soit** en mémoire à long terme, **soit** en mémoire à court terme, mais non dans les deux. Ainsi, le pourcentage de rappel est établi en prenant la somme du **pourcentage** des mots retenus en mémoire à court terme, plus le **pourcentage** de ces mots en mémoire à long terme qui n'ont pas déjà été récupérés à partir de la mémoire à court terme. Si R équivaut au pourcentage de rappel,

$$R = MCT + MLT \left(1 - \frac{MCT}{100}\right)$$

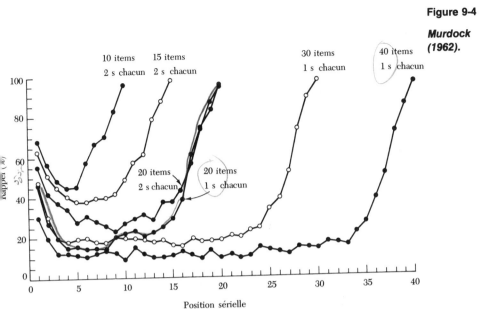

Figure 9-4

*Murdock
(1962).*

pour autant affecter la mémoire à court terme. En fait, en faisant varier le nombre d'items par liste et la cadence de leur présentation, on obtient une série de courbes (figure 9-4) qui démontrent à nouveau que la composante mémoire à court terme de chaque courbe reste la même partout, alors que la composante mémoire à long terme diffère.

On peut aussi démontrer l'inverse: l'existence de facteurs qui affectent la mémoire à court terme et non la mémoire à long terme. On peut y arriver tout simplement en empêchant les sujets, à la fin de l'expérience, de recouvrer immédiatement les mots contenus en mémoire à court terme. C'est dire que nous répétons exactement la même expérience, sauf qu'à la fin de la présentation, nous demandons aux sujets de compter à rebours, par trois, à partir d'un nombre composé de trois chiffres — c'est la tâche décrite au chapitre 8, lors des expériences sur la mémoire à court terme (voir page 315). Le rappel des informations contenues en mémoire à court terme devrait ainsi s'effacer. C'est d'ailleurs ce qui se produit. La meilleure façon pour vous en convaincre est de l'essayer. Prenez 20 mots du tableau 9-1 et lisez-les au rythme de 1 mot par seconde. Aussitôt parvenu à la fin de la liste, commencez à compter à rebours, par 3, en partant d'un nombre arbitraire, disons 978. Comptez aussi vite que possible pendant approximativement 20 s. Le contenu de votre mémoire à court terme s'évanouira complètement. La figure 9-5 rapporte les résultats expérimentaux d'une telle expérience. Notez que les dernières sections de chaque courbe sont tout à fait plates: aucun vestige de mot en mémoire à court terme.

Figure 9-5

Postman et Phillips (1965).

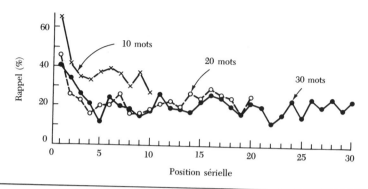

TESTER LA MÉMOIRE

Étudier la mémoire peut paraître facile. Il suffit tout simplement de demander à quelqu'un ce dont il se souvient. Mais, en y réfléchissant davantage, on se rend compte que les choses ne sont pas aussi simples. Tout d'abord, il est important de s'assurer que, de fait, l'item testé a bel et bien été appris. Deuxièmement, s'il le fut, vous devez savoir dans quelle mesure il l'a été. Il est fort probable qu'un item très bien appris sera retenu différemment d'un item mal appris. Troisièmement, il faut choisir avec soin le type de test mnémonique, puisque les divers types de test peuvent toucher à des aspects différents du stockage de la mémoire et de son recouvrement. Des items qui ne sembleront pas avoir été retenus si l'on utilise tel type de test peuvent très bien se manifester avec un autre type de test.

Tableau 9-1

	A	B	C	D	E	F
1.	RAME	TEMPS	CHANT	IDÉE	FENTE	PÂTÉ
2.	LOQUET	COUP	TUYAU	TROUPE	AINSI	LARD
3.	CHAUD	TROUVÉ	GRÉ	CLÉ	JEU	TENDU
4.	JUPE	MAISON	LAME	SIEN	TIENS	GRADE
5.	COUP	NOUILLE	JAZZ	SOUCHE	BOUCHE	RARE
6.	BILLOT	MEMBRE	CHER	PIQUÉ	GAUCHE	ESSAI
7.	JUMENT	MOT	VOÛTE	CARTE	COLLE	EAU
8.	PLUS	FERMÉ	TORDU	BAIN	FAIT	CHAPEAU
9.	PAIE	CLOU	PÔLE	COURT	LAME	VITE
10.	JOUE	COURT	HERBE	LIT	VASE	MONTRE
11.	TYPE	FENTE	RIRE	GALE	MUR	TRILLE
12.	TRUITE	MAIN	ACCÈS	CAPE	DÉLAI	JEU
13.	TACHE	SALLE	GRILLE	TRÔNE	RANGÉE	DON
14.	FUMÉE	CAILLOT	REMOUS	RONGÉ	BOIS	SAGE
15.	GANSE	DEHORS	CÔTÉ	PROPRE	MONT	BLONDE
16.	NOIR	SALUT	REPAS	NAGE	ÉLAN	DIRE
17.	LISTE	PENTE	NEIGE	PRIX	HUÉE	JADE
18.	ASSEZ	BANAL	RIDEAU	BALAI	VACHE	PIPE
19.	CANARD	PIERRE	TORTUE	BLANC	PLUME	LUNE
20.	GROS	CLÉS	RAGE	VAPEUR	ROCHE	GRELOT

Contrôle de l'apprentissage original du matériel

Dans le cadre de la recherche expérimentale sur la mémoire, souvent des psychologues tentent de contrôler la quantité de matériel acquis en s'occupant eux-mêmes de l'apprentissage. Pour constater dans quelle mesure un individu peut se rappeler d'événements répartis sur une période de trois mois, l'expérience devrait durer au moins trois mois. Mais, lorsqu'on étudie le souvenir des événements répartis sur de très longues périodes de temps — disons au-delà de 20 ans — rares sont les chercheurs qui peuvent garder un tel contact avec leurs sujets: il faut donc utiliser d'autres techniques. L'une de ces techniques (utilisée par Linton, 1975) consiste à étudier le souvenir des événements publics importants qui ont fait la manchette des principaux journaux, à une époque donnée. Une autre technique (utilisée par Squire, Slater et Chace, 1975) consiste à étudier le souvenir des vedettes de la radio et de la télévision en interrogeant des sujets ayant écouté bon nombre d'émissions où elles se produisaient durant la période étudiée. Ces deux techniques sont truffées de difficultés (à ce propos, voyez le compte rendu de Linton publié en 1975); néanmoins, elles offrent la garantie de porter sur des événements vérifiables. Le fait de demander à un sujet de reproduire les circonstances rattachées à des expériences personnelles fort reculées dans le passé ou même les noms de très anciennes connaissances pose un problème: il n'existe aucune façon de vérifier si le souvenir du sujet est vraiment fidèle. Les sujets racontent des histoires qui semblent logiques et auxquelles ils croient eux-mêmes; aussi s'avère-t-il essentiel que l'expérimentateur vérifie l'information par lui-même. Le caractère reconstructif de la mémoire fait de l'invention d'événements (la fabulation) une conséquence naturelle du processus de recouvrement: la personne qui se rappelle peut être convaincue de l'exactitude de l'événement qu'elle rapporte, même si on lui démontre qu'il n'a pu se produire.

Pour réduire les risques d'erreur, le psychologue expérimentateur peut se tourner vers le laboratoire. Les expériences standard en laboratoire rendent les choses beaucoup plus simples. L'expérimentateur présente aux sujets une liste d'items — images, sons, mots, histoires — et contrôle la somme d'apprentissage de chaque item. Ensuite, après un intervalle de temps précis pendant lequel les activités du sujet sont méticuleusement contrôlées, il peut mesurer à l'aide de tests la mémoire de ces items.

Types de tests de mémoire

Fondamentalement, il existe deux façons de tester la mémoire: les tests de rappel et de reconnaissance. Mais il existe plusieurs variantes de ces techniques, comme le choix forcé, la présentation d'indices et d'autres modifications.

RAPPEL

Dans un test de rappel, l'on demande au sujet de retrouver les items appris sans lui fournir d'autre indication que la consigne même de l'expérience.

«Rappelez-vous la liste de mots que vous venez d'apprendre.»

«Quel était l'avant-dernier mot de la liste?»

«Qui est le premier ministre du Japon?»

Un test de rappel est conçu de façon à exiger de la mémoire une recherche assez approfondie pour d'abord trouver le contexte propre à l'information recherchée et retracer ensuite l'item particulier. En général, ce sont les tests de rappel qui donnent les résultats les plus faibles. Souvent, ils peuvent donc révéler une dégradation de la mémoire bien avant tout autre test. Une personne peut être dans l'incapacité de produire un item par rappel bien qu'elle possède en fait une certaine connaissance de cet item dans son système mnémonique. Soit que la recherche mnémonique n'ait pas atteint la région appropriée, ou que le souvenir ne soit pas assez complet pour permettre au sujet de reproduire l'item recherché.

RECONNAISSANCE

Un test de reconnaissance consiste à présenter au sujet un item précis tout en lu demandant s'il le reconnaît: «Est-ce l'un des items qu'on vous a demandé d'appren dre?» On considère généralement que les tests de reconnaissance sont des mesure plus sensibles que les autres de la quantité d'information stockée en mémoire, puisqu le sujet se trouve placé face à une information plus abondante et que sa tâche se limite à décider si, oui ou non, l'information présentée correspond bien à ce qu existe déjà en mémoire. Cependant, dans la plupart des cas, la tâche est plus compli quée qu'elle ne le paraît au départ. Par exemple, vous demander si le mot CHIBOU GAMAU est apparu au chapitre 8 dans la liste des noms de villes du Québec (dans la section concernant les attributs de la mémoire à court terme), c'est une tâche de reconnaissance, mais ce que l'on vous demande ce n'est pas si le mot CHIBOUGA MAU existe dans votre mémoire. Nous nous doutons qu'il s'y trouve, du moins s vous vivez au Québec. Les tests de reconnaissance exigent habituellement que la personne décide si, oui ou non, un événement particulier est survenu dans un contexte particulier, ce qui peut mettre en cause des prises de décisions importantes. Nous approfondirons la question un peu plus loin au cours de ce chapitre.

MÉMOIRE ET ATTENTION

Il y a conflit entre les efforts à faire pour se souvenir de l'information arrivée il y a quelques instants et les processus impliqués dans la compréhen sion des données sensorielles qui nous parviennent à l'instant même. C'est que nous avons le choix, soit de ruminer la portée de ce que nous venons d'expérimenter, soit de prendre note de ce qui se passe à l'instant même. Imaginez un cours magistral dans une classe. Le fait de réfléchir à ce qui vient tout juste d'être dit vous empêche d'être entièrement attentif à ce qui se dit au moment même. Il n'y a pas d'issue à ce dilemme.

Ce conflit est attribuable aux limites de la capacité humaine pour le traite ment de l'information, limites évoquées au chapitre 7. Ruminer l'information reçue, réfléchir aux implications et suivre de nouvelles pistes en mémoire, voilà des processus *dirigés-par-concept*, soit *du haut vers le bas*. Ils impli quent le fonctionnement du mécanisme conceptuel. Mais, le processus de reconnaissance de formes dépend, lui aussi, du contrôle conceptuel: or l'énergie attribuée à l'un ne peut servir à l'autre. Revoyez les figures 7-7 et 7-14. La quantité des ressources disponibles pour le traitement est limitée (le nombre des démons de la figure est restreint). Comme les ressources ne suffisent pas, il faut donc effectuer un choix quant à la distribution de l'énergie.

Dans ce chapitre, lorsque nous décrivions le flot d'information allant des récepteurs sensoriels vers les divers systèmes de mémoire, il s'agissait en fait d'une description de l'aspect *dirigé-par-données* du traitement mné monique. Dès que nous abordons les mécanismes d'autorépétition toute fois, nous commençons à parler de l'aspect dirigé-par-concepts. Lorsque nous entreprenons l'étude de l'autorépétition d'intégration, nous répon dons au besoin d'analyser l'information à un niveau supérieur afin d'en dé couvrir ses implications et de voir comment elle s'intègre à la structure de la mémoire déjà établie. Le traitement dirigé-par-données tend à s'ac complir automatiquement, exigeant peu d'attention volontaire: il se déclenche aussitôt, dès l'arrivée des données sensorielles. Par contre, le traitement dirigé-par-concepts est bien différent. Les ressources nécessaires au fonctionnement de tout traitement dirigé-par-concepts puisent dans les ressources indispensables au fonctionnement des autres traitements. Peu importe que le traitement dirigé-par-concepts soit pertinent ou non à la tâche en cours, il prend sa part de ressources de la quantité totale disponible. La rêverie peut complètement stopper tout apprentissage. Le fait de prendre des notes durant un cours peut accaparer suffisamment d'énergie pour empêcher tout traitement conceptuel du matériel. L'étudiant doit continuellement choisir entre prendre des notes complètes ou comprendre et se souvenir de ce qui a été dit.

MÉMOIRE SANS ATTENTION

Qu'advient-il de la mémoire en l'absence de l'attention? Pour étudier cet aspect, nous demandons à des sujets d'exécuter plusieurs tâches simultanément. Il s'agit d'organiser les contingences de façon telle que toute l'attention des sujets soit concentrée sur une des tâches. Ensuite, pour voir ce qu'ils en ont retenu, on les teste en regard d'une autre tâche tout à fait différente et effectuée simultanément. Dans une de ces expériences, des sujets (de langue anglaise) devaient noter des mots présentés par des écouteurs à une oreille, tandis qu'on leur présentait dans l'autre oreille des mots anglais courants répétés 35 fois chacun. Après l'expérience, on testait leur mémoire des mots présentés à l'oreille qui ne prêtait pas attention: les sujets n'avaient aucun souvenir de ces mots. De toute évidence, l'attention requise pour noter les mots présentés à une oreille a complètement perturbé la capacité de tenir compte de l'information reçue à l'autre oreille.

Ces résultats ne sont pas surprenants. Les sujets n'avaient certainement pas le temps de répéter ou d'agencer entre eux les mots. Mais les ont-ils réellement entendus? Jusqu'où a pénétré l'information à laquelle ils ne portaient pas attention? Serait-elle parvenue jusqu'à la mémoire à court terme?

Pour découvrir si ce à quoi l'on ne porte pas attention parvient en mémoire à court terme, il faut interrompre les sujets immédiatement après la présentation du matériel et leur demander s'ils se rappellent quelque chose. En procédant de cette façon, les sujets peuvent effectivement retrouver en mémoire à court terme les tout derniers items présentés. En revanche, si un délai de plus de 30 s sépare la présentation du matériel et le test de rappel, les sujets ne se souviennent d'aucun des mots auxquels ils ne prêtaient pas attention. Lorsque l'attention se porte ailleurs, l'information additionnelle semble parvenir jusqu'à la mémoire à court terme. Mais alors, elle peut s'effacer sans laisser de trace. Si on applique le test de mémoire immédiatement, une partie de l'information demeure en mémoire à court terme et peut être recouvrée.

Notez la similarité entre la tâche de filature (au chapitre 7) et celle du compte à rebours. Dans celle-ci, l'attention est accaparée par le comptage immédiatement **après** la présentation des items, tandis que dans la filature, l'attention est également occupée **durant** l'arrivée de l'information.

Il existe un autre moyen de démontrer les effets de l'attention sur la mémoire à long terme. Prenons des sujets auxquels on donne une liste de mots à retenir et que l'on teste immédiatement après la présentation de chaque liste. Le rappel se conformera à la courbe de position sérielle standard présentée à la figure 9-6 *a*. Poursuivons l'expérience jusqu'à concurrence de 50 listes différentes. Ensuite, sans avertissement préalable, demandons aux sujets de recouvrer le plus grand nombre d'items possibles parmi **toutes** les listes précédentes. Qu'advient-il?

On pourrait s'attendre à ce que les résultats ressemblent à ceux de la figure 9-5: de fait, ils devraient correspondre à la courbe de la figure 9-6 *a* avec la composante de la mémoire à court terme en moins. Tel n'est cependant pas le cas. Les sujets ne se souviennent absolument pas des derniers items de chaque liste, bien que beaucoup des premiers items soient retenus (voir la figure 9-6 *b*). Pourquoi n'y a-t-il plus, dans l'expérience de la figure 9-6, souvenir des derniers items de chaque liste, alors qu'il y en a dans l'expérience de la figure 9-5?

Les sujets utilisent probablement des stratégies différentes dans ces deux expériences. Dans l'expérience correspondant à la figure 9-5, les sujets savaient très bien qu'ils seraient éventuellement testés en fonction d'un rappel global. Par contre, dans l'expérience rapportée à la figure 9-6 (effectuée par Madigan et McCabe en 1971), les sujets ignoraient totalement qu'ils seraient testés en regard de toutes les listes. Il se peut qu'à chaque liste, ils aient concentré la plus grande part de leur attention sur les premiers items puisque ceux-ci sont effectivement plus difficiles à retenir. Ils n'ont pas prêté attention aux derniers items, comptant sur le fait que cette information, devant être rappelée immédiatement, ils pourraient la retrouver facilement en mémoire à court terme sans avoir à déployer beaucoup d'effort. Cette stratégie, parfaitement adéquate pour la première partie de l'expérience, s'avère désavantageuse pour le second test, non prévu par les sujets.

Ces deux expériences, filature et simple rappel, démontrent clairement qu'un manque total d'attention en regard d'un matériel nouveau peut d'une part conduire à la rétention normale de ce matériel en mémoire à court terme, et d'autre part à l'absence totale de stockage en mémoire à long terme.

Mécanismes d'intégration

Voyons comment on peut apprendre un simple ensemble de faits. Prenons un exemple tiré du chapitre 2: les noms des deux types de cellules rétiniennes de l'oeil, les *bâtonnets* et les *cônes*. Ces deux mots ne sont pas nouveaux. Ils sont tout simplement employés de façon nouvelle. L'utilisation de leur sens originel peut aider à les retenir. Les cellules ont initialement reçu ces noms en raison de leur forme supposément semblable à des bâtonnets (objets longs et cylindriques) et à des cônes (objets circulaires et effilés). En plus de leur nom, il faut aussi se souvenir de leur localisation et de leur fonction. Au chapitre 2 (voir note infra-paginale, page 69) nous mentionnions que les *cônes*, localisés au *c*entre de la rétine, étaient sensibles à la *c*ouleur. Nous formions ainsi un aide-mémoire (une mnémotechnique) en liant, par l'entremise des lettres initiales de chaque mot, la localisation, la fonction et le nom de la cellule. Va pour les cônes. Mais que faire pour les bâtonnets? Comment pouvez-vous

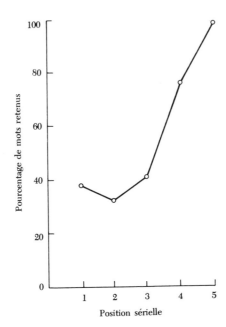

Figure 9-6a

Madigan et
McCabe (1971).

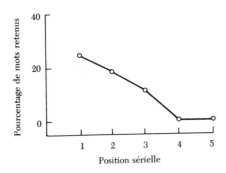

Figure 9-6b

retenir qu'ils sont insensibles à la couleur et localisés principalement à la périphérie de la rétine? On peut dire que les *b*âtonnets sont en *b*ordure (ou au
*b*ord) de la rétine et qu'ils font *b*ande à part, c'est-à-dire qu'ils fonctionnent à
«l'inverse» des cônes: si les cônes sont au centre, les bâtonnets eux n'y sont
pas; les cônes servent à la vision des couleurs, non pas les bâtonnets; si les
bâtonnets sont très sensibles à la lumière, les cônes ne le sont pas. Toutes ces
stratégies constituent des aide-mémoire efficaces.

Voyez maintenant tout le chemin parcouru dans l'unique but d'apprendre
quelques propriétés simples de deux concepts. Toute cette élaboration semble toutefois nécessaire. La mémoire humaine fonctionne mieux lorsqu'elle
peut appliquer une structure au matériel à mémoriser. Pour ce faire, il est parfois utile d'avoir recours à des relations accidentelles entre les items (telles
que la première lettre commune à cône, centre et couleur) puisque ces rela-

tions additionnelles facilitent le recouvrement en mémoire. Notez aussi le caractère reconstructif de la mémoire. On peut se rappeler le nom des cellules situées au centre de la rétine en retrouvant certaines des relations en cause et en remontant ainsi au nom lui-même. Voici un exemple fictif de la façon dont quelqu'un pourrait faire usage d'aide-mémoire:

> «Voyons . . . Comment appelait-on ces cellules? L'une se situe au centre — centre; elle est sensible à la couleur; «c» — «ko» — «cône». L'autre n'est pas dans le centre, **elle fait bande à part**, c'est l'inverse, en «bordure» b, bbb — bâtonnets! Bâtonnets et cônes, c'est ainsi qu'elles se nomment.»

Voyez ce qui s'est passé. Nous avons fait correspondre le matériel à apprendre avec d'autres éléments déjà en mémoire par le biais d'une structure logique et associative. Comprenez bien pourquoi il faut imposer une structure au matériel à mémoriser. Rappelez-vous l'extraordinaire capacité de la mémoire humaine: elle possède un registre tel qu'on peut y emmagasiner la somme des expériences et des pensées de toute une vie — des dizaines ou des centaines de milliards d'items. Il est indispensable pour la mémoire humaine de disposer d'une structure organisatrice, sans quoi il deviendrait impossible d'y retrouver quoi que ce soit.

LE BESOIN D'ORGANISATION

Imaginez une immense bibliothèque contenant environ un million de volumes. L'efficacité d'une telle entreprise dépend de son organisation. Chaque livre est catalogué d'après son titre, le nom de son auteur et son sujet. Le livre qui serait placé au mauvais endroit sur les rayons pourrait, tout aussi bien, ne pas exister. Toute personne désireuse de se le procurer ira à l'endroit indiqué dans le fichier et, à moins que ce volume ne se trouve à proximité du point désigné, il lui sera pratiquement impossible de le retrouver.

Pensez à tout ce qu'une bibliothèque met à votre disposition pour vous aider à retrouver une information. D'abord, il y a le catalogue: des classeurs contiennent toute une collection de fiches décrivant le contenu de la bibliothèque selon le titre des volumes, le sujet traité et le nom des auteurs. S'il existe un million de livres, les classeurs compteront au moins trois millions de fiches. En plus, les bibliothèques ont habituellement un index des rayons ou une liste de tous les livres classés selon leur ordre de distribution sur chaque rayon: ce qui donne au moins quatre millions d'items dans les classeurs. Et ce n'est pas tout. Plusieurs de ces livres sont tout simplement des guides qui nous renseignent sur le contenu de la bibliothèque. Il existe toutes sortes de publications faisant l'inventaire des articles et des ouvrages dans les domaines spécifiques, comme les *Revues analytiques de chimie* (*Chemical abstracts*) et les *Revues analytiques de psychologie* (*Psychological abstracts*) qui présentent de brefs résumés des publications issues de sources précises et renvoient le lecteur aux livres ou aux revues appropriés. On publie aussi des recensions annuelles dans plusieurs disciplines, soit des livres portant le titre de *Revue annuelle de* _____ (*Annual review of* _____): chacun fournit un relevé de ce qui a été publié dans un domaine particulier au cours d'une année. On retrouve, en outre, toutes sortes d'ouvrages de référence, y compris les servies de référence informatisés; ils sont tous conçus pour aider l'usager à se econnaître à travers ce fouillis d'informations que sont les bibliothèques et à etrouver l'endroit approprié où se situent les renseignements précis.

Si une bibliothèque a besoin d'un tel niveau d'organisation pour rendre son ontenu cohérent, cette nécessité est encore plus évidente pour la mémoire umaine. L'être humain se trouve confronté à d'énormes quantités d'informa- ion au cours de sa vie et il ne sait jamais quand et comment cette information ui sera nécessaire. Notre mémoire doit comporter des mécanismes qui pré- entent une certaine analogie avec les classeurs, index et revues analytiques les bibliothèques. L'information stockée dans le système mnémonique doit,à out le moins,comporter des interconnexions telles qu'il soit possible d'établir ıne voie de liaison entre des items connexes. Ainsi, chaque fois que l'on trouve un item connexe à celui que l'on désire, ces interconnexions pourraient ılors nous conduire à l'endroit précisément recherché en mémoire.

FORMATION DE STRUCTURES EN INTERCONNEXIONS: UN EXEMPLE

Prenons l'histoire suivante tirée des travaux de Bransford et Johnson (1973) pour illustrer la nécessité d'intégrer le matériel stocké en une structure fort bien assemblée. Lisez cette histoire une seule fois, à voix haute. N'en relisez aucune partie. La lecture terminée, récitez tout haut l'alphabet, à reculons, afin de minimiser la rétention de l'histoire en mémoire à court terme. Ensuite, racontez l'histoire à voix haute. Rapportez-la le plus fidèlement pos- sible*.

Titre: **En suivant un Défilé du 40ᵉ Étage**

Quelle vue saisissante! De la fenêtre, on pouvait voir la foule en bas. À une telle distance, tout paraissait minuscule, mais on pouvait quand même distinguer les costumes de couleur éclatante. Chacun semblait avancer dans l'ordre, en suivant la même direction. Il y avait, apparem- ment, de jeunes enfants, aussi bien que des adultes. L'atterrissage se fit en douceur et par chance, l'atmosphère était telle qu'on n'eût pas à porter de combinaisons spéciales. Au début, il y eut beaucoup d'activité. Plus tard, lorsque les discours commencèrent, la foule s'est apaisée. Le camé- raman prit plusieurs plans de la foule et des alentours. Tous se mon- traient très aimables et il parurent fort contents lorsque la musique com- mença à jouer.

ARRÊTEZ: N'ALLEZ PAS PLUS LOIN AVANT D'AVOIR RAPPOR-
          TÉ L'HISTOIRE, SOIT TOUT HAUT À QUELQU'UN,
          SOIT PAR ÉCRIT.

---

* Mieux encore, faites-le avec vos amis. Demandez-leur de lire l'histoire à voix haute, de réciter ensuite l'al- phabet à reculons (ou de compter à rebours, par trois, pendant un certain temps) puis, enfin, de vous raconter l'histoire.

En racontant l'histoire, qu'avez-vous fait de la phrase:
*L'atterrissage se fit en douceur et par chance, l'atmosphère était tell'
qu'on n'eût pas à porter de combinaisons spéciales.*

Dans l'expérience de Bransford et Johnson, seulement 18% des sujets se son
souvenus d'une seule idée contenue dans cette phrase. Même lorsqu'on leu
fournit ces indices de la phrase:

«L'atterrissage _____ et par chance, l'atmosphère _____»

en ne laissant que des espaces à remplir, seulement 29% rapportèrent a
moins une idée de la phrase. Évidemment, il s'agit d'une phrase étrange. Ell
n'a pas sa place dans la structure de l'histoire. En elle-même, elle est parfaite
ment compréhensible, mais elle n'a pas d'associations avec l'histoire, si bier
qu'elle n'est habituellement pas recouvrée.

Lorsque l'histoire est présentée différemment, un changement radical se
produit. Nous avons dit que l'histoire comportait une description des activité
perçues par une personne située au 40ᵉ étage d'un édifice. Mais suppose
qu'on en change le titre:

Titre: **Voyage Interplanétaire vers une Planète Habitée**

Maintenant, la phrase qui précédemment semblait incompatible s'intègre
aisément à la structure de la mémoire.

Lorsque Bransford et Johnson ont demandé de lire l'histoire intitulée
Voyage Interplanétaire, et de la raconter (comme celle d'avant), 53% des
sujets purent se rappeler, au moins, une idée ayant trait à l'atmosphère et aux
combinaisons. L'utilisation de la phrase à compléter augmenta le score à 82%.
(Il s'agissait évidemment de nouveaux sujets.) Tentez vous-même cette expérience avec quelques amis. Le simple changement de titre fait toute la différence. À moins qu'un matériel nouveau ne s'intègre à la structure organisatrice originale de la mémoire, il est rare qu'on puisse le recouvrer plus tard.

Nous pouvons décrire les implications découlant de l'exemple Défilé/
Voyage Interplanétaire à l'aide de techniques que nous expliquerons au chapitre suivant. Traçons un schéma de la connaissance contenue dans la mémoire
humaine en montrant comment les informations sont reliées entre elles dans
l'esprit. Il s'agit de dessiner un diagramme des *réseaux* d'information. Nous
décrirons ceci plus en détail au chapitre suivant; pour le moment, notez simplement que nous pouvons représenter les concepts en mémoire par des
points, crochets et cercles (figure 9-7a), puis leurs interrelations par des flèches. Supposons que la figure 9-7a représente le contenu cognitif de l'histoire
«En suivant un défilé du 40ᵉ Étage». Regardez maintenant la figure 9-7b. La
surface grise recouvre exactement la même information qu'à la figure 9-7a,
mais le diagramme montre aussi la phrase incompatible *«L'atterrissage se fit
en douceur et par chance, l'atmosphère était telle qu'on n'eût pas à porter de
combinaisons spéciales».* On notera que cette phrase se situe au centre des
structures établies par l'histoire, mais qu'elle n'y est pas liée. En fait, elle com-

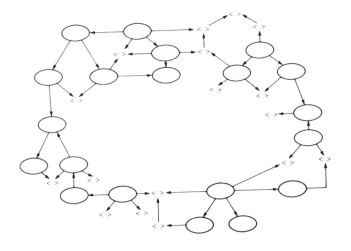

Figure 9-7a

Représentation abstraite de l'information dans l'histoire «En suivant un Défilé du 40ᵉ Étage».

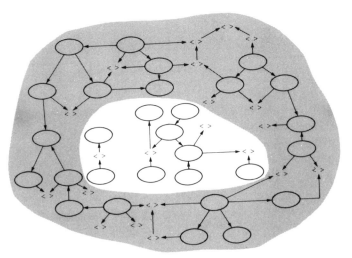

Figure 9-7b

La surface grise contient la même information que la figure 9-7a. Le matériel nouveau représente la phrase «L'atterrissage se fit en douceur et par chance, l'atmosphère était telle qu'on n'eût pas à porter de combinaisons spéciales».

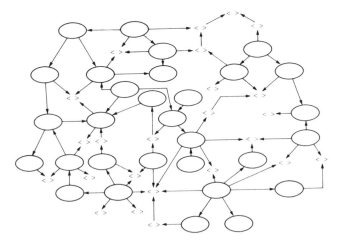

Figure 9-7c

Représentation abstraite de l'information dans l'histoire«Voyage Interplanétaire vers une Planète Habitée».

prend deux structures séparées sans relation entre elles. Ainsi, «*L'atterris sage se fit en douceur*» n'a pas de relation avec «*par chance, l'atmosphère était telle . . .*», du moins, pas dans le contexte d'un défilé. Si une personne retient l'histoire en se référant aux structures et en suivant simplement les liens et les flèches jusqu'à ce qu'elle découvre toute l'information, elle risque fort de laisser de côté le matériel incompatible.

Voyez maintenant ce qui arrive lorsqu'un individu lit l'histoire «*Voyage Interplanétaire vers une Planète Habitée*». Pour cette histoire, les structures de la mémoire sont encore représentées par des noeuds et des flèches. Toutefois, la phrase spéciale peut maintenant s'incorporer aux structures. La figure 9-7*c* en montre les résultats. En effet, le matériel est si bien intégré que seule une comparaison minutieuse de la figure 9-7*c* avec les figures 9-7*a* et 9-7*b* permet de distinguer cette phrase du reste du matériel. Dans cette situation, le recouvrement de la phrase spéciale devrait égaler celui de n'importe quel autre matériel de l'histoire.

TRAITEMENT EN PROFONDEUR

À une époque, on pensait que le temps durant lequel l'information demeurait en mémoire à court terme, ou peut-être la durée de son autorépétition, constituait le principal facteur déterminant la qualité de l'apprentissage. Plus récemment, on a compris que pris en soi, ni le temps, ni l'autorépétition seule ne joue un rôle essentiel. Un matériel autorépété pendant longtemps peut quand même s'avérer irrécupérable plus tard; tandis qu'un autre, traité plus rapidement, peut souvent être recouvré facilement. La différence dans le recouvrement semble dépendre de la profondeur du traitement que chaque matériel a reçu.

Supposons que l'on vous demande d'apprendre une liste de 20 mots en vous accordant disons 5 s par mot. La simple prononciation de chaque mot plusieurs fois pendant une période de 5 s s'avérera peu efficace et le souvenir sera plutôt pauvre. Si vous examinez chaque mot d'un point de vue sémantique — en les considérant tour à tour et en pensant à des antonymes — vous améliorerez grandement votre score de rappel. Si vous essayez de les combiner de façon significative en composant, par exemple, une image mentale de chaque paire successive, votre mémoire y gagnera encore. En fait, si vous pouvez créer une histoire qui incorpore chacun des 20 mots à tour de rôle, il est fort probable que vous soyez en mesure de les recouvrer tous avec une exactitude parfaite au moment du test. Règle générale, plus le matériel est traité en profondeur (plus on fournit d'effort, plus le traitement utilise les associations qui existent entre les items à apprendre et la connaissance déjà en mémoire), meilleur est le recouvrement ultérieur de l'item.

Les recherches récentes sur la mémoire indiquent que les opérations effectuées sur un matériel à apprendre sont extrêmement importantes pour déterminer l'efficacité du recouvrement ultérieur de l'information. Fait encore plus intéressant, il importe peu, semble-t-il, que la personne se propose de retenir le matériel. Évidemment, les gens n'ont pas une idée très précise du fonctionnement de leurs systèmes mnémoniques ou de ce qu'ils devraient faire pour apprendre quelque chose.

Comment mémorisez-vous? Par exemple, une liste d'épicerie. Voulez-vous essayer? Voici une liste d'items. Apprenez-les.

Pain
Oeufs
Beurre
Salami
Maïs
Laitue
Savon
Confiture
Poulet
Café

Dix items seulement, ce ne devrait pas être très difficile. Allez, prenez 50 s pour tenter de les apprendre, 5 s pour chaque item.

La plupart essaieront probablement d'apprendre les items par autorépétition, en les répétant tout haut maintes et maintes fois. Il s'agit de l'autorépétition de maintien, très efficace, en effet, pour conserver les items en mémoire à court terme (sauf que vous ne serez probablement pas assez rapide pour en garder 10 en MCT). Le malheur est que l'autorépétition de maintien n'établit pas de liens utiles en mémoire. Il ne se forme pas de nouvelles voies. Il n'existe pas de nouvelles structures pour vous donner accès aux items autorépétés. Pour le vérifier, essayez simplement de vous rappeler les dix items: écrivez-les. Combien en avez-vous retenus? Une liste de dix éléments devrait être facile à retenir, d'autant plus qu'elle se compose des noms de produits alimentaires fort répandus. Néanmoins, la majorité d'entre vous n'a probablement pas réussi à se souvenir de tous les mots.

Il y en a cependant certains, parmi vous, qui ont effectivement retenu les dix items. Plutôt que d'utiliser l'autorépétition de maintien, ceux-là ont fort probablement effectué de l'autorépétition d'intégration. Si, au lieu de répéter simplement les items à plusieurs reprises, espérant ainsi vous les graver dans la mémoire, vous avez songé à créer des histoires ou à établir des relations entre les items, vous attachant à l'image des produits répartis sur les rayons de l'épicerie ou rangés en certains endroits de la cuisine, alors vous étiez sans doute en mesure de vous les remémorer.

La formation d'images mentales s'avère un moyen d'apprentissage très efficace. Pour vous en convaincre, voyez ce que vous auriez pu faire avec cette liste. Vous auriez pu considérer les dix items un à un, en formant dans votre esprit une image de ce que vous alliez faire avec chacun. Une fois la représentation iconique d'un item établie, vous pouviez, en passant au suivant, constituer une image en rapport avec la précédente. Supposez que vous appreniez comme suit les items de la liste d'épicerie:

Imaginez que vous prenez un bon **pain** frais. Avec vos mains, vous en rompez un gros morceau. Placez le **pain**, et deux **oeufs**, dans une assiette. Maintenant, songez aux **oeufs**; pensez à les faire cuire à votre goût puis à déguster les meilleures parties des **oeufs** en ne manquant pas d'essuyer l'assiette avec le **pain**. Mettez de gros morceaux de **beurre** dans l'assiette. Pensez à l'action de couper un morceau de **beurre** — ensuite un morceau de **salami**. Tranchez un morceau de **salami**. Imaginez qu'en tenant une bonne portion de **salami** dans vos mains, celui-ci se transforme en un épi de **maïs**. Vous tenez maintenant l'épi dans vos mains et vous vous apprêtez à le manger...

Nous vous laissons imaginer le reste de l'histoire. Plus loin dans ce chapitre, nous présentons un ensemble systématique de techniques pour favoriser la rétention d'information. Pour le moment, notez simplement la différence nette qui existe entre les structures qui résultent des opérations d'intégration que nous venons de démontrer et la simple autorépétition des items.

NIVEAUX D'ANALYSE

Voici que nous donnons à des gens une liste de mots à examiner. Les uns sont longs; les autres, courts. Quelques-uns sont imprimés en jaune; certains, en vert; d'autres, en rouge ou en bleu. La moitié des mots se compose de noms; l'autre, de verbes. Nous demandons à chacun de faire des choses différentes avec ces mots qu'ils considèrent. Nous pourrions leur demander de regarder chaque item et de:

dire la couleur du mot;

dire le nombre de lettres qu'il comprend;

dire le nombre de lettres qui riment avec le mot «thé»;

dire s'il s'agit d'un nom ou d'un verbe;

trouver un mot qui rime;

trouver un antonyme;

produire une image mentale du mot;

composer une histoire qui incorpore l'item en cours et ceux qui le précèdent.

Dans cette liste, l'ordre des opérations est plus ou moins établi selon la quantité d'analyse qu'elles exigent. Point n'est besoin de lire le mot pour dire sa couleur d'impression: l'opération ne nécessite qu'un examen des caractéristiques physiques. De même, pour déterminer le nombre de lettres, nous n'avons qu'à compter. Il ne faut pas beaucoup de mémoire ou de reconnaissance de formes pour identifier des couleurs ou compter des lettres. Trouver le nombre de lettres qui riment avec le mot «thé» exige un peu plus d'analyse. On doit examiner chaque lettre et comparer sa prononciation avec celle du mot «thé». Le recours aux processus de reconnaissance de formes et à l'usage de la mémoire s'impose pour reconnaître les lettres et en dégager la prononciation. Mais jusqu'ici, aucune de ces tâches ne réclame une compréhension des mots.

Déterminer si le mot constitue un nom ou un verbe, voilà la première tâche qui oblige à considérer le mot comme un tout. Mais, même là encore, il suffit d'un simple coup d'oeil pour accomplir la tâche, un peu comme lorsqu'il s'agit de vérifier la classe grammaticale d'un mot dans un dictionnaire. Trouver un mot qui rime avec un mot de la liste réclame encore plus de traitement, puisqu'il faut examiner les schémas sonores et rechercher, en mémoire, des mots aux schémas similaires: cette tâche demande une analyse plus poussée que toutes les précédentes, mais n'exige pas encore un examen sémantique des mots. Finalement, pour effectuer les trois dernières tâches — trouver un antonyme, produire une image mentale, composer une histoire qui incorpore l'item en cours et ceux qui le précèdent — il nous faut interpréter la signification des mots. Chacune de ces tâches nous force à considérer le sens des mots à un niveau de plus en plus élevé. Composer une histoire qui incorpore un mot aux autres est évidemment la tâche la plus complexe. Elle nécessite une plus grande utilisation des structures de la mémoire et, par conséquent, le traitement le plus profond.

Cette liste de tâches est ordonnée suivant un accroissement de la *profondeur de traitement*. Chacune fait appel à un *niveau d'analyse* différent et d'une tâche à l'autre, on pousse de plus en plus profondément l'interprétation significative et sémantique des items. Si nous demandions à différents groupes de sujets d'effectuer une de ces tâches, puis ensuite de se rappeler le plus grand nombre de mots possible, nous découvririons qu'à différents niveaux d'analyse correspondent des performances mnémoniques fort différentes. Plus le traitement exigé serait en profondeur, meilleur serait le rappel. Ce principe prévaudrait même si chaque groupe consacrait le même temps à la tâche et malgré le fait qu'aucun d'entre eux n'était averti à l'avance du test de rappel ultérieur. (En réalité, le fait d'être averti d'un test de mémoire ne change pas beaucoup les résultats, parce que semble-t-il, les gens ont tendance à faire de l'autorépétition de maintien lorsqu'on leur demande d'apprendre une liste de mots. Or, les tâches qui exigent un niveau d'analyse supérieur s'avèrent des stratégies mnémoniques beaucoup plus efficaces que ne l'est la simple autorépétition de maintien.)

Stratégies mnémoniques

Examinons maintenant quelques types particuliers de processus d'intégration, en particulier, les stratégies conçues en vue d'une mémorisation efficace du matériel. Un examen de ces stratégies pourrait s'avérer utile pour deux raisons. Premièrement, elles sont d'usage pratique. Elles mettent à votre disposition des moyens simples, faciles à apprendre et applicables aux travaux courants de mémorisation. Deuxièmement, l'examen des principes à la base des techniques qui améliorent le rendement mnémonique peut nous renseigner davantage sur le fonctionnement des systèmes de mémoire. L'expérimentation sur les diverses stratégies peut aider à distinguer les propriétés qui sont efficaces de celles qui ne le sont pas, ce qui est susceptible de faciliter le travail du chercheur qui s'efforce de reconstituer les mécanismes de la mémoire humaine.

Depuis des siècles, on a voué un vif intérêt aux techniques de mémorisation de l'information. Chez les Grecs de l'Antiquité, on donnait des cours spécifiques sur «l'art de mémoriser» et les stratégies mnémoniques avaient une large place dans l'arsenal des orateurs. Cette pratique est moins connue aujourd'hui. Une bonne mémoire n'est plus aussi importante qu'autrefois, sans doute à cause des livres, ouvrages de références, agendas et magnétophones qui nous évitent d'avoir à compter autant sur elle. Néanmoins, la plupart des gens souhaiteraient avoir une meilleure mémoire. Les praticiens des techniques mnémoniques anciennes sont encore en demande pour donner des cours, exhiber leur talent sur scène ou à la télévision et même pour écrire des best-sellers sur l'art de mémoriser.

Les stratégies fondamentales sujettes à améliorer la mémoire sont bien connues et relativement faciles à appliquer. Cependant, il n'existe pas de formule magique; le développement d'un bon système de mémorisation exige étude, effort et pratique. Apprendre à organiser le matériel à mémoriser pour le rendre accessible au besoin, constitue la clé de toute méthode favorable au développement des systèmes de mémoire. Tout système de recouvrement de données se base essentiellement sur l'organisation, et la mémoire humaine n'y fait pas exception. La mémoire est un système aux interrelations complexes: tout item individuel est connecté à plusieurs autres items. La plupart des systèmes mnémoniques fondent leur valeur sur les interconnexions: ils enseignent des techniques visant la formation délibérée d'associations entre items qui s'avéreront fort utiles lors du recouvrement ultérieur d'une information spécifique.

MNÉMOTECHNIQUES

«Mais où est donc Carnior?» (Mais, où, et, donc, car, ni, or: liste des conjonctions.)

«La forme de l'Italie ressemble à une botte.»

«Je peux me souvenir des rues parce qu'elles suivent l'ordre alphabétique.»

«Si je veux me souvenir d'un item, je l'imagine juché sur ma tête. Lorsque je veux m'en souvenir plus tard, je n'ai qu'à regarder mentalement sur ma tête et il y est.»

La mnémotechnique est un art ancien. Il nous faut parfois faire des acrobaties mentales singulières pour nous souvenir de quelque chose. Phénomène surprenant, si nous exécutons ces acrobaties de façon adéquate, elles sont efficaces. Les exemples ci-dessus illustrent certaines de ces techniques: il s'agit dans l'ordre de la méthode des associations, de l'imagerie visuelle, des règles simples et de la méthode des lieux.

Il existe plusieurs autres trucs mnémoniques. Tous exigent la formation de relations significatives entre les items à apprendre. Les difficultés surviennent lorsque les éléments à mémoriser semblent dénués de toute relation significative. Les systèmes mnémoniques sont spécialement conçus pour imposer un sens commun à des items qui, autrement, resteraient sans rapport les uns avec les autres. Examinons de plus près trois de ces méthodes.

MÉTHODE DES LIEUX

La méthode des lieux consiste à mémoriser certains sites géographiques, puis à les utiliser comme indices lors du recouvrement des items. Vous pouvez utiliser des endroits familiers: les étages d'un édifice, votre trajet de l'école à la maison ou l'intérieur de votre domicile.

Illustrons la méthode des lieux à l'aide, encore une fois, de cette liste d'épicerie:

Pain
Oeufs
Beurre
Salami
Maïs
Laitue
Savon
Confiture
Poulet
Café

Pour mémoriser la liste, il suffit de visualiser certains endroits le long d'un parcours et d'attribuer mentalement un item à chaque lieu. La figure 9-8 représente de façon fantaisiste le chemin qu'emprunte quotidiennement l'un des auteurs du volume pour se rendre de chez lui à l'université. Examinez les divers points du parcours.

Apprenez maintenant la liste des 10 items alimentaires en vous les figurant un à un tout le long du parcours. Le premier item est *pain*. Placez une grosse miche de pain juste devant la porte de la maison. Figurez-vous une énorme miche de pain qui obstrue complètement l'ouverture de la porte et imaginez le mal que vous vous donnez pour vous frayer un chemin hors de la maison. Ne vous inquiétez pas du manque de logique de l'image. Rendez-la absurde: assurez-vous simplement que le pain est là, clair et distinct. Faites de même pour les neuf autres items (voir la figure 9-9):

1. Une immense miche de **pain** obstrue la **porte** principale (le pain est plus gros que la porte).
2. Sur la plage, le **voilier** est rempli d'**oeufs**.
3. Le **train de marchandises** traîne un wagon de **beurre**.
4. La **rue** du village est couverte de tranches de **salami**.
5. Le **sable** de la plage est fait de grains de **maïs**.
6. Des pommes de **laitue** géantes roulent en bas de la **colline**.
7. Les **sapins** sont dans un bassin rempli de bulles de **savon** et l'on ne voit que leurs cimes.
8. Le **terrain de golf** est inondé de **confiture de fraises**.
9. Les **poulets** pilotent les **planeurs**.
10. Un immense pot à **café** flotte au-dessus du **pavillon de psychologie** de l'université et répand du café dans l'édifice.

Voilà la méthode des lieux. Pour vous souvenir des items à mémoriser, vous n'avez qu'à retourner aux différents endroits — en retraçant mentalement le chemin entre «la maison» et «l'université». Servez-vous de la figure 9-8: regardez chacun des dix endroits et figurez-vous à nouveau les objets que vous y avez placés. Normalement, bien sûr, vous n'utiliseriez pas la représentation géographique d'une autre personne, mais bien la vôtre. Si vous avez choisi les pièces de votre maison, il vous faut couvrir l'espace mentalement et vérifier tous les endroits où vous avez mis les objets. Si vous avez choisi un parcours familier, vous n'avez qu'à le refaire mentalement.

Il importe de choisir avec soin un ensemble de lieux-cibles sur lequel vous disposez les items à retenir. Si vous les placez arbitrairement, vous

Figure 9-8

Figure 9-9

oublierez probablement de regarder aux bons endroits, risquant ainsi d'échapper quelques items. De plus, sachez mettre les items bien en évidence; sinon, vous pourriez ne pas les voir quand vous les chercherez.

MÉTHODE DES ASSOCIATIONS

Il y a d'autres façons d'apprendre des listes. Nous pouvons former des associations entre chaque item de façon à ce que l'ensemble crée une histoire significative. Par exemple:

> *Ce matin, après m'être levé, je me suis lavé les mains avec du* **savon** *et j'ai préparé le* **café** *pour déjeuner. J'ai mangé des flocons de* **maïs** *et des* **oeufs** *avec du* **pain** *et du* **beurre***; j'aurais aimé de la* **confiture** *de fraises, mais il n'y en avait pas. Ensuite, je me suis fait un sandwich au* **salami** *et à la* **laitue** *pour le casse-croûte, puis j'ai décongelé le* **poulet** *pour souper.*

Cette méthode, inventer une histoire, s'apparente à la méthode des lieux. L'histoire fournit le cadre où insérer la série d'items qui, autrement, formerait un amas arbitraire. Elle intègre tous les éléments en un récit unique, significatif et facile à mémoriser. Une fois l'histoire amorcée, les événements s'enchaînent en une suite logique, favorisant ainsi le recouvrement des items à retenir.

MÉTHODE DES MOTS-CLÉS

Cette méthode poursuit à peu près les mêmes objectifs que les précédentes. Encore ici, le problème consiste à lier ensemble des concepts sans rapport entre eux. Cette technique utilise des *mots-clés*: des mots associés à des nombres. Voici des paires faisant correspondre un nombre et un mot. Apprenez-les:

> **Un** est un **parfum**
> **Deux** est un **feu**
> **Trois** est une **noix**
> **Quatre** est une **tomate**
> **Cinq** est une **pinte**
> **Six** est un **lys**
> **Sept** est un **athlète**
> **Huit** est une **truite**
> **Neuf** est un **oeuf**
> **Dix** est une **vis**

Remarquez que cette séquence se fonde elle-même sur une technique mnémonique simple: les mots riment avec les nombres. Il est donc facile de l'apprendre. Retournons maintenant à notre liste d'aliments. Si vous voulez en faire l'apprentissage à l'aide de la méthode des mots-clés, appariez simplement chaque item avec un des mots-clés en vue de former quelque image mentale significative, bizarre et absurde. Par exemple:

> Un est un parfum, une grosse bouteille de parfum qui contient une miche de **pain** et qui dégage une bonne odeur de boulangerie. Deux est un feu sur lequel je mets les **oeufs** à cuire. Trois est une noix, une noix de **beurre** pour faire un gâteau...

Plus tard, pour vous souvenir des items, vous n'avez qu'à prendre les chiffres

...ans l'ordre, vous rappeler chaque mot-clé et recréer l'image. De cette façon, vous retrouvez l'item.

Lorsqu'il y a plus de dix items à réunir, il existe des moyens plus systématiques de créer des mots-clés. Voici un système standard utilisé depuis des centaines d'années. Chaque chiffre, de zéro à neuf, correspond à un son unique et toujours à celui d'une consonne.

Nombre	Son	Règle
0	s ou z	(s pour cercle ou z pour zéro)
1	t ou d	(t a une barre verticale)
2	n	(n a deux barres verticales)
3	m	(m a trois barres verticales)
4	r	(le dernier son du mot quatre comprend un r)
5	l	(L est le chiffre romain de 50)
6	ch ou j	(pas de règle; apprenez-le seulement)
7	k ou g	(si vous regardez bien, 7 peut ressembler à un k)
8	f ou v	(f, écrit à la main, ressemble à un 8)
9	p ou b	(9 ressemble à un p ou à un b tourné et inversé)

Comment se servir du système? Il vous faut un mot-clé pour 307? Ce chiffre correspond aux sons m-s-k: ce qui forme le mot *masque*. Pour 75, maintenant? Les sons peuvent former le mot *colle*. Il est important de noter qu'on obtient les mots-clés à partir des sons, non de l'orthographe. Ainsi, *colle* se prononce *kol*, ce qui correspond aux chiffres 7 et 5. Il s'agit du fameux alphabet nombre-consonne utilisé depuis le début des années 1600. Les méthodes mnémoniques secrètes le mentionnent fréquemment. Chose assez surprenante, c'est toujours ce même vieil ensemble de lettres que l'on retrouve, même lorsque le promoteur du système prétend qu'il est nouveau et exclusif, et ce, en espagnol, en allemand, en anglais et en français. Le tableau 9-2 présente une liste de 100 mots-clés tirés de l'alphabet nombre-consonne.

En mémorisant l'alphabet nombre-consonne, vous possèderez un outil très efficace. Tout d'abord, vous pourrez retenir n'importe quelle séquence de chiffres: dates, numéros de téléphone, plaques d'immatriculation — enfin, tout ce que vous avez besoin d'apprendre. Traduisez simplement les chiffres en consonnes et formez alors des mots. En fait, il est assez difficile de trouver des mots correspondants; pour surmonter cet obstacle, les gens ont constitué plusieurs listes de mots-clés standard, comme celle des cent mots-clés apparaissant au tableau 9-2. La plupart des professionnels de la mémoire apprennent une douzaine de listes de mots-clés. Vous remarquerez que les mots-clés s'apprennent assez aisément une fois que vous aurez mémorisé l'alphabet nombre-consonne.

La technique des mots-clés est doublement utile. D'abord, elle permet de vous souvenir d'une longue suite arbitraire d'items (telle une liste d'épicerie) grâce à la numérotation puis à l'association de chaque item à mémoriser avec l'image du mot-clé qui correspond au nombre. Ainsi, si vous avez une liste d'items dont le **quatorzième** est un **moteur hors-bord**, il suffit de vous figurer, fixé à l'arrière-train d'un **taureau**, un **moteur hors-bord** qui le propulse à toute vitesse sur l'eau. Pour vous souvenir des items, vous passez mentalement les

Tableau 9-2   100 Mots-Clés de l'Alphabet Nombre-Consonne*

1 DE	21 NOTE	41 ROUTE	61 CHÂTEAU	81 FENTE
2 NEZ	22 NONNE	42 RENARD	62 CHAÎNE	82 AVOINE
3 MÂT	23 ANIMAUX	43 RAME	63 JUMENT	83 FUMÉE
4 AIR	24 NOIR	44 RIRE	64 CHARRUE	84 FOUR
5 AILE	25 NOËL	45 ROULEAU	65 CHALET	85 VOILE
6 CHOUX	26 NICHE	46 RUCHE	66 JOUJOU	86 VACHE
7 GARS	27 NUQUE	47 ROC	67 GIGOT	87 FIGUE
8 OEUF	28 NAVET	48 RIVE	68 CHAUVE	88 FÈVE
9 POT	29 NAPPE	49 REBUT	69 JUPE	89 AMPHIBIE
10 TASSE	30 MUSEAU	50 LACET	70 CASE	90 PANSE
11 DATE	31 MANTEAU	51 LAITUE	71 COUDE	91 POTEAU
12 DUNE	32 MONNAIE	52 LUNE	72 CANNE	92 PONEY
13 DAME	33 MOMIE	53 LAME	73 GOMME	93 POÈME
14 TAUREAU	34 MER	54 LARD	74 CARRÉ	94 PAROI
15 DALOT	35 MALLE	55 LILAS	75 COLLE	95 BOULE
16 DOUCHE	36 MANCHE	56 LANGE	76 CAGE	96 POCHE
17 DIGUE	37 MUGUET	57 LOQUET	77 KAYAK	97 PIQUE
18 DUVET	38 MAFIA	58 LOUVE	78 CUVE	98 PIVOT
19 TAUPE	39 MYOPE	59 LOUPE	79 KÉPI	99 PIPE
20 NOCE	40 ROSEAU	60 CHAISE	80 FUSÉE	100 DANSEUSE

* *Adaptation française de la liste de M.N. Young et W.B. Gibson. How to develop an exceptionnal memory.* Hollywood: Wilshire Book Company, 1962.

chiffres dans l'ordre. Les nombres donnent les mots-clés permettant de retracer les images qui, elles-mêmes, correspondent aux items.

Deuxièmement, les mots-clés vous aident à mémoriser une série de chiffres — pour ce faire, il suffit simplement de changer les chiffres en consonnes et les consonnes en mots-clés. Vous voulez retenir le numéro de téléphone du Parlement de Québec: (418) 643-2121? Imaginez-vous dans les **airs** (4) à bord d'un gros Boeing fonçant vers le Parlement. À travers le hublot, vous voyez des nuages blancs qui paraissent doux comme du **duvet** (18). Soudain, vous apercevez une **charrue** (64) volante rehaussée d'un grand **mât** (3) supportant les larges voiles qui la font avancer. Le chauffeur de la charrue vous fait une grimace en passant et chante à tue-tête le «Ô Canada» en vous lançant deux fausses **notes** (ce qui fait 2121). Si vous apprenez cette séquence d'images, chaque fois que vous songez au Parlement de Québec et au voyage en avion, vous vous souvenez du reste du tableau et du numéro. Cette méthode semble un peu ridicule, mais elle fonctionne.

UTILITÉ DES MNÉMOTECHNIQUES

Toutes ces techniques permettent de cadrer et d'organiser le matériel à apprendre en l'intégrant à une structure. Chacune d'elles réclame une certaine somme de travail. Certaines, comme l'invention d'une histoire, nécessitent un effort plus grand au moment de l'apprentissage. D'autres, comme la technique des mots-clés, exigent un travail laborieux pour apprendre le système, ce qui demande des mois, puis une dépense d'énergie supplémentaire au moment de la mémorisation des items. Quel est donc le secret de ces techniques? Elles nous forcent à prêter attention au matériel. De plus, elles impo-sent une structure organisatrice à des items qui, autrement, resteraient sans rapport. Finalement, par leur caractère systématique, elles mettent à notre disposition un ensemble spécifique de méthodes pour stocker en mémoire un matériel nouveau et partir à la recherche d'informations déjà acquises.

COMMENT SE SOUVENIR?

Que faire pour se souvenir? La réponse varie selon le matériel à remémorer et selon vos propres capacités. Néanmoins, plusieurs règles générales s'appli-quent:

1. *Travaillez.* La mémorisation est une tâche difficile. La mémoire exige attention (par rapport au matériel), effort et habileté.
2. *Comprenez.* Soyez conscient de ce que vous essayez de faire. Essayez de paraphraser le matériel. Sachez comment il est lié à d'au-tres éléments.
3. *Organisez.* Divisez le matériel en petites parties. Faites-les judi-cieusement correspondre entre elles. Essayez de les associer à ce que vous connaissez déjà. Les éléments isolés sont difficiles à rete-nir. Cherchez une structure inhérente au matériel. Si possible, utili-sez des aide-mémoire.

On trouve un bon exemple de la difficulté que pose l'apprentissage d'informa-tions nouvelles lorsque l'on doit faire les présentations d'usage lors d'une soi-rée. «J'ai toujours de la difficulté à me souvenir des noms», prétendent bien des gens. Mais quel effort y mettent-ils? Au moment des présentations, on porte rarement attention à un nom nouveau plus longtemps que la durée même de sa prononciation. Pour apprendre le nom de quelqu'un, assurez vous d'abord de l'avoir bien entendu — n'y a-t-il pas de meilleure façon de s'en souvenir que de bien le répéter? Ordinairement, cela ne suffit pas et, sans effort supplémentaire, le nom s'envole pour toujours.

Le problème tient au fait que le nom demeure en MCT pendant une courte période de temps, et, comme il semble accessible sur le moment, les gens croient à tort l'avoir appris. Pour vous assurer qu'un nom a dépassé l'échelon de la MCT, attendez 30-60 s, puis essayez de vous le rappeler. Prononcez-le à voix haute. Si vous échouez, il ne sera pas trop tard pour vous en enquérir à nouveau. (Si vous le redemandez pendant les quelques minutes qui suivent la présentation, vous ne vous sentirez pas embarrassé — les gens s'attendent plus à ce que vous vous rappeliez leur nom, le lendemain.) De plus, essayez de lier les caractéristiques du nom avec celles de l'individu à qui l'on vous présente. Les cours de mémorisation standard proposent toujours le truc suivant: si, par exemple, la personne se nomme Hector Poisson, il suffit d'associer son visage à un poisson. Ce principe est juste, mais rarement aussi simple. Règle géné-rale, il faut se débrouiller du mieux qu'on peut. Efforcez-vous d'utiliser le nom sur-le-champ et à quelques reprises durant la conversation. Il est intéres-sant de constater jusqu'à quel point un principe aussi élémentaire peut aider.

L'étude de la mémoire à long terme

Question: **À l'avant-dernier endroit où vous demeuriez la poignée de la porte principale se trouvait-elle à gauche ou à droite?**

Voilà une question ayant trait à l'information stockée en mémoire à long terme. Vous possédez sans aucun doute cette information, mais comment la retrouver? Comment le processus de recouvrement opère-t-il? Essayez de répondre à la question énoncée ci-haut: de quel côté se trouvait la poignée de porte? Vous découvrirez que cette tâche tient davantage de la résolution d'un problème que du recouvrement d'une information déjà en mémoire. Si vous persévérez dans vos efforts, vous serez probablement capable de trouver la bonne réponse. Pour effectuer cette tâche, vous devez d'abord revenir mentalement en arrière et retrouver le bon endroit. Ensuite, vous devez vous représenter la porte principale. Essayez d'y arriver par différentes directions. Représentez-vous face à la porte, les bras chargés de paquets — voyez si vous transférez votre charge pour libérer une main et tourner la poignée. Ou encore, songez à l'intérieur: de quel côté s'ouvre-t-elle ? Y a-t-il quelque chose derrière la porte? Une garde-robe, par exemple? Un objet qui l'obstrue? Continuez à y réfléchir: la réponse surgira.

Les études sur le rappel, la résolution de problème, la pensée et les opérations mentales ont beaucoup en commun, puisque peu de choses permettent de les distinguer. Une personne occupée à se rappeler une information semble résoudre un problème. Elle analyse d'abord la question pour en établir la légitimité. Elle prend ensuite une décision rapide à propos de l'information nécessaire pour y répondre. Est-il probable que l'on dispose de cette information? Sera-t-elle difficile à trouver? Une tentative de rappel exige la sélection d'une stratégie. Au fur et à mesure que le processus de recouvrement suit son cours, l'information comprise dans la question doit se combiner aux solutions partielles pour formuler de nouvelles questions qui orienteront la recherche. La voie qu'emprunte le recouvrement semble se structurer autour d'événements marquants qui servent de points-repères à travers la multitude des détails emmagasinés en mémoire. L'examen d'un rappel réussi montre que la plupart des souvenirs semblent découler de la logique et de la reconstruction des faits.

L'étude de la mémoire à long terme s'intéresse à la fois au processus de la résolution de problème et à la structure de la mémoire sur laquelle il opère. L'information retenue est organisée en une structure complexe qui établit des liens entre les événements et les concepts accumulés au cours de l'expérience passée. L'acte de se souvenir constitue l'application systématique de règles en vue de l'analyse de cette information stockée en mémoire.

L'étude de la mémoire à long terme déborde l'analyse des modes de rappel. Elle porte aussi sur les stratégies mentales et les mécanismes qui guident la plupart des comportements. Dans ce chapitre, nous considérerons trois aspects de la mémoire: l'entrepôt de l'information (que nous appelons *bassin de données*), les mécanismes interprétatifs (*interprète*) qui opèrent sur le bassin des données et le *moniteur* qui surpervise les opérations, évalue leur productivité et exerce un contrôle global sur le fonctionnement du système (voir figure 9-10). Notez que ces trois mécanismes jouent un rôle majeur dans toute activité intellectuelle: apprendre et retrouver une information, résoudre un problème, prendre une décision et concilier les interactions d'une personne avec le monde et les autres individus. Si ce chapitre ne fait qu'introduire ces concepts, ceux-ci jouent un rôle important dans tous les chapitres à venir.

La capacité qu'a l'être humain de répondre à des questions portant sur son avoir constitue peut-être le témoignage le plus net de la puissance de sa mémoire. Voyez ce qu'exige le fait de répondre à une question. D'abord, il ne suffit pas d'avoir l'information stockée en mémoire. Il est nécessaire de chercher et de trouver toute information pertinente à la question, d'évaluer toute donnée contradictoire et finalement, de rassembler le tout pour produire la meilleure réponse qui soit en regard de l'information recouvrée.

Le cerveau humain n'est pas le seul système confronté au problème de répondre à des questions fondées sur une somme considérable d'informations. Il existe plusieurs types de systèmes capables de contenir une immense quantité de données: ils vont des systèmes traditionnels tels que les bibliothèques, jusqu'aux systèmes modernes contrôlés par ordinateurs. Lorsqu'on utilise de tels systèmes, l'on découvre tout d'abord que l'introduction de l'information à l'intérieur du système n'est pas un problème fondamental. Les difficultés surviennent lorsqu'on essaie de l'en faire sortir.

Indépendamment du système de mémoire considéré — cerveau humain, fichier de bibliothèque, vaste assemblage de classeurs ou important système de stockage informatisé — il existe certaines questions pour lesquelles les structures organisées de la mémoire (incluant les index et les résumés) sont inadéquates. Néanmoins, un observateur omniscient pourrait affirmer que l'information nécessaire pour répondre à la question se trouve, en fait, dans le système; pour la retrouver, l'usager n'aurait qu'à poser les questions pertinentes et agencer judicieusement les résultats obtenus. Comment donc organiser ce système pour que, après s'être donné la peine de rassembler l'information,

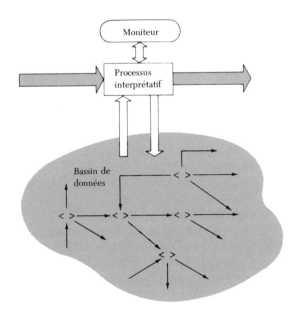

FIGURE 9-10

il soit possible de retrouver les éléments d'information désirés? De quelle stratégies de recouvrement doit-on disposer? Si les questions à poser au sys tème sont connues à l'avance, le problème peut être plus facile à résoudre. I est assez aisé, par exemple, d'inventer un système de recensement capable d retrouver rapidement le nombre d'individus âgés de moins de 30 ans, si o sait, avant même de stocker les données, que l'on aura besoin de cette infor mation. Mais qu'advient-il des questions non prévues? Est-il possible de cons truire un système de traitement de données qui, tout comme la mémoir humaine, puisse répondre à presque tout ce qui vient à l'esprit?

La capacité physique de stocker une énorme quantité d'informations n'es donc pas la qualité essentielle d'un système mnémonique de grande enver gure. C'est plutôt sa capacité de retrouver, à la demande, certains fragment de données et de répondre à des questions relatives à l'information entre posée. L'examen des types de questions auxquelles les gens peuvent répon dre et l'analyse des mécanismes et des procédures qui s'avèrent nécessaire pour y répondre nous renseignent considérablement sur la nature des opéra tions du traitement des données au niveau de la mémoire humaine. L'actio du moniteur et du système interprète est aussi important que le stockage d l'information en mémoire.

CONTRÔLE DE LA RÉPONSE

Comment répondez-vous aux questions que l'on vous pose? Une chose es sûre, répondre aux questions implique beaucoup plus que le simple fait d retrouver le matériel pertinent et de le présenter à son interlocuteur. De normes sociales dictent ce que vous pouvez et ne pouvez pas dire. Politesse honnêteté, tromperie, peur, fierté, tout affecte la forme de réponses effective ment données aux questions. Ces aspects seront étudiés plus en profondeu au chapitre 12, qui porte sur le langage, et au chapitre 16, sur les interaction sociales; néanmoins, voyons dès maintenant quelques exemples.

Question: **Où demeurez-vous?**

Cette question semble anodine en soi, mais la réponse dépend de ce que vous croyez que l'interlocuteur sait déjà. Supposons que vous demeurie (comme l'un des traducteurs) au 5140 rue De Mentana, app. 1, Montréal Québec. Chacune des réponses suivantes est exacte, bien qu'elles réponden toutes à des objectifs différents:

Réponses: **Au Canada.**
Dans le sud du Québec.
Au centre de Montréal.
Sur la rue De Mentana.
En face du parc Laurier.
Dans l'immeuble aux balcons noirs.

Ces réponses couvrent la majeure partie des hypothèses que l'on peut faire sur l'information et les intérêts de l'interlocuteur. Si, par exemple, vous étiez en Europe, sur une plage de la côte adriatique, et qu'une personne étendue tout près de vous vous demandait, avec un fort accent britannique, où vous vivez. La première réponse s'appliquerait d'emblée. Supposons que vous soyez au parc Laurier et que la personne étendue non loin de vous

vous demande où vous demeurez. Cette fois, la dernière réponse s'applique. D'ailleurs, il paraîtrait pour le moins étrange de donner l'une des premières réponses...

Cet exemple fait apparaître certaines des exigences du *moniteur*, qui supervise le fonctionnement du recouvrement en mémoire. Donner la réponse ne suffit pas; il faut considérer l'objectif de la conversation et avoir une idée de l'usage qu'entend faire l'interlocuteur de l'information.

Question: **Où étiez-vous, la nuit du crime?**

Disons que le fameux détective mondialement connu, le lieutenant Colombo, pose cette question à l'auteur du crime. Ici, la fonction du moniteur est plutôt évidente: le criminel n'ose pas dire la vérité. Il doit, au contraire, inventer une réponse, mais l'invention doit revêtir une forme très spéciale. Elle doit être plausible, cohérente, résister à un examen minutieux; elle ne doit contredire aucune autre information que le lieutenant Colombo pourrait avoir, ni fournir trop d'indices sur le crime. La réponse inventée doit ensuite rester elle aussi en mémoire, puisqu'elle servira certainement à nouveau. Nous sommes sûrs qu'il est possible de pousser ce scénario de plus en plus loin. Encore ici ce qu'il faut comprendre c'est que le contrôle du recouvrement de l'information est un processus continu, qu'il s'agisse de sélectionner à partir des informations exactes une réponse appropriée ou d'en inventer une pour éviter de révéler l'information exacte.

QUAND RETROUVER UNE INFORMATION?

Supposons qu'on vous demande:

Question: **Quel était le numéro de téléphone de Beethoven?**

Quelle est votre réponse? «Impossible, direz-vous, Beethoven est mort avant que le téléphone ne fût inventé». Mais supposons qu'il s'agisse d'un personnage qui avait le téléphone.

Question: **Quel était le numéro de téléphone de Graham Bell?**

Vous refusez toujours de chercher le numéro. Vous ne le connaissez pas. Comment savez-vous que vous l'ignorez? Voici encore:

Question: **Quel est le numéro de téléphone du Parlement de Québec?**
Quel est le numéro de téléphone de votre meilleur ami?
Quel est votre numéro de téléphone?

Le principe que nous venons de démontrer c'est que lorsqu'on vous demande de vous souvenir de quelque chose, vous ne commencez pas à fouiller aveuglément dans le bassin des données. Le moniteur charge plutôt les processus interprétatifs d'analyser la question pour voir si vous êtes susceptible de trouver une réponse. À partir de cette analyse préliminaire, vous pouvez conclure qu'il est inutile même d'essayer de retrouver ces données. L'information n'existe peut-être pas. L'information existe peut-être; mais vous savez qu'elle ne se trouve pas dans votre mémoire. Mais quelle information utilisez-vous pour décider que vous ne connaissez pas le numéro de téléphone de Graham Bell, alors qu'il est évident qu'il eut un téléphone? Peut-être pensez-vous pouvoir retrouver l'information, mais elle exige tant d'effort qu'elle n'en vaut pas la peine. Êtes-vous bien sûr de ne pas pouvoir trouver le numéro de téléphone du Parlement de Québec en y travaillant un certain temps? Après tout, ne vous avons-nous pas enseigné une méthode pour apprendre ce numéro?

En interrogeant la mémoire humaine, l'on découvre l'existence de procédés qui analysent le message pour déterminer si l'information pertinente existe et si elle est susceptible d'être stockée, de même que pour évaluer l'effort nécessaire et les chances de succès d'une tentative de recouvrement. Toute cette suite d'opérations semble s'effectuer rapidement et inconsciemment. Nous n'avons qu'une vague idée de la complexité des règles en cause.

De toute évidence, une mémoire à grande capacité se trouve fort avantagée par un tel système. Il ne perd pas de temps à chercher ce qu'il ne connaît pas. Il peut évaluer ce qu'il en coûte de recouvrer une information difficile à trouver. Face au bombardement continu d'informations sensorielles, il est fort important de savoir ce qu'on ignore; cela permet de nous concentrer sur les aspects nouveaux, uniques et importants des événements qui se produisent dans notre environnement.

LE RECOUVREMENT D'UNE IMAGE

Question: **Combien y a-t-il de fenêtres à votre demeure?**

Cette fois-ci, le recouvrement devrait s'effectuer sans problème. Vous évoquez d'abord une image mentale de chaque pièce, puis vous en examinez tous ses côtés en comptant les fenêtres. Vous passez ensuite à la pièce suivante et répétez le même processus jusqu'à la fin. Cette tâche semble facile. Et pourtant, mis à part le fait de l'existence et de l'utilisation des images mentales, on connaît peu de choses sur leur nature, la façon de les stocker ou de les recouvrer.

Il est clair que nos mémoires contiennent un très grand nombre d'images de nos expériences passées. On peut les retrouver et les examiner à volonté: le visage d'un ami, un lieu visité lors de notre dernier voyage, l'expérience de conduire une bicyclette. Ce registre d'expériences visuelles laisse entrevoir certains principes essentiels à l'analyse des stratégies de recouvrement. Le fait de conserver une certaine réplique visuelle de l'information originale donne beaucoup de souplesse à la capacité de répondre ultérieurement à des questions portant sur nos expériences. Vous n'aviez probablement jamais songé à la possibilité qu'on vous demande un jour le nombre de fenêtres que compte votre demeure. Aucun besoin de prendre note de cette information lorsque vous êtes chez vous. Aussi longtemps que vous conservez une image mentale des pièces de la maison, ultérieurement, vous serez en mesure de retrouver au besoin les fragments précis d'information.

Nous ne stockons pas toujours l'information visuelle en entier. Nous analysons et condensons souvent l'information qui nous parvient en laissant tomber les détails superflus pour ne retenir que l'essentiel. Essayez de vous rappeler ce que nous avons dit au début du chapitre. Vous n'évoquez pas une image des pages pour en relire les mots. Vous retenez une version très condensée de votre expérience visuelle, réorganisée et reformulée en vos propres termes.

Ainsi, un modèle adéquat de la mémoire humaine doit pouvoir indiquer les conditions qui font que les événements qui lui parviennent sont encodés n entier et celles qui font que ce ne sont que les caractéristiques essentielles qui sont extraites et stockées. L'enregistrement d'une réplique exacte de l'information prend un espace considérable en mémoire, rend la recherche ultérieure plus compliquée et plus longue, et tend à encombrer la mémoire de détails superflus. En réorganisant et en condensant l'information pour n'en conserver que les caractéristiques essentielles, on risque de ne pas enregistrer une information qui pourrait s'avérer utile ultérieurement. Ce procédé pose des limites à l'étendue et à la variété des façons d'utiliser les expériences passées ainsi qu'aux types de questions auxquelles nous pouvons répondre. L'idéal serait de faire les deux: conserver un enregistrement complet ainsi qu'une version réorganisée et condensée. Mais peut-être y a-t-il des façons plus subtiles de traiter les enregistrements de routine. N'existe-t-il pas des règles générales s'appliquant à l'enregistrement et à la reconstitution des images permettant de simplifier le problème de stockage sans, pour autant, sacrifier les détails? Après tout, les maisons ont bien des choses en commun, comme les murs et le toit. La mémoire humaine exploiterait-elle ces similarités?

Indépendamment du mode de stockage de l'information, il est important d'avoir à la fois une quelconque image mentale des pièces de la maison et un moyen pour calculer le nombre de fenêtres. Pendant le recouvrement, ces deux processus interagissent: l'un retrouve et construit l'image, l'autre analyse et manipule l'information retrouvée. Tout comme la résolution de problème, le recouvrement exige l'application de règles et de procédures permettant la reconstitution active et l'analyse de l'information. Cet aspect reconstructif de la mémoire humaine ressort plus clairement lorsque nous confrontons le système à une autre forme de question.

LE RECOUVREMENT, UNE RÉSOLUTION DE PROBLÈME

Question: **Que faisiez-vous lundi après-midi, la troisième semaine de septembre, il y a deux ans?**

N'abandonnez pas si vite. Prenez un certain temps pour penser à la question et voyez si vous pouvez y répondre. Essayez de mettre vos pensées sur papier au fur et à mesure que vous tentez de retrouver cette information. Mieux encore, demandez à un ami de penser tout haut pendant qu'il essaie de répondre à la question.

Le type de réponse que l'on donne généralement à ce genre de question se résume à peu près à ceci:

1. *Voyons! Comment pourrais-je savoir?* (Expérimentateur: essaie quand même).
2. *O.K. Voyons voir: il y a deux ans…*
3. *Je devais être à la polyvalente Blainville-Deux-Montagnes…*
4. *Ce serait en onzième année…*
5. *Troisième semaine de septembre — tout juste après l'été — ce serait le début du trimestre d'automne…*
6. *Laisse-moi voir un peu. Je pense que j'avais un laboratoire de chimie, le lundi.*

7. *Je ne sais pas. Je me trouvais probablement au laboratoire de chimie...*
8. *Attends — c'était la deuxième semaine de cours. Je me souviens, il avait commencé par le tableau périodique — un immense tableau fort compliqué. J'ai pensé qu'il était fou de vouloir nous faire mémoriser cela.*
9. *Tu sais, je crois me souvenir que j'étais assis...*

Ce protocole particulier a été composé à partir de plusieurs autres pour illustrer comment le système de mémoire agit avec un tel problème de recouvrement. Premièrement, la question est de savoir si, oui ou non, le recouvrement peut être tenté. L'analyse préliminaire laisse supposer qu'il sera difficile, sinon impossible, de recouvrer l'information désirée, et le sujet hésite à entreprendre la tâche (ligne 1). Quand il décide d'entreprendre cette recherche, il ne tente pas directement de se rappeler l'information, mais divise l'ensemble de la question en sous-questions. Il tente d'abord d'établir ce qu'il faisait il y a deux ans (ligne 2). Ayant pu répondre à cette question (ligne 3), il utilise l'information retrouvée pour formuler une question plus spécifique et tenter d'y répondre (ligne 4). Une fois épuisées les ressources fournies par le premier indice, il retourne à la question initiale pour en tirer plus d'information: «Troisième semaine de septembre» et progresse ainsi en précisant de mieux en mieux ses souvenirs (lignes 5 et 6). La majeure partie de ce qui s'est passé de la ligne 7 à la ligne 8 n'apparaît pas dans le protocole. À la ligne 7, le sujet semblait être parvenu à un cul-de-sac, mais il a dû continuer à rechercher de nouvelles stratégies de recouvrement. Le tableau périodique semble avoir été un événement important de sa vie et le recouvrement de cette information lui ouvre de nouvelles voies. À partir de la ligne 8, il est en voie, semble-t-il, de rassembler en une image cohérente des activités qui l'occupaient en ce lundi après-midi, deux ans plus tôt.

La mémoire semble avoir une action de type circulaire: la recherche est active, reconstitutive, et quand elle ne peut progresser directement d'un point vers un autre, le problème est alors divisé en séries de problèmes ou d'objectifs partiels. Pour chacun des problèmes ainsi définis, on pose les questions suivantes: «Peut-il être résolu? Sa solution me rapprochera-t-elle de l'objectif principal?» Lorsqu'on a trouvé la solution à cet aspect du problème, on en définit de nouveaux et la recherche continue. Si elle est couronnée de succès, le système pourra produire éventuellement une réponse, mais cette réponse n'est vraiment pas un simple rappel. Il s'agit plutôt d'un mélange de reconstitutions logiques de ce qui doit s'être passé et de souvenirs fragmentaires tirés des expériences réelles.

RETROUVER LES NOMS D'ANCIENNES CONNAISSANCES

La récupération d'une information inscrite depuis très longtemps dans la mémoire peut s'avérer difficile et coûteuse en terme de temps. Si l'on vous demande de retrouver les noms des gens avec qui vous fréquentiez l'école, il y a de trois à vingt ans — à votre avis, que se passerait-il? Williams (1976) a demandé à des sujets d'effectuer cette tâche et les a amenés à travailler pendant plusieurs jours — dans certains cas, pendant des mois — à essayer de retrouver les noms. Plus les efforts des sujets persistaient longtemps, plus s arrivaient à se souvenir. La figure 9-11 montre les progrès d'un sujet 'efforçant de se rappeler les noms de ses confrères de classe.

Le processus de recouvrement de noms est, en fait, un processus de re-onstitution très proche de celui décrit au chapitre 8 (rappel d'items en MCT elon les attributs disponibles). Williams découvrit que ses sujets devaient econstruire le contexte entier du recouvrement. Par exemple, lorsque les ujets expliquaient tout haut ce qu'ils faisaient, il était possible d'observer eurs stratégies de recherche. Nous présentons ici la transcription du proto-ole d'un sujet* (les noms des personnes ont été changés dans le but de garder 'anonymat):

Sujet: J'essaie de me rappeler le nom de Charles, mais je n'y parviens pas. Euh, O.K., laisse-moi voir s'il n'y a pas d'autres endroits tout près auxquels je n'aurais pas encore songé et qui me permettraient de me souvenir des personnes de mon âge qui y vivaient. Hum, hum... Per-sonne ne demeurait en haut de la côte... Et maintenant, je pense à... au lac Achigan dans les Laurentides, parce que bien des gens avaient l'habitude d'y aller souvent pour se baigner, se promener ou faire du ski nautique. J'essaie de songer à tous ces gens qui sont venus faire du ski nautique ou se baigner et qui étaient dans ma classe. Hum... si je pouvais les voir tous réunis — il y a ce quai où ils avaient l'habitude de se rassembler avec leurs skis, de s'asseoir et de regarder l'eau; mainte-nant, je les passe tous en revue pour voir s'il y en a que je n'ai pas encore nommés. Il y a Benoît Nantel — je l'ai déjà nommé — et Daniel Jalbert; ils faisaient du ski ensemble. Euh, il y a un tas de gens plus vieux aussi. Euh! Joseph Marois. Je les ai déjà nommés; tous ces gars faisaient du ski. Euh, il était plus vieux — non, il était plus jeune. La plupart de ceux-là étaient plus vieux. Laisse-moi voir, lui et lui... O.K., je revise la liste et je ne vois personne que je n'ai pas encore aperçu; il y avait cette fille qui était toujours là, mais elle était plus jeune. J'ai déjà nommé les gens avec qui elle se tenait habituellement. Hum, y a-t-il quelqu'un d'autre que je connais et qui...

Ce protocole illustre plusieurs des propriétés propres au recouvrement de souvenirs lointains. Il faut noter, dans cet exemple, l'établissement d'un *contexte*. Le sujet a consacré beaucoup de temps à reconstituer le cadre réel où se déroulaient les événements. Ensuite, il a reproduit systématiquement la liste des personnes qu'il pouvait imaginer dans ce contexte, vérifiant les noms retrouvés ou poussant plus avant sa recherche lorsqu'il revoyait une personne dont le nom lui échappait encore.

L'une des propriétés intéressantes du recouvrement constitue ce que Williams appelle le *débordement (overshoot)*: il s'agit de la continuation du recouvrement d'informations au sujet d'une personne, et ce, longtemps après le rappel de son nom. Le débordement semble poursuivre deux buts. Pre-mièrement, il sert à vérifier la validité du nom. Il fournit l'information néces-saire pour confirmer que la personne dont le nom a été recouvré était bien l'une de celles qu'il fallait rechercher. Deuxièmement, il aide à créer un nouveau contexte, ce qui permet d'accéder à de nouveaux noms.

* Ce protocole et les suivants ont été adaptés pour en conserver l'intelligibilité. (Note des Traducteurs.)

Voici un autre protocole qui illustre le regroupement de l'information. Dans cet exemple, le sujet passe d'un contexte à un autre et découvre des groupes d'individus dans chacun. Encore ici, l'établissement du contexte semble une étape essentielle pour accéder aux noms.

Sujet: Euh, j'étais en train de m'imaginer les gens que j'ai connus et j'essayais de voir s'il en manquait. J'i... je m'imagine un endroit familier et je viens d'en découvrir deux autres. Il y a Michel Lamontagne et hum (en tapotant des doigts) Laurent Aubin. Je les situe chez eux ou à la maison de Laurent où ils réparent des voitures.

Expérimentateur: Hum, hum.

Sujet: O.K.? Ils habitaient à côté de la maison d'Arlène et à côté de

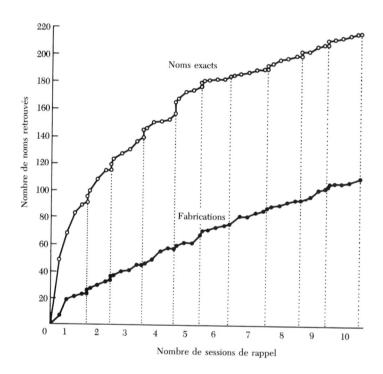

Figure 9-11   Noms retrouvés versus le temps. On a demandé au sujet de «penser tout haut» alors qu'elle se rappelait les noms et les prénoms de tous ceux qui terminèrent leur secondaire avec elle. On a étudié son progrès durant 10 sessions d'environ une heure chacune. Les lignes verticales pointillées indiquent chaque session. Au début de chacune, elle rapporta tous les noms qui, par inadvertance, lui étaient venus en mémoire entre deux sessions (produisant parfois, sur la courbe, deux points pour un même temps). Les «noms exacts» correspondent à ceux qui existent dans le bottin de 12e année du sujet. Le nombre total des noms exacts se chiffre environ à 600. Les «fabrications» sont de fausses réponses constituées habituellement des noms de personnes réelles ne faisant pas partie de sa classe de secondaire.

chez Richard, euh, O.K.; et puis, oh! hum, il y avait mon ancienne blonde (il rit)! Je me demande pourquoi je me suis souvenu d'elle. Euh, je m'en suis souvenu parce que je me suis rappelé la... je pensais à la maison où vivait Laurent et je me suis ra... rappelé le jour où je suis allé le voir pendant qu'il travaillait sur cette vieille, euh... voiture Pack, une vieille Packard, et Marie était là — alors, c'est bien elle —; et puis, maintenant, ses amies Jeanne et, euh... Quel était son nom? Elle n'avait pas beaucoup d'amis, elle était comme — ses amis avaient tous déménagé ailleurs —, euh, pour revenir. Ce n'est pas une bonne liste. Je n'y trouverai qu'un seul nom.

Maintenant, les gens que j'ai connus par l'intermédiaire de ma soeur ... Hum, je ne les fréquentais pas beaucoup, ce n'était que des connaissances; il y avait Line, puis un autre — je ne me souviens même pas de son nom — et une autre aussi — voyons voir —; non, je ne me souviens pas. Je me... je me rappelle maintenant certaines personnes, euh, qui étaient des amis de ma soeur et dont les noms m'échappent, mais qui — enfin, je ne m'en souviens pas maintenant, mais je peux me souvenir de situations où elles se trouvaient et ce dont elles avaient plus ou moins l'air. Euh... Oh, bon sang! O.K., je viens de tr... trouver plein de noms. Il y avait un endroit où j'allais presque toujours après l'école et il y avait beaucoup de gens, là; je revois un endroit rempli de gens, mais je ne peux me souvenir de bien des noms. Il y a Rita Beaubien, Suzanne Lajeunesse, Sylvie Carignan — oh, ça alors! — Joseph Saint-André, Richard Jacob — je viens encore de situer un autre groupe de personnes. Hou!... (Il rit.) Ça, par exemple! Euh...

Le processus de reconstruction de la mémoire ne va pas sans problème: il peut conduire à de *fausses constructions* ou *fabrications*. Quelquefois, le nom que l'on rapporte s'avère inexact. Dans certains cas, il ressemble au vrai nom; dans d'autres, il s'agit d'un nom réel, mais il ne correspond pas à la bonne personne. Parfois, il y correspond, mais cette personne a été rencontrée ailleurs, pas à l'école. Quand Williams vérifia les noms dans les registres scolaires, il découvrit qu'un bon nombre de souvenirs étaient de pures fabrications. Au début, les fabrications étaient peu nombreuses, mais à mesure que le recouvrement était poussé plus loin, leur taux augmentait considérablement. À la dixième heure de rappel, presque 50% des items nouvellement produits étaient faux. Le nombre de fabrications apparaît aussi à la figure 9-11.

MÉTAMÉMOIRE: CONNAISSANCE DE VOTRE PROPRE SYSTÈME DE MÉMOIRE

La connaissance qu'ont les gens de leurs propres processus mentaux et de leur propre mémoire est une question intéressante et peu exploitée. En fait, comme nous l'avons vu, l'étude de la mémoire touche deux aspects différents: d'abord, la connaissance du système, les rôles des MCT et MLT ainsi que les opérations qui peuvent être effectuées, comme l'autorépétition de maintien et d'intégration ou les stratégies mnémoniques; ensuite, la connaissance de sa propre connaissance: connaître le contenu du bassin de données.

À l'âge adulte, la plupart des gens ont développé un sens intuitif asse
précis des propriétés de leur mémoire. Les gens font les choses différem
ment, selon qu'ils ont l'intention de se souvenir de quelque chose pou
usage ultérieur ou selon qu'ils ne s'attendent plus à avoir besoin de cett
information. Leur activité peut être mentale: ils répètent laborieusemen
le nom d'une personne maintes et maintes fois dans l'espoir de le retenir
Elle peut être externe: ils prennent des notes sur un bout de papier en vu
de se souvenir d'une date ou d'une liste d'épicerie. Parfois, elle consist
à prendre note mentalement d'un aide-mémoire (externe): on cherche quelle
sont les autorités en une matière au lieu d'apprendre la matière elle-même

La récupération d'une information en mémoire implique des phénomène
similaires. Pour retracer le nom d'une personne perdue de vue depui
nombre d'années, on peut essayer délibérément de revivre certaines activité
de jadis, espérant ainsi raviver le nom recherché. On peut employer de
stratégies qui fourniront des indices, comme passer tour à tour chacune de
lettres de l'alphabet dans l'espoir que la lettre appropriée fasse apparaîtr
l'item recherché. On peut tenter encore de se rappeler l'endroit où trouve
la réponse — dans un livre, un classeur — ou même trouver quelqu'un
qui pourrait connaître cette réponse. Enfin, on peut décider tout simplemen
que l'information est inconnue ou qu'il est impossible de la retrouver; e
alors on abandonne la tâche.

Toutes ces activités de stockage et de recouvrement en mémoire sont des
reflets de ce que les gens savent de leur propre connaissance. Nous appelons
cette connaissance de la mémoire, *métamémoire*. Plusieurs chercheurs ont
étudié le mode précis de développement de la métamémoire avec l'âge (voir,
par exemple, le chapitre de Flavell et Wellman, actuellement sous presse).
Ainsi, lorsqu'on montre un ensemble d'items à des enfants de quatre ans,
ils ne semblent pas faire de distinction entre «regarder attentivement» et
«mémoriser». À sept ans, ils comprennent la différence, mais ne semblent
pas savoir comment utiliser cette information. À onze ans, ils se comportent
différemment, selon qu'ils mémorisent ou qu'ils observent.

Un peu plus avant dans ce chapitre, lorsque nous avons parlé du rôle
de l'autorépétition et des stratégies mnémoniques spéciales, nous avons dit
que la plupart des gens ne savent pas très bien comment apprendre. Lorsqu'on leur demande de mémoriser une liste d'items, ils sont susceptibles
de s'adonner à l'autorépétition de maintien, une procédure qui s'avère peu
efficace. Les gens semblent donc conscients de certaines caractéristiques
de leur système de mémoire, mais paraissent confondre la pratique de
l'autorépétion avec des procédés efficaces. De plus, nous pensons qu'ils
confondent le degré de facilité à recouvrer un item en MCT avec celui
de son recouvrement ultérieur. Ils croient, semble-t-il, qu'une information
si facilement accessible est déjà apprise.

Dans ce chapitre, nous avons présenté la connaissance du contenu du
bassin de données comme un facteur déterminant du recouvrement en
mémoire. Lorsque les gens ne croient pas posséder telle information, ils
ne perdent pas de temps à essayer de la retrouver. Souvent, bien sûr, ces
jugements sur sa propre connaissance seront erronés. La plupart des pro-

fesseurs ont eu la pénible expérience d'essayer de convaincre leurs étudiants qu'ils possédaient réellement l'information requise et qu'il leur suffisait de relaxer un peu et de fouiller intelligemment leur bassin de données en mémoire pour la retrouver.

Habituellement, la connaissance de nos propres structures mentales ne s'acquiert que par l'expérience, sauf lorsqu'on déploie — comme dans ce volume — des efforts délibérés pour étudier les capacités mentales et les systèmes de mémoire. Puisque la plupart des gens ne reçoivent pas d'entraînement formel pour développer leurs habiletés mnémoniques, il est peu surprenant que le développement de la métamémoire s'échelonne sur toute la période de la pré-adolescence. En fait, le développement des habiletés mnémoniques est généralement incomplet étant donné que la plupart des gens ignorent les techniques de mémorisation puissantes qui se sont développées au fil des années. Comme nous l'avons vu dans ce chapitre, certaines stratégies de mémorisation peuvent être très puissantes.

Revue des termes et notions

Voici, pour le présent chapitre, les termes et notions que nous considérons importants. Passez-les en revue; si vous êtes incapable d'en donner une courte explication, vous devriez revoir les sections appropriées du chapitre.

L'étude de la mémoire
    la courbe de position sérielle
        primauté (début de la courbe)
        récence (fin de la courbe)
    la différence entre rappel et reconnaissance
    quelques techniques standard pour étudier la mémoire
    le rôle de l'attention dans les processus mnémoniques
        traitements dirigés-par-données et dirigés-par-concepts
Mémoire à long terme (MLT)
    autorépétition de maintien
    processus d'intégration
    les problèmes de recouvrement: analogie avec les bibliothèques
    traitement en profondeur
    niveaux d'analyse
    mnémotechniques
        rimes
        mots-clés
        lieux
        associations
Le rôle du moniteur, des processus interprétatifs et du bassin de données
    l'interrelation entre ces trois concepts et les systèmes de RIS, MCT, MLT,
        l'autorépétition de maintien, les processus d'intégration et les stratégies
        de mémorisation

**TERMES ET
NOTIONS À
CONNAÎTRE**

Quelles sont les conséquences du fait de considérer le recouvrement ɛ mémoire comme un type de résolution de problème?
  le rôle des processus de reconstitution dans le recouvrement en ML
    (et leurs relations avec la reconstitution à partir des attributs de mémoire en MCT — étudiée au chapitre 8)
  débordement
  fausses constructions (fabrications)
  établissement d'un contexte
Métamémoire

Lectures suggérées

Il y a un bon nombre de textes et de chapitres qui traitent des question dont nous avons parlé. De plus, les revues de psychologie abondent ɛ articles qui apportent des informations nouvelles ou enrichissent notr connaissance sur divers aspects de la mémoire humaine. Nous croyons qu les volumes de Norman (1976) et de Rumelhart (1977) constituent de bor ouvrages d'introduction. Comme le volume de Norman est plus accessibl que celui de Rumelhart, on devrait le consulter d'abord. Il existe d'autre excellents textes d'introduction: Klatzky (1975) et Loftus et Loftus (1975

L'évolution des travaux dans ces domaines est tellement rapide qu vaudrait mieux consulter directement les revues de psychologie et les feui leter: vous serez vite passionné par ces études. Comme d'habitude, l'*Annuɑ Review of Psychology* constitue un bon point de départ puisque cet ouvrag apporte d'assez fréquents commentaires sur les publications des ouvrage traitant de la mémoire. En outre, vous pouvez consulter les lectures sug gérées par Norman (1976). Il n'existe à peu près rien sur le fonctionnemen de l'interprète et du moniteur: ce domaine est encore trop nouveau.

Dans le volume *Cognitive theory* édité par Restle, Shiffrin, Castellan Lindeman et Pisoni (1975), les trois chapitres de Bjork, Shiffrin, Craik e Jacoby traitent de la nature de la mémoire à court terme et du traitemen en profondeur. Shiffrin (actuellement sous presse) présente un relevé de l littérature et des théories qui portent sur le traitement de l'information e sur la mémoire. L'article le plus important sur le traitement en profondeu est celui de Craik et Lockhart (1972).

Dans son volume *Une mémoire prodigieuse* (1970), Luria fait une descrip tion fascinante d'une personne douée d'une mémoire prodigieuse. Luria es un éminent psychologue russe et il décrit dans ce livre le comportemen d'une personne qui possédait une capacité de mémorisation extraordinaire ce sujet n'est-il qu'un phénomène anormal ou est-il un cas qui soulèverai des questions importantes que nous avons oubliées dans nos études menée en laboratoire? Hunt et Love (1972) décrivent un cas semblable aux États-Unis.

La meilleure façon d'en apprendre davantage sur les systèmes mnémo-niques serait de lire un des ouvrages standard écrits par les praticiens de cet art. Nous recommandons le livre Lorayne et Lucas (1974) ou celui de Young et Gibson (1962). Pour ce qui est de la littérature sur les mnémo-techniques, voyez Bower (1970). Atkinson (1975) a écrit un article intéressant sur l'application des «mnémotechniques» à l'apprentissage du langage.

Le recouvrement de souvenirs très anciens n'a pas été étudié à fond. Les protocoles des sujets présents dans ce chapitre provenaient de la thèse de doctorat de Williams (1976) qui, au moment où nous écrivions ce volume, n'avait pas encore été publiée (consultez les *Psychological Abstracts* pour voir si elle l'est maintenant). Linton (1975) et Bahrick, Bahrick et Wittlinger (1975) présentent deux autres études de la mémoire des événements reculés. Linton s'est étudiée elle-même pendant cinq ans, notant les expériences qu'elle faisait et testant son rappel périodiquement. Bahrick, Bahrick et Wittlinger ont étudié la capacité qu'ont les gens de se souvenir de noms d'anciennes connaissances après un laps de temps de cinq ans.

10. La représentation de connaissances

Préambule

Représentation de l'information en mémoire
LA STRUCTURE DES CONCEPTS
DÉFINITIONS SÉMANTIQUES
RÉSEAUX SÉMANTIQUES
NOEUDS ET RELATIONS
EST-UN
VALEURS DE DÉFAUT
PROPOSITIONS
IMAGES SENSORIELLES ET IMAGES DU CONTRÔLE MOTEUR

Concepts primaires et secondaires
LE RAPPEL DES ÉVÉNEMENTS
MÉMOIRES ÉPISODIQUE ET SÉMANTIQUE
UTILISATION DU BASSIN DE DONNÉES
EXAMEN DU BASSIN DE DONNÉES
GÉNÉRALISATION

Prototypes

Images mentales
UNE EXPÉRIENCE SUR LES IMAGES

Un dernier commentaire

Revue des termes et notions
TERMES ET NOTIONS À CONNAÎTRE

Lectures suggérées

Préambule

L'étude, de la façon dont l'information se trouve représentée dans la mémoire, revêt une très grande importance. La majeure partie de ce chapitre porte sur la présentation d'un outil très efficace pour étudier la représentation en mémoire: *le réseau sémantique*. Les principes qui régissent le réseau sémantique sont relativement simples. Le savoir humain est extrêmement étendu; toutes nos connaissances semblent reliées les unes aux autres. Aussi, lorsque nous tentons de décrire ce savoir, nos analyses se compliquent très rapidement: nos schémas prennent l'aspect de toiles tissées par des araignées divaguantes. Mais n'allez surtout pas vous effrayer de la complexité des diagrammes dans ce chapitre; cette complexité n'est qu'apparente. Les principes utilisés pour développer les représentations sémantiques ont une telle importance pour l'étude des processus mnémoniques qu'il nous paraît essentiel que vous fassiez l'effort nécessaire pour les maîtriser. En assimilant les principes fondamentaux de la représentation du réseau sémantique, vous bénéficierez de deux avantages. Premièrement, vous devriez mieux comprendre le fonctionnement de vos propres systèmes de mémoire. Deuxièmement, vous serez fin prêt à entreprendre l'analyse des ouvrages techniques portant sur la mémoire humaine et sur la mémoire artificielle (telle qu'on l'étudie en intelligence artificielle).

L'exposé que nous faisons des réseaux sémantiques est très important. Nous vous suggérons d'apprendre à dessiner ces réseaux et à lire les diagrammes. Nous reviendrons plus loin (particulièrement dans le chapitre sur le langage) sur le système décrit ici pour représenter la connaissance en mémoire. Assurez-vous de bien comprendre les diagrammes.

Nous terminons ce chapitre en débattant quelques-unes des questions liées à la représentation de la connaissance, sans omettre certaines des controverses actuelles portant sur la forme de cette représentation. Nous analysons particulièrement le rôle des images autant comme une façon de maintenir l'information en mémoire que comme un mécanisme qui nous est utile pour la visualisation de nos propres connaissances. Malheureusement, même si la majorité des gens reconnaissent le rôle important des images mentales dans le domaine cognitif, nous ignorons à peu près tout à leur sujet. C'est pourquoi, ne pouvant traiter des images mentales de façon aussi exhaustive que des réseaux sémantiques, nous nous contenterons d'en énoncer les propriétés générales.

Représentation de l'information en mémoire

Au chapitre 9, nous avons déjà parlé un peu de la structure du systèm mnémonique, du moniteur et de l'interprète. Il est temps, maintenant, d'ex miner les données à la source de la mémoire et, en particulier, la natur de l'information retenue en mémoire. À ce stade-ci, arrêtons-nous sur un représentation possible du matériel contenu dans le bassin des données d la mémoire humaine. Il s'agit de construire un modèle mnémonique qu possède les caractéristiques de la mémoire humaine, tout en insistant spé cialement sur un point: comment représenter éventuellement les concept et les événements de même que les relations entre les différents items e mémoire?

LA STRUCTURE DES CONCEPTS

La mémoire humaine contient une très grande variété de concepts recou vrables et utilisables à volonté. Les gens ont des concepts de maison, d chien, d'auto, de politicien et d'astronaute. Ils peuvent, sur demande, four nir des quantités énormes d'informations associées à l'un ou à l'autre d ces concepts. Comment représenter des concepts dans un système mnémo nique, telle est donc notre première préoccupation.

Pensez à un mot, **soupière** par exemple. Demandez à un ami d'explique ce qu'il signifie ou expliquez-le vous-même à voix haute. Quelle sorte d'in formation produisez-vous lorsque vous en décrivez le sens? Voici à quo ressemble une explication typique:

> **Soupière.** *n.f. Récipient large et profond, généralement à anses et à couvercle, dans lequel on sert la soupe ou le potage. (Tiré du Dictionnaire Alphabétique et Analogique de la Langue Française, Le Petit Robert.)*

De même, d'autres mots comme **tapisserie, tarte** et **brasserie,** sont définis de la façon suivante dans les dictionnaires:

> Une **tapisserie** est *un ouvrage d'art en tissu, effectué au métier, dans lequel le dessin résulte de l'armure même et qui est destiné à former des panneaux verticaux (Le Petit Robert).*

> Une **tarte** est *une pâtisserie formée d'un fond de pâte entouré d'un rebord et garni (de confiture, de fruits, de crème) (Le Petit Robert).*

> Une **brasserie** est *un établissement où l'on sert surtout de la bière et des repas sommaires (Le Petit Larousse).*

Ces exemples nous rappellent que la définition d'un mot fait nécessaire ment appel à d'autres mots. Généralement, une définition commence ainsi: «Le concept A est en fait autre chose, c'est-à-dire le concept B»; une tapisse rie est un ouvrage d'art, une tarte est une pâtisserie. Les restrictions propres au concept suivent immédiatement après. Les brasseries servent principale ment de la bière, du cidre et des repas légers, ce qui les différencient des autres établissements. Le caractère unique d'une tapisserie vient du fait qu'elle est une oeuvre d'art à motif, effectuée au métier. Munie d'anses et un couvercle, une soupière est utilisée pour servir la soupe.

L'exemple est une autre forme d'information souvent utilisée pour définir n concept. Si vous vouliez expliquer à un ami ce qu'est une **brasserie,** vous nneriez probablement quelques exemples spécifiques. Si nous cherchions ablissement dans un dictionnaire, nous découvririons que les exemples cupent la majeure partie de la définition.

> **Établissement.** *n.m... V. atelier, boutique, bureau, comptoir, entre-prise, exploitation, fabrique, ferme, firme, fonds, industrie, magasin, maison, manufacture, usine (Le Petit Robert).*

Remarquez que le dictionnaire ne mentionne pas **brasserie** comme étant un xemple d'établissement). De même:

> **Récipient.** *n.m... Ustensile creux qui sert à recueillir, à contenir des substances solides..., liquides ou gazeuses (ex.: bidon, casserole, cendrier, citerne, flacon, seau, vase) (Le Petit Robert).*

Il semble donc que l'élaboration de la signification d'un mot, que ce soit ar une personne ou par un dictionnaire, ne se réduise qu'à la production 'autres mots. Pour une raison ou pour une autre, cette situation ne semble as nous affecter. La mystification ne devient évidente que si vous insistez fin d'obtenir la définition des mots utilisés pour en définir d'autres. L'exa-nen des dictionnaires révèle vite la superficialité de leurs définitions. Les ermes concernant la famille semblent les plus circulaires dans leur défini-ion: **père, mère, parenté, enfant.** Par exemple, *Le Petit Larousse* définit arenté comme un *lien de consanguinité ou d'alliance*, mais ce même dic-ionnaire définit **consanguinité** comme étant une *parenté du côté du père.*

Ainsi, une part importante du sens ou de la compréhension d'un concept loit être intimement liée à sa relation avec d'autres concepts en mémoire. Lorsqu'on examine le format de définitions-types, un nombre plutôt restreint le relations semble prédominer: la *classe* à laquelle le concept appartient, es *propriétés* qui tendent à rendre ce concept unique, et des *exemples* du :oncept. Dès lors, il nous est possible de schématiser une définition standard ˀn la résumant sommairement comme à la figure 10-1.

Figure 10-1

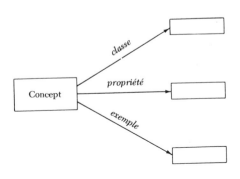

Figure 10-2

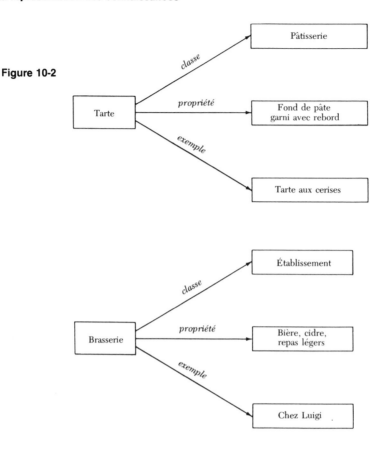

En incorporant aux espaces blancs certains éléments des définitions antérieures, nous obtenons la figure 10-2. De plus, les mots utilisés dans la définition sont eux-mêmes des concepts et sont donc définis de la même façon.
Il en résulte une structure d'éléments reliés les uns aux autres; si cette
structure n'apparaît pas à l'examen des définitions, elle devient vite évidente
lorsqu'on la reproduit graphiquement (voir figure 10-3).

Les diagrammes utilisent deux symboles pour représenter les concepts
en mémoire: des boîtes et des flèches. Les boîtes représentent les concepts.
Quant aux flèches, elles ont deux propriétés importantes. Premièrement,
elles sont **dirigées,** c'est-à-dire qu'elles pointent dans une direction spécifique. Nous pouvons les suivre dans les deux directions, mais chaque direction
suppose une signification différente. Deuxièmement, elles sont **identifiées:**
pour l'instant la nomenclature ne comporte que trois noms — *propriété,*
exemple et *classe.*

DÉFINITIONS   Jusqu'à présent, notre attention s'est portée sur les définitions du diction-
SÉMANTIQUES   naire. Évidemment, la façon dont un dictionnaire définit des termes ne nous
intéresse guère: il importe davantage de savoir comment les concepts sont

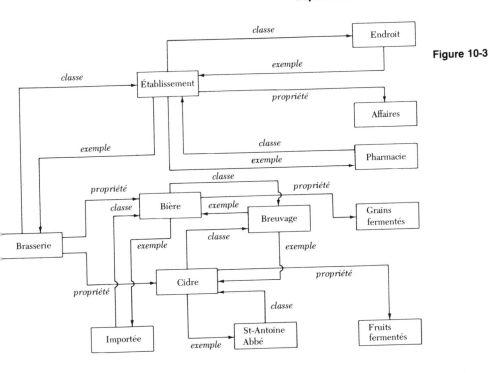

Figure 10-3

représentés en mémoire. En revanche, les exemples tirés du dictionnaire révèlent plusieurs aspects importants que nous devons considérer. En particulier, les connaissances contenues dans la mémoire humaine forment un réseau de concepts et d'actions en interrelation. La connaissance d'un domaine est reliée à celle d'autres domaines. Le système mnémonique humain permet de retracer les relations qui existent entre les connaissances contenues dans le bassin de données.

Examinons maintenant comment l'information peut être représentée en mémoire. Trois propriétés s'avèrent nécessaires. Premièrement, le système enregistre des concepts et des événements isolés. Deuxièmement, il est capable de les relier entre eux. Troisièmement, il offre un moyen quelconque d'accéder à l'information.

Si nous considérons chaque unité de base du système mnémonique comme un *registre*, chaque registre doit contenir des *pointeurs* ou des *références* aux autres registres de la mémoire. De plus, comme les pointeurs reliant les registres individuels les uns aux autres ont des significations différentes, il faut les étiqueter. C'est pourquoi, à la figure 10-3, les boîtes représentent des registres de mémoire; les flèches, les relations entre les registres.

Pour illustrer ces principes, essayons d'imaginer la forme que pourrait prendre la représentation de l'information concernant les *chiens*. Qu'est-ce qu'un *chien*? Un enfant pourrait le définir ainsi:

> *Enfant:* Un chien est un animal. Il a quatre pattes, il jappe et il mange de la viande. Il est à peu près gros *comme ça.*

En fait, l'enfant en sait bien davantage sur les chiens. Analysons la conversation (hypothétique) suivante:

Nous:	Connais-tu plusieurs chiens?
Enfant:	Oh oui! Fido, Gazou et Pitou.
Nous:	Est-ce que Gazou jappe?
Enfant:	Bien sûr, voyons! Gazou est une chienne, non?
Nous:	J'ai un chien qui s'appelle Pavlov. Est-ce que Pavlov jappe?
Enfant:	Tu veux dire quand il est fâché ou affamé? Bien sûr.
Nous:	Quel est le plus gros chien et quel est le plus petit?
Enfant:	Eh bien, Fido est plus gros que moi, il est vraiment gros; et Pitou est tout petit: je peux le tenir d'une seule main.
Nous:	Mais je croyais que tu avais dit que les chiens étaient «gros *comme ça*».
Enfant:	Bien oui, ils le sont! Mais Fido est plus gros et Pitou plus petit.

Cette conversation illustre plusieurs points. Les gens ont une connaissance générale des chiens qu'ils peuvent utiliser pour déduire les propriétés de chiens spécifiques. Ainsi, l'enfant suppose que Pavlov jappe même s'il ne l'a jamais rencontré. Cette connaissance générale, à savoir que les chiens jappent, a tendance à s'appliquer à tous les chiens. Par contre, certains faits de connaissance ont des applications diverses. Par exemple, la taille des chiens peut varier.

Nos systèmes de mémoire doivent contenir aussi bien des connaissances générales que des connaissances spécifiques. La définition du chien est une définition *générique*. La connaissance que nous avons de Fido et Pitou est celle de cas particuliers du concept général. La définition générique s'applique généralement à tous les chiens, mais comporte une certaine flexibilité. Fondamentalement, les gens semblent se servir des définitions génériques comme *prototype:* celui-ci décrit les caractéristiques typiques des chiens, mais nul chien en particulier n'est tenu de correspondre exactement à la définition générique.

Ainsi donc, le chien typique jappe, a quatre pattes et mange de la viande. Nous supposons que tous les chiens possèdent ces propriétés. Néanmoins, nous ne serions pas tellement surpris de rencontrer un chien qui ne jappe pas, qui a seulement trois pattes ou qui refuse de manger de la viande. Si nous avions à estimer la grosseur d'un chien que nous ne connaissons pas, nous penserions à une taille typique. Par contre, nous savons que tous les chiens n'ont pas la même taille. Il importe de connaître les valeurs typiques des choses. Quand on dit qu'un chien est «gros», qu'un autre est «petit» et qu'un troisième a une taille «moyenne», nous faisons référence à la taille typique. Les mots «gros», «moyen» et «petit» sont des termes *relatifs:* ils supposent un standard. Quand nous disons: «Pitou est petit», nous voulons dire: «Comparativement aux tailles typiques des chiens, Pitou est petit (mais s'il était une souris, il serait gros)».

RÉSEAUX SÉMANTIQUES   Notre représentation de la mémoire doit comporter deux propriétés importantes. Premièrement, il nous faut une information générique sur les concepts, qui nous munisse d'une connaissance générale, nous permettant de déduire les propriétés des cas isolés d'un concept, même si nous ne les avons pas expérimentés. Deuxièmement, la connaissance générique se présente sous forme de prototype: il précise les valeurs typiques, mais nous ne nous étonnons pas si des cas isolés du concept diffèrent de certaines des propriétés génériques.

Dans le bassin de données de la mémoire, il faut aussi bien pouvoir distinguer les cas isolés que les relier entre eux pour être en mesure, au besoin, d'en déduire les propriétés générales. La figure 10-4 renferme un ensemble de registres de mémoire visant à remplir ces exigences. (Chaque registre est numéroté pour fins d'identification: *108 constitue un nombre typique — on dit «étoile 108»). La figure indique les interrelations entre les registres. Ainsi, le nombre-registre *102 fait référence aux nombres-registres *101, *103, *104, etc. Le registre *103 contient l'information au sujet du nom français d'un item auquel on réfère dans *102, soit le mot «chien»**.

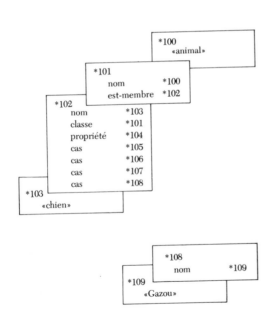

Figure 10-4

NOEUDS ET RELATIONS

La figure 10-5 illustre une autre façon de schématiser l'information de la figure 10-4. Vous devez vous rendre à l'évidence que toute l'information de la figure 10-4 se retrouve dans la figure 10-5 (nous avons ajouté de l'information supplémentaire dans le schéma 10-5, ce qui le rend un peu plus facile à utiliser). Les diagrammes comme ceux de la figure 10-5 portent le nom de *réseaux sémantiques:* ils font ressortir l'ensemble des interconnexions entre les composantes significatives (sémantiques) en mémoire. La représentation des réseaux sémantiques comporte des *noeuds* dont les interrelations sont établies par des pointeurs ou des *relations étiquetées*. Les noeuds correspondent aux registres de la figure 10-4. Dans la figure 10-5, quelques noeuds sont représentés par des points noirs, quelques-uns par des crochets, d'autres par des ovales. Les différents symboles utilisés pour représenter les noeuds n'ont qu'un rôle utilitaire. Ils correspondent aux différents types d'information que contiennent les registres. Les noeuds représentés par des points noirs correspondent aux registres génériques. Les noeuds représentés par des crochets correspondent aux cas isolés des concepts génériques ou au contenu des valeurs particulières propres à une information (comme la dimension, l'information sensorielle). Les noeuds symbolisés par des ovales correspondent aux *propositions*, énoncés particuliers s'appliquant aux autres noeuds du réseau. Les relations entre les noeuds ont des noms qui leur sont associés pour permettre la distinction de leurs différentes significations, comme l'ont démontré nos exemples tirés du dictionnaire.

EST-UN

La figure 10-5 met en évidence certaines propriétés importantes. Remarquez la relation désignée par le sigle «est-un» entre les cas isolés d'un concept et le noeud générique. Vous devez interpréter le mot «est-un» comme suit: «est un cas isolé de». Par exemple, le noeud *110 est un cas du noeud *102: *110 fait référence à la chose nommée «Gazou», *102 à la chose nommée «chien». En conséquence, Gazou est un cas isolé de «chien» qui, lui-même, est un membre de la classe «animal». Toute propriété des chiens a des chances de s'appliquer à Gazou et toute propriété des animaux est sans doute applicable aux chiens. Ainsi, comme le noeud *101 indique que tous les animaux respirent de l'air et mangent de la nourriture, nous déduisons que tous les chiens en font autant (*102). De façon similaire, comme le noeud *102 indique que tous les chiens jappent, mangent une nourriture spécifique (viande) et ont une taille typique (voir le noeud *192), nous déduisons que des chiens particuliers comme Gazou mangent de la viande, jappent et possèdent cette taille. De plus, nous savons que Gazou est une femelle, propriété qui ne s'applique certainement pas à tous les chiens. Enfin, il importe de retenir que la représentation sémantique nous donne un moyen d'inférer les propriétés des concepts spécifiques à partir des propriétés des concepts génériques.

VALEURS DE DÉFAUT

On peut considérer l'information contenue dans les noeuds génériques comme valeur des cas typiques. Appelons-les *valeurs de défaut*. Si vous savez qu'un concept (Pavlov *112 par exemple) constitue un cas isolé du concept générique «chien» (noeud *102) et s'il vous faut deviner certaines des propriétés de Pavlov en l'absence de toute information spécifique, vous utiliserez les valeurs de défaut. Par défaut, Pavlov jappe, respire de l'air, mange de la viande et possède la taille d'un chien moyen. Peut-être aurons-nous à modifier ces énoncés. Pour l'instant, ces suppositions nous sont utiles.

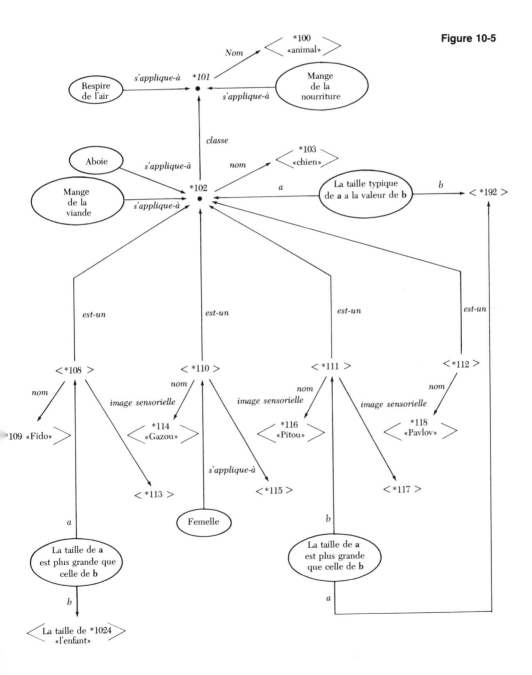

Figure 10-5

PROPOSITIONS

La figure 10-5 démontre aussi comment on peut représenter les énoncés suivants: Fido est plus gros que l'enfant à qui nous avons parlé, Pitou est petit (pour un chien) et Gazou est une femelle. Les ovales tiennent lieu de *propositions:* énoncés qui caractérisent les propriétés s'appliquant aux noeuds du réseau. Les propositions jouent un rôle majeur dans la représentation; en fait, elles pourraient représenter toute l'information contenue dans les noeuds symbolisés par des points noirs et des crochets. Quelquefois, les réseaux sémantiques portent le nom de *représentations propositionnelles.*

Les propositions représentent souvent des idées assez complexes. Les énoncés de proposition peuvent référer aux propriétés particulières des choses, constituer des instructions qui agissent sur la mémoire ou qui contrôlent les mouvements et les activités d'une personne, et même représenter des événements ou des épisodes de la vie. D'après la grande richesse de leur structure, nous leur avons donné des étiquettes susceptibles de décrire leur fonction dans les diagrammes, comme pour l'une des propositions de la figure 10-5 par exemple: «La taille de a est plus grande que celle de b». Bien entendu, nous ne croyons pas que les propositions et les concepts en mémoire soient identifiés par de telles descriptions verbales. Leur description s'adresse uniquement au lecteur afin qu'il puisse comprendre leur rôle dans les diagrammes. En fait, les propositions elles-mêmes se décomposent probablement en une riche structure de concepts plus fondamentaux emboîtés les uns dans les autres. Nous reviendrons sur ce point dans le chapitre sur le langage: vous trouverez une analyse plus poussée du sujet dans le volume de Norman, Rumelhart et le groupe de recherche LNR (1975) aussi bien que dans celui de Schank (1975).

IMAGES SENSORIELLES ET IMAGES DU CONTRÔLE MOTEUR

L'étude que nous venons de faire de la représentation vous a peut-être amené à vous interroger sur le caractère apparemment circulaire et fermé du réseau: les termes des définitions se renvoient les uns aux autres. La circumduction des définitions est le propre des dictionnaires, non de la mémoire humaine. Les dictionnaires étant composés de mots, il s'ensuit que ces derniers doivent être définis par rapport à d'autres mots. Il n'existe aucune façon d'éviter la circumduction fondamentale des définitions. En revanche, l'être humain est doué de systèmes sensoriels, de bras, de jambes et de muscles capables de contrôler son corps et de poser des gestes. Images, sons, sensations, goûts, mouvements et actions font tous partie de l'information en mémoire, laquelle contribue à rendre plus spécifique le bassin de données. La circumduction de l'information est alors évitée grâce à une référence aux événements sensoriels réels et aux actions véritables qui peuvent être effectuées. Dans la figure 10-5, nous indiquons qu'une partie de la définition sémantique des noeuds *108, *110 et *111 (Fido, Gazou et Pitou) est constituée des *images sensorielles* de ces chiens. (Notez que *112, Pavlov, ne possède aucune image sensorielle, puisque l'enfant avec qui nous avons eu une conversation et dont la figure 10-5 donne un aperçu du bassin de données, ne connaît Pavlov que par son nom et ne l'a jamais rencontré).

Comme il existe des images sensorielles pour enregistrer les expériences perceptives, il doit y avoir aussi des images qui enregistrent les réponses des gens: c'est-à-dire, leurs actes. Les systèmes qui contrôlent les mouvements musculaires chez l'humain s'appellent les *systèmes du contrôle moteur*. Par conséquent, *des images du contrôle moteur* représentent les processus de contrôle de ces mouvements. Nous reparlerons de ces images motrices au chapitre 13, lorsque nous examinerons la possibilité que l'enfant acquière sa première connaissance du monde à partir des mouvements qu'il exécute et de leurs effets sur l'environnement: dans cette hypothèse, les images motrices constitueraient la base de la représentation de l'information au sein du bassin de données de la mémoire.

On sait très peu de choses sur la part précise d'information découlant de l'expérience perceptive qui serait incluse dans une image sensorielle et sur la façon précise dont le contrôle des mouvements moteurs (musculaires) serait représenté au sein de l'image motrice. Ces concepts semblent pourtant essentiels à l'élaboration de toute théorie compréhensive du système mnémonique. Nous les avons donc intégrés aux diagrammes de la figure 10-5 pour rappeler que cette information existe nécessairement et pour inciter ceux qui étudient la mémoire à essayer d'en apprendre davantage sur ces questions importantes.

Il est probable que le gros de notre connaissance soit encodé sous forme d'images sensorielles, d'images du contrôle moteur et de combinaisons entre des représentations de réseaux. Ainsi, un concept comme «manger» doit contenir de l'information sur la mastication et l'ingurgitation, de même que sur les sensations tactiles, thermiques et gustatives qui en découlent. L'idée de manger une guimauve produit un ensemble d'images différentes que celle de manger un dessert gélatineux, du beurre d'arachide, du miel ou un morceau de nourriture très dur.

Puisque les images sensorielles et les images du contrôle moteur sont un élément aussi essentiel de la représentation mnémonique, il arrive que nous combinions les deux types d'image ensemble en tant qu'*images du contrôle sensori-moteur* (nous les appellerons schèmes *sensori-moteurs* au chapitre 13). Cette fusion de l'information relative aux activités motrices et aux impressions sensorielles permet au système mnémonique humain d'éviter la circumduction que nous retrouvons dans les dictionnaires. Les représentations mnémoniques de l'être humain ne sont pas circulaires puisqu'elles réfèrent éventuellement à des actions motrices ou à des objets réels dans le monde. On peut, en fait, trouver la contrepartie des images sensorielles dans les dictionnaires: ceux-ci tentent d'éviter les définitions circulaires en ajoutant des illustrations au texte et en essayant de décrire les images sensorielles qui seraient celles du lecteur.

Concepts primaires et secondaires

La recherche des moyens de représenter en mémoire les divers types d'information soulève un problème important. Supposons que nous essayions de nous rappeler l'information suivante:

Léo, le lion affamé, a une gueule endolorie.

La difficulté dans ce cas-ci réside dans la façon d'inclure l'information «l« lion a une gueule endolorie». La figure 10-6 montre une façon de représen¡ ter la phrase. Notez qu'**endolorie** doit s'appliquer à **gueule**, non à **Léo.** S¡ **endolorie** s'appliquait à **Léo**, **Léo** tout entier serait endolori, non pas uni¡ quement sa gueule.

Notez en passant, que la figure 10-6 est une façon plus rapide de présenten ces diagrammes. Nous avons simplifié les choses en inscrivant le nom d« chaque noeud sur le noeud lui-même, au lieu de l'indiquer avec une flèch« étiquetée *nom*. En second lieu, nous n'avons pas pris la peine d'écrir« *s'applique-à* sur les relations entre les propositions (ovales) et les noeud: vers lesquels elles pointent. Ces deux omissions simplifient les diagramme:

Figure 10-6

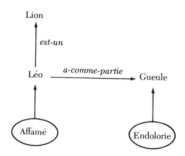

Figure 10-7

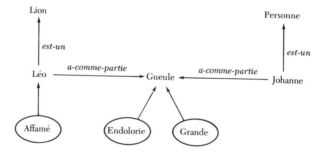

Figure 10-8

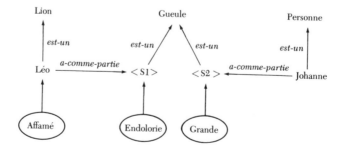

ans changer leur structure. Néanmoins, vous devez garder à l'esprit la formule précédente qui est la plus complète: le nom d'un noeud ne fait vraiment
as partie du noeud; la relation non étiquetée s'appelle bien *s'applique-à*.
La figure 10-6 introduit également une nouvelle relation, *a-comme-partie*.
Elle met en correspondance un noeud et l'une de ses parties composantes.
Ainsi, le corps d'une personne *a-comme-partie* des bras et des jambes; une
maison *a-comme-partie* des portes, des fenêtres, des murs et un toit. Ni
est-un, ni *classe* ne constitue une étiquette appropriée pour rendre compte
de cette relation.

La description de la figure 10-6 est satisfaisante à condition qu'il ne soit
fait mention du concept «gueule» qu'une seule fois dans le bassin de
données. Mais supposons que **Johanne soit une personne qui ait une grande gueule.** L'ajout de cette information au bassin de données produirait le
diagramme de la figure 10-7. Ce qui est faux. Ce diagramme ne contient
qu'une seule gueule; et celle-ci est grande et endolorie.

Même si nous n'avons besoin que d'une seule définition générique pour
le concept «gueule», il nous faut plusieurs cas de celle-ci. En d'autres mots,
nous ne voulons qu'une seule *définition primaire* ou *générique*, mais la possibilité de plusieurs *définitions de cas isolés* ou *secondaires*. Nous représentons les concepts secondaires en les mettant entre crochets: <**gueule**>. Lisez
ceci comme: «cette gueule». Cette distinction primaire-secondaire revêt
une importance capitale comme le démontre la figure 10-8.

Les concepts secondaires ne portent habituellement pas de nom, mais on
peut toujours retrouver leur définition en suivant simplement la flèche *est-un*,
tel qu'illustré à la figure 10-8. Le noeud secondaire étiqueté **S1** est
celui d'une **gueule,** une **gueule endolorie** dans ce cas particulier. Le noeud
secondaire **S2** est également celui d'une gueule, mais dans ce cas, il s'agit
d'une **grande gueule.** Au moment du recouvrement, nous pouvons substituer
automatiquement **gueule endolorie** pour **S1** et **grande gueule** pour **S2** afin
de recouvrer l'information exacte dans chaque cas.

C'est pour mieux introduire l'idée d'un bassin de données sous-jacent à
l'information emmagasinée en mémoire et à sa structure interne que nous
nous sommes limités jusqu'ici aux descriptions de noms concrets et de relations purement fondamentales. Ces concepts occupent une place importante
dans la mémoire humaine mais ils ne représentent qu'une partie de l'information normalement utilisée. Que dire des événements? Quel souvenir vous
reste-t-il de la trame du dernier roman que vous avez lu? Comment peut-on
représenter les actions dans un tel système?

LE RAPPEL DES ÉVÉNEMENTS

En usant de la même stratégie de base, il est assez facile d'ajouter différents types d'information au bassin de données. Cette opération ne requiert
que deux étapes supplémentaires: l'une est très simple, l'autre plutôt compliquée. La première consiste dans la production des types permissibles
de flèches capables de relier les concepts entre eux. Cependant, avant de
laisser libre cours à cette prolifération, il importe de décider quels types de
flèches pourraient faire la liaison entre les événements.

Le problème est celui de la représentation d'un événement dans le système de mémoire. On le résoud en y ajoutant un nouveau type de noeud à la mémoire, un noeud d'*événement*. Par exemple, dans le cas suivant:

le chien mord le chat.

Il nous faut inclure la description de cet événement. Pour ce faire considérons-le comme un *scénario* comprenant actions, acteurs et mise en scène. Toute l'information doit être encodée et chaque partie de la scène correctement identifiée d'après son rôle dans l'événement.

Considérons à nouveau la situation **le chien mord le chat.** La phrase descriptive de l'événement peut être divisée en trois parties: un sujet (**chien**), un verbe (**mord**) et un complément d'objet direct (**chat**). Mais nous ne cherchons pas vraiment à déterminer des sujets, des verbes et des compléments d'objet direct, car ceux-ci s'avèrent souvent trompeurs. Prenez cette phrase **Le chat est mordu par le chien.** Quel est le sujet? **chien** ou **chat**? Nous voulons que ce soit **chien**. L'instigateur de l'action est **chien**; or, c'est chien, non chat; voilà notre sujet.

Pour enregistrer des événements, il nous faut définir quelques nouveaux concepts. Arrêtons-nous un instant à la description d'un événement. Il s'agit pour nous, de le décomposer en un ensemble de relations simples qui décrivent les concepts fondamentaux de l'événement. Souvent, il est possible de décrire des événements par des phrases, à condition que celles-ci soient analysées avec soin. Les linguistes prennent bien garde de distinguer plusieurs niveaux de langage. L'un de ces niveaux, appelé *structure de surface*, représente la partie visible: les phrases mêmes que les gens prononcent. L'autre niveau se nomme la *structure profonde* ou *l'espace sémantique*; il porte sur les significations sous-jacentes à ces phrases. Sans aucun doute, la structure profonde ou l'espace sémantique est ce qui a le plus d'importance au niveau mnémonique. Certaines phrases peuvent se ressembler beaucoup quant à leur structure de surface, mais avoir des significations complètement différentes au niveau sémantique. Par exemple:

Patrick mijote.

Le souper mijote.

Ces deux phrases se ressemblent beaucoup, mais n'ont pas du tout la même signification. Dans un cas, Patrick se tient près de la cuisinière et mijote un plat. Dans l'autre, nous imaginons difficilement le souper debout devant la cuisinière en train de mijoter un met — ici, c'est le souper qui est mijoté, peut-être par Patrick:

Patrick mijote le souper.

Pour découvrir la structure de base d'un événement sans se laisser tromper par la structure de surface de la phrase qui le décrit, nous commençons toujours en ignorant les détails de la phrase et en identifiant l'action*. Première étape de l'analyse, déterminer le *scénario*: quelle est l'action? Ensuite, trouver les acteurs et les choses sur lesquels porte l'action; les acteurs, à l'origine de l'action, s'appellent des *agents*. Les choses sur lesquelles porte l'action constituent des *objets*; la personne sur qui l'effet d'une action se fait sentir, un *récepteur*. Voici quelques exemples:

---

* Ces exemples et ces analyses nous viennent de Fillmore (1968).

Patrick mijote.
> *Action:* mijoter
> *Agent:* Patrick
> *Objet:* aucun

Le souper mijote.
> *Action:* mijoter
> *Agent:* aucun
> *Objet:* souper

Patrick mijote le souper pour Nathalie.
> *Action:* mijoter
> *Agent:* Patrick
> *Objet:* souper
> *Récepteur:* Nathalie

Cette façon d'identifier les choses nous simplifie grandement la vie.

Nous savons maintenant comment représenter des événements dans le bassin de données. L'événement tout entier se centre autour d'une action qui devient elle-même le noeud central: dans les diagrammes, nous la représentons par un noeud dessiné comme un ovale autour du mot (habituellement un verbe) qui représente l'action. Ensuite, les acteurs et les objets que comprend le scénario sont liés au noeud d'événement grâce à des flèches identifiant leur rôle: le format de base apparaît à la figure 10-9.

Ainsi les phrases

> **Patrick mijote le souper pour Nathalie.**

et

> **Le souper de Nathalie est mijoté par Patrick.**

sont toutes deux schématisées selon le même scénario — celui de la figure 10-10. Quoiqu'elles ne se ressemblent guère (elles ont une structure de surface différente), elles ont la même signification (la même structure profonde); c'est pourquoi elles sont représentées par le même schéma au niveau de l'information enregistrée en mémoire. De plus, il est fortement sous-entendu que la cuisson se fasse quelque part (un *lieu*), au moyen de quelque chose (un *instrument*), à un moment donné *(temps)*. Dès que nous prenons conscience de ces concepts latents, il suffit de les ajouter au noeud d'événement, et ce, sans avoir à établir une nouvelle structure pour les intégrer.

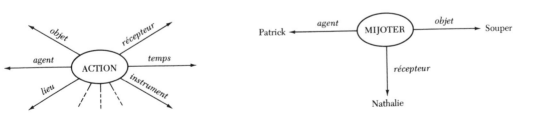

Figure 10-9   **Figure 10-10**

Voici par exemple d'autres *cas* (on dénomme ainsi les choses comme les *agents*, les *objets* et les *récepteurs*) qui sont utiles:

Temps: moment où un événement se produit, souvent indiqué simplement en tant que passé, présent, futur ou conditionnel (*Louise* **a embrassé** *Jacques: le temps est* **passé**).

Lieu: là où un événement se produit (*Robert frappe Jacques* **sur la tête**: *le lieu est* **la tête**).

Instrument: la chose impliquée comme cause de l'événement (*Robert frappe Jacques sur la tête* **avec une roche**: *l'instrument est la* **roche**).

Vérité: l'existence ou non de l'événement (*Je* **n'ai pas vu** *Dolorès: la vérité est* **négative**).

Le tableau 10-1 présente une liste partielle des cas utilisés pour décrire des événements.

L'événement

Hier, à la plage, avec ma nouvelle caméra, j'ai photographié la maison de la 9ᵉ rue.

est analysé ainsi:

Action: photographier
Agent: Je
Objet: maison de la 9ᵉ rue
Lieu: plage
Instrument: ma nouvelle caméra
Temps: hier

Nous pouvons pousser cette analyse encore plus loin. L'*objet* peut se subdiviser en *concept* (maison) et *lieu* (9ᵉ rue). L'*instrument* est une caméra spécifique, c'est-à-dire la mienne. D'où la structure finale de la figure 10-11.

Nous disposons maintenant d'un nombre suffisant d'outils pour ajouter un riche ensemble d'événements à notre bassin de données. La figure 10-12 illustre la plupart des concepts dont nous venons de parler. Ultérieurement, nous pourrons aussi nous en servir comme modèle de bassin de données. L'élaboration de la figure 10-12 s'est faite à partir de l'information générale de la figure 10-3 et de celle contenue dans les phrases suivantes:

«Chez Luigi» est une brasserie.
Louise boit du cidre.
Robert boit du cidre.
Marie a renversé du spaghetti sur Normand.
Benoît est le propriétaire de «Chez Luigi».
Robert aime Louise.
Noireau, le chien de Benoît, a mordu Normand parce qu'il a engueulé Marie.
Marie aime Robert.

Ces phrases (ajoutées à l'information de la figure 10-3) nous permettent de construire un bassin de données suffisamment riche, comme le montre la figure 10-12. Étudiez ce bassin avec soin, car il sera utilisé plus loin.

Tableau 10.1 Les parties d'un événement

Action	L'événement lui-même. Dans une phrase, l'action est habituellement décrite par un **verbe**: Le plongeur fut **mordu** par le requin.
Agent	L'acteur à l'origine de l'action: Le plongeur fut mordu par le **requin.**
Conditionnel	Une condition logique entre deux événements: Un requin n'attaque **que si** la faim le ronge. Linda a raté l'examen **parce qu'**elle dort toujours pendant les cours.
Instrument	La chose ou l'artifice qui a causé ou effectué l'événement: Le **vent** a démoli la maison.
Lieu	L'endroit où l'événement se produit. Souvent il y a deux lieux différents en jeu: l'un, au début de l'événement; l'autre, à son dénouement. **De** et **à** identifient ces lieux: Ils ont fait de l'auto-stop **de Percé à Québec.** **De l'université**, ils sont allés **à la plage.**
Objet	La chose affectée par l'action: Le vent a démoli la **maison.**
Récepteur	La personne qui reçoit l'effet de l'action: Fou de colère, le professeur a lancé la brosse à **Alain.**
Temps	Moment où un événement se produit: La mer était houleuse, **hier.**
Vérité	Cas principalement utilisé pour les déclarations négatives: **Aucun** vêtement spécial à porter.

La représentation de la figure 10-12 est incomplète. Elle n'indique pas les significations des actions telles que *renverser, engueuler* et *mordre*. Elle ne dit pas clairement où toutes les actions se sont produites, ni la suite temporelle exacte. En principe, les descriptions complètes de réseaux sémantiques doivent inclure tous ces détails (elles le font: consultez les ouvrages des «Lectures suggérées»).

Figure 10-11

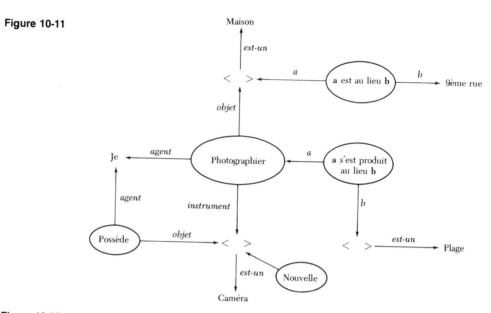

Figure 10-12

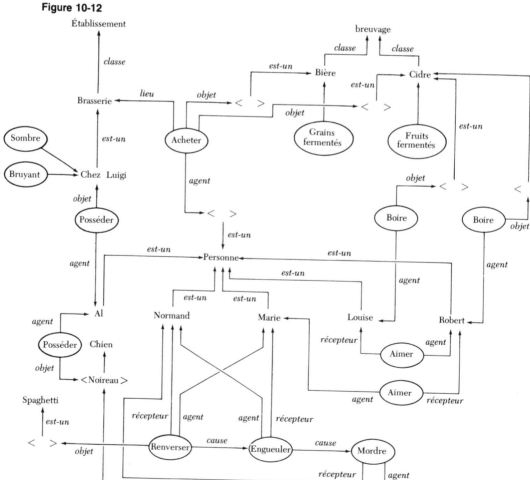

Nous avons maintenant en main, le modèle fondamental du bassin de données de base de la mémoire humaine. Le système mnémonique est un ensemble structuré de voies qui détermine les pistes éventuelles à suivre à travers le bassin de données. L'extraction de l'information à partir d'une telle mémoire, est une opération qui ressemble au parcours d'un labyrinthe. Partant d'un noeud donné, plusieurs options s'offrent à nous. Partant de l'une de ces pistes, on arrive à une série de carrefours dont chacun permet d'accéder à un concept différent. Chaque nouveau carrefour a le caractère d'un tout nouveau labyrinthe comportant un nouvel ensemble de points de choix et de nouvelles voies à suivre. En principe, il est possible de partir de n'importe quel point du bassin de données et, en faisant les bons choix successifs aux carrefours, aboutir à aucun des autres points. Ainsi donc, dans le système de mémoire, toute l'information constitue un réseau d'interconnexions.

La figure 10-12 comprend deux classes différentes d'information en interrelation. Premièrement, les *définitions* de termes s'y retrouvent: la partie supérieure du diagramme montre qu'une brasserie vend de la bière, laquelle est une sorte de breuvage fait de grains fermentés. Deuxièmement, les *événements* spécifiques ayant trait à des épisodes passés y sont représentés: Marie a renversé du spaghetti sur Normand, qui s'est mis à l'engueuler, ce qui a eu pour effet de pousser Noireau à mordre Normand.

MÉMOIRES ÉPISODIQUE ET SÉMANTIQUE

Le terme *mémoire sémantique* a été utilisé pour référer à la classe d'information caractérisée par les définitions que les gens gardent en mémoire. Le terme *mémoire épisodique*, pour sa part, réfère au second type d'information — l'information portant sur des événements particuliers et vécus. C'est Tulving (1972) qui a établi cette distinction entre les deux classes d'information, laquelle s'est avérée fort utile à notre compréhension de la mémoire humaine. Les mémoires sémantique et épisodique sont étroitement liées et font partie du même bassin de données de la connaissance.

D'habitude, la mémoire sémantique se forme à partir de l'information stockée en mémoire épisodique. Voyons comment la partie de la mémoire sémantique qui encode le fait que les chiens (et autres animaux) ont généralement une queue, s'est probablement développée. Votre première expérience des chiens vient sans doute du contact avec un animal domestique ou un chien en peluche. À ce moment-là, peut-être avez-vous pris cette queue pour un simple jouet, comme quelque chose que l'on tire. Le concept de queue serait aussi intégré dans la mémoire épisodique de vos expériences avec les queues. Cependant, au fil des années, vous avez rencontré plusieurs chiens différents, plusieurs animaux différents et conséquemment, plusieurs queues différentes. Votre connaissance des chiens et des queues est nécessairement devenue plus générale, moins dépendante des cas isolés ou particuliers. Graduellement, vous en êtes venu à réaliser que la plupart des chiens ont une queue — d'où la connaissance sémantique — et vous avez fini par oublier que la majorité de l'information contenue en mémoire sémantique provient d'épisodes très précis.

Il est pratique de faire la distinction entre ces deux systèmes de mémoir
puisque la forme et l'accès de l'information propres à chacun sont très diffé
rents. Dans la mémoire sémantique, on accède facilement aux concepts, san
recherche, ni effort apparent. Lorsque vous parlez ou entendez votre langu
maternelle, le sens des concepts et des mots fréquemment utilisés vous vien
immédiatement à l'esprit, sans effort et sans peine.

Le rappel d'une information épisodique pose cependant plus de pro
blèmes. Se rappeler les événements survenus à la brasserie *Chez Luigi* ou l
menu du dîner d'il y a une semaine, demande un effort souvent accompagn
de recherches lentes et délibérées de la part de la mémoire. Les différence
en ce qui a trait à l'accès à ces deux formes de mémoire, rendent utile la dis
tinction que l'on établit parfois entre les deux, nonobstant le fait qu'elle
soient liées, que l'une découle probablement de l'autre et qu'il soit impossibl
de tracer une ligne de démarcation nette et précise entre elles.

UTILISATION DU BASSIN DE DONNÉES

Dans les paragraphes précédents, nous avons décrit quelques-uns des prin
cipes fondamentaux sous-jacents à la représentation de la connaissance dans l
bassin de données de la mémoire à long terme. Il est temps maintenan
d'analyser quelques-unes des façons d'utiliser le système de mémoire.

Rappelez-vous la structure globale du système mnémonique telle que
décrite au chapitre précédent. Nous y avons proposé de considérer trois com
posantes majeures chaque fois que quelqu'un avait effectivement recours à l
mémoire:
le bassin de données;
l'interprète;
le moniteur.
Chaque fois qu'on adresse une question à la mémoire, c'est au moniteur qu'il
revient de guider l'interprète dans son examen du bassin de données. En fait,
le moniteur établit les stratégies qui seront utilisées pour évaluer l'information; et c'est l'interprète qui explore les structures du bassin de données.
Figurez-vous ce système tel un individu qui, juché au-dessus du bassin de
données, examine celui-ci en s'attardant aux relations entre les noeuds.

EXAMENS DU BASSIN DE DONNÉES

Quelle étendue de données le processus interprétatif peut-il embrasser
d'un seul coup d'oeil? Jusqu'à maintenant, nous avons dessiné les réseaux de
façon à ce que tout soit perçu en même temps: il est ainsi facile de voir précisément comment les éléments sont reliés entre eux. Mais il est fort possible que
ces éléments ne soient pas si facilement perçus par l'interprète. Une façon de
se représenter la situation serait d'imaginer que l'interprète explore le réseau
au moyen d'une lampe de poche. Seule la partie éclairée devient visible. Il
nous resterait donc à savoir quelle surface est couverte par le cercle lumineux.
La figure 10-13 présente différents aperçus du bassin de données résultant
des différentes envergures du faisceau lumineux.

Les diagrammes permettent de constater qu'il existe plusieurs niveaux de
visibilité possibles. (Notez que l'analogie avec la lampe de poche ne convient

as parfaitement ici, puisque nous illustrons le degré de perceptibilité du éseau en nous basant sur le nombre de flèches et de concepts visibles plutôt ue sur le diamètre physique.)

Les restrictions (limites à ce que l'on peut «percevoir» d'un seul coup) que e processus de recouvrement humain accuse, proviennent peut-être de la **mémoire à court terme.** Il est très probable que ce soit la mémoire à court erme qui détienne l'information sur laquelle le processus interprétatif opère. a capacité de la mémoire à court terme se mesure en items, en unités psy-hologiques. Nous pouvons maintenant faire des spéculations sur la nature de ette unité. En mémoire à court terme, c'est peut-être le noeud qui constitue unité. Il est fort probable que le nombre limité de noeuds que l'on peut rete-ir en mémoire à court terme, impose une limite fondamentale à la capacité es processus interprétatifs de recouvrer et d'évaluer l'information emmaga-inée dans le bassin de données (mémoire à long terme).

Tentez l'expérience suivante au niveau de la pensée. Rappelez-vous l'inci-lent survenu à la brasserie *Chez Luigi*, tel que décrit à la figure 10-12. Imagi-iez la scène. La brasserie baigne dans la pénombre et les clients occupent des ables dans des coins peu éclairés. Benoît, le propriétaire, est un gars très pien, fort sympathique. Son chien, Noireau, est toujours là. Tout à coup, dans in coin, une échauffourée éclate parmi un groupe de clients. On entend Nor-nand engueuler Marie. Noireau mord Normand et le spaghetti est répandu in peu partout . . . Représentez-vous toute la scène. Est-ce que tout est clair? 'il en est ainsi, dites de quelle race est Noireau? Quelle est la longueur de sa jueue? Regardez maintenant son collier. Qu'y a-t-il d'inscrit sur la médaille ju'il porte?

La plupart des gens, en imaginant la scène, trouvent qu'il existe une limite juant à la quantité de détails qui peuvent être évoqués en même temps. Au lépart, lorsqu'ils imaginent l'échauffourée, ils prétendent que tout est clair et iet dans leur esprit. Pourtant, dès qu'ils doivent répondre à des questions portant sur les détails de la robe de quelque participante, la couleur ou la lon-gueur de ses cheveux ou certains détails de la pièce, ils réalisent aussitôt que la scène n'est pas aussi claire que ça. Quand on vous demande d'examiner le chien, son image emplit votre champ de conscience, et le reste de l'incident, bien qu'il demeure significatif, s'estompe dans le processus de la pensée. Ce phénomène peut se répéter indéfiniment. La même chose se produit lors-qu'on vous demande d'examiner le chien en détail: son image devient impré-cise. L'examen du collier finit par effacer le reste de son corps. Et même l'exa-men de la médaille attachée au collier amène la disparition du collier lui-même.

On serait porté à conclure que la mémoire à court terme ne peut contenir qu'un nombre limité de noeuds à la fois (ou, si vous voulez, que le faisceau lumineux ne peut éclairer qu'une portion restreinte du bassin de données). Il serait donc probable qu'il existe un noeud secondaire central (non représenté sur le diagramme) qui se rapporterait à l'incident global de *Chez Luigi*. Cette hypothèse peut être explorée, mais il s'agit d'un concept général de l'événe-ment qui ne contient aucun détail. Lorsqu'on s'attache à un détail, comme le noeud qui désigne un des acteurs de cette scène, les autres noeuds qui repré-sentent les autres détails de l'événement s'évanouissent aussitôt. Même si ce

Figure 10-13

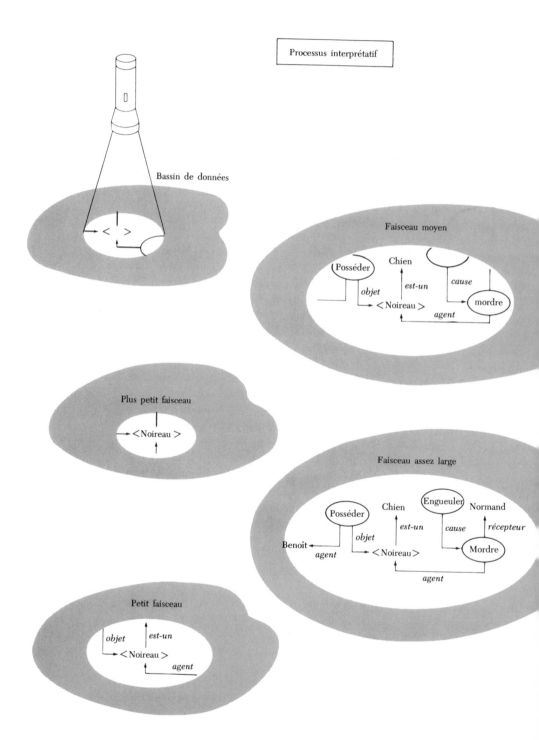

Processus interprétatif

Bassin de données

Faisceau moyen

Plus petit faisceau

Faisceau assez large

Petit faisceau

...est pas représenté sur le diagramme, nous présumons que Noireau désigne un ensemble complexe d'interrelations qui définissent son apparence et les détails précis de son existence en tant que chien. Aussitôt qu'on procède à examen attentif d'un noeud, ceux qui l'environnent perdent de leur netteté; ceux qui en sont distants (comme le rôle de Noireau dans l'incident de *Chez Luigi*) deviennent d'autant moins perceptibles.

GÉNÉRALISATION

La généralisation de la connaissance constitue un aspect extrêmement important de l'utilisation de la mémoire. L'interprète joue un rôle de tout premier plan dans ce processus. La figure 10-14 présente une image des concepts qui pourraient être encodés dans le bassin de données de la mémoire d'un individu. Pour simplifier nos propos, nous ne rapportons aucun événement; seuls les concepts relatifs à **Marie, Robert** et **Normand** figurent.

Sachant que Marie est petite et sympathique, que Robert a les cheveux roux et les idées hardies, puis que Normand est intelligent, quelles conclusions pouvons-nous tirer en pensant aux relations en cause? En fin de compte, à mesure que l'information sur les concepts continue de s'ajouter parfaitement, il convient de s'arrêter et de se demander ce qu'on a vraiment appris. *Question:* **Parlez-moi du concept «personne».**
À cette question, le système mnémonique devrait répondre par une liste de personnes et ensuite, par les propriétés qui s'y rattachent. Mais ce faisant, il pourrait apprendre des choses intéressantes. Prenons, par exemple, cette réponse hypothétique fournie par les processus interprétatifs.

Marie, Robert et Normand *est-un* personne. Marie est sympathique, grassouillette, et petite. Marie a les cheveux roux. Hum, Robert a les cheveux roux. Normand a les cheveux roux. Toutes les personnes ont les cheveux roux. Robert est petit. Mais, voyez-vous ça. Robert, Marie et Normand sont petits. Toutes les personnes sont petites...

D'après l'information emmagasinée dans le bassin de données, **toutes les personnes** sont petites, rousses et ont un corps. On peut donc généraliser le concept de **personne** en regroupant l'information de même nature.

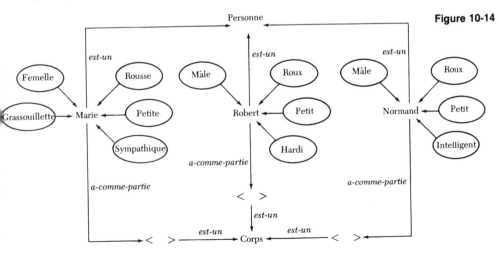

Figure 10-14

Notez la simplicité du système de généralisation. D'abord, nous examinon⟩ tous les cas isolés d'un concept pour y découvrir l'information qu'ils ont ε commun. Chaque fois que la même information se retrouve dans tous les cε d'un concept, vous généralisez la connaissance de ce concept. Est-ce que to⟩ tes les personnes ont un corps? Le bassin de données ne dispose que de tro⟩ exemples de personne et chacune de celles-ci possède effectivement u⟩ corps. Il nous reste évidemment à ajouter la propriété corps à un objet con⟩ mun, telle que l'information **la personne a un corps.** En procédant ainsi, nou⟩ obtenons les généralisations décrites à la figure 10-15.

Ces généralisations (de la figure 10-15) nous paraissent singulières: toute⟩ les personnes sont rousses, petites, et ont un corps. Nous pouvons admettre ⟩ dernière affirmation, les deux autres restent douteuses. Cet état de chose⟩ provient en partie du simple fait que la mémoire schématisée ne connaît qu⟩ trois personnes. Vous n'admettez pas que toutes les personnes soient rousse⟩ mais c'est parce que vous avez rencontré des centaines ou des milliers de per⟩ sonnes dont la plupart n'avaient pas les cheveux roux. Dans le système pré⟩ senté ici, être roux et petit constitue une caractéristique aussi valable des per⟩ sonnes que le fait d'avoir un corps.

Jusqu'ici, nous avons exploré certains types d'information emmagasinée e⟩ mémoire; nous avons soulevé quelques-uns des problèmes complexes liés ⟩ l'utilisation de la mémoire, et exposé divers types d'emmagasinage informa⟩ tionnel susceptibles de s'appliquer à la forme de ses représentations, san⟩ négliger de mettre en valeur la nature dynamique et intégratrice de sa struc⟩ ture. Ce système se modifie constamment grâce à l'interaction avec l'environ⟩ nement. C'est pourquoi, notre compréhension d'un concept, même si nou⟩ ne devions y être confrontés qu'une seule fois, s'élabore et s'améliore conti⟩ nuellement. Une telle évolution est le propre même du système de mémoir⟩

Figure 10-15

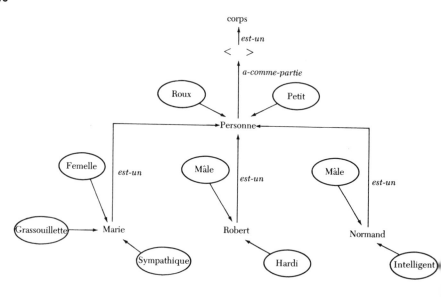

ue nous avons étudié. Plus nous élargissons le champ de nos connaissances, lus la compréhension de notre système mnémonique va en s'accentuant et n se développant. Conséquence immédiate de cette structure évolutive: otre connaissance change continuellement.

Cette évolution permanente qui caractérise la connaissance emmagasinée ans le système mnémonique, a de profondes répercussions sur la façon d'acuérir une information nouvelle. Elle laisse supposer, en ce qui a trait à l'enodage d'un message en mémoire, l'énorme différence qui doit exister entre adulte et l'enfant. Pour l'enfant, chaque concept rencontré doit être constié à partir du début. Une bonne part d'apprentissage doit se produire au noment de la formation initiale du bassin de données: la compréhension ne e forme que lentement à mesure que s'accumulent les propriétés, que les xemples se présentent et que des relations de classe se développent. Au lépart, la plupart des concepts en mémoire ne seront définis que partiellenent et s'intègreront mal à l'information déjà emmagasinée.

Plus tard, lorsqu'une grande quantité d'informations aura été emmagasinée t organisée en un riche bassin de données liées les unes aux autres, l'apprenissage devrait prendre un caractère différent. Il est alors possible que l'on pprenne les choses nouvelles surtout par analogie avec ce qui est déjà connu. Le problème majeur consiste alors à intégrer un nouveau concept dans la tructure mnémonique déjà existante. Dès que la relation adéquate a été établie, l'ensemble des expériences passées vient automatiquement faciliter l'inerprétation et la compréhension des événements nouveaux.

Il est possible qu'avec des modèles de ce genre, le développement des différences individuelles et des systèmes idiosyncratiques constitue la règle pluôt que l'exception. La compréhension se développe en combinant l'évidence les éléments de la réalité extérieure avec les opérations internes qui traitent et réorganisent toute nouvelle information. Les mémoires de deux individus ne pourraient connaître exactement la même évolution que si elles recevaient dans un ordre identique les mêmes informations et si elles utilisaient les mêmes procédures pour les organiser. Par conséquent, il est fort peu probable que deux personnes élaboreront exactement la même structure conceptuelle pour représenter le monde dans lequel elles vivent.

Notez bien sur quoi repose ce développement idiosyncratique. Nous nous attendons à ce que la structure fondamentale de la mémoire et les processus de traitement et de réorganisation de l'information se ressemblent d'un individu à l'autre. Mais même si les mécanismes essentiels sont les mêmes, l'action de ce système n'engendre pas nécessairement les mêmes effets mnémoniques. Les croyances des gens dépendent de leur expérience vécue et de la séquence des inférences et des déductions qui ont été appliquées au contenu déjà en mémoire. Les différences les plus subtiles dans l'environnement peuvent produire des résultats mnémoniques différents, et ce, même si l'appareil, pour interpréter et recouvrer une information, s'avère être le même d'un individu à l'autre.

Cette possibilité qu'un ensemble de mécanismes de base serve à traiter une variété de contextes environnementaux, confère évidemment au système mnémonique, une capacité d'adaptation remarquable. En revanche, il faut s'attendre à ce que la souplesse avec laquelle le système aborde une nouvelle information change continuellement au fur et à mesure que la structure se crée. L'adulte rencontre rarement un événement complètement nouveau — un événement sans relation aucune avec la structure conceptuelle. Il est possible de lier presque toutes nos expériences à ce que nous avons vécu dans le passé. Qui plus est, lorsque nous sommes confrontés à une information complètement contradictoire, l'ensemble des relations de la structure conceptuelle est si complexe et entrelacé qu'il résiste au changement. Ainsi, un adulte est plus susceptible de rejeter une entrée contradictoire ou d'en altérer la signification que de modifier ou de changer ses propres croyances. La structure conceptuelle de l'enfant ne se compare en rien à celle de l'adulte; elle est moins élaborée et l'interconnexion des éléments qui la composent y est moins établie. Étant donné la rareté des contradictions, les nouvelles expériences peuvent s'intégrer au fur et à mesure.

L'aspect interactif de l'esprit humain constitue probablement le domaine le plus intéressant qui reste à explorer. Les gens posent des questions: ils fouillent leurs propres connaissances, ils lisent, pensent, rêvent et agissent. Le modèle que nous venons de présenter laisse entrevoir la présence de ces processus, mais il ne leur rend pas toute justice. Nous avons proposé des façons d'expliquer comment le système de mémoire pourrait procéder pour confirmer, dans les faits, ses propres déductions et inférences, mais nous sommes loin d'avoir épuisé toute la question. Voici le problème majeur: à l'heure actuelle, nous ne disposons pas des outils pour analyser systématiquement le comportement exploratoire et naturel des gens à leur travail comme à leurs loisirs. Toutefois il y a eu des efforts dans cette direction.

Prototypes

Que tous les cas isolés d'une classe soient définis à peu près de la même façon pose un problème au niveau des structures de la mémoire sémantique. En théorie, l'idée se défend. Cependant, dès qu'on procède à la simple analyse des structures cognitives des gens, on rencontre des difficultés. Par exemple, nous obtenons différents temps de réponse si nous demandons aux gens de répondre par *vrai* ou *faux*, le plus vite possible, à chacun des énoncés suivants:

Un canari est un oiseau.
Une autruche est un oiseau.
Un pingouin est un oiseau.

Tous répondent *vrai* à ces trois énoncés, mais on prend habituellement plus de temps à répondre au sujet du pingouin et de l'autruche que du canari. Ces résultats posent un problème. Le fait de pouvoir répondre adéquatement aux questions indique qu'on dispose d'informations sur tous les oiseaux au niveau de nos structures mnémoniques. Mais pourquoi donc existe-t-il un écart de temps dans la prise de décision?

Conformément aux principes que nous venons d'étudier, les structures de la figure 10-16 donnent une idée de la représentation des trois oiseaux dans le bassin de données. Selon ce schéma, pour répondre à propos du canari, l'interprète n'a qu'à repérer en mémoire la position exacte du mot canari», voir quel noeud y correspond, puis vérifier si ce noeud *est-un* oiseau. De fait, repérer le noeud propre au mot «canari» dans le bassin de données illustré ici, conduit le système interprète au noeud *497. Le noeud *497 possède effectivement une relation étiquetée *est-un* qui mène au noeud «oiseau». Conséquemment, l'interprète concluerait qu'un canari est un oiseau. Similairement, les mots «autruche» et «pingouin» conduiraient respectivement aux noeuds *1763 et *1428. Ces deux noeuds étoilés ont des relations *est-un* menant au noeud «oiseau». Or, d'après le diagramme de la figure 10-16, le même temps de réponse est requis pour dire si chacun de ces trois noms *est-un* oiseau.

Évidemment, les gens ne répondent pas à ces questions en recherchant le lien *est-un* entre les noeuds. En fait, nous n'avons qu'à retracer nos propres processus mentaux et à réfléchir pour découvrir certains indices quant au mécanisme de décision. Un canari (ou un moineau, une grive et un pigeon) est un oiseau assez typique. Il est de taille normale, a l'apparence ordinaire d'un oiseau et agit selon nos prédictions. Mais l'autruche et le pingouin n'appartiennent pas à cette catégorie. Pourquoi? Ils ne volent même pas! Qu'est-ce qu'un oiseau qui est incapable de voler? S'il fallait juger les canaris, les autruches et les pingouins de par leur ressemblance à un oiseau

Figure 10-16

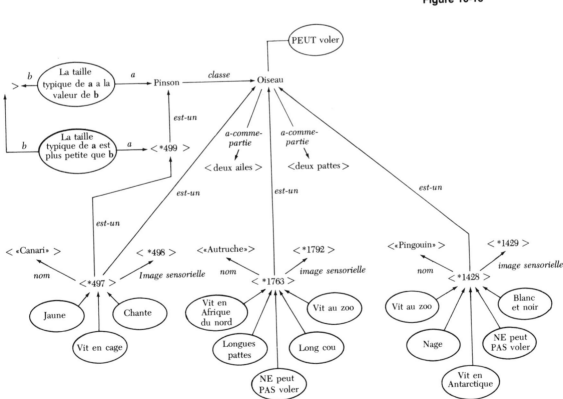

typique faisant figure de prototype, nous ne serions pas surpris de trouve que le canari y correspond mieux que les deux autres. Peut-être répondons nous «vrai» ou «faux» en comparant notre idée d'un oiseau avec la connais sance des cas isolés que nous sommes en train de considérer: plus le ca isolé s'avère typique, plus nous répondons rapidement.

Peut-être que la représentation mnémonique d'un oiseau se fonde su l'exemple d'un oiseau prototype, soit par une image, soit par une liste de caractéristiques ordinairement considérées comme faisant partie des oiseaux Or, il y a une théorie qui propose l'existence de deux types de caractéris tiques: *des caractéristiques fondamentales* et *des caractéristiques spécifiques* Les caractéristiques fondamentales s'appliquent à tous les cas d'une classe Les caractéristiques spécifiques aident à distinguer les variétés différente et ne sont que probablement vraies. Dans le cas d'un oiseau par exemple la possession d'ailes et de plumes, la ponte d'oeufs et la construction de nid appartiendraient aux caractéristiques fondamentales. De plus, l'oiseau un bec, deux yeux, des pattes, des oreilles et il vole. Les caractéristique spécifiques incluent des traits tels que la taille, la couleur, le cri et le activités. Pour la plupart des gens, le concept général «oiseau» leur rappell quelque chose comme un moineau ou une grive. Conséquemment, plu le trait à juger s'apparente à ce prototype, plus la réponse intervient rapide ment. Une autruche n'a rien d'un oiseau typique: elle est trop grosse, se pattes sont trop longues, sa forme et ses ailes ne sont pas adéquates.

Ce tableau de la représentation mnémonique laisse supposer que nou mémorisons les concepts en termes de prototypes ou de cas typiques. Ainsi, pour la plupart des gens, l'animal typique aurait à peu près la taille du loup, quatre pattes et une queue. Cela ne veut pas dire qu'un loup nous vient à l'esprit chaque fois qu'on pense à un animal. En tout cas, on ne se représente certainement pas l'image d'un loup particulier dans tous ses détails, avec une gueule aux crocs puissants, une langue baveuse et pendante et un pelage hirsute. Néanmoins, la représentation de «animal», en mémoire, fait plus vraisemblablement ressortir les caractéristiques d'un mammifère à quatre pattes ayant la taille d'un loup que des concepts comme ailes ou branchies.

Rien n'est plus facile à démontrer. Répondez le plus rapidement possible à chacun des mots suivants par un OUI ou un NON pour indiquer s'il s'agit d'un nom d'*animal*:

VACHE
QUEUE
CHAISE
LION
VOITURE
AMIBE
GIRAFE
CRAYON
HOMARD

Le test est plutôt rudimentaire, car, comme vous pouvez vous en rendre compte, l'ordre selon lequel les mots se suivent et le degré de familiarité avec la tâche créent des différences dans le temps de réponse. Néanmoins, vous avez dû noter avoir mis plus de temps à répondre OUI à *amibe* qu'à *lion* et *vache* (en admettant que vous ayez répondu OUI à *amibe*). Une amibe (ou une sauterelle, une araignée, un homard) ne correspond pas à l'animal prototype, du moins pour la plupart des gens.

Quelle que soit la façon d'interpréter ces observations, le modèle que nous avions conçu pour les réseaux sémantiques ne satisfait certainement plus aux exigences. Pour déterminer si une «amibe» est un animal, le système interprète ne semble pas procéder en recherchant le noeud «amibe» et en vérifiant si la relation *est-un* ou *classe* existe avec le noeud «animal». L'interprète rechercherait plutôt le noeud représentant le concept et déterminant quelles sont les caractéristiques emmagasinées avec ce noeud. Il comparerait ensuite ces caractéristiques avec celles de «animal»: plus les caractéristiques se ressemblent, plus la décision se prend aisément.

Lorsque nous abandonnons les relations étiquetées *est-un* et *classe*, nous obtenons la structure de la mémoire schématisée à la figure 10-17. Dans ce cas, pour savoir si un canari, une autruche ou un pingouin est un oiseau, nous sommes forcés de comparer les caractéristiques du noeud à celles du noeud *prototype* «oiseau». Selon l'information contenue dans la figure 10-17, il est peu probable que le possesseur d'un tel bassin de données considère un pingouin et une autruche comme des oiseaux. Comme la plupart d'entre nous disposons probablement de plus d'informations au niveau des noeuds, nous répondons correctement à ces questions. Néanmoins, le pingouin et l'autruche diffèrent de notre oiseau prototype de façon telle qu'il nous faut plus de temps pour en admettre l'appartenance.

La solution de la figure 10-17 n'est pas très satisfaisante. Les relations *est-un* et *classe* sont beaucoup trop importantes pour qu'on puisse les rejeter. Elles remplissent plusieurs fonctions; il serait donc imprudent de les éliminer à cause de cet ensemble particulier de constatations expérimentales. Ces expériences n'en sont pas moins valables: comment donc rendre compte de ces résultats expérimentaux tout en conservant les relations *est-un* et *classe*?

Chaque fois que des constatations différentes nous mènent à des points de vue contradictoires, c'est en tentant de combiner les systèmes opposés que nous avons plus de chances de formuler une théorie exacte. C'est ce qui se passe ici. Il est encore trop tôt pour connaître la solution finale de ce problème particulier — les travaux n'en sont qu'à leurs débuts. Une des solutions qui se présente le plus spontanément consiste à supposer que l'interprète opère d'une part en comparant des caractéristiques et d'autre part, en se conformant aux relations *classe* et *est-un*. Il appert que l'estimation du caractère typique d'un trait implique habituellement une activité perceptive. Les jugements perceptifs se fondent peut-être sur les comparaisons de traits; les jugements sémantiques, sur les relations *classe* et *est-un*. Cette hypothèse ne résout pas tous les problèmes, mais elle explique pourquoi les gens ont tendance à classifier les baleines comme des poissons et les chauves-souris comme des oiseaux, même s'ils ont bel et bien appris que les baleines sont des mammifères et les chauves-souris, des rongeurs. Quand les jugements se fondent sur les caractéristiques liées à la perception, les baleines appartiennent alors à la classe des poissons et

Figure 10-17

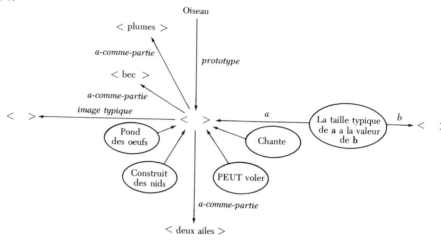

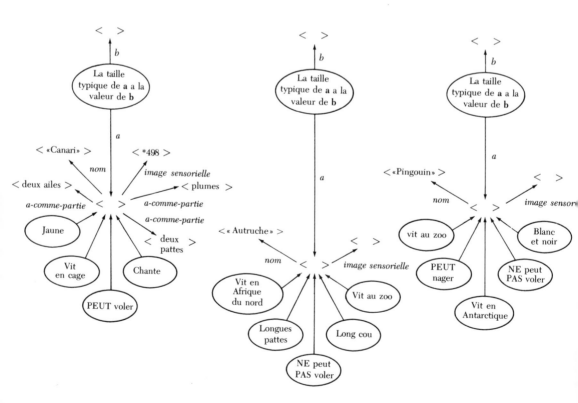

es chauves-souris à celle des oiseaux. Par ailleurs, quand on se base sur information sémantique, c'est la bonne classification qui prévaut.

Par conséquent, nous voyons qu'il est possible d'utiliser le bassin de données de la mémoire de plusieurs façons différentes. D'un côté, on peut e concevoir comme un réseau sémantique: les noeuds représentent des concepts et des actions; les relations entre les noeuds créent une structure mnémonique en forme de réseau. D'un autre côté, on peut concevoir la mémoire comme un ensemble de concepts associés chacun à une liste de caractéristiques.

Images mentales

Nous aimerions que vous fermiez les yeux en vous représentant mentale-ment le concert imaginaire qui suit (ne vous contentez pas de vous souvenir d'un vrai concert): vous êtes assis au milieu d'une grande salle de concert, entouré de gens. La scène se trouve devant vous, à un niveau un peu inférieur à celui de votre fauteuil. De puissants projecteurs illuminent le plateau et les musiciens jouent debout. Maintenant, prenez quelques instants pour vous imaginer la situation.

Les situations que nous imaginons s'apparentent beaucoup aux perceptions réelles. La scène que vous vous êtes imaginée comportait probablement beaucoup de détails. En dépit de son caractère imaginaire, vous pourriez peut-être répondre à plusieurs questions, telles:

À quelle distance étiez-vous du plateau?
À quelle hauteur au-dessus de celui-ci?
Vous trouviez-vous de face ou de côté?
Quelle était l'intensité sonore de la musique?
Quelle était l'intensité lumineuse de la scène?
Combien y avait-il de musiciens?
Y avait-il des microphones sur la scène?
Les musiciens tenaient-ils tous leurs instruments dans leurs mains?
Lisaient-ils leur musique?
S'il y avait un chef d'orchestre, l'avez-vous vu de dos ou de face?

Comment avez-vous répondu à ces questions? Êtes-vous parvenu à vous faire une image nette du concert? Pouviez-vous entendre la musique, voir les gens et les couleurs? Les impressions et les réactions face à ce genre d'expérience varient selon les individus. Certaines personnes ont des images visuelles et auditives; d'autres prétendent n'avoir aucune image. Il n'en reste pas moins que la plupart d'entre vous aurez réussi à répondre à quelques questions, surtout aux premières.

La plupart des gens admettent qu'ils ont eu des images mentales bien que leur forme varie énormément d'un individu à l'autre. Certains rappor-tent des images très détaillées, colorées et sonores, parfois même olfactives et tactiles. D'autres reconnaissent n'avoir que des images vagues, incom-plètes, lorsqu'ils ne s'avouent pas incapables d'en percevoir. Les images visuelles et spatiales reviennent le plus souvent et créent une forte impres-sion. Les images kinesthésiques (actions motrices) reviennent assez souvent aussi et supplantent les autres formes d'imagerie soit auditives, soit gustatives, tactiles ou olfactives.

Qu'est-ce qu'une image? Correspond-elle à la perception réelle de quelqu chose? Probablement pas. Les individus normaux ne confondent pas imag mentale et réalité. Lorsqu'une telle confusion existe, elle est considéré comme une anomalie, une hallucination. Mais l'existence même des hall cinations — et leur apparition relativement fréquente — indique que perception des images pourrait avoir plusieurs points en commun avec perception de la réalité, en tout cas assez pour les confondre.

UNE EXPÉRIENCE SUR LES IMAGES

Imaginez un éléphant devant un mur blanc. Imaginez maintenant u chien tout près de l'éléphant. Pouvez-vous voir les oreilles du chien? Im. ginez une mouche sur un mur blanc. Imaginez maintenant un chien à prox mité de la mouche. Pouvez-vous voir les oreilles du chien?

Kosslyn (1975) a découvert que les gens prenaient 200 ms de plus pou évaluer les propriétés des animaux situés à proximité de l'éléphant compa rativement aux propriétés des mêmes animaux imaginés à proximité de mouche. À proximité d'un éléphant, un chien est relativement petit. Prè d'une mouche, il a plutôt l'air énorme. Kosslyn arriva à la conclusion qu lors de l'expérience, ses sujets produisirent d'abord des images mentale des animaux et confirmèrent ensuite l'existence des oreilles ou des autre caractéristiques en les recherchant mentalement dans l'image, comme l'illu. tre la figure 10-18.

Ces résultats portent à croire que nous disposons d'un espace restrei pour la production des images mentales. C'est presque comme si nous avio dans la tête, un écran aux dimensions fixes: si nous y projetons les image d'un éléphant et d'un chien, l'éléphant remplit une bonne portion de l'écra tandis que le chien n'en couvre qu'une petite partie. Si par ailleurs, nou projetons les images d'un chien et d'une mouche, le chien remplit une bonn portion de l'espace disponible et la mouche, un espace limité. Dans le pre mier cas, la petitesse de l'image du chien rend ses oreilles difficilemer perceptibles; dans le second cas, elles deviennent faciles à voir.

Kosslyn a, de plus, fait varier directement la grosseur de l'image menta en spécifiant la dimension requise (il montra à ses sujets quatre carrés d dimensions différentes et leur demanda de recréer les animaux imaginé selon la dimension d'un carré particulier). Les résultats apparaissent à figure 10-19.

Conservons-nous des images dans la tête? Avons-nous des images stockée en mémoire? Probablement pas. Notre cerveau n'accumule pas de son d'images, d'odeurs, ni de goûts réels. Par contre, nous reconnaissons év demment les goûts, les odeurs et les sons (sans parler de l'apparence d nos amis et de nos objets personnels). Il faut donc qu'il y ait une représe tation quelconque de ces expériences perceptives inscrite quelque part si le mécanismes de reconnaissance de formes doivent les utiliser. Ces représe tations perceptives interviennent probablement dans une grande varié de situations, allant des expériences simples sur l'imagerie dont nous venon de parler jusqu'aux processus mentaux de toutes sortes. Il nous est nécessair d'imaginer le rythme et les sons des mots pour écrire de la poésie, ou d'anti

Figure 10-18

Un chien à côté
d'un éléphant

Un chien à côté
d'une mouche

Figure 10-19

Kosslyn (1975).

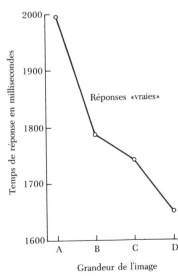

ciper les goûts pour créer de nouveaux mets. De même pour la musique
il faut imaginer les sons pour en composer. Nous avons besoin d'image
visuelles pour accomplir des tâches visuelles, d'images motrices pour de
activités motrices. Lorsque l'instructeur de tennis vous recommande de ga
der le bras parallèle au sol, vous devez posséder la capacité d'imaginer l
bonne série de mouvements pour parvenir à les exécuter correctement.

Y a-t-il des images stockées dans la tête? Oui et non. D'abord qu'est-c
qu'une image? Serait-ce une photographie, un enregistrement sonore? S'
en était ainsi, il faudrait répondre non à la première question. Il n'y a appa
remment ni photographie, ni enregistrement dans la mémoire, heureuse
ment. Vous imaginez-vous essayer de trouver quelque chose si vous possé
diez l'enregistrement précis de tous les sons que vous avez déjà entendus
Supposons que vous ayez enregistré mentalement toutes les conversations e
tous les discours entendus depuis votre naissance. Le problème n'en est pa
un d'espace; le cerveau a une capacité d'emmagasinage quasi illimitée. L
difficulté en est une d'organisation. Si le cerveau contenait un enregistre
ment détaillé de toutes les phrases entendues jusqu'à ce jour, commen
pourriez-vous retrouver celle qui vous intéresse? Puis, comment pourriez
vous jamais visualiser un tigre imaginaire si vous n'aviez emmagasiné qu
des images quasi photographiques de tigres?

Non, nous n'avons ni images, ni enregistrements précis dans la tête
En revanche, nous possédons très certainement l'information nécessaire
pour reproduire les perceptions visuelles et les sons de nos expériences à
un niveau tel que nous puissions les reconnaître quand nous les rencontron
à nouveau et en utiliser des images mentales au besoin. Les exemples de
réseaux sémantiques fournis dans ce chapitre visaient à rendre compte de
propriétés organisatrices du système mnémonique et à montrer quelles clas
sifications et quelles interrelations peuvent être établies au niveau de l'in
formation. Ainsi, si vous voulez retrouver l'image d'un tigre, vous pouvez
partir de l'ensemble des animaux et retracer les relations *classe* et *est-un*
jusqu'à ce que vous trouviez l'information voulue. Si vous cherchez un ani
mal à rayures, vous pouvez partir à la fois des rayures et des animaux, exa
miner quelles structures mnémoniques comportent des rayures tout en
entretenant des relations appropriées avec les animaux. Dans l'un et l'autre
cas, les structures organisatrices de la mémoire remplissent un rôle majeur
dans la découverte de l'information recherchée.

Un dernier commentaire

La représentation exacte de l'information à l'intérieur de la structure des
données de la mémoire humaine reste un mystère. Ce chapitre vous a introduit à l'une des principales approches théoriques en vue de la représentation spécifique de la connaissance. De plus, nous avons touché quelques-uns
des points saillants qui ressortent des recherches actuelles sur la représentation, spécialement les problèmes relatifs aux prototypes et aux images
mentales.

L'information transmise dans ce chapitre est loin de constituer une réponse définitive. L'avenir nous apportera beaucoup d'idées nouvelles qui

ontribueront à accroître notre compréhension du système mnémonique umain. Ces façons de représenter l'information influencent sérieusement orientation des recherches actuelles en psychologie cognitive. Journaux et ongrès continuent de s'intéresser aux mérites respectifs des images et des éseaux. Tout le domaine de la science cognitive est d'une importance najeure et les efforts de recherche suscitent des développements fort pronetteurs.

Revue des termes et notions

Voici, pour le présent chapitre, les termes et notions que nous considérons importants. Passez-les en revue; si vous êtes incapable d'en donner une courte explication, vous devriez revoir les sections appropriées du chapitre.

Réseaux sémantiques
   classe
   propriété
   exemple
   registre
   noeuds
   pointeurs
   relations étiquetées
   définition générique
   cas isolé
   désignation des relations
      est-un
      classe
      s'applique-à
      image sensorielle
      image du contrôle moteur
      a-comme-partie
   connaissance de prototype
      valeurs de défaut
      propositions
   concepts primaires
   concepts secondaires
   structure de surface *VS* structure profonde
   relations de cas, les plus importants étant:
      agent
      objet
      récepteur
      temps
      instrument
      lieu
Mémoires épisodique et sémantique
Généralisation
Les arguments en faveur des prototypes ou des caractéristiques: comment

TERMES ET NOTIONS À CONNAÎTRE

utiliser un réseau sans l'apport des relations *classe* et *est-un*
Images mentales

Lectures suggérées

La représentation des connaissances constitue un thème aussi impor
tant pour les gens qui s'intéressent à la psychologie que pour ceux qui se
proposent de construire des systèmes informatisés et d'étudier l'intelligence
artificielle. Plusieurs bons volumes existent sur le sujet. En psychologie
voici deux travaux standard portant sur les réseaux sémantiques: le volume
de Norman, Rumelhart et le groupe de recherche LNR (1975) puis celu
d'Anderson et Bower (1973). Même si le premier volume correspond bien
(de toute évidence) à l'approche que nous avons faite du sujet, nous croyons
que les étudiants sérieux se feront un devoir de consulter aussi la dernière
référence. Le livre de Kintsch (1974) accuse une orientation légèremen
différente, mais apporte une contribution fort importante à l'étude de ce
domaine. Les livres édités par Bobrow et Collins (1975) et par Cofer (1976)
réunissent une quantité importante de textes et de sujets tout autant pertinents à la psychologie qu'à l'intelligence artificielle. Celui de Bobrow et
Collins s'intéresse davantage à l'intelligence artificielle; celui de Cofer, à
la psychologie.

Les études de Rosch sur la représentation de l'information sont assez importantes. Son analyse des *catégories de base* (Rosch, 1976) constitue peut-
être l'apport le plus important au niveau des thèmes discutés dans ce chapitre. Elle a écrit d'autres articles que vous aurez avantage à consulter:
voir Rosch (1973a, 1973b, 1975). Pour la mémoire épisodique, le livre
Tulving (1972) en est la source principale. Les écrits d'Anderson (1978), de
Collins et Loftus (1975), de Rips, Shoben et Smith (1973) et de Smith, Shoben et Rips (1974) offrent une analyse plus poussée des réseaux sémantiques et utilisent des méthodes fort pertinentes pour décrire la représentation de la connaissance dans la mémoire humaine. Rumelhart et Ortony
(1976) résument une partie de ces questions.

La représentation mnémonique exacte des images visuelles et sonores
échappe à notre connaissance. Palmer (1975) spécule sur quelques-unes
des possibilités. Le livre de Paivio (1971) et son article (1975) traitent de
l'imagerie; l'article de Pylyshyn (1973) apporte des arguments à l'encontre
de l'emmagasinage d'images non-codées. Pour se faire une idée de la force
de l'argumentation, il faut consulter Kosslyn et Pomerantz (1977). Si vous
voulez aborder l'étude de ce domaine sans trop de difficultés, lisez le chapitre
sur la représentation de l'information dans Norman (1976).

Comme vous pouvez l'imaginer, les études sur la représentation de l'information au niveau de la pensée s'avèrent d'une importance capitale. Cependant, malgré son développement rapide, ce nouveau champ d'étude
soulève des problèmes si complexes et dispose d'outils si modestes que les
progrès s'effectuent lentement. Vous pouvez espérer que les prochaines
années apporteront de nouveaux développements. Aussi, feuilletez les
principales revues dans le domaine: dans *Cognition, Cognitive Psychology,
Journal of Cognitive Science* et *Psychological Review,* les thèmes concernant

a représentation ont de bonnes chances d'être suivis de près. De plus, d'autres livres seront publiés.

11. Les bases neurologiques de la mémoire

Préambule

Stockage de l'information
LES CIRCUITS NEURONIQUES DE LA MÉMOIRE
REVUE DES CIRCUITS NEURONIQUES
MÉCANISMES PHYSIOLOGIQUES DE LA MÉMOIRE À COURT TERME
MÉMOIRE À LONG TERME

Les troubles de mémoire
CHOC ÉLECTROCONVULSIF
AMNÉSIES
CHOC ÉLECTROCONVULSIF CHEZ L'HUMAIN
RECOUVREMENT APRÈS UNE AMNÉSIE RÉTROGRADE
LES CAS DE H.M. ET DE N.A.
AUTRES ÉTUDES SUR L'AMNÉSIE

Localisation des fonctions du cerveau
SPÉCIALISATION DES DEUX HÉMISPHÈRES DU CERVEAU
CERVEAUX DIVISÉS CHEZ LES ANIMAUX
SPÉCIALISATION HÉMISPHÉRIQUE CHEZ LES HUMAINS
DEUX CERVEAUX: FIXES OU FLEXIBLES?
HÉMISPHÈRES SPÉCIALISÉS — PENSÉE SPÉCIALISÉE
LE PHÉNOMÈNE DE STROOP

Conclusion

Revue des termes et notions
TERMES ET NOTIONS À CONNAÎTRE

Lectures suggérées
OUVRAGES GÉNÉRAUX
LES MÉCANISMES DE LA MÉMOIRE
LES TROUBLES DE MÉMOIRE
SPÉCIALISATION HÉMISPHÉRIQUE

Préambule

Ce chapitre poursuit l'étude de la mémoire en s'attachant, cette fois, à ses bases neurologiques. Comme nous en savons très peu sur les structures cérébrales impliquées dans les processus supérieurs de la pensée et de la mémoire, il faut considérer ce chapitre comme une simple introduction à l'étude formelle de ces processus.

Nous abordons le chapitre par une analyse des mécanismes du cerveau susceptibles d'être impliqués au niveau de la mémoire, pour considérer ensuite les découvertes neurologiques pertinentes aux études mnémoniques. L'étude de patients qui présentent des troubles de mémoire a fourni une somme importante de données sur celle-ci. Les effets des thérapies par chocs électroconvulsifs et les comptes rendus des patients H.M. et N.A. nous aident à acquérir une meilleure compréhension des propriétés du système nerveux. Après avoir lu ces sections, il serait bon de prendre un peu de recul et de réfléchir aux implications de ces phénomènes. Mieux encore, essayez de confronter notre analyse du rôle du système interprétatif et du moniteur (chapitre 9) avec les difficultés de recouvrement mnémonique éprouvées par ces patients.

À la fin du chapitre, nous abordons un sujet particulier (non lié directement à l'étude de la mémoire): la spécialisation hémisphérique. Le cerveau est à peu près symétrique, l'hémisphère droit étant presque identique à l'hémisphère gauche. Aussi croit-on que les deux moitiés du cerveau ont des fonctions différentes, chacune se spécialisant dans différents aspects du comportement. Par exemple, on pense que l'hémisphère gauche (chez la plupart des gens) contrôle le langage. Nous examinerons certaines manifestations de cette spécialisation des fonctions du cerveau dans la dernière section du chapitre. Personne ne connaît vraiment l'ampleur de cette spécialisation et certains points de notre analyse resteront sans réponse. Nous analyserons plus en détail les implications de cette spécialisation au chapitre 15, dans notre étude des mécanismes de la pensée.

En lisant la section qui a trait au contrôle des fonctions du cerveau et aux rôles propres à ses deux hémisphères, demandez-vous comment le cerveau peut opérer avec deux systèmes de traitement différents. Comment l'hémisphère gauche est-il informé de ce que fait l'hémisphère droit? Cet échange d'information est-il vraiment important? Pourquoi le cerveau se serait-il développé de cette façon? Se peut-il vraiment que les deux moitiés du cerveau contrôlent des modes de pensée différents? S'il en est ainsi, où le recouvrement se fait-il? Si les deux hémisphères pensent aux mêmes choses (mais de façon différente), il faut que les deux puissent accéder aux mêmes registres de mémoire, aux mêmes expériences, aux mêmes connaissances. Possédons-nous deux systèmes de mémoire, un pour chaque hémisphère? Ou ces deux hémisphères auraient-ils également accès aux mêmes structures de mémoire? La dernière partie du chapitre reprend le cliché que l'on retrouve à la fin de plusieurs articles scientifiques: ces études soulèvent plus de questions qu'elles n'apportent de réponses.

Stockage de l'information

Après de nombreuses années de recherche, le cerveau reste un mystère. Un examen anatomique du cerveau montre qu'il se divise en un certain nombre de régions distinctes. Un plan du cerveau humain révèle deux masses de tissus enroulés qui se divisent au centre. Les deux moitiés sont appelées *hémisphère gauche* et *hémisphère droit.* Ensemble, ils forment le *cortex* (ou *cortex cérébral*), partie la plus évoluée du cerveau.

Comme chacune des régions comporte des différences anatomiques, elles ont reçu différents noms (figure 11-1). Les parties antérieures portent le nom de *lobes frontaux;* les parties latérales, le nom de *lobes pariétaux* et *temporaux;* les parties postérieures, *lobes occipitaux.* Le cerveau est symétrique: chacun de ces lobes existe dans chaque hémisphère, le droit comme le gauche. (Comme c'est le cas pour le reste du corps, la symétrie n'est pas parfaite. L'hémisphère gauche est habituellement un peu plus volumineux que l'hémisphère droit, tout comme la main et le pied droits sont généralement plus développés que leurs opposés.)

Figure 11-1

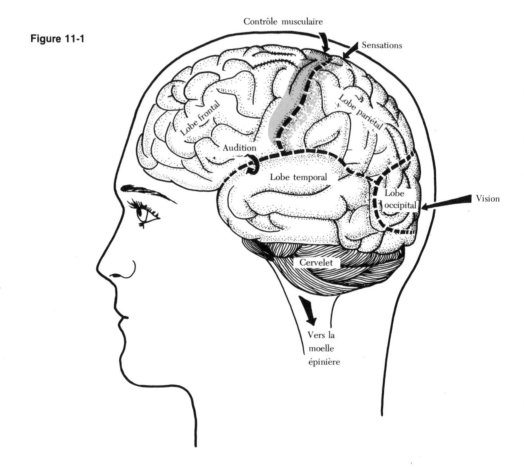

L'acquisition de nouvelles connaissances provoque certains changements structuraux ou chimiques dans le cerveau. Les neurones corticaux modifient leurs modes de réaction en fonction des événements externes que l'organisme reconnaît et enregistre. Il existe plusieurs théories pour expliquer la manière dont ces changements se produisent, mais elles restent toutes hypothétiques. Nous sommes encore loin de posséder une description vraiment complète et précise de la façon dont le système nerveux emmagasine l'information. Bien qu'incomplètes, ces théories revêtent de l'importance, car elles posent les jalons qui orientent notre recherche vers une meilleure connaissance du système de la mémoire.

LES CIRCUITS NEURONIQUES DE LA MÉMOIRE

On s'entend généralement pour affirmer que le stockage permanent de l'information implique des changements chimiques ou structuraux au niveau du cerveau. Presque tous s'accordent aussi sur la nature électrique des fonctions immédiates et permanentes de la pensée, des processus conscients et des mémoires immédiates — registre de l'information sensorielle et mémoire à court terme. Cela suppose une interaction des deux processus: les changements chimiques ou structuraux qui se produisent dans le cerveau doivent affecter de quelque façon l'activité électrique. Qui plus est, si les systèmes de mémoire immédiate résultent d'une activité électrique, nous serions en mesure de démontrer que l'élaboration de circuits neuroniques capables d'agir comme une mémoire s'avère possible. Débutons notre étude des systèmes de mémoire avec cet objectif: construire des circuits qui se souviennent.

Condition essentielle au fonctionnement d'un circuit de mémoire: les effets d'une entrée doivent persister après la disparition de cette entrée, ce qui correspond à la définition de la mémoire. Mieux encore, un circuit de mémoire doit être sélectif. Il devrait répondre de préférence à une certaine configuration d'entrée plutôt qu'à d'autres. Commençons donc par regrouper quelques circuits simples pouvant servir à la mémoire. Mais avant, pour ceux qui n'auraient pas lu le chapitre 6, nous résumons l'essentiel de la matière portant sur les circuits neuroniques.

REVUE DES CIRCUITS NEURONIQUES

L'impulsion électrique transmise par le *neurone* passe du *corps cellulaire* à travers l'axone, jusqu'au corps cellulaire suivant (voir figure 11-2). On appelle *connexion synaptique* le point de contact de l'axone et du corps cellulaire. Un seul corps cellulaire peut compter plusieurs milliers de connexions. Dans les diagrammes, on représente le neurone de base par un cercle et une ligne (voir figure 11-3). Le cercle symbolise le corps cellulaire; la ligne, l'axone qui relie le neurone aux autres. Fondamentalement, il existe deux sortes de connexions synaptiques: *excitatrice* et *inhibitrice*. On parle de connexion excitatrice lorsqu'un signal (impulsion nerveuse) transmis d'un axone vers une jonction synaptique tend à provoquer une réponse nerveuse du neurone situé de l'autre côté de cette synapse. Or, si une connexion excitatrice tend à faire *décharger* l'autre neurone, une connexion

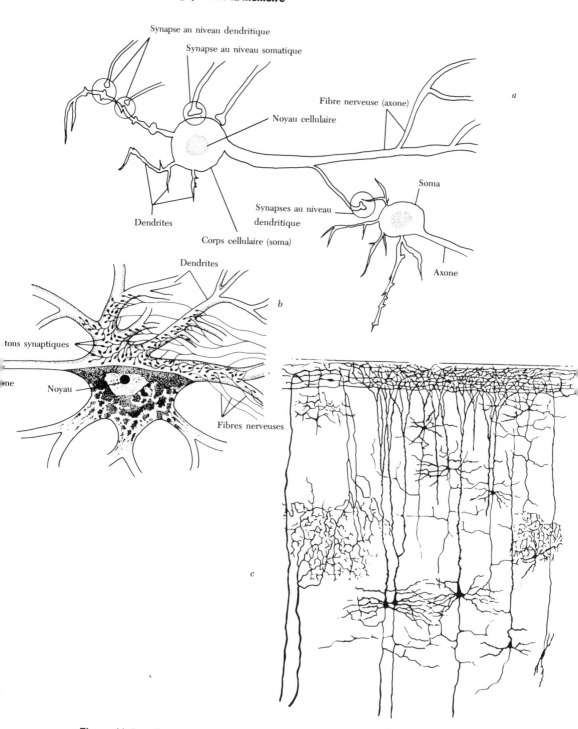

Figure 11-2   Ces dessins, qui nous viennent de J.C. Eccles, montrent des façons par lesquelles des mécanismes synaptiques participent à l'apprentissage, au souvenir et à l'oubli. D.P. Kimble (Éd.), *The Anatomy of Memory*, vol. 1. Palo Alto, Californie: Science and Behavior Books, 1965.

inhibitrice tend à empêcher cette décharge. Dans le système nerveux, il faut qu'un nombre assez élevé d'impulsions parviennent aux connexions excitatrices pour provoquer la décharge d'un corps cellulaire; une seule impulsion est rarement suffisante. Cependant, aux fins de la présente analyse, nous devons supposer qu'une seule réponse nerveuse parvenant à une connexion synaptique excitatrice peut provoquer la réponse de la nouvelle cellule. Cela n'est faux que quantitativement.

Le circuit est plus facile à suivre en terme d'impulsions neuroniques uniques, et la logique du système reste inchangée.

Voyons comment se maintient la trace d'une entrée sensorielle. Supposons que la majuscule **A** ait été présentée, que les diverses étapes de la reconnaissance de formes aient eu lieu et que le **A** ait été reconnu. Le système nerveux aurait au moins trois façons différentes de répondre à la présence du **A** (voir figure 11-4).

Une *cellule unique* pourrait encoder la présence de chaque item; ainsi, chaque fois que le système de reconnaissance de formes découvre la présence du **A**, la cellule unique «A» répond.

Une *configuration unique* pourrait répondre à chaque item, de sorte que la présence d'un **A** serait détectée par la configuration unique des cellules nerveuses qui répondent.

Enfin, il pourrait y avoir un *code unique* pour chaque item, de sorte que la lettre **A** serait spécifiée par une configuration particulière de décharges nerveuses.

Quel que soit le bon code parmi ceux-ci, il doit y avoir un moyen de se rappeler l'occurrence du **A**. Examinons un schème simple pour l'élaboration d'une mémoire.

MÉCANISMES PHYSIOLOGIQUES DE LA MÉMOIRE À COURT TERME

Les effets de l'activité neuronique sur une cellule nerveuse dépassent souvent la durée de cette activité. Les recherches sur les mécanismes de la mémoire à court terme ont eu tendance à se concentrer sur l'étude de la sensibilité nerveuse d'une seule cellule. On connaît certains phénomènes qui diminuent la sensibilité d'une cellule pendant 1 h, ce qui est assez long. Durant cette période de temps, les stimuli qui feraient normalement décharger cette cellule ne provoquent aucune impulsion nerveuse. À l'opposé, d'autres phénomènes peuvent augmenter la sensibilité d'une cellule de telle sorte que les stimuli qui ne la feraient pas décharger en temps normal en ont maintenant la capacité.

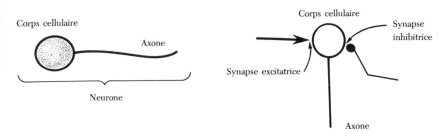

Figure 11-3

Il existe une espèce d'escargot (sans coquille) qui vit dans les bassins à marée. On l'appelle le «lièvre de mer» ou *Aplysia*. Il mesure 13 — 30 cm de longueur et est muni d'un siphon qui aspire l'eau pour la faire passer à travers le mantelet. Lorsqu'on touche au siphon ou qu'on l'asperge d'eau, le mantelet se rétracte. Si cette perturbation se répète l'animal *s'habitue* et le mantelet ne se rétracte plus. L'habituation se traduit par une diminution de la réponse en fonction de la répétition de la stimulation. Même en l'absence d'autres stimulations, cette habituation demeure effective pendant plusieurs minutes. Mais on peut *déshabituer* la réponse: un jet d'eau sur le *cou* provoquera la rétraction du mantelet même chez un animal habitué.

L'observation du phénomène d'habituation et de déshabituation chez l'*Aplysia* peut sembler une étrange façon d'entreprendre des recherches sur les mécanismes de la mémoire humaine. Cependant, nous avons de bonnes raisons d'étudier ce phénomène, car il nous renseigne sur des principes évolutionnaires. Les composantes neurologiques des systèmes nerveux se ressemblent beaucoup d'une espèce à l'autre. Le fonctionnement des nerfs, leur structure, leurs mécanismes synaptiques et leur biochimie semblent fort similaires chez les vertébrés et les invertébrés. Il se peut que le comportement des animaux inférieurs annonce celui, plus complexe, des

Figure 11-4

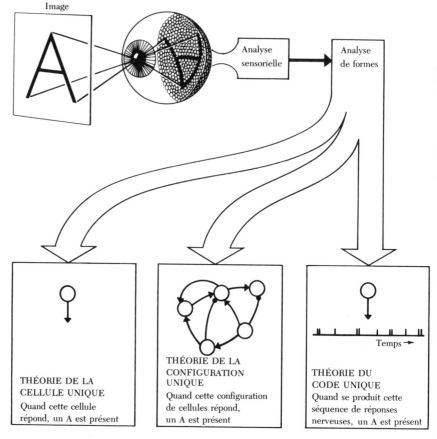

Image

Analyse sensorielle

Analyse de formes

THÉORIE DE LA CELLULE UNIQUE
Quand cette cellule répond, un A est présent

THÉORIE DE LA CONFIGURATION UNIQUE
Quand cette configuration de cellules répond, un A est présent

THÉORIE DU CODE UNIQUE
Quand se produit cette séquence de réponses nerveuses, un A est présent

Temps →

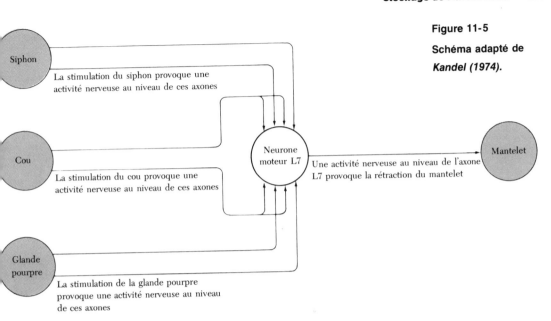

Figure 11-5

Schéma adapté de
Kandel (1974).

animaux supérieurs. De plus, l'*Aplysia* s'avère un candidat idéal en regard d'une recherche neuronique. Ses neurones sont facilement observables. On peut examiner une de ses cellules nerveuses, assez grosse — environ 1 mm de diamètre — à l'oeil nu. Il est possible d'identifier et de nommer chaque neurone pour que les chercheurs du monde entier puissent les retrouver et travailler avec les mêmes neurones. L'*Aplysia* est un animal assez simple pour qu'on puisse en arriver à schématiser complètement son système nerveux et à comprendre, en détail, son fonctionnement.

La figure 11-5 indique les connexions neuroniques spécifiques qui relient, chez l'*Aplysia*, les neurones sensoriels au neurone moteur qui contrôle la rétraction du mantelet (neurone que les spécialistes appellent L7). Ainsi peut-on déterminer où se produit l'habituation. Toucher soit le siphon, soit la région appelée «glande pourpre», provoque la rétraction du mantelet. La stimulation répétée du siphon cause l'habituation de cette réponse. Mais lorsqu'on touche la glande pourpre, le mantelet se rétracte à nouveau. La même chose se produit dans l'autre sens: l'habituation de la rétraction du mantelet lorsqu'on touche la glande pourpre ne provoque pas l'habituation des réponses liées au siphon, cela veut dire que l'habituation ne se produit pas dans ou après L7. Si ce neurone était responsable de cette habituation, l'habituation à la stimulation du siphon provoquerait l'habituation de la glande, et vice versa. Ce n'est pas le cas. Examinons maintenant la déshabituation. Lorsqu'on touche le cou ou la tête de l'animal habitué, la glande pourpre et le siphon se déshabituent. Il est clair que le stimulus qui cause la déshabituation augmente la sensibilité de toutes les synapses et annule toute habituation au niveau de celles-ci.

Il semble que les variations de sensibilité résultent de changements dans la composition chimique des synapses, soit à l'extérieur du neurone (présynaptique), soit à l'intérieur, peut-être au niveau de sa membrane (postsynaptique). L'un des mécanismes pouvant expliquer l'augmentation de l'efficacité synaptique est lié aux mouvements rapides des ions de sodium vers l'intérieur d'un neurone, à chaque impulsion nerveuse, puis le refoulement, hors de la cellule, des ions positifs par une action de pompage moins rapide. Ces variations ioniques affectent le potentiel électrique de la membrane cellulaire et se combinent peut-être à la régulation de l'activité des ions de calcium afin d'améliorer l'émission de substance transmettrice à travers l'espace synaptique.

Si importants que soient les raffinements de ces mécanismes, ils ne répondent pas entièrement à nos objectifs. Qu'ils nous permettent de représenter le maintien temporaire de l'excitation nerveuse ou sa diminution au niveau de certaines cellules individuelles, voilà bien sûr qui est important. Il est légitime de penser que ces changements temporaires au niveau des cellules puissent rendre compte des phénomènes de la mémoire à court terme, mais il serait risqué de tirer des conclusions trop hâtives. Étant donné l'extrême complexité du système nerveux humain avec ses billions de neurones, il est peu probable qu'un mécanisme unique et aussi simple puisse expliquer un phénomène aussi complexe que la mémoire à court terme. Il n'en reste pas moins que les réactions d'une seule cellule peuvent affecter le comportement d'organismes simples comme l'*Aplysia* et même s'apparenter aux structures mnémoniques plus complexes de l'humain.

MÉMOIRE À LONG TERME

Il existe plusieurs hypothèses pour expliquer les mécanismes nerveux responsables des changements permanents dans le cerveau humain. Aujourd'hui, on concentre surtout les recherches sur la structure protéique des neurones et des jonctions synaptiques. La synthèse des protéines paraît nécessaire à la formation de la mémoire à long terme. Les drogues qui inhibent la synthèse protéique semblent perturber également la formation de la mémoire à long terme chez les animaux. L'information mnémonique pourrait être encodée dans les molécules protéiques ,ou encore au niveau synaptique, la nouvelle protéine produisant des changements de longue durée en ce qui a trait à l'efficacité de la synapse. La synthèse des protéines demande du temps, en partie à cause de la complexité des molécules impliquées. Bien plus, si la synthèse protéique se produit dans le corps cellulaire, les protéines nouvellement synthétisées doivent descendre le long de l'axone jusqu'aux terminaisons nerveuses où elles seraient susceptibles d'avoir quelque effet. Il y a bel et bien un mouvement constant d'éléments chimiques et nutritifs le long des axones, mais leur transport requiert un certain temps. Plusieurs minutes peuvent être nécessaires pour acheminer les protéines jusqu'aux terminaisons nerveuses.

En ce qui concerne les bases neurologiques de la mémoire, l'opinion courante suggère que l'excitation nerveuse spécifique initiale provoque des changements temporaires au niveau des synapses. Ces changements se traduisent en mémoire à court terme. Il se peut qu'ils correspondent aux processus décrits dans la section précédente. La mémoire à long terme résulterait de la création de nouvelles protéines qui modifierait de façon permanente la sensibilité du neurone. L'information serait maintenue en mémoire à court terme pendant la durée nécessaire à l'établissement des changements à long terme (voir figure 11-6). Les mémoires à court et à long terme représentent donc différentes phases d'activité au niveau d'un neurone. Éventuellement, les deux mémoires peuvent affecter les mêmes structures; seule la permanence de l'effet permet de les différencier. À noter: pendant un certain laps de temps, seule une mémoire temporaire (à court terme) existe, la trace permanente (à long terme) n'étant pas encore établie. On appelle *consolidation* l'établissement de traces permanentes à partir des traces temporaires. On appelle *période de consolidation* le temps nécessaire à leur formation.

La description que nous avons donnée de la nature chimique de la mémoire est très controversée. Un grand nombre de chercheurs tentent de résoudre le problème et les nouveaux résultats affluent en nombre croissant. Le débat est centré sur la nature du processus de consolidation. Aspect étrange de ce processus, la consolidation ne semble comporter aucun effet apparent sur le comportement. Nous ne remarquons aucun changement mnémonique particulier lorsque les mémoires passent d'un mode de stockage à un autre.

Les rôles des processus biochimiques font aussi l'objet d'une étude approfondie. Les souvenirs sont-ils stockés au niveau des cellules individuelles? Les mémoires à court et à long terme utilisent-elles les mêmes connexions synaptiques? La mémoire à long terme est-elle permanente? Y aurait-il plusieurs phases dans le processus de stockage à long terme, chacune conservant un contenu plus permanent que la précédente? Les mécanismes génétiques correspondent-ils à ceux de la mémoire? Somme toute, les questions ne manquent pas. Actuellement, l'étude des mécanismes physiologiques de la mémoire constitue un domaine de recherche exaltant dont les nombreux aspects restent encore à développer.

Les troubles de mémoire

Il est évident que la mémoire à court terme est nécessaire à la rétention de l'information durant la période de consolidation. Durant la période d'activité électrique qui suit un événement, le souvenir de cet événement est consolidé en mémoire à long terme. On pourrait donc empêcher la consoli-

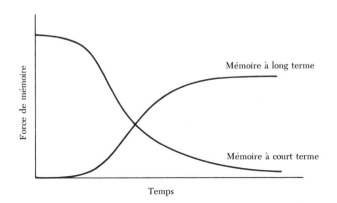

Figure 11-6

dation d'une trace mnémonique en créant des interférences au niveau de cette activité électrique. C'est même ce qui arrive: l'application d'un fort courant électrique au cerveau dérègle la mémoire à court terme.

CHOC ÉLECTRO-CONVULSIF

Comme le dit son nom, un *choc électroconvulsif* (CEC) consiste en un choc électrique d'un voltage tellement élevé qu'il provoque des convulsions. Lorsqu'on expérimente avec des rats, le CEC est administré peu après la réponse de l'animal à un stimulus: on analyse l'effet du CEC sur l'apprentissage de la réponse.

Jusqu'à maintenant, les meilleures expériences sur les CEC et l'apprentissage sont celles où l'on utilise ce qu'il est convenu d'appeler la *situation du piédestal* (voir figure 11-7). Voici la tâche: on place un rat sur un piédestal trop petit pour lui assurer une position confortable. On pose ce piédestal sur une grille électrifiée. Si le rat descend du piédestal (ce qui constitue sa réaction naturelle), il reçoit aux pattes un choc électrique d'intensité moyenne. Dans des conditions normales, le rat apprend très vite à demeurer sur le piédestal (généralement après un seul essai). Mais l'administration d'un CEC peut changer ce résultat. Il est important de noter que le CEC n'est pas un choc du même genre que celui administré aux pattes de l'animal: ce n'est que par coïncidence que nous utilisons l'électricité à la fois au niveau de la grille et du CEC. Le traitement CEC, appliqué un peu après le choc aux pattes, consiste en un choc très intense administré au cerveau. Les rats qui reçoivent un CEC immédiatement après avoir quitté le piédestal ne semblent pas apprendre à rester sur celui-ci. Il semble donc que le CEC détruise le souvenir du choc reçu aux pattes. Plus le délai sera long entre la réponse (descendre du piédestal) et le CEC, moins la mémoire sera affectée, moins le rat descendra du piédestal, et ce, malgré l'application d'un CEC*.

L'expérience du piédestal nous permet d'éviter bien des problèmes méthodologiques. Admettons qu'on utilise une tâche différente: supposons que l'animal soit entraîné à parcourir dans un labyrinthe un couloir particulier pour obtenir de la nourriture et qu'on lui administre un CEC après chaque essai. Dans ce cas, le rat pourrait très bien, pour éviter la déplaisante expérience du choc, éviter le couloir particulier où se trouve la nourriture. Il serait alors impossible de différencier l'incapacité de se remémorer où se trouve la nourriture des tentatives menées pour éviter le CEC. Dans l'expérience du piédestal, au contraire, le rat continue à produire une réponse qui provoque à la fois un choc aux pattes et un CEC. Si le rat se souvenait de la douleur reliée au CEC, cela ne ferait qu'augmenter sa résistance à descendre du piédestal, ce qui ne se produit pas. Donc, l'animal semble oublier à la fois le choc aux pattes et le CEC.

* Il y a eu plusieurs études sur la relation entre les chocs électroconvulsifs et l'amnésie rétrograde. On peut trouver une analyse critique et une bibliographie de ces expériences dans l'article de Deutsch (1969).

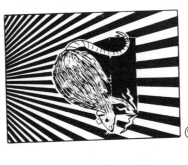

① On place le rat sur un piédestal au-dessus d'une grille électrifiée

BARREAUX DE LA GRILLE ÉLECTRIFIÉE

② Le rat descend du piédestal et reçoit un choc électrique d'intensité moyenne

③ On enlève le rat du piédestal

④ On replace le rat sur le piédestal

⑤ Le rat ne descend pas

① On place le rat sur le piédestal au-dessus d'une grille électrifiée

② Le rat descend du piédestal et reçoit un choc électrique d'intensité moyenne

③ On enlève le rat du piédestal et on lui administre un choc électroconvulsif

④ On replace le rat sur le piédestal

⑤ Le rat descend

Figure 11-7

AMNÉSIES   Un choc électroconvulsif peut perturber l'apprentissage chez les animau
et provoquer une amnésie chez les humains, au moins en ce qui a trait au
événements très récents. Ces effets amnésiques sont intéressants en eux
mêmes et offrent quelques points de repère utiles à l'étude de la mémoire
L'*amnésie rétrograde* s'avère une forme courante d'amnésie. Elle résult
habituellement d'un traumatisme cérébral causé par une chute, un choc
un coup sur la tête ou, il va sans dire, un choc électrique. La victime d'am
nésie rétrograde semble oublier tout événement précédant l'accident. Chos
curieuse cependant, elle n'oublie pas les événements depuis longtemp
passés. En fait, c'est comme s'il y avait dans la mémoire, une ligne qui s
prolongerait dans le temps. Lorsque l'accident se produit, la ligne s'efface
en partant du moment de l'accident et en remontant dans le passé pour un
durée proportionnelle à la gravité des blessures.

La figure 11-8 montre comment, à mesure que le patient se rétablit, se
souvenirs lui reviennent graduellement, en commençant par les plus anciens.
Ils n'étaient donc pas effacés, mais plutôt ensevelis. Le processus de recouvrement semble s'employer à dégager la ligne de mémoire en partant du passé le
plus lointain pour progresser vers le présent. Le nombre de souvenirs que le
patient peut éventuellement recouvrer dépend de plusieurs facteurs, mais
presque tous retrouvent leur mémoire. (Les scènes de cinéma où les gens perdent la mémoire pour plusieurs années ne se retrouvent pas souvent dans la

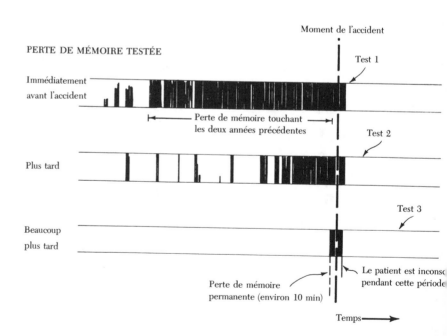

Figure 11-8   Phase hypothétique de recouvrement suite à une amnésie rétrograde. D'après les
données de J. Barbizet. *Human Memory and Its Pathology*. W.H. Freeman and Company.
Copyright © 1970.

réalité. Lorsque c'est le cas, ce sont plus des facteurs d'ordre psychologique qui entrent en cause que des lésions cérébrales. En fait, le patient supprime volontairement — quoiqu'inconsciemment — certains souvenirs. Grâce à un traitement psychiatrique approprié, il peut tous les recouvrer.) On ne réussit jamais, semble-t-il, à se rappeler les quelques minutes qui précèdent immédiatement l'accident. C'est comme si ces événements ne se trouvaient qu'en mémoire à court terme au moment de l'accident et qu'ils n'étaient jamais parvenus en mémoire à long terme. L'on rapporte souvent ce fait à l'appui de l'hypothèse de la nécessité d'une période de temps pour la consolidation d'un souvenir.

Le jeu de l'oubli et du recouvrement dans les cas d'amnésie rétrograde a des implications importantes quant au fonctionnement de la mémoire. Tout d'abord, il faut noter que seule la mémoire des événements passés se trouve affectée. D'autres types d'information emmagasinée — l'information ayant trait à la compréhension et à l'utilisation du langage — demeurent intacts. Plus tard, nous verrons que certains dommages causés au cerveau semblent n'affecter que le langage, sans pour autant perturber la mémoire des événements passés.

CHOC ÉLECTROCONVULSIF CHEZ L'HUMAIN

En thérapie, on utilise le choc électroconvulsif pour remédier à des désordres mentaux, spécialement dans les cas de dépression extrême (lorsque le CEC est utilisé comme thérapie, on l'appelle TEC — thérapie électroconvulsive). On ne sait pas exactement comment cette thérapie de choc agit pour changer les fonctions mentales. Une hypothèse émise récemment suggère que le choc lui-même ne produit pas d'effet direct, mais qu'il active des changements chimiques qui, eux, modifient l'action des neurones. Quels que soient les effets de la thérapie électroconvulsive sur les désordres mentaux, l'application de la TEC affecte la mémoire*.

Comme la TEC est une technique couramment employée en thérapie, il importe de déterminer ses effets sur le fonctionnement de la mémoire. En conséquence, de sérieuses études ont porté sur le cas de patients destinés à recevoir le traitement TEC, afin de déterminer ses effets sur la mémoire.

Comment vérifier la mémoire des événements depuis longtemps passés? Un test approprié doit s'attacher à connaître exactement quelles expériences ont d'abord été vécues par l'individu. Il ne suffit pas de demander à la personne ce dont elle se souvient. De telles questions risquent fort d'attirer des témoignages trompeurs de la mémoire, étant donné l'impossibilité de vérifier

*Nous tenons à exprimer notre désapprobation de l'utilisation des TEC comme traitement thérapeutique. Le mécanisme par lequel opère la TEC est inconnu. L'efficacité du traitement est discutable. De plus, on sait que la TEC peut provoquer des changements dans d'autres systèmes, comme la mémoire. Voici la raison pour laquelle on utilise la TEC: les cliniciens (psychologues et psychiatres) s'efforcent d'alléger le mal réel de leurs patients. Ceux-ci sont souffrants et ne peuvent attendre pendant des années la création de traitements chimiques ou psychologiques plus efficaces. Les TEC semblent soulager certains patients. Néanmoins, les traitements qui peuvent impliquer des changements permanents et irréversibles dans le fonctionnement du cerveau nous apparaissent hautement indésirables. Il est certain que l'on ne devrait appliquer les TEC qu'à un hémisphère à la fois (TEC unilatérale) car, comme nous le verrons bientôt, cette pratique cause beaucoup moins de dégâts à la mémoire que l'application aux deux hémisphères cérébraux (TEC bilatérale).

la précision des propos rapportés de même que leur véracité en regard de événements réellement vécus.

Plusieurs techniques ont été mises au point pour ce genre d'analyse. La meilleure méthode, semble-t-il, consiste à tester la mémoire des événements publics, car elle permet de vérifier les résultats du rappel. À ce niveau, retenons deux sources importantes: les événements qui ont fait la manchette de journaux à une époque donnée et les émissions télévisées.

Squire, Slater et Chace (1975) ont analysé chez des patients la mémoire de titres d'émissions télévisées. Ils basèrent leurs tests sur des émissions dont la période de diffusion leur était connue et dont la cote d'écoute était assez bonne. Voici quels étaient leurs critères de sélection:

1. Les émissions devaient avoir été diffusées pendant les heures d'écoute les plus populaires (entre 18 h et 23 h).
2. Elles devaient avoir été diffusées à l'échelle nationale.
3. Elles ne devaient avoir été présentées que pendant une saison.
4. Elles devaient toutes avoir été regardées par le même pourcentage approximatif de téléspectateurs à travers le pays.

À partir de ces critères, on a choisi 80 titres d'émissions dont la diffusion précédait de 3 à 17 années le test de mémoire. Les émissions furent réparties au hasard en deux catégories. Les questions se rapportant à la première catégorie furent posées aux patients avant une TEC bilatérale; les questions de la deuxième catégorie, 1 h après le cinquième traitement TEC. (Les traitements étaient appliqués trois fois par semaine.) Voyez les résultats à la figure 11-9. Il est clair que les TEC ont affecté la mémoire des titres d'émissions qui précédaient le traitement de un à quatre ans; par contre, ils n'ont eu aucun effet sur des périodes plus reculées. Une fois le traitement terminé, le recouvrement de la mémoire parut complet. La partie inférieure de la figure 11-9 indique les résultats obtenus avec d'autres groupes de patients testés deux semaines et six mois après la fin des TEC. Après six mois, leur performance (pour toutes les années) était la même que celle des patients qui n'avaient pas reçu de TEC.

RECOUVREMENT APRÈS UNE AMNÉSIE RÉTROGRADE

Tester la mémoire des titres d'émissions télévisées ne constitue pas une analyse complète de la mémoire, mais cette méthode fournit un point de départ. De plus, les résultats obtenus concordent avec l'ensemble des rapports cliniques portant sur les troubles de mémoire. Dans le cas d'une TEC comme d'une amnésie, la mémoire revient progressivement après l'expérience traumatique, prouvant ainsi que l'information n'a pu être effacée par le choc, mais bien rendue inaccessible. Il faut donc distinguer le stockage de l'information des processus qui extraient les souvenirs emmaganisés en mémoire.

Considérons à nouveau le mode de recouvrement après l'amnésie. Les plus vieux souvenirs risquent le moins de disparaître et sont les premiers recouvrés. Dans le temps, le recouvrement procède du passé lointain vers le présent. Partant de là, nous pouvons émettre deux suggestions quant à la nature de la mémoire. Premièrement, le moment où se produit un événement constitue un indice important pour son recouvrement ultérieur. S'il en était autrement, comment expliquer que le mode de recouvrement soit ainsi lié au moment où un événement s'est produit? Deuxièmement, tout semble indiquer que les vieux souvenirs sont plus persistants que les récents: il se peut que le simple passage du temps vienne renforcer automatiquement la mémoire. Autrement, pourquoi les vieux souvenirs résistent-ils si bien aux effets du choc traumatique, alors que les plus récents s'avèrent si vulnérables? Néanmoins, cette interprétation va à l'encontre du sens commun. Il est clair que nous avons beaucoup de difficulté à retrouver de vieux souvenirs. Or, s'ils sont les plus durables, ne devraient-ils pas être aussi les plus accessibles?

La difficulté qu'il y a à retracer les vieux souvenirs peut expliquer leur résistance à l'amnésie. Il se pourrait que l'événement n'affecte que les souvenirs forts et facilement accessibles. Peut-être le traumatisme se propage-t-il à partir du présent — qui constitue certainement nos expériences les plus

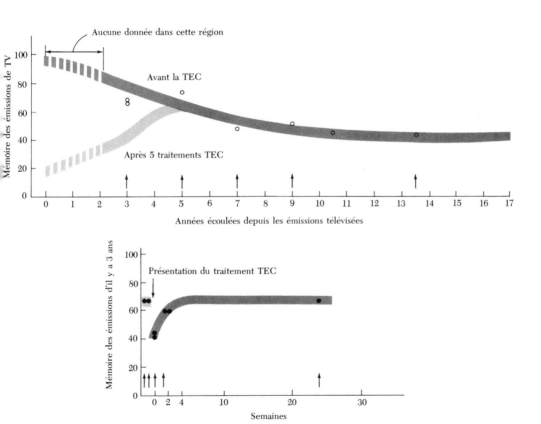

Effet du traitement TEC sur la mémoire des émissions télévisées. Le graphique supérieur indique la performance normale (ligne foncée) et la performance testée 1 h après la TEC. Le graphique inférieur montre le cours hypothétique du recouvrement de la mémoire des noms d'émissions télévisées d'il y a 3 ans. Dans les deux graphiques, les données sont établies uniquement pour les points indiqués par des flèches. Elles nous viennent de Squire, Slater, et Chace (1975).   Figure 11-9

accessibles — vers le passé en suivant la structure de la mémoire à long terme. Est-ce parce que les vieux souvenirs sont plus durables ou moins facilement accessibles que les souvenirs plus récents, qu'ils sont plus difficiles à effacer? Comment en décider?

Le fait que les événements précédant de quelques minutes une blessure au cerveau ne soient jamais recouvrés, corrobore les résultats obtenus avec les CEC*. La perturbation de la mémoire à court terme semble interférer avec le stockage des événements en mémoire à long terme. Cela ne veut pas dire qu'il suffit d'un bon fonctionnement de la mémoire à court terme pour que l'information soit automatiquement enregistrée en mémoire à long terme. Nous nous souvenons des événements récents sans difficulté, semble-t-il, pendant une courte période de temps. En revanche, l'enregistrement plus durable des événements en mémoire requiert un effort soutenu. Il faut peut-être plus qu'une réverbération électrique à court terme pour établir le stockage à long terme d'une information.

LES CAS DE H.M. ET DE N.A.

Examinons maintenant les troubles de mémoire subis par un certain patient que nous nommerons N.A. Il était affecté à une base militaire plutôt ennuyeuse et faisait de l'escrime pour passer le temps. Un jour, le bouton du fleuret de son adversaire se délogea et N.A. fut blessé; la pointe de l'arme perfora la faible structure osseuse de la narine et pénétra légèrement dans le cerveau. Plusieurs mois après l'incident, N.A. paraissait parfaitement rétabli aux yeux d'un observateur non averti. Il agissait de façon normale et pouvait converser normalement. Cependant, il y avait quelque chose de bizarre dans son comportement: il ne semblait pouvoir retenir toute nouvelle connaissance que pendant très peu de temps.

Cette anecdote illustre très bien ses difficultés. Le docteur Wayne Wickelgren, du Massachusetts Institute of Technology, était l'un des psychologues qui étudiaient les troubles de mémoire de N.A. Voici comment il rapporte le fait:

On m'a présenté à N.A. dans une petite salle de repos du département de psychologie du M.I.T. La rencontre se passa à peu près comme ceci. N.A. entendit mon nom et dit: «Wickelgren, c'est un nom allemand, n'est-ce-pas?»

«Non», répondis-je.

«Irlandais?»

«Non.»

«Scandinave?»

«Oui, c'est scandinave.»

---

* Il existe un écart déconcertant entre la durée des périodes associées à la mémoire à court terme chez les animaux et chez les humains. Les travaux avec les CEC chez les animaux laissent croire que la mémoire à court terme peut durer jusqu'à 1 h. Dans certaines études sur des animaux, on considère tout ce qui est retenu durant les premières 24 h qui suivent un événement comme provenant de la mémoire à court terme. Chez les humains, la durée de la mémoire à court terme se mesure en secondes. Comme nous l'avons vu au chapitre 8, elle ne persiste que pendant une période de 20 à 30 s.

Après une conversation d'environ 5 min, je quittai la pièce pour me rendre à mon bureau pour à peu près 5 min. Lorsque je revins, il me regarda comme s'il ne m'avait jamais vu et je lui fus donc présenté à nouveau. Il dit alors:

«Wickelgren, c'est un nom allemand, n'est-ce pas?»

«Non.»

«Irlandais?»

«Non.»

«Scandinave?»

«Oui.»

Exactement la même séquence qu'auparavant. (Wickelgren, communication personnelle.)

Malgré le fait que chacune des conversations avec N.A. parut parfaitement normale, chaque fois que quelque chose venait briser la continuité de l'entretien, les présentations recommençaient à nouveau comme s'il ne s'était rien passé auparavant*.

Que peut être la vie de quelqu'un affligé d'un tel handicap? H.M., un autre patient qui fut étudié de façon exhaustive, souffrait de sérieuses attaques d'épilepsie. À l'âge de 27 ans, il était incapable de travailler et, vu son état désespéré, on lui enleva les deux lobes temporaux médians. (Il s'agit des lobes latéraux inférieurs du cerveau.) Par la suite, ses crises disparurent, son Q.I. était de 118 (comparativement à 104 avant l'opération), mais il ne pouvait plus rien apprendre de nouveau. Voici comment quelques chercheurs ayant examiné H.M. décrivent sa vie:

Au cours des trois nuits qu'il passa au Clinical Research Center, le patient appela l'infirmière de service et lui demanda, avec mille excuses, de bien vouloir lui dire où il était et comment il y était venu. Il s'apercevait bien qu'il se trouvait dans un hôpital, mais semblait incapable de reconstituer tout événement survenu le jour précédent. À une autre occasion, il fit la remarque suivante: «Chaque jour est unique en lui-même, peu importe la joie ou la peine que j'ai éprouvée». Souvent, il offrait spontanément des descriptions stéréotypées de son propre état, telles que «c'est comme se réveiller d'un rêve». Sa vie ressemblait à celle d'un individu qui vient tout juste de remarquer son entourage sans

* Incidemment, cette particularité rend très difficile l'expérimentation avec ces patients. L'un de nous avait travaillé avec le professeur Wickelgren lorsque celui-ci étudiait la mémoire à court terme chez des étudiants de Harvard et du M.I.T. Lors d'une des visites de N.A. au M.I.T., nous avons pensé qu'il serait intéressant de le tester dans nos expériences afin de pouvoir comparer sa mémoire à celle de nos sujets. Or, jamais nous ne pouvions aller plus loin que la consigne. N.A. écoutait nos explications sur l'expérience, hochait la tête et disait: «D'accord, allons-y!» Nous nous tournions alors pour mettre en marche magnétophone et autres appareils. Au moment de présenter le tout premier thème de l'expérience, nous lui demandions s'il était prêt. Invariablement, il répondait quelque chose comme «Prêt à quoi? Est-ce que vous voulez que je fasse quelque chose?» Plus tard, Wickelgren obtint plus de succès, mais nos difficultés du début illustrent bien le fait suivant: même si de tels patients semblent fournir des informations précieuses sur la mémoire, il est extrêmement difficile d'obtenir les données nécessaires. De plus, ces patients accusent souvent d'autres difficultés dues à des déficiences neurologiques, problèmes indépendants de la mémoire, mais qui créent aussi des difficultés au niveau de la motivation et des émotions vis-à-vis ces études.

Pour une description plus complète des tests effectués sur ces patients, voyez la série de six articles parus dans Neuropsychologia, (1968, **6**, p. 211-282) et discutant des cas de N.A. et H.M.

bien comprendre la situation, du fait qu'il ne se rappelle rien de ce qui s'est produit auparavant.

[Milner, Corbin, et Teuber (1968).]

Une fois de plus, le type de handicap qu'accusent ces patients nous révèle certains faits intéressants concernant la mémoire. Leurs systèmes de mémoire semblent fonctionner parfaitement sur tous les points à l'exception d'un seul: la capacité d'utiliser une information nouvelle. L'entrée et le recouvrement de l'information en mémoire à court terme semblent intacts. Les patients peuvent tenir une conversation et doivent donc être en mesure d'extraire le sens des mots de leur mémoire permanente. Ils peuvent utiliser le système, mais ne peuvent vraiment pas s'en servir pour toute information nouvelle.

Voici une distinction importante. Comment un patient arrive-t-il à mettre en pratique les processus complexes de recouvrement nécessaires à la compréhension et à l'utilisation du langage, alors qu'il est incapable d'utiliser un matériel nouvellement acquis? Même H.M., le patient le plus gravement atteint, possédait une compréhension intacte du langage: «Il peut répéter et transformer des phrases dont la syntaxe est compliquée; il comprend bien les plaisanteries, y inclus celles qui comportent une ambiguïté sémantique». (Milner *et al.*, 1968.)

Nous avons vu plus haut qu'il était important de distinguer l'information déjà en mémoire d'avec les processus responsables de son recouvrement. De plus, rappelez-vous notre distinction entre l'autorépétition de maintien et les processus d'intégration. Ces patients peuvent construire des mémoires temporaires — la mémoire à court terme habituelle de même qu'une espèce de «mémoire de travail», toutes deux nécessaires pour garder la trace de l'information lorsqu'elle est récupérée de la mémoire à long terme. Par contre, les processus d'intégration qui permettent de rendre permanent ce matériel temporaire ont été sélectivement perturbés. De toute évidence, une information nouvellement acquise ne s'intègre pas adéquatement au matériel déjà appris.

Qu'est-ce que ces patients peuvent apprendre? Il est difficile de répondre à cette question. Il est clair que certaines choses peuvent être apprises: H.M. ne pouvait décrire son travail au centre de réhabilitation (monter des briquets sur des formes de carton pour fins d'étalage) même après six mois de travail quotidien. Cependant, il parut «vaguement conscient» de certains événements — la mort de son père, l'assassinat du président Kennedy. Cette capacité résiduelle de mémoire nous apprend-elle quelque chose sur la nature des processus mnémoniques ou indique-t-elle simplement que le déficit neurologique est incomplet? Le patient N.A., par exemple, continua à améliorer quelque peu sa capacité de mémoire durant la période qui suivit son accident, si bien que cinq ans plus tard, quand l'un de nous lui fit passer certains tests à l'université de Californie, on constata qu'il avait amélioré sa capacité d'apprendre. Cependant, toute tentative visant à améliorer davantage sa mémoire grâce à des mnémotechniques échoua. Malgré le passage du temps, le patient H.M. n'a pu améliorer sa capacité de mémoriser.

La capacité de N.A. a cependant continué de s'améliorer lentement. Aujourd'hui, dix ans après son accident, il peut se rendre seul, en voiture, e chez lui à l'hôpital où il reçoit ses traitements, soit une distance d'environ 0 km. N.A. peut donc se rappeler certaines choses. Cependant, le parcours st assez simple: il s'agit d'un trajet en ligne droite vers le sud, en suivant es autoroutes. Il s'avéra incapable d'apprendre un trajet plus complexe, omme le parcours de livraison qu'emprunte sa mère dans son travail.

Lorsque N.A. fut testé pour sa mémoire des titres d'émissions télévisées, on rappel était normal pour la programmation des années 50 (25 ans aupa-avant), en-dessous de la moyenne pour les années 60 (15 ans auparavant) t très mauvais pour les années 70, malgré le fait qu'il passe une bonne partie le son temps à regarder la télévision. Lors de tests portant sur les noms de personnalités connues, N.A. n'a pu retrouver que 3 ou 4 noms sur une possi-bilité de 20; ordinairement les gens en retrouvent 14 ou 15. Mais ces tests concernent le *rappel* — on demandait à N.A. de produire les noms lui-même. Dans des tests de *reconnaissance* de noms, sa performance se situe à un niveau normal.

Les études portant sur les patients affligés des troubles de mémoire com-mencent à faire ressortir une certaine configuration des perturbations mné-moniques. Lorsque les premières analyses furent rapportées, on croyait qu'elles indiquaient une incapacité à apprendre un matériel nouveau: trans-férer une information en mémoire à long terme. Aujourd'hui, on remet en question cette interprétation. Des tests plus judicieux révèlent l'existence d'une mémoire de l'information récente (habituellement les tests de recon-naissance). Plusieurs spécialistes attribuent maintenant la cause du déficit de la mémoire aux mécanismes de rappel plutôt qu'aux mécanismes de stockage.

AUTRES ÉTUDES SUR L'AMNÉSIE

On a assisté à un accroissement de l'intérêt porté à l'étude des gens atteints d'amnésie. La cause la plus fréquente de l'amnésie semble résulter du *syn-drome de Korsakoff*, incapacité souvent rencontrée chez l'alcoolique chroni-que et attribuée à des lésions du cerveau (peut-être le résultat d'une carence en vitamines par suite d'une trop grande dépendance à l'alcool dans l'ali-mentation).

Les patients de Korsakoff présentent plusieurs des symptômes décrits dans les cas de H.M. et de N.A. Ils semblent incapables d'apprendre une information nouvelle, mais sont en mesure de relater des événements sur-venus avant leur amnésie. Même après plusieurs années de traitement dans un hôpital, quelques-uns s'avèrent incapables de retrouver leur chemin le long d'un couloir qu'ils empruntent pourtant chaque jour.

Kinsbourne et Wood (1975) ont émis l'hypothèse que les patients amnési-ques peuvent être particulièrement déficients quant au recouvrement d'*évé-nements épisodiques*, mais normaux quant à celui d'*événements sémantiques* (voir la distinction apportée au chapitre précédent). Ainsi, lorsqu'ils deman-dèrent à un patient amnésique de rapporter un incident relatif à certains mots, ils obtinrent des définitions ou des usages généraux, mais pas d'inci-dent. Les sujets normaux, eux, ont la capacité de rapporter des incidents. Par exemple, lorsque Kinsbourne et Wood tentèrent d'obtenir la description d'un épisode en demandant à un patient de rapporter un souvenir personnel

lié à un drapeau ou à des drapeaux, ils ne reçurent qu'une description générale: *«Naturellement, je me souviens des drapeaux. Les drapeaux servent à
saluer dans les défilés, très souvent dans les défilés».* Lorsqu'on demanda
au patient de rendre compte d'un souvenir précis de n'importe quel défilé
ou drapeau particulier qu'il avait déjà vu, il continua à dire qu'il avait vu des
drapeaux dans des défilés parce qu'ils étaient chose courante dans sa vie.
Il fut incapable de décrire un drapeau ou un défilé particulier.

Certaines caractéristiques générales de la mémoire commencent à ressortir
de ces études. Pendant une courte période de temps après leur occurrence,
les événements semblent persister en mémoire à court terme. La mémoire
à long terme requiert un certain temps, semble-t-il, avant de s'établir. Il est
possible de perturber la mémoire à long terme au moyen d'un choc électrique, d'agents chimiques et de manipulation directe du cerveau par choc
physique, maladie, blessure ou chirurgie. Ces bouleversements semblent
affecter le recouvrement de l'information. Comme nous l'avons vu dans les
chapitres précédents, les propriétés organisatrices du système mnémonique
sont très importantes: pour toute mémoire à grande capacité, les problèmes
concernant l'accès à l'information dépassent de beaucoup la question du
stockage.

Les troubles de mémoire semblent affecter les processus d'intégration
servant à incorporer un matériel nouvellement acquis à l'information déjà
présente en mémoire, ainsi que les processus d'interprétation et de supervision, contrôles nécessaires pour orienter le recouvrement d'une information
ancienne. Certains troubles semblent causer la perte d'événements spécifiques; certains autres rendent les événements récents inaccessibles. L'information contenue en mémoire sémantique — les définitions génériques
des concepts et les structures permettant l'utilisation du langage et le fonctionnement quotidien normal — semble la moins affectée. Les patients
concernés peuvent parler et comprendre un discours. Ils peuvent tenir une
conversation qui semble normale, à condition que le sujet discuté n'exige
pas qu'ils aient recours à un matériel affecté par la maladie. Une telle performance serait impossible sans un fonctionnement presque normal du
système de mémoire.

Les études portant sur les désordres neurologiques n'en sont qu'à leurs
débuts. Les expériences sont difficiles à réaliser et nos connaissances restent
imprécises. Ce domaine est d'une grande importance pour les recherches à
venir: les études sur les anomalies de la mémoire peuvent non seulement
nous en apprendre beaucoup sur la mémoire, mais nous mener à la découverte d'une thérapie adaptée à ceux qui souffrent de ces anomalies.

Localisation des fonctions du cerveau

Où s'accomplit, dans le cerveau, chaque fonction particulière? Les premières données sur la localisation des fonctions cérébrales nous viennent de
l'observation générale des personnes atteintes de blessures au cerveau. Ainsi,
on remarqua rapidement que la destruction des aires postérieures du cerveau
causait des déficiences visuelles, alors que celle des aires frontales avait
tendance à produire des déficiences au niveau de la motivation et des

émotions. De plus, on découvrit que la destruction de l'hémisphère gauche du cerveau affectait la parole, particulièrement chez les droitiers. Telles sont les premières constatations sur la localisation des fonctions du cerveau.

Mais la situation se complique. À la surprise générale, les animaux et les humains peuvent subir des blessures très sérieuses, qui détruisent une grande partie du cerveau, sans qu'on constate de troubles apparents au niveau de la mémoire. En fait, il semble presque impossible de détruire totalement des souvenirs spécifiques une fois qu'ils ont été établis. La seule règle qu'on ait pu tirer de ces observations est très générale: plus les dommages causés au cerveau sont étendus, plus ils affectent le patient.

Cette affirmation, connue sous le nom d'*effet de masse*, provient des travaux d'un pionnier en la matière, le psychologue Lashley (1931, 1950). Lashley recherchait l'*engramme*, trace neuronique d'un souvenir spécifique. Dans ses expériences, il enseignait certaines tâches à des animaux pour ensuite détruire, par chirurgie, certaines parties de leur cerveau; il espérait ainsi découvrir quelle partie contenait la mémoire de la tâche. Lashley ne trouva aucun indice susceptible de prouver qu'une mémoire spécifique soit située dans une partie spécifique du cerveau. Au lieu de cela, il découvrit que la mémoire propre à une tâche était perturbée plus ou moins proportionnellement à la quantité (masse) des tissus détruits — l'effet de masse.

Les mêmes résultats ressortent de certains types de pertes de mémoire que l'on rencontre chez des patients qui souffrent de dommages neurologiques dus à des accidents ou à une intervention chirurgicale. Il fut impossible de démontrer que des souvenirs spécifiques avaient été détruits. On peut perdre des souvenirs pour une période de temps limitée, comme c'est le cas dans l'amnésie, mais une intervention chirurgicale ne peut effacer le souvenir spécifique d'un événement précis une fois qu'il est établi. Certes, un patient peut ne pas se rappeler certains événements et éprouver de graves difficultés avec sa mémoire, du fait de son incapacité de distinguer les nouveaux événements des anciens; mais rien ne prouve que cette déficience ne s'explique pas simplement par un dommage causé à certaines fonctions de recouvrement, ce qui rend les vieux souvenirs plus difficiles à atteindre.

Quelle conclusion peut-on tirer de tout cela? Il se peut que les souvenirs ne soient pas emmagasinés en des endroits spécifiques, mais plutôt répandus dans le cerveau sous forme de configurations. De cette façon, n'importe quel souvenir spécifique mettrait en cause des régions étendues du cerveau sans qu'aucune de ces régions ne soit absolument indispensable; simplement plus il y a de régions liées à ce souvenir, plus celui-ci devient clair. Ainsi, certains spécialistes supposent que les événements entrant dans le système de mémoire s'intègrent à l'activité en cours dans l'ensemble du cerveau et que la mémoire consiste en une modification de configurations d'activité complexes et diffuses*.

---

*Ceux d'entre vous qui connaissez la façon dont une image visuelle est enregistrée sur un *hologramme* comprendront tout de suite l'analogie. Malheureusement, l'analogie pèche par sa simplicité. Il y a plus de faits impliqués dans la mémoire humaine que la simple loi de l'effet de masse n'en peut expliquer. Les modèles holographiques n'ont pas été confrontés à suffisamment de problèmes liés à la mémoire humaine pour en permettre une évaluation.

Malgré l'échec de Lashley dans sa tentative de trouver des souvenirs d'activités spécifiques localisés en des endroits spécifiques du cerveau, plusieurs spécialistes en neurologie croient fermement que les *fonctions* du cerveau sont localisées de façon spécifique. Comme nous l'avons vu dans les chapitres traitant de la vision et de l'audition, le système sensoriel se projette en des régions précises et bien spécifiées du cortex cérébral. Toute blessure aux aires sensorielles produit des troubles précis et bien connus au niveau du fonctionnement sensoriel et perceptuel. Ceci se vérifie pour tous les systèmes sensoriels, y compris le toucher, le goût, l'odorat et la kinesthésie. De même, ce sont des régions précises du cortex cérébral qui dirigent le contrôle moteur des muscles. Ainsi, les contrôles d'entrée et de sortie du corps sont effectués par des régions cérébrales spécialisées et localisées de façon précise. Cependant, dès que nous nous intéressons à des mécanismes plus généraux, plus cognitifs, la connaissance que nous avons de leur localisation s'appauvrit.

La plupart des connaissances que nous avons de la localisation des fonctions du cerveau proviennent d'études de cas de patients frappés de déficiences neurologiques causées soit par des carences génétiques, soit par des interventions chirurgicales, ou, le plus souvent, par des blessures accidentelles et des lésions vasculaires (destruction de tissus du cerveau résultant d'une rupture ou d'un blocage des vaisseaux sanguins qui alimentent le cerveau). Les blessures produisent des déficiences différentes selon l'endroit où elles se situent. Des types spécifiques de désordre du langage (aphasies) et de la mémoire (amnésies) correspondent à des dommages causés à des régions spécifiques du cerveau. Les troubles de langage sont particulièrement intéressants car au début, ils parurent fournir un instrument de recherche utile. Certains patients perdent la capacité de nommer des objets, d'autres semblent avoir des problèmes de perception. Par exemple, certains patients s'avèrent incapables de comprendre le langage parlé, alors que leur ouïe semble normale et qu'ils peuvent lire, écrire et parler. D'autres peuvent écrire, mais sont incapables de parler (même s'ils peuvent parfois chanter), et ainsi de suite. Malgré cela, on n'a pas réussi à trouver une manière utile de classifier les aphasies. Les troubles qu'éprouvent les patients ne se présentent pas en blocs clairs et nets. Ceci est probablement dû au fait que les dommages causés au cerveau sont habituellement répandus plutôt que limités à une seule région. Les dommages au cerveau que nous rencontrons le plus souvent, proviennent d'une carence de l'alimentation en sang — l'*ischémie*. Les *ischémies* ont tendance à affecter des aires cérébrales étendues, recoupant les régions qu'on suppose spécialisées dans diverses fonctions.

Le fait qu'aucun mécanisme unique ne soit vraiment responsable des fonctions cognitives ou de la mémoire est peut-être la raison pour laquelle on ne peut situer précisément ces fonctions. Le langage implique l'interaction de différents systèmes de connaissance: le traitement acoustique et visuel de l'information afférente, le contrôle des lèvres, de la langue, des cordes vocales et des muscles respiratoires, le décodage des mots, la compréhension de la structure du langage, le sens des mots, l'interaction des mots avec la situation et, enfin, les connaissances pragmatiques et sociales. De la même manière, la mémoire d'un événement réel, comme prendre un repas, implique une mémoire des activités, des images, des sons, des goûts et des mouvements, une mémoire des concepts et des actions, une mémoire des individus présents lors de l'événement ainsi que des sujets discutés (les sujets abordés peuvent eux-mêmes faire appel à d'autres mémoires). Il n'est pas étonnant que ni la mémoire, ni le langage, ne puissent être localisés en un endroit unique et précis dans le tissu neurologique du cerveau. Même si une partie spécifique du cerveau est affectée, le comportement cognitif humain est déterminé par une structure de connaissances et de mécanismes tellement interreliés qu'aucune déficience ne peut être remarquée. Lorsque les dommages causés au cerveau sont assez sérieux pour être observables au niveau du fonctionnement cognitif, c'est qu'ils ont probablement affecté plusieurs fonctions.

SPÉCIALISATION DES DEUX HÉMISPHÈRES DU CERVEAU

Le corps est symétrique. Nous possédons deux bras, deux jambes, deux yeux et deux oreilles. Nous avons aussi deux cerveaux ou, du moins, deux moitiés qui sont presque des copies exactes l'une de l'autre. Chaque moitié possède ses propres centres de réception de l'information auditive, visuelle et tactile, de même que son propre centre de contrôle des mouvements musculaires. Les deux moitiés corticales du cerveau communiquent entre elles par le biais d'une masse de fibres nerveuses appelée le *corps calleux* (voir figure 11-10).

La symétrie propre à l'anatomie des deux moitiés du cerveau nous amène à poser cette question: peuvent-elles, oui ou non, fonctionner de façon indépendante? Les données anatomiques ne contredisent sûrement pas une telle hypothèse. Chaque organe sensoriel transmet son information aux deux moitiés du cerveau. Mais y a-t-il deux systèmes de mémoire distincts? La même information se trouve-t-elle stockée dans chacune des deux moitiés du cerveau, permettant ainsi la redondance, pour parer aux failles éventuelles? Ou encore, les hémisphères se divisent-ils le travail, l'un accomplissant des choses que l'autre ne fait pas? Ou, se pourrait-il que l'une des deux moitiés soit inactive, n'accomplissant que peu ou pas de travail, dominée par l'autre moitié qui serait plus fonctionnelle? Nous pouvons, semble-t-il, répondre «oui» à toutes ces questions: un oui prudent et réservé, avec des si, des mais et des peut-être, mais «oui» tout de même.

CERVEAUX DIVISÉS CHEZ LES ANIMAUX

C'est le système visuel qui fournit le meilleur test sur le fonctionnement des deux hémisphères. Dans le système visuel, tout ce qui parvient à la moitié gauche de la rétine est transmis à la moitié gauche du cerveau et tout ce qui parvient à la moitié droite de la rétine est transmis à la moitié droite du cerveau (voir figure 11-11). Ceci vaut pour les deux yeux. (Rappelez-vous que le cristallin de l'oeil renverse l'image, si bien que lorsque vous regardez droit devant, les objets situés à gauche se retrouvent sur la moitié droite de la rétine et donc, dans la moitié droite du cerveau.) Cependant, lorsqu'on regarde droit devant, il n'existe pas de ligne verticale qui marque le centre du champ de vision. Comment l'information transmise aux deux hémisphères est-elle coordonnée pour produire une seule perception et une seule mémoi-

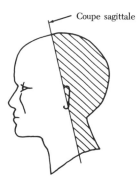

Coupe sagittale

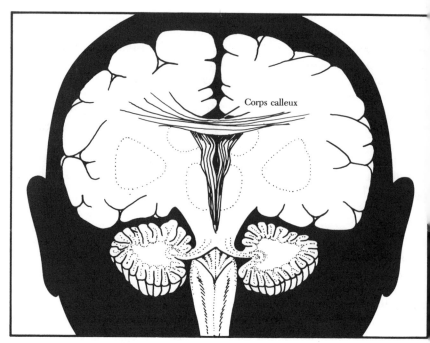

Corps calleux

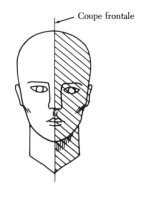

Coupe frontale

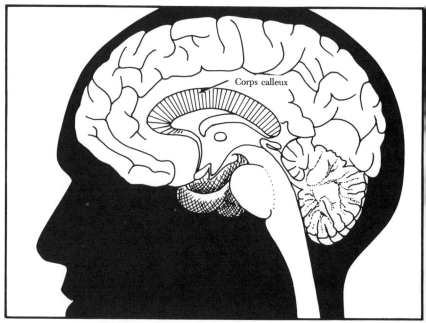

Corps calleux

Figure 11-10

e cohérentes?

La première question consiste à se demander comment l'information ansmise à un côté du cerveau interagit avec celle transmise à l'autre côté. our tenter de répondre à cette question, il suffit d'entraîner un animal à accomplir une tâche quelconque alors qu'une seule moitié du cerveau reçoit information sensorielle. Ensuite, on organise les tests de façon à ce que eul le côté opposé — l'hémisphère non entraîné — puisse voir le stimulus-st. L'animal peut-il alors accomplir la tâche de façon appropriée?

La figure 11-11 montre comment les fibres optiques allant des yeux au erveau se croisent au point appelé *chiasma optique* (voir chapitre 2). Si ne coupure chirurgicale est faite au milieu de cette structure, l'hémisphère auche du cerveau ne reçoit que l'information de l'oeil gauche et l'hémis-hère droit ne reçoit que celle de l'oeil droit. Ceci constitue le premier st. L'animal, dont le chiasma optique est sectionné, est entraîné avec l'oeil auche ouvert et l'oeil droit recouvert. Une fois la tâche apprise, on teste animal en recouvrant son oeil gauche et en laissant son oeil droit ouvert. st-ce que la moitié droite du cerveau sait ce que la moitié gauche a appris?)ui. L'animal est parfaitement capable d'effectuer la tâche, même si l'hémis-hère droit n'a pas été confronté directement avec l'information auparavant.

Les moitiés droite et gauche du cerveau semblent informées de ce que fait hacune d'elles. Comment cela se fait-il? Deux réponses nous viennent à esprit. Premièrement, chaque hémisphère transmet de l'autre côté l'infor-nation qu'il reçoit aussitôt qu'elle arrive, reproduisant ainsi l'enregistrement n mémoire de la même information dans chaque hémisphère. Comme les

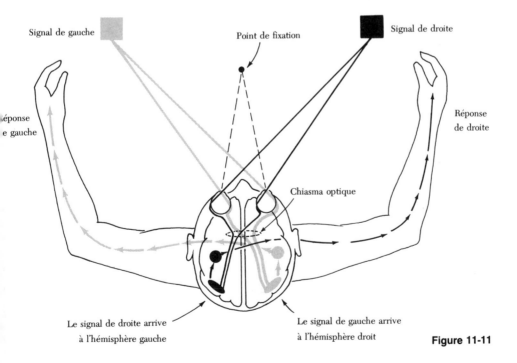

Signal de gauche

Point de fixation

Signal de droite

éponse e gauche

Réponse de droite

Chiasma optique

Le signal de droite arrive à l'hémisphère gauche

Le signal de gauche arrive à l'hémisphère droit

Figure 11-11

deux moitiés cérébrales se souviennent de l'information, il importe p[e]
que l'on teste l'une ou l'autre au niveau de la tâche d'apprentissage. Deux[i]
mement, le matériel présenté à l'hémisphère gauche n'est stocké que da[r]
cet hémisphère. Pendant le test, l'hémisphère droit peut simplement av[c]
accès à toute l'information stockée dans l'hémisphère gauche. Une fois [d]
plus, il est évident que ce système serait capable de réussir l'expérience [d]
tantôt.

Il est clair que la clé du mystère se trouve dans le canal de communicati[on]
entre les deux moitiés du cerveau. Imaginons une expérience qui débu[te]
exactement comme la précédente: avec le chiasma optique sectionné, l'anim[al]
est entraîné à une tâche en n'utilisant que l'oeil gauche. Cette fois-ci, apr[ès]
l'entraînement mais avant le test, nous sectionnons le corps calleux, rompa[nt]
ainsi les lignes de communication entre les deux hémisphères. On tes[te]
alors l'animal avec l'oeil droit. Maintenant, l'hémisphère droit n'a plus acc[ès]
à l'hémisphère gauche et ne peut plus utiliser l'information qui y est emm[a]-
gasinée. À moins qu'il n'y eût construction de mémoires doubles, l'anim[al]
ne devrait pas pouvoir accomplir la tâche. Il y réussit quelquefois pourtan[t,]
tout aussi bien avec l'oeil droit qu'avec l'oeil gauche. Apparemment, l[es]
deux hémisphères ont stocké l'information pertinente à l'expérience d'a[p]-
prentissage*.

SPÉCIALISATION
HÉMISPHÉRIQUE
CHEZ LES
HUMAINS

Contrairement au cerveau des animaux, les deux hémisphères du cerve[au]
humain semblent spécialisés quant au type d'information qu'ils emmaga[si]-
nent. L'hémisphère gauche contient généralement l'information nécessai[re]
au traitement des symboles du langage. Ceci soulève certaines questio[ns]
intéressantes: quelles fonctions mnémoniques peut accomplir l'hémisphè[re]
muet du cerveau? Peut-il reconnaître quelque chose? Peut-il mémorise[r?]

Considérons le comportement typique d'un patient qui a subi une inte[r]-
vention chirurgicale visant à éliminer ses symptômes épileptiques. L'inte[r]-
vention ressemble à celle que l'on pratique sur les animaux. On sectionn[e]
le corps calleux pour rompre la communication corticale entre les de[ux]
moitiés du cerveau. (Cependant, le chiasma optique demeure intact, comm[e]
chez les animaux.)

Pour un observateur naïf, le patient semble parfaitement normal apr[ès]
l'intervention. (En fait, certaines personnes sont nées avec cette lésion [et]
ont vécu plusieurs années sans problème.) Il faut des procédures expér[i]-
mentales très précises pour détecter des particularités dans le comportemen[t.]
Pour y arriver, il suffit de tester le patient en limitant les entrées sens[o]-
rielles à un seul hémisphère. En contrôlant quel hémisphère reçoit l'info[r]-
mation sensorielle et en posant les questions appropriées, on peut explor[er]
les capacités de mémoire propres à chaque moitié du cerveau.

Tout d'abord, le patient réagit normalement à n'importe quel objet pr[é]-
senté à la main droite ou au champ visuel droit. Par exemple, si l'on montr[e]

---

* Un grand débat se tient actuellement autour de cette question. Certains chercheurs croient que seul[es]
les tâches «simples» peuvent être stockées dans les deux hémisphères, alors que les tâches «complexe[s»]
ne seraient situées que dans un seul (voir Myers, 1962). Voir le chapitre 5 du livre de Gazzaniga, *The bisect[ed]
brain* (1970), pour une analyse plus complète du sujet.

ou si l'on tend au patient une paire de ciseaux à partir du côté droit, il répond: «Ce sont des ciseaux». Le résultat n'est point surprenant puisque dans ce cas, l'entrée sensorielle parvient à l'hémisphère gauche et établit donc un contact normal avec les centres du langage. Les objets présentés dans le champ visuel gauche ou dans la main gauche ont un effet totalement différent. Si l'on demande au patient ce qu'il tient dans la main gauche, il dira qu'il la sent engourdie. Si on lui présente une image dans le champ visuel gauche, il peut percevoir un flash, mais aucun détail de l'image (voir figure 11-12).

Comment expliquer ce phénomène? À prime abord, rien ne peut être reconnu avec l'hémisphère droit. Cependant, si l'on place d'abord un objet dans la main gauche et qu'on l'enlève pour le mettre dans un sac contenant d'autres objets, le patient peut, avec la main gauche, retirer le bon objet du sac quand on le lui demande. De plus, si l'on projette brièvement une série d'images dans le champ visuel gauche après que l'objet a été placé dans la main gauche, le patient peut désigner l'objet approprié, mais seulement avec la main gauche. Aussi, quoique les objets ne puissent être *décrits*, leurs *fonctions* peuvent être expliquées par des gestes. Par exemple, si on lui montre un couteau, le patient peut faire le geste de couper. Si on lui montre une clef, il peut l'insérer dans une serrure imaginaire. Finalement, le patient peut tracer avec la main gauche un dessin de ce qu'il perçoit dans le champ visuel gauche. Or, dans tous ces cas, la personne est absolument incapable de décrire verbalement l'objet.

Même après avoir retiré le bon objet du sac, ou l'avoir montré sur une image, ou avoir mimé son usage, le patient ne peut toujours pas le nommer. Si on lui demande ce qu'il a dessiné avec la main gauche, il ne répondra pas correctement. Par exemple, si le symbole «$» a été présenté dans le champ visuel gauche et «?» dans le champ visuel droit, la main gauche dessinera un «$» et la main droite un «?». Si le mot «clef» est présenté dans le champ visuel gauche et «caisse» dans le champ visuel droit, le patient prétendra ne pas savoir ce qu'il a vu, mais pourra tout de même trouver une clef en cherchant avec la main gauche. Si on lui demande ce qu'il tient, le patient peut dire que c'est une espèce de caisse, «une caisse de bière» par exemple (Sperry, 1968).

Que nous suggèrent ces phénomènes? Quand la communication a été coupée entre les deux hémisphères, la personne semble agir comme deux personnes différentes; la main gauche ignore ce que fait la main droite. Comme seule la moitié gauche du cerveau peut utiliser le langage, la personne est incapable de verbaliser ou d'écrire quoi que ce soit en rapport avec l'hémisphère droit. Cependant, l'hémisphère droit conserve sa capacité de reconnaître les objets et possède une mémoire puisque le patient est en mesure de chercher et de trouver un objet qu'on lui a présenté puis ensuite, enlevé. De plus, il est évident que la classification de l'information dans l'hémisphère droit du cerveau implique une conceptualisation plutôt poussée. Supposons que l'on présente au patient l'image d'une horloge dans le champ visuel droit et qu'on lui demande de la retrouver parmi d'autres objets en se servant de la main gauche. S'il n'y a pas d'horloge, mais seulement une montre-bracelet, il choisira celle-ci. D'un point de vue fonctionnel, la montre-bracelet correspond exactement à une horloge. Qui plus est, il choisi la montre-bracelet même si la forme des autres objets ressemble plus à cell de l'horloge. En d'autres mots, quoique la moitié droite du cerveau ne puiss utiliser le langage, elle peut utiliser les concepts. Ainsi, la moitié droite d cerveau, quoiqu'indépendante du langage, a néanmoins la capacité d'ac complir des tâches intellectuelles.

Voici un résultat plutôt étonnant: alors que l'hémisphère droit ne peut pa parler, il peut quand même obéir à des commandements verbaux et recon naître des mots écrits. Ainsi, il serait faux de croire que l'hémisphère droi du cerveau opère entièrement sans la fonction du langage.

Si la moitié droite du cerveau s'avère incapable de **produire** le langage elle peut néanmoins le **reconnaître**. La main gauche (contrôlée par l'hémis phère droit) ne peut écrire le nom d'un objet présenté dans le champ visue gauche (ce qui constituerait une production de langage). Cependant l'hémisphère droit peut reconnaître le nom d'un objet écrit présenté brière ment dans le champ visuel gauche (ce qui constitue une reconnaissance d langage). Pour prouver qu'il y a réellement reconnaissance, on demande au patient d'appuyer sur un bouton lorsque le nom spécifique est présenté ou encore, de se servir de sa main droite pour tirer hors d'un sac l'obje correspondant, placé parmi d'autres.

L'hémisphère droit reste limité dans sa capacité de reconnaître le langage S'il est très efficace pour comprendre des noms concrets, il se montre moins habile avec des verbes ou des noms qui dérivent de verbes tels que «mar che», «chute» ou «coupe» (Gazzaniga, 1970, p. 119). Par exemple, le patient est incapable de bouger l'une ou l'autre main de façon appropriée pour répondre à des commandements tels que «frappe», «serre» et «pointe», lorsqu'ils sont présentés à l'hémisphère droit. Un test de contrôle simple indique que cette incapacité de répondre est due à des problèmes de com préhension de langage plutôt que de contrôle moteur. En effet, le patient peut se servir de sa main pour mimer le mouvement approprié lorsqu'une **image** du mouvement, plutôt qu'un commandement verbal, parvient à l'hémisphère droit.

Le cerveau des organismes supérieurs semble donc consister en deux systèmes de traitement centraux complets, liés par un ensemble serré de lignes de communication. Ordinairement, chaque système ne reçoit qu'une partie de l'information sensorielle transmise par les nombreux récepteurs. L'hémisphère gauche du cerveau reçoit l'information visuelle de la moitié droite du champ visuel, l'information tactile des récepteurs situés dans la moitié droite du corps et l'information auditive provenant de l'oreille droite. L'hémisphère droit reçoit l'ensemble complémentaire des données sensorielles. Les fibres de communication du corps calleux semblent servir au transfert des parties manquantes du message vers chacun des cortex, si bien que chaque hémisphère possède une représentation complète de l'environnement. Normalement, les deux hémisphères semblent cons truire des mémoires doubles lors de l'apprentissage d'une tâche, et ce, même si les messages sensoriels peuvent être restreints à un seul hémis phère. Quand les deux systèmes de traitement sont isolés, ils ont la capacité de fonctionner de façon indépendante. Chaque moitié peut acquérir et

Figure 11-12

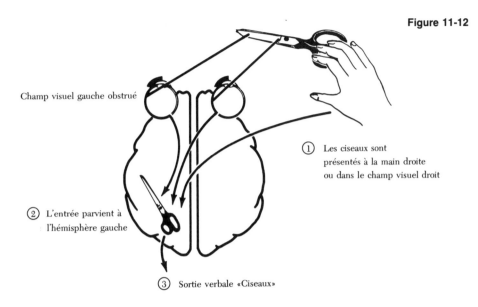

Champ visuel gauche obstrué

① Les ciseaux sont
présentés à la main droite
ou dans le champ visuel droit

② L'entrée parvient à
l'hémisphère gauche

③ Sortie verbale «Ciseaux»

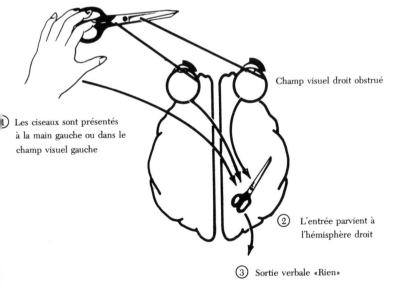

Champ visuel droit obstrué

① Les ciseaux sont présentés
à la main gauche ou dans le
champ visuel gauche

② L'entrée parvient à
l'hémisphère droit

③ Sortie verbale «Rien»

stocker l'information nécessaire à l'accomplissement d'une tâche d'appren
tissage. Le fait que chaque hémisphère ne perçoive qu'une partie de l'infor
mation du milieu ne semble pas constituer un handicap sérieux. Les dom
mages congénitaux qui affectent le cerveau et spécialement le corps calleu
n'entraînent pas de déficience sérieuse au niveau des capacités perceptuelle
ou intellectuelles.

Chez un patient au cerveau divisé, le fait que les deux moitiés cervicale
fonctionnent indépendamment l'une de l'autre crée certains problèmes lor
des prises de décision, comme le démontre la citation suivante tirée du livr
de Gazzaniga:

> Le cas I... se retrouvait parfois en train de baisser son pantalo
> d'une main et de le remonter de l'autre. Un jour, il saisit sa femme d
> la main gauche et la secoua violemment, pendant que sa main droite
> cherchant à lui venir en aide, tenta de ramener à l'ordre la main belli
> queuse. Une autre fois, dans le jardin du patient, alors que je jouai
> aux fers avec lui, il ramassa de la main gauche une hache appuyée contr
> le mur de la maison. Comme c'était probablement l'hémisphère droit
> plus agressif, qui était aux commandes, je quittai la scène discrètemen
> — peu désireux d'être la victime du test qui déterminerait quelle moiti
> du cerveau la société punit ou exécute.
> [*Gazzaniga (1970), p. 107.*]

Comme deux cerveaux contrôlent le même organisme, la duplication de
mémoires semble une façon directe de coordonner l'activité des deux systè
mes. Elle évite les conflits qui pourraient survenir si chaque partie du cerveau
apprenait des choses différentes. Cependant, cette duplication mnémoniqu
serait un luxe que ne pourraient se permettre que les organismes inférieur
pour lesquels les exigences de l'environnement n'excèdent probablemen
pas les capacités d'apprentissage et de mémoire. Chez les humains, la situa
tion n'est pas aussi simple. Les exigences extraordinaires de l'apprentissag
perceptuel de la mémoire et du système moteur que le système de langag
impose à l'être humain semblent avoir conduit à une certaine spécialisatio
des fonctions accomplies par les deux hémisphères. L'un des hémisphères
habituellement le gauche, semble développer la plupart des fonctions néces
saires à la production du langage. Seuls les dommages causés à cet hémis
phère «dominant» paraissent affecter la capacité de se servir du langage

**DEUX CERVEAUX:
FIXES OU
FLEXIBLES?**

Malgré les problèmes que comportent la coordination de l'information
le fait de posséder deux cerveaux pouvant opérer de façon indépendant
présente certains avantages. Premièrement, cela permet une grande flexibi
lité au niveau du fonctionnement. Étant donné la symétrie des deux hémis
phères, l'un ou l'autre peut prendre la relève en cas d'urgence. Quand de
enfants en bas âge subissent des lésions graves au cerveau, l'autre moiti
peut prendre la relève et compenser le handicap. La compensation est-ell
complète? Difficile à dire. Pour pouvoir répondre à cette question, il faudrai
un moyen de contrôle, un moyen de savoir comment la personne se serai
développée si le cerveau avait été intact. Néanmoins, complète ou non, l

compensation s'avère étonnamment bonne.

En revanche, le cerveau ne conserve pas cette flexibilité quand l'organisme vieillit. Plus l'enfant est jeune lorsque les dommages surviennent, plus grandes sont les chances que l'hémisphère intact prenne à sa charge les fonctions de l'hémisphère atteint. Nous ignorons si le facteur «âge» est lié à la maturation ou simplement à l'apprentissage du langage, mais il est raisonnable de généraliser et de dire que plus le langage s'est développé, plus il sera difficile qu'un hémisphère puisse remplacer l'autre. Le langage constitue un comportement étrange et complexe qui exige une énorme capacité de stockage et de traitement. Les êtres humains sont peut-être les seuls à posséder un langage complexe dans lequel l'ordre des symboles détermine leur signification, et dans lequel les phrases peuvent passer d'une forme à une autre sans en altérer le sens. Même si certains animaux possèdent des moyens de communiquer (et quoiqu'on puisse enseigner un langage limité à des chimpanzés), aucun n'a démontré qu'il possède un langage approchant seulement la complexité du langage humain. Il est certain que la complexité du langage est liée à la complexité de la structure du cerveau (voir figure 11-13).

Ainsi, lorsqu'un langage a été bien établi, avec un vocabulaire assez étendu et une assez bonne compréhension des règles grammaticales, il est légitime de penser que les structures du cerveau se sont organisées autour du langage, soit par des changements biologiques ou chimiques, soit par l'acquisition d'une banque de données étendue et complexe. Avec l'établissement de cette organisation complexe, l'organisme perd cette capacité de transfert à l'autre hémisphère, advenant que l'un des deux soit endommagé. En fait, après la puberté, si l'hémisphère du langage subit des dommages, il est peu probable que l'autre hémisphère puisse prendre la relève.

On ignore pourquoi l'hémisphère gauche contrôle habituellement le langage. Au départ, les deux hémisphères semblent avoir la même capacité et il n'y a pas de raison apparente pour que l'un des deux soit mieux adapté à contrôler le langage. Néanmoins, le langage se développe généralement dans l'hémisphère gauche et les habiletés non verbales dans l'hémisphère droit. De plus, la plupart des gens sont droitiers, même s'il n'y a aucune raison logique à cela: pourquoi 50% de la population ne serait-elle pas gauchère? On pense qu'il existe un lien entre la dominance de l'hémisphère gauche pour le langage et le fait d'être droitier. Les gauchers semblent avoir tendance à utiliser l'hémisphère droit pour le langage. Mais ce n'est pas toujours vrai. Plusieurs gauchers ont un langage dont les processus se situent dans l'hémisphère gauche. Dans une famille, plus forte est la tendance à être gaucher, plus il y a de chances que les hémisphères soient inversés. Ainsi, la fille de parents gauchers — surtout si certains de ses frères et soeurs le sont aussi — aura probablement le langage centré dans l'hémisphère droit.

Un résultat qui a d'importantes implications sur le traitement des patients ressort de l'ensemble des études sur l'effet des thérapies électroconvulsives (TEC) dont nous avons déjà parlé. Squire et Chace (1975) ont étudié, sur la mémoire des patients, les effets des chocs appliqués aux deux hémisphères simultanément (TEC bilatérale) ou à un seul hémisphère (TEC unilatérale). Il semble que chaque thérapie ait un effet différent sur la mémoire. En effet,

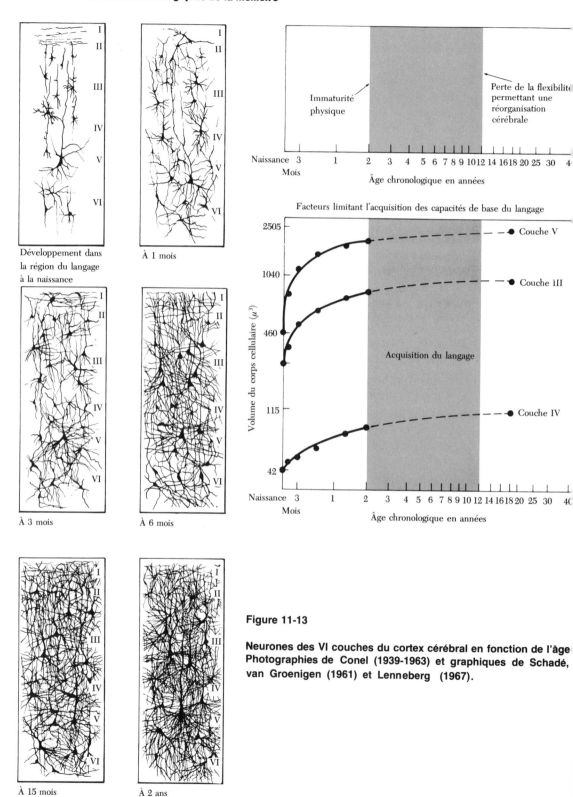

Développement dans
la région du langage
à la naissance

À 1 mois

À 3 mois

À 6 mois

Immaturité
physique

Perte de la flexibilité
permettant une
réorganisation
cérébrale

Naissance 3
Mois

Âge chronologique en années

Facteurs limitant l'acquisition des capacités de base du langage

Couche V

Couche III

Volume du corps cellulaire (μ^3)

Acquisition du langage

Couche IV

Naissance 3
Mois

Âge chronologique en années

À 15 mois

À 2 ans

Figure 11-13

**Neurones des VI couches du cortex cérébral en fonction de l'âge
Photographies de Conel (1939-1963) et graphiques de Schadé,
van Groenigen (1961) et Lenneberg (1967).**

la TEC bilatérale a des répercussions plus importantes que l'unilatérale. Voici les résultats des expériences: dans l'un ou l'autre cas, la mémoire est recouvrée complètement au bout de six mois; cependant, les effets initiaux du traitement sont plus graves dans le cas des TEC bilatérales que dans le cas des TEC unilatérales.

Même si les résultats expérimentaux n'ont pas permis, six mois après le traitement bilatéral, de déceler la moindre déficience dans la mémoire des patients, ces derniers ne sont pourtant pas de cet avis. Ceux qui avaient reçu un choc unilatéral croyaient que leur mémoire n'avait pas été affectée par le traitement. Par contre, les patients qui avaient reçu un choc bilatéral «croyaient qu'ils continuaient à éprouver des difficultés, six à neuf mois après». Vous pouvez imaginer combien il peut être difficile de déterminer si la mémoire que possède une personne des événements lointains est normale. Pour y réussir, il faut connaître le passé du patient et de plus, comparer sa performance actuelle avec celle qu'il aurait pu fournir s'il n'y avait eu le traitement TEC. Les patients qui persistent à croire que leur mémoire n'est pas intacte pourraient avoir raison, car il se peut qu'ils possèdent plus d'information sur leurs propres processus de mémoire que nos expériences ne peuvent nous en fournir. Étant donné l'imprécision de la métamémoire, il reste que nous ne le savons pas. Les gens ignorent comment apprendre de façon efficace, et peuvent prendre des semaines pour se rappeler quelque information. Il se peut aussi que les patients ne fassent que réagir à une longue hospitalisation, à leurs difficultés et à leurs espérances lorsqu'ils croient que leur mémoire continue d'être affectée. Ce point nécessite une investigation prudente et sérieuse: aussi, la recherche progresse-t-elle lentement.

Nous pouvons maintenant relier les travaux sur la TEC bilatérale aux analyses sur la spécialisation des hémisphères. Si les souvenirs ne sont encodés que dans une moitié du cerveau, pourquoi la TEC bilatérale serait-elle plus dommageable que l'unilatérale (si nous prenons pour acquis que la TEC unilatérale fut administrée à l'hémisphère qui contenait les souvenirs)? Deux explications sont possibles. Premièrement, les souvenirs peuvent se trouver dans les deux hémisphères. Deuxièmement, il y a le problème du transfert. L'information dans un hémisphère est souvent transmise aux endroits correspondants dans l'autre hémisphère: le corps calleux maintient la communication entre les deux hémisphères. Or, dans le cas d'une TEC bilatérale, la communication n'a pas d'effet puisque les deux hémisphères sont temporairement inopérants.

L'artiste scrute son tableau, analysant d'une manière critique la structure, l'équilibre, les contrastes. Il met un peu de couleur sur un morceau de carton et le tient vis-à-vis la surface à retravailler. Fronçant les sourcils, il ajoute un peu de vert, un peu de blanc, un peu de bleu. Il essaie encore et encore, jusqu'à ce que le plancher soit couvert des esquisses de son travail. Finalement satisfait, il applique la couleur sur le canevas lui-même.

HÉMISPHÈRES SPÉCIALISÉS — PENSÉE SPÉCIALISÉE

La femme de science dépose les graphiques sur la table, pousse de côté la calculatrice et se lève. Elle se recule pour regarder les graphiques à distance. Le plancher est couvert de livres et de feuilles, produits de la quête stérile d'une explication. Finalement, elle abandonne et quitte le bureau. Le lendemain matin, en prenant sa douche, le jeu de la lumière, des ombres et des gouttes d'eau sur le mur retient son attention. Soudain, quelque chose jaillit dans son esprit et, sans chercher plus avant, elle comprend l'assemblage de ses données: une nouvelle théorie vient de naître.

Deux modes de pensée: l'un froid, intellectuel, analytique — soupesant soigneusement la meilleure des alternatives, expérimentant souvent pour déterminer les possibilités correctes. L'autre, hasardeux, sans planification, libre — laissant les choses au hasard, s'abandonnant aux processus inconscients, à la rencontre imprévue de l'inspiration. Habituellement, on attribue le premier modèle au scientifique, le deuxième à l'artiste. Cependant, comme l'illustrent ces exemples, chacun peut, à l'occasion, faire preuve d'une réflexion suivie et planifiée, ou y aller de ses pressentiments, de ses moments de divination ou de ses idées inspirées.

En cherchant une explication de la spécialisation des hémisphères, certains ont argué que chaque hémisphère contrôlait différents modes de pensée. On prétend qu'un hémisphère — généralement le gauche — se spécialise dans la pensée analytique et logique. C'est aussi cet hémisphère qui contrôle le langage. On attribue à l'autre hémisphère — le droit, pour la plupart des gens — les modes de pensée non analytiques, continus ou synthétiques. On conçoit l'hémisphère droit comme non scientifique, indifférent à la logique conventionnelle ou à la raison, mais plutôt rythmique, artistique et de style créateur.

Voilà de curieuses prétentions. Sur quoi s'appuient-elles? Une part de ces affirmations provient des études cliniques que nous venons de considérer et qui démontrent la division des habiletés dont témoignent les deux hémisphères des patients qui ont subi une section chirurgicale du corps calleux. L'autre tient des expériences avec des sujets normaux. Dans ce cas, on a démontré que la plupart des droitiers peuvent mieux se rappeler l'information verbale lorsqu'elle parvient à l'oreille droite plutôt qu'à l'oreille gauche. Cependant, la musique semble mieux retenue lorsqu'elle est présentée à l'oreille gauche plutôt qu'à l'oreille droite (voir Kimura, 1961, 1964). (Rappelez-vous que chaque oreille, comme c'est le cas pour les systèmes sensori-moteurs, transmet la majorité de ses signaux au côté opposé du corps.) Généralement, pour observer la dominance hémisphérique chez des sujets normaux, il faut rendre la tâche difficile et stimuler les deux hémisphères. Ainsi, pour démontrer qu'une personne entend plus distinctement les mots avec l'oreille droite qu'avec l'oreille gauche, il est nécessaire d'émettre simultanément dans l'autre oreille des sons sans rapport avec la tâche. En voici la raison: si l'on procédait autrement, l'hémisphère passif pourrait analyser, grâce au corps calleux, les signaux reçus par l'autre hémisphère. D'un autre côté, comme chaque oreille transmet des signaux aux deux hémisphères, à moins de stimuler les deux oreilles, rien n'empêche les deux hémisphères d'exécuter la tâche, éliminant complètement toute différence due au fait que le son soit reçu par telle oreille plutôt que par l'autre.

Le même problème se pose dans le cas de la vision, même si tout ce qui se trouve à droite du point de fixation est analysé par l'hémisphère gauche. Le corps calleux continue de transmettre à l'autre hémisphère les signaux sensoriels des champs visuels gauche et droit, si bien qu'il est nécessaire, tout comme pour l'audition, de stimuler les deux yeux pour obtenir un effet maximum.

LE PHÉNOMÈNE DE STROOP

Cohen et Martin (1975) ont fait une démonstration intéressante de la spécialisation des hémisphères. Leur expérience utilise le phénomène découvert en 1935 par Stroop (appelé le *test de Stroop*). Le phénomène de Stroop se produit chaque fois que l'analyse de l'information sensorielle décèle un conflit dans cette information. Pour expérimenter cet effet, regardez le plus vite possible la liste des chiffres encadrés de la figure 11-14. Pour chaque boîte, dites tout haut combien d'items elle contient. Par exemple, une boîte comme celle-ci devrait donner la réponse «quatre».

Vous devriez avoir éprouvé certains conflits entre le chiffre que vous auriez dû dire (correspondant au nombre d'items contenus dans la boîte) et le chiffre représentant l'item. Le conflit ne se produit que si vous lisez les nombres, ce qu'on ne vous demande pas de faire. Mais Stroop a démontré que la lecture se fait presque automatiquement et qu'il est difficile, sinon impossible, de l'empêcher (d'après le chapitre 8, la lecture constitue un processus dirigé-par-données). Donc, le chiffre généré de façon interne par le biais de la lecture entre en conflit avec le chiffre résultant du comptage*.

Dans le domaine de l'audition, Cohen et Martin ont mis au point une expérience analogue au phénomène de Stroop. Les hauteurs tonales des sons se répartissaient en hautes et en basses et les sujets devaient répondre en disant «haut» ou «bas». Cependant, comme l'illustre la figure 11-15, les notes étaient produites par une personne qui chantait les mots «haut» et «bas». Elle chantait le mot «haut» à une hauteur élevée ou basse et elle faisait de même avec le mot «bas». Dans la moitié des cas, les mots chantés correspondaient à la hauteur tonale (tonie) du son. (Si vous tentez cette expérience, assurez-vous d'avoir un nombre égal de concordances et de conflits entre les mots chantés et leurs hauteurs tonales.)

Lorsque Cohen et Martin tentèrent l'expérience de façon monaurale en présentant les mots chantés seulement à l'oreille droite (ou seulement à l'oreille gauche), ils ne découvrirent qu'un léger effet de la dominance hémisphérique. Les sujets démontraient autant de précision dans l'un et l'autre cas, mais ils étaient légèrement plus rapide avec l'oreille gauche lorsque les mots se trouvaient en conflit avec les hauteurs.

---

*En fait, l'expérience de Stroop correspondait à une tâche où il fallait nommer des couleurs. Les noms des couleurs étaient imprimés à l'encre colorée: le mot «bleu» pouvait être imprimé à l'encre rouge, le mot «rouge» à l'encre verte et ainsi de suite. On demanda aux sujets de nommer la couleur de l'encre le plus vite possible. Cette tâche produisit des résultats surprenants, plus encore que l'exemple que nous avons fourni ici: en général, les sujets nommaient trois ou quatre couleurs puis se mettaient à bafouiller, à se tromper et à rire. La seule façon d'exécuter la tâche efficacement consiste à éviter la lecture, ce qui devient possible lorsqu'on ne regarde que l'extrémité des mots ou lorsqu'on brouille l'image (en enlevant ses lunettes par exemple).

Puis, Cohen et Martin compliquèrent l'expérience: ils présentèrent le mots chantés dans une oreille, alors qu'on lisait une histoire dans l'autre Comme tantôt, les sujets devaient dire aussi vite que possible la hauteur du mot chanté. De plus, pour être certain qu'ils écoutaient de l'autre oreille on leur posait des questions sur le contenu de l'histoire. Pour s'assurer de la dominance de l'hémisphère gauche au niveau du langage, on ne test que les parfaits droitiers. Cette fois-ci, les résultats furent encore plus nets En fait, il n'y eut que la moitié des sujets qui purent accomplir la tâche Comme vous pouvez l'imaginer, la tâche était plutôt ardue.

Pour comprendre ce qui se passe dans cette expérience, il importe de savoir quel hémisphère accomplit la tâche et lequel reçoit initialement l'information. La figure 11-16 illustre la situation lorsqu'on présente l'histoire à l'oreille droite et les sons chantés à l'oreille gauche. Fondamentalement il faut se rappeler que:

les mots sont interprétés par l'hémisphère gauche;
les hauteurs tonales sont interprétées par l'hémisphère droit;
les sons présentés à l'oreille gauche sont d'abord traités par l'hémisphère droit;
les sons présentés à l'oreille droite sont d'abord traités par l'hémisphère gauche.

Lorsqu'on présente l'histoire à l'oreille droite (comme dans la figure 11-16), elle est d'abord traitée par l'hémisphère gauche qui est dominant pour la tâche. Cependant, le mot chanté est transmis de l'hémisphère droit à l'hémisphère gauche. Comme le mot chanté doit passer par cette étape supplémentaire, l'identification de la hauteur se produit habituellement avant l'interprétation du mot chanté. Conséquemment, l'effet de Stroop s'avère minimal: confusion minimale entre le mot chanté et la hauteur réelle.

La situation change lorsqu'on présente l'histoire à l'oreille gauche et les tonalités à l'oreille droite. Dans ce cas, l'histoire parvient d'abord à l'hémisphère non approprié et doit être envoyée de l'autre côté. Il en va de même pour les hauteurs. Cependant, le mot chanté, qui parvient lui aussi à l'oreille

Figure 11-14

2 2 2
2 2 2 2 2 2 2
9 9
6 6 6 6 6
3
1 1 1 1 1 1 1 1
7 7 7 7 7 7 7 7 7
5 5 5 5
6 6 6 6 6 6
3 3 3 3 3 3
7 7 7 7
2 2 2
3 3 3 3 3 3 3 3 3
1 1 1 1 1
7
3 3 3 3 3 3 3
2 2 2
7 7 7 7 7 7 7 7
8 8 8 8 8 8
4 4 4 4 4 4 4

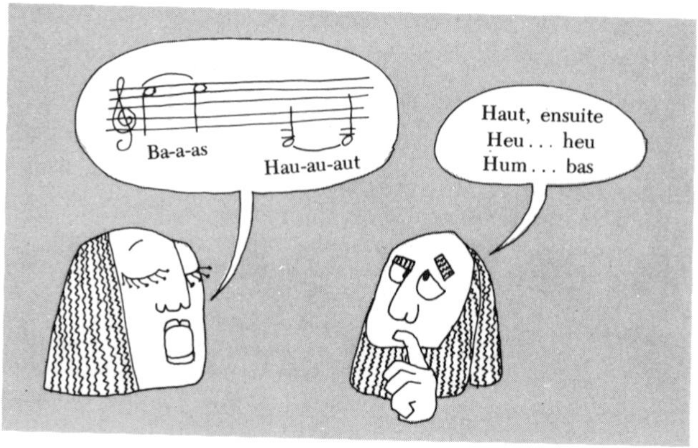

Figure 11-15

droite, est d'abord transmis à l'hémisphère gauche, où il peut être interprété. On interprète donc le mot chanté avant de procéder à l'identification de la hauteur. En conséquence, l'analyse verbale du mot chanté et l'identification de la hauteur de la note ont plus de chances d'interférer: c'est le phénomène de Stroop.

Comme l'indique le graphique de la figure 11-16, dans les deux cas, les sujets prennent un temps considérable pour déterminer la hauteur tonale des sons chantés. Mais quand les sons arrivent à l'oreille droite et qu'il y a conflit entre le mot chanté et la hauteur réelle, les sujets prennent près de 0,25 s de plus (250 ms) pour répondre. Quand mots et hauteurs entrent en conflit, il y a plus de 100 ms de différence entre l'audition des sons dans l'oreille droite et celle dans l'oreille gauche.

Cohen et Martin suggèrent que les deux hémisphères effectuent l'analyse verbale et celle de la hauteur de façon indépendante et qu'ils rivalisent pour le traitement de chaque tâche. Si les conditions favorisent l'analyse verbale, il se peut qu'il y ait réponse conflictuelle, ce qui diminue la capacité du système.

Conclusion

Lorsque nous suivons les tentatives visant à localiser les mécanismes du cerveau responsables de l'apprentissage et de la mémoire, nous constatons qu'il est très difficile pour le scientifique d'aller plus loin dans sa recherche. Le cerveau présente une structure des plus complexes; plusieurs de ses parties travaillent en fonction l'une de l'autre. Plusieurs causes comme plusieurs sources déterminent le comportement humain. Aucune composante unique ne peut être tenue responsable du plus simple des actes. C'est dire qu'une partie assez étendue du cerveau est utilisée dans à peu près n'importe quelle tâche. Qui plus est, plus de parties qu'il n'en faut vraiment concourent aux opérations, ce qui donne une souplesse extraordinaire au cerveau et au comportement. Le cerveau peut subir des dommages étendus sans pour

Figure 11-16

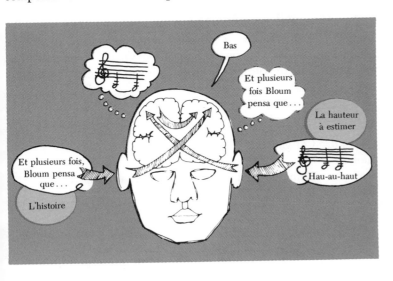

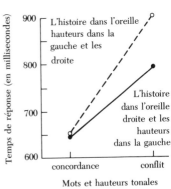

autant paralyser l'organisme tout entier. Chez l'humain, il consiste en une structure raffinée dont les parties travaillent en harmonie les unes avec les autres dans le but de produire un comportement unique. Or, même si nos études n'ont réussi à découvrir la localisation d'aucune composante spécifique et fonctionnelle de la mémoire, elles offrent un tableau attrayant des mécanismes nerveux et de leurs opérations.

L'étude des mécanismes nerveux responsables de la mémoire laisse soupçonner l'organisation fonctionnelle du cerveau, mais il reste beaucoup de travail à accomplir pour élucider la question. L'étude des déficiences qu'accusent certains patients qui, pour une raison ou pour une autre souffrent de troubles de mémoire, constitue une source précieuse d'informations au niveau du cerveau et du système mnémonique. Elle permet d'améliorer tant le niveau de compréhension générale que les techniques thérapeutiques. Encore faut-il admettre que beaucoup de travail reste à faire.

Les études portant sur les deux hémisphères du cerveau indiquent qu'ils se différencient l'un de l'autre et qu'ils semblent se spécialiser dans des tâches différentes. Mais nous ne savons pas encore où nous conduira cette observation. Chez la personne normale, les différences que nous remarquons s'avèrent minimes et observables seulement dans des conditions particulières. La seule preuve scientifique que nous ayons des différences entre les fonctions hémisphériques se fonde sur des tâches de traitement plutôt simples. Nous n'en savons pas assez sur les mécanismes et les processus de la pensée pour être en mesure de vérifier des hypothèses telles que celles présentées au début de ce chapitre, à savoir que les deux hémisphères contrôlent des modes de pensée différents, que certaines personnes peuvent être soumises à la domination d'un hémisphère et ainsi afficher des schèmes de pensée différents de ceux des gens dirigés par l'autre hémisphère. Ces hypothèses sont purement spéculatives. Jusqu'à maintenant, aucune preuve scientifique ne permet d'appuyer (ou de discréditer) ces énoncés de façon concluante. Aussi, ces études ont-elles servi principalement à soulever des questions: bien des recherches restent à faire.

Revue des termes et notions

Voici, pour le présent chapitre, les termes et notions que nous considérons importants. Passez-les en revue; si vous êtes incapable d'en donner une courte explication, vous devriez revoir les sections appropriées du chapitre.

TERMES ET NOTIONS À CONNAÎTRE
Cortex
  hémisphères droit et gauche
  corps calleux
  vous n'avez pas besoin de connaître les termes suivants, mais vous devriez pouvoir les reconnaître:
    lobe frontal
    lobe temporal
    lobe pariétal
    lobe occipital

Cellules nerveuses
  soma
  corps cellulaire
  synapse
    excitatrice et inhibitrice
  axone
  dendrite
Théorie de la cellule unique
Théorie de la configuration unique
Théorie du code unique
Habituation
Déshabituation
Consolidation
CEC et TEC
  unilatérale et bilatérale
  expérience du piédestal
Amnésie rétrograde
  période de recouvrement après l'amnésie
Implications des cas de H.M. et N.A.
Effet de masse
Études de cerveaux divisés
  spécialisation des hémisphères
Le phénomène de Stroop

Lectures suggérées

Il n'y a pas de références faciles sur les bases biologiques et neurologiques de la mémoire. Shepherd (1974) offre une excellente introduction aux mécanismes physiologiques. *The handbook of psychobiology* édité par Gazzaniga et Blakemore (1975) constitue peut-être la meilleure référence quant aux thèmes abordés dans ce chapitre: dans ce livre, voyez le chapitre 7 sur les bases biochimiques de la mémoire; le chapitre 16, sur les études neurologiques de l'apprentissage; le chapitre 19, sur la spécialisation hémisphérique. De plus, les autres chapitres sauront sûrement intéresser plusieurs d'entre vous. L'*Annual Review of Psychology* et l'*Annual Review of Physiology* offrent nombre de références concernant les recherches récentes; les quatre ou cinq dernières années de ces revues devraient être retenues. (Attendez-vous à ce que ces revues annuelles soient plutôt ennuyeuses; elles servent à indiquer où trouver les travaux intéressants ou importants et ne visent pas à vous passionner pour le sujet.)

OUVRAGES GÉNÉRAUX

Le livre de Deutsch (1973), *The physiological basis of memory*, contient un ensemble d'articles intéressants. Nous recommandons aussi le livre de Mark (1974), *Memory and nerve cell connections*, dans lequel il expose ses arguments en faveur d'un système de mémoire semblable au système normal qui guide l'organisme en développement. Il y présente des idées intéressantes au sujet des mécanismes synaptiques. Les travaux sur l'*Aplysia* dont

LES MÉCANISMES DE LA MÉMOIRE

nous avons parlé dans ce chapitre proviennent en partie du chapitre de Kandel dans *The neurosciences study program* (1974); comme nous l'avons indiqué dans les lectures suggérées du chapitre 6, tout ce programme de recherche procure une foule d'informations sur toutes les phases des mécanismes physiologiques de la mémoire (voir Schmitt, 1972; Schmitt et Worden, 1974). Vous trouverez une description des recherches de Thompson sur la localisation de la mémoire dans son article de 1976 (b). Squire offre une excellente revue des théories sur les mécanismes physiologiques de la mémoire à court terme dans le livre édité par Deutsch et Deutsch (1975) sur la MCT: les six derniers chapitres de Deutsch et Deutsch sont aussi très pertinents à la discussion poursuivie dans ce chapitre-ci.

LES TROUBLES DE MÉMOIRE

Il existe bon nombre de livres portant sur les amnésies et sur la pathologie de la mémoire. Talland (1965, 1968) traite surtout du syndrome de Korsakoff (patients éprouvant des difficultés au niveau de la mémoire par suite d'alcoolisme chronique). Des ouvrages plus généraux tels que les articles recueillis par Talland et Waugh (1969) sur les pathologies les plus générales de la mémoire et sur certaines recherches en laboratoire existent aussi: *Human memory and its pathology* (1970) de Barbizet et le livre *Amnesia* de Whitty et Zangwill (1966). (À voir de plus près: le chapitre de Williams sur l'effet des CEC chez les patients humains.) Russel et Nathan (1946) présentent une étude classique de l'amnésie causée par un traumatisme crânien. Leurs analyses clarifient la relation entre l'amnésie rétrograde et antérograde. Vous pouvez poursuivre les études sur l'amnésie liée à l'analyse des mémoires à court et à long terme dans les comptes rendus de Kilbourne et Wood (1975), Squire (1975), Warrington et Weiskrantz (1973), Baddeley et Warrington (1970, 1973). Notre étude sur les TEC s'inspire de Squire (1974) et de Squire, Slater et Chace (1975). Le livre édité par Fink, Kety, McGaugh et Williams (1974) traite les TEC de façon plus approfondie.

Le livre *The man with a shattered world* de Luria (1972), psychologue russe bien connu, présente un rapport fascinant des effets d'une blessure au cerveau sur les schèmes de pensée d'un patient. De plus, vous trouverez une excellente introduction à tout ce qui touche ce sujet dans *The working brain* du même auteur (1973).

Les études des patients H.M. et N.A. furent rapportées dans une série de six articles parus dans le même numéro de *Neuropsychologia*, 1968, 6, p. 211-282. Dans l'*Annual Review of Psychology* (1970), vous trouverez un résumé des comportements conséquents à des blessures au cerveau précisément dans l'article de Rosner, «Brain Functions».

Les travaux de Lashley sont d'une importance capitale pour l'étude de la localisation des souvenirs spécifiques, même si des expériences récentes font douter de leur portée générale. Vous devriez jeter un coup d'oeil sur les articles de Lashley datant de 1931 et 1951, de même que sur celui, très connu et très important, portant sur le problème de l'ordre sériel (1951). La meilleure façon d'aborder la question consiste à lire le livre, *The neurophysiology of Lashley*, édité par Beach *et al.* (1960). Le livre de Lenneberg

1967), *Biological foundations of language,* contient des idées importantes sur les troubles de mémoire qui affectent le développement du langage ainsi qu'une discussion sur l'*aphasie,* affection spécifique de langage résultant de dommages au cerveau. Les articles de Geschwind (1970, 1975) offrent de bons résumés des études faites sur l'aphasie et l'apraxie.

Des études très récentes faites en Angleterre (et revues dans Warrington et Weiskrantz, 1973) donnent diverses explications des problèmes dont souffrent certains patients amnésiques. Peut-être ne seraient-ils pas incapables d'assimiler de nouvelles informations en mémoire à long terme, mais plutôt incapables de les en retirer adéquatement de l'ensemble des items appris depuis leur handicap. De plus, l'analyse d'un cas nouveau (un patient qui possède une mémoire à court terme fort perturbée, mais qui ne présente aucune déficience quant à l'acquisition d'un matériel nouveau) soulève des problèmes intéressants. Il est trop tôt pour évaluer ces résultats. On peut se faire une idée du débat scientifique centré sur l'interprétation de l'amnésie dans les échanges entre Gold et King (1974) et entre Miller et Springer (1974).

SPÉCIALISATION HÉMISPHÉRIQUE

Si vous désirez entreprendre une étude sur les cerveaux divisés et leurs conséquences générales, nous vous suggérons de commencer par les articles de Sperry (1961, 1968). Gazzaniga, dans *The bisected brain* (1970), présente une bonne analyse des recherches sur le sujet; les références contenues dans ce livre vous renverront aux autres travaux. Le livre de Mountcastle (1962) sur la dominance cérébrale représente une source additionnelle. Sperry (1974) ainsi que le chapitre 19 de Gazzaniga et Blakemore (1975) offrent des comptes rendus plus actuels.

La symétrie bilatérale du cerveau a des implications intéressantes sur le comportement et pourrait expliquer la difficulté des enfants (et de certains adultes) à distinguer la droite de la gauche. Un article de Corballis et Beale (1970) examine la question. Vous apprécierez peut-être les analyses de Levy (1969, 1974) sur l'évolution de la spécialisation. Levy, Trevarthen et Sperry (1972) rapportent une expérience importante faite avec des patients dont les deux hémisphères étaient séparés. Gazzaniga et Hillyard (1973) décrivent comment les deux moitiés cérébrales pourraient opérer de façon indépendante pour augmenter leur propre capacité. Enfin, Kinsbourne (1973) soulève des problèmes et des sujets nouveaux concernant les structures de contrôle ayant trait aux deux hémisphères.

12. Le langage

Préambule

Langage et communication
POSTULATS À LA BASE DE LA COMMUNICATION
TRANSMISSION DES STRUCTURES COGNITIVES
LES MENSONGES

Les règles du langage
GRAMMAIRE FRANÇAISE
LE PROBLÈME DE LA RÉFÉRENCE
LANGUES DIFFÉRENTES — RÈGLES DIFFÉRENTES

La puissance des mots
MOTS ET MORPHÈMES
DÉCOMPOSITION LEXICALE

Mécanismes psychologiques de la compréhension du langage
LA COMPRÉHENSION DES PHRASES
TRAITEMENTS DIRIGÉ-PAR-DONNÉES ET DIRIGÉ-PAR-CONCEPTS

Un système pour comprendre le langage
LES DÉMONS
UN EXEMPLE DE LA COMPRÉHENSION D'UNE PHRASE
LES PHRASES DÉROUTANTES

Résumé

Revue des termes et notions
TERMES ET NOTIONS À CONNAÎTRE

Lectures suggérées

Préambule

Il n'y a pas que des mots dans le langage. *Comment* dire s'avère aussi important que *quoi* dire. Des conventions sociales subtiles régissent les échanges verbaux et écrits. Pour utiliser efficacement le langage, il importe de tenir compte des caractéristiques propres à nos interlocuteurs: leur niveau de connaissance, leurs antécédents sociaux et les raisons pour lesquelles ils participent à une conversation. Très souvent, le message transmis est assez différent de l'interprétation littérale des mots verbalisés.

Analyser le langage n'est pas chose facile. Quoique l'analyse des phrases ne demande pas trop d'effort, elle implique néanmoins un ensemble complexe de mécanismes de traitement. Comprendre et produire un langage constituent peut-être l'activité humaine la plus compliquée. Sachez que si vous lisez ces phrases avec facilité, d'autres en sont pourtant incapables. Malgré huit années d'expérience linguistique, la plupart des enfants de dix ans ne peuvent pas lire ce livre.

Toute l'organisation de ce chapitre est centrée autour d'un principe somme toute, assez simple: le langage est conçu pour transmettre l'information d'une personne à une autre. Au niveau de la pensée, l'information est représentée par un réseau de structures interreliées — les représentations cognitives que nous avons étudiées au chapitre 10. Ceux qui parlent et écrivent ont pour tâche de transmettre leurs structures mentales à leurs auditeurs et lecteurs. Mais les structures mentales sont constituées d'agencements complexes, enchevêtrés et multidimensionnels. De plus, la parole s'articule à un rythme assez lent et en une suite ininterrompue de mots. D'une manière ou d'une autre, les mots (qu'ils soient dits ou écrits l'un à la suite de l'autre) doivent permettre au récepteur de reconstruire la structure mentale appropriée. Pour ces raisons, le langage transmet une grande partie de son message par le biais de conventions sociales, de sous-entendus et de la grande confiance que place l'émetteur en l'auditeur, qui utilisera toute la puissance de ses moyens de traitement pour traduire et arriver à comprendre le message. C'est pourquoi, plus de choses sont transmises que dites.

Ce chapitre commence par une analyse de quelques aspects non verbaux du langage: les règles qui permettent aux gens d'échanger les uns avec les autres. Vous devriez être en mesure d'approfondir les principes établis au début de ce chapitre en vous observant vous-même et en examinant vos amis durant la journée. Bien des aspects subtils au sein des interactions que vous observerez, renferment une foule d'informations.

La deuxième partie du chapitre porte sur les règles du langage — plus particulièrement sur la structure grammaticale du français. Il importe de comprendre ces règles, mais surtout de connaître les raisons de leur existence. Le langage doit être déchiffré par ceux qui le reçoivent; sans l'ensemble de règles implicites sous-jacentes à sa structure, il serait impossible d'en comprendre la signification. En étudiant la structure du langage, voyez comment elle aide l'auditeur ou le lecteur à reconstruire les structures mentales de l'émetteur. Notre analyse du problème de la référence fait ressortir une difficulté majeure: celle de s'assurer que tous les usagers d'une langue partagent un ensemble d'idées communes.

Finalement, la dernière partie de ce chapitre s'intéresse aux mécanismes psychologiques qui participent à l'analyse des mots verbalisés ou écrits et à la reconstruction des structures sémantiques du message dans le système de mémoire. Vous devriez être à même de comprendre les rôles de l'analyse grammaticale du langage ainsi que les systèmes d'analyse dirigé-par-concepts et dirigé-par-données. L'analyse du langage constitue un des aspects les plus importants du comportement humain intelligent; il importe donc d'en bien comprendre les mécanismes d'opération.

Langage et communication

Le langage est fait pour communiquer: voilà tout ce dont il s'agit. S'il en est ainsi, ceux et celles qui communiquent doivent en savoir beaucoup l'un sur l'autre. Il ne suffit pas d'aligner des mots les uns à la suite des autres pour arriver à communiquer. L'étude d'une langue ne saurait se limiter au sens des mots du dictionnaire et aux règles grammaticales qui permettent de lier ces mots.

On pourrait supposer que le professeur qui donne son cours offre l'exemple typique de la transmission d'un message. Le professeur possède sa matière, alors que les étudiants en principe l'ignorent. En revanche, si la tâche du professeur consiste à transmettre ses connaissances à un groupe, il existe plusieurs façons d'y parvenir. Considérons le ton de la voix: il peut être jovial ou sévère, condescendant ou affecté, amical et ouvert, distant et réservé. Or, ces différences peuvent affecter la quantité de matière apprise. Supposons qu'un étudiant n'ait pas compris une partie du cours. Peut-il dire: «Excusez-moi, j'étais dans la lune. Pourriez-vous répéter votre explication?» Bien sûr que non! Et cela, même si c'était vrai. Le professeur le prendrait comme une insulte; les autres étudiants, pour de l'humour quelque peu déplacé. Mais pourquoi? Tout le monde rêve! Les professeurs aussi. Parfois même durant leur cours... (Nous le savons.) Par contre, nous n'avons pas le droit de l'admettre. Des normes sociales très rigides contrôlent les échanges verbaux et une des règles fondamentales consiste à être attentif à ce que dit l'autre. Admettre le contraire serait plutôt malvenu.

POSTULATS À LA BASE DE LA COMMUNICATION

Dans la conversation, les participants font des suppositions les uns sur les autres. On appelle ces suppositions les *postulats de la communication*: ils illustrent l'accord tacite entre les interlocuteurs en regard des règles sociales qui dominent le dialogue. Les postulats de la communication varient d'un groupe et d'une culture à l'autre. Ils dépendent du statut des personnes qui parlent, si bien que les règles qui régissent l'échange verbal de deux enfants diffèrent de celles qui commandent au dialogue de deux adultes, d'un professeur et d'un élève ou du pape et de son visiteur. Certaines règles sont universelles. Par exemple:

Une seule personne parle à la fois.

D'autres, par contre, varient: comme la façon dont une personne manifeste son désir de parler. Entre individus de même rang social, l'un peut commencer à parler lorsque l'autre s'est tu durant une période de temps assez longue. Si quelqu'un ne souhaite pas entendre parler l'autre, il doit le signaler, soit en meublant ses pauses par des sons tels que *«euh»* et *«hum»*, soit en ne terminant pas ses phrases — en ajoutant des *«et...»*, *«puis...»*, *«n'est-ce pas...»* ou *«tu sais...»*. Entre personnes de rang social différent, celle dont le statut social est supérieur n'a simplement qu'à parler pour interrompre l'autre — en général, toutes les autres personnes se tairont.

TRANSMISSION DES STRUCTURES COGNITIVES

Quand les gens se parlent, ils ont des idées en commun. La communication s'établit selon les structures communes aux interlocuteurs: l'information nouvelle se greffe sur ce qu'on sait déjà.

La communication se situe entre deux niveaux: répéter ce que les interlocuteurs savent déjà — ce qui devient vite assommant — ou émettre des idées tellement nouvelles que les interlocuteurs n'ont plus la possibilité de les intégrer à leurs structures cognitives. Placés devant une classe, les professeurs trouvent ces limites extrêmement frustrantes, du fait que, s'ils s'en approchent, ils risquent fort de faire mourir d'ennui un certain nombre d'élèves ou de perdre complètement le reste de la classe. (Il n'y a qu'une seule exception: lorsque tout le monde crève d'ennui ou lorsque tout le monde est perdu.) Même un tête-à-tête n'élimine pas cette difficulté à se situer à un niveau adéquat.

Supposons que lors d'une conversation, Alain demande à Robert:

Où est le pont de Londres?

Figure 12-1

dmettons que Robert le sache, mais pas Alain.) Comment devrait répondre
obert? La difficulté majeure, pour répondre à des questions, réside dans
fait qu'il existe plusieurs réponses possibles. Pour répondre correctement
la question, Robert doit savoir:

Pourquoi est posée la question?

Ce que connaît déjà l'interlocuteur?

ertains postulats énoncent que dans des circonstances normales, la per-
nne qui répond doit:

être sincère;

dire des choses pertinentes;

ne pas parler de ce que les autres savent déjà;

ne pas dire des choses superflues.

es postulats impliquent que l'émetteur tienne compte de la structure
gnitive du récepteur. En fait, une conversation comporte trois aspects
nportants:

la structure cognitive de l'émetteur;

la compréhension par l'émetteur de la structure cognitive du récepteur;

ce que l'émetteur croit être acceptable comme véridique par le récepteur compte tenu de sa structure cognitive.

es participants se conforment à tous ces aspects. Or, Robert pourrait
épondre de la façon suivante:

Il est au lac Havasu.

Il est en Arizona.

Il est dans l'ouest des États-Unis.

Il est aux États-Unis.

l pourrait même dire où il n'est pas:

Il ne se trouve plus à Londres. Il a été acheté par un américain
excentrique.

e choix de ces réponses dépend des raisons pour lesquelles Alain pose la
uestion. Si la question survenait au moment où Alain et Robert se trouvaient
Londres, la dernière réponse serait probablement la bonne. Mais si elle
tait posée alors qu'Alain était assis dans une auto à Las Vegas, dans le
Nevada, une carte routière en main, la réponse serait probablement très
détaillée:

Prends la route 95 vers le sud, roule pendant 160 km jusqu'à
Needles, en Californie; prends ensuite la 40 vers l'est durant 30 km
jusqu'à ce que tu rencontres la 95 qui te mènera à Havasu. Puis,
encore 25 km à faire vers le sud. Tu ne peux pas le manquer. Il n'y
a rien d'autre dans cette région. Bien mieux, le pont ne mène nulle
part...

Pour répondre à une question de façon efficace, vous devez savoir quelle
nformation désire l'interlocuteur. Vous n'aiderez certainement pas quelqu'un en lui disant ce qu'il sait déjà. Donc, pour répondre à une question,
vous devez faire des suppositions sur ce qu'il sait et ce qu'il ignore. Quelque-
ois, la meilleure façon de répondre à une question consiste à en connaître
davantage sur l'interlocuteur — posez-lui une question à votre tour.
Répondre à une question par une autre pourrait mener loin, mais ordinaire-

ment, la conversation se poursuit naturellement, comme dans cet exempl

1. Claudia: *Peux-tu venir à ma réception, ce soir?*
2. Diane: **Je ne sais pas. J'ai de la visite de l'extérieur de la ville.**
3. Claudia: *Combien de personnes?*
4. Diane: **Deux.**
5. Claudia: *Viens avec eux.*
6. Diane: **Tu es sûre que ça ne te dérange pas?**
7. Claudia: *Mais non, voyons. J'aimerais bien que tu viennes.*
8. Diane: **D'accord. C'est une bonne idée. Je leur demanderai s'il veulent venir.**
9. Diane: **Je t'appellerai plus tard pour confirmer.**

Telle que la disposition des phrases le montre, il y a au moins tro
niveaux dans cette communication. Premièrement, à la ligne 1, Claudi
pose la question initiale au sujet de la réception qu'elle donne. À la ligne 2
la réponse de Diane introduit un nouveau sujet, les visiteurs, ce qui orient
la conversation vers un troisième niveau: la question de Claudia à propo
des visiteurs. La réponse à cette question, à la ligne 4, rétablit la communi
cation au niveau des visiteurs. Par contre, à la ligne 6, Diane pose un
autre question, ce qui oriente la conversation vers un autre niveau. C
niveau trouve une solution à la ligne 7, laquelle donne à Diane l'opportunit
de fournir une réponse double; elle répond (ligne 8) à la suggestion d
second niveau de la ligne 5 et finalement (ligne 9) à la question initial
posée à la toute première ligne.

Les règles précises qui régissent une conversation peuvent varier d'un
situation à l'autre. Les entretiens très courtois, par exemple, établissen
souvent des règles fort différentes: leur but consiste tout simplement
échanger des mots sans qu'aucun message particulier ne soit véhiculé
Lorsqu'un professeur parle à un étudiant (ou un parent à son enfant), le
règles diffèrent encore, étant donné que l'objectif de la conversation n'es
plus le même. Ainsi, quand le professeur pose à l'étudiant une question
comme

Quelle est la différence entre un agent et un récepteur?

l'étudiant a intérêt à ignorer la règle usuelle de la communication, à savoir,

Il ne faut pas dire à quelqu'un ce qu'il sait déjà

et adopter une autre du type:

Vous devez dire aux professeurs exactement ce qu'ils savent déjà.

LES MENSONGES

Le mensonge fait usage d'un grand nombre de subtilités du langage et de la
communication. Pour la plupart d'entre nous, mentir s'avère une tâche difficile et
émotive. Étant donné que plusieurs règles morales et culturelles se trouvent violées,
le manquement volontaire à ces règles impose souvent un stress au menteur. Il est
facile de s'en rendre compte par soi-même: le coeur bat plus vite, la respiration
devient un peu plus difficile et les glandes sudoripares sécrètent davantage. Or,
ces variations physiologiques sont à ce point importantes et involontaires qu'elles
constituent la base des détecteurs de mensonges, appareils mesurant principalement
la réponse galvanique de la peau (RGP — fonction de la quantité de sueur sécrétée),

rythme cardiaque, la respiration et parfois, la tension musculaire et la pression ~~sanguine~~nguine. Ces facteurs émotifs produisent aussi un stress susceptible de créer une ~~surcharge~~rcharge au niveau du système cognitif, ce qui pourrait pousser l'individu à révéler ~~des~~es choses qu'il n'aurait pas voulu dire ou même à oublier celles qu'il s'était ~~promis~~romis de dire ou de faire.

Les mensonges comportent aussi certaines difficultés liées à la façon de recevoir ~~et~~t d'interpréter l'information. Lorsque vous mentez, vous racontez une histoire ~~fausse~~usse que les autres tiendront pour vraie. Pour ce faire, vous devez tenir compte ~~de~~e ce que les gens croiront et ne croiront pas. Il vous faut donc prendre en consi~~dé~~-~~ration~~lération ce que votre groupe-cible connaît sur le monde, sur vous, de même que ~~sur~~ur les choses sur lesquelles vous allez mentir. Penser à dire un mensonge qui ~~soit~~oit plausible est un exercice qui est loin d'être inutile: cela vous force à ~~considérer~~onsidérer plusieurs aspects de la communication, aspects habituellement ignorés.

Que faites-vous quand vous mentez? Tout d'abord, il faut des raisons, des motifs ~~qui~~ui poussent à mentir. Dans la plupart des cas, on ment pour impressionner ses ~~auditeurs~~uditeurs, pour les empêcher d'apprendre quelque chose ou parfois, pour leur ~~enlever~~nlever la possibilité de découvrir quelque chose qui les concerne et qu'ils auraient ~~avantage~~vantage à ignorer. (Les mensonges que l'on dit pour protéger l'auditeur s'appellent ~~les~~les «mensonges officieux»; ils constituent l'une des rares tromperies que notre ~~société~~ociété permet, voire même encourage.)

Pour mentir, il importe de distinguer ce qui sera cru de ce qui fera impression. ~~Supposons~~Supposons que vous soyez en train de parler à un professeur morne et assommant ~~et~~que vous essayez d'impressionner dans le but d'obtenir une bonne note. Vous avez ~~parlé~~parlé pendant 5 min et c'est vraiment tout ce que vous pouvez endurer. Quelle ~~excuse~~excuse allez-vous donner pour partir? Vous ne pouvez pas dire:

«Je m'ennuie. Je veux partir.»

Cette vérité pourrait vous nuire. Chose certaine, un énoncé aussi brutal ne vous gagnera pas d'ami. Vous pourriez essayer l'ambiguïté:

«Ah! Mon Dieu, qu'il est tard! Je dois partir.»

Mais qu'arrivera-t-il si l'on vous demande pourquoi vous devez partir? Il vous faut alors une raison qui soit assez impressionnante pour créer un impact sur votre interlocuteur et assez valable pour vous permettre de partir. Par contre, si elle fait trop impression, l'on pourrait ne pas vous croire. Aussi pourriez-vous dire:

«J'ai rendez-vous avec un ami.»

Mais si vous voulez impressionner le professeur, dire qu'il vous faut parler à un ami ne vous mènera pas bien loin. Non, il faudrait plutôt que vous ayez à parler à une personne importante, ce qui laisserait croire que vous êtes en bons termes avec de telles personnes ou que vous êtes vous-même assez important pour pouvoir leur parler. Voici quelques options:

«Je dois aller parler au bibliothécaire.»

«J'ai rendez-vous avec le professeur Duhamel.»

«J'ai rendez-vous avec le directeur du département de psychologie.»

Le prestige associé à chacune de ces possibilités va en s'accroissant. Or, si le rendez-vous avec le directeur du département de psychologie fait beaucoup impression, pourquoi ne pas continuer? Par exemple:

«J'ai rendez-vous avec le doyen de l'université.»

«J'ai rendez-vous avec le premier ministre.»

En fait, si vous dépassez la limite, on risque de ne plus vous croire. Or, supposons que vous ayez vraiment rendez-vous avec le premier ministre. Vous rencontrerez exactement le même problème, sauf qu'alors, vous aurez à faire croire une vérité. Le problème consiste donc à trouver un niveau qui soit tout autant impressionnant que plausible. De plus, il faut faire attention de ne pas vous trahir. Supposons

que vous ayez convaincu votre auditeur que vous aviez rendez-vous avec le prof
seur Duhamel, mais qu'on apprenne qu'il se trouve à Kyoto en ce moment. Bi
entendu, la vérité pose un problème similaire. Supposons que vous ayez bel
bien rendez-vous avec le premier ministre. Comment allez-vous en convaincre vot
interlocuteur?

Les règles du langage

Lorsque nous parlons du langage, nous faisons une distinction entre l
mots utilisés pour communiquer des idées et les idées elles-mêmes. L
mots constituent tout ce que nous pouvons mesurer du comporteme
verbal: nous pouvons les voir ou les entendre. Par conséquent, nous appe
lerons les phrases écrites ou parlées *la structure de surface* du langag
Le sens transmis par les mots n'est pas observable: il dépend de la structu
mnémonique des personnes impliquées dans la communication. Aussi appe
lerons-nous le sens communiqué par le message *la structure sémantiqu*

Puisque le langage est constitué de mots et non de cercles et de flèche
(comme ceux que nous avons utilisés pour illustrer les structures mnémo
niques au chapitre 10), il importe d'établir des conventions pour indique
quelles relations verbales correspondent aux concepts ainsi qu'aux action
et quelles relations s'appliquent entre ces concepts et ces actions. Il es
à remarquer que n'importe quelle structure sémantique peut être rendu
par de nombreuses phrases différentes. De plus, la structure entière n'
pas besoin d'être communiquée, si le récepteur de l'information s'avère e
mesure de comprendre certains concepts de base.

Tout comme il est possible de représenter la même structure de bas
sous-jacente par différentes structures de surface, on peut aussi représente
différentes structures sémantiques par la même structure de surface. Exami
nons la phrase

Johanne aime Marc autant que Denis.

Cette phrase comporte au moins deux sens. Chaque sens se traduit pa
des structures sémantiques différentes, comme le montre la figure 12-2.

La conversion d'une structure sémantique en une structure de surface
est déterminée par les règles grammaticales du langage. Que l'on parle ou
que l'on écrive, il nous faut référer à nos propres structures sémantiques
et appliquer les règles grammaticales adéquates pour construire des phrases
correctes. Lorsqu'on écoute ou lorsqu'on lit, les opérations sont inversées.
Il nous faut décoder les mots verbalisés pour retrouver les structures sémantiques.

Remarque importante: bien que justesse de sens et exactitude grammaticale soient en liaison étroite, elles sont pourtant loin d'être identiques.
La phrase

Mange pomme

est grammaticalement incorrecte mais dans un contexte approprié, elle est
parfaitement intelligible: l'information relationnelle et conceptuelle ne
pose pas d'ambiguïté. Toutefois, certaines distorsions grammaticales peuvent
rendre le message impossible à interpréter. Par exemple, une partie essentielle du message se trouve perdue, lorsque l'information qui spécifie le

rôle des divers participants est détruite:

Charmer Pierre Julie

Enfin, une phrase parfaitement grammaticale peut causer des problèmes d'interprétation s'il manque une partie de l'information nécessaire pour l'encoder de façon non-ambiguë en mémoire:

Johanne aime Marc autant que Denis.

Les visites de famille peuvent être ennuyeuses.

Une étude psychologique de la grammaire s'attache aux processus cognitifs responsables de la relation entre les structures de surface et le sens. Que le message suive ou non les règles d'un discours adéquat ne constitue pas un indice sûr pour déterminer si les processus cognitifs vont faire défaut lors de l'interprétation. Ainsi, plusieurs phrases qui semblent posséder une structure de surface ambiguë sont en fait très intelligibles puisqu'une seule signification possible peut être attribuée compte tenu du choix particulier des mots. Par exemple, la phrase

Regarde Jean cheval

est tout autant non grammaticale qu'inintelligible, alors que

Parle Jean cheval

est non grammaticale mais reste interprétable au besoin: un seul mot, **Jean**, peut servir d'**agent** humain obligatoire de **parle**; le mot restant, **cheval**, d'**objet** satisfaisant (et même probable).

Le langage fournit des indices qui favorisent son analyse. Les gens se parlent de façon à guider l'interprétation du sens transmis par le langage. Les phrases se composent de syntagmes; l'ordre dans lequel les syntagmes

Johanne aime Marc autant que Denis

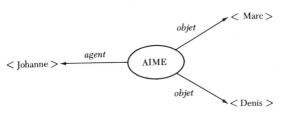

Figure 12-2

Johanne aime Marc autant qu'elle aime Denis

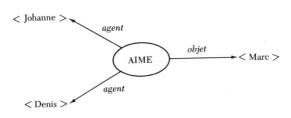

Johanne aime Marc autant que Denis aime Marc

et les mots s'associent contient une partie de l'information quant à leur composition. De plus, les prépositions constituent pour l'auditeur des indices importants quant à la façon d'interpréter le prochain syntagme.

Toutes les langues rencontrent des problèmes semblables lorsqu'il s'agit de transmettre l'information; les solutions prennent différentes formes dans différentes langues. En français, les adjectifs se placent normalement après le nom; en d'autres langues, notamment en anglais, ils se placent avant. En français, l'ordre des mots fournit certaines indications: les deux phrases

Le chien a mordu Jeanne.

Jeanne a mordu le chien.

signifient deux choses tout à fait différentes. En d'autres langues, si l'ordre des mots ne joue que pour accentuer l'un ou l'autre syntagme, les rôles propres aux diverses composantes de la phrase sont signifiés par des changements morphologiques (de la forme du mot), ce qui permet d'en indiquer le cas. Ce qu'il importe de retenir, c'est que toutes les langues doivent marquer les relations qui existent entre les composantes d'une phrase; les seuls indices possibles nous sont fournis par l'ordre des mots, par l'utilisation de mots ayant une fonction particulière ou par des variations dans la forme des mots eux-mêmes.

GRAMMAIRE FRANÇAISE   Les phrases françaises se composent de plusieurs éléments différents liés ensemble par des règles grammaticales formelles. Dans ce livre, nous nous sommes tout d'abord intéressés au sens des phrases plutôt qu'à leur structure de surface exacte; bien qu'en fait, les deux soient étroitement liés.

Selon la grammaire traditionnelle, la phrase française élémentaire se compose d'un sujet et d'un prédicat, ou d'un sujet, d'un verbe et d'un complément d'objet. Comme nous l'avons déjà vu, ces distinctions nous aident peu: il nous faut décomposer la phrase autrement. Prenons la phrase

Le très vieil homme mange des huîtres.

On peut décomposer cette phrase de plusieurs façons. Premièrement, le syntagme **le très vieil homme** constitue un *syntagme nominal (SN)*. Deuxièmement, le syntagme **mange des huîtres** forme un *syntagme verbal (SV)*. Troisièmement, l'on remarque que le syntagme verbal peut encore se décomposer en un *verbe (V)* et un syntagme nominal. Ainsi, un simple ensemble de règles permet de décomposer les phrases de ce type.

1. P → SN + SV.
2. SV → V + SN.

(Ces règles se lisent comme suit: 1. Une phrase *devient* un SN plus un SV. 2. Un SV *devient* un V plus un SN.)

Un syntagme nominal peut encore se décomposer.

3. SN → Art + N.
4. N → Ad + N.

La règle 3 permet de remplacer un syntagme nominal par un *article (Art)* et un nom. La règle 4 indique qu'un syntagme nominal peut comprendre une série de qualificatifs, si bien qu'un N peut être remplacé chaque fois par un *adjectif* ou un *adverbe (Ad)* plus N. La règle 4 accepte le syntagme très beau, triste, gras, vieil homme. Comme ces règles sont optionnelles, une de celles-ci ou même toutes peuvent s'appliquer à l'analyse de la phrase. Par exemple, la règle 4, qui n'est pas utilisée dans le syntagme homme (Art + N), l'est une fois dans le syntagme **le vieil homme** (où le d de Art + N a été remplacé par Ad + N) et l'est deux fois dans **le très vieil** omme (où le N de Art + Ad + N se trouve lui-même remplacé par Ad + N, e qui donne finalement Art + Ad + Ad + N).

Si nous ajoutons certaines règles pour transformer les résultats de ces ègles (V, N, Art, Ad) en mots, nous finissons de compléter l'analyse de a phrase **Le très vieil homme mange des huîtres.**

SN	**SV**
SN → Art + N	SV → V + SN
N → Ad + N	SN → Art + N
N → Ad + N	V → mange
Art → le	Art → des
N → homme	N → huîtres
Ad → très	
Ad → vieux	

Le schéma de la figure 12-3 montre l'application de ces règles et permet de représenter la structure sémantique de cette phrase.

Telle qu'établie présentement, la grammaire n'accepte pas des syntagmes prépositionnels comme celui qui fait partie de la phrase:

Le très vieil homme habite dans une belle maison.

Le syntagme **dans une belle maison** est un *syntagme prépositionnel (SP)* et consiste en une *préposition (Prép)* plus un syntagme nominal. Dans cette phrase, la préposition (**dans**) signifie que le prochain syntagme nominal spécifie le lieu. Pour rendre compte de ces syntagmes, il suffit simplement d'amender la règle 2:

2A. SV → V + SN.
2B. SV → V + SP.
2C. SP → Prép + SN.

P → SN + SV

De toute évidence, dans n'importe quelle situation, c'est la règle 2A, ou la règle 2B qui s'applique, mais jamais les deux.

Maintenant, si nous intégrons un dictionnaire, nous pouvons appliquer ces règles à la nouvelle phrase, comme le montre la figure 12-4. Le dictionnaire ressemble à ceci:

V   → habiter, manger, chanter, . . .
N   → homme, arbre, maison, brique, huître, . . .
Art → le, un, une, . . .
Ad → vieux, plusieurs, quelques, très, beau, . . .
Prép → dans, sur, à, par, vers, . . .

Les figures 12-3 et 12-4 montrent, sous forme de diagramme, la dérivation de phrases. Ces règles gravitent autour des syntagmes et s'appellent *règles syntagmatiques (ou quelquefois, règles de réécriture)*. L'ensemble complet de ces règles constitue la *grammaire syntagmatique*. (Les quelques règles présentées ici sont loin d'être complètes.) À ces règles de réécriture s'ajoutent d'autres règles, dites *transformationnelles*, afin de rendre compte du fait que les syntagmes peuvent être réorganisés au niveau des structures de surface. Un exemple clarifiera le rôle de ces deux types de règles. Prenons la phrase passive:

La belle maison est habitée par un très vieil homme.

Une phrase passive exige le réarrangement des syntagmes de la phrase. Dans cet exemple, la phrase originale avait la structure formelle suivante

$$SN \quad + \quad V \quad + \quad SP$$

Figure 12-3

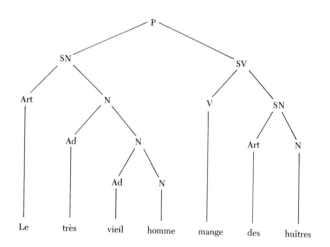

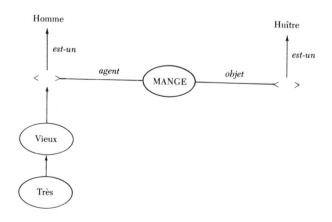

(le très vieil homme) + (habite) + (dans la belle maison)
La construction de la phrase passive réarrange ceci selon le format:

      SP   +   V   +   SN

(dans la belle maison) + (habite) + (le très vieil homme)
Cette construction, quoique parfaitement intelligible, ne rencontre pas les exigences de la grammaire, mais correspond à certaines conventions stylistiques que l'on retrouve en poésie:

> *Dans une belle maison habite*
> *le très vieil homme*
> *qui mange constamment des huîtres*
> *aussi rapidement qu'il le peut.*

Normalement, une construction spéciale du verbe indique la forme passive. De plus, la préposition **par** signale l'agent (ou l'instrument) du verbe. Par

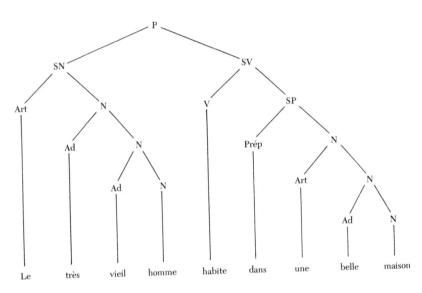

Figure 12-4

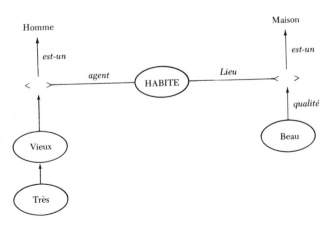

conséquent, il faut apporter d'autres modifications à la phrase: la prépositio
du SP initial s'efface, laissant un SN; le verbe reçoit un auxiliaire; la prépo
sition **par** précède le SN terminal, le changeant en SP. Les changemen
suivants sont enregistrés successivement:

(le très vieil homme)	*(habite)*	*(dans la belle maison)*
(SN$_1$)	+ (V) +	(SP)
(SP)	+ (V) +	(SN$_1$)
(Prép + SN$_2$)	+ (Aux + V) +	(Par + SN$_1$)
(SN$_2$)	+ (Aux + V) +	(SP)
(La belle maison)	**(est habitée)**	**(par le très vieil homme)**

Telles sont les *règles transformationnelles:* elles permettent aux diver
segments de la phrase d'être déplacés ou transformés. Des indices syntaxi
ques sont ajoutés aux constituants qui sont déplacés, probablement pou
permettre aux personnes qui lisent ou qui écoutent la phrase transformée
de reconstruire la version originale, quoique ce ne soit pas toujours néces
saire, comme l'exemple de la poésie nous l'a montré.

Il est possible de construire des phrases complexes à partir de phrases
plus simples. La phrase

**Le très vieil homme qui habite dans une belle maison mange des
huîtres**

se compose des deux phrases que nous avons analysées. L'utilisation de
conjonctions (Conj.) permet d'une manière quelque peu différente de combiner des phrases:

1A. P → P + Conj. + P.

1B. P → SN + SV.

Conj → et, mais, ni, ou, …

Grâce à la règle 1A, nos deux phrases se combinent de cette manière:
(le très vieil homme habite dans une belle maison) *et* **(le très vieil
homme mange des huîtres)**.

La figure 12-5* montre un schéma de cette phrase. Un examen de la phrase,
de sa structure formelle (arbre) et du schéma propre à la structure sémantique montre que SN$_1$ est identique à SN$_2$ et joue un rôle dans P$_1$ analogue
à celui de SN$_2$ dans P$_2$. Normalement, lorsque cela se produit, nous
appliquons une *règle d'effacement* qui nous permet de supprimer SN$_2$:

Le très vieil homme habite dans une belle maison et *il* **mange des
huîtres.**

J'ai vu la fille que vous aviez vue parler à Jean hier et *elle* **m'a souri.**

**LE PROBLÈME
DE LA RÉFÉRENCE** Un des principaux problèmes de la communication consiste à s'assurer
que l'émetteur et le récepteur font tous deux référence aux mêmes concepts.
Pour vous rappeler un sujet que nous avons analysé dans un chapitre
précédent, il nous faut l'identifier avec assez de précision pour que vous

---

*Remarquez que nous avons introduit un nouveau symbole dans ce diagramme: le grand triangle. Il
constitue simplement une forme abrégée de la structure formelle (arbre) qu'aurait donnée la dérivation
de SN et SV. Les figures 12-3 et 12-4 indiquent d'ailleurs les structures que les triangles ont remplacées.

ous en souveniez. On appelle *problème de référence*, le problème lié à la
pécification d'un concept. Toutes les langues possèdent des mécanismes
ui permettent à l'émetteur d'indiquer au récepteur quels sont exactement
es concepts en cause. En français, l'utilisation des *articles définis (le, la, les)*
t *indéfinis (un, une, des)* constitue les mécanismes les plus simples pour
ignaler une information (ces mots s'appellent aussi *déterminants*, parce
u'ils *déterminent* ou actualisent le statut du syntagme qui leur succède).
orsque le mot *le* apparaît dans une phrase, cela signifie habituellement
ue l'émetteur estime que le récepteur est capable de savoir de quoi il
'agit, sinon il l'expliquera brièvement. Pour sa part, le récepteur utilise

Figure 12-5

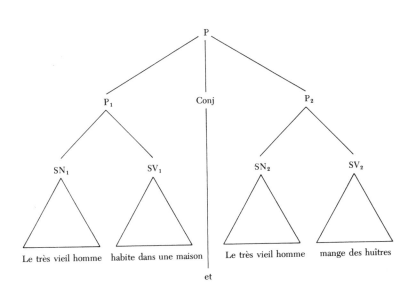

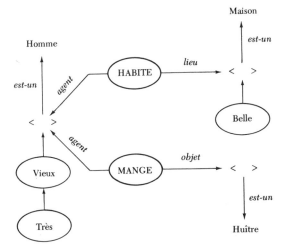

le mot *le* comme un signal qui lui indique que le concept suivant devr
déjà exister dans ses propres structures mnémoniques.

Mais le langage n'est vraiment pas aussi simple. Même si *le* est un sign
il renferme parfois d'autres significations puisqu'un bon nombre de situatio
subtiles se produisent lors de la spécification d'un concept. De plus, l'acco
entre l'émetteur et le récepteur n'est pas assez parfait pour que l'un co
naisse vraiment les structures cognitives de l'autre. En général, il ne res
que des mots tels que

> *le, ce, cet, ces, celui-ci, celui-là, ceux-ci, ceux-là, leurs, il, lui, son, ell*
> *sa, ses, . . .*

qui réfèrent à des concepts particuliers que le récepteur est sensé dé
connaître. D'un autre côté, des mots comme

> *un, une, des, quelques, plusieurs, . . .*

réfèrent à des concepts qui viennent d'être introduits, ou sur lesque
l'émetteur et le récepteur n'ont pas besoin de s'entendre de façon précis
Quelquefois, lorsqu'on utilise le mot *le*, l'explication suit dans la mên
phrase, comme dans

> Le chat qui a miaulé toute la nuit sur la clôture près de la fenêtre c
> ma chambre . . .

Ici, le syntagme *le chat* ne peut être compris sans la clarification qui le sui
La *subordonnée relative* commençant par le mot *qui* contient cette clar
fication. Cette proposition relative spécifie **le chat**:

> Quel chat? Eh bien, le chat particulier dont je suis en train de parler –
> le chat *qui a miaulé toute la nuit* sur **la clôture**.
> Quelle clôture? Voyons, la clôture *qui se trouve près de la fenêtre c*
> *ma chambre*.

Une fois tous ces concepts introduits, l'émetteur pourra grandement sin
plifier la phrase en employant des *pronoms*, comme:

> **Il** *n'a pas cessé jusqu'à ce que je* **lui** *lance mes souliers, mais* **il** *a dû le*
> *manger ou quelque chose a dû se passer, car ce matin, je n'*en *ai mên*
> *pas retrouvé* **un.** *C'est pourquoi je suis pieds nus aujourd'hui.*

Les mots *il, lui* et *les* sont des *pronoms* qui d'une manière simple, perme
tent de référer à des concepts. Dans l'exemple précédent, les pronoms
et *lui* font référence au chat, *les, un* et *en* aux souliers et *c',* à l'histoir
toute entière. Les pronoms ne sont pas toujours aussi faciles à déchiffre
Plusieurs problèmes surviennent dans une conversation lorsque l'un cro
de façon erronée que l'autre a compris quel concept était en cause (vo
figure 12-6).

LANGUES DIFFÉRENTES — RÈGLES DIFFÉRENTES

Presque tout ce dont nous traitons dans ce chapitre est basé sur l'analys
du français. Qu'en est-il des autres langues? En fait, c'est la même chose
sauf en ce qui a trait aux détails. Les problèmes fondamentaux de la réfé
rence et des postulats de la conversation, puis ceux de la communicatio
des idées et des structures, sont semblables pour toutes les langues et pou
toutes les cultures. Les différences se retrouvent plutôt au niveau de
détails qu'au niveau des principes.

L'étude de toutes les langues, que ce soit le français, l'anglais, le russe, japonais ou d'autres comme l'arabe et les langues amérindiennes, démon- que toutes possèdent des mécanismes similaires. Parfois, des change-ents dans la morphologie des mots indiquent les référents; d'autres fois, st l'ordre des mots dans la phrase. Souvent, on peut éliminer des pronoms assignant aux concepts dont il sera question des positions spécifiques. r exemple, dans un langage mimique, un signalisateur qui relate un cident impliquant deux personnes et un objet pourrait «placer» une per-nne à droite, l'autre à gauche, l'objet au milieu. Ainsi, soit en se tournant

Figure 12-6

à droite ou à gauche alors qu'il exécute les signes, soit en indiquant pa gestes l'un des endroits en cause, la référence appropriée est automatiqu ment signalée, sans pour autant utiliser des mots ou des signes spécifique Dans toutes les langues, le problème fondamental de la référence reste même; c'est pourquoi, chaque langage doit avoir des moyens spécifiqu pour y faire face.

Les ressemblances entre les langues ne sont pas fortuites. Il doit y avo des facteurs communs sous-jacents à toutes les langues. La communicatio exige que l'information relative à des structures mnémoniques soit transmis d'une personne à une autre. Le langage n'est que le véhicule de la tran mission. Les problèmes fondamentaux de la communication sont ceux d la formation de liens réciproques entre des idées diverses, ceux de l'expl cation à une autre personne des concepts propres à quelqu'un et ceux de l découverte d'un terrain d'entente mutuelle au sujet des concepts qui so communiqués. En outre, nous utilisons tous les mêmes mécanismes pou voir, écouter, parler et gesticuler. Chacun d'entre nous se sert des même mécanismes de traitement au niveau de la perception, de la reconnaissanc de formes et des structures mnémoniques. Ainsi, quoique chaque langag et chaque culture aient développé des méthodes particulières, ils partage tous des objectifs communs et reposent sur les mêmes capacités de traite ment de l'information. Certes, langues et cultures développent souvent de procédures spécialisées, adaptées aux types d'interactions communes et au genres de sujets couramment discutés. C'est pourquoi certains problème surviennent lorsque des personnes de langue ou de culture différente tenten de communiquer; spécialement lorsque quelqu'un interprète quelque chos en fonction d'une règle culturelle, alors qu'en fait, cette même chose peu revêtir une toute autre signification en regard de la règle utilisée par l'autr personne.

La puissance des mots

La puissance des mots réside dans leur souplesse infinie. Les étiquette linguistiques sont arbitraires. Chaque communauté linguistique possèd une certaine liberté quant à la façon dont elle découpe les expérience perceptives pour leur assigner des noms. N'importe quelle série d'exemple peut se regrouper sous une étiquette commune et imposer ainsi des modèle spécifiques de généralisation et de différenciation aux structures conceptuel les, en voie de développement chez l'enfant. L'habitant des Philippine doit se doter d'une organisation conceptuelle incorporant quatre-vingt douze termes différents pour le riz; les esquimaux différencient plus de six sorte de neige. Les symboles utilisés par toute communauté linguistique reflèten les structures perceptives et symboliques qui leur sont les plus utiles. Cependant, les capacités perceptives ne se trouvent pas modifiées par l'acquisition d'une langue. N'importe qui, indépendamment de la langue qu'il parle, peut distinguer les diverses variétés de riz qui reçoivent des étiquettes spéciales aux Philippines, et ce, même s'il ne peut pas les nommer. Les différences peuvent se décrire au moyen de symboles — une variété de riz est plus petite, peut-être de forme plus ovale et de couleur

gèrement plus foncée. Au fur et à mesure que la langue entre en inter-
tion avec le développement conceptuel, les mots deviennent les points
ancrage des structures conceptuelles. Une fois que nous disposons de
ots pour nommer les objets et les événements, nous acquérons la capacité
e penser en manipulant ces mots; tâche qui est souvent beaucoup plus
cile que la manipulation des concepts eux-mêmes. Mais les étiquettes
nguistiques modifient-elles notre façon de penser? Leur utilisation affecte-
elle ce que nous voyons, ce à quoi nous portons attention, ce dont nous
ous rappelons?

La mémoire des expériences perceptives simples est directement propor-
onnelle à la facilité avec laquelle le langage peut communiquer cette
xpérience, étant donné que l'efficacité avec laquelle une expérience est
ncodée en mémoire dépend de la structure symbolique déjà acquise dans
 bassin des données. La façon dont une langue donnée réfère à des ex-
ériences perceptives peut avoir une influence considérable sur l'encodage
 la rétention de l'information sensorielle. De nombreux faits portent à
roire que l'information reçue serait souvent encodée d'après son profil
coustique au cours de son passage vers la mémoire. Ces profils ou étiquet-
es peuvent servir d'écran-filtre à l'information sur un événement qui est
etenue en mémoire.

Chaque communauté linguistique semble développer ses propres caté-
ories d'étiquettes pour faciliter l'encodage, le rappel et l'examen des
xpériences perceptives spécifiques. Les perceptions et les événements qui
ont importants pour une communauté s'expriment souvent en peu de mots.
Un principe similaire (appelé la loi de Zipf) semble s'appliquer aux mots
ux-mêmes. Dans la plupart des langues, les mots les plus fréquents sont
ussi les plus courts. Prenez par exemple la longueur des prépositions en
rançais: **à, de, dans.** Nous verrons qu'il s'agit là d'une classe particulière
e mots très souvent utilisés, du fait qu'ils véhiculent des relations générales
ntre les concepts. Les abréviations suivent également la même règle. Les
nnovations technologiques introduites dans une culture, telles l'**automobile**
et la **télévision,** tendent initialement à recevoir de longues descriptions
ominales. Plus on les utilise, plus les pressions visant à la précision et à
'efficacité de la communication se font sentir: **automobile** devient **auto,**
élévision devient **télé** ou **TV, cinématoscope** devient tour à tour **cinéma,**
uis **ciné.**

Dans toutes les communautés linguistiques, les membres sont en mesure
e communiquer tous les événements perceptifs qui sont communicables en
'autres langues, même si certaines langues semblent plus difficiles que
'autres. Si toute langue peut affecter la manière dont les expériences
cquièrent normalement une structure et sont retenues en mémoire, elle
ne modifie pas les processus cognitifs sous-jacents qui établissent ces
structures.

La capacité d'utiliser un mot ou un simple syntagme pour décrire un
concept a de profondes répercussions sur l'aptitude d'une personne à penser
et à interagir avec les autres. Les étiquettes possèdent deux propriétés
importantes. Premièrement, elles constituent une notation sténographique permettant à un item unique de représenter ce qui pourrait être

une expérience complexe. Deuxièmement, elles représentent les préocc$\cdots$ pations communes de la communauté des usagers d'une langue. Si la quanti$\cdots$ d'information qu'on peut conserver en mémoire à court terme (à un mome$\cdots$ donné) impose une limite aux processus de la pensée, l'utilisation d'une form$\cdots$ sténographique accroît la puissance de la mémoire en permettant à un pet$\cdots$ nombre d'items de remplacer un ensemble complexe d'idées. En science$\cdots$ et en mathématiques, la grande efficacité de l'utilisation de symboles es$\cdots$ bien connue. Lorsque nous employons un terme unique, *MCT* ou *ADI*$\cdots$ ou un symbole unique Σ ou S pour représenter les idées complexe$\cdots$ de mémoire, de génétique, de sommation ou d'entropie, nous augmenton$\cdots$ la facilité avec laquelle nous pouvons penser à ces concepts ou en parler$\cdots$ En retour, cela nous donne des moyens de manipuler et de transforme$\cdots$ ces concepts en de nouvelles idées et selon de nouvelles formulations.

Le langage ne pourrait servir de moyen de communication s'il ne tira$\cdots$ avantage des expériences communes des membres d'une communauté lin$\cdots$ guistique. Le mot «entropie» prend des sens très différents d'une personn$\cdots$ à l'autre. Pour quelqu'un qui s'intéresse avant tout à la thermodynamique$\cdots$ le mot signifie une chose; pour celui qui étudie l'information ou la commu$\cdots$ nication, il signifie une chose différente (mais non sans rapport); autre chos$\cdots$ encore (mais toujours connexe) pour quelqu'un préoccupé par la philosophi$\cdots$ ou l'art, ou les relations entre les concepts d'ordre, d'énergie et de commu$\cdots$ nication. Des mots comme «maison», «ami» et «amour» dépendent d'u$\cdots$ ensemble commun d'expériences pour que leur signification soit partagée$\cdots$ Différentes personnes ne donnent les mêmes sens aux mêmes mots qu'e$\cdots$ autant qu'elles partagent des apprentissages et des expériences culturelle$\cdots$ semblables. L'utilisation du langage nécessite le partage des structure$\cdots$ sémantiques et des antécédents culturels.

MOTS ET MORPHÈMES

Les mots ne sont pas les plus petites unités de signification. Ils se com- posent eux-mêmes d'éléments. La partie d'un mot qui contient l'unité de signification fondamentale s'appelle un *morphème*. Plusieurs mots sont eux- mêmes morphèmes. Par exemple:

mais, et, de, hôpital, maison.

De plus, au mot, on peut ajouter ou retrancher un préfixe, qui constitue lui aussi un morphème. Le morphème $-s$ indique la pluralité lorsqu'on l'ajoute à la fin de certains noms:

psychologue + s = psychologues.

Le morphème $-ir$ peut changer certains noms et adjectifs en verbes:

brun + ir = brunir.

De la même manière, on peut ajouter des préfixes ou des suffixes aux mots pour en préciser le sens:

anti-, pré-, dis-, in-, ex-, -ant, -isme, -ment, -ette

comme le montre cette expression favorite des enfants:

anti + constitution + nel + le + ment.

En fait, le français ne se prête pas trop à la construction de nouveaux mots à partir de morphèmes, du moins si on le compare à d'autres langues. Un llemand qui lirait cet exposé se demanderait pourquoi nous nous embarrassons de toutes ces remarques: en effet, construire de nouveaux mots en ombinant des mots anciens se fait de façon routinière en allemand.

Quand quelqu'un dit:

J'ai emprunté à Lucie un livre sur la jonglerie;

es mots de cette phrase contiennent une foule d'implications. À un niveau l'analyse fort simple, les mots eux-mêmes font référence à plus qu'à des concepts individuels. Le mot «emprunter», par exemple, est un concept assez complexe. Prenez la phrase:

La personne P emprunte l'objet O du donneur D.

Cette phrase peut être transcrite en cette séquence:

La personne D possédait l'objet O.

La personne P désirait O pour une période de temps limité.

P voulait O parce que O avait des propriétés désirables pour P.

La personne D n'avait pas besoin des propriétés désirables de O, du moins pas pour le temps limité durant lequel P souhaitait avoir O.

D sait que P possède O.

P a demandé à D si D voulait céder la possession de O pour un temps limité.

D a donné à P la permission d'avoir O.

P a promis de remettre O après quelque temps. (C'est-à-dire que P reconnaît avoir contracté une obligation sociale envers D qui consiste en ce que, si D a donné O à P, plus tard, P donnera O à D.)

La possession de O a été transférée de D à P.

Cette analyse peut paraître exagérée; pourtant, elle est loin d'être complète. Vous pouvez vérifier que toutes ces implications découlent de la phrase originale en tentant quelques expériences. Par exemple, examinez les résultats conséquents à l'adjonction de quelques *mais*. Chaque *mais* apporte une nouvelle interprétation à la phrase qui viole l'une ou l'autre des inférences, rendant ainsi cette dernière évidente. Voici une séquence de *mais* que l'on place dans le même ordre que la liste des inférences. Voyez comment chaque condition viole une inférence de la phrase.

J'ai emprunté à Lucie un livre sur la jonglerie,

mais elle n'en avait pas.

mais je n'ai pas l'intention de le lui rendre.

mais je ne porte pas le moindre intérêt à la jonglerie.

mais elle l'utilisait continuellement pour apprendre le tour de passe-passe avec trois balles.

mais elle ne sait pas que je l'ai.

mais je lui avais demandé un livre d'histoire.

mais elle a dit que je ne pouvais pas l'avoir.

mais elle n'a pas voulu me le prêter.

De la même manière, on peut imaginer que la personne, à qui l'on a adressé la phrase concernant l'emprunt du livre de jonglerie, réponde par une série de questions.

Puis-je le voir? (Ce qui laisse supposer qu'il y a eu déplacement physiqu du livre.)

J'ignorais que Lucie savait quelque chose sur la jonglerie. (Ce qui lais supposer que Lucie n'aurait donc pas eu ce livre en sa possessic si elle n'en avait pas lu le contenu.)

Je suis surpris qu'elle vous l'ait prêté, à vous surtout. (Ce qui laiss supposer que l'on ne s'attendait pas à ce que Lucie accorde cett permission à cet emprunteur.)

Si la compréhension du langage peut débuter par la simple analyse de mots et de la structure grammaticale des phrases articulées, elle ne s'arrêt certainement pas là. Les implications des énoncés verbaux vont bien au-del des mots: une quantité extraordinaire de connaissances générales sur l monde et sur les conventions sociales s'y trouve aussi impliquée. Le sen caché des mots représente une grande partie de la structure. Comme nou venons de le voir, même un mot simple comme «emprunter» est asse complexe, car il couvre une foule de structures sous-jacentes. On appell *décomposition lexicale* l'analyse de la structure sous-jacente d'un mot.

La décomposition lexicale est un outil important pour saisir les processu psychologiques de la compréhension du langage. Cette compréhension serai tout simplement impossible si la décomposition lexicale n'était associée au processus d'inférence. Pensez à la longue liste de concepts connexes qu nous avons produite pour une phrase aussi simple que: «J'ai emprunté u livre de jonglerie...». Cependant, dans l'état actuel de nos connaissances la nécessité d'une telle analyse crée un paradoxe. Si toutes ces inférence sont nécessaires, si le seul mot «emprunter» requiert une analyse auss complexe, comment parvenons-nous à comprendre si rapidement les phrases que nous lisons et entendons? Ces analyses ne demandent-elles pas un temps incroyable?

Ce domaine de recherche est présentement trop peu avancé pour offrir des conclusions définitives. Il se pourrait que la décomposition lexicale soit retardée jusqu'à ce qu'elle devienne nécessaire, au lieu d'être faite automatiquement au moment de la réception de chaque nouvelle phrase. Un certain nombre de chercheurs ont été incapables, par exemple, de fournir des preuves évidentes de l'existence de la décomposition lexicale, bien qu'ils en admettent la nécessité logique.

Il semble plus vraisemblable qu'il n'y ait qu'une décomposition partielle au moment de la réception des idées. Il est probable que certains concepts soient complètement décomposés, d'autres partiellement, certains pas du tout. La décomposition est coûteuse tant par la somme d'effort de traitement dépensée pour effectuer toute l'analyse que par la surcharge qu'elle impose à la mémoire. Imaginez l'horrible surcharge des structures de la mémoire à court terme, si chaque fois que quelqu'un désirait penser à Anne empruntant un livre de jonglerie à Lucie, il lui fallait garder à l'esprit toutes les implications que cela suppose. Il est tellement plus pratique d'utiliser l'unique, le simple concept «emprunter» et de lui ajouter les composantes sous-jacentes au besoin. Comme la mémoire à court terme a une capacité très limitée, la remplir des résultats de l'analyse d'un simple mot serait une açon fort peu efficace d'effectuer le traitement du langage.

Mécanismes psychologiques de la compréhension du langage

Les mécanismes psychologiques de la compréhension du langage obéissent à un certain nombre de contraintes opérationnelles. Tout d'abord, ils doivent opérer assez rapidement pour suivre le débit du discours. Une introspection rapide permet de constater que les mécanismes arrivent à peine à suivre le discours. Dans le cas de la conversation normale, tout particulièrement du dialogue courtois et banal établi dans un cadre formel, les mécanismes de langage ne rencontrent aucune difficulté. En fait, il y a encore suffisamment de temps disponible pour qu'il soit parfois possible d'écouter deux ou plusieurs conversations simultanément, en partageant simplement son attention entre l'une et l'autre. Pendant un cours, cependant, ou lorsqu'on a affaire à un interlocuteur au débit rapide, les mécanismes ne réussissent pas à maintenir l'analyse sémantique de pair avec l'énoncé verbal. L'étude des relations entre les unités linguistiques de la phrase (l'analyse syntaxique) semble se faire, mais la compréhension complète du message reste loin derrière. C'est cela qui donne l'impression «d'avoir compris les mots, mais de n'avoir certainement pas compris le message».

Deuxième contrainte: l'analyse de la phrase doit procéder essentiellement selon l'ordre des mots prononcés. À première vue, cette exigence peut paraître évidente, mais en fait, nous verrons que certains aspects de l'analyse linguistique ne peuvent être vraiment complétés avant qu'une partie importante de la phrase n'ait été entendue. Parfois, il est plus efficace d'analyser la phrase à rebours, du dernier au premier mot. À ceux qui apprennent l'allemand comme langue seconde, on propose souvent de lire la phrase jusqu'à ce qu'ils y trouvent le verbe principal, puis de procéder à rebours en partant du verbe. Celui qui écoute un discours n'a pourtant pas cette possibilité. La seule façon d'effectuer l'analyse à rebours du langage parlé consisterait à maintenir temporairement en mémoire les mots non analysés jusqu'à ce que les mécanismes linguistiques soient prêts à les traiter. Mais la dimension de la mémoire sensorielle et de la mémoire à court terme n'est tout simplement pas suffisante pour une telle stratégie. (À noter: les langues qui nécessitent un traitement à rebours — comme l'allemand — possèdent habituellement une forme écrite plus complexe que la forme parlée. En fait, si l'on comprend l'allemand écrit en procédant à reculons, de la fin vers le début de la phrase, c'est bien parce que la page imprimée sert de mémoire des mots. L'allemand parlé n'est pas aussi complexe que l'allemand écrit.)

Dernière contrainte imposée aux mécanismes d'analyse du langage: ils doivent être robustes, capables de tolérer les erreurs et le manque d'information. Il faut pouvoir comprendre le langage parlé même si l'émetteur commet une erreur ou même si le récepteur relâche son attention. La compréhension du langage permet ces erreurs; aussi, quels que soient les mécanismes de la compréhension du langage, ils ne sauraient exiger des émissions linguistiques parfaites.

Les mécanismes responsables de la compréhension du langage écrit et parlé sont très étroitement liés aux mécanismes de perception et de reconnaissance de formes que nous avons étudiés aux chapitres 1 et 7. C'est peu surprenant, puisque les problèmes sont en rapport étroit. D'ailleurs, les difficultés à déchiffrer les symboles visuels et auditifs contenus dans le langage correspondent précisément à des problèmes d'ordre perceptif. Or, comme pour le traitement perceptif, nous pensons que le langage s'analyse grâce à une combinaison de mécanismes, les uns dirigés-par-données (de bas en haut) et les autres dirigés-par-concepts (de haut en bas).

TRAITEMENTS DIRIGÉ-PAR-DONNÉES ET DIRIGÉ-PAR-CONCEPTS

Dans notre étude de la reconnaissance de formes, deux types différents de traitement de l'information s'avéraient importants: le traitement *dirigé-par-données* et le traitement *dirigé-par-concepts*. Les processus dirigés-par-données répondent aux signaux qui parviennent aux systèmes sensoriels: les yeux et les oreilles, pour ce qui est du langage. Dans le traitement dirigé-par-données, les images (symboles et signes) et les sons sont probablement traduits selon leurs caractéristiques sensorielles. Des mécanismes spécialisés dans l'analyse sensorielle identifient ces caractéristiques. Quand les caractéristiques se présentent dans de bonnes proportions, elles sont identifiées comme parties composantes des items particuliers. En dernier lieu, l'ensemble des items présents à un moment donné (et leurs interrelations) permet d'interpréter la scène visuelle ou auditive. Étant donné le cheminement propre à ce type d'analyse, on l'appelle aussi analyse *de bas en haut* (puisqu'elle s'amorce au «plus bas» niveau d'information — les données sensorielles — en progressant vers le «plus haut» niveau — les structures sémantiques).

Le traitement dirigé-par-concepts agit dans le sens inverse en partant des expectatives et des indices contextuels sans cesse présents. S'il s'agit de compréhension du langage, il faut alors s'attendre à trouver des mots faisant référence à la grammaire et aux structures mnémoniques; attendez-vous à voir surgir les démons du chapitre 7. Ces expectatives se présentent à plusieurs niveaux. Au niveau le plus haut de conceptualisation, le caractère général des structures mnémoniques que vous élaborez en fonction des phrases qui retiennent votre attention sert de guide pour les niveaux inférieurs d'analyse. Vous vous attendez à obtenir l'information qui comblera les détails de ces structures et fournira les parties manquantes. Ainsi, le traitement dirigé-par-concepts contribue à organiser les expectatives en regard de la matière en cause, des informations spécifiques à venir et, enfin, du contenu précis des phrases qui se présentent. Et plus encore, sur la base de l'expérience acquise en lisant ce livre ou en écoutant cet individu, vous vous attendez à une certaine façon de parler, à certaines catégories grammaticales dans le discours, à un vocabulaire spécifique et même à un style ou à un accent particulier. C'est le traitement dirigé-par-concepts qui guide cette forme d'analyse: elle procède en partant du plus haut niveau des conceptualisations générales sur le sujet, passe à une information de plus en plus spécifique, pour finalement parvenir à l'anticipation de mots, d'images et de sons particuliers. Le traitement dirigé-par-concepts s'appelle

ussi analyse *de haut en bas* (puisqu'il s'amorce au «plus haut» niveau de
l'analyse — les structures sémantiques — en descendant jusqu'au «plus bas»
niveau — les données sensorielles).

Un système pour comprendre le langage

LES DÉMONS

Les traitements dirigé-par-données et dirigé-par-concepts doivent s'effectuer ensemble: chacun est nécessaire, aucun ne suffit généralement à lui
seul. Dans cette section, nous tâchons de démontrer comment les différentes sources d'information interagissent pour produire la compréhension
du langage. Pour illustrer ceci, nous ramenons nos vieux amis du chapitre 7,
les *démons*. Les démons sont des créatures imaginaires que nous avons
créées pour vous aider à comprendre ce qui pourrait se passer dans votre
tête. Chaque démon est en fait un mécanisme assez simple permettant
d'effectuer certaines opérations spécifiques. Un démon a une tâche bien
précise; il se tient donc dans un coin attendant l'occasion de faire son travail.
Chaque fois qu'il perçoit un ensemble de conditions adéquates, il se met
au travail et signale son activité, soit en attirant l'attention, soit en transmettant ses résultats aux autres démons qui, à leur tour, jugent s'ils doivent
entrer en action. On peut illustrer cette transmission de données de la façon
suivante: chaque démon écrit le résultat de son travail sur un *tableau*
accessible à tous les autres démons concernés. N'allez surtout pas croire
que les démons sont des créatures mystérieuses: ils ne font que représenter des opérations simples et ordinaires.

La stratégie de base est élémentaire. Différents démons se spécialisent
dans divers domaines. Il y a des démons pour les

> **mots** (tels qu'autobus, cheval, le, danger);
> **catégories grammaticales** (telles que déterminant, nom, préposition);
> **constituants syntaxiques** (tels que syntagme nominal, syntagme verbal,
> syntagme prépositionnel).

De plus, certains démons sont à l'affût de constructions grammaticales
particulières et essaient de rassembler d'une manière intelligible les composantes découvertes par les autres. D'autres démons, spécialistes de la
sémantique, fouillent dans le bassin des données de la mémoire pour dégager
les implications de l'information reçue.

Quelques démons dirigent le système à partir des données, définissant
les caractéristiques qui sont vraiment perçues et rapportant les données qui
doivent être prises en considération lors de l'analyse. Des démons responsables des phrases et de la sémantique travaillent de haut en bas et émettent
des hypothèses sur les données reçues. Ces démons, dont l'analyse se fonde
sur les concepts, rendent le système très puissant, rapide et assez insensible
aux erreurs faites lors de l'analyse sensorielle. En revanche, le contrôle
conceptuel peut lui-même faire des erreurs en incitant le système à attendre
des choses qui n'arriveront jamais. Aussi, les démons dirigés-par-données
se doivent de corriger les démons dirigés-par-concepts. Le système doit
toujours rester en alerte, prêt à revenir en arrière pour essayer une nouvelle piste.

UN EXEMPLE DE LA COMPRÉHENSION D'UNE PHRASE

Examinons le processus de compréhension d'une phrase. Prenon comme exemple:

Jules joue la sonate avec facilité.

L'analyse de cette phrase est illustrée à la figure 12-7. Lorsque les démon impliqués dans les mécanismes linguistiques entendent le mot *Jules*, i l'identifient comme le nom propre d'une personne: admettons que *Jule* soit un ami, une personne déjà connue. Si c'est le cas, les démons peuven trouver en mémoire la structure qui correspond à *Jules*, ce qui constitu une première étape pour comprendre la phrase de façon adéquate.

Joue est le deuxième mot de la phrase. Les sons des mots *joue* (verbe et *joue* (nom) sont identiques, mais signifient des choses tout à fait diffé rentes. Nous devons déterminer à quel mot nous avons affaire. Nous y arrivons simplement à l'aide du contexte: les phrases commencent souven avec un nom propre suivi d'un verbe; moins fréquemment, avec un nom propre suivi d'un autre nom. Par conséquent, nous sommes portés à inter préter le mot *joue* en tant que verbe.

L'analyse des mots *Jules joue* amorce le traitement dirigé-par-concepts qui prédit un ensemble de suites possibles à ce début de phrase.

Jules joue un menuet.

Jules joue pour s'amuser.

Jules joue du banjo.

Jules joue avec... *un objet appartenant à la catégorie «jouet» ou une personne*

Ces expectatives pourraient être fausses, la phrase pouvant être

Jules joue rapidement.

Le mot suivant s'avère être *la*, un déterminant défini. Comme nous l'avons déjà vu, *la* est un mot spécial. Premièrement, il annonce un syntagme nominal. Mieux encore, il indique que ce syntagme peut être l'un de ceux que l'émetteur croit que le récepteur connaît déjà, ou qui sera expliqué dans le reste de la phrase.

Admettons que la phrase précédant celle qui fut analysée ait été

Nous avions composé une sonate lors d'une fête avec, en guise d'instruments, des élastiques et des bouteilles. Jules disait qu'il la jouerait à la soutenance de sa thèse pour adoucir son jury. Jules joue la...

Maintenant, non seulement le mot *la* annonce que le prochain syntagme est déjà connu, mais parce que la phrase précédente parlait d'une sonate et puisque le verbe *jouer* fait référence à ce genre de chose qu'une personne peut faire avec une sonate, l'interlocuteur a toutes les raisons de croire que le prochain mot sera sonate, ou lié à sonate, comme dans:

Jules joue la curieuse sonate...

Jules joue la sonate de la fête...

ou, comme dans notre phrase:

Jules joue la sonate avec facilité.

Cette phrase correspond à ce que nous attendions. Il est à noter que le syntagme introduit par *avec* apporte des informations supplémentaires à la description, spécifiant ici la *manière*: comment se fait l'action. La préposition *avec* caractérise habituellement l'action. Voici quelques autres possibilités:

Jules joue la sonate avec

Figure 12-7

rapidité;

François;

amour.

Il existe encore d'autres possibilités, comme dans:

Jules joue la sonate avec l'élastique et les bouteilles.

Pour ce qui est de notre phrase, elle s'interprète correctement et sans difficulté grâce à l'interaction continue entre les processus dirigés-par concepts et ceux dirigés-par-données. Le traitement dirigé-par-concepts, de par son contrôle, a permis d'éviter l'ambiguïté inhérente au mot *joue* tout en prédisant la forme du reste de la phrase. Mais le traitement dirigé par-concepts n'est pas suffisant par lui-même. Il était incapable de prédire les mots exacts: le traitement dirigé-par-données s'avérait nécessaire pour amorcer le système et pour l'orienter graduellement vers la bonne inter prétation. Ni le traitement dirigé-par-données, ni le traitement dirigé par-concepts n'aurait pu, à lui seul, s'acquitter de la tâche aussi aisément que leur interaction l'a rendu possible.

LES PHRASES DÉROUTANTES   L'analyse des phrases ne se fait pas toujours aussi facilement et aussi directement que dans l'exemple de Jules jouant sa sonate. Parfois, le contexte et les attentes peuvent entraîner le système dans de fausses interpré- tations. Il est instructif (et amusant) de rassembler des phrases qui pourraient se révéler intéressantes à analyser. Examinons le sens de la phrase

J'ai vu le pigeon volant vers la statue.

Cette phrase est tout à fait correcte: on ne rencontre pas de problème parti- culier en la lisant. Celle-ci:

J'ai vu le Stade olympique volant vers Paris.

est tout à fait différente. Voici une *phrase déroutante*. Habituellement, ces phrases déroutent le système d'analyse linguistique qui, engagé sur une mauvaise piste, aboutit à un cul-de-sac lorsqu'il réalise que le Stade olym- pique ne peut avoir des ailes, ni s'envoler dans l'espace. Nous vous y avons amené délibérément avec la phrase

J'ai vu le pigeon volant vers la statue.

En réalité, la deuxième phrase est presque identique à

J'ai vu le Stade olympique alors que j'étais en voyage en avion de Montréal vers Paris.

De telles phrases sont utiles pour démontrer comment le système de la compréhension du langage établit parfois de fausses hypothèses au niveau de la structure des phrases.

Résumé

Le langage est un instrument que les hommes ont élaboré pour commu- niquer leurs idées les uns aux autres. Il permet d'encoder les réseaux structuraux dans les systèmes de mémoire et de les exprimer par des sym- boles écrits ou parlés. Celui qui parle ou qui écrit (l'émetteur) doit toujours tenir compte des capacités et des structures cognitives de l'auditeur ou du

cteur (le récepteur). En revanche, le récepteur doit tenter de déchiffrer
es énoncés linguistiques en formulant des hypothèses sur les sens possibles
le chaque énoncé et en se demandant pourquoi chacun de ceux-ci peut
voir été émis.

Les systèmes linguistiques constituent des mécanismes formels pour transmettre l'information d'une personne à une autre. Le langage est probablement la fonction cognitive la plus importante que l'être humain accomplit.
Par conséquent, on ne doit pas s'étonner en constatant que l'étude du
raitement du langage constitue une partie essentielle de l'étude du traitement de l'information chez l'homme.

Revue des termes et notions

Voici pour le présent chapitre, les termes et notions que nous considérons
importants. Passez-les en revue; si vous êtes incapable d'en donner une
courte explication, vous devriez revoir les sections appropriées du chapitre.

**TERMES ET
NOTIONS À
CONNAÎTRE**

Postulats à la base de la communication
  dans une conversation normale
  en fonction d'interlocuteurs socialement égaux ou inégaux
  dans les échanges courtois
  pour répondre à des questions
  pour mentir
Structure de surface
Structure sémantique
Grammaire française
  syntagmes nominal, verbal et prépositionnel
  grammaire syntagmatique
  transformations
  structure formelle
Référence
  déterminants
  pronoms
Mots en tant que symboles
  langage et capacité de traitement de la MCT
  morphèmes
  décomposition lexicale
La compréhension des phrases
  rôle des analyses dirigée-par-concepts et dirigée-par-données
  les démons des mots
  le rôle du tableau dans la communication entre démons
  l'analyse des phrases
  les phrases déroutantes

Lectures suggérées

Il y a quantité d'excellentes références sur l'étude du langage. Le livre de Peter Farb (1974) intitulé *Word play: what happens when people talk* est peut-être le plus agréable à lire. Il s'agit d'une introduction générale fort abordable qui traite plusieurs des divers aspects de la compréhension du langage et qui compte quelques bons chapitres sur les postulats à la base de la communication et d'autres problèmes connexes.

Tous les travaux présentés ici doivent beaucoup à Noam Chomsky dont les ouvrages sur la grammaire ont révolutionné le domaine de la linguistique. La plupart des articles auxquels nous avons fait référence auparavant citent Chomsky de long en large. Malheureusement, la majorité de ses articles sont très difficiles à lire pour un débutant. Néanmoins, si vous vous intéressez à ses travaux, nous vous conseillons de commencer par l'appendice qu'il a écrit dans le livre de Lenneberg (1967): *Biological foundations of language* (Chomsky, 1967).

Les analyses faites dans ce chapitre utilisent des notions empruntées à un grand nombre de linguistes contemporains. La grammaire de cas est due à Charles Fillmore (1968, 1969). Les livres dans lesquels apparaissent les articles de Fillmore contiennent des textes fort pertinents quant à l'aspect linguistique que nous avons présenté. Bruce (1976) fait une bonne révision des différents travaux portant sur la grammaire de cas. Le livre des linguistes Fromkin et Rodman (1974) fournit une excellente introduction à l'analyse formelle du langage et aux récents travaux en linguistique.

Le volume *Explorations in cognition* de Norman, Rumelhart et le groupe de recherche LNR (1975) rapporte l'ensemble des études qui ont principalement orienté nos analyses. Le chapitre 3 du livre de LNR porte sur les postulats à la base de la communication et analyse le problème de la référence; peut-être est-ce le texte le plus accessible pour entreprendre une recherche plus poussée sur le sujet. Le chapitre 4 offre une introduction aux récents travaux portant sur la sémantique et sert aussi de guide pratique en ce domaine. Les chapitres 5, 6, 7, 8 étudient comment on comprend le langage et décrivent un mécanisme pour le comprendre, le *Réseau de Transition Augmenté* (RTA), qui est à la base de notre modèle des démons. Finalement, les chapitres 9 et 10 s'attachent au problème de la décomposition lexicale et s'avèrent encore une bonne introduction sur le sujet.

Les travaux de Schank ont grandement contribué à notre compréhension du langage de par les notions de décomposition lexicale et de causalité qu'il apporte: il donne à l'ensemble de son ouvrage le nom de *Théorie de la dépendance conceptuelle*. La présentation la plus complète des idées de Schank se retrouve dans son livre (Schank, 1975); de plus, l'article qu'il a écrit dans la revue *Cognitive Psychology* est tout autant pertinent (Schank, 1972). Les travaux de Winograd (1972) présentent une excellente description des problèmes liés à la compréhension du langage par ordinateur; l'auteur décrit le développement d'un système par ordinateur pour comprendre le langage. Son dernier livre offre aussi une excellente introduction à l'analyse du langage par ordinateur.

Anderson et Bower (1973) ont effectué une importante analyse psychologique du traitement du langage; le dernier livre d'Anderson (1976) pousse l'étude encore plus loin. Anderson analyse aussi comment un enfant pourrait acquérir le langage. Miller et Johnson-Laird (1976) fournissent un examen complet du langage; leur volume a beaucoup aidé à notre compréhension du problème.

Bandler et Grinder (1975) jettent un regard fascinant sur l'analyse du langage comme moyen psychothérapique; ils montrent comment une compréhension extensive du langage pourrait aider le thérapeute à mieux comprendre les problèmes que rencontre le patient. Dans le *Scientific American*, l'article de Fromkin (1973), qui s'intéresse aux lapsus, démontre comment l'analyse de ces erreurs peut fournir d'importants indices sur l'organisation du langage. Dans une veine plus traditionaliste, Lindsley (1975) examine expérimentalement la manière dont nous planifions de simples énoncés verbaux et démontre que dans plusieurs cas, nous choisissons le verbe d'une phrase avant de décider des autres mots.

La littérature sur l'étude psychologique du langage (psycholinguistique) est considérable. Les articles de l'*Annual Review of Psychology* offrent une bonne entrée en matière: voyez Johnson-Laird (1974). Le chapitre de Bever (1970) constitue une bonne référence quant aux stratégies de base susceptibles de servir à la compréhension du langage. Le volume 7 du *Handbook of Perception* s'intitule *Language and speech* (Carterette et Friedman, 1976). Fodor, Bever et Garrett (1974) couvrent une quantité considérable de matière dans leur volume, *The psychology of language*.

Le chapitre suivant contient d'autres études du langage; nous y abordons certains aspects de l'apprentissage du langage chez l'enfant; aussi, devriez-vous consulter les lectures suggérées à la fin de ce chapitre.

13. L'apprentissage et le développement cognitif

Préambule

Apprentissage cognitif
- LOIS D'APPRENTISSAGE
- RÉSIGNATION APPRISE
- LE RENFORCEMENT VU COMME CONFIRMATION
- APPRENTISSAGE ET CONSCIENCE

Développement cognitif
- APPRENTISSAGE PAR EXPÉRIMENTATION
- L'IMPORTANCE DES ATTENTES
- *COMPORTEMENT DIRIGÉ-PAR-BUT*
- APPRENTISSAGE SENSORI-MOTEUR
- *LE DÉVELOPPEMENT DES REPRÉSENTATIONS*
- PENSÉE PRÉOPÉRATOIRE
- OPÉRATIONS CONCRÈTES
- OPÉRATIONS FORMELLES
- *AVERTISSEMENT*
- LA PENSÉE

Apprendre un langage
- APPRENTISSAGE DU VOCABULAIRE
- PROBLÈMES RENCONTRÉS PAR L'ENFANT
- APPRENTISSAGE DES MOTS
- SURGÉNÉRALISATION ET SURDISCRIMINATION
- *SURGÉNÉRALISATION*
- *SURDISCRIMINATION*
- APPRENDRE À PARLER
- IMITATION
- *PARENTAGE*
- LANGAGE ET COMMUNICATION
- LIMITES DU RENDEMENT

L'apprentissage vu comme des additions à la connaissance

Revue des termes et notions
- TERMES ET NOTIONS À CONNAÎTRE

Lectures suggérées
- CONCLUSIONS GÉNÉRALES SUR L'APPRENTISSAGE
- LE DÉVELOPPEMENT
- APPRENTISSAGE DE LA LANGUE MATERNELLE
- APPRENTISSAGE DE SUJETS COMPLEXES

Préambule

La capacité de connaître les conséquences de ses actes est essentielle au comportement adaptatif de tout organisme. Une grande partie des travaux portant sur le comportement intelligent peuvent être représentés par l'étude de la capacité d'appréhender les contingences du milieu.

Formellement, il existe peu de différence entre apprentissage et mémoire. Les études sur l'apprentissage insistent davantage sur l'acquisition des connaissances; celles sur la mémoire s'attachent surtout à leur rétention et à leur utilisation. En fait, ces études sont corrélatives, on ne saurait les dissocier. Aussi, avons-nous déjà traité des principes de l'apprentissage dans nos nombreux chapitres portant sur la mémoire. Point important cependant, nous n'avons pas parlé de la façon dont les connaissances qui entrent dans le système mnémonique sont acquises: comment s'établissent les relations qui existent entre le milieu, les actions de l'être humain et les résultats qui en découlent? Lorsque, pour se produire, un résultat exige des conditions environnementales spécifiques ou une action précise, nous parlons alors des *contingences* qui existent entre les conditions environnementales, les actions et les résultats (par exemple, le résultat «pluie» dépend de certaines conditions atmosphériques). Dans ce chapitre, nous concentrons notre attention sur la façon dont nous prenons conscience des contingences: le problème de *l'apprentissage des contingences*.

Le chapitre s'ouvre sur une discussion des lois de l'apprentissage: celles-ci sont à la base des analyses subséquentes de ce chapitre. Ensuite, nous nous intéressons au développement de l'enfant en nous inspirant surtout de l'oeuvre du chercheur suisse Jean Piaget. Voici ce qu'il importe de retenir de cette section: la notion d'un schème sensori-moteur et le mode d'interaction des différents niveaux de connaissances, chaque niveau déjà acquis constituant la base des connaissances à acquérir. Cette stratification des structures et des concepts prérequis laisse supposer que l'enfant progresse par stades successifs en développant sans cesse ses aptitudes à effectuer des opérations mentales.

L'acquisition du langage constitue évidemment une partie extrêmement importante des structures d'apprentissage de l'enfant; aussi y consacrons-nous une bonne partie de ce chapitre. Nous insistons sur les problèmes que rencontre l'enfant durant l'acquisition des concepts linguistiques ainsi que sur les principes qui en découlent.

Dans la dernière section, nous nous demandons comment les principes que nous avons élaborés dans ce chapitre s'appliquent à d'autres domaines, spécialement aux apprentissages réalisés quotidiennement. Tout au long de ces analyses, nous insistons sur les principes qu'utilise «celui qui apprend» pour former des structures mnémoniques appropriées.

Apprentissage cognitif

Les études expérimentales sur l'apprentissage proposent un principe à la fois simple et puissant pour expliquer la base du comportement intelligent. La perception et le comportement semblent tous deux s'élaborer grâce à l'observation des résultats des actions. D'après Jean Piaget, l'un des premiers chercheurs intéressés au développement cognitif, l'organisme apprend en construisant des schèmes sensori-moteurs; il dégage la relation entre l'information captée par son système sensoriel et ses actes (activités motrices). Un *schème sensori-moteur* est un plan (un schéma) permettant d'effectuer et d'organiser une séquence d'actions en vue d'accomplir un acte précis. Il y arrive en coordonnant les informations captées par le système sensoriel et les mouvements moteurs (musculaires) nécessaires. L'acte de manger, de marcher ou de conduire une bicyclette requiert des schèmes sensori-moteurs bien structurés. Pour construire de tels schèmes, l'organisme doit être particulièrement sensible à certains types de conséquences, comme celles qui se trouvent associées à un résultat désirable et nécessaire, la nourriture par exemple. Chez l'enfant, tout changement dans le milieu extérieur est susceptible d'éveiller son attention et peut servir de base à l'apprentissage des contingences entre les actions et leurs résultats.

Notre objectif est de décrire les schèmes conceptuels sous-jacents qui découlent du processus de l'apprentissage. Notre conception de l'apprentissage est identique à celle de la mémoire: lorsque nous apprenons une nouvelle information, nous l'incorporons aux structures sémantiques déjà établies dans notre système de mémoire. Tels sont les problèmes rencontrés par celui qui apprend: déterminer les conditions pertinentes à la situation, déterminer les actions appropriées, enregistrer adéquatement cette information.

LOIS D'APPRENTISSAGE La *loi de l'effet* fournit probablement la description la plus exacte du facteur contrôle du comportement. Elle s'énonce ainsi:

> **Une action qui produit un résultat désirable sera probablement répétée dans des circonstances similaires.**

Cette loi est élémentaire: elle s'efforce d'énoncer la condition fondamentale qui sous-tend la majorité des comportements appris. Le psychologue Thorndike a formulé cette loi en 1898; par la suite, elle fut étudiée de façon extensive. Ceux qui possèdent déjà quelques notions de psychologie reconnaîtront sans doute la loi de l'effet comme la pierre angulaire de l'apprentissage. Pour inciter un organisme à apprendre (habituellement, l'organisme est un animal de laboratoire), il faut s'assurer qu'il obtienne une récompense immédiate chaque fois qu'il accomplit l'acte désiré. Traditionnellement, il existe deux types d'apprentissage: *le conditionnement classique* et *l'apprentissage instrumental*. L'investigation du conditionnement opérant a été fortement influencée par les travaux de B.F. Skinner qui entreprit des études sur les processus d'apprentissage au début des années 30. Le terme *conditionnement opérant* provient de l'importance que l'on accorde au comportement qui *opère* sur l'environnement en vue de produire un certain résultat.

Le conditionnement opérant fait partie intégrante de l'*apprentissage instrumental* — l'acquisition des réponses *instrumentales* en vue d'obtenir une récompense. De nos jours, le comportement opérant influence grandement les études sur l'apprentissage humain et animal; il met l'accent sur la nature des renforcements que reçoit l'organisme à la suite de ses schèmes comportementaux.

Dans ce livre, notre intérêt se porte sur l'apprentissage humain et sur la manière dont les individus acquièrent et utilisent de nouvelles connaissances. Nous sommes donc intéressés par la façon dont les nouvelles structures s'inscrivent dans la mémoire et sont reliées aux actions adéquates requises pour une situation donnée. Nous cherchons à retracer le développement d'un *schème* de mémoire, l'unité de base de structuration de l'information en mémoire. La combinaison des schèmes du contrôle moteur (mouvement musculaire) et des images sensorielles constituera un important principe d'organisation. Nous appelons *schème sensori-moteur* le plan (schéma) qui combine les informations sensorielle et motrice. Nous considérons l'apprentissage comme la construction de structures cognitives.

En ce qui nous concerne, la loi de l'effet ne suffit pas à rendre compte de l'apprentissage. À notre avis, sa faiblesse réside dans le fait qu'elle tente d'expliquer les phénomènes de l'apprentissage par la simple description des événements et des réponses de l'organisme, sans même considérer le traitement interne de l'information qui est également essentiel. En conséquence, la loi éprouve de sérieuses difficultés lorsqu'elle tente d'expliquer le comportement réel des organismes complexes. Les problèmes proviennent de plusieurs sources. Premièrement, la loi de l'effet est ambiguë quant aux conditions temporelles impliquées. Deuxièmement, elle ne tient pas compte des relations causales nécessaires entre les actions et leurs résultats. Finalement, la loi de l'effet met l'accent sur la désirabilité du résultat, appelée sa valeur *renforçatrice*. Nous considérons que l'*information* est la partie importante de ce résultat. Pour l'organisme, le résultat sert de signal quant aux conséquences de ses actes.

En ce qui regarde le rôle de la *causalité*, nous basons nos analyses sur une hypothèse fondamentale. L'organisme doit reconnaître la relation causale entre ses actions et les événements de ce monde. En fait, s'il n'y avait pas de relation causale, comment la loi de l'effet pourrait-elle exister? Pour comprendre le phénomène de l'apprentissage, nous avons besoin de trois lois qui définissent les relations entre les actions d'un organisme et les effets apparents de ces actions.

La loi de relation causale:

> **Pour qu'un organisme établisse la relation entre une action spécifique et un résultat, il doit exister une relation causale apparente entre les deux.**

La loi d'apprentissage causal:

> **Pour des résultats désirables:**
>
> > **L'organisme essaie de répéter les actions particulières qui entretiennent une relation causale apparente avec le résultat désirable.**
>
> **Pour des résultats non désirables:**

L'organisme essaie d'éviter les actions particulières qui entretiennent une relation causale apparente avec le résultat indésirable.

La loi de rétroaction informatrice:

La conséquence d'un événement sert d'information sur cet événement.

Notez la distinction importante entre les relations causales *réelles* et *apparentes*. Les lois précitées se basent toutes sur une *causalité apparente*. L'animal ne connaît pas nécessairement le fonctionnement réel du monde.

La différence entre les causalités réelle et apparente ressemble aux distinctions que nous avons faites, dans les chapitres sur l'audition et la vision, entre les variables physiques et psychologiques. La causalité réelle traite des conditions physiques qui opèrent dans le monde. En revanche, les humains déduisent le fonctionnement du monde à partir de leurs propres observations. Ils ont tendance à admettre une relation causale quand un résultat suit de près une action. Ils sont donc enclins à admettre des relations causales entre les actions et les résultats lorsque ceux-ci semblent (sous d'autres aspects) correspondre logiquement, et à conclure à une absence de causalité lorsque les actions et leurs conséquences ne semblent pas reliées. Néanmoins, la causalité apparente peut ne pas refléter la causalité réelle opérant en ce monde. Quelquefois, les causalités réelle et apparente sont identiques. Parfois, les humains établissent des relations causales là où il n'y en a pas; parfois, ils ne remarquent pas les relations causales qui existent vraiment. À moins d'être en mesure de mener des expériences scientifiques qui permettent de déceler les véritables relations causales, les humains doivent s'accommoder des relations déduites ou apparentes qui existent entre leurs actions et leurs conséquences.

Quelquefois, l'individu agit comme pour tester ses idées. En société, les gens trouvent des raisons pour expliquer les actes des autres, soit par des causes environnementales, soit par la personnalité propre à l'individu. La plupart des gens semblent croire que s'ils se mettent en colère, c'est que les événements extérieurs les y poussent. Cependant, lorsqu'il s'agit des autres, ils affirment que ceux-ci «perdent leur maîtrise de soi» parce qu'ils «sont faits ainsi — c'est leur tempérament et l'on ne peut rien y faire». L'attribution de causes et de fins à nos propres actions et à celles des autres constitue un sujet d'étude intéressant. Au chapitre 16, nous examinons cette question (que les psychosociologues appellent *théorie de l'attribution*).

RÉSIGNATION APPRISE

Le phénomène dit de *résignation apprise* représente une conséquence importante de ces relations causales apparentes entre les réactions et leurs résultats. Animaux et humains ne poseront pas les actions susceptibles de les sortir de situations déplaisantes ou douloureuses s'ils en sont venus à croire qu'il n'existe pas de relation causale entre leurs actions et le résultat. Chez les humains, de telles croyances contribuent fortement, semble-t-il, à l'état clinique anormal appelé dépression mentale.

Considérons la situation expérimentale suivante. Un chien est mis dans une *boîte d'évitement*, appareil constitué de deux compartiments séparés par une barrière. Il doit apprendre à sauter la barrière à un moment précis pour se rendre dans l'autre compartiment. L'expérience est conçue de façon à produire une situation douloureuse pour le chien, situation qu'il tentera d'éviter (ou, du moins, à laquelle il essaiera d'échapper). La technique traditionnelle utilisée pour ce genre d'expérience consiste à donner un choc électrique aux animaux: un événement douloureux auquel ils essaieront de mettre fin*.

Le chien se trouve dans un des compartiments; la grille sur le plancher est électrifiée, lui occasionnant un choc aux pattes. L'animal apprend rapidement à *échapper* au choc en sautant la barrière pour aller dans le compartiment «sécurisant». Habituellement, un indice précède le choc: 10 s avant, une lumière s'allume, servant ainsi de signal. Le chien apprend alors à *éviter* le choc en sautant la barrière pendant les 10 s qui suivent l'émission du signal lumineux. Ces deux façons de procéder s'appellent respectivement *apprentissage par échappement* et *apprentissage par évitement*.

Considérons le contenu de l'apprentissage par évitement. Une fois que la réponse par évitement a été acquise et que l'animal a appris à éviter le choc en sautant la barrière lorsque la lumière s'allume, il devient très difficile d'effacer (extinction expérimentale) ce comportement. Même quand l'appareil électrique est débranché, le chien continue des centaines de fois à sauter la barrière lorsque la lumière s'allume. Pour l'animal, éviter le choc en sautant la barrière constitue la contingence en opération. Le fait de débrancher l'appareil n'affecte pas cette contingence. Quand la lumière s'allume, l'animal saute et ne reçoit pas le choc. En ce qui le concerne, son action conduit au résultat escompté et il ne faut donc pas s'attendre à ce qu'il change son comportement.

Maintenant, voyons la situation lorsqu'un autre chien est placé dans la boîte d'évitement. Dans ce second cas, on a enlevé la barrière; aucune réponse ne peut permettre à l'animal de s'échapper ou d'éviter le choc. Il n'y a donc plus corrélation entre les actes et leurs résultats. Une fois que le chien a acquis une certaine expérience de la situation, l'expérimentateur change la conjoncture. Dès lors, il introduit la barrière pour permettre au chien d'échapper ou d'éviter le choc en sautant au moment opportun. Contrairement aux premiers animaux, les chiens qui ont fait l'expérience initiale d'une situation sans corrélation entre les actes et leurs résultats éprouvent de la difficulté à apprendre qu'ils peuvent échapper au choc. Même lorsque l'expérimentateur les transporte par-dessus la barrière pour essayer de leur montrer ce qu'ils devraient faire, certains chiens ne réussissent pas à apprendre (Seligman, Maier et Solomon, 1969). Ces animaux semblent se former une hypothèse de *résignation*. Malheureusement pour eux, une fois l'hypo-

---

* Ces études sont issues d'une longue série de recherches sur les propriétés fondamentales de l'apprentissage. L'emploi d'animaux permet de mieux contrôler les expériences. Le choc électrique s'est avéré le stimulus nocif le plus efficace pour étudier divers types de situations comportementales. Les résultats ont apporté une meilleure compréhension du comportement humain et certains furent même appliqués à l'élaboration de traitements cliniques pour patients dépressifs. Il importe de réaliser que d'importantes découvertes scientifiques proviennent souvent d'études tellement fondamentales qu'on ne pensait pas pouvoir leur trouver une application pratique.

thèse formulée, il est difficile de l'abandonner. Durant cette période où le choc reste inévitable, les chiens apprennent probablement que toutes les réponses de leur répertoire provoquent le choc. À chaque fois que le chien reçoit un choc, il obtient aussi la confirmation de son hypothèse: ses attentes étant confirmées, il est encore moins tenté d'essayer quelque chose la fois suivante .

Une expérience analogue effectuée chez des humains a l'avantage de nous donner des indications sur la situation, car nous pouvons leur demander pourquoi ils ne réussissent pas à apprendre la réponse par échappement lorsque les conditions ont changé. Dans une de ces expériences, où des sujets n'ont jamais appris à échapper à la situation, 60% ont rapporté que «. . . comme ils avaient l'impression de ne pas avoir de contrôle sur le choc, ça ne valait donc pas le coup d'essayer». Ces sujets rapportèrent «avoir consacré la majorité de leur temps à se préparer au choc suivant». Près de 35% rapportèrent «avoir abandonné l'idée d'échapper à la situation après avoir poussé un ou deux boutons» — réponse appropriée, si elle est produite au moment opportun (Thornton et Jacobs, 1971, p. 371). Les sujets qui n'ont pas conclu à l'absence de corrélation ont répondu très différemment. Non seulement ont-ils appris à échapper au choc, mais plus de 70% ont rapporté «. . . qu'ils avaient l'impression de pouvoir exercer un contrôle sur le choc et que leur tâche consistait à trouver comment». La puissance d'une hypothèse inexacte se confirme dans le comportement des sujets qui avaient décidé que le choc n'était pas sous leur contrôle mais qui, placés dans la condition où ils pouvaient réellement lui échapper, y sont parvenus «accidentellement». Il arrivait parfois que ces sujets «. . . échappent ou évitent le choc une ou plusieurs fois, mais que, à nouveau, ils le reçoivent dans toute sa force (3 s). Ces sujets, semblait-il, n'associaient pas leurs réponses avec le renforcement».

Un des problèmes que doivent affronter animaux et humains dans l'expérience de la résignation provient de la difficulté à différencier la conjoncture de corrélation nulle et la nouvelle situation présentée. Il s'agit d'un phénomène courant: quand une situation change et que nul signal particulier ou nulle façon explicite ne vient le confirmer, le sujet ne change pas de comportement, même si celui-ci se trouve désormais inapproprié. Et pourquoi le ferait-il? Imaginez un monstre terrifiant surgissant de la mer, aux abords de la côte; il avale quatre baigneurs, en poursuit plusieurs autres: n'auriez-vous pas certaines réticences à aller vous baigner en cet endroit? . . . Même si ce monstre, trouvant que l'humain a fort mauvais goût, va retrouver la quiétude au fond des océans, comment les baigneurs le sauront-ils? Si aucun signal n'annonce son départ, nous n'avons aucun moyen de dire s'il est sage d'entrer dans l'eau. La prudence conseille d'aller nager ailleurs, et de préférence loin de cette côte. Les gens éviteront donc de nager dans la baie après la disparition du danger réel, et ce, pendant très longtemps.

On nomme *résignation apprise* la situation dans laquelle une personne (ou un animal) apprend qu'il n'existe pas de réponse efficace pour éviter une expérience désagréable. Voici un autre exemple de *métaconnaissance*, c'est-à-dire la connaissance de ses propres capacités. Dans ce cas, la métaconnaissance constitue la connaissance de sa propre aptitude à contrôler une situation.

Seligman (1975) a souligné l'importance des premières expériences d'apprentissage. Elles permettraient de déterminer quelle confiance une personne peut avoir en ses propres capacités d'accomplir une tâche. Si deux individus apprennent le même métier, l'un avec un entraîneur compétent, l'autre avec un incompétent, il y a de fortes chances que le mieux entraîné parvienne à posséder son métier et l'autre pas. Jusqu'ici, pas de surprise. Mais cette expérience initiale peut se généraliser à d'autres situations. La personne expérimentée a probablement acquis de la confiance en soi. Quant à la personne qui a échoué, elle peut avoir lié ce sentiment d'échec à un sentiment d'incompétence vis-à-vis toutes les tâches du métier. Ce sentiment général de compétence ou d'incompétence peut avoir des implications importantes sur le comportement de l'individu. Dans des cas plus sérieux, la croyance à son inaptitude à accomplir certaines tâches avec succès peut se répéter vis-à-vis des situations normales de la vie. Selon Seligman, ce fait peut conduire à une anomalie générale du comportement mental appelée dépression.

En traitant de l'apprentissage, nous avons vu que le renforcement aidait l'organisme à apprendre la réponse qu'il venait d'exécuter. Mais le renforcement sert aussi de signal de confirmation à l'organisme. Il lui indique les conditions désirables et indésirables. Ainsi, nous devrions nous attendre à ce que l'agent renforçateur exerce son effet maximal à la seule condition qu'il ne soit pas ambigu, c'est-à-dire lorsqu'il ne produit aucune confusion au niveau de l'action renforcée. Dans le but de maximiser l'effet du signal, une des deux conditions suivantes doit être satisfaite: soit que l'agent renforçateur succède immédiatement à l'action appropriée pour éviter toute confusion avec la performance d'autres actions non pertinentes et aussi, pour prolonger la présence de cette action en mémoire à court terme; soit que, s'il y a un délai entre l'action et le signal, l'événement pertinent puisse être assez distinct des autres pour être facilement identifié en mémoire à long terme.

LE RENFORCEMENT VU COMME CONFIRMATION

Normalement, pour enseigner quelque chose à un animal, le résultat doit se produire dans les 5 s qui suivent l'action. On a donné diverses interprétations de cette limite temporelle du renforcement. Chose certaine, le résultat doit se produire assez tôt pour garantir que l'action renforcée existe encore en mémoire à court terme. Il y a des exceptions à cette limite de 5 s. Des animaux, semble-t-il, sont capables de déceler (et donc d'éviter) les aliments nocifs, même si les malaises qui résultent de l'ingestion d'une telle nourriture se révèlent plusieurs heures après son absorption (Garcia et Koelling, 1966). L'association entre la nourriture spécifique et les troubles qui s'ensuivent semble le résultat conjoint d'une stratégie innée et d'un usage approprié de la structure de la mémoire à long terme. Apparemment, l'animal associe automatiquement toute sensation de nausée avec le dernier aliment nouveau ingéré et l'évite donc par la suite. Et ce serait assez logique: il est raisonnable de supposer une relation causale entre manger et avoir des nausées. Cependant, cette supposition ne pourrait être faite sans le souvenir relativement complet et accessible des repas très récents. Mais, fait intéressant, il semble en être ainsi. Vous rappelez-vous vos derniers repas? Vous n'avez probablement pas essayé de retenir ce que vous avez mangé, mais vous pouvez probablement vous rappeler avec facilité les aliments absorbés lors de vos deux derniers repas. Habituellement, la stratégie qui consiste à éviter les aliments ingérés avant une maladie suffit à prévenir la réapparition des malaises causés par la nourriture. La réaction d'un animal rendu malade par un traitement non alimentaire (les rayons X par exemple) démontre le caractère inné de cette stratégie: il continuera à éviter le dernier aliment nouveau. La relation causale entre le fait de manger et la santé paraît fondamentale. Il n'existe pas de causalité apparente entre les lumières, les signaux d'alarme et les nausées. Même si nous plaçons des animaux dans une situation où des signaux auditifs ou lumineux précèdent l'arrivée d'une forte radiation (entraînant des problèmes dus à l'exposition aux radiations), ils n'apprendront pas à éviter les sons et les lumières. Au contraire, ils ont tendance à associer la cause de la maladie avec le dernier aliment nouveau ingéré, même si l'absorption de la nourriture précédait la maladie de plusieurs heures et que celle-ci n'était absolument pas liée à leurs problèmes.

Nous pourrions citer plusieurs anecdotes de cas similaires chez les humains: celui qui devient malade après avoir mangé un nouvel aliment développe souvent un dégoût intense pour celui-ci, même s'il sait que son état n'a rien à voir avec l'aliment en question. De même, une nourriture ingérée juste avant le rétablissement peut être préférée à d'autres. Ainsi, dans certaines cultures, on nourrit souvent un enfant malade avec de la «soupe-maison». Tout en se rétablissant, il développe un goût marqué pour cette soupe. Lorsqu'il sera plus âgé, il réalisera sûrement que cela n'a rien à voir avec sa guérison; cependant, le désir d'en prendre un bon bol lui reviendra chaque fois qu'il sera malade.

APPRENTISSAGE ET CONSCIENCE

Depuis plusieurs années, le problème de savoir si l'apprentissage peut se produire de façon inconsciente est devenu une question théorique fort importante et une énigme très difficile à résoudre, comme le prouvent l'ampleur et la vivacité des débats. Ceux qui prétendent que la conscience n'est pas nécessaire utilisent souvent cet argument pour prouver qu'un résultat doit jouer le rôle d'agent renforçateur et non de confirmation (signal) dans une expérience d'apprentissage. Les lois de l'apprentissage que nous avons présentées dans ce chapitre seront sévèrement contestées par certains psychologues, car ils semblent présupposer l'existence d'une prise de conscience de la relation causale entre les actes d'un animal et leurs conséquences sur le milieu. Néanmoins, comme nous le verrons dans les chapitres suivants, il arrive que la pensée humaine opère sans la conscience immédiate de l'individu, et certainement sans une conscience rétrospective. Par exemple, quelqu'un peut être conscient de l'indice utilisé pour résoudre un problème ou du contenu d'un rêve au moment où il se produit, mais peut les oublier dans les minutes qui suivent. Aussi, en réponse aux questions d'un expérimentateur, le sujet semblera n'avoir eu aucune conscience de l'événement. Le fait que la prise de conscience d'un événement puisse être tellement brève, nuit à la recherche expérimentale sur cette question. Néanmoins, même s'il était possible de donner une réponse à cette question, il ne semblerait pas y avoir de raison de croire que des schèmes mnémoniques et des hypothèses ne puissent se former et se vérifier inconsciemment sans que ne soit impliquée la conscience de la personne.

Développement cognitif

Un système d'apprentissage des contingences comporte une défectuosité fondamentale s'il est organisé uniquement pour extraire les corrélations entre l'environnement, les actions et leurs conséquences. Un tel système ne permet pas de distinguer les aspects vraiment responsables des résultats de ceux qui ne présentent qu'une corrélation accidentelle. Un joueur peut croire que le fait de se croiser les doigts le fera gagner. Un parachutiste peut croire qu'une amulette le protège. Un singe peut croire à la nécessité de se tenir sur sa jambe gauche pour obtenir des raisins. On nomme ce genre de phénomène *comportement superstitieux*. Il est facile à démontrer en laboratoire. Il suggère qu'une fois établies les contingences d'un événement, l'animal est fortement enclin à répéter ses actions passées chaque fois qu'il rencontre un contexte similaire. Cet aspect de l'apprentissage des contingences est une bonne description de plusieurs rites superstitieux, des danses de la pluie au fait de toucher du bois.

APPRENTISSAGE PAR EXPÉRIMENTATION

Les humains ont cependant un mécanisme de protection. Même un bébé ne suit pas aveuglément les indices contextuels en produisant mécaniquement des réponses associées aux schèmes sensori-moteurs construits à partir de ses expériences passées. Au contraire, il semble varier ses actions de façon intentionnelle afin d'observer les similitudes et les différences au niveau des conséquences qui en résultent. Voici comment Piaget (1952) décrit l'expérimentation de son fils Laurent à l'âge de 10 mois:

> Laurent est couché sur le dos, mais reprend néanmoins ses expériences de la veille. Il saisit successivement un cygne en celluloïd, une boîte, etc... tend le bras et le laisse tomber. Or, il varie nettement les positions de la chute: tantôt il dresse le bras verticalement, tantôt il le tient obliquement, en avant ou en arrière par rapport à ses yeux, etc... Lorsque l'objet tombe en une nouvelle position (par exemple, sur son oreiller), il recommence deux ou trois fois à le laisser tomber au même endroit, comme pour étudier la relation spatiale, puis il modifie la situation (*La naissance de l'intelligence chez l'enfant*, 7e édition, p. 236).

L'enfant expérimente sur son monde. De cette façon, il découvre comment ses actions affectent l'environnement et se protège contre les relations coïncidentes entre les réponses et leurs conséquences externes. Cette stratégie permet de différencier causes et corrélations. (Évidemment, le principe est quelquefois difficile à appliquer: les parachutistes ne laissent pas leurs amulettes à la maison uniquement pour vérifier le rapport entre ce geste et son résultat. Il n'en reste pas moins que l'expérimentation constitue un aspect fondamental du développement intellectuel humain.)

COMPORTEMENT DIRIGÉ-PAR-BUT

La preuve que l'enfant anticipe les conséquences spécifiques de ses actions se manifeste très tôt. Avant l'âge de 6 mois, il semble réagir surtout aux stimuli extérieurs: il répond aux événements lorsqu'ils se produisent; il ne les provoque pas. S'il voit un objet, il peut essayer de l'atteindre ou le sucer, mais ne semble pas troublé outre mesure si l'objet disparaît de sa vue.

Vers l'âge de 6 mois, il démontre cependant des signes d'attentes spécifiques dans ses interactions avec le milieu. Ces signes se révèlent d'abord dans son comportement. Avant l'âge de 6 mois, les tentatives pour retrouver des objets dérobés à sa vue sont plutôt grossières; il exécute seulement un bref tâtonnement ou une recherche visuelle. Mais, peu après, l'enfant commence à explorer systématiquement les endroits éventuels où pourrait se cacher l'objet — sous les couvertures, derrière les obstacles, dans la main fermée de la mère ou du père. Finalement, les déductions quant à la localisation d'un objet à partir de l'observation des événements devient un aspect routinier de son comportement de recherche.

Les aspects les plus complexes du comportement orienté vers un but se révèlent quand nous considérons comment l'enfant applique son intelligence sensori-motrice à la solution des problèmes d'ordre pratique. Examinons encore le comportement du fils de Piaget, Laurent:

> À 16 mois 5 jours, Laurent est assis devant une table; je place devant lui, hors de portée, une croûte de pain. Je pose en outre, à droite de l'enfant, une baguette de 25 cm environ de longueur. Laurent cherche d'abord à saisir sans plus le pain, sans s'occuper de l'instrument, et puis il renonce (p. 291).

Laurent fait face à un problème. Sa réaction habituelle pour atteindre un objet ne réussissant pas, il lui faut tenter une nouvelle réponse. Mais comment choisit-il cette nouvelle réponse?   Est-ce par hasard, est-ce par pur essai et erreur, se base-t-il sur ce qu'il a déjà fait à table?

> Je mets alors la baguette entre le pain et lui; elle ne touche pas l'objectif, mais comporte néanmoins une suggestion visuelle indéniable. Laurent regarde à nouveau le pain, sans bouger, regarde un très court instant la baguette, puis brusquement la saisit et la dirige vers le pain. Seulement, il l'a empoignée vers le milieu et non pas à l'une de ses extrémités, si bien qu'elle est trop courte pour atteindre l'objectif. Laurent la repose alors, et se remet à tendre la main vers le pain. Puis, sans s'attarder à ce geste, il reprend la baguette, cette fois à une de ses extrémités (hasard ou intention?) et attire le pain... Deux essais successifs donnent le même résultat.

Une heure plus tard, je mets un jouet devant Laurent (hors de portée de ses mains) et un nouveau bâton à côté de l'enfant. Celui-ci n'essaie même pas d'attraper l'objectif à la main. Il s'empare du bâton et attire le jouet (p. 292).

De toute façon, Laurent a découvert qu'une séquence action-conséquence doit être modifiée pour atteindre un but particulier. Mais comment a-t-il appris le nouveau schème? Il n'avait jamais utilisé de baguette pour atteindre des objets. Qu'est-ce qui a guidé son choix de réponses et qu'a-t-il précisément appris de son premier échec? A-t-il appris que son bras n'était pas assez long, si bien qu'il devait chercher un «bras extensible»? Comment l'a-t-il su? Comment le contexte environnemental — la présence des baguettes par exemple — a-t-il favorisé sa recherche d'une solution au problème?

Apprendre à se servir d'un bâton pour atteindre quelque chose peut sembler une tâche simple, mais elle s'avère étonnamment difficile. Ce niveau de résolution de problème dépasse les explications issues de n'importe quelle théorie portant sur l'apprentissage des contingences, puisqu'il s'agit là d'un apprentissage très poussé malgré son apparente simplicité. En fait, il établit, semble-t-il, les limites intellectuelles des organismes non humains: seules les espèces animales les plus évoluées — certaines espèces de Primates et l'Homme — sont capables de résoudre le «problème du bâton».

La capacité cognitive de l'humain change radicalement de la naissance à l'adolescence. Partant de l'aptitude minimale à reconnaître les corrélations dans l'environnement, il se forme lentement une conscience des concepts et des événements, puis des schèmes sensori-moteurs simples. Durant les premières années de sa vie, le chimpanzé accuse un développement intellectuel plus rapide et plus évolué qu'un enfant du même âge. Par contre, aux environs de 2 ans, la capacité cognitive de l'enfant change radicalement. Premièrement, il apprend à intérioriser ses pensées, si bien qu'il ne dépend plus autant des événements extérieurs. Deuxièmement, il commence à élaborer un langage, représentation symbolique qui lui permettra d'acquérir rapidement des connaissances.

L'évolution d'un être humain peut se caractériser d'après les nombreux stades qu'il franchit. Le scientifique suisse Jean Piaget est sans aucun doute celui qui a le plus étudié le développement intellectuel de l'enfant et ses progrès spécifiques. Nous venons de présenter certaines de ses idées (et de faire brève connaissance avec son fils Laurent). Examinons maintenant les nombreux stades du développement de l'intelligence selon Piaget.

Jean Piaget a identifié nombre de périodes, de sous-périodes et de stades au niveau du développement cognitif de l'enfant. La première période est celle du développement *sensori-moteur:* elle va de la naissance jusqu'à l'âge de 18 mois ou 2 ans. La deuxième période, la *pensée préopératoire,* va de la fin de la période sensori-motrice (2 ans) jusqu'à l'âge de 7 ans environ, et aboutit à la période des *opérations concrètes*, qui se termine vers l'âge de 11 ans. Enfin, il y a la période des *opérations formelles* (commençant vers la 11e année et se prolongeant durant l'adolescence) à partir de laquelle apparaissent les caractéristiques finales de l'intelligence adulte.

APPRENTISSAGE SENSORI-MOTEUR

Nous avons déjà parlé des caractéristiques fondamentales de l'apprentissage sensori-moteur. Pour récapituler, disons que durant cette période, l'enfant acquiert une compréhension des objets et des actions. Il découvre qu'il peut saisir les objets et les manipuler, qu'il peut se déplacer dans son monde et déclencher des événements. Le nourisson a appris qu'il est distinct de son environnement et que les objets sont doués de permanence: il a acquis une compréhension de l'espace, du temps et de la forme, mais une bonne représentation intérieure du monde lui fait encore défaut. À la fin de cette période, la formation d'images mentales n'en est qu'à ses débuts, le langage ne fait que commencer à s'élaborer.

LE DÉVELOPPEMENT DES REPRÉSENTATIONS

L'organisation des caractéristiques perceptives en des regroupements basés sur leur association avec une séquence d'actions constitue un aspect central de l'apprentissage des contingences. L'enfant doit construire une image interne des événements extérieurs.

Figure 13-1

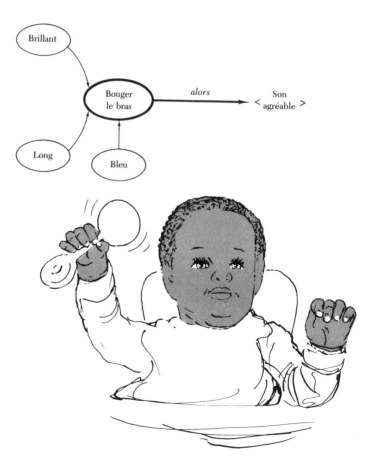

L'aptitude à organiser l'information perceptive selon les contingences des réponses serait *innée* et présente à la naissance. L'élaboration d'images internes qui en résulte revêt une importance majeure dans l'évolution de l'enfant au niveau cognitif. Probablement que les premiers concepts à se former dans son cerveau sont ceux des objets qu'il rencontre. Initialement cependant, ces concepts ne deviennent significatifs qu'en fonction de ses propres actions (c'est-à-dire, qu'ils n'ont seulement qu'une *signification motrice*). En fait, au tout début, l'enfant peut même ne pas reconnaître que les objets externes existent indépendamment de ses actions. Piaget suppose que, dans les premiers schèmes sensori-moteurs qui se forment, les caractéristiques perceptives ne se distinguent pas des actions elles-mêmes. Par exemple, la figure 13-1 illustre un schème sensori-moteur éventuel: l'événement **bouger le bras** produit un son agréable, mais aucun concept distinct de l'objet prérequis n'existe encore.

Graduellement, à mesure que l'enfant continue à manipuler les objets qui font partie de son environnement, les composantes sensorielles se séparent de l'acte et commencent à prendre une existence propre. Voici pour l'enfant une étape initiale fondamentale dans l'acquisition des connaissances. Une fois que l'ensemble approprié de caractéristiques est réuni pour former une image distincte et indépendante, le système mnémonique peut reconnaître l'objet lorsqu'il apparaît, ce qui lui permet d'utiliser le regroupement interne de l'information — le noeud mnémonique — comme une unité.

Les mêmes mécanismes continuent d'opérer alors que l'enfant se développe, mais les problèmes liés à l'organisation de l'information perceptive dans une situation d'apprentissage changent. Au fur et à mesure que le répertoire des images ou des représentations s'accroît, les nouveaux objets doivent s'intégrer dans les structures perceptives existantes grâce aux processus de généralisation et de discrimination, étant donné que la plupart des choses que rencontre l'enfant auront à la fois des similitudes et des différences par rapport à celles qu'il connaît déjà.

Figure 13-2

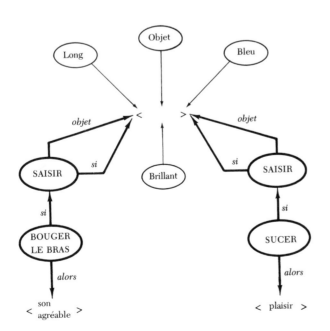

PENSÉE PRÉOPÉRATOIRE   Entre 2 et 7 ans environ, l'enfant commence à employer une représentation interne du milieu extérieur. Voici une première étape importante vers la pensée adulte: la performance d'expériences mentales. Maintenant et pour la première fois, l'enfant peut prédire le déroulement d'un événement sans avoir à le vivre; aussi peut-il répondre à la question: «Qu'arriverait-il si . . .?»

Au début cependant, son aptitude à intérioriser des événements est encore fort limitée. L'enfant est principalement restreint aux actions concrètes et ne peut abstraire, ni généraliser. De plus, lorsqu'une séquence mentale d'actions s'amorce, il procède systématiquement, étape par étape, avec peu ou pas de souplesse.

Nous pouvons observer, dans le comportement de classification de l'enfant certaines formes particulières d'abstraction et de généralisation. Supposons que vous présentiez à un enfant une série d'images d'objets qui diffèrent sur plusieurs dimensions, et que vous lui demandiez de rassembler les images qui semblent aller ensemble. Pour résoudre cette tâche, un adulte choisira habituellement une dimension physique ou une combinaison de dimensions et regroupera systématiquement les objets en regard des critères qu'il a choisis. Le comportement de l'enfant (durant la période préopératoire) est très différent. Les similitudes et les différences au niveau des caractéristiques physiques semblent n'être utilisées que s'il n'y a pas d'autre choix. S'il s'agit d'objets familiers, l'enfant tend à les regrouper selon leurs relations avec une situation environnementale. Les images d'un poêle, d'un réfrigérateur, d'un bol de céréales et d'une poupée pour jouer à la maman peuvent aller dans une même pile; ou encore il peut former une pile basée sur une basse-cour ou une scène de ferme. Qui plus est, contrairement à l'adulte, il ne s'embarrasse pas du fait que tout doive s'intégrer de façon harmonieuse ou logique.

D'une certaine manière, confronté avec une tâche expérimentale de formation de concepts, l'adulte se conduit un peu comme l'enfant. Lorsqu'on demande à des étudiants du niveau collégial de subdiviser une série de cartes en deux groupes et selon la règle qu'ils désirent, une stratégie courante consiste à choisir une dimension unique et à essayer de l'utiliser comme hypothèse de travail. Ils peuvent alors choisir toutes les cartes bordées de rouge pour en faire une pile et toutes les cartes bordées de bleu pour en faire une autre pile. Lorsqu'une carte ne se conforme pas à la règle, on choisit alors une nouvelle règle pour la vérifier. Si la tâche est complexe, les sujets peuvent oublier les règles qu'ils ont déjà utilisées et répéter les mêmes tentatives. Comme les enfants, les adultes trouvent les règles qui exigent la combinaison simultanée de plusieurs dimensions moins accommodantes que les classifications basées sur une seule dimension. Lorsque des dimensions doivent être combinées, leur simple *conjonction* semble alors plus aisée (pour appartenir à une classe, un objet doit posséder **tous** les attributs: par exemple, il doit être à la fois rouge **et** grand). La *disjonction* est plus difficile (l'objet ne doit avoir que l'un **ou** l'autre des attributs: par exemple, il doit être rouge **ou** grand). Les concepts basés sur des contingences entre des dimensions sont les plus difficiles à apprendre (si l'objet est rouge, il doit être grand; par contre, s'il est bleu, il faut qu'il soit petit).

Cependant, certaines caractéristiques du comportement de l'enfant, au niveau de la classification, sont nettement différentes de celles de l'adulte. Voici la plus importante: les mécanismes d'induction sont portés chez l'enfant, semble-t-il, à mieux s'accommoder d'un champ limité en ce qui a trait à l'information disponible. L'enfant tend à se concentrer uniquement sur les caractéristiques dominantes d'un événement. De plus, il semble n'exiger qu'une constance partielle et immédiate de la part des exemples plutôt qu'une constance capable de contenir en un tout cohérent l'information pertinente. Aussi a-t-il tendance à faire correspondre un bâton de base-ball avec une balle (puisqu'on joue avec), une tomate avec la balle (puisqu'elles sont rondes) et une rose avec la tomate (puisqu'elles sont rouges). L'adulte, non. Au contraire, celui-ci est intéressé à trouver une seule règle qui s'applique à tous les objets.

Durant la période préopératoire, l'enfant tend vers l'égocentrisme et centre ses représentations internes sur lui-même. C'est dire qu'il semble absolument incapable de prendre ou de comprendre le point de vue d'une autre personne. Ceci affecte son comportement linguistique de même que son aptitude à apprendre en communiquant avec d'autres ou en se représentant mentalement un scénario, sous un autre angle que le sien.

Outre ces limites (et peut-être comme conséquence immédiate), les processus de la pensée semblent irréversibles. Quoique l'enfant puisse imaginer le résultat d'une certaine séquence d'opérations, il ne peut revenir en arrière, à son point de départ initial. C'est comme si l'acte de représentation mentale de l'événement imaginé possédait les mêmes caractéristiques que le déroulement réel de l'événement — une fois accompli, impossible de faire marche arrière.

Le *problème du verre d'eau* (de Piaget) constitue l'exemple d'irréversibilité le mieux connu. Prenons deux verres: l'un, long et étroit; l'autre, court et large. Remplissons le verre court et large avec de l'eau. Maintenant, en attirant l'attention de l'enfant, versons l'eau du verre court dans le verre étroit. Évidemment, l'eau monte à un niveau plus élevé qu'auparavant. Demandons maintenant à l'enfant s'il y a autant d'eau dans ce verre qu'il y en avait dans l'autre; l'enfant de l'étape préopératoire répondra **non** car, pour lui, le verre étroit contient une quantité d'eau différente. Certains prétendront qu'il y en a plus (le niveau est plus élevé); d'autres, qu'il y en a moins (la largeur est plus réduite). Mais, quel que soit le mode d'opération qu'ils adoptent, ils croient que la quantité d'eau a changé. L'enfant n'a pas encore acquis le concept de la *conservation du volume*.

OPÉRATIONS CONCRÈTES

Vers l'âge de 7 ans, l'enfant entre dans le stade des opérations concrètes. Maintenant, les épreuves de conservation ne lui posent plus de problèmes et il passe le test des verres d'eau avec facilité. Il a appris que la matière se conserve et qu'une dimension (hauteur) peut compenser pour une autre (largeur). Quoiqu'en regard des objets il reste encore limité au raisonnement concret, il a néanmoins acquis d'énormes possibilités au niveau de la pensée, telles que les règles de manipulation, de nombre et d'espace, de généralisation et d'abstraction simples. Durant cette période cependant,

la pensée de l'enfant reste fixée aux objets et aux événements concret
centrée principalement sur les choses qui existent, et dénuée des vrai
notions abstraites.

On peut constater le développement de ce stade des opérations concrèt
en donnant à l'enfant deux petites boules de pâte à modeler de mên
grandeur et de même poids. Une des boules est ensuite transformée en u
longue saucisse. Avant l'âge de 7 ans (avant les opérations concrètes), l'e
fant croit que les quantités de matière, de poids et de volume ont tout
changé. À 7 ou 8 ans, il croit que la matière est constante, mais que l
poids et volume changent encore. Vers 9 ans, l'enfant reconnaît que matiè
et poids demeurent constants, mais pense encore que le volume differ
Ce n'est pas avant l'âge de 11 ou 12 ans que les trois concepts finissent p
se stabiliser.

OPÉRATIONS   Finalement, vers l'âge de 11 ans, l'enfant gravit les derniers échelo
FORMELLES   qui le conduiront au plein pouvoir logique du cerveau humain. Durant l
premières années de l'adolescence, ses facultés linguistiques se perfe
tionnent, les opérations logiques apparaissent, les lois du raisonneme
propositionnel ainsi que de l'implication sont apprises et l'individu commen
à manifester un raisonnement hypothétique et abstrait. (Voir le tableau 13-1

Tableau 13-1 Périodes du développement intellectuel de l'enfant selon Piaget.

Âge approximatif (années)	Description
0-2	**Développement sensori-moteur** Développement des schèmes sensori-moteurs. Apprentissag de la permanence de l'objet et des actions. Restreint aux opér: tions qui ont un effet immédiat sur l'environnement.
2-7	**Pensée préopératoire** Début du développement du langage. Apprentissage d l'activation mentale des schèmes sensori-moteurs sans actic immédiate — expérimentations mentales possibles. Limit aux actions concrètes qui portent d'abord sur les événemen présents. Opérations égocentriques, irréversibles.
7-11	**Opérations concrètes** Début de la déduction logique. Manipulation d'idées co crètes. Toujours égocentrique (mais moins), encore limité au événements possibles. Développement des concepts de co servation, de réversibilité et de compensation.
11-15	**Opérations formelles** Développement de l'inférence, de l'abstraction, de la logiqu propositionnelle; capacité de vérifier des hypothèses mentale:

AVERTISSEMENT

N'accordez pas plus d'importance qu'il n'en faut aux stades; ne considére
pas la classification des âges particuliers de façon absolue. Piaget a toujour

isté sur le perfectionnement continu des structures cognitives de l'enfant. a reproché aux psychologues américains d'exagérer la notion des stades et es âges. Selon lui, pour qu'un enfant puisse résoudre un type de problème, doit avoir préalablement développé les schèmes mentaux prérequis. C'est ire que la connaissance se développe de façon séquentielle et que certains pes d'opérations ne pourront être effectués si l'enfant n'a déjà accumulé un agage suffisant de schèmes mentaux. Voilà ce qui produit l'apparition des tades. Qui plus est, à cause des fortes ressemblances qui existent entre es méthodes éducatives de plusieurs pays industrialisés, la tendance à uniormiser les âges auxquels ces structures cognitives prérequises sont acquises isque de s'implanter. Néanmoins, la notion des stades formels est douteuse: ertains enfants peuvent exécuter certaines tâches appartenant à des stades lus évolués avant d'accomplir celles qui les précèdent, ce qui signifie que a connaissance prérequise à l'accomplissement de ces tâches est déjà acquise.)e plus, les cultures différentes peuvent posséder leur propre rythme de éveloppement.

LA PENSÉE

L'élaboration de représentations internes des événements extérieurs est ιn prérequis à la pensée. Les processus d'organisation et de structuration le l'information perceptive en des schèmes sensori-moteurs contribuent argement au développement des processus mentaux supérieurs. Une fois es structures internes établies, les processus de la pensée ne sont plus lépendants de l'environnement. Grâce à la représentation interne de ce qui nous entoure, il n'est plus nécessaire d'exécuter une action pour en onnaître les conséquences, car la séquence complète des événements peut tre anticipée par simulation mentale: cette simulation constitue l'essence nême de la pensée.

Considérons les avantages à fonctionner par représentation interne. La ensée humaine peut procéder à partir d'un objectif et opérer à rebours elon les structures internes de l'individu, espérant découvrir dans ces structures les actions éventuelles menant à la réalisation de l'objectif ou du but qu'il poursuit.

Les schèmes sensori-moteurs internes peuvent servir de filtre permettant le choisir l'objet de l'attention et de la perception: ils orientent la personne lans la bonne direction, l'amènent à examiner les caractéristiques environnenentales qui sont disponibles et à découvrir celles qui sont manquantes. Les aspects qui font défaut peuvent être traités comme des objectifs secondaires et constituer,ainsi,un cadre référentiel pour la découverte des schèmes ensori-moteurs qui pourraient conduire à leur apparition. Les attentes euvent jouer un rôle primordial même si des échecs surviennent. Elles euvent fournir l'information nécessaire à la sélection intelligente d'une nouvelle façon de réagir chaque fois que la dernière ne réussit pas à produire e résultat désiré.

Les organismes moins évolués ont-ils la capacité de planifier? Ils sont ertainement capables de poursuivre d'un bout à l'autre une chaîne relativenent complexe d'actions, mais il est difficile d'estimer dans quelle mesure l'anticipation des événements futurs oriente leurs réactions. Durant les deux

premières années de sa vie, l'enfant déploie une intelligence sensori-motric
et ne démontre que les prémices d'une telle activité. Habituellement, le
animaux et les enfants de moins de 2 ans semblent beaucoup plus s'attache
à émettre des réponses pour en vérifier les conséquences, que procéde
à partir d'un objectif et d'élaborer une stratégie pour l'atteindre.

La pensée requiert l'aptitude à simuler mentalement des scénarios com
plets, à inventer de nouvelles hypothèses et à les manipuler symboliquement
Les aptitudes fondamentales nécessaires au développement et à la manipu
lation des schèmes sensori-moteurs s'appliquent également à tous les autre
niveaux de la pensée. Dans notre étude de la résolution de problème et d
la prise de décision chez l'adulte (au chapitre 14), nous verrons que le
solutions à des situations problématiques impliquent une suite d'actions e
de conséquences les unes concrètes, les autres mentales, de même qu
des choix variés au fur et à mesure que l'on progresse vers la solution.

Apprendre un langage

L'acquisition du langage représente l'un des apprentissages majeurs d
l'enfant. C'est ici qu'entrent vraiment en jeu plusieurs des points discuté
dans ce chapitre. Les systèmes linguistiques sont vastes et compliqués
Même si le problème de l'acquisition et de la structure du langage est encor
loin d'être résolu, nous pouvons proposer une formulation de ce problème e
apporter quelques suggestions et hypothèses. Commençons donc par dépein
dre le problème que rencontre l'enfant âgé de 12 à 15 mois.

APPRENTISSAGE
DU VOCABULAIRE
Pour le jeune enfant, l'apprentissage du vocabulaire de sa langue maternelle est une tâche difficile. Les noms simples d'objets et d'actions s'apprennent généralement entre 1 et 2 ans. Quelques verbes s'acquièrent très tôt,
comme «vouloir» et «aller», «partir» et «faire», mais d'autres, comme «donner» et «prendre», viennent un peu plus tard. Vers l'âge de 2 ans, la plupar
des enfants ont élaboré un vocabulaire d'environ cinquante mots. Habituellement, un verbe comme «payer» ou «échanger» n'est pas appris avant l'âge
de 5 ans et le verbe «vendre», pas totalement assimilé avant l'âge de 8 ans.
D'autres mots prennent encore plus de temps, car la plupart des gens font
l'apprentissage de mots nouveaux tout au long de leur vie.

La difficulté dans l'apprentissage des mots ne vient pas du fait qu'on ne
les rencontre pas souvent. Considérons le sens du syntagme «décomposition
lexicale». On pourrait difficilement vous reprocher de ne pas avoir appris
ce syntagme à l'âge de 5 ans, car il est possible que vous l'ayez rencontré
pour la première fois à la lecture de ce livre. En revanche, l'enfant de 5 ans
sera incapable de comprendre ce syntagme même s'il y est exposé — en
tout cas, pas dans toute sa signification. Comprendre des syntagmes tels
que «décomposition lexicale» ou des mots comme «prédiction» et «assimilation» exige plus qu'une simple confrontation avec ces mots: une somme
importante de connaissances doit d'abord être acquise. Car, après tout, si
un mot constitue simplement une étiquette identifiant un ensemble de
structures à l'intérieur du système de mémoire, ces structures doivent exis-

er avant que le mot puisse être considéré comme appris.

Nous opérons tout d'abord à partir des objets de l'environnement. Ces objets portent des noms et la relation entre la forme sonore arbitraire (appelée nom verbalisé) et l'objet n'est pas particulièrement évidente pour un jeune enfant.

Pour comprendre les problèmes que rencontre l'enfant, essayez de vous situer dans un environnement complètement nouveau. Imaginez que vous êtes sur une planète étrange. L'environnement ne correspond à absolument rien de ce que vous avez pu connaître auparavant: des formes insolites vous entourent, certaines fixes, d'autres mobiles, comme si elles subissaient continuellement des transformations de structure, de grandeur, de consistance et de couleur. Tout autour, des sons bizarres se font entendre.

Un cercle lumineux plane à 1 m au-dessus de votre tête depuis que vous avez commencé à explorer la planète. Au début, vous lui accordez peu d'attention, si ce n'est d'être intrigué par sa présence. Tout à coup, en allumant votre lampe de poche pour éclairer certaines ombres, cette forme lumineuse se met à bouger. En faisant clignoter votre lampe, vous constatez que le cercle imite vos clignotements. Maintenant, alors que vous laissez votre lampe éteinte pour un moment, le cercle s'éloigne de vous pour se déplacer vers des rochers aux formes singulières, s'y arrête et présente des changements systématiques de couleur. Il revient vers vous et répète alors le même processus. Lentement, vous réalisez que cette forme lumineuse est l'organisme intelligent de la planète: elle essaie de vous enseigner son langage, et ce, en commençant par le nom d'un objet.

Au début, probablement que vous ne prêtiez pas une grande attention aux rochers, mais maintenant, vous constatez que le cercle identifie ceux qui ont certains points en commun (ils présentent tous des saillies) et qui diffèrent des autres rochers (qui n'en ont pas). Heureux de cette découverte, vous imitez le clignotement du cercle avec votre lampe de poche. Vous donnez même au cercle le nom de *Halo*. À chacun de vos flashes, Halo s'anime et tourne autour de vous dans un chatoiement de couleurs. Cependant, vous notez que ses mouvements se modifient dans le temps. Lorsque vous éclairez les rochers saillants, Halo manifeste beaucoup d'activité, mais la même séquence de flashes sur d'autres rochers aussi saillants provoque une toute autre réponse: vous réalisez tout à coup que vous avez *surgénéralisé*. Vous pensiez que tous les rochers comportant une saillie déclenchaient la même séquence lumineuse. Maintenant, vous constatez que les rochers diffèrent: le nombre de leurs saillies a de l'importance.

Nous observons alors que l'apprentissage d'un langage est une tâche difficile. Il présuppose la connaissance des objets et des actions existant sur cette planète. Sur notre planète, l'enfant rencontre un problème analogue. Il est confronté à une foule d'objets immobiles et en mouvement, à de vagues silhouettes qui surgissent en émettant des bruits bizarres, à des images et à des sons différents, lesquels ne correspondent pas toujours les uns avec les autres. Avant que l'enfant puisse espérer associer une séquence sonore particulière à une classe particulière d'objets, il lui faudra:

- *Le concept d'objet:* une distinction entre objets et contexte.
- *Le concept de constance de l'objet:* la notion qu'un item constitue le même objet malgré le fait qu'il puisse apparaître à différents moments, en différents endroits, à différentes distances et dans différentes positions (et qu'il a donc différentes grandeurs, formes et positions sur la rétine).
- *La connaissance que les attributs diffèrent en importance:* les bouteilles de lait peuvent avoir différentes formes et différents modèles, mais ces items d'aspect varié appartiennent à la même classe d'objet; une mère ou un père peut changer de vêtements ou de coiffure, mais reste la même personne; dans le cas des personnes, les attributs importants et constants sont les traits faciaux.
- *La coordination de l'espace et de l'objet, des choses touchées, vues, entendues, goûtées et senties:* pour apprendre que les sons émis par les parents sont liés à la présentation d'un objet particulier, il faut réaliser que le son provient des parents et que l'objet est toujours associé à ce son.

En outre, plusieurs aspects de la perception et de la production des sons verbalisés de l'enfant restent inconnus: le langage parlé est-il un phénomène si particulier qu'il impliquerait, chez l'humain, des mécanismes innés pour détecter les sons verbalisés et pour tenter de les lier à l'expérience, ou bien ces aspects propres au langage ont-ils, eux aussi, besoin d'être appris? Comment l'enfant organise-t-il les sons? Comment distingue-t-il les mots les uns des autres? Comment distingue-t-il les mots des sons non pertinents tels que la toux, les grincements, les jappements et les miaulements? Et que dire de la production des sons? Comment l'enfant arrive-t-il à contrôler l'ensemble complexe des muscles nécessaires à la synchronisation du diaphragme, des cordes vocales, de la langue, des lèvres et des joues pour produire un langage articulé?

APPRENTISSAGE DES MOTS

En dépit de tous ces problèmes, il est possible de concevoir comment un enfant peut en arriver à apprendre les noms des objets. Les objets sont solides et réels. Ils existent. On peut les pointer, les toucher et les manipuler. Mais que se passe-t-il pour les événements et les actions? Comment fait-on pour les nommer?

Considérons d'abord l'apprentissage d'un mot comme «apporter». Nous pouvons enseigner un tel mot en donnant différents objets à l'enfant et en lui disant à chaque fois: *Apporte X.* Supposons que l'enfant ait appris les mots «lait», «hochet» et «balle». Alors, les parents apportent ces objets les uns après les autres en disant:

Apporte lait.
Apporte balle.
Apporte hochet.

Nous espérons alors que l'enfant pourra dégager les constances de ces phrases et de ces actions en reconnaissant que le deuxième mot varie alors que le premier reste le même, et que les gestes fondamentaux varient de plusieurs façons, mais qu'ils partagent la caractéristique commune d'un objet nouveau apparaissant chaque fois. Qui plus est, le nouvel objet correspond au deuxième mot. S'il est capable d'extraire cet ensemble de constances, l'enfant a alors acquis les mots identifiant les actions et les objets de même qu'une grammaire élémentaire: *un verbe est suivi d'un objet.*

Le verbe *apporter* est vraiment trop complexe pour débuter. Généralement, les enfants commencent par acquérir les caractéristiques les plus simples des verbes. Ainsi, un des premiers verbes appris par l'enfant est «parti», comme dans *parti le lait.* Le mot «parti» réfère à l'état final de l'objet; toute la complexité des verbes qui décrivent comment l'objet parvient à cet état peut être ignorée:

Parti le lait.	(L'enfant a bu le lait.)
Parti papa.	(Papa est sorti de la pièce.)
Parti maman.	(Maman est partie travailler.)
Parti la balle.	(L'enfant a lancé la balle.)

Dans notre étude sur l'apprentissage, nous avons établi que les lois de l'apprentissage doivent inclure la notion de causalité:

Pour qu'un animal apprenne la relation entre une action spécifique et un résultat, il doit y avoir une relation causale apparente entre les deux: l'action doit être un facteur causal apparent par rapport au résultat.

Le même principe doit s'appliquer à l'apprentissage du langage. Un enfant n'apprendra pas la définition du mot «apporter» à moins qu'il n'ait la capacité de percevoir la relation causale entre l'action des parents et l'apparition de l'objet, de même que la relation entre les mots prononcés par les parents et les actions.

Rappelez-vous l'argument que nous avons avancé au sujet de l'apprentissage initial des schèmes sensori-moteurs chez l'enfant. Nous avons suggéré qu'au début, l'enfant ne faisait pas la distinction entre les actions et les objets: tout était centré sur les mouvements moteurs. L'acquisition de la connaissance s'acquiert par l'action. Telle est la position de Piaget quant à l'acquisition initiale des connaissances chez l'enfant. Elle a aussi de lourdes implications sur l'apprentissage du langage. La théorie de Piaget soutient que l'apprentissage initial du langage s'acquiert en associant des noms aux actions. Au début, l'enfant ne distingue pas les objets des événements qui ont provoqué leur perception; plus tard, l'enfant réalise que des agents différents peuvent produire des actions similaires sur ces objets et qu'il existe donc une différence entre les mouvements moteurs et les objets (voir Sinclair-deZwart, 1973).

De nombreuses données nous confirment que les premiers mots appris par un enfant ne séparent pas du concept d'objet les actions et les événements. Quelle sorte de langage l'enfant expérimente-t-il tout d'abord? Ce sont des adultes ou des enfants plus âgés qui lui traduisent, en premier lieu, ses propres expériences: la séparation entre les événements et les objets n'est pas claire. Si les notions de Piaget concernant les stades du développement sont exactes, à savoir que l'enfant apprend d'abord les schèmes sensorimoteurs et qu'il intériorise lentement les concepts de son environnement, le développement du langage, quant à lui, devrait donc suivre cette même séquence de développement. Ainsi, lorsque l'enfant apprend le mot «balle», il pourrait associer au concept une multitude de caractéristiques et d'événements, y compris l'instabilité, le roulement et le rebondissement propres à l'objet. Or, quoique le terme «balle» puisse, semble-t-il, s'appliquer correctement aux objets ronds et de forme similaire à une balle, il se peut que l'enfant utilise vraiment ce terme pour représenter les actions de l'item.

Selon nous, les mots constituent des étiquettes pour les concepts qui existent à l'intérieur des structures mnémoniques de l'individu; par conséquent, les premiers concepts inscrits dans un langage doivent refléter les premiers concepts développés par l'enfant. Pour apprendre la signification d'un terme, une personne doit, en quelque sorte, décider des structures mnémoniques appropriées à ce terme, et il n'existe aucune façon directe de déterminer si les structures utilisées par une personne correspondent à celles d'une autre. Ce problème se pose de façon spéciale chez l'enfant, car ce dernier ne possède qu'un ensemble limité de structures mnémoniques et ne réalise probablement pas, sinon peu, les conflits éventuels qui existent dans le choix d'étiquettes appropriées aux structures. Les mots utilisés par un enfant doivent refléter les premiers concepts qu'il a formés.

SURGÉNÉRALISA- **TION ET SURDIS-** **CRIMINATION**	Souvenez-vous de notre aventure avec Halo, le cercle lumineux de la planète lointaine. Une des difficultés que nous rencontrions dans la découverte des noms des objets était de relever les attributs pertinents à ces objets: lorsque Halo reproduit tel jet de lumière devant deux ou trois rochers différents, comment faisons-nous pour déterminer les rochers désignés par le faisceau et ceux qui ne le sont pas? De même pour les actions. Comment savons-nous exactement quelle composante d'une action correspond au nom que la langue lui attribue habituellement? Vraiment, nous l'ignorons, du moins tant qu'une expérience considérable avec les noms, les objets et les événements n'est pas accumulée.

Le jeune enfant rencontre le même problème. En fait, nous pouvons imaginer deux scénarios différents pour l'acquisition du langage, l'un conduisant au phénomène appelé *surdiscrimination*, l'autre au phénomène inverse de *surgénéralisation*.

SURGÉNÉRALISATION

Imaginons l'enfant confronté au chien de la maison. Chaque fois que le chien s'approche de l'enfant, les parents lui disent: «Pitou!» Quel concept l'enfant développe-t-il de ce mot? Une hypothèse est qu'il s'en remet aux propriétés perceptives de la situation: *un objet noir de la même dimension qu'un bébé et qui se meut à peu de distance du plancher.* Ces caractéristiques perceptives renferment alors les structures cognitives qu'a l'enfant du concept

«Pitou». Pour lui, tout objet qui possède ces caractéristiques est un «Pitou». Un autre chien pourrait se nommer ainsi, et aussi bien un chat, une personne se traînant à quatre pattes ou même un gros jouet mobile (tel qu'une voiturette). On appelle *surgénéralisation* la confusion qui en résulte: l'utilisation d'un mot est généralisée à des situations ayant certaines caractéristiques communes avec la bonne, mais dont l'emploi reste inadéquat.

Figure 13-3

Les exemples de surgénéralisation ne manquent pas. Par exemple, la plupart des bébés appellent tout le monde «papa» ou «maman». Clark (1973) a recueilli certains exemples de surgénéralisation chez des enfants de différents groupes linguistiques (le tableau 13-2 en fournit quelques-uns).

Tableau 13-2 Exemples de surgénéralisation*

Item original	Nom donné par l'enfant	Items auxquels l'enfant attribue le nom
Ciseaux	Sizo	Tout objet en métal.
Chien	Wouf-wouf	D'abord un chien en peluche, puis une pièce de fourrure avec une tête d'animal, puis d'autres pièces de fourrure.
Bébé	Bébé	D'autres bébés, puis toutes les petites statues, puis les personnes représentées sur de petites images.
Chien	Wouf-wouf	D'abord une pièce de fourrure avec des yeux brillants, puis des boutons de manchettes, puis des boutons de nacre sur une robe, puis un thermomètre de bain.
Lune	Lul	Des gâteaux, puis les ronds dessinés sur les fenêtres, puis les signes d'écriture sur les fenêtres et les livres, puis les formes rondes dans les livres, puis les ciselures sur les livres reliés en cuir, puis les cachets postaux ronds, puis la lettre O.

Clark (1973).

Les échantillons de comportement verbal rapportés par Clark démontrent la grande variété des caractéristiques qu'utilisent les enfants pour encoder les concepts. Ainsi, nous constatons que le mot «lune» sert à signifier «une petite forme arrondie», et le mot «ciseaux», «un objet brillant». «Chien» (étiqueté par l'onomatopée «Wouf-wouf») semble associé à «la fourrure» dans un exemple et à «de petits items luisants» dans un autre. Il faut supposer que cette définition particulière ressort du contact avec un chien qui a des yeux luisants et clairs.

SURDISCRIMINATION

En surgénéralisant, l'enfant note certaines des caractéristiques perceptives du concept, mais pas suffisamment pour réussir à le distinguer de plusieurs autres éléments. Par conséquent, l'enfant surgénéralise, identifiant plusieurs choses différentes par le même nom. Mais supposons qu'il note trop de caractéristiques ou qu'il se limite à une caractéristique trop précise? Dès lors, il *surdiscrimine* et ne donne un nom particulier à un objet que si celui-ci rencontre un ensemble précis d'exigences.

Revenons à l'exemple de l'enfant qui entend prononcer le nom «Pitou». Supposons que son premier contact s'établisse avec un grand chien tacheté, haletant, aux yeux luisants et aux oreilles pendantes. Si l'enfant relève toutes ces caractéristiques, le concept «Pitou» deviendra tellement spécialisé que presque rien ne pourra le satisfaire. Il n'appellera certainement pas les chats et les gens «Pitou», pas plus d'ailleurs que les autres chiens. De plus, si le chien que nous avons décrit réapparaît avec la gueule fermée (et donc, sans langue apparente), l'enfant ne l'appellera pas un «Pitou». Tel est le phénomène de surdiscrimination.

La surgénéralisation se vérifie plus facilement que la surdiscrimination. Lorsqu'un enfant surgénéralise, ses erreurs sont manifestes puisqu'il attribue de mauvais noms à des objets spécifiques. Mais lorsqu'il surdiscrimine, il est fort probable qu'il ne dise rien du tout. Il devient donc difficile de dire si l'enfant surdiscrimine ou désire simplement demeurer silencieux.

Notons que les processus responsables de la surgénéralisation et de la surdiscrimination ont leur utilité. Un enfant doit apprendre que tous les animaux ont des propriétés en commun et qu'il existe des règles générales qui s'appliquent à une foule de situations. De même, il doit apprendre à discriminer et être apte à sélectionner les caractéristiques qui lui permettent de distinguer un individu d'un autre.

Il est difficile de se représenter les énormes difficultés que rencontre l'enfant. Comment apprend-il quand il lui faut généraliser et quand il lui faut discriminer? Pour apprendre à distinguer les personnes les unes des autres, l'enfant doit porter attention aux caractéristiques essentielles qui permettent de différencier une personne d'une autre — généralement les

Figure 13-4

caractéristiques faciales — et ignorer des caractéristiques non pertinentes telles que les vêtements. Tout va bien lorsqu'il s'agit d'apprendre à distinguer maman de papa ou Francine de Françoise; mais que dire des cas où l'enfant doit généraliser? Essayons de concevoir comment l'enfant apprend à reconnaître les pompiers ou les policiers: ces groupes s'identifient par les vêtements qu'ils portent et alors les caractéristiques faciales ou les autres informations discriminantes se doivent d'être ignorées.

Des exemples similaires se retrouvent avec les verbes. Lors d'un match de hockey, lorsqu'un joueur envoie la rondelle à un autre, on dit qu'il fait «une passe» — à moins que les deux joueurs impliqués ne soient un joueur adverse et le gardien de but, ce qui constitue alors «un lancer». Quand une personne court après quelqu'un, la seule chose qui distingue l'action de «fuir» de celle de «poursuivre» est la position relative de chaque participant (ou les causes de l'action). L'enfant rencontre de sérieux problèmes lorsqu'il essaie de faire toutes les distinctions appropriées au bon moment, car il n'existe pas de règles faciles à suivre.

APPRENDRE À PARLER

Dès sa naissance, l'enfant est assailli par des phrases grammaticales bien construites, des fragments de phrases mal formées, des énoncés qui prennent la forme d'anticipations, des questions, sans oublier ses propres babillages et tentatives pour communiquer. À partir de ce méli-mélo d'énoncés verbaux, il doit de quelque façon extraire les règles de transmission de l'information conceptuelle et relationnelle. Un enfant de la communauté francophone doit apprendre que les adverbes précèdent le nom qu'ils modifient. Mais comment précisément y arrive-t-il? Au cours d'une conversation, deux mêmes mots peuvent apparaître dans plusieurs ordres différents. Prenons un exemple simple: l'enfant apprend à évaluer les quantités. Il demande combien il y a de lait dans son verre. On lui répond: «Ton verre de **lait** — c'est **beaucoup.**» Ici, nom et adverbe apparaissent dans l'ordre inverse, bien qu'il y ait une légère pause entre les deux. Comment l'enfant apprend-il, à partir d'exemples comme celui-ci, à dire **beaucoup de lait** dans une phrase comme:

«Je ne veux pas ce verre, je veux beaucoup de lait.»

La croyance populaire admet que l'enfant apprend à parler correctement parce que ses parents corrigent continuellement ses erreurs. En fait, ce n'est pas vrai. Nous corrigeons quelquefois le parler de l'enfant, mais la plupart du temps, nous ignorons ses erreurs. Le tableau 13-3 présente un exemple du rôle d'une mère et donne les commentaires qu'elle émet sur le parler de son enfant. Dans une analyse de plusieurs énoncés (dont certains se retrouvent au tableau 13-3), Brown et Hanlon (1970, chap. 1) ne trouvent aucune donnée qui confirme que les corrections apportées par la mère soient assez fréquentes pour expliquer l'apprentissage de la grammaire par les enfants.

Tableau 13-3 Exemples d'énoncés acceptés ou rejetés*

Acceptés

Adam	Dessine une botte papier.	**Mère d'Adam**	C'est ça. Dessine une botte sur le papier.
Ève	Maman n'est pas garçon. Il est une fille.	**Mère d'Ève**	C'est vrai.
Sarah	Elle boucle mes cheveux.	**Mère de Sarah**	Hum, hum . . .

Rejetés

Adam	Et Walt Disney vient le mardi.	**Mère d'Adam**	Non, il ne vient pas.
Ève	Quelle belle idée.	**Mère d'Ève**	Non, ce n'est pas correct. Bonne idée.
Sarah	C'est la ferme.	**Mère de Sarah**	Non, c'est un phare.

*Transposition en langue française des exemples apportés par *Brown et Hanlon* (1970, tableau 1-12, p. 49).

IMITATION

De façon évidente, l'imitation accélère chez l'enfant l'acquisition des solutions aux problèmes pratiques qu'il rencontre dans son milieu. Un enfant peut apprendre en observant simplement comment on manipule et utilise les choses. En effet, il semble avoir la capacité de construire des schèmes d'action complexes à partir de ses observations. Aussi, l'imitation doit-elle jouer un rôle important au niveau du développement social de l'enfant. La famille, les amis et le choix des personnages à la télévision fournissent tous des modèles d'interaction sociale. Partant de ces observations, l'enfant apprend les comportements sociaux propres aux diverses situations sociales. Ces modèles se transforment alors en comportements.

L'imitation constituerait-elle un mécanisme essentiel à l'apprentissage du langage? Peu probable. La façon dont évolue l'acquisition du langage dans son ensemble démentit l'idée que l'enfant apprenne à comprendre et à utiliser le langage par l'imitation de ce qu'il entend. Les premiers mots ne sont que de très grossières approximations des formes sonores adéquates et pourtant l'enfant ne tente pas de les vérifier par l'usage et de les préciser avant d'en acquérir d'autres. À aucun moment de l'évolution du langage, que ce soit du premier mot verbalisé jusqu'au discours proche de celui de l'adulte, le parler ne se fonde pas apparemment sur l'imitation. Au contraire, ce qui frappe le plus dans le langage enfantin, c'est bien son originalité, sa nouveauté. Si les enfants apprenaient par imitation, pourquoi diraient-ils **sontaient** pour **étaient, chevals** pour **chevaux** et **délumer** pour **éteindre**?

En fait, il est difficile de dire ce que l'enfant imiterait même s'il s'y mettait. L'infinie variété d'expression est l'apanage de la langue. L'enfant qui apprend un langage rencontre rarement la même séquence de mots plus que quelque fois. Qui plus est, ceux qui sont nés avec des déficiences congénitales a niveau de l'appareil vocal comprennent le langage parfaitement malgré leu incapacité de parler et donc d'imiter ce qu'ils entendent. Le mode de déve loppement semble plutôt refléter les efforts des processus d'induction alor que l'enfant tente de déceler le système des règles inhérentes au langage

PARENTAGE

Les parents aident vraiment les enfants à acquérir le langage et leur parlen différemment qu'ils ne le font avec les adultes. Nous appelons ce langage particulier «parentage». Le parentage n'équivaut pas au langage enfantin mais s'avère plutôt une simplification des structures employées par les adul tes qui s'efforcent de rendre leur discours plus clair et plus compréhensible en réduisant la longueur de leurs énoncés. Il est possible d'évaluer l'effet du parentage sur le discours de l'enfant; il suffit d'enregistrer le langage parlé que les parents tiennent aux enfants et d'essayer de déterminer si le type de langage appris par les enfants sur une période de 6 mois y correspond. Newport a fait une étude de ce genre (voir Newport, Gleitman et Gleitman, sous presse). Elle constata que le discours de la mère contenait une foule d'énoncés se rapportant à des objets particuliers du milieu:

C'est une lampe.
C'est un cendrier.
C'est un bateau.

La fréquence avec laquelle la mère énonçait de telles phrases détermina les progrès de l'enfant dans son aptitude à se servir des syntagmes nominaux et du vocabulaire. Les syntagmes qui n'avaient pas de référent spécifique ou qui ne contenaient pas de nom, comme:

Qu'est-ce que c'est?

influencèrent peu le développement de l'enfant.

La structure des énoncés de la mère produisit aussi un impact. Ainsi, les mères qui posaient des questions de la forme **oui-non**, comme:

Vas-tu à l'épicerie?
Veux-tu un biscuit?
Peux-tu chanter une chanson?

et dans lesquelles le premier mot est un verbe, favorisaient l'acquisition de ceux-ci chez l'enfant. Des phrases telles que:

Je me demande si tu peux chanter une chanson?

different des phrases **oui-non**, car le verbe «pouvoir» est relégué au milieu de l'énoncé alors qu'il constitue le premier mot dans une question **oui-non**.

Les enfants semblent incapables de saisir d'un coup tous les mots d'une série; en conséquence, il se peut fort bien que les premiers mots d'une phrase soient mieux compris que les derniers.

Si nous considérons le langage comme un moyen de communication, comment le jeune enfant l'utilise-t-il? La réponse est simple et brève: il le fait **bien**. Examinons des exemples de phrases tirées du répertoire d'un enfant de 2 ans.

LANGAGE ET COMMUNICATION

Chaise bébé	Maman lait
Assis plancher	Maman sandwich
Prendre gant	Jeter papa

Est-ce que ces énoncés ont du sens? Peut-être pas pour vous, étant donné qu'ils sont beaucoup trop tronqués pour spécifier le caractère précis de la relation entre les mots et les actions. Mais considérons le contexte dans lequel ils furent émis. En général, les expressions de l'enfant sont parfaitement compréhensibles pour la mère, puisque le contexte ne laisse presque aucune ambiguïté. Brown et Bellugi (1964), qui ont enregistré les exemples précités du discours d'un enfant, ont aussi noté les réactions verbales de la mère à ces phrases.

> **Bébé est dans la chaise.**
> **Maman a bu son lait.**
> **Maman va manger un sandwich.**
> **Il était assis sur le plancher.**
> **Jette-le à papa.**
> **Prends le gant.**

Le discours de l'enfant correspond à une traduction télégraphique de la phrase complète de l'adulte. Les mots fonctionnels sont omis et les relations grammaticales complexes ne sont pas encore distinctes. En revanche, c'est avec facilité que l'adulte peut souvent compléter les phrases de l'enfant en utilisant simplement l'information contextuelle pour retrouver le sens voulu, puis en ajoutant les mots fonctionnels et tout autre élément nécessaire.

Pour illustrer ceci, prenons comme exemple la réaction verbale de la maman à l'énoncé **Ève dîner**. Roger Brown note qu'Ève émit cet énoncé en deux occasions espacées de 30 min. Dans le premier cas, la mère d'Ève préparait le dîner et compléta l'énoncé en disant: «**Oui, maman va préparer le dîner d'Ève.**» Dans le deuxième cas, c'est assise à table qu'Ève, en train de manger, répéta l'énoncé. Sa mère compléta donc en disant: «**Oui, Ève prend son dîner.**» La première interprétation place Ève en relation de possession vis-à-vis du dîner; la seconde la rend agent de l'action de **prendre** (ou **manger**), alors que le dîner devient objet. Le fait que le même énoncé soit si facilement interprété différemment par la mère prouve qu'Ève utilise de façon satisfaisante le langage comme moyen de communication, et ce, même si ses connaissances en grammaire s'avèrent des plus limitées.

En conclusion, le langage de l'enfant est basé sur la signification plutô‹
que sur la grammaire. Il refléterait, semble-t-il, la base conceptuelle sous‹
jacente que l'enfant a acquise en rapport avec l'environnement. Conséquem‹
ment, l'étude du développement linguistique devrait se faire parallèlemen‹
à celle du développement général.

LIMITES DU RENDEMENT   Lorsqu'un enfant commence à utiliser le langage, il a déjà acquis, grâce
à ses échanges avec le milieu, une partie de l'information structurelle fonda‹
mentale dont il a besoin. Il lui reste à apprendre comment communiquer
par symboles. Ses premières tentatives pour communiquer semblent se
résumer à une expression littérale des structures internes de la mémoire.
Tous les mots fonctionnels qui transmettent explicitement l'information
relationnelle sont inexistants; c'est pourquoi, le discours de l'enfant est
télégraphique. Mais il y a d'autres limites. La capacité du champ de la
mémoire de l'enfant paraît plus réduite que celle de l'adulte. L'enfant ne
connaît pas tous les syntagmes et toutes les règles transformationnelles (si
jamais il en connaît); il ignore encore quelle information doit être précisée
et laquelle peut être supprimée. L'ordre des mots semble la seule informa‹
tion relationnelle spécifique que l'enfant communique systématiquement
au début de l'apprentissage linguistique. Si l'énoncé de l'enfant contient un
agent, celui-ci apparaît généralement avant le verbe. Dans d'autres types
de relations cependant, il est difficile de déterminer si l'enfant utilise l'ordre
approprié. En français, s'il n'y a pas d'**agent** et que seuls un **instrument** et
un **objet** se retrouvent dans la phrase active, l'**instrument** doit venir avant
le verbe, l'**objet** après:

> *La* **clé** *ouvre la* **porte.**
>
> **instrument**   **objet**

Si l'enfant raccourcissait simplement cette phrase, il devrait dire: «**Clé
ouvre**». Au lieu de cela, il dira «ouvre clé», car il est évident que l'enfant
a en tête une phrase différente, avec un agent, comme:

> **Papa** *ouvre la porte avec sa clé.*

Dans ce cas, la phrase abrégée **Ouvre clé** est correcte.

En français, les phrases prennent généralement la forme du *Sujet-Verbe-
Complément* (SVC). Les enfants suivent cet ordre fondamental lorsqu'ils
formulent leurs premiers énoncés. Or, même s'ils sont à l'âge de ne produire
que des phrases comprenant deux mots, lorsqu'il s'agit de construire une
phrase contenant un sujet, un verbe et un complément, il est probable que
l'ordre de leurs deux mots soit correct. Par exemple, si l'enfant exprime
l'énoncé **Papa** *devrait lui* **donner** *du* **lait**, il pourrait dire:

Papa donne	(SV — complément éliminé).
Papa lait	(SC — verbe éliminé).
Donne lait	(VC — sujet éliminé).

Il est *peu* probable que l'enfant émette l'une des trois autres combinaisons de mots: **donne papa, lait papa** ou **lait donne.**

Ainsi donc, même abrégées, les structures des jeunes enfants suivent sensiblement les règles de grammaire. Il est évident que l'enfant comprend très tôt les concepts d'*agent*, de *récipient*, d'*objet* et d'*instrument* (les structures de cas des chapitres 10 et 12) et que ses constructions grammaticales utilisent ces structures ainsi que l'ordre des mots de façon appropriée.

Pourquoi les premiers énoncés de l'enfant sont-ils si courts? Voilà une question fort embarrassante. Si l'enfant peut dire chacun de ces trois fragments:

Papa donne.
Donne lait.
Papa lait.

il doit avoir la capacité de comprendre la phrase entière:

Papa donne lait.

Pourquoi l'enfant ne peut-il dire que deux des trois mots?

D'aucuns ont proposé que la capacité de la mémoire à court terme serait limitée chez l'enfant et que, par conséquent, l'effort de traitement nécessaire pour joindre des mots de façon séquentielle épuise rapidement la capacité de la mémoire. Ainsi, quoique l'enfant puisse posséder la structure sous-jacente au fait que son père lui donne du lait, il est incapable de retenir en mémoire la séquence complète des trois mots. Cependant, après un examen plus poussé, il semble inutile de supposer que la capacité de mémoire des enfants diffère de celle des adultes. Il importe plutôt de déterminer comment l'enfant utilise sa mémoire. Ce dernier ne possède pas une bonne compréhension des stratégies disponibles pour mémoriser les choses, organiser le matériel et améliorer le rendement de ses propres structures mnémoniques. L'enfant doit développer sa mémoire tout comme ses autres capacités. Au chapitre 9, nous avons analysé le concept de *métamémoire*, la connaissance que nous avons de nos propres structures de mémoire. Un enfant aurait donc une métamémoire fort peu développée.

Dans le développement du langage, un autre problème tend à restreindre la longueur d'un énoncé: pour un usage efficace de la mémoire, les items à mémoriser doivent être des concepts bien appris et bien intégrés. Donnons à l'adulte une tâche aussi complexe que celle à laquelle fait face l'enfant qui essaie de former une phrase et nous constaterons les mêmes limites au niveau de la mémoire. Par exemple, voyons ce qui arrive lorsqu'un adulte apprend une langue étrangère. Voici comment l'un des auteurs (d'expression anglaise) explique ses progrès dans un cours de français. Ce témoignage fut rédigé après une semaine de leçon de français totalisant 6 h de classe, 3-4 h d'écoute d'enregistrements en français et 1-2 h d'analyse de texte.

L'apprentissage d'un langage est une tâche lente et pénible. Il est difficile de comprendre le professeur lorsqu'elle parle (elle ne parle pas anglais pendant 2 des 3 h de chaque cours) et de répéter les syntagmes.

En écoutant les autres étudiants, il est surprenant de constater combien la capacité du champ de mémoire peut diminuer avec des sons étrangers (jusqu'à deux ou trois syllabes).

Au niveau de l'attention, la surcharge est constamment présente. Une fois, alors que nous devions à tour de rôle répondre à une question simple: «Quel est votre nom?» et ensuite poser la question, j'ai soigneusement répété les quatre mots de la réponse et les quatre mots de la question pendant environ 2 min avant le moment fatidique. Quand vint mon tour, je prononçai parfaitement et avec un bon accent les quatre mots de la phrase *Je m'appelle Monsieur Norman,* laquelle n'est vraiment pas difficile puisque mon nom en occupe la moitié même s'il est prononcé en français. Le professeur m'a alors interrompu pour me féliciter de mon accent, ce qui me fit complètement oublier la seconde phrase (*«Comment vous appelez-vous?»*).

Lorsque le professeur pose des questions simples ou nous demande de produire de simples transformations de syntagmes («Changez *Pierre mange* par *Il mange . . .»*), il nous faut beaucoup de temps — souvent 10 s.

La plupart des étudiants semblent complètement perdus et se plaignent de frustration et de sentiments d'insuffisance après la classe. Pourtant, le professeur de français est excellent.

Mon hypothèse est qu'il existe un sérieux problème de motivation, car la difficulté que comporte la tâche d'apprentissage d'une langue est tellement grande que le sentiment de réussite qu'on en dégage est plutôt mince. Quelle que soit la qualité de votre rendement, il est impossible de ne pas faire d'erreurs; et puis, il vous en reste tellement encore à apprendre. L'enfant consacre des années à l'apprentissage d'une langue — environ 4 ans pour être convenable, 8 ans pour être bon, 12-14 ans pour devenir excellent (ces estimations se fondent à partir de l'âge de 2 ans). Si les étudiants adultes se plaignent de la vitesse de l'apprentissage, il faut reconnaître qu'ils progressent rapidement comparativement aux enfants.

L'apprentissage vu comme des additions à la connaissance

L'apprentissage que nous avons considéré ici ne représente qu'une des diverses formes d'apprentissage. Présentement, vous lisez ce texte; cette lecture peut être aussi considérée comme une situation d'apprentissage, bien que les activités inhérentes à celle-ci diffèrent radicalement de celles décrites dans ce chapitre. Nous avons plutôt insisté, dans cette section, sur les activités de l'enfant qui explore son environnement en essayant d'y découvrir les relations qui existent entre les actions et les résultats. Ce type d'apprentissage constitue une situation d'exploration par essai et erreur. Si l'apprentissage des adultes comporte parfois les mêmes caractéristiques, il consiste bien plus souvent en une acquisition de nouvelles connaissances ou de nouvelles habiletés sous la gouverne d'un professeur ou d'un livre.

L'apprentissage par lectures ou par enseignement didactique n'exige pas des efforts pénibles d'exploration pour que s'établissent les relations entre les situations environnementales et les actions: le rôle du professeur ou du livre consiste à relever les points pertinents et à diriger l'acquisition des connaissances importantes. Chez l'adulte, la majeure partie de l'apprentissage se caractérise par une tentative de lier les nouvelles connaissances aux structures de mémoire déjà établies — l'usage de ces schèmes mnémoniques servant à guider la formation des nouveaux schèmes. Nous avons déjà étudié certains aspects de ce type d'apprentissage dans notre chapitre sur la mémoire; nous en analyserons d'autres dans les chapitres sur la pensée et ses applications. Ici nous devons, avant tout, nous rendre compte de la quantité énorme des connaissances préalables à l'apprentissage de la plupart des matières.

Pensez à tout ce qu'il faut de temps et d'efforts pour apprendre une matière. Presque n'importe quel thème exige des années d'apprentissage avant sa maîtrise parfaite. Le fait qu'il existe des experts, est ce qui caractérise ces sujets difficiles à maîtriser: chaque fois qu'un sujet est assez riche et assez important pour que des experts s'y abandonnent, nous pouvons affirmer qu'il faudra plusieurs années pour atteindre leur niveau de connaissance. Pensez à un sujet particulier: l'histoire, la mécanique automobile, les mathématiques, le ski, les arts, le base-ball, les langues et même la psychologie. La parfaite maîtrise de chacun de ces sujets exige de nombreuses années d'étude ou d'entraînement. Remarquez que notre liste comporte deux types différents de connaissances. Les tâches qui requièrent des habiletés motrices précises (le base-ball, le ski) se mêlent à d'autres plus cognitives (les mathématiques, l'histoire). Mais les différences entre ces deux sortes de compétence sont moins grandes qu'on pourrait le croire. Des sujets comme l'art et la mécanique automobile impliquent déjà un mélange des deux, car ils requièrent à la fois des connaissances théoriques et plusieurs habiletés manuelles. Toutes les catégories de sujets se ressemblent de par l'organisation des connaissances et de par les procédures nécessaires à leur apprentissage, même si ces sujets exigent des aptitudes différentes. Quelques-uns nécessitent une bonne dextérité; d'autres, une bonne capacité de mémorisation ou de raisonnement abstrait. Certains requièrent une évaluation de l'espace; d'autres, une bonne coordination du corps. Au bout du compte, tous nécessitent un grand nombre de connaissances organisées et intégrées de manière à rendre les informations pertinentes rapidement et efficacement accessibles aux bons moments. Le secret de l'apprentissage des sujets complexes repose sur l'organisation adéquate de l'information en mémoire.

Considérons ce qu'il en faut pour devenir compétent dans une matière. La lecture de ce livre, par exemple, exige beaucoup de temps. Et pourtant, ce volume ne représente qu'une phase. Vous ne pouvez entreprendre sa lecture sans avoir acquis certaines connaissances sur le monde, les sciences, les mathématiques, les arts et la musique. Même si vous n'êtes pas un spécialiste de ces matières, vous avez probablement étudié chacune d'elles plusieurs années durant vos études scolaires antérieures. En fait, même si le livre n'est qu'une introduction, enseigné en profondeur, il équivaut à au moins une année d'étude. La compréhension d'un seul des thèmes étudiés dans ce livre exige une analyse et une réflexion intenses: on pourrait consacrer un et même plusieurs cours à l'approfondissement de n'importe quel thème abordé. En fait, il n'y a personne dans le monde qui soit un expert en tous les sujets considérés dans ce livre.

Prenons n'importe quel sport ou n'importe quelle activité artistique. Les concertistes professionnels apprennent à jouer de leur instrument en très bas âge, bien avant l'adolescence — ils pratiquent 4-5 h par jour, et ce durant toute leur vie. Les athlètes professionnels consacrent presque autant de temps et admettent, eux aussi, que leur performance diminue s'ils ne s'exercent pas régulièrement. Si la maîtrise d'une langue étrangère exige plusieurs années d'étude, le fait de ne pas l'utiliser régulièrement entraîne une détérioration graduelle de cette habileté. Pour bien connaître l'histoire, les mathématiques ou la littérature, il faut beaucoup de temps et d'études et quelle que soit la somme des connaissances acquises, il en reste toujours à apprendre.

Cette liste de sujets d'apprentissage est loin d'être exhaustive, mais il semble que le même scénario se répète pour tout apprentissage un tant soit peu complexe: la maîtrise d'une matière nécessite des milliers et des dizaines de milliers d'heures d'apprentissage et de pratique. En fait, on ne peut démontrer qu'un individu ait jamais atteint le sommet de la compétence: peu importe le temps consacré à l'apprentissage, un surcroît d'étude et d'entraînement améliore toujours le rendement. Seuls les effets physiques de l'âge sur le corps (surtout dans le cas des habiletés motrices) ou la perte de motivation semblent imposer une limite à la quantité finale des connaissances acquises.

Une des méthodes pédagogiques courantes exige de la part de «celui qui apprend», l'élaboration de stratégies et d'hypothèses en regard du matériel à apprendre. Cette méthode s'applique tout particulièrement aux systèmes appelés *apprentissage par découverte* ou méthode du *dialogue socratique* utilisée pour les cours individualisés. Dans ce cas, le professeur répond aux questions soit par des questions, soit par des démonstrations, et apprend aux étudiants à poser leurs propres questions puis à y répondre, afin qu'ils découvrent par eux-mêmes les relations importantes qui existent dans la matière étudiée. Sous le contrôle judicieux du professeur, les étudiants tombent «accidentellement» sur l'information essentielle et (surtout) la notent. D'autres méthodes d'enseignement s'orientent plus directement vers la présentation pure et simple des connaissances, l'exercice de ces connaissances, les examens pour vérifier leur acquisition réelle et leur utilisation adéquate en des occasions propices.

La plupart des apprentissages des adultes consistent probablement en plusieurs étapes brèves, simples et directes, mais ils comportent inévitablement des difficultés, et ce, pour deux raisons:

1. Les nouvelles connaissances doivent s'intégrer adéquatement aux structures mnémoniques des connaissances déjà acquises.
2. Il doit exister un ensemble approprié de connaissances de fond et de structures mnémoniques pour que toute nouvelle connaissance soit correctement acquise.

Plusieurs difficultés dans l'apprentissage de nouvelles connaissances sont attribuables à une déficience au niveau de l'un de ces deux aspects. Quand

ne question semble difficile ou compliquée, ou peut-être même inintelligible, on peut généralement invoquer la deuxième de ces raisons: celui qui
étudie ne dispose pas d'un bagage de fond suffisant. Lorsqu'une notion
semble comprise, mais s'avère inutilisable en temps opportun, la première
raison entre habituellement en ligne de compte: les nouvelles connaissances
ne s'intégraient pas correctement aux connaissances déjà présentes. Si,
malgré le fait qu'elle ait été réellement perçue, l'information nouvelle ne
se trouve pas disponible, c'est tout comme si elle n'avait jamais existé.

Les études du processus d'apprentissage — surtout de l'apprentissage qui
porte sur l'acquisition de matières complexes — restent encore à l'état
embryonnaire. Cela est dû, en partie, au fait que les études sur l'apprentissage n'ont pas tenu suffisamment compte des données récentes sur la
mémoire. Les études sur l'apprentissage des sujets complexes sont difficiles en elles-mêmes; très peu de progrès ont été faits au niveau des outils
nécessaires à l'expérimentation et à l'analyse de cet aspect.

Nous pouvons dépeindre l'apprentissage des sujets complexes par trois
types d'opérations agissant sur les structures mnémoniques: l'*accroissement
par addition*, la *restructuration* et le *réglage*. Fondamentalement, si nous
partons du fait que la mémoire humaine est organisée selon des schèmes
mnémoniques, les connaissances acquises doivent correspondre aux schèmes
déjà existants, sinon de nouveaux doivent être construits. Pour apprendre
un sujet, il faut posséder d'abord une certaine quantité d'informations en
rapport avec celui-ci. Cette information se compose des données et du
matériel de fond déjà maîtrisés. Elle s'accumule graduellement ou vient
s'accroître par addition dans les structures mnémoniques.

Si nous apprenons un sujet complètement nouveau, les schèmes mnémoniques déjà présents seront inaptes à caractériser l'information nouvellement ajoutée (accroissement par addition). Il faut donc procéder à une
restructuration des schèmes. La restructuration est sans doute le processus
fondamental dans l'apprentissage de nouvelles informations. Les anciens
schèmes sont modifiés ou *restructurés,* et de nouveaux sont créés. Ainsi,
l'information déjà présente en mémoire doit s'imbriquer dans les nouvelles
structures pour que les nouvelles informations s'incorporent directement
aux nouveaux schèmes. Il est peu probable que les schèmes nouvellement
structurés soient parfaitement appropriés au matériel: ils doivent être ajus-
tés ou *réglés* pour rencontrer les conditions exactes d'utilisation. Pour les
sujets les plus complexes, les étapes de l'apprentissage — accroissement
par addition, restructuration et réglage — ne cessent sans doute jamais de
se reproduire durant les nombreuses années nécessaires à l'apprentissage.

Ainsi, l'apprentissage d'un matériel complexe consiste en la répétition de
trois processus différents:

accroissement par addition:	l'acquisition de nouvelles informations;
restructuration:	la formation de nouveaux schèmes servant à organiser les connaissances;
réglage:	l'ajustement des schèmes mnémoniques pour plus de pertinence et d'efficacité.

Revue des termes et notions

Voici, pour le présent chapitre, les termes et notions que nous considérons importants. Passez-les en revue; si vous êtes incapable d'en donner une courte explication, vous devriez revoir les sections appropriées du chapitre.

TERMES ET NOTIONS À CONNAÎTRE

Apprentissage des contingences
Schème (plan, schéma)
La loi de l'effet: les lois de relation causale, d'apprentissage causal et de rétroaction informatrice
La différence entre les causalités réelle et apparente
Résignation apprise
   apprentissage par échappement
   apprentissage par évitement
   résignation
Aversion pour certains goûts: pourquoi est-ce important?
Le rôle du renforcement
Apprentissage par expérimentation
Attentes et comportement dirigé-par-but
Schèmes sensori-moteurs
Stades du développement
   sensori-moteur
   préopératoire
   opérations concrètes
   opérations formelles
Apprentissage du langage: les problèmes
   les concepts nécessaires
   les mots comme étiquette pour les structures mnémoniques
   surgénéralisation
   surdiscrimination
     les différences entre ces deux concepts
Parentage
Les étapes de l'apprentissage du langage
L'apprentissage vu comme une addition aux structures cognitives
   accroissement par addition
   restructuration
   réglage

Lectures suggérées

CONCLUSIONS GÉNÉRALES SUR L'APPRENTISSAGE

De nombreux livres sur l'apprentissage sont pertinents aux thèmes de ce chapitre. En particulier, nous conseillons Saltz (1971), *The cognitive bases of human learning*. Les livres de Horton et Turnage (1976) et Hulse, Deese et Egeth (1975) présentent une approche plus traditionnelle de l'apprentissage. Le livre d'Hilgard et Bower (1975) résume les principaux auteurs classiques qui ont étudié l'apprentissage; seuls les derniers chapitres recou-

ent le matériel présenté dans cette section (assurez-vous d'avoir la dernière
dition). Un des chapitres du livre de Brewer (1974) traite de l'apprentis-
ge et de la conscience.

Le livre de Seligman (1975) présente les travaux sur la résignation apprise
t couvre la littérature clinique concernant les pathologies dues à la résigna-
on (dépression). Vous pouvez consulter aussi l'article de Maier et Seligman
1976). Quant à Thornton et Jacobs (1971), ils ont expérimenté sur les
umains. Garcia et ses collègues (voir Garcia, Hankins et Rusiniak, 1974;
evusky et Garcia, 1970; Rozin et Kalat, 1971) ont réalisé d'excellents
ravaux sur l'aversion pour des goûts spécifiques.

LE DÉVELOPPEMENT

Le livre de Bower (1974) insiste sur le développement des habiletés per-
eptives chez l'enfant; celui de Turner (1975) couvre de nombreux aspects
lu développement, mais d'une façon plus générale. Ce sont d'excellents
ivres sur ce sujet. Les travaux réalisés au laboratoire de Jean Piaget à Genève
eprésentent la plus importante influence sur l'étude du développement
ntellectuel. Chercheur hautement prolifique, Piaget a effectué de nombreu-
es études sur les stades du développement intellectuel par lesquels l'enfant
asse de la petite enfance jusqu'à l'âge adulte. Il est évident que ceux qui
lésirent approfondir leurs connaissances sur le développement doivent lire
iaget. Mais comment? Piaget complique la vie de ses lecteurs, car ses écrits
bien qu'ils soient en français) sont difficiles à comprendre. De plus, une
uantité énorme de volumes ont été édités; une bibliographie (Flavell,
1963) relève 136 livres, chapitres et articles de Piaget, écrits entre 1920 et
960. Nous avons jugé utile d'aborder sa théorie par étapes.

L'introduction la plus simple se retrouve dans le livre de Ginsburg et
Opper (1969). Ensuite, vous pourriez consulter les six essais réunis en un
volume (Piaget, 1967: livre de poche). Ce livre introduit Piaget sans avan-
tager ni interpréter sa théorie. Le seul inconvénient de ce livre est l'omission
des longs enregistrements des paroles et actions des enfants que Piaget
a observés. Ces descriptions ont un rôle excessivement important dans ses
livres. Néanmoins, c'est un bon début. La meilleure et la plus complète
présentation de Piaget est celle de Flavell (1963). Ce livre illustre les travaux
et positions théoriques de Piaget; malgré sa tendance technique, l'ouvrage
est excellent. Piaget lui-même approuve ce livre, même s'il déplore l'accent
mis sur l'expérimentation et la critique de ses méthodes; il considère cette
lacune comme la réponse typique d'un psychologue américain orienté vers
l'expérimentation (voir la préface de Piaget dans le livre de Flavell).

Si vous désirez en connaître davantage sur Piaget, vous pouvez alors lire
ses propres travaux. Ceux déjà mentionnés devraient vous fournir les sources
bibliographiques nécessaires. Nous pouvons vous suggérer le livre que nous
considérons le plus important: *La naissance de l'intelligence* (1952). Plusieurs
ouvrages de Piaget sont disponibles et traduits dans plusieurs langues: *La
genèse du nombre chez l'enfant*, *La naissance de l'intelligence chez l'enfant*
de Piaget, *La représentation de l'espace chez l'enfant* de Piaget et Inhelder.
Le livre d'Evans (1973) contient une analyse intéressante de la théorie de

Piaget; il présente une entrevue avec l'auteur et résume quelques-uns de ses articles.

Flavell et ses collègues ont étudié le développement du jeu de rôle chez l'enfant et plus spécialement son comportement égocentrique (Flavell, 1966 Flavell, Botkin, Fry, Wright et Jarvis, 1968). Smedslund présente six article sur l'acquisition des notions de conservation et de réversibilité chez l'enfan (Smedslund, 1961 a-f). Bruner (1964) en présente un point de vue différent Le *Handbook of child psychology*, édité en deux volumes par Mussen (1970) constitue une source complète d'information sur les études du développe ment de l'enfant. Une partie de notre matériel sur le raisonnement et la pensée est tiré du chapitre de Berlyne (1970).

APPRENTISSAGE DE LA LANGUE MATERNELLE

Il existe plusieurs travaux qui traitent de l'étude du développement du langage chez l'enfant. Le meilleur livre d'introduction est probablement *Language development* de Dale (1976). Lenneberg (1967) donne une excellente analyse des fondements biologiques du langage et inclut un résumé des changements physiologiques provoqués par la maturation du cerveau de l'enfant. Nous avons profité du livre de Roger Brown, *Social psychology* (1965), pour son travail sur le développement de l'intelligence et du langage (150 pages d'excellentes analyses, p. 197-349). Nous vous recommandons fortement ces lectures. De plus, nous recommandons l'article de Brown (1973 a) ainsi que son dernier livre (1973 b).

Le livre édité par Moore (1973) présente d'importants articles sur l'acquisition du langage, incluant l'article d'E. Clark (1973), utilisé pour notre analyse de la surgénéralisation et de la surdiscrimination. Nelson (1974, 1975) présente une thèse contraire à celle de Clark. La théorie sur le parentage provient des travaux de Newport, revisés dans Newport, Gleitman et Gleitman (ouvrage sous presse).

J. Anderson (ouvrage sous presse) présente un ensemble d'études sur les mécanismes fondamentaux du langage. Dans une étude de la notion de décomposition lexicale (comme celle du chapitre précédent), Gentner (1975) examine comment l'enfant acquiert les verbes de possession. Les chimpanzés apprennent à communiquer à l'aide de signes linguistiques. Pour ce type d'études, voyez Fleming (1974: opinion favorable) ou Brown (1970: opinion défavorable).

Les études sur l'utilisation de la mémoire chez l'enfant, sur l'utilisation générale de la capacité mnémonique et son évolution avec l'âge se retrouvent dans les articles d'Olson (1973) et Huttenlocher et Burke (1976). Flavell et Wellman (ouvrage sous presse) et Kreutzer, Leonard et Flavell (1975) analysent la métamémoire. Paris (1975) examine les structures de mémoire qu'utilise l'enfant pour comprendre. Hagen (1972) étudie le développement des stratégies mnémoniques; le livre qui contient le chapitre d'Haggen est tout aussi pertinent (Farnham-Diggory, 1972).

Les études sur les processus d'apprentissage analysés dans la dernière partie du chapitre sont rares. Voyez Rumelhart et Norman (ouvrage sous presse) et l'article de Norman, Gentner et Stevens (1976). Le livre édité par Klahr (1976) contient quelques notions pertinentes. Voyez aussi l'article de Cotton (1976) «Models of learning» dans l'*Annual Review* pour vous orienter au niveau de la bibliographie.

APPRENTISSAGE DE SUJETS COMPLEXES

14. La résolution de problème et la prise de décision

Préambule

Anatomie du problème

LES PROTOCOLES

LE PROTOCOLE DE DONALD + GÉRALD
L'ANALYSE

LE GRAPHIQUE DE RÉSOLUTION DE PROBLÈME
ÉTATS DE CONNAISSANCE
LE GRAPHIQUE DE DONALD + GÉRALD
RETOUR EN ARRIÈRE

Stratégies de résolution de problème

RECHERCHE DE SOLUTIONS

CHOIX DES OPÉRATEURS
STRATÉGIES HEURISTIQUES
JOUER AUX ÉCHECS

LIMITES DE L'ANALYSE DE PROTOCOLES

L'efficacité de la résolution de problème chez l'homme

LIMITES IMPOSÉES PAR LA MÉMOIRE À COURT TERME

COMMENT DÉPASSER CES LIMITES
AIDES EXTERNES
AIDES DE LA MÉMOIRE À LONG TERME

Prise de décision

Attribution des valeurs

LA VALEUR PSYCHOLOGIQUE DE L'ARGENT

LES VALEURS DANS LES CHOIX COMPLEXES
COMMENT CHOISIR UN COMPAGNON
STRATÉGIES DE DÉCISION
IMPRESSION GÉNÉRALE
COMPARAISON DIMENSIONNELLE
DÉTERMINATION DES STRATÉGIES

QU'EST-CE QU'ON OPTIMISE?
LA LOGIQUE DU CHOIX

Le caractère circulaire du choix: règle 1
    sociologie ou psychologie
    anthropologie ou sociologie
    psychologie ou anthropologie

L'importance des petites différences: règle 2

Le problème Tokyo-Paris: règle 3

Décisions hasardeuses
UTILITÉ ET CHOIX HASARDEUX
PROBABILITÉ
VALEUR ATTENDUE
PROBABILITÉ SUBJECTIVE
REPRÉSENTATIVITÉ ET DISPONIBILITÉ

Conclusion

Revue des termes et notions
TERMES ET NOTIONS À CONNAÎTRE

Lectures suggérées
RÉSOLUTION DE PROBLÈME
PRISE DE DÉCISION

Préambule

Ce chapitre marque le début de notre étude de la pensée. Nous définissons ici le paradigme devant servir à une analyse systématique des processus impliqués dans la pensée. Nous commençons avec l'analyse d'un problème, le problème cryptarithmétique «DONALD + GÉRALD = ROBERT». Il est essentiel que vous compreniez l'importance des opérations mentales dont nous parlerons, et la seule façon d'y parvenir est d'essayer vous-même ce problème. Observez-vous pendant que vous tentez de le résoudre. Prenez en note ce que vous faites, le type de difficultés que vous éprouvez, et les parties du problème qui vous ont servi d'indices quant à la solution. En fait, il nous importe peu que vous résolviez le problème; seules importent vos propres observations sur votre comportement mental pendant que vous essayez. (Si vous êtes un expert dans la résolution de ces problèmes de cryptarithmétique, observez des amis qui tentent de trouver une solution, et demandez-leur de penser tout haut.)

Dans ce chapitre, nous mettrons en évidence plusieurs points concernant les étapes de la résolution de problème. L'un d'entre eux se rapporte aux moyens qu'utilisent les psychologues pour analyser ce que font les gens. Considérez le *graphique de résolution de problème* en tant que moyen d'illustrer la solution de problèmes du genre DONALD + GÉRALD = ROBERT. Un autre point concerne la valeur des commentaires d'une personne quand il s'agit de comprendre ce qui se passe réellement. Dans ce chapitre et le suivant, vous constaterez que vous ne savez pas nécessairement ce que vous pensez, et que ce que les gens rapportent de leurs cogitations n'est pas toujours complet ou précis.

Certaines personnes prennent beaucoup de temps à résoudre le problème de cryptarithmétique même si, en principe, cela peut se faire très rapidement (comme nous le démontrons). La raison principale de cette difficulté consiste en la capacité limitée du système de mémoire à court terme. Voyez le cas du tic-tac-toc: une analyse complète de ce jeu est plus complexe que ce que vous pouvez faire dans votre tête, à moins d'avoir une certaine expérience du jeu. L'expérience change la nature d'une tâche de résolution de problème.

Dans la section portant sur la prise de décision, on retrouve une préoccupation semblable au sujet des limites de la mémoire à court terme, limites qui changent la nature des décisions. Un aspect important de la prise de décision est la distinction entre la valeur psychologique des choses (utilité) et leur valeur économique. Le fait de faire un choix parmi des alternatives complexes implique que l'on conjugue les impressions psychologiques que provoquent ces alternatives, et qu'on les compare. La façon dont sont formées et comparées ces impressions détermine la décision qui suivra; la même personne peut arriver à des décisions différentes simplement en comparant les mêmes choses dans un ordre différent. Cette argumentation décrit un aspect important du comportement humain.

Les notions de risque, de probabilité et de probabilité subjective devront être étudiées attentivement: la probabilité est un concept important pour les activités quotidiennes. Encore une fois, notons que l'accessibilité de l'information en mémoire joue un rôle majeur dans la prise de décision.

Anatomie du problème

Que doit-on faire pour résoudre un problème? Nous étudierons, dans cette section, les stratégies et procédures que les gens utilisent. Les problèmes se divisent en deux grandes catégories: les problèmes bien définis, et les problèmes mal définis. Un problème bien défini en est un qui contient un objectif clairement énoncé. Par exemple:

- **Quel est le meilleur chemin pour se rendre de l'autre côté de la ville, lorsque toutes les rues principales sont fermées à cause du défilé?**
- **Quelle est la solution du problème d'échecs dans le journal d'hier soir: les blancs font mat en quatre coups?**
- **Que faisiez-vous il y a seize mois?**

Ces problèmes possèdent des attributs clairement définis: un but clair, une manière précise de dire si la résolution du problème progresse dans la bonne direction. Les problèmes mal définis sont peut-être plus fréquents:

- **Diriger le tournage du film le plus important du siècle.**
- **Faire de votre vie quelque chose de valable.**
- **Créer une oeuvre d'art immortelle.**

Nous concentrons notre étude sur les problèmes bien définis, et cela pour de bonnes raisons. L'objectif visé est la compréhension des processus utilisés par les gens lorsqu'ils travaillent à la résolution d'un problème. Nous souhaitons comprendre comment ils construisent des modèles internes du problème, quelles stratégies ils utilisent, quelles règles ils suivent. Nous voulons voir comment ils évaluent leurs progrès à mesure qu'ils s'approchent de la solution. Les résultats de ces recherches devraient s'appliquer à tout comportement de résolution de problème, que le problème soit bien ou mal défini.

Nous avons déjà exposé quelques-uns des principes de base du comportement de résolution de problème. Au cours de l'étude de l'intelligence sensori-motrice, nous avons traité de la notion de choix du comportement basé sur un but anticipé: le fait de poursuivre une chaîne de schèmes sensori-moteurs afin de découvrir le résultat final d'une séquence d'actions possible, le fait de commencer par le but final et de travailler à rebours pour former un plan permettant d'atteindre ce but. Nous cherchions alors à découvrir comment ces stratégies s'appliquaient aux problèmes pratiques de l'environnement. Nous verrons maintenant comment ces mêmes stratégies surgissent quand nous étudions la manière dont les gens tentent de résoudre des problèmes conceptuels abstraits.

La meilleure façon de commencer est probablement d'examiner de près un problème particulier. Le fait d'avoir une idée des étapes et des opérations dont nous parlerons pourra vous aider dans l'analyse. Essayez de résoudre le problème décrit plus bas. Cela vous donnera un aperçu des tactiques que vous utilisez et des décisions impliquées, même si vous ne pouvez pas le résoudre. *Pensez à voix haute,* en relatant tout ce qui vous vient à l'esprit. Travaillez au moins dix minutes à ce problème, même si vous ne sembliez faire aucun progrès. Rappelez-vous que ce qui importe dans cette analyse, c'est de découvrir le type d'opérations mentales effectuées par les gens. Que le problème soit résolu ou non n'a aucune importance.

$$
\begin{array}{r}
\text{D O N A L D} \\
+ \; \underline{\text{G É R A L D}} \\
\text{R O B E R T}
\end{array}
\qquad \text{D} = 5
$$

Ceci est un problème de cryptarithmétique. Il y a dix lettres dans l'expression, chacune correspondant à un chiffre différent. Le problème consiste à découvrir quel chiffre on doit associer à chaque lettre de sorte que, lorsque toutes les lettres seront remplacées par les chiffres correspondants, l'addition sera correcte. S'il vous plaît, dites à haute voix tout ce à quoi vous pensez pendant que vous essayez de résoudre le problème. Vous êtes libre d'écrire ce que vous voulez.

LES PROTOCOLES

La première étape de l'étude de tout phénomène consiste à observer le comportement qui lui est associé. La difficulté évidente que présente l'étude de la résolution de problème chez l'être humain est que la plus grande partie de ce qui se passe n'est pas directement observable: les gens effectuent leurs opérations mentales internes silencieusement, pour eux-mêmes. Une façon de contourner la difficulté consiste à leur demander de rendre leurs mécanismes de pensée observables en décrivant à voix haute ce qu'ils font pendant qu'ils tentent de résoudre un problème. Le résultat de ceci est un compte rendu, mot à mot, des processus de pensée verbalisés, un *protocole verbal*. Même si l'interprétation de ces protocoles présente certaines difficultés, ceux-ci fournissent néanmoins des informations de base extrêmement utiles sur les processus impliqués dans la résolution de problème.

Nous analyserons une petite partie du protocole verbal d'un sujet occupé à résoudre le problème DONALD + GÉRALD. Ce sujet était un étudiant mâle, de niveau collégial, à l'Université Carnegie-Mellon. On lui avait donné des indications concernant le problème, semblables à celles fournies ici, et on lui avait ensuite demandé de penser à voix haute pendant qu'il essayait de trouver une solution. La transcription complète de ses descriptions verbales comprenait environ 2 200 mots produits pendant les vingt minutes de la période de résolution. C'était la première fois que ce sujet tentait de résoudre ce type de problème.*

LE PROTOCOLE DE DONALD + GÉRALD

Chaque lettre ne possède qu'une et une seule valeur numérique —

(Ceci est une question posée à l'expérimentateur qui répond: «Une valeur numérique.»)

Il y a dix lettres différentes, et chacune d'elles a une valeur numérique.

---

* Le problème, l'analyse et les citations qui vont suivre proviennent tous des travaux de Newell (1967).

Donc, je peux, en voyant les deux D — chaque D vaut 5; donc, T vaut zéro. Donc je pense que je vais commencer par écrire ce problème ici. J'écrirai 5, 5 c'est zéro.

Ai-je d'autres T? Non. Mais j'ai un autre D. Ce qui signifie que j'ai un 5 de l'autre côté.

Maintenant j'ai deux A et deux L qui sont chacun quelque part — et ce R — trois R. Deux L égalent un R. Naturellement, j'ai une retenue de 1, ce qui veut dire que R doit être un nombre impair, à cause des deux L — deux nombres qu'on additionne donnent un nombre pair, plus 1, ce qui donne un nombre impair. Donc R peut valoir 1, 3, pas 5, 7 ou 9.

(Il se produit alors une longue pause, de sorte que l'expérimentateur demande: «À quoi pensez-vous maintenant?»)

Maintenant G — puisque R sera un nombre impair et que D vaut 5, G doit être un nombre pair.

Je regarde le côté gauche du problème, où on dit D + G. Oh! plus possiblement un autre nombre, si je dois avoir une retenue provenant de E + O. Je pense que je vais oublier cela pour le moment.

La meilleure façon de résoudre ce problème est peut-être d'essayer plusieurs solutions possibles. Je ne suis pas certain que ce soit la meilleure façon.

L'ANALYSE

Ces notes forment notre corps de données. Quels principes peut-on découvrir à partir de celles-ci? La première impression produite par un tel protocole est que celui qui résout le problème ne procède pas de manière directe et linéaire. Il accumule plutôt de l'information à partir d'hypothèses variées, pour voir où elles le conduisent. Souvent, il se retrouve dans un cul-de-sac, revient en arrière, et essaie une nouvelle approche. Regardez le protocole. Le sujet commence de manière énergique, et découvre que $T = \emptyset$. (Nous écrivons $\emptyset$ pour zéro, afin de ne pas confondre avec la lettre O.)

Donc, je peux, en voyant les deux D — chaque D vaut 5; donc, T vaut zéro. Donc je pense que je vais commencer par écrire ce problème ici. J'écrirai 5, 5 c'est zéro.

Il regarde alors si le fait de savoir que $T = \emptyset$ et $D = 5$ peut être d'une quelconque utilité ailleurs dans le problème. Il cherche un T.

Ai-je d'autres T? Non.

Cela a échoué; et dans le cas de D?

Mais j'ai un autre D. Ce qui signifie que j'ai un 5 de l'autre côté.

Après avoir noté cela, il trouve un autre endroit du problème qui semble prometteur.

Maintenant j'ai deux A et deux L qui sont chacun quelque part — et ce R — trois R.

> Deux L égalent un R. Naturellement, j'ai une retenue de 1, ce qui veut dire que R doit être un nombre impair...

Même s'il a maintenant déduit que R est un nombre impair, il revient sur ce point une autre fois, comme s'il voulait vérifier le raisonnement:

> ... à cause des deux L — deux nombres qu'on additionne donnent un nombre pair, plus 1, ce qui donne un nombre impair.

Cette fois-ci, il poursuit le raisonnement un peu plus loin et énumère les chiffres possibles de façon explicite:

> Donc R peut valoir 1, 3, pas 5, 7 ou 9.

Il abandonne néanmoins cette piste (après une longue pause), parce qu'il n'y a aucun moyen évident de choisir une valeur pour **R** parmi les candidats possibles. Encore une fois, il retourne au fait que **R** est impair; cela lui donnera-t-il de l'information sur **G**?

> Maintenant G — puisque R sera un nombre impair et que D vaut 5, G doit être un nombre pair.

Cette brève analyse des premières minutes du protocole suffisent à dégager certaines formes générales dans le comportement de résolution de problème du sujet. Il connaît l'objectif général qu'il essaie d'atteindre. Cependant, la première chose qu'il fait est d'essayer de subdiviser le but général en un certain nombre d'étapes plus simples à franchir. Il poursuit alors en essayant différentes stratégies simples, espérant tirer de l'information de chacune d'elles. Certaines stratégies fonctionnent bien, de sorte qu'il accumule de plus en plus de données. D'autres stratégies semblent échouer, et dans ce cas, le sujet revient en arrière et essaie une approche différente.

Cette description s'applique à une grande variété de tâches cognitives et de tâches de résolution de problème. Les mêmes principes généraux apparaissent dans l'application de l'intelligence sensori-motrice à des problèmes concrets. Mais notre description, jusqu'ici, laisse plusieurs questions sans réponses. Qu'est-ce qui est impliqué dans l'opération de division du but global en un ensemble d'étapes plus simples? Comment le sujet reconnaît-il les stratégies qui seront utiles dans la résolution du problème? Comment choisit-il une stratégie particulière, applicable à un moment particulier? Comment sait-il si la stratégie qu'il utilise le rapproche de la solution, plutôt que de l'engager sur une fausse piste? Pour répondre à ces questions, nous avons besoin d'une meilleure méthode d'analyse des protocoles.

LE GRAPHIQUE DE RÉSOLUTION DE PROBLÈME

Les protocoles verbaux sont difficiles à manipuler. Pour étudier le processus de résolution de problème plus en détail, il faut un moyen pour représenter les événements qui se produisent. Une technique utile consiste à construire une représentation visuelle de la séquence d'opérations pendant la résolution de problème. Le *graphique de résolution de problème* est une de ces techniques; il a été mis au point par Allen Newell et Herbert Simon, de l'Université Carnegie-Mellon (voir Newell et Simon, 1972). C'est une méthode permettant de reporter sur un graphique les progrès du sujet au cours de la résolution de problème.

TATS DE CONNAISSANCE

Nous avons remarqué dans le protocole précédent que le sujet accumule progressivement de nouvelles informations sur le problème en appliquant les règles ou des stratégies. Il effectue des opérations sur l'information acquise et sur les données du problème, afin d'ajouter à ses connaissances. Toute l'information que possède le sujet concernant le problème à un moment donné constitue son *état de connaissance*. Chaque fois qu'il applique une *opération* à un fait nouveau, il modifie son état de connaissance. Une description de son comportement de résolution de problème devrait donc retracer cette progression dans les états de connaissance. Pour y arriver par le diagramme, représentez les états de connaissance par une boîte, et l'opération qui fait passer le sujet d'un état de connaissance à un autre par une flèche, tel qu'indiqué dans la figure 14-1.

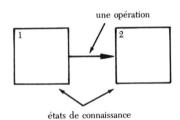

Figure 14-1

une opération

états de connaissance

Le protocole est alors représenté au moyen de boîtes et de flèches qui décrivent le chemin suivi par le sujet, à travers des états de connaissance successifs. À titre d'exemple, examinons encore le protocole du problème DONALD + GÉRALD.

LE GRAPHIQUE DE DONALD + GÉRALD

Dans ses premières affirmations, le sujet vérifie simplement s'il comprend bien les règles du jeu. La première déduction véritable ne se produit qu'avec cette déclaration:

> **Donc je peux, en voyant les deux D — chaque D vaut 5; donc T vaut zéro.**

Il est clair que le sujet ne travaille alors que sur l'information d'une seule colonne, **D** + **D** = **T**. Appelons cette opération *traitement de la colonne 1*. (Numérotez les six colonnes de l'addition de droite à gauche.) L'opération amène le sujet de l'état de connaissance initial (où il sait que **D** = **5**) à un nouvel état, l'état 2, où il sait aussi que **T** = **∅**. Le sujet se rend-il compte également qu'il doit y avoir une retenue à la colonne 2? On ne peut l'affirmer à partir de l'information contenue dans le protocole jusqu'à maintenant. En regardant un peu plus loin, cependant, on voit: «**Naturellement, j'ai une retenue de 1**», donc, il connaît ce fait. Le graphique de résolution de problème, à ce moment-ci, comporte deux états de connaissance, tel que représenté dans la figure 14-2.

Figure 14-2

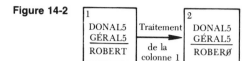

Les énoncés suivants portent sur l'action d'écrire ce qui a été appris jusque
là. Ensuite, le sujet essaie de repérer une autre colonne contenant un **T**
ou un **D**. La première opération, **trouver une nouvelle colonne (T)**, n'ayant
pas de succès, la seconde réussit à trouver un autre **D**. Le graphique de
résolution de problème progresse un peu, tel qu'indiqué dans la figure 14-3
(les états périmés sont en clair; ceux ajoutés depuis le dernier diagramme
sont ombrés).

Figure 14-3

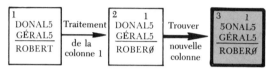

Ici, le sujet décide encore une fois de trouver une nouvelle colonne, et
essaie d'abord la colonne 3, puis la colonne 2.

> **Maintenant j'ai deux A et deux L qui sont chacun — quelque part
> — et ce R — trois R.**

Ceci le mène au point où il vaut la peine de *traiter la colonne 2*, ce qui
le fait passer de l'état 4 à l'état 5. Là, il conclut que **R est impair**. La figure
14-4 rend compte de cette évolution.

Figure 14-4

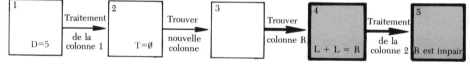

RETOUR EN ARRIÈRE

Maintenant, le sujet recule. Remarquez cette séquence. D'abord il dit,
à l'état 5:

> **Deux L égalent un R. Naturellement, j'ai une retenue de 1, ce qui
> veut dire que R doit être un nombre impair...**

Cependant, il décide ensuite de générer les nombres possibles et, pour ce
faire, il recule à l'état 4 et tente une nouvelle approche.

> **... à cause des deux L — deux nombres qu'on additionne donnent
> un nombre pair, plus 1, ce qui donne un nombre impair. Donc R
> peut valoir 1, 3, pas 5, 7 ou 9.**

e qui fait ressortir ce processus, c'est le fait que l'état suivant, l'état 6,
écoule de l'état 4. Dans la figure 14-5, on représente donc la transition
l'état 6 par une ligne verticale à partir de l'état 4. L'état 6 est le même
ue l'état 4, mais plus loin dans le temps. À l'état 7, le sujet déduit de
ouveau le fait que **R est impair,** et à l'état 8, il vérifie méthodiquement
us les nombres impairs.

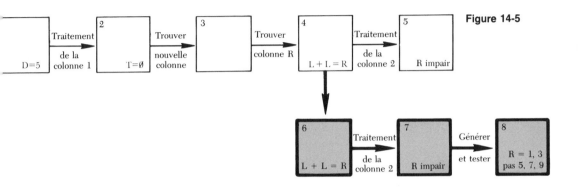

Figure 14-5

ait à noter, lorsque le sujet génère les possibilités de **R**, il travaille de
açon exhaustive, sans exclure les valeurs déjà utilisées. Ainsi, il génère de
açon explicite la possibilité d'avoir **R = 5** pour ensuite la rejeter. Il ne se
ontente pas d'ignorer cette possibilité.

La section suivante du compte rendu illustre bien les difficultés expéri-
nentales rencontrées lorsqu'on recueille des protocoles. Le sujet ne disait
ien du tout, de sorte que l'expérimentateur a dû l'interrompre et lui
lemander de parler. Résultat: nous n'avons aucune indication quant à la
nanière dont les différentes valeurs de **R** ont été utilisées. Le processus
emble plutôt avoir effectué un nouveau retour en arrière, en revenant
ette fois à la colonne 6, avec **R** impair et **D = 5.** La conclusion est que **G**
loit être pair. Ceci nous amène à l'état 10.

> Maintenant G — puisque R sera un nombre pair et que D vaut 5,
> G doit être un nombre pair.

Cette déduction est incorrecte, mais elle n'en représente pas moins l'état
le connaissance du sujet à l'état 10 (voir figure 14-6). La possibilité que **G**
)uisse ne pas être pair est reconnue assez rapidement dans ce cas-ci.

> Je regarde le côté gauche du problème, où on dit D + G. Oh! ou alors
> un autre nombre, si je dois avoir une retenue provenant de E + O.
> Je pense que je vais oublier cela pour le moment.

Cette dernière affirmation marque un nouveau départ quant au traitement
le la colonne 6, traitement qui se termine à l'état 12, avec la possibilité
l'une retenue, puis la décision de revenir en arrière encore une fois, en
aissant de côté la valeur de **G.** La figure 14-6 illustre cette partie du
raphique de résolution de problème.

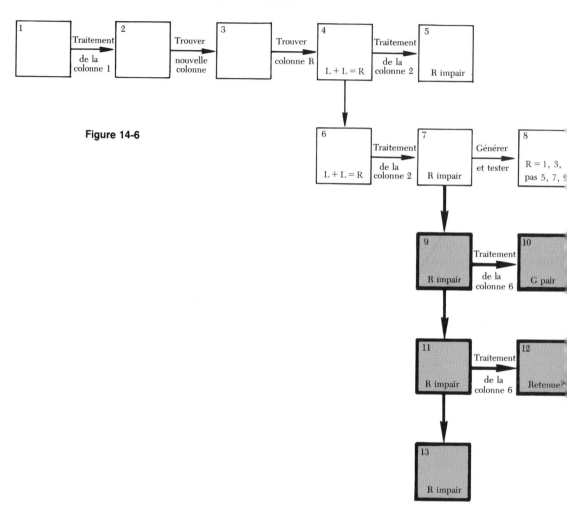

Figure 14-6

Le court segment de protocole que nous venons d'analyser fait ressorti une méthode de décomposition et de représentation des étapes de la réso lution d'un problème. La figure 14-7 donne sous forme schématique, un idée de l'aspect du graphique d'un protocole complet de 20 minutes.*

Les mêmes règles apparaissent lorsqu'on analyse le graphique au complet Le sujet ne semble avoir à sa disposition qu'un groupe restreint de stratégie qu'il utilise de façon répétée. L'analyse complète de ce protocole a donn plus de 200 transitions entre états de connaissance; pourtant, quatre opé rations seulement suffisaient à décrire comment le sujet passait d'un éta à un autre.

Comment utiliser le graphique. Pour la lecture de ces graphiques, commencez toujours par la boî située en haut à gauche, et continuez horizontalement, vers la droite. Lorsque vous atteignez la fin d'un ligne, revenez en arrière jusqu'à la première ligne verticale, et descendez d'un niveau. Continuez enco horizontalement vers la droite. Répétez ces étapes, en évitant de passer deux fois au même endro jusqu'à ce que tout le graphique ait été couvert. La règle est la suivante: **suivez le graphique le plus lo possible vers la droite, puis revenez à la première ligne verticale et descendez d'un niveau. Répéte autant de fois qu'il sera nécessaire.**

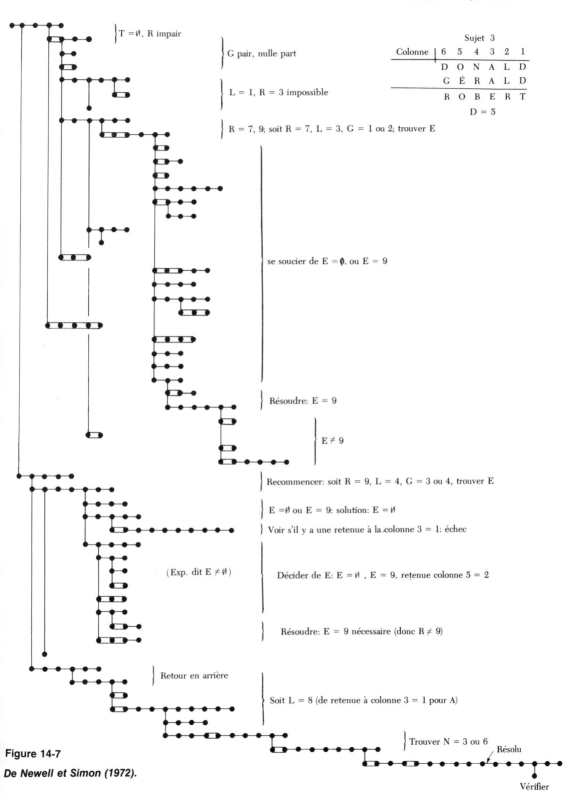

Figure 14-7

De Newell et Simon (1972).

Le graphique de résolution de problème représente une méthode visant à disséquer les phases de cette résolution, en décomposant le processus en une série de petites étapes. Il montre de façon graphique l'enchevêtrement de succès et d'échecs qui surviennent dans une tâche de résolution de problème. Cette forme générale de mode de comportement et d'analyse semble s'appliquer à une grande variété de situations problématiques. Les règles spécifiques utilisées par le sujet dépendent évidemment de la nature particulière du problème qu'il résout, mais la structure d'ensemble de son comportement reste la même. Le sujet réorganise le problème en un ensemble de sous-buts et de sous-problèmes plus simples. En tout temps, ses progrès peuvent être résumés dans un état de connaissance. Ce dernier représente l'information accumulée jusque là. Le sujet avance d'un état de connaissance à un autre en essayant d'appliquer une opération particulière, choisie parmi un ensemble réduit d'opérations. Si cela réussit, il acquiert une nouvelle information et passe à un nouvel état de connaissance. Son cheminement est incohérent, faisant appel, continuellement, à une tactique de type essais et erreurs, testant l'efficacité des divers opérateurs, revenant en arrière lorsqu'une séquence d'opérations aboutit à un cul-de-sac, et recommençant à neuf encore une fois. Nous avons proposé les notions de buts, d'états de connaissance et d'opérateurs afin de décrire ce comportement. Voyons comment ces notions s'appliquent à la résolution de problème en général.

Stratégies de résolution de problème

Si le problème que vous avez résolu avant que vous ayez résolu celui-ci était plus difficile que le problème que vous avez résolu après que vous ayez résolu le problème que vous avez résolu avant que vous ayez résolu celui-ci, est-ce que le problème que vous avez résolu avant que vous ayez résolu celui-ci était plus difficile que celui-ci?
(Restle, 1969)

Le **but final** de ce problème est clair: trouver une réponse qui soit un oui ou un non. Cependant, si on se contente de commencer à travailler sur la phrase à partir du début et en progressant vers la fin, on se perd facilement dans la structure syntaxique très complexe. On ne peut pas appliquer ici une stratégie de *recherche proactive*. Qu'en est-il de la *recherche rétroactive*? Commencez par le but — répondre oui ou non — et demandez-vous ce dont vous avez besoin pour atteindre ce but. Diviser le problème en sous-buts faciliterait certainement la manipulation. Un exemple de sous-but pourrait être simplement d'essayer de comprendre chaque proposition de la phrase. Quel serait le bon opérateur pour atteindre ce sous-but?

Une façon de faire consiste à accoler des étiquettes, par exemple des lettres, à chaque problème différent. Ensuite, chaque proposition faisant référence à un problème particulier pourrait être ré-étiquetée au moyen de la lettre associée à ce problème. L'énoncé **celui-ci** réfère clairement à l'énoncé **ce problème** ou, pour lui donner un nom, le **problème A.** Donc, **ce problème = celui-ci = problème A.**

En faisant les substitutions, le problème pourrait être reformulé comme suit:

Si le problème que vous avez résolu avant que vous ayez résolu le problème A était plus difficile que le problème que vous avez résolu après que vous ayez résolu le problème que vous avez résolu avant que vous ayez résolu le problème A, est-ce que le problème que vous avez résolu avant que vous ayez résolu le problème A était plus difficile que le problème A?

Ceci a bien fonctionné; nous allons donc essayer encore. Remplacez **le problème que vous avez résolu avant le problème A** par **le problème B,** chaque fois qu'il apparaît dans la phrase. Cette substitution produit une nouvelle version du problème:

Si le problème B était plus difficile que le problème que vous avez résolu après que vous ayez résolu le problème B, est-ce que le problème B était plus difficile que le problème A?

Il nous reste encore un énoncé à interpréter: **le problème que vous avez résolu après que vous ayez résolu le problème B.** Selon les transformations que nous avons déjà utilisées, le problème précédant le problème A doit être le problème B. Donc, en inversant la transformation, le problème qui suit le problème B doit être le problème A. Ainsi, l'énoncé **le problème que vous avez résolu après que vous ayez résolu le problème B** devrait porter l'étiquette **problème A.** Maintenant, le problème disparaît:

Si le problème B était plus difficile que le problème A, est-ce que le problème B était plus difficile que le problème A?

RECHERCHE DE SOLUTIONS

Cet exemple fait ressortir quelques-unes des stratégies de base que les êtres humains utilisent dans leurs efforts pour résoudre les problèmes. La plupart des problèmes présentent quelques aspects de **recherche proactive.** Cela signifie qu'on essaie d'abord une tactique quelconque pour évaluer ensuite les progrès accomplis. Si la tactique réussit, on poursuit à partir du dernier point d'arrêt. Le processus ressemble un peu aux méandres d'un cours d'eau le long d'une colline. L'eau se met simplement à couler vers le bas dans toutes les directions: seule la configuration du terrain détermine le chemin exact que prendra l'eau. Ce qui importe dans tout ceci c'est que la recherche se fait du début à la fin par étapes simples et directes. Dans le problème que nous venons de résoudre, une simple recherche proactive ne fonctionnait pas.

Une seconde tactique consiste à **travailler à rebours.** Dans ce cas, on examine la solution recherchée et on se demande quelle devrait être l'étape qui la précède immédiatement. Puis de là, on détermine l'autre étape précédente et ainsi de suite, dans l'espoir d'en arriver ainsi au point de départ spécifié par la donnée du problème. Le travail à rebours se révèle très utile dans certains problèmes visuels, tel que la recherche sur une carte routière du meilleur chemin entre deux points définis.

Lorsqu'on travaille de cette manière, les progrès se font par petites étapes. On définit un **sous-but,** et on tente de résoudre le problème qui s'y rapporte. Ici entre en jeu la stratégie qui est peut-être la plus efficace: *l'analyse moyens-fins.* Dans l'analyse moyens-fins, le sous-but visé — la fin — est comparé à l'état actuel de connaissance. Le problème consiste à trouver une opération qui élimine la différence entre les deux. Dans le dernier problème, le but était la compréhension d'un énoncé dans la phrase: l'état de connaissance était une structure linguistique complexe. Le moyen d'éliminer la différence entre les deux était de simplifier les énoncés en les étiquetant de façon appropriée. On peut employer la même stratégie dans une grande variété de comportements de résolution de problème, souvent avec un succès inespéré.

CHOIX DES OPÉRATEURS Comment nous est-il venu à l'esprit de remplacer les énoncés par des lettres dans le but de simplifier ce problème? L'un des principaux problèmes, pour un être humain, consiste à trouver l'opérateur particulier qui fonctionnera dans une situation donnée. Dans la formulation du problème, il s'avère utile de diviser ce dernier en sous-buts. L'analyse moyens-fins est commode pour savoir si un opérateur donné nous fera progresser vers la solution. Mais aucune de ces tactiques ne nous dit quel opérateur considérer.

STRATÉGIES HEURISTIQUES

Le mathématicien Polya (1945) propose la démarche suivante dans la résolution d'un problème:

> **D'abord, il faut comprendre le problème. Nous devons clairement comprendre le but, les contraintes qui nous sont imposées, et les données. Deuxièmement, nous devons élaborer un plan qui nous guidera vers la solution.**

Mais le point crucial est d'élaborer le plan approprié, de trouver les opérateurs qui, de fait, nous conduiront à la solution.

Dans l'étude de la résolution de problème, les plans ou les opérateurs sont de deux genres: les stratégies *algorithmiques* et *heuristiques.* Ce qui différencie ces stratégies, c'est le fait que le plan offre ou non une garantie de mener au bon résultat. Un algorithme est un ensemble de règles qui, si on les suit bien, produiront automatiquement la bonne solution. Les règles de la multiplication sont un bon exemple d'algorithme: si vous les appliquez correctement, vous obtenez toujours la bonne réponse. Les stratégies heuristiques ressemblent plus à des règles empiriques; ce sont des tactiques de recherche de solutions relativement faciles à appliquer, et leur identification ne repose souvent que sur leur efficacité dans la solution de problèmes antérieurs. Contrairement aux algorithmes, les méthodes heuristiques n'assurent pas le succès. Mais dans le cas de la plupart des problèmes les plus compliqués et les plus intéressants, on n'a pas découvert d'algorithme approprié, et il se peut même qu'il n'en existe pas. Par conséquent, on a recours aux stratégies heuristiques.

Une tactique heuristique très importante consiste à trouver des **analogies** entre le problème à l'étude et ceux dont on connaît la solution. Cela demande souvent une certaine habileté à reconnaître les similitudes, et l'emploi d'un brin de subterfuge, pour ne pas tenir compte de différences évidentes. La solution par analogie est très précieuse, même quand l'analogie est tirée par les cheveux. Le danger, évidemment, est de croire à l'existence de similitudes quand, en fait, il n'y en a pas; on peut ainsi gaspiller beaucoup de temps et d'efforts avant de se rendre compte de l'erreur et d'essayer une nouvelle tactique.

Les stratégies heuristiques entrent en jeu dans n'importe quelle situation complexe de résolution de problème. En fait, une grande partie de l'étude de la pensée et de la résolution de problème met en cause la recherche des moyens heuristiques utilisés par les gens. On comprendra mieux le rôle des stratégies heuristiques en étudiant un exemple particulier.

JOUER AUX ÉCHECS

Les manuels d'échecs ne prescrivent aucune méthode garantissant le succès. Ils contiennent plutôt des règles heuristiques:

Essayez de contrôler les quatre carrés du centre. Assurez-vous que votre roi est en sécurité.

En fait, les différences entre joueurs d'échecs semblent se situer surtout au niveau de la puissance et de l'efficacité des schèmes heuristiques qu'ils emploient pendant la partie (voir Simon et Simon, 1962). Les derniers coups précédant un échec et mat (une attaque dirigée contre le roi de l'adversaire, à laquelle il est impossible de parer) sont propices à l'étude du mode d'opération de ces règles.

Si on prend en considération les coups et les parades disponibles en quelque moment que ce soit dans une partie, on trouve environ mille combinaisons concevables. Le nombre de séquences de huit coups possibles serait de $1\,000^8$ (un million de milliards de milliards). Si nous essayions de construire un algorithme pour trouver la meilleure combinaison, il nous faudrait littéralement considérer des milliards de possibilités différentes. À lui seul, l'effort impliqué surchargerait même le plus gros des ordinateurs ultra-rapides.

Il est clair que les joueurs d'échecs n'essaient pas d'épuiser toutes les combinaisons possibles avant de parvenir à une conclusion. De façon sélective, ils ne prennent en considération que les coups apparemment susceptibles de produire des résultats importants. Comment savent-ils lesquels des millions de coups possibles méritent d'être étudiés en détail?

Plusieurs études portant sur des experts aux échecs — ceux ayant atteint le niveau de *Grand Maître*, reconnu à l'échelle internationale — suggèrent que les maîtres aux échecs utilisent un certain nombre de règles heuristiques dans l'évaluation et le choix des coups. Les règles sont classées en terme d'importance, et cet ordre sert à la discrimination entre les coups prometteurs. Un échantillon de quelques tactiques heuristiques utilisées par les Grands Maîtres donne certaines indications sur la façon dont ils orientent leur recherche d'opérateurs appropriés:

- Accorder la plus haute priorité aux *doubles échecs* (attaque du roi avec deux ou plusieurs pièces simultanément) et aux *échecs découverts* (attaque résultant du dégagement d'une pièce hors de la ligne d'attaque d'une autre).
- S'il se présente une alternative, utiliser la pièce la plus puissante pour mettre en échec (la puissance d'une pièce dépend de la diversité des déplacements qui lui sont possibles).
- Accorder la priorité aux coups qui laissent à l'adversaire le minimum de répliques.
- Accorder la priorité à un échec qui ajoute un attaquant à la liste des pièces actives.
- Accorder la priorité à un échec qui porte le roi de l'adversaire le plus loin de sa position de base.

Ce sont là des règles simples. Lorsqu'on les applique à certaines fins de partie standard (prises dans un des livres d'échecs standard), elles sont efficaces dans un grand nombre de cas. Plus important: elles réussissent sans exiger une trop grande capacité de mémoire de la part du joueur; elles n'obligent à considérer que de 9 à 77 possibilités durant la *phase d'exploration*, et de 5 à 19 dans la *phase de vérification* (pour vérifier que la combinaison de coups est bien valide et raisonnable). Puisqu'il faut environ 15 min à un Grand Maître pour découvrir la solution de certains de ces problèmes, ils ne devraient pas exiger une grande capacité mentale pour une seule application. En fait, la tâche semblerait équivaloir à passer 15 min à mémoriser un échantillon de 75 à 100 mots français (les trois phrases précédentes, par exemple). Les différents niveaux d'habileté chez les joueurs d'échecs semblent résulter plus de l'efficacité des schèmes heuristiques qu'ils ont développés que de la seule capacité mentale.

LIMITES DE L'ANALYSE DE PROTOCOLES

À partir de la verbalisation des réflexions des sujets pendant qu'ils résolvaient un problème, nous avons pu découvrir beaucoup de choses sur la nature des processus impliqués. De plus, l'analyse de protocoles ne se limite pas nécessairement à de pures situations de résolution de problème. Lorsqu'un psychologue clinicien tente d'évaluer un patient, les méthodes employées se basent sur une analyse moins formelle du protocole du sujet, mais la philosophie est similaire. Le clinicien essaie de déduire la nature des opérations internes dans la structure de mémoire en suivant le cheminement des patients ou des clients tel que réflété dans la description de leurs propres pensées.

Il y a plusieurs risques à accorder une trop grande confiance au protocole produit par le sujet. On trouve un exemple de ceci dans l'une des études originales de Maier (1931) sur le raisonnement. Dans cette expérience, deux ficelles pendaient du plafond d'une pièce. La tâche du sujet consistait à attacher les ficelles ensemble; mais il était impossible de les rejoindre toutes les deux à la fois (voir figure 14-8).

L'utilisation astucieuse de divers objets dispersés délibérément, mais discrètement dans la pièce, donnait la possibilité d'un certain nombre de

Figure 14-8

solutions. Cependant, l'intérêt de Maier ne portait que sur une seule de ces solutions et il a étudié les indices nécessaires à sa découverte. (Nous ne vous dirons pas la solution afin que vous puissiez essayer de résoudre le problème vous-mêmes.) L'expérimentateur (qui se trouvait dans la pièce avec les sujets) donnait deux indices différents.

Indice 1. L'expérimentateur déambulait dans la pièce et, en passant près de la ficelle accrochée au centre de la pièce, il la faisait parfois se balancer un peu. Ceci se faisait sans que le sujet sache qu'on lui suggérait quelque chose. L'expérimentateur se rendait simplement vers la fenêtre, et devait passer près de la ficelle.

Indice 2. Quand le premier indice ne réussissait pas à faire surgir la solution, après quelques minutes on tendait au sujet une paire de pinces en lui disant: «Il existe une façon de résoudre le problème en utilisant ceci sans rien d'autre.» (La description des indices est celle de Maier, telle que présentée dans l'article original, 1931.)

Maier divise les sujets qui ont résolu le problème après avoir reçu les indices en deux groupes — ceux qui semblaient l'avoir réussi d'un seul coup («La solution m'est venue à l'esprit; je ne sais pas comment.»), et ceux qui semblaient avoir traversé une série d'étapes menant à la solution («Voyons, si je pouvais faire bouger la ficelle, ...lancer des objets dessus,

... souffler dessus, ... la faire balancer comme un pendule... aha!»). À notre point de vue, la différence intéressante entre ces deux groupes provient des usages différents qu'ils rapportent avoir fait de l'indice. Ceux qui ont résolu le problème d'un seul coup ne disent pas que l'indice les a aidés; les sujets qui ont procédé par étapes, eux, rapportent à une exception près que l'indice leur a été utile. La question est de savoir si les premiers ont utilisé l'indice sans s'en apercevoir. Si c'est le cas, nous serions en droit de conclure que les protocoles recueillis pendant la résolution de problème sont susceptibles de passer sous silence plusieurs des étapes impliquées dans le processus de résolution.

Premièrement, il apparaît clairement que les sujets qui n'ont pas dit avoir utilisé l'indice ont effectivement résolu le problème beaucoup plus vite que ceux d'un autre groupe auxquels on n'avait pas fourni d'indices. En moyenne, la majorité des sujets ont trouvé la solution moins d'une minute après que l'indice ait été donné. Sans indices, seulement 20% des sujets trouvaient la solution, même si on leur permettait de travailler sur le problème pendant une demi-heure. Les premiers sujets (solution d'un seul coup) auraient-ils remarqué l'indice sans peut-être vouloir admettre l'avoir utilisé? L'hypothèse semble peu probable. Les sujets qui ont résolu le problème par étapes n'ont paru éprouver aucune réticence à faire mention de l'indice en décrivant leur solution. Pourquoi les premiers en auraient-ils éprouvé? La conclusion semble être que l'indice joue un rôle important dans la découverte de la solution, même si les sujets n'en sont pas conscients. Si en produisant un protocole, les sujet ne tiennent pas compte de l'existence d'une étape aussi évidente dans leur comportement, alors les comptes rendus que sont les protocoles seraient incomplets.

Nous devons donc prendre pour acquis que, pendant qu'ils travaillent sur un problème, les gens font usage d'une série de stratégies et d'opérateurs qui se reflètent dans les descriptions verbales qu'ils font de leurs propres opérations mentales. Les étapes qui se déroulent à l'intérieur, cependant, ne sont pas toutes fidèlement représentées dans le protocole verbal. Nous ne pouvons observer qu'une description partielle des processus internes.

Donc, seule une partie des activités cognitives d'une personne est disponible pour un examen externe. Le compte rendu sera d'autant plus complet qu'on encouragera les gens à verbaliser leurs processus de pensée dans les détails, et qu'on recueillera les protocoles pendant le déroulement de l'activité. Même ces sujets de Maier qui ont trouvé la solution d'un seul coup, auraient peut-être pris conscience de l'utilisation qu'ils faisaient de l'indice, si on leur avait demandé au préalable de surveiller leurs processus de pensée, et de penser à voix haute pendant qu'ils cherchaient une solution. Malgré ses déficiences, l'analyse de protocole constitue un instrument précieux en vue de la reconstitution des événements qui se déroulent pendant la résolution d'un problème; elle aide aussi grandement dans l'exploration des genres de stratégies cognitives en jeu dans ces tâches complexes.

L'efficacité de la résolution de problème chez l'homme

Nous avons observé plusieurs personnes qui tentaient de résoudre le problème DONALD + GÉRALD, et le résultat typique ressemble beaucoup à la démarche hasardeuse et tortueuse du sujet de notre exemple. Pourquoi les gens ne font-ils pas mieux? Par exemple, voici une solution très efficace pour le problème DONALD + GÉRALD. Regardez comme cela paraît simple:

$$
\begin{array}{l}
\text{(Colonne} \quad 6 \ \ 5 \ \ 4 \ \ 3 \ \ 2 \ \ 1 \ \ ) \\
\qquad\qquad \text{D O N A L D} \qquad\qquad \text{D = 5} \\
+ \quad \text{G É R A L D} \\
\overline{\qquad\text{R O B E R T}}
\end{array}
$$

1. D = 5, donc T = $\emptyset$ (avec une retenue à la colonne 2).
2. Regardez la colonne 5: O + E = O. Ceci ne peut se produire que si on additionne $\emptyset$ ou $1\emptyset$ à O. Donc E doit être égal à 9 (plus une retenue) ou à $\emptyset$. Mais T est égal à $\emptyset$, donc E = 9 (avec une retenue provenant de la colonne 4).
3. Si E = 9, alors dans la colonne 3, A doit être égal à 4 ou à 9 (avec une retenue dans les deux cas). E est déjà égal à 9, donc A = 4.
4. Dans la colonne 2, L + L plus une retenue = R plus une retenue à la colonne 3. R doit être impair. Les seuls nombres impairs qui restent sont 1, 3, et 7. Mais, de la colonne 6, on a 5 + G = R; donc R doit être plus grand que 5. Donc R = 7, ce qui fait que L = 8 et G = 1.
5. Dans la colonne 4, N + 7 = B + retenue. Donc N est plus grand ou égal à 3. Les seuls nombres qui restent sont 2, 3, et 6; donc N est égal à 3 ou à 6. Mais si N = 3, B serait égal à $\emptyset$; donc N = 6. Cela implique B = 3.
6. Ceci nous laisse la lettre O et le chiffre 2: O = 2.

$$
\begin{array}{r}
5\ 2\ 6\ 4\ 8\ 5 \\
+ \quad 1\ 9\ 7\ 4\ 8\ 5 \\
\hline
7\ 2\ 3\ 9\ 7\ \emptyset
\end{array}
$$

Dans toutes nos expériences avec ce problème, nous n'avons jamais rencontré une solution aussi directe et efficace*. Néanmoins, cette solution montre ce qu'il est possible de faire, même si on y arrive rarement. La question est de savoir pourquoi les gens ne résolvent pas le problème de cette manière.

---

* Sir Frédéric Bartlett, dans son livre *Thinking* (1958, p. 53), présente une solution très proche de celle-ci. Cependant, nous nous méfions un peu de ce que rapporte Bartlett, parce que certains de ses autres protocoles démontrent qu'ils ont été rédigés par les sujets eux-mêmes quelque temps après qu'ils aient essayé de résoudre le problème. C'est une bien mauvaise façon de recueillir les données: les souvenirs qu'a une personne de ce qu'elle a fait tendent à être meilleurs que ce qui s'est vraiment passé (voir le protocole VI de Bartlett, p. 55).

LIMITES IMPOSÉES PAR LA MÉMOIRE À COURT TERME

Les contraintes de la mémoire à court terme limitent sérieusement la résolution de problème chez l'humain. Pensez-y: votre capacité de faire des prédictions n'est pas très grande. Vous ne pouvez anticiper que si vous avez de l'expérience dans un certain domaine. Nous entendons tous parler de l'extraordinaire habileté du maître d'échecs à prévoir un très grand nombre de coups, de joueurs et de sportifs adroits capables de deviner chaque geste éventuel de leur adversaire, ou de mathématiciens chevronnés qui ont l'intuition de la solution de certains théorèmes exotiques. Balivernes!

Prenons le jeu de tic-tac-toc. Nous pensons que le tic-tac-toc se situe à l'extrême limite de la capacité cognitive humaine, et pourtant, c'est le jeu le plus simple qui se puisse concevoir. En voici les règles (pour le bénéfice des lecteurs qui pourraient le jouer autrement).

Le problème, illustré tout en haut de la figure 14-9, ne contient que neuf cases. Les joueurs jouent à tour de rôle, en plaçant un symbole dans l'une des cases (les symboles sont habituellement **X** et **O**). La première

Figure 14-9

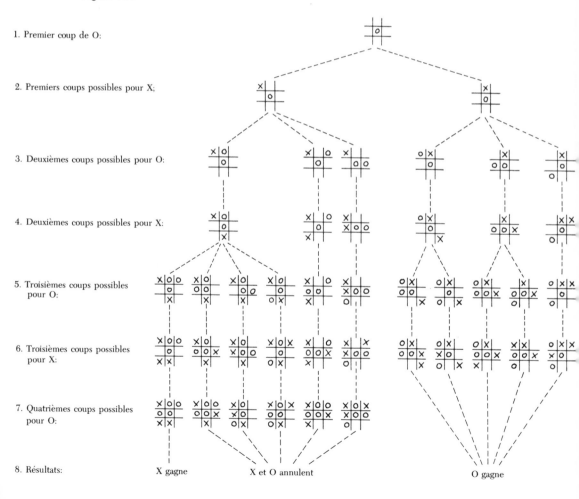

personne qui réussit à placer ses symboles en droite ligne (horizontalement, diagonalement, ou verticalement) gagne la partie. Une fois un symbole placé, on ne peut le changer.

Presque tout le monde sait jouer parfaitement à ce jeu, sans jamais perdre. Ainsi, deux joueurs habiles font presque toujours partie nulle, et le jeu perd de sa saveur. Comment pouvons-nous alors affirmer que le tic-tac-toc est à la limite même des capacités cognitives humaines? L'affirmation paraîtra exagérée à toute personne qui connaît ce jeu: expliquons-nous.

Considérez la partie illustrée dans la figure 14-9, en commençant par le haut. Le joueur **O** a joué le premier, dans la case du centre. Supposons que vous soyez le joueur **X**, et que vous n'ayez jamais joué auparavant. Vous devez donc penser à toutes les implications possibles. Il reste huit cases dans lesquelles vous pouvez jouer, mais une courte réflexion vous montre que la symétrie du jeu et la position centrale de **O** réduit les coups possibles à 2. Tous les autres coups possibles sont vraiment équivalents à l'un des deux coups illustrés dans la deuxième ligne de la figure 14-9.

Supposons que vous jouiez l'une de ces deux cases: que se passe-t-il? Le joueur **O** répondra de manière à pouvoir éventuellement obtenir trois symboles en ligne. Se trouvent ainsi éliminés tous les coups de **O** qui ne produisent pas deux **O** en droite ligne avec un vide dans la troisième case; chacun de vos deux coups possibles au premier tour donne lieu à trois réponses de la part de **O**: ces six coups possibles sont illustrés à la troisième ligne de la figure 14-9.

Chacun de ces coups produit deux **O** en droite ligne, ce qui décide forcément de votre prochain coup (indiqué à la quatrième ligne de la figure). Maintenant, dépendant de votre deuxième coup, **O** peut jouer de quatre façons différentes (en ne considérant que les situations permettant d'obtenir le plus possible de «3 **O** en ligne»). Au moment où vous avez planifié votre troisième coup, il y avait 11 configurations différentes possibles. Si vous pouvez tenir compte de ces possibilités pendant quelques coups, vous vous apercevrez qu'une seule vous conduit à une position victorieuse; les autres mènent à une partie nulle ou à une victoire pour **O**. Mais rappelez-vous que nous parlons ici de votre première partie, au cours de laquelle vous auriez à vous représenter toutes ces possibilités dans votre esprit, afin de déterminer quels coups vous devez jouer.

Il n'y a absolument aucun moyen de garder à l'esprit l'ensemble des possibilités représentées à la figure 14-9: les limites de la capacité de la mémoire à court terme nous en empêchent. S'il fallait ne s'en remettre qu'au raisonnement pour jouer au tic-tac-toc, le jeu ne serait pas possible. Mais nous savons tous qu'il est facile. Pourquoi?

La planification dans le tic-tac-toc — et la planification dans toutes les situations de résolution de problème — se fait à l'aide de structures déjà apprises. Personne ne joue au tic-tac-toc de la manière illustrée à la figure 14-9. Plus important encore, personne n'a à le faire. Plusieurs choses se produisent. Tout d'abord, le résultat de certaines configurations de coups est appris directement: on ne le calcule qu'une fois. Ensuite, on n'a qu'à se le remémorer. Ainsi, la plupart des joueurs savent que, s'ils commencent en plaçant un symbole au centre, ils sont certains d'une victoire ou, au pire, d'une partie nulle. De même, ils savent que si l'autre a commencé en jouant au centre, la réplique appropriée consiste à occuper l'un des coins: n'importe quel autre coup mène à une défaite certaine.

En second lieu, l'objectif du jeu est redéfini de manière à rendre la planification plus facile. Ainsi, les joueurs expérimentés ont découvert qu'il existe un objectif plus facile à atteindre que l'objectif officiel: «placer trois symboles en droite ligne». Le joueur expérimenté se rend compte que la configuration appelée *deux-ouvert*, deux symboles en ligne avec une case vide en troisième position, est indispensable à la victoire; un *double deux-ouvert*, deux deux-ouverts formés de trois symboles, assure la victoire. Ainsi, la partie se transforme en une tentative de former un double deux-ouvert, en n'utilisant que trois pièces. Chacune des cinq configurations qui mènent à la victoire de **O** (montrées dans la partie droite de la ligne 5) contient un double deux-ouvert.

La redéfinition du jeu réduit la planification à effectuer. Le fait de se rappeler les configurations gagnantes et perdantes des parties antérieures mène au même résultat. La répétition des différentes configurations mène à la perfection. Il en est de même pour toutes les habiletés mentales: l'entraînement et l'expérience par rapport à un certain type de problème ne font pas seulement qu'ajouter en mémoire des configurations familières et des réponses, mais ils nous rendent également capables de redéfinir la situation en des termes plus faciles à manipuler.

COMMENT DÉPASSER CES LIMITES

La capacité qu'ont les êtres humains de penser et de planifier est-elle vraiment aussi limitée que pourrait le laisser croire l'analyse du jeu de tic-tac-toc? Il faut répondre à la fois par un oui et par un non. Oui, les limites de la mémoire à court terme sont vraiment très contraignantes. Il est tout simplement impossible de planifier très longtemps à l'avance dans la résolution de problème. Par contre, on peut dire que non, l'homme n'est pas aussi limité dans sa pensée. Il existe deux moyens principaux pour surmonter ces limites de la mémoire à court terme:

Les aides externes à la pensée.

La capacité et la souplesse de la mémoire à long terme.

AIDES EXTERNES

Nous surmontons les limites de la mémoire à court terme en ayant recours à des supports extérieurs — principalement crayon et papier. Ne sous-estimez pas l'efficacité qui résulte du fait de noter les choses sur papier. Les aides externes sont des alliers puissants dans la planification. De plus, pour écrire quelque chose, il faut réfléchir à ce que l'on va écrire, et cela, en soi, peut aider considérablement au processus de la pensée. Le fait de noter les nombres, mots, symboles, cartes, dessins ou esquisses utiles, exige que l'on procède à une certaine abstraction du problème pour le transformer sous forme écrite. Cela signifie qu'on doit élaborer une notation symbolique. Nous avons déjà vu que **le problème que vous avez résolu avant que vous ayez résolu celui-ci**... est devenu insignifiant suite à la substitution des étiquettes symboliques **problème A** et **problème B**. La notation symbolique est un instrument très puissant au service de la pensée parce qu'elle permet de substituer un symbole à des concepts complexes, et de résumer et de manipuler directement les interrelations très complexes entre concepts. Les aides externes à la pensée possèdent donc divers avantages.

AIDES DE LA MÉMOIRE À LONG TERME

L'expertise dans une tâche quelconque repose sur des années d'entraînement. Il est difficile de donner une idée précise de la quantité d'effort nécessaire, mais on estime que de 1 000 à 5 000 h sont requises pour passer aux échelons supérieurs du statut d'amateur à celui de professionnel. Cela est vrai de toutes les tâches que nous avons analysées, qu'il s'agisse d'apprendre à lire, à piloter une automobile de course, à jouer du piano, à chanter, à jouer au soccer, à faire de la prestidigitation ou à devenir psychologue. Bien sûr, chacune de ces tâches se distingue considérablement des autres et le type d'entraînement exigé est différent. Néanmoins, la nécessité de milliers d'heures d'entraînement s'applique à toutes ces activités. Qu'advient-il de toutes ces heures? Chose certaine, le processus implique certainement l'acquisition en mémoire à long terme de grandes quantités de connaissances structurées — schèmes mnémoniques.

Prenons notre exemple préféré: le joueur d'échecs expert (disons un Grand Maître international). Ce joueur semble souvent doué d'une capacité mentale unique. Il n'en est tout simplement pas ainsi. Les configurations sensées et bien apprises sont plus faciles à retenir et à utiliser que les configurations qui n'ont aucun sens.

Pour le comprendre, voyez comment vous pouvez retenir une séquence de lettres. Pour la plupart des gens, la limite est d'environ dix lettres. Essayez; lisez la séquence de lettres suivante une fois, et essayez de la répéter à voix haute (sans regarder la page):

X P C W P T L M S Q

La limite de ce qu'on peut se rappeler se situe autour de dix items non reliés (à moins que vous n'utilisiez une des techniques particulières du chapitre 9). Chaque lettre est une unité psychologique distincte et elle doit être représentée séparément en mémoire.

Maintenant, voyons ce qui se passe si les lettres sont disposées de manière à former une configuration sensée. Lisez la séquence de dix lettres suivante une fois et essayez de répéter les lettres à voix haute (sans regarder la page):

T R A I T E M E N T

Non seulement ces dix lettres sont faciles à retenir, mais vous ne les avez probablement pas considérées en tant que dix lettres séparées. Elles forment une unité psychologique distincte, un mot. On peut les représenter en mémoire par un seul élément. En effet, il est facile de se rappeler ainsi de séquences de lettres encore beaucoup plus longues.

Essayez de retenir cette phrase après l'avoir lue une fois:

Le livre *Traitement de l'information et comportement humain* initie les étudiants à l'étude scientifique de la pensée.

Ici, malgré le fait qu'il y ait 98 lettres, la tâche est très facile. Bien sûr, vous ne l'avez pas conçue en terme d'une séquence de lettres. Vous n'avez peut-être même pas pensé aux parties de la phrase comme étant composées de mots. Ainsi, le titre de ce livre, *Traitement de l'information et comportement humain,* peut être mémorisé en tant qu'unité, et non pas comme étant formé de quatre mots, et il n'est sûrement pas nécessaire de le considérer comme un ensemble de 44 lettres distinctes.

Les maîtres d'échecs traitent les configurations de pièces dans une partie de la même manière que vous traitez les configurations de lettres dans les phrases. En fait, plusieurs configurations portent des noms particuliers et sont bien familières aux joueurs d'échecs expérimentés. Les parties suivent une séquence logique de coups et, lorsque deux experts s'affrontent, on retrouve des arrangements systématiques dans les configurations. En tirant partie de ces régularités, les joueurs d'échecs doués paraissent avoir des capacités mentales supérieures pour prévoir et planifier les coups possibles. Mais en réalité, cette habileté provient de leur grande familiarité avec le jeu, ce qui leur permet de visualiser les configurations de pièces en tant qu'unités psychologiques uniques. Cette familiarité s'acquiert difficilement. Cela demande des années d'étude, plusieurs heures chaque jour, pour atteindre ce niveau de performance. Mais si on demande à ces joueurs de retenir des configurations sans signification, ou même des dispositions de pièces tirées de parties jouées par des novices, leur mémoire et leur capacité d'analyse, qui paraissaient superbes, se détériorent tout comme votre capacité de retenir des lettres diminue considérablement lorsque ces dernières ne forment pas des mots sensés.

Prise de décision

Jusqu'ici, nous nous sommes penchés sur la résolution de problème. La *prise de décision* constitue une autre catégorie majeure d'activités mentales. Ici, on offre un choix spécifique d'alternatives à quelqu'un qui doit ensuite choisir une ligne de conduite. La prise de décision fait partie de la résolution de problème, tout comme la résolution de problème joue un rôle dans la prise de décision. Cependant, l'étude formelle des processus décisionnels a soulevé tellement de nouveaux problèmes, qu'il est normal qu'on les étudie séparément.

La prise de décision fait partie de notre quotidien. Ainsi, nous sommes constamment devant des lignes de conduite possédant plusieurs possibilités et chacune d'entre elles doit être évaluée pour ses valeurs respectives. La prise de décision dépend parfois des réactions d'autrui ou du hasard; souvent, elle s'accompagne d'un mélange de succès et d'échec qui nous rend perplexes.

C'est une tâche psychologique très difficile que de comparer plusieurs lignes de conduite et d'en choisir une. Premièrement, si chaque ligne de conduite est tant soit peu complexe, les limites de la capacité de la mémoire à court terme se trouvent mises à dure épreuve par le simple fait de se représenter une seule possibilité d'action et ses conséquences; que dire alors de la nécessité de considérer simultanément plusieurs lignes de conduite? Deuxièmement, si les alternatives sont complexes, il n'y a pas alors de moyen évident pour établir la comparaison, même si les différents choix peuvent être placés les uns face aux autres. Enfin, il y a toujours un certain nombre de facteurs inconnus qui entrent en jeu: certaines conséquences de l'action entreprise sont purement problématiques — qui sait ce qui arrivera vraiment? Quelques-uns des résultats de l'action dépendent de la manière dont quelqu'un d'autre réagira et souvent, cette personne même ne peut pas encore prévoir sa propre réaction. Il n'est pas étonnant que la simple difficulté qu'il y a à en arriver à une décision, nous fasse souvent abandonner en désespoir de cause et retarder l'échéance aussi longtemps que possible; parfois on ne fera un choix décisif que lorsqu'on y sera acculé, et alors, souvent, sans faire aucun effort pour prendre en considération toutes les implications de cette option. Ensuite, une fois que tout est dit et qu'il est trop tard pour changer d'idée, on a tout le temps de se tourmenter au sujet de la décision et de se demander si, après tout, une autre ligne de conduite n'aurait pas été préférable.

Les limites cognitives de l'homme influencent les actes qu'il pose. Ainsi, dans notre étude de la prise de décision, nous devons bien faire la différence entre les règles que les gens devraient suivre, et celles qu'ils suivent en réalité. La distinction peut se révéler difficile à faire parce que les gens tendent à décrire leur comportement comme étant délibéré et logique, même lorsque ce n'est pas le cas. D'habitude, lorsque les gens prennent une décision qui semble illogique à l'observateur, celle-ci s'avère sensée du point de vue de ceux qui l'ont prise, du moins selon l'information dont ils disposent alors. Lorsqu'on leur fait constater l'erreur manifeste («Pourquoi as-tu déplacé ton pion ici? Maintenant je peux prendre ta reine!»), ils répondent habituellement qu'ils avaient «oublié» une information importante («Bon Dieu! j'ai vu cela tantôt, puis j'ai oublié!»). Ceci pose des problèmes pour l'étude des processus de décision. Quel comportement allons-nous étudier — les erreurs telles qu'elles se présentent ou les actes systématiques, orientés vers l'objectif? Naturellement, les deux.

Attribution des valeurs

Le rôle d'une théorie rationnelle de la décision est d'identifier l'information pertinente à la décision et de spécifier comment cette information devrait être disposée pour conduire à une conclusion. Le principe majeur de la décision rationnelle est celui d'*optimisation*: si deux choix paraissent égaux sur tous les autres points, opter pour celui qui rapporte le plus.

Ce principe simple, qui consiste à agir de façon à maximiser les gains et à minimiser les pertes, semble être, à prime abord, une affirmation parfaitement plausible. Mais formulée aussi simplement, elle a relativement peu de valeur pour une théorie de prise de décision chez l'homme. Le problème vient du fait que les individus évaluent gains et pertes de façon différente.

La notion d'optimisation soulève la question fondamentale de savoir comment les gens attribuent valeurs et coûts dans une situation de prise de décision. On appelle *utilité* la valeur psychologique qu'une personne attribue à un objet ou à une ligne de conduite. La tâche de la théorie de la décision consiste à déterminer comment les gens attribuent les utilités aux objets et, ensuite, quel rôle jouent ces utilités dans le processus de prise de décision.

LA VALEUR PSYCHOLOGIQUE DE L'ARGENT

Il semble naturel de commencer l'étude des utilités par la valeur psychologique de l'argent. Il est clair que l'utilité de l'argent ne correspond pas seulement à sa valeur numéraire: entre autres choses, elle est essentiellement relative à la fortune de l'individu. Un dollar doit certainement représenter une beaucoup plus grande utilité aux yeux du mendiant qu'à ceux du donateur.

Prenons cette simple expérience. Supposons qu'on vienne de vous faire cadeau de $20. La rentrée d'argent était inattendue et ne comportait absolument aucune obligation. Imaginez combien ce cadeau peut vous rendre heureux. Mais évaluons sérieusement la quantité de bonheur engendrée par le cadeau de $20. De combien faudrait-il augmenter le don pour vous rendre exactement deux fois plus heureux? Puis quatre fois ou huit fois plus heureux? (Notez qu'il s'agit bien de la technique de l'échelle d'estimation de grandeur discutée en Appendice A, appliquée ici à l'argent.)* Essayez l'expérience avant de lire le paragraphe suivant.

Comme prévu, les réponses à ces questions sont différentes selon les individus. Celui qui est plutôt pauvre accorde une grande valeur au cadeau de $20; celui qui reçoit une allocation mensuelle de $1 000 ne sera pas tellement touché par ce cadeau: donc, leur évaluation de la situation est différente. Néanmoins, presque tout le monde serait d'avis qu'on devrait plus que doubler la somme pour doubler le bonheur qu'elle occasionne. En fait, la réponse habituelle est que la somme doit être quadruplée pour que le bonheur (utilité) soit double. Cela signifie que l'utilité de l'argent semble s'accroître en fonction de la racine carrée de la valeur monétaire.

Ne prenez pas cette relation trop au sérieux. La leçon importante à tirer de cet exemple est que la valeur psychologique d'un objet, même aussi familier que l'argent, n'augmente pas en proportion directe de sa valeur numérique. En général, elle augmente plus lentement.

* L'expérience a été faite la première fois par Galanter (1962).

Que se passe-t-il lorsque nous n'avons pas affaire à des quantités simples comme l'argent? Comment attribuons-nous des valeurs aux objets et aux situations complexes? Pour illustrer la nature abstraite de la question, il vaut peut-être mieux examiner une situation un peu éloignée de la réalité; de cette façon, nous pouvons empêcher l'expérience passée de nuire à l'étude du problème. Oubliez donc la réalité pour le moment, et considérez ce scénario avec nous.

LES VALEURS DANS LES CHOIX COMPLEXES

COMMENT CHOISIR UN COMPAGNON

Dans une contrée éloignée, où ce sont les femmes qui commandent et où les sultanats sont encore à la mode, la Maga de Kantabara désirait acheter un compagnon pour ajouter à sa collection. Elle fit donc venir les courtiers les plus qualifiés et leur enjoignit de se mettre à la recherche d'un compagnon. Or, d'après une longue tradition, établie scientifiquement, la Maga avait déterminé les attributs les plus importants chez un compagnon. Ainsi, elle exigeait que chacun des candidats passe un test sur plusieurs points critiques. On assignerait ensuite, à chacun, une valeur numérique entre −5 et +5, dépendant de ses capacités et de ses attributs; zéro s'il était dans la moyenne, +5 s'il était superbe, et −5 s'il était parfaitement minable.

Les deux courtiers revinrent avec chacun un candidat: Shar et Malik (figure 14-10). Le prix était identique. Le tableau 14-1 montre leur évaluation respective.

Tableau 14-1   Évaluation d'un compagnon éventuel

Dimension	Candidat *Shar*	*Malik*
Talent militaire	2	1
Talent sexuel	5	−1
Don pour la conversation	−2	4
Intelligence	−4	3
Personnalité	4	3
Attrait physique	2	2
Prestige du nom de famille	3	1

Description verbale des candidats par les courtiers

SHAR: un homme issu d'une famille de haut prestige. Ajoutera à la réputation de la cour. De compagnie agréable, séduisant et d'une grande habileté militaire. A la meilleure note pour sa connaissance et son usage de l'art amoureux.

MALIK: une personne remarquablement intelligente. Compagnon séduisant, avec un talent poussé pour la conversation, pour vous divertir, vous et vos invités. Vient d'une bonne famille et possède une bonne connaissance de l'art militaire.

Figure 14-10

STRATÉGIES DE DÉCISION

L'examen de la situation dans laquelle se trouve la Maga pour faire un choix montre que le problème consiste à comparer toutes les diverses dimensions. Comment combiner les vertus du talent sexuel avec celles de l'intelligence? Ce sont deux choses différentes.

Le premier pas vers une solution consiste à s'assurer que toutes les valeurs sont évaluées sur une même échelle. Il est important que le +3 attribué au prestige de Shar ait la même valeur psychologique pour la Maga que le +3 attribué à l'intelligence de Malik. Mais disons que ce premier problème est résolu, et que chacune des notes assignées en fonction de ces dimensions a été soigneusement étudiée afin de permettre une comparaison directe*.

---

* Une façon de faire consiste à transposer chaque variable sur une échelle unique, telle que la valeur monétaire. Supposons qu'il y ait deux candidats, A et B, qui soient identiques sur tous les points sauf un. Sur cette dimension, A a eu une meilleure note que B. Quelle différence dans le prix de vente devrait-il y avoir pour contrebalancer la différence dans les notes? On peut offrir à l'acheteur éventuel un choix entre le candidat A, à un prix donné, et le candidat B, à prix réduit. Si une réduction de $1 000 dans le prix de B était suffisante pour compenser la note inférieure de B, alors la différence de notes sur une même dimension a la même valeur psychologique qu'une somme de $1 000. En offrant un certain nombre de ces choix, pour chaque note et chaque dimension différentes, il est possible d'exprimer la note attribuée sur chaque dimension sur une échelle monétaire commune.

Le problème de combiner les dimensions demeure entier. Essayez de prendre une décision: lequel la Maga devrait-elle choisir? Comment tiendriez-vous compte de la variété des notes et de la variété des dimensions?

Abordons le problème en examinant deux stratégies bien différentes pour combiner les valeurs des compagnons multidimensionnels afin d'en arriver à une décision: *impression générale* et *comparaison dimensionnelle*.

IMPRESSION GÉNÉRALE

Selon cette stratégie, on examine chaque candidat séparément et on détermine son mérite avec un seul chiffre qui représente la valeur générale du candidat. On procède de la même façon avec chaque candidat et on choisit celui qui présente la plus grande utilité générale. Par exemple, la somme des valeurs attribuées à Shar est de dix. Pour le candidat Malik, la même méthode donne un résultat de 13. Selon cette stratégie, la Maga devrait prendre Malik comme compagnon.

COMPARAISON DIMENSIONNELLE

Selon cette stratégie, on compare les choix directement, une dimension à la fois. On détermine d'abord la différence entre les deux, pour chaque dimension. Ensuite, le jugement final est basé sur l'analyse de ces différences dimensionnelles. Dans notre exemple, Shar l'emporte quant au talent militaire et sexuel, à la personnalité et au prestige familial. Les résultats de l'analyse dimensionnelle donnent Shar vainqueur sur quatre dimensions, Malik sur deux, avec une égalité sur une dimension. Une règle de décision simple consiste à choisir le candidat qui l'emporte sur le plus de dimensions. Ceci fait que Shar l'emporte 4 à 2.

DÉTERMINATION DES STRATÉGIES

Voici donc deux stratégies, chacune conduisant à un résultat différent. Que devrait faire la Maga? C'est son problème. Mais que feraient la plupart des gens, quelle stratégie utiliseraient-ils? Les deux: parfois l'une, parfois l'autre. Les deux stratégies semblent faire partie des moyens que prennent les gens dans des situations réelles. Chacune a ses vertus et ses vices. Avec la méthode de l'impression générale, on détermine la valeur de chaque choix par lui-même et on résume en attribuant une valeur unique. Cette stratégie est probablement la plus précise, mais c'est aussi la plus difficile à suivre: la détermination de la valeur d'un choix donné s'avère assez difficile à faire. Avec la méthode des comparaisons dimensionnelles, la comparaison entre les choix sur une seule dimension est relativement facile à faire, même si le résultat est moins sûr. Il faut faire un compromis entre la complexité de la règle de décision, sa précision et la capacité d'un individu à réaliser l'évaluation nécessaire.

Nous venons de présenter le problème de la prise de décision comme s'il s'agissait d'un choix plutôt délibéré, fait de sang froid. En temps normal, il n'est pas possible d'en arriver à une évaluation numérique aussi précise. En réalité, même lorsqu'un homme d'affaires ou un fonctionnaire du gouvernement, très efficace, réussit à convaincre ceux qui prennent les décisions de faire une telle analyse des possibilités, celui qui doit trancher la question n'est habituellement pas satisfait. De même, face à cette échelle d'évaluation d'un compagnon éventuel, échelle construite scientifiquement, la Maga répondra vraisemblablement: «Voilà qui est très bien pour une évaluation initiale des candidats, mais peut-être devriez-vous me laisser passer une soirée seule avec chacun d'eux, pour voir comment ils sont vraiment.»

La Maga a raison de ne pas se contenter d'une liste aussi méticuleuse des valeurs des candidats: il y a certainement plus de choses impliquées dans le choix à faire que ce que peuvent révéler les chiffres. L'atout principal de l'évaluation numérique, c'est qu'elle permet une prise de décision rationnelle. Mais il ne fait aucun doute qu'on ne tient pas compte ainsi, de subtilités importantes. Malheureusement, les entrevues personnelles sont encore pires. La difficulté de comparer deux choix complexes s'ajoute alors aux défauts inhérents à ces entrevues. Dans l'entrevue personnelle, les événements, même les plus futiles, pèsent souvent beaucoup sur la décision. Supposez qu'un des candidats se prenne les pieds dans le tapis en sortant, qu'il porte une cravate d'un goût douteux ou qu'il fasse autre chose aussi agaçant qu'accidentel: «Ce Malik, il est bien trop maladroit pour devenir le compagnon d'une Maga. De toute évidence, Shar est bien plus raffiné.»

QU'EST-CE QU'ON OPTIMISE?

Même après avoir procédé à l'attribution des valeurs, celui qui prend la décision choisit-il toujours l'option présentant la plus grande valeur? Supposons qu'un étudiant, Robert, ait soigneusement épargné son argent en vue de s'offrir un appareil photographique reflex mono-objectif. Comme il travaille pour défrayer le coût de ses études, il lui a été difficile de trouver la somme nécessaire. Il a $190 et il se propose de mettre de côté ce qui restera après l'achat de la caméra pour se procurer les manuels nécessaires le semestre suivant.

Pendant la fin de semaine, Robert profite de la voiture d'un ami pour se rendre à Montréal (distance d'environ 150 km), où il sait pouvoir se procurer l'appareil de son choix à un prix avantageux. Toute la journée, il parcourt la ville, d'un magasin d'appareils photographiques à l'autre. Le matin, il trouve le magasin A, où le prix est de $185. Le midi, il se rend au magasin B, où le prix est de $165. À 16h00, il est au magasin C, où le prix est de $170. Il est évident que Robert devrait retourner au magasin B, mais il est fatigué et affamé. Il n'a rien pris de la journée. Il doit bientôt rencontrer son ami pour retourner chez lui. Il a donc le choix entre retourner au magasin B (et épargner $5) et ne pas avoir le temps de manger, ou payer $5 de plus et s'arrêter pour se reposer et prendre un sandwich avant de s'en retourner. Robert optera probablement pour cette dernière ligne de conduite, en comparant faim et fatigue avec l'épargne de $5. À ce moment précis, il s'agit d'une décision logique. Demain, il regrettera peut-être cette décision quand, une fois passées la faim et la fatigue, il se rendra compte qu'il devra travailler deux heures de plus à la cantine pour récupérer les $5.

La difficulté que nous éprouvons dans l'analyse de notre capacité à comprendre les décisions prises par autrui vient de ce que nous ne connaissons pas et ne pouvons jamais connaître toutes les variables en jeu dans cette décision. («Oui, je sais que je n'aurais pas dû partir si tôt, mais il fallait que j'aille aux toilettes.») Nous prenons pour acquis que le principe de maximisation est à la base de toute décision. Quand vient le temps de faire un choix, cependant, il peut arriver que de nouvelles variables s'imposent, et qu'on ne considère plus certaines des anciennes. Ainsi, même si la décision consiste dans un choix apparemment insensé, nous supposons qu'on a agi d'une manière logique et raisonnable, considérant l'information impliquée dans l'analyse. Une décision apparemment illogique peut découler tout simplement du fait que, au moment final, l'utilité psychologique de prendre du repos, ou de minimiser l'effort intellectuel, était plus grande que l'utilité prévue d'une analyse prolongée et profonde des choix. Les propriétés de la mémoire à court terme, qui imposent une limite au nombre de comparaisons possibles à un moment donné, représentent souvent les facteurs les plus importants du choix qui sera fait. Nous supposons que chaque décision optimise effectivement l'utilité psychologique, même si l'observateur (et peut-être aussi celui qui prend la décision) peut ensuite se demander pourquoi on a fait ce choix.

LA LOGIQUE DU CHOIX

À peu d'exception près, les gens s'accordent pour dire que leurs propres processus de décision devraient être logiques. De plus, les théories formelles de la prise de décision présupposent une suite logique: les préférences entre les objets devraient être compatibles les unes avec les autres. Si A est préféré à B, et B à C, alors, logiquement, A devrait être préféré à C. Cette transitivité est une propriété de base qui devrait se vérifier chaque fois qu'on compare divers objets entre eux. Symbolisons par > la préférence d'un objet à un autre, et par = l'indifférence complète face à deux objets. Les règles de base régissant les choix logiques peuvent alors s'exprimer ainsi:

1. Si $A > B$ et $B > C$, alors $A > C$.
2. Si $A = B$ et $B = C$, alors $A = C$.
3. Si $A = B$ et $C > 0$, alors $A + C > B$.

Ces trois règles forment un ensemble rationnel de postulats sur lequel repose le processus décisionnel. En effet, si on décrit ces règles de façon satisfaisante en les dépouillant de leur appareil mathématique, elles n'ont alors que l'aspect d'un bon sens évident. Ceux qui étudient la prise de décision ont cependant découvert qu'il existe une différence entre les règles que les gens croient suivre et celles qu'ils suivent vraiment. Ainsi, même si ces trois énoncés forment le noyau de la plupart des théories de la décision, ils ne sont pas toujours appliqués. On trouve des exemples précis de cas où chaque règle est violée.

Le théoricien de la décision dispose de plusieurs moyens pour surmonter ces difficultés. Il peut ignorer le problème en prenant pour acquis que la violation des règles ne se produit que dans des situations particulières, et non dans la situation décrite par la théorie en cause. Il peut aussi essayer d'incorporer ces violations dans une théorie, en montrant comment elles résultent de certaines limitations dans le rendement de l'être humain. Voici quelques exemples anecdotiques pour illustrer la violation de chacune des trois règles fondamentales.

Le caractère circulaire du choix: règle 1

Si A > B et B > C, alors A > C.

Examinons le problème de Stéphane, un étudiant qui essaie de choisir un cours pour compléter son programme de sciences sociales. Trois cours sont disponibles: psychologie, sociologie et anthropologie. Supposons que ses préférences vis-à-vis de ces trois cours se basent principalement sur trois caractéristiques: la qualité de l'enseignement, la note qu'il prévoit obtenir (ce qui englobe difficulté du travail exigé et sévérité de la correction) et l'intérêt qu'il porte au sujet. Pour prendre une décision rationnelle, il évalue les cours selon ces trois dimensions:

Cours	Qualité de l'enseignement	Note prévue	Intérêt
Psychologie	Haute	Basse	Moyen
Sociologie	Basse	Moyenne	Haut
Anthropologie	Moyenne	Haute	Bas

sociologie ou psychologie

Lorsque Stéphane va s'inscrire, il se retrouve devant les files habituelles d'étudiants qui veulent faire de même. Il doit décider assez vite du cours qu'il veut suivre, ou alors les bureaux seront fermés avant qu'il ait une chance de porter son nom sur la liste appropriée. Supposons qu'il prenne d'abord place dans la file du cours de psychologie. Pendant qu'il attend, il réfléchit à son choix entre psychologie et sociologie. La qualité de l'enseignement au cours de psychologie est supérieure, mais il s'attend à une note faible et la matière du cours ne l'intéresse pas autant que la sociologie. Ainsi, la sociologie est supérieure à la psychologie sur deux des trois dimensions. Donc, il préfère la sociologie à cette dernière, puisqu'une règle de décision rationnelle consiste à choisir le cours qui se classe le plus haut sur le plus grand nombre de dimensions. Stéphane devrait changer de file et se placer en ligne pour le cours de sociologie. Supposons qu'il le fait.

anthropologie ou sociologie

Maintenant Stéphane se trouve dans la file du cours de sociologie. Il commence à songer à la troisième option, l'anthropologie. L'anthropologie est classée plus haut que la sociologie à la fois sur le plan de la qualité de l'enseignement et sur le plan de la note attendue, même si la matière est moins intéressante. Utilisant la même règle qu'auparavant, il découvre que l'anthropologie est supérieure à la sociologie; la décision logique consiste à se placer en ligne pour le cours d'anthropologie. C'est ce que fait Stéphane.

psychologie ou anthropologie

Une fois cette décision prise, cependant, Stéphane ne peut s'empêcher de penser au cours de psychologie. Après tout, ce cours se classe plus haut que l'anthropologie à la fois pour la qualité de l'enseignement et pour l'intérêt du sujet. Peut-être devrait-il se placer à nouveau dans la file d'attente pour le cours de psychologie.

Cette circularité dans le comportement implique la non transitivité de ses choix parmi les cours. Si A représente l'anthropologie, B la sociologie et C la psychologie, alors Stéphane préfère apparemment A à B et B à C; mais il préfère aussi C à A. A > B > C > A > B . . .

Qui plus est, ces hésitations dans le comportement de choix se manifestent même si Stéphane utilise une règle simple et conséquente pour établir son choix.

Telle situation n'est pas rare lorsqu'on étudie le problème d'un choix entre des objets complexes. Le problème de décision exige fréquemment que l'on considère un grand nombre de dimensions, pondérant la valeur de chacune et élaborant finalement une stratégie pour combiner ces évaluations. Lorsque les choix sont complexes, il y a plus de chances pour qu'on obtienne une inconséquence dans le choix final.

L'importance des petites différences: règle 2

Si A = B et B = C, alors A = C.

Cette fois le scénario porte sur l'achat d'une nouvelle voiture. Gertrude, la cliente, a arrêté son choix sur une voiture sport au prix de base de $4 500. Le vendeur commence alors à offrir de l'équipement optionnel dans l'espoir de voir grimper le coût total de la voiture (voir figure 14.11).

Gertrude a choisi le modèle trois portes (à arrière ouvrant). Il est certain que les enjoliveurs de roue en aluminium amélioreraient grandement l'apparence générale de l'auto. Le vendeur démontre astucieusement que ces enjoliveurs n'ajoutent que $59 au prix de l'auto. Puisque l'auto coûte déjà $4 500, le coût additionnel des enjoliveurs représente une différence négligeable. C'est probablement vrai. Gertrude prétend qu'il est indifférent de payer $4 500 et $4 559 pour une automobile. Donc, si A représente le coût de l'auto et B, le coût de l'auto et des enjoliveurs, alors dans l'esprit de ce client A = B.

Maintenant, utilisons à nouveau ce raisonnement: le tableau de bord de cuir noir ne coûte que $37. Cela est indispensable si on doit rouler le toit ouvert la plupart du temps. De plus, il n'y a pas vraiment de différence entre payer $4 559 et $4 596. Ainsi, si B représente le coût de l'auto et des enjoliveurs, et si C = B + le coût du tableau de bord, alors dans l'esprit de la cliente, B = C.

Figure 14-11

Et puis il y a le recouvrement des sièges (blanc, en option). Il est possible que Gertrude porte le prix de l'auto à plus de \$5 000 avant de se rendre compte que la somme de ses petites indifférences a donné lieu à une grosse différence. Elle n'est sûrement pas indifférente au fait de payer \$5 000 au lieu de \$4 500.

Une fois ce chemin parcouru, l'indifférence opère maintenant à rebours, rendant plus difficile le retour en arrière. Gertrude peut penser qu'elle peut se passer des panneaux en simili-crocodile à l'intérieur des portières, mais cela ne lui ferait épargner que \$29; c'est une somme insignifiante, comparée aux \$5 000 de l'auto. Peut-être devrait-elle débourser cette somme, plutôt que de se préoccuper de déterminer la combinaison exacte d'équipement optionnel dont elle peut se passer et qui réduirait sensiblement le prix de l'auto. Le vendeur adroit évite toujours de mentionner le prix de base ou le prix cumulatif des équipements offerts en option. Il place plutôt l'accent sur le coût ridicule de chaque addition, comparé au coût total de l'auto. Le vendeur malin s'arrête juste avant que le client commence à s'apercevoir du fait que même si A = B et B = C, A n'est pas nécessairement égal à C.

Le problème Tokyo-Paris: règle 3

Si A = B et C > 0, alors A + C > B

Il existe un exemple très bien connu qui contredit cette règle, exemple familier aux économistes et aux théoriciens de la décision. Il s'agit de la situation suivante. Supposons que vous veniez de gagner à un tirage au sort et que l'on vous offre de choisir entre deux lots. Lequel préférez-vous: un voyage tous frais payés à Tokyo ou à Paris? (Figure 14-12) Supposons que vous soyez vraiment indifférent quant à la destination, et que vous soyez prêt à décider à pile ou face. Soient P la valeur psychologique du voyage à Paris et T celle du voyage à Tokyo. Comme vous êtes indifférent vis-à-vis de ces destinations, disons que P = T.

Maintenant, que préférez-vous: que l'on vous offre une bouteille de vin* ou qu'on ne vous l'offre pas? Nous supposons que vous choisissez de recevoir ce cadeau. Donc, la valeur psychologique du cadeau d'une bouteille de vin est V avec V > 0. Maintenant, supposons que l'on ne vous donne la bouteille de vin que si vous choisissez le voyage à Paris. Vous devriez avoir une nette préférence pour le voyage à Paris: P = T, et V > 0, donc P + V > T. Vous n'êtes pas d'accord? Bien sûr; le principe ne s'applique pas ici. D'une certaine manière, l'offre de vin ne pèse réellement pas dans cette décision.

L'idée n'est pas que le vin n'ait aucune valeur. Dans d'autres circonstances, la plupart des gens choisiraient de recevoir le vin gratuit plutôt que de le refuser. Le problème ici réside dans la manière dont les valeurs dépendent du contexte dans lequel elles apparaissent. Dans cette situation, il est clair que le vin n'a rien à voir avec le problème du choix d'une destination. Dans d'autres situations, il se peut que la même bouteille soit le facteur déterminant.

---

* L'exemple traditionnel chez les théoriciens de la décision propose des martinis plutôt que du vin. Vous pouvez à votre tour substituer au vin votre boisson favorite. Si vous le faites, soyez certain qu'il ne s'agit que d'une petite quantité.

Figure 14-12

Décisions hasardeuses

Les décisions de la vie courante doivent souvent se prendre dans des situations incertaines. Faire un choix requiert à la fois que l'on détermine l'utilité des différents résultats possibles et que l'on prenne un risque quant à ce qui va effectivement arriver. Le bien fondé de la décision d'emporter un parapluie dépend de la probabilité qu'il pleuve. La question de savoir si quelqu'un doit contracter une assurance sur la vie est liée à son espérance de vie. Le choix de stratégies politiques dépend des possibilités que l'adversaire passe à la contre-attaque ou non. Ce facteur de risque ou de hasard qui s'ajoute à la situation ne change rien au principe d'optimisation. Toutefois, dans l'étude du comportement de prise de décision des gens, il faut prendre en considération les deux facteurs utilité et hasard.

Dans chacune des situations suivantes, quel serait votre choix:
1. La certitude de recevoir $0,10 ou avoir une chance sur dix d'obtenir $1?

UTILITÉ ET CHOIX HASARDEUX

2. La certitude de recevoir $1 ou avoir une chance sur dix d'obtenir $10?

3. La certitude de recevoir $10 ou avoir une chance sur dix d'obtenir $100?

4. La certitude de recevoir $100 ou avoir une chance sur dix d'obtenir $1 000?

5. La certitude de recevoir $1 000 ou avoir une chance sur dix d'obtenir $10 000?

6. La certitude de recevoir un million de dollars ou avoir une chance sur dix d'obtenir dix millions de dollars?

Nous faisons deux prédictions quant à vos préférences dans ces situations. La première est que vous ne serez pas indifférent face à ces choix. Ainsi, pour le premier choix, vous tendrez à préférer le risque à la certitude: vous préférerez prendre une chance de gagner $1 plutôt que d'accepter $0,10. De même, vous préférerez probablement tenter votre chance pour $10 plutôt que de recevoir $1 à coup sûr; peut-être feriez-vous de même pour le choix numéro 3. Mais à un moment donné, vous renverserez la tendance et commencerez à choisir le gain assuré plutôt que le risque. À moins que vous n'attribuiez une cote d'utilité extrêmement élevée à l'excitation produite par le risque, il est peu probable que vous choisissiez de courir votre chance pour $10 000 000 (avec une probabilité de gain de 1/10), alors que vous pouvez obtenir $1 000 000 sans risque.

Notre seconde prédiction est que le point où vous commencerez à préférer la somme assurée au risque dépend de votre état financier actuel. Plus vous êtes riche, plus vous serez enclin à parier pour une somme supérieure. Dans des circonstances défavorables, vous préféreriez peut-être avoir les dix sous à coup sûr plutôt qu'une chance sur dix de gagner un dollar. C'est une bonne expérience à tenter avec vos amis, car les données sont faciles à recueillir. Choisissez des gens que vous connaissez, certains de milieu aisé et d'autres de milieu modeste. En commençant avec le premier choix, demandez-leur quelle alternative ils choisiraient. Faites de même avec chacun des autres choix. Notez à quel point leur préférence passe du risque au gain assuré. Plus ils sont riches, plus ils attendront pour modifier leur préférence. Le changement de préférence s'effectue au moment où l'utilité de l'argent commence à croître moins vite que sa valeur monétaire. Lorsqu'on choisit de recevoir $100 plutôt que de courir une chance sur dix d'en gagner mille, c'est que l'utilité du 1 000 est moins que dix fois $100. Nous avons donc ici la situation de base de la prise de décision dans des conditions de risque. Lorsque les résultats sont incertains, on doit considérer à la fois l'utilité et le facteur chance. Pour ce faire, deux nouveaux concepts doivent s'ajouter à nos propos: la *probabilité* et la *valeur attendue*.

PROBABILITÉ La *probabilité* d'un événement est simplement la prévision à longue échéance de la fréquence relative à laquelle l'événement se produira. Les taux de probabilité vont de zéro à un. Lorsqu'un événement a une probabilité de zéro, on peut dire avec un certain degré de certitude qu'il ne se produira jamais. La probabilité qu'une pièce de monnaie retombe à la fois sur les deux côtés pile et face est de zéro. Lorsque la probabilité d'un événement est un, on peut dire avec confiance que l'événement se produira toujours: la probabilité de la mort est un, parce que tout le monde meurt. Il est concevable que cette probabilité puisse changer dans le futur. Il est également possible qu'un événement dont la probabilité est zéro se produise: simplement, on ne s'attend pas à ce que cela arrive.

Lorsqu'une valeur intermédiaire est assignée à la probabilité d'un événement, cela veut dire que, à la longue, il peut se produire un certain nombre de fois. On s'attend à ce qu'un événement ayant une probabilité de 0,28 se produise environ 28% du temps dans une longue série d'observations. On s'attend à ce qu'une pièce de monnaie montre le côté face dans 50% des cas où elle est lancée. Ceci ne veut pas dire qu'on sait exactement combien de fois un phénomène se produira. Simplement, du point de vue statistique, on s'attend à ce que le phénomène se produise selon une certaine fréquence.

La théorie des probabilités est l'outillage mathématique servant à déterminer les chances que certains événements ou combinaisons d'événements ont de se produire. L'attribution des probabilités peut souvent se faire au moyen d'une analyse des caractéristiques physiques du dispositif qui engendre les événements: le fait qu'un dé ait six côtés et qu'il soit équilibré entraîne une probabilité attendue que chacun des chiffres sur le dé apparaîtra une fois sur six. Quelquefois, la nature des mécanismes physiques sur lesquels reposent les événements ne sont pas assez bien connus; on détermine alors la probabilité de l'événement au moyen d'observations quant à la fréquence relative dans le passé. Quand on prétend que la probabilité qu'il pleuve un jour en Californie est à peu près 0,01, ce nombre est un estimé basé sur la pluie tombée dans cet état par le passé.

Ce sont là des probabilités objectives basées sur les propriétés physiques d'une situation donnée. Comme nous le verrons dans un moment, elles ne coïncident pas nécessairement avec l'évaluation personnelle que font les gens de la probabilité qu'une chose se produise.

VALEUR ATTENDUE

Quand les résultats sont liés aux probabilités, la théorie de la décision prescrit de tenter de maximiser les gains attendus à longue échéance. On doit considérer à la fois la probabilité et la valeur des événements dans le choix de la ligne de conduite optimale. Une situation de jeu très complexe illustrera le principe de base utilisé pour combiner ces deux aspects de la situation de décision.

Supposez qu'on vous offre l'occasion de jouer au jeu suivant. On lance une pièce de monnaie. Si elle retombe du côté face, vous obtenez $10; si elle tombe du côté pile, vous perdez $5. Devriez-vous accepter de jouer?

La *valeur attendue* de ce risque consiste tout simplement dans les gains ou pertes espérés à long terme. Les calculs sont simples. Les deux événements qui peuvent se produire dans cette situation ont une probabilité égale: il y a autant de chance de gagner que de perdre. La probabilité du côté face est 0,5 [*p* (face) = 0,5]; lorsque la pièce de monnaie présente le côté face, la valeur de cet événement est $10 [V (face) = $10]. Lorsque la pièce de monnaie présente le côté pile, vous perdez $5, de sorte que [V (pile) = −$5]. Ces probabilités et valeurs sont combinées pour donner la valeur attendue (VA) du jeu.

VA = [V (face) × *p* (face)] + [V (pile) × *p* (pile)]
VA = $10 × 0,5 + (−$5) × 0,5
VA = $2,50

À long terme, vous devriez gagner en moyenne $2,50 chaque fois que la pièce est lancée. Après avoir joué 1 000 fois, vous devriez avoir une avance de $2 500.

Chaque fois que des valeurs de probabilité peuvent être assignées à chaque résultat, on peut calculer la valeur attendue. La décision optimale exige le choix de la ligne de conduite ou de la stratégie qui assure la plus grande valeur attendue à longue échéance. Naturellement, ceci ne veut pas nécessairement dire que vous gagnerez à tout coup. Cela veut seulement dire que le choix répété d'une telle stratégie produira les plus gros gains à long terme.

Le calcul de la valeur attendue détermine la décision optimale, mais évidemment peu de gens savent comment le faire ou, s'ils le savent, prennent la peine de faire ce calcul avant de prendre une décision. (Vous pouvez être certains, cependant, que les casinos, les compagnies d'assurance et les autres entreprises de ce genre les font, ces calculs, avec adresse et application.) Maintenant, voyons ce que les gens ont réellement tendance à faire.

PROBABILITÉ
SUBJECTIVE

Si on vous donnait une paire de dés, quelle chance pensez-vous avoir, en les lançant, d'obtenir un 7? Les objets tels que les paires de dés n'ont pas de mémoire. Chaque lancer est complètement indépendant de tous les autres (nous prenons pour acquis que les dés ne sont pas pipés et que le jeu est honnête). Cela ne change rien qu'un 7 soit sorti à chaque lancer dans les cent derniers essais, ou qu'il ne soit jamais sorti: les dés eux-mêmes n'ont aucun moyen de savoir ce qui s'est passé. Cependant, un joueur pariera souvent qu'un 7 sortira au prochain lancer parce qu'«il n'est pas sorti une fois dans les 100 derniers coups, et maintenant, selon la loi des moyennes, il doit sortir». Un tel pari s'appuie sur des notions subjectives des probabilités. Les pièces de monnaie, les dés et les roulettes ne peuvent se rappeler ce qui s'est déjà passé, de sorte que la probabilité des divers événements est toujours la même à chaque essai, peu importe ce qui est arrivé auparavant.

On appelle probabilité subjective ce jugement sur les probabilités objectives que posent les humains dans leur perception subjective des chances qu'a un événement de se produire.

Souvent, on dirait que la probabilité subjective qu'un individu attribue à un événement, découle de son évaluation du caractère représentatif de cet événement par rapport au processus présumément en cause dans sa production.*

Supposez que nous venions de mener un sondage auprès de toutes les familles du Québec qui ont exactement six enfants. On trouve qu'environ 1/3 de ces familles comprennent trois garçons et trois filles. Maintenant, supposez qu'on examine l'ordre dans lequel ces enfants sont nés. Quel ordre est le plus probable, selon vous?

a: F G G F G F
b: G G G F F F

Lorsque les gens pensent à un ordre aléatoire, ils imaginent habituelle-ment des choses «mêlées ensemble». Il est clair que le premier échantillon *(a),* est plus représentatif du processus aléatoire qui détermine l'ordre de naissance des garçons et des filles. La plupart des gens pensent donc que *(a)* est un événement plus probable — la probabilité subjective de la séquence *(a)* est jugée beaucoup plus grande que la probabilité sub-jective de la séquence *(b).* Dans une famille de trois garçons et de trois filles, il y a exactement 20 séquences de naissance possibles, toutes aussi probables les unes que les autres. Cependant la séquence *(a)* semble être représentative de l'ensemble des séquences aléatoires, mais pas *(b).* Après tout, cette dernière est ordonnée: comment cela pourrait-il résulter d'un processus aléatoire?

Le problème qui se pose est vraiment très simple. Les gens regroupent ensemble en tant que similaires des séquences différentes, comme

a: F G G F G F
c: F G F G G F
d: G F G F F G
e: G F F G F G

Ils peuvent donc imaginer différentes façons d'obtenir une séquence «sem-blable» à *a, c, d,* ou *e* (18 façons exactement), mais seulement deux manières d'obtenir une séquence «semblable» à *b* (G G G F F F, et F F F G G G). Naturellement, la question n'est pas là: la comparaison ne portait que sur les séquences exactes *a* et *b*, et non sur les séquences similaires. Néanmoins, la leçon est instructive: les gens s'attendent à ce que l'univers se comporte d'une manière représentative.

Une deuxième façon apparentée à cette dernière de déterminer les probabilités subjectives d'un événement est de considérer tous les cas où cet événement s'est produit dans le passé et dont on se souvient. Plus l'événement est «accessible» à la mémoire, plus il est jugé probable: par

REPRÉSENTATIVITÉ ET DISPONIBILITÉ

* Nous avons puisé dans les travaux de Daniel Kanheman et d'Amos Tversky les idées servant à cette description de la représentativité et de la prise de décision basée sur la construction de scénarios mentaux des conséquences possibles.

exemple, lequel de ces deux événements est le plus probable:

a: qu'un mot français commence par la lettre a;
b: qu'un mot français possède la lettre a en deuxième position dans le mot?

Si vous pensez à tous les mots conformes à la règle *a* ou à la règle *b*, il est clair qu'il est plus facile de trouver des mots qui satisfont la première condition que des mots qui satisfont la deuxième. Ainsi, la plupart des gens jugeront que *a* est plus probable que *b*. En réalité, il y a beaucoup plus de mots qui possèdent un *a* en deuxième position que de mots qui commencent par *a*. La difficulté vient du fait que la mémoire n'est pas organisée de façon à favoriser le repêchage de mots par leur deuxième lettre, mais par leur première lettre (ou par le son initial).

Ce jugement basé sur la «*disponibilité*» influence les estimés de probabilité subjective. Si on vous demande de dire si les professeurs de mathématiques sont bons, vous baserez votre jugement sur ceux dont vous pouvez vous souvenir, même si vous ne pouvez connaître qu'un nombre infime de tous les professeurs de mathématiques qui enseignent à travers le pays.

Ces explications de la détermination des probabilités subjectives au moyen de jugements quant à la **représentativité** de l'échantillon et la **disponibilité** des événements en mémoire conduisent souvent à trois affirmations générales à propos des probabilités subjectives:

1. Les gens ont tendance à surestimer la fréquence d'événements à faible probabilité, et à sous-estimer la fréquence d'événements à forte probabilité.

2. Les gens ont tendance à commettre *l'erreur du parieur* en prédisant qu'un événement a plus de chances de se produire dans l'avenir immédiat s'il ne s'est pas produit depuis un certain temps.

3. Les gens ont tendance à surestimer la probabilité réelle des événements qui leur sont favorables, et à sous-estimer la probabilité des événements qui leur sont défavorables.

Conclusion

Dans ce chapitre, nous avons décrit quelques-unes des règles utilisées par ceux qui prennent des décisions dans la comparaison des choix, la cueillette de l'information et la reconsidération du choix. Les choix que fait une personne rationnelle en prenant une décision, sont déterminés surtout par les valeurs attendues associées aux décisions possibles, par la probabilité des événements, et par les gains et les pertes liés aux diverses conséquences de ces choix. On devrait choisir la ligne de conduite qui maximise les gains. Même si les gens semblent obéir au principe d'optimisation, ils ne le font pas nécessairement de manière prévisible. Des variables internes telles que l'ennui et la fatigue s'infiltrent souvent dans l'équation de la décision. De plus, les limites de la mémoire à court terme confinent souvent les gens à des stratégies qui minimisent le fardeau cognitif, les obligeant ainsi à négliger de prendre en considération toutes les variables importantes, ou bien à utiliser une stratégie de décision logique, mais non optimale et peut-être même inconséquente.

Pour faire le lien entre les règles à suivre pour prendre une décision rationnelle et le comportement réel des gens, les valeurs à définitions objectives doivent être traduites dans leur équivalent subjectif. En général, le modèle de l'utilité subjective attendue constitue une description raisonnable de ce qui se passe dans le comportement de choix de l'être humain. Cependant, les estimés de probabilités et l'attribution des valeurs ne sont pas toujours immuables. Il est nécessaire qu'il en soit ainsi dans la plupart des cas. Les utilités des événements doivent varier quand une personne gagne ou perd, puisque l'utilité, après tout, est fonction de la richesse totale du propriétaire. Des gens différents doivent avoir, et ont effectivement, des jugements différents sur la valeur d'un même événement. La probabilité subjective varie elle aussi. Un événement particulier peut apparaître clairement dans la mémoire d'une personne et non dans celle d'une autre, permettant à la première de le juger plus probable qu'il ne l'est en réalité.

Les théories de la prise de décision constituent un **guide** de comportement optimal. Face à une décision à prendre, vous le trouverez utile pour l'analyse des situations selon les grandes lignes présentées ici et pour l'attribution de valeurs et coûts associés à chaque stratégie de décision possible. Mais si vous décidez d'agir ainsi, ne vous fiez pas à votre mémoire: prenez des notes.

Une proportion importante des situations et des phénomènes décrits dans ce chapitre sont intimement associés à l'usage de la mémoire. Les limites de la mémoire à court terme jouent un rôle important dans la détermination des stratégies utilisées à la fois dans la prise de décision et dans la résolution de problèmes. De même, la mémoire à long terme a un rôle important à jouer dans l'acquisition de l'information, rôle critique encore une fois pour plusieurs des questions abordées dans toutes les sections de ce chapitre. Il est important de se rappeler que la meilleure façon de se représenter la mémoire, c'est en tant que constituée de structures organisées: les schèmes mnémoniques. Un schème comprend toute l'information pertinente à un certain aspect de l'expérience; lorsque n'importe quel schème est recouvré, toute l'information qu'il contient devient disponible à l'instant. Cette caractéristique est importante pour la formation des probabilités subjectives, comme notre exposé de cette question l'a démontré: il y a une tendance à déterminer si une certaine situation est représentative de situations «typiques», mais c'est à partir de ce qu'on peut repêcher dans la mémoire que se fera cette évaluation.

Revue des termes et notions

Voici, pour le présent chapitre, les termes et notions que nous considérons importants. Passez-les en revue et si vous êtes incapable d'en donner une courte explication, vous devriez revoir les sections appropriées du chapitre.

TERMES ET NOTIONS À CONNAÎTRE

La différence entre les problèmes bien définis et les problèmes mal définis
Protocole
Graphique de résolution de problème
    états de connaissance
    opérations
    retour en arrière
Stratégies de résolution de problème
    recherche proactive
    recherche rétroactive
    stratégies heuristiques et algorithmes: la différence entre les deux
Limites des protocoles
Le rôle de la mémoire à court terme dans la résolution de problème
    comment les limites peuvent être dépassées
    notation symbolique
Optimisation
Utilité
Stratégies de décision
    impression générale
    comparaison dimensionnelle
Transitivité
    quelle est la cause de l'échec de la transitivité?
Décision hasardeuse
    probabilité
    probabilité subjective
    valeur attendue
Représentativité et disponibilité
L'erreur du parieur

Lectures suggérées

La résolution de problème et la pensée sont intimement liées, de sorte que les lectures suggérées au chapitre 15 devraient aussi être consultées ici.

RÉSOLUTION DE PROBLÈME

Le livre de Wickelgren (1974) *How to solve problems* et celui de Adams (1974) *Conceptual blockbusting,* portant sur les méthodes de résolution de problème, peuvent se révéler utiles dans des situations concrètes. Le livre de Wickelgren porte principalement sur des problèmes bien définis, en particulier des problèmes de mathématiques, de sciences et d'ingénierie. Celui de Adams s'attache plutôt à la créativité et au développement d'idées nouvelles pour les problèmes mal définis. Les deux livres comportent plusieurs exercices et stratégies; ensemble, ils traitent d'une bonne proportion des situations réelles et se réfèrent à la résolution de problème.

Allan Newell et Herbert Simon, de l'Université Carnegie-Mellon, ont apporté les contributions les plus remarquables à l'étude de la résolution de problème ces dernières années. Leur livre (Newell et Simon, 1972) est une étude importante que quiconque sérieusement intéressé au sujet devrait connaître. Malheureusement, le texte est très spécialisé et difficile à lire. De plus, il ne couvre qu'une petite portion des questions se rapportant à la résolution de problème. Eisenstadt et Kareev (1975) ont simulé sur ordinateur la résolution de problème et certains jeux. L'utilisation du graphique de résolution de problème dans l'étude du problème du *missionnaire et des cannibales* est exposée dans Greeno (1974) et Thomas (1974). L'article de Simon et Reed (1976) sur les changements de stratégie est intéressant.

À bien des points de vue, la meilleure étude de la résolution de problème se trouve encore dans l'un de nos manuels de psychologie préférés: *Experimental psychology* de Woodworth, publié en 1938. La ré-édition du texte par Woodworth et Schlosberg est également bonne (donc, essayez de trouver Woodworth, 1938, ou Woodworth et Schlosberg, 1954; laissez tomber la version de 1971 — on n'y parle pas de la résolution de problème).

Plusieurs des meilleures expériences en résolution de problème se trouvent résumées dans le recueil d'articles rassemblés par Wason et Johnson-Laird, *Thinking and reasoning* (1968: livre de poche). Le travail de DeGroot sur les échecs (1965, 1966) est à la fois important et intéressant.

C'est probablement Barry Anderson, au chapitre 6 de son important manuel *Cognitive Psychology* (B. Anderson, 1975, p. 195-290) qui nous offre l'étude récente la plus complète, à un niveau relativement élémentaire de cette question. Le livre de Davis (1973) porte le titre de *The psychology of problem solving*, mais, chose étonnante, il y a peu de recoupements avec notre façon d'aborder la question.

L'un des concepts les plus importants dans la résolution de problème et qui n'est pas mentionné dans ce chapitre, est celui de *prédisposition mentale (set)*. On peut trouver une excellente présentation de cette notion dans l'article du *Scientific American* «Problem solving» de Scheerer (1963).

Le livre *Productive thinking* de Wertheimer (1945), le quasi-manuel *How to solve it* de Polya (1945) et l'étude *The mentality of apes* de Köhler (1925) représentent certaines des études classiques sur la résolution de problème. Quelques symposiums sur la résolution de problème ont donné naissance à des volumes: Green (1966), Kleinmuntz (1966-1968), et Voss (1969).

On peut trouver dans l'article de Hoffman «Group Problem Solving» (dans Berkowitz éd., 1965) une revue des effets que les groupes ont sur la résolution de problème.

PRISE DE DÉCISION

La plus grande partie de ce qui a été écrit sur la prise de décision relève des mathématiques et requiert une certaine connaissance de la théorie des probabilités (vous pouvez quand même tenter l'aventure, à condition de ne pas vous laisser impressionner par la complexité apparente des équations). On trouve dans le livre *Psychologie mathématique: tome I-II* de Coombs, Dawes, et Tversky (1970) une excellente initiation à ce domaine. Elle est précieuse pour quiconque s'intéresse au sujet. Pour ceux qui ne partagent pas ce penchant pour les mathématiques, plusieurs articles du *Scientific American* sont appropriés. Parmi ceux-ci, les meilleurs se trouvent regroupés dans le livre édité par Messick, *Mathematical thinking in behavioral sciences: Readings from Scientific American* (1968). L'analyse des capacités perceptuelles et mentales des joueurs d'échecs est tirée de DeGroot (1965, 1966).

Les analyses des différentes règles de décision, en particulier l'exposé sur la probabilité subjective et le rôle de la représentativité et de l'accessibilité, sont tirées des travaux de Kahneman et Tversky. (Voir Kahneman et Tversky, 1972, 1973; et Tversky et Kahneman, 1973.) Une partie de nos propos sur la logique du choix nous a été suggérée par l'expérience de Tversky (1969).

Bon nombre des articles importants sur la théorie de la décision ont été réunis dans les éditions de poche Penguin par Edwards et Tversky (1967). Les chapitres 1 et 2 de ce livre sont particulièrement importants, car ils font le recensement des travaux remontant jusqu'à 1960. Plusieurs des exemples utilisés dans le présent chapitre sont tirés du chapitre 7 de Tversky (exemples sur les relations de transitivité).

Luce et Suppes font un exposé complet des théories récentes dans un article paru dans le *Handbook of mathematical psychology*, volume III (1965), «Preference, Utility, and Subjective Probability». C'est un article très spécialisé et il ne devrait être lu qu'après plusieurs articles de la collection de Edwards et Tversky et encore, seulement si vous maîtrisez raisonnablement bien la théorie des probabilités et l'algèbre linéaire.

Si vous désirez savoir comment utiliser la théorie de la décision dans votre vie de tous les jours, il y a trois petits livres qui traitent de ce sujet: *The theory of gambling and statistical logic*, de Epstein (1967), *Decision analysis: Introductory lectures on choices under uncertainty* (1968) de Raiffa et *The complete strategist* (1954) de Williams.

Le livre de Epstein est fidèle à son titre: il analyse très en détail plusieurs jeux de hasard et des situations de risque, en considérant les situations habituelles (et parfois inhabituelles) du casino, de la bourse, des duels, des courses de chevaux, etc. Le livre adopte une analyse directe de la valeur attendue dans ces jeux et il saura vous intéresser (tout en vous enseignant des stratégies utiles), même si vous ne pouvez suivre le raisonnement mathématique, qui devient parfois compliqué.

Raiffa nous indique comment choisir une ligne de conduite, même lorsque l'aspect complexe des possibilités est désarmant, que les valeurs réelles et les probabilités sont difficiles à estimer. C'est un professeur d'économie de gestion et il a lui-même appliqué les techniques décrites dans son livre à diverses situations d'affaires. Le texte est facile et les conseils peuvent même se révéler utiles.

Comme dans le cas de la résolution de problème, l'exposé que fait Barry Anderson sur la prise de décision dans le chapitre 8 de son livre *Cognitive Psychology* (1975) est intéressant; il aborde une variété de thèmes apparentés à ceux du présent chapitre, mais sous un aspect différent.

15. Les mécanismes de la pensée

Préambule

La pensée
MODES CONSCIENTS ET SUBCONSCIENTS DE LA PENSÉE
RÉSOLUTION SUBCONSCIENTE DE PROBLÈME
ACTIVATION

Quelques principes de traitement d'information
LE PROCESSEUR
LA MÉMOIRE
LE COMPROMIS ENTRE LA MÉMOIRE ET LE TRAITEMENT
   D'INFORMATION
CRYPTOGRAMME DES JOURS
LA STRATÉGIE DE TRANSFORMATION DES JOURS EN NOMBRES
LA STRATÉGIE DE CONSULTATION D'UNE TABLE
LA STRATÉGIE DES RÈGLES
COMPARAISON DES STRATÉGIES
TEMPS-PARTAGÉ ET PROCESSEURS MULTIPLES
TEMPS-PARTAGÉ
PROCESSEURS MULTIPLES
LE CONTRÔLE DIRIGÉ-PAR-CONCEPTS
LE CONTRÔLE PAR PROGRAMME
LE CONTRÔLE DIRIGÉ-PAR-DONNÉES

Mécanismes de la pensée humaine
LES DEUX UNITÉS DE TRAITEMENT CHEZ L'HOMME
LA MÉDITATION
LE CARACTÈRE IMPORTUN DE S
LA VALEUR DE S
ÉTATS DE CONSCIENCE
ÉTATS ANORMAUX
LE SOMMEIL

Analyse de la pensée humaine

Revue des termes et notions
TERMES ET NOTIONS À CONNAÎTRE

Lectures suggérées

Préambule

La pensée humaine présente d'énormes capacités mais, cependant, elle comporte des limites intéressantes à certains points de vue. Considérez les limites de l'attention: la concentration sur une tâche particulière entraîne généralement une diminution de rendement dans d'autres tâches. Arrêtons-nous maintenant à certains aspects positifs; on peut percevoir correctement des sons et des images qui ont un sens, même en présence d'une grande quantité de matériel visuel et auditif non pertinent. Appuyé surtout sur les conceptualisations et sur les attentes, le traitement de l'information perceptuel s'avère très efficace. La pensée humaine possède d'autres propriétés importantes et intéressantes. Les tâches répétées assez souvent et durant des périodes de temps suffisamment longues semblent devenir automatiques: elles peuvent être exercées avec peu ou pas d'attention consciente. Les tâches nouvelles et les aspects inhabituels des tâches familières demandent, cependant, une attention consciente. Dès qu'on a recours au traitement conscient de l'information, il tend à se produire des inférences graves avec les autres tâches cognitives exécutées au même moment.

Pensée, attention et mémoire sont toutes trois intimement reliées. Quand nous pensons intensivement, il arrive parfois que nous ne remarquions pas les événements qui se produisent autour de nous. Quand plusieurs sons et plusieurs images se produisent dans l'environnement, nous pouvons être distraits de nos pensées. Pour adopter les termes des chapitres précédents, le processus de la pensée est un traitement dirigé-par-concepts, mais les événements extérieurs peuvent toujours entraîner un traitement dirigé-par-données, distrayant ainsi le déroulement de la pensée. La mémoire joue un rôle critique dans la pensée, à la fois en orientant l'action de ses processus et en limitant leur puissance.

Dans ce chapitre, nous analysons les mécanismes des systèmes de traitement d'information qui pourraient être responsables des processus de la pensée humaine. Quels sont les mécanismes de la mémoire, de la pensée et de l'analyse de l'information? Nous explorons certains des phénomènes de la pensée. Nous parlons de la résolution consciente et inconsciente de problèmes, des différents états de conscience et des variations d'efficacité qui résultent des différentes façons d'accomplir une même tâche.

Notre analyse des mécanismes possibles de la pensée dépend fortement de notre compréhension actuelle des ordinateurs. Mais attention: quand vous lirez ceci, rappelez-vous que l'esprit n'est pas un ordinateur. Méfiez-vous des comparaisons simplistes et hâtives entre les ordinateurs construits par les individus et les structures cérébrales des individus. Néanmoins, les principes du traitement d'information s'appliquent à tout système qui utilise l'information, y compris l'esprit humain. Les principes généraux de traitement d'information valent pour tous les systèmes qui manipulent, transforment, comparent et mémorisent l'information. Ce chapitre explore donc, de façon spéculative, le phénomène de la pensée humaine et ses mécanismes. On n'y trouvera aucune réponse à nos questions bien que nous soulevions plusieurs hypothèses. Nos propos portent sur les mystères les plus intéressants et les plus importants qui entourent encore l'étude du traitement de l'information chez l'être humain.

La pensée

La pensée va son chemin en laissant des traces révélatrices de son passage. Chacun de nous est un psychologue et ceci, depuis la naissance. Nous nous observons, nous examinons nos expériences et surveillons nos réactions, nous participons à la prise de décision. Mais souvent, les actes que nous posons nous surprennent nous-mêmes et les voies par lesquelles nous parvenons à certaines conclusions, ainsi que la manière dont nous portons nos jugements, peuvent constituer de profonds mystères. Quelquefois, nous décidons mentalement d'une ligne de conduite, mais nous nous retrouvons en train d'en suivre une autre. Parfois, nous ne découvrons nos propres croyances et opinions qu'à partir des émotions et des tensions qui accompagnent nos expériences et nos actions.

Même si chacun de nous a une connaissance immédiate de ses propres pensées et images, nous sommes aussi étrangers à nous-mêmes, incapables d'observer toutes les phases du processus de la pensée ou d'y participer. En fait, un autre peut quelquefois en connaître plus sur nous-même que nous ne le pouvons, parce que les autres sont capables d'observer nos actes et nos expressions, de noter combien de temps nous prenons à répondre et d'évaluer notre conduite avec un détachement rarement possible pour nous qui sommes en cause. De plus, l'autre peut sonder notre comportement de façon délicate ou brutale, examinant notre façon de répondre à des tests pour en tirer des conclusions sur les opérations de nos processus mentaux.

Les psychologues se heurtent à une difficulté: comment arriver à comprendre les mécanismes d'une pensée qui leur est extérieure? Le comportement de la personne, ses actions, ses mouvements, ses réponses et ses paroles sont les seules données accessibles à l'étude. Nous pouvons, bien sûr, demander à quelqu'un de décrire les pensées et les images qui lui viennent à l'esprit, mais qu'il s'agisse de nous-même ou d'un autre, les descriptions demeurent fragmentaires et incomplètes. Pire encore, elles peuvent s'avérer inexactes, puisque l'observation de notre propre pensée est sujette aux mêmes difficultés et erreurs de perception que l'observation d'un ensemble d'événements extérieurs et que l'action même d'observer ses propres pensées peut en changer le cours.

La conscience et la connaissance de soi peuvent être d'une importance capitale en ce qui a trait à l'apprentissage et la prise de décisions complexes. Il se peut que nous apprenions grâce à la réflexion consciente sur les conséquences de nos actions et à l'observation du lien causal entre les actes et leurs résultats. L'esprit peut sans doute prendre des décisions simples sans traitement conscient. Mais la prise de décisions complexes, de celles qui changent fondamentalement l'orientation des actions mentales et physiques de quelqu'un, peut requérir une planification consciente et une certaine conscience de soi. L'étude de la pensée consciente constitue un bon point de départ.

Les humains sont conscients de leurs propres actions et pensées. Cette conscience, ou conscience de soi, représente un aspect fondamental, mais très peu compris, du comportement mental de l'homme. Nous savons peu de choses sur le rôle de la conscience et la nature des opérations inconscientes — les processus de la pensée subconsciente. Nous soupçonnons que les processus conscients sont fondamentaux dans les choix intelligents, dans l'apprentissage et dans l'orientation de l'organisme. Nous présumons qu'il existe de multiples processus subconscients qui agissent pendant un certain temps, sans le contrôle de la conscience, mais qui doivent en rechercher périodiquement la supervision et la direction. Tout ce que nous savons sur la nature de la pensée subconsciente et consciente se veut spéculatif. Néanmoins, l'étude de la pensée a trop d'importance pour qu'on la néglige. C'est un domaine de recherche essentiel pour la psychologie et pour chacun de nous. La pensée représente peut-être le sujet le plus important de toute la psychologie.

MODES CONSCIENTS ET SUBCONSCIENTS DE LA PENSÉE

Un temps considérable peut s'écouler entre les phases initiales du travail actif et conscient sur un problème et la découverte d'une solution. Cette dernière arrive quelquefois longtemps après la phase initiale du travail, quelquefois de façon tout à fait inattendue et s'accompagne de remarques telles que «Cela m'est venu à l'esprit tout d'un coup. — Je n'avais pas pensé à ce problème depuis des mois.» On appelle période d'«incubation» le laps de temps qui sépare l'activité initiale de la solution et durant lequel il ne semble pas y avoir de travail actif sur le problème. Les périodes d'incubation ne semblent réussir à produire des solutions que lorsqu'elles sont précédées par une longue période de dur labeur sur le problème.

Une étude des esprits créateurs indique que la résolution de problème de façon subconsciente se produit si fréquemment qu'elle est devenue, chez plusieurs, partie intégrante de leurs techniques de résolution de problème. Mais cette pensée subconsciente a son prix. Premièrement, elle ne se produit qu'à la suite d'une longue préparation; celui qui résout le problème doit y avoir longuement réfléchi, souvent pendant des mois, avec beaucoup de recherche, d'étude et d'essais répétés pour arriver à la solution. Toutes les informations nécessaires à la solution doivent déjà exister à l'intérieur des structures mnémoniques de l'individu et il faut les avoir amenées au même niveau d'activation. Alors, et à ce moment-là seulement, la personne peut cesser de travailler activement au problème et s'adonner à d'autres occupations courantes, sachant que le travail se poursuit vraiment. De toute évidence, une fois suffisamment activés, les mécanismes de la pensée peuvent continuer de fonctionner par eux-mêmes.

RÉSOLUTION SUBCONSCIENTE DE PROBLÈME

ACTIVATION

Quand les circuits nerveux responsables des processus de la pensée se mettent en branle, nous disons qu'ils «deviennent actifs». Nous ne connaissons pas encore les mécanismes nerveux de la pensée et de la mémoire mais vraisemblablement, l'activité suffisante s'avère difficile à arrêter une fois qu'elle est déclenchée. C'est comme cette vieille blague à propos des éléphants — vous savez ce qu'un troupeau d'éléphants ferait s'il se précipitait soudainement dans les rues, écrasant les autos, arrachant les bornes-fontaines et les poteaux téléphoniques? Bien n'y pensez pas. À partir de maintenant, ne consacrez aucune pensée au troupeau d'éléphants. Peu importe les mécanismes, quand les processus de la pensée et de la mémoire ont été suffisamment activés, ils tendent à continuer d'eux-mêmes. Une fois qu'une structure mnémonique a été utilisée, elle reste plus accessible pour usage éventuel. La tentative en vue de repêcher un détail dans la mémoire ramène invariablement une nuée d'autres détails, désirés ou non.

Essayez l'exemple suivant. Tentez de vous rappeler où vous viviez il y a cinq ans. Allez-y, prenez quelques minutes. Maintenant rappelez-vous les noms de quelques-unes des personnes que vous connaissiez à ce moment-là. Cela peut vous prendre un certain temps, mais éventuellement, vous vous remémorerez certains noms. Maintenant, remarquez deux choses. Premièrement, vous ne vous êtes pas simplement souvenu des noms, mais également de l'apparence de ces gens, des événements auxquels ils ont pris part, et d'une quantité d'autres souvenirs. Deuxièmement, quand vous avez consacré du temps et des efforts raisonnables à cette tâche, une fois la recherche des noms mise en branle, vous serez incapable de l'arrêter. Plus tard, dans la journée et demain, des pensées se rapportant à cette période vous reviendront et peut-être vous perdrez-vous occasionnellement dans vos souvenirs. Vous avez activé les structures mnémoniques appropriées et cette activation servira maintenant à contrôler le système cognitif, que vous le souhaitiez ou non.

L'activation n'est pas gratuite. Vous ne pouvez pas simplement mettre en branle les mécanismes subconscients sans rien payer en retour. Le premier coût consiste dans la quantité d'efforts préalables à fournir pour déclencher le mécanisme. Le second, dans la quantité de vos ressources normales de traitement d'information qui sera engagée dans cette activité subconsciente. Vous pouvez ne pas être conscient de cette activité, mais dès que vous le deviendrez, vous aurez tendance à perdre votre efficacité dans les autres activités qui vous occupent. Le troisième, les mécanismes subconscients n'ont pas la subtilité ou la puissance des mécanismes conscients. Ainsi, les mécanismes subconscients peuvent travailler d'eux-mêmes, retraçant leur chemin à travers les structures mnémoniques, activant des noeuds ici et là, se frayant de nouvelles voies, mais ils ne semblent pas en mesure d'évaluer intelligemment ce qu'ils ont effectué, ni de prendre une décision intelligente lorsqu'ils rencontrent un choix difficile à faire. Vous aurez finalement à défrayer le coût de l'évaluation des résultats et du contrôle des décisions.

Chaque fois que les processus subconscients sont mis en branle, ils utilisent une partie des ressources mentales réservées aux activités quotidiennes normales. Ainsi, l'habileté à exécuter des tâches, même simples, diminue plus particulièrement la capacité de planifier ou de prendre des décisions. Alors que vous conduisez votre bicyclette ou votre auto, vous emprunterez probablement le chemin le plus habituel, plutôt que celui que vous vous proposiez de prendre. Vous vous retrouvez à la maison plutôt qu'à la librairie où vous projetiez d'aller; c'est que vous avez été tellement absorbé par les opérations subconscientes que l'orientation de votre déplacement a été effectuée par des structures automatiques bien ancrées — traitement-dirigé-par-données — qui vous ont mis sur la route familière de votre demeure, plutôt que sur l'itinéraire spécifique de la librairie. Il n'est pas rare de se retrouver en train de répéter la même tâche, comme dans le cas du chimiste, dans cette citation:

«Je me rappelle qu'un matin, j'ai pris un bain, me suis rasé, ai pris un autre bain et en cherchant une autre serviette sèche, j'ai soudainement pris conscience que c'était mon deuxième bain, et que ma pensée s'était profondément concentrée sur un problème, pendant une demi-heure.» (Platt & Baker, 1931, dans Woodworth & Schlosberg, 1954, p. 839)

Quelquefois, vous pouvez jouer le rôle d'observateur vis-à-vis de vos propres pensées: vous ne les contrôlez pas, mais vous notez simplement les directions qu'elles prennent. Le célèbre mathématicien français, Poincaré, parle de nuits fébriles pendant lesquelles la pensée et la résolution de problème s'effectuaient malgré lui. Pour Poincaré, la période préliminaire de travail qui semble nécessaire au déclenchement des opérations subconscientes entraîne les «atomes» de l'esprit dans une activité frénétique:

«Quel est le rôle du travail conscient préliminaire? C'est évidemment de mobiliser certains de ces atomes, de les décrocher du mur et de les mettre en mouvement... Ils se dispersent dans toutes les directions à travers l'espace (j'étais sur le point de dire la chambre) dans lequel ils sont contenus, comme le ferait par exemple, un essaim de moustiques, ou si vous préférez une comparaison plus savante, comme les molécules de gaz dans la théorie cinétique des gaz. Alors, leurs contacts mutuels peuvent produire de nouvelles combinaisons.» (H. Poincaré, «Mathematical Creation», dans J.R. Newman (Ed.), *The world of mathematics*. Vol. 4. New York: Simon and Schuster, 1956, p. 2049)

Poincaré croit que les opérations du subconscient rassemblent des connaissances antérieures dans de nouvelles combinaisons, mais cela une fois accompli, l'activité consciente s'avère nécessaire, à la fois pour évaluer ce qui a été élaboré et pour effectuer les calculs nécessaires. Poincaré note que même les plus simples opérations arithmétiques ou algébriques ne peuvent se faire de façon subconsciente. Les manipulations délibérément conscientes requises pour faire de l'arithmétique ou de l'algèbre ne peuvent s'effectuer que par des mécanismes conscients. Le subconscient est efficace dans les manipulations indisciplinées et créatrices d'idées; c'est à partir de ce désordre, de suggérer Poincaré, que peuvent se produire des découvertes originales.

Quelques principes de traitement d'information

La création des ordinateurs digitaux a produit des outils puissants pour l'étude des processus mentaux. Les ordinateurs sont des systèmes de traitement de l'information. Ils peuvent manipuler l'information et prendre des décisions. La connaissance du traitement de l'information est essentielle si vous voulez comprendre les outils qui servent à l'étude des mécanismes de la pensée. Mais, avant de commencer, prenez bien note du fait que l'esprit n'est pas un ordinateur digital. Pourtant, bien que l'appareillage soit différent, lorsqu'il s'agit des principes scientifiques et abstraits du traitement de l'information, il existe des règles générales qui s'appliquent indépendamment du mécanisme en cause. Par conséquent, la science du traitement de l'information est pertinente à notre propos, même si la partie purement technique peut ne pas toujours l'être. Notez en passant qu'on donne maintenant à cette science le nom de *Psychologie Cognitive*.

Qu'est-ce qu'un système de traitement de l'information? En ce qui nous concerne, il est constitué de trois parties essentielles: une *mémoire*, une *unité de traitement* qui peut accomplir un ensemble spécifique d'opérations et des moyens pour faire entrer et sortir l'information: les mécanismes d'*entrée-sortie* (ou ES). (Voir la figure 15-1.)

Figure 15-1   Un système simple de traitement de l'information.

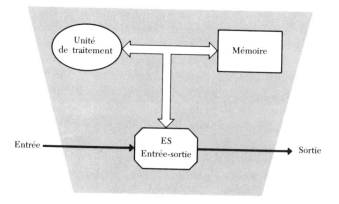

LE PROCESSEUR   Le processeur est la partie du système qui effectue les opérations. Le processeur peut examiner l'information en mémoire. Il peut accomplir des opérations telles que comparer deux unités mnémoniques pour voir si elles diffèrent et de quelle façon et choisir les opérations subséquentes ou déclencher des recherches de souvenirs ou des suites de raisonnement. En général, le processeur contrôle et effectue les actions du système. Il accomplit sa tâche en suivant les instructions stockées dans les systèmes mnémoniques. Un ensemble d'instructions en vue d'une quelconque action spécifique s'appelle un *programme*. Lorsque le processeur est en opération, c'est qu'il suit un programme particulier. En exécutant un programme, le processeur peut avoir besoin d'information additionnelle, qu'il peut obtenir soit par des recherches appropriées dans le système mnémonique, soit en puisant l'information dans l'environnement (au moyen des opérations ES).

Les opérations d'un système mnémonique ont déjà été étudiées en détail, aux chapitres 8 à 16. Pour le moment, il suffit de considérer la mémoire comme l'endroit où se conserve l'information. Notez cependant les deux aspects différents de l'information. Premièrement, l'information en mémoire peut être employée comme *données*: les faits utilisés par le processeur lorsqu'il effectue ses opérations. Deuxièmement, l'information peut être utilisée comme *programme*: ensemble d'instructions à suivre. Ces directives orientent les opérations du processeur. Notez qu'il n'y a aucune différence fondamentale entre les données et les programmes. Une caractéristique extrêmement importante et puissante des systèmes de traitement de l'information vient de ce que les programmes stockés en mémoire peuvent être traités comme des données: les programmes peuvent être examinés, évalués et modifiés. D'autre part, les programmes peuvent être *exécutés*, suivis comme des directives pour guider les opérations du système.

Une caractéristique importante des systèmes de traitement de l'information provient du fait que l'information en mémoire n'acquiert un sens que grâce à la façon dont elle est interprétée par les unités de traitement. La même information peut avoir différentes interprétations à différents moments. Le processeur peut examiner l'information en mémoire et l'interpréter comme des directives à suivre. Ces instructions, en retour, définissent la façon dont d'autres informations en mémoire doivent être interprétées.

Combien font 7 fois 24? Pour résoudre ce problème, il vous faut probablement effectuer un peu de traitement. (Faites la multiplication, si vous le voulez bien; trouvez la réponse.) Supposons maintenant que nous posions la même question. Combien font 7 fois 24? La seconde réponse ne requiert pratiquement aucun effort; vous devriez être capable de produire la réponse immédiatement, sans la recalculer. Cet exemple rudimentaire illustre la différence entre obtenir une réponse par traitement de l'information (comme vous l'avez probablement fait la première fois) et par mémoire (comme vous l'avez probablement fait la seconde fois).

Il n'existe jamais de règle fixe sur ce qui doit être stocké en mémoire et sur ce que le processeur doit faire. En général, on peut faire un compromis entre faire beaucoup de traitement (et n'exiger que peu de stockage d'information en mémoire) et faire peu de traitement, mais exiger beaucoup de stockage d'information en mémoire. Le compromis est important. Il détermine une vaste proportion des stratégies à utiliser lorsque nous apprenons du matériel nouveau. Utilisons le cryptogramme des jours pour illustrer la nature du compromis au moyen d'un exemple plus complexe que celui de la simple multiplication de deux nombres.

Supposons qu'à chaque jour de la semaine correspond un nombre compris entre 1 et 7 avec 1 correspondant à lundi. Résolvez alors ces problèmes:

Mercredi + Mardi = ?   *(La bonne réponse est vendredi)*
Mardi + Vendredi = ?
Jeudi + Dimanche = ?

Quand on résoud des problèmes de ce genre, il y a plusieurs stratégies possibles. Nous en examinerons trois. Il y en a d'autres et vous pouvez préférer votre méthode aux trois que nous proposons. La comparaison demeure toutefois valable. Toute stratégie comporte des qualités et des défauts. C'est l'objectif qu'on se donne et la fréquence avec laquelle on s'adonne à ce jeu qui détermine la meilleure stratégie à utiliser.

Pour résoudre cette sorte de cryptogramme, il est fondamentalement nécessaire de trouver une certaine séquence d'opérations à effectuer sur les jours. Cette séquence se nomme un programme. La stratégie détermine la nature du programme. Un programme consiste en une suite d'étapes ou d'instructions individuelles, chacune définissant certaines opérations à accomplir. Pour effectuer une tâche aussi simple que le cryptogramme des jours, nous n'avons pas besoin d'apprendre de nouvelles opérations: vous savez déjà tout ce qu'il vous faut savoir. La seule chose à apprendre reste la façon de réunir les directives pour en faire un programme. Nous allons donc examiner maintenant les programmes résultant de l'application des trois différents types de stratégies. Nous nous intéressons aux instructions et aux opérations suivies par le programme ainsi qu'au rôle de la mémoire.

LA STRATÉGIE DE TRANSFORMATION DES JOURS EN NOMBRES

La première stratégie que nous considérons s'avère sans doute la plus évidente et la plus facile à imaginer. C'est aussi celle qui requiert le plus d'efforts. Fondamentalement, la stratégie se résume ainsi: la première étape consiste à trouver la correspondance entre les jours de la semaine et les nombres. Une façon de faire serait d'apprendre cette table:

Lundi	1
Mardi	2
Mercredi	3
Jeudi	4
Vendredi	5
Samedi	6
Dimanche	7

Si vous ne voulez pas mémoriser cette table, vous pouvez la reconstituer lorsque nécessaire, en comptant à partir du lundi. Peu importe la manière, la première étape consiste à apprendre la correspondance entre les jours et les nombres. Ensuite, pour additionner deux jours ensemble, vous remplacez simplement chaque jour par le nombre approprié, vous les additionnez et vous transformez la réponse en un jour. Par exemple: **Mardi** + **Vendredi** se transforme en 2 + 5. La réponse est 7 qui correspond à **Dimanche**.

Un problème survient lorsque la somme des jours est plus grande que 7. Dans ce cas, vous devez soustraire 7 de la réponse avant de la convertir en un jour. Ainsi, jeudi + samedi se transforme en 4 + 6. La somme est 10. En soustrayant 7 on obtient 3 qui doit être retransformé pour obtenir la réponse **Mercredi**.

Voilà en quoi consiste la stratégie de la transformation jour-nombre. Maintenant, rassemblons la série d'instructions à suivre pour l'utiliser. Le programme qu'on obtient se compose d'une suite d'opérations et de l'utilisation de la mémoire. Nous employons des lettres majuscules pour indiquer les opérations dans un programme. (Par exemple, des termes tels que TRANS-FORME, RETIENS etc.) Voici le programme pour accomplir la tâche du cryptogramme des jours au moyen de la stratégie de transformation:

Étant donné le problème, **que donne jour-1 + jour-2?**
1. TRANSFORME jour-1 en un nombre; NOMME ce nombre n1.
2. RETIENS n1 en mémoire à court terme.
3. TRANSFORME jour-2 en un nombre; NOMME ce nombre n2.
4. ADDITIONNE n1 + n2; NOMME le total T.
5. Si T est PLUS-GRAND-QUE 7, ALORS SOUSTRAIS 7 et NOMME le nouveau nombre T.
6. TRANSFORME le nombre T en jour approprié.
7. DIS ce jour comme réponse.

Avec ce programme, plusieurs opérations (identifiées ici par les caractères en majuscules: TRANSFORME, RETIENS, ADDITIONNE, SI-ALORS, NOMME, PLUS-GRAND-QUE, SOUSTRAIS, DIS), s'avèrent nécessaires. Toutes ces opérations, à l'exception de TRANSFORME, sont présumément connues avant de commencer à résoudre le problème.

Notez que l'opération TRANSFORME peut s'effectuer de deux façons; premièrement, par la *consultation d'une table* et deuxièmement, par une stratégie consistant à compter. Pour la première technique, la consultation d'une table, on mémorise simplement la table des combinaisons entre les jours et les nombres que nous avons présentée précédemment: il faut apprendre 7 correspondances. Dans la seconde technique, compter, il suffit de se rappeler que *lundi* correspond à *1* et donc de compter à partir de là. À quoi correspond jeudi? En débutant avec lundi, énumérez les jours de la semaine jusqu'à jeudi en ajoutant 1 chaque fois à un compteur mental (ou en comptant sur les doigts). La *consultation d'une table* est plus rapide et requiert moins d'efforts. Il est plus lent de compter, mais c'est beaucoup plus facile à apprendre. Le degré d'efficacité d'une technique dépend de la fréquence de répétition de la tâche. La stratégie de consultation d'une table pour TRANSFORME suggère que l'on utilise la seconde stratégie pour la tâche entière.

LA STRATÉGIE DE CONSULTATION D'UNE TABLE

Si vous pouvez apprendre à transformer chacun des 7 jours de la semaine en un nombre, en mémorisant les 7 combinaisons, pourquoi ne pas tout simplement apprendre toutes les combinaisons jour-jour de la même façon? Voici la table correspondante:

	Lundi	Mardi	Mercredi	Jeudi	Vendredi	Samedi	Dimanche
Lundi	Mardi	Mercredi	Jeudi	Vendredi	Samedi	Dimanche	Lundi
Mardi		Jeudi	Vendredi	Samedi	Dimanche	Lundi	Mardi
Mercredi			Samedi	Dimanche	Lundi	Mardi	Mercredi
Jeudi				Lundi	Mardi	Mercredi	Jeudi
Vendredi					Mercredi	Jeudi	Vendredi
Samedi						Vendredi	Samedi
Dimanche							Dimanche

Il y a 28 combinaisons à apprendre. La stratégie est simple (une fois la table apprise): chercher les deux jours dans la table et donner la réponse. Le programme qui correspond à cette stratégie est également élémentaire.

Que donne jour-1 + jour-2?
1. TROUVE la structure mnémonique correspondant à la paire **jour-1 et jour-2.**
2. DIS la valeur de cette structure mnémonique comme réponse.

LA STRATÉGIE DES RÈGLES

La stratégie de *consultation d'une table* implique la mémorisation d'une longue table. Mais l'examen de la table révèle certaines répétitions intéressantes. Par exemple, additionner *Dimanche* à un jour, c'est comme additionner 0 à un nombre: aucun changement ne se produit. De même, chaque fois que *Samedi* est additionné à un jour, il suffit de reculer d'une étape à partir de ce jour. Bref, il semble possible de construire un ensemble simple de règles pour effectuer la tâche. Voici le programme qui résulte de l'emploi d'une stratégie des règles:

Que donne jour-1 + jour-2?
1. SI l'un des jours est
   A. *Dimanche,* ALORS DONNE l'autre jour comme résultat.
   B. *Lundi,* ALORS AVANCE de 1 l'autre jour et DONNE le résultat.
   C. *Mardi,* ALORS AVANCE de 2 l'autre jour et DONNE le résultat.
   D. *Vendredi,* ALORS RECULE de 2 l'autre jour et DONNE le résultat.
   E. *Samedi,* ALORS RECULE de 1 l'autre jour et DONNE le résultat.
2. Sinon applique une stratégie de consultation de table, avec la table suivante:

	Mercredi	Jeudi
Mercredi	Samedi	Dimanche
Jeudi		Lundi

COMPARAISON DES STRATÉGIES

Examinons maintenant les différences entre ces trois stratégies. Notez bien les compromis.

La *stratégie de transformation* fait appel à des moyens arithmétiques. Elle ne requiert pas beaucoup d'exercice ou d'entraînement, mais elle demande passablement de traitement d'information. En somme, la stratégie de transformation exige beaucoup de traitement, une utilisation moyenne de la mémoire à court terme et peu ou pratiquement pas d'apprentissage.

La *stratégie de consultation d'une table* requiert, quant à elle, l'apprentissage de la plus grande quantité de matériel: 28 correspondances jour-jour-nombre. Mais une fois celles-ci apprises, cette stratégie devient la plus facile à appliquer, impliquant très peu de traitement et très peu d'utilisation de la mémoire à court terme.

La *stratégie des règles* constitue un compromis général entre ces deux extrêmes. Elle exige un traitement moyen et une charge moyenne de la mémoire à court terme. De plus, nous avons 8 différents items à apprendre: les règles pour cinq des jours et une table à trois entrées. En résumé:

	Charge de traitement	Utilisation de la mémoire à court terme	Matériel à apprendre
Stratégie de transformation	lourde	moyenne	nombreux
Sratégie de consultation d'une table	légère	légère	très nombreux
Stratégie des règles	moyenne	moyenne	moyen

Cet ensemble particulier de compromis entre la quantité de traitement, l'utilisation de la mémoire à court terme et le matériel à apprendre est typique de toutes les tâches mentales. Il existe presque toujours plusieurs façons d'exécuter une tâche. Chacune comporte des avantages et des défauts. L'objectif poursuivi dans l'exécution de la tâche et la fréquence de cette exécution déterminent la méthode à utiliser. Ainsi, dans cet exemple particulier, si le cryptogramme des jours ne doit être effectué qu'une fois ou deux, vous ne devriez certainement pas gaspiller votre énergie dans l'apprentissage de stratégies: utilisez la stratégie de transformation. Si par contre, vous devez constamment exécuter cette tâche, pendant plusieurs mois, la stratégie de consultation d'une table est alors votre meilleur choix. Finalement, si cette tâche doit être exécutée un nombre moyen de fois, la stratégie des règles convient alors admirablement, parce que les règles nécessaires peuvent s'apprendre en quelques minutes, et que la quantité de traitement est moyenne. Il y a un principe de base important:

> *il y a un compromis à faire entre mémoire et calcul. Dans le cas de tâches complexes, on peut souvent échanger facilité d'exécution contre quantité d'information à apprendre.*

Plus on aura appris de choses et plus il y aura d'information stockée en mémoire à long terme, plus la tâche deviendra facile. Si vous travaillez fort à l'apprentissage d'une tâche, elle devient facile à exécuter. Si vous consacrez peu d'énergie à l'apprentissage, la tâche conserve sa difficulté.

TEMPS-PARTAGÉ ET PROCESSEURS MULTIPLES

La division du système de traitement de l'information en un processeur, une mémoire et des mécanismes d'entrée-sortie, nous permet d'examiner certains principes de base comme le rôle des données et des programmes et le compromis entre traitement et mémoire. Mais le système est trop simple pour pouvoir appréhender d'autres principes pertinents à l'étude des mécanismes mentaux de l'être humain. Plus important encore, le système ne peut accomplir qu'une seule tâche à la fois. Voilà une restriction sérieuse.

Les gens sont capables d'effectuer plusieurs tâches simultanément. Bien sûr il y a des limites à ce qui peut être fait en même temps (comme nous l'avons montré au chapitre 7); mais nous pouvons certainement parler en marchant, penser en prenant un bain, chanter en dessinant. Malheureusement, nous ne pouvons effectuer en même temps n'importe quelles tâches. Nous ne pouvons participer à deux conversations différentes en même temps; écouter la voix d'une personne et répondre simultanément à une autre sur un autre sujet. Même si la bouche et l'oreille sont des organes séparés, ils ne peuvent pas être isolés de cette façon. Nous ne pouvons penser sérieusement à la façon de résoudre un problème complexe tout en discutant sur d'autres sujets. Même les tâches qui peuvent s'effectuer ensemble y perdent en qualité d'exécution lorsque les conditions se modifient: les conditions de la circulation devenant difficiles et exigeant plus d'attention, le conducteur tend à ralentir ou à cesser la conversation avec les autres occupants de sa voiture.

Il existe deux façons distinctes d'accomplir simultanément deux actions différentes: le *temps-partagé* et les *processeurs multiples*.

TEMPS-PARTAGÉ

Le temps-partagé est un plan en vue de tirer avantage des pauses dans les tâches adressées à un processeur. Supposons que vous êtes en communication téléphonique avec quelqu'un, essayant de fixer une date pour un pique-nique. Vous en suggérez plusieurs et un long silence se produit pendant que la personne consulte le calendrier et discute des possibilités avec d'autres personnes; finalement, elle revient avec une contre-proposition. En ce qui vous concerne, cette situation est *limitée par les processus d'entrée-sortie;* le rythme avec lequel vous pouvez mener cette conversation est déterminé par le temps pris pour répondre à votre dernière question (votre dernière sortie). Que faites-vous en attendant? Lorsqu'un système de traitement d'information se trouve devant une tâche limitée par les processus d'entrée-sortie, le processeur marque le pas; il ne fait rien d'autre que d'attendre une entrée. Durant ce temps mort, pourquoi ne pas effectuer d'autres tâches? Le temps-partagé est un plan qui permet d'utiliser les temps morts qui surviennent pendant l'attente de l'information. La conversation téléphonique est tout simplement un exemple de tâche permettant le temps-partagé. Toute tâche comportant des temps morts est un candidat potentiel à l'application du temps-partagé.

Supposez que vous soyez en train d'écouter un conférencier qui parle lentement: il n'y a aucune raison de ne pas partager votre temps, de ne pas penser à

Figure 15-2

autre chose pendant qu'il répète laborieusement trois fois la même chose. Vous n'avez qu'à vérifier périodiquement les progrès de la conférence, afin de vous assurer qu'un nouveau thème n'a pas été abordé. Bien entendu, lorsque vous avez une conversation avec quelqu'un qui parle et pense très vite, vous ne pouvez pas partager votre temps: la conversation se déroule si vite que si vous commencez à penser à autre chose, vous avez de fortes chances de manquer un point important. La seule différence entre l'orateur lent et la conversation rapide vient de la quantité de temps dont vous disposez pour faire autre chose. La limite qui s'applique au temps-partagé se situe au niveau de la vitesse avec laquelle on peut passer d'un sujet à un autre.

Pour partager le temps, on doit être capable d'arrêter d'effectuer une tâche pour en commencer une autre, en se rappelant tous les aspects importants du point où l'on a abandonné la première. Si quelqu'un vous interrompt en vous posant une question en plein milieu d'une multiplication mentale, il vous sera impossible de reprendre le problème à l'endroit exact où vous l'avez laissé, à moins de pouvoir retenir le contenu immédiat de votre mémoire à court terme et une indication marquant l'opération en cours à ce moment précis.

Pour partager le temps, il faut qu'il existe un moyen quelconque de préserver l'information pertinente quant à l'état du problème lors du changement de tâche, ou alors que le changement de tâche ne puisse se produire qu'au moment des pauses naturelles, là où il n'y a aucun besoin de conserver des résultats temporaires. Les êtres humains font du partage de temps. Dans un certain sens il nous faut le faire, puisque dans le cours d'une journée, nous entreprenons et abandonnons momentanément plusieurs tâches différentes, en revenant parfois à une tâche commencée plusieurs heures auparavant.

Nous faisons du partage de temps chaque fois qu'il y a de courts intervalles entre les exigences spécifiques d'une tâche, intervalles qui s'expriment en terme de secondes. Les limites de notre aptitude à partager le temps sont celles des structures de notre mémoire à court terme qui nous permettent de reprendre exactement là où nous avions abandonné une tâche.

Notez qu'aujourd'hui, la plupart des ordinateurs fonctionnent en temps-partagé, mais les ordinateurs sont habituellement conçus de façon à rendre cette stratégie facile. Ils sont pourvus d'opérations et d'instructions particulières qui conservent et réactivent au besoin toutes les structures mnémoniques temporaires utilisées par un programme. Quand le programme est interrompu, le système retient tous les résultats temporaires. Quand le programme reprend, le système remet à jour toute la mémoire temporaire, la replaçant exactement et précisément dans le même état, sans aucune confusion. Malgré ceci, un système d'ordinateur doit procéder avec prudence au passage d'une tâche à une autre, car tout oubli ou erreur dans le stockage de l'information peut entraîner des problèmes. C'est pourquoi il existe souvent des opérations «protégées» durant lesquelles aucune interruption n'est tolérée et le programme superviseur qui contrôle l'opération du temps-partagé fait de nombreuses et fréquentes vérifications du statut de tous ses programmes communs avant de passer d'une tâche à une autre. Toutes ces vérifications prennent du temps. Il arrive souvent qu'un pourcentage considérable de la puissance de traitement d'un ordinateur soit accaparée par cette obligation générale de vérifier et d'agencer les divers programmes pour lesquels il doit y avoir temps-partagé.

PROCESSEURS MULTIPLES

Il existe une autre façon plus facile d'effectuer plusieurs tâches en même temps. Elle consiste simplement dans l'utilisation de deux processeurs indépendants; chacun peut travailler à sa propre tâche simultanément, sans entrer en conflit avec l'autre. Par exemple, si vous devez résoudre deux problèmes différents, vous en faites un vous-même et vous demandez à un ami d'effectuer l'autre. Vous avez alors deux processeurs qui travaillent en parallèle et il n'y a aucune interférence entre les deux tâches (à moins que votre ami n'ait besoin d'aide et ne vous interrompe constamment avec ses questions).

Si nous pouvons pianoter sur la table en réfléchissant, c'est que les systèmes du contrôle des doigts sont indépendants de ceux de la pensée, d'où l'absence d'interférence. Nous possédons des processeurs différents pour ces tâches. Toutefois, il est impossible de parler et d'écouter en même temps, parce que ce sont les mêmes processeurs qui servent à ces tâches et l'exécution de l'une empêche le système de travailler à l'autre.

Rien ne s'oppose à ce que plusieurs processeurs différents (chacun travaillant en même temps) coexistent dans un même système. Ce dernier y gagne en puissance, mais un danger demeure possible. Supposez que les deux processeurs viennent en conflit. Supposez que l'un d'eux entreprenne une opération particulière au moment où l'autre veut faire le contraire. Cela est impossi-

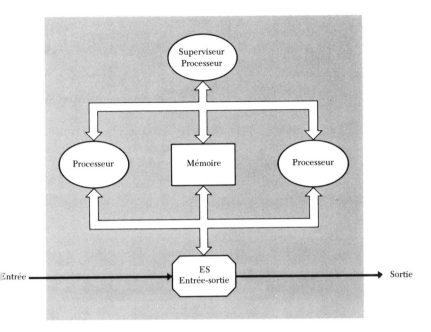

Superviseur
Processeur

Processeur

Mémoire

Processeur

ES
Entrée-sortie

Entrée

Sortie

Un système de traitement d'information avec deux processeurs et un processeur superviseur. Figure 15-3

ble; quelque chose doit intervenir. Il existe plusieurs possibilités. Les deux processeurs pourraient avoir des responsabilités indépendantes, qui ne se chevauchent jamais. De cette façon la possibilité de conflits disparaît. Dans la figure 15-3, nous montrons comment deux processeurs peuvent être surveillés par un troisième, dont la fonction est de superviser et dont le seul travail consiste à résoudre les conflits.

Considérez le système illustré à la figure 15-3 comme un processeur superviseur spécial dont le rôle est de résoudre les conflits. Le superviseur doit posséder certaines caractéristiques. L'une d'entre elles consiste à connaître les tâches accomplies par les processeurs qu'il contrôle. Il n'a probablement pas besoin de connaître les tâches en détail, mais seulement leur nature. Le travail du superviseur consiste à évaluer ce que chaque processeur fait, à comparer le rendement de chacun et à résoudre tout conflit pouvant survenir. Le superviseur doit donc tenir compte des fonctions et des opérations générales des unités qu'il supervise.

Un des rôles principaux du superviseur consiste dans le contrôle des opérations précises que le système de traitement va effectuer. Tout système le moindrement puissant dispose toujours d'un vaste ensemble d'options possibles. Ses structures mnémoniques peuvent contenir plusieurs programmes susceptibles d'être suivis et l'environnement peut présenter un riche ensemble de données pour les mécanismes d'entrée-sortie, fournissant ainsi plusieurs choses qui peuvent être analysées. Plusieurs mécanismes de contrôle différents peuvent diriger le choix effectif des opérations.

Le superviseur poursuit habituellement un but particulier (ou un ensemble de buts). Il peut évaluer la façon dont le système progresse vers ces buts. Ceci correspond à un contrôle de niveau supérieur, un *contrôle dirigé-par-concepts*. Il est probable que le superviseur ne surveille pas chaque instruction individuelle ou chaque opération effectuée, mais plutôt le choix de stratégies et de programmes. Il surveille ensuite le cheminement général. Les programmes exercent eux-mêmes un contrôle en dictant de façon explicite des opérations particulières que le système devrait accomplir. C'est pourquoi nous disons que la séquence réelle d'opérations est sous le *contrôle du programme*.

Aucun système intelligent ne peut se permettre d'être totalement contrôlé par ses plans et ses buts préalables, sans rester attentif aux nouveaux événements et faits pouvant se produire dans l'environnement. (C'est très bien d'orienter toute votre capacité de traitement vers la compréhension de ce chapitre, mais il serait peut-être bon de surveiller votre environnement au cas où le feu se déclarerait dans la pièce — vous devez être guidé à la fois par les concepts et les données.) Ainsi, en plus du contrôle dirigé-par-concepts, et du contrôle par programme, le système doit se permettre d'être guidé par les événements extérieurs. Les événements peuvent interrompre le cours des traitements, permettant ainsi aux opérations qui pourraient être nécessaires à l'analyse des données qui arrivent, de s'effectuer au moins jusqu'au point de déterminer si ces événements nouveaux sont importants ou non. Ceci se nomme le *contrôle dirigé-par-données*.

Examinons de plus près les trois différents modes de contrôle: le *contrôle dirigé-par-concepts*, le *contrôle par programme* et le *contrôle dirigé-par-données*.

LE CONTRÔLE DIRIGÉ-PAR- CONCEPTS

Chaque fois que le superviseur tente d'arriver à ses buts, il exerce une influence conceptuelle sur le déroulement du traitement. Il dirige d'autres processeurs dans l'accomplissement de leurs opérations, probablement en spécifiant les programmes à suivre. Aussitôt les résultats des opérations disponibles, le superviseur les évalue. Il peut décider d'orienter différemment le traitement. De plus, il évalue continuellement toute l'information qui arrive, de façon à ce que les interactions entre les processeurs puissent conduire à de nouvelles avenues de traitement, ou que l'interprétation d'une nouvelle donnée,venant de l'environnement,puisse suggérer d'autres orientations du traitement. Ainsi, le résultat des opérations du processeur, de même que l'interprétation des nouvelles données sont évalués par le superviseur afin de déterminer le cours des opérations futures. D'où qu'elles proviennent, les nouvelles informations peuvent suggérer des modifications d'activité au contrôleur central de l'orientation: peut-être de cesser certaines opérations ou d'en entreprendre de nouvelles ou encore d'en poursuivre certaines. La capacité de contrôler les opérations d'un niveau de traitement par un niveau plus élevé et plus central s'appelle contrôle dirigé-par-concepts.

LE CONTRÔLE PAR PROGRAMME

Le contrôle par programme s'avère la structure de contrôle la plus simple: les instructions que comprend le programme s'effectuent séquentiellement et l'opération qui suit est prédéterminée par le programme.

LE CONTRÔLE DIRIGÉ-PAR- DONNÉES

Qu'arrive-t-il quand une information nouvelle parvient au système? Dans la plupart des systèmes, y compris celui de l'homme, il existe habituellement des mécanismes de traitement spécialisés — des processeurs spécialisés — pour faire l'analyse initiale de l'information qui arrive. Ces unités spécialisées peuvent effectuer des manipulations simples de données: elles peuvent déclencher les processus de reconnaissance de formes et d'interprétation de données. Mais habituellement, une analyse complète des données exige du superviseur qu'il tienne compte des programmes et des autres processeurs sous son contrôle. C'est pourquoi il existe habituellement un système pour interrompre l'activité du superviseur et porter les nouvelles données à son attention. La responsabilité du choix des actions à prendre revient alors au superviseur.

Exactement comme dans l'étude du temps partagé, on doit noter plusieurs points concernant l'interruption de l'activité courante. Premièrement, les interruptions dérangeraient sérieusement un système, si celui-ci ne disposait pas de certains moyens automatiques de s'assurer que l'interruption n'aura causé aucune perte d'information. Tout résultat temporaire auquel on vient de parvenir doit être préservé, jusqu'à la reprise de la tâche interrompue. De même l'endroit précis doit être noté: l'opération en cours lors de l'interruption doit être retenue afin que l'activité puisse reprendre à nouveau.

Deuxièmement, le fait d'arrêter l'activité ralentit la vitesse des opérations relatives à cette activité. Ainsi, on devrait s'attendre à une détérioration du rendement d'un superviseur qui subirait de fréquentes interruptions.

Finalement, l'arrivée de données peut entraîner une interruption momentanée de l'activité courante, pour permettre leur identification. Ensuite, le déroulement du traitement reprend là où il avait été laissé au moment de l'interruption. D'autre part, l'interruption pourrait introduire assez de faits nouveaux dans le cours du traitement pour que le contrôle change sa direction en faveur d'une autre, dictée par les données. Le traitement dirigé-par-données ne prévaut que dans cette dernière situation.

Mécanismes de la pensée humaine

Le problème qui se pose au psychologue est celui de la compréhension des mécanismes de la pensée. Ce chapitre a présenté certains des mécanismes possibles pour réunir les connaissances que nous possédons de la mémoire, de la perception et de la résolution de problèmes. Dans ce livre, nous avons avancé considérablement dans l'analyse des composantes de base de la pensée: l'analyse des processus sensoriels, de la perception, de l'attention et de la reconnaissance de forme, celle de la mémoire, du langage et des structures en

formation chez l'enfant; toute cette étude portait sur les mécanismes fondamentaux de la pensée. Le chapitre précédent sur la résolution de problème a
touché des points se rapportant directement aux thèmes de ce chapitre-ci.
Malheureusement, comme nous l'avons fait remarquer tout au long du chapitre, nous ne sommes pas encore prêts à faire des affirmations définitives sur le
système général qui constitue l'esprit. Mais continuons quand même d'examiner quelques phénomènes intéressants, en gardant à l'esprit nos propos sur
un système de traitement de l'information disposant de plusieurs processeurs
différents capables de travailler indépendamment, mais contrôlés par un certain processus de supervision. Voyons si nos analyses peuvent nous éclairer
sur les opérations de l'intelligence humaine.

**LES DEUX UNITÉS
DE TRAITEMENT
CHEZ L'HOMME**

Le cerveau humain est à peu près symétrique, avec les hémisphères gauche
et droit constitués approximativement des mêmes structures. Nous avons
déjà étudié l'organisation des structures cérébrales et certains aspects de la
spécialisation des fonctions qui se présentent entre les hémisphères (chapitre
11). L'un des deux hémisphères du cortex cérébral semble spécialisé dans le
contrôle des fonctions du langage. Les caractéristiques des fonctions de l'autre
hémisphère sont difficiles à préciser, mais on pense généralement qu'il se spécialise dans le traitement des fonctions associées au temps et à l'espace. Cette
conception d'une dualité des structures cérébrales humaines comporte des
implications évidentes pour la structure des fonctions mentales. Malheureusement, ces implications dépassent souvent l'observation objective des faits,
et il existe une tendance compréhensible chez certains à laisser libre cours à
leur imagination quand ils considèrent la division des responsabilités entre les
deux hémisphères. Procédons donc avec prudence, en vue d'identifier les
conclusions fermes qu'on serait en droit de poser.

Premièrement, il ne semble faire aucun doute que, chez la majorité des
gens, l'un des deux hémisphères est hautement spécialisé dans les mécanismes du langage. Deuxièmemement, il semble évident que l'on peut identifier
des tâches spécifiques à l'un ou l'autre des hémisphères. La majorité des gens
peuvent entendre légèrement plus clairement avec l'oreille droite (qui conduit la majeure partie du son à l'hémisphère gauche) qu'avec l'oreille gauche
et ces mêmes personnes peuvent exécuter un peu mieux avec l'oreille gauche
des tâches auditives qui n'impliquent pas le langage. De même, les comparaisons entre images visuelles sont mieux réussies par la plupart des gens lorsque
les images sont présentées légèrement à la gauche du point fixé (et de cette
façon transmises à l'hémisphère droit). Ces mêmes personnes réussissent
légèrement mieux à comparer des mots présentés visuellement et légèrement
à droite du point fixé (et ainsi, transmis à l'hémisphère gauche). On a dressé
une longue liste de tâches qui semblent réussies avec une plus grande efficacité par un hémisphère que par l'autre. Cette liste comporte deux caractéristiques:

1. Les différences entre les hémisphères ne sont jamais très grandes.
2. Il semble nécessaire que les *deux* hémisphères soient activés pour qu'apparaisse la supériorité de l'un d'entre eux.

Comment expliquer ces résultats? Si les deux hémisphères correspondaient vraiment à des processeurs hautement spécialisés, ne devrait-on pas constater une énorme différence? Pourquoi le fait que les hémisphères soient tous deux occupés a-t-il de l'importance? Les réponses à ces questions semblent se trouver dans la nature des interconnexions entre les deux hémisphères. Les deux cortex cérébraux sont réunis par une énorme couche de fibres: le *corps calleux*.

Il est possible que le cerveau comprenne deux processeurs indépendants, mais ceux-ci communiquent entre eux grâce à un réseau d'interconnexions très riche et hautement efficace. Ainsi, à moins de faire quelque chose pour empêcher la communication inter-hémisphérique, il n'existe aucun moyen de savoir exactement où s'effectue une portion donnée du traitement. La présentation de l'information à une seule moitié du champ visuel a effectivement pour résultat d'envoyer toute l'information à une moitié du cerveau, mais en moins de quelques millisecondes, l'autre moitié peut également disposer de cette information. (La plupart des systèmes sensoriels envoient leur information directement aux deux hémisphères, de telle sorte que, même sans le corps calleux, chaque hémisphère reçoit une information très semblable, peu importe la façon dont celle-ci est parvenue à l'organisme.)

L'une des fonctions de ces interconnexions entre les hémisphères consiste à transférer l'information de l'un à l'autre. Mais une autre fonction semble avoir à faire avec la synchronisation des différentes opérations, évitant ainsi la répétition et la compétition. Les faits montrent que l'activité à un endroit dans un hémisphère du cerveau *élimine* l'activité au même endroit dans l'autre hémisphère. La suppression semble s'effectuer par inhibition de l'activité des circuits nerveux correspondant dans l'autre hémisphère (de la même façon que l'inhibition des circuits nerveux décrits au chapitre 6).

Les deux hémisphères cérébraux semblent résoudre les problèmes associés aux conflits entre unités indépendantes de traitement, grâce aux interconnexions massives entre les structures et aux circuits nerveux spéciaux élaborés, en vue d'éviter que les deux hémisphères effectuent simultanément une même tâche. Si l'instrument de communication — le corps calleux — est coupé, alors évidemment, chaque hémisphère doit fonctionner indépendamment et il est alors possible qu'un conflit se produise, déclenchant les phénomènes étranges décrits au chapitre 11.

LA MÉDITATION

Supposons que la pensée soit composée de plusieurs unités de traitement indépendantes, chacune capable d'accomplir des opérations prédéterminées sur les structures mnémoniques et d'un processeur superviseur qui surveille, contrôle, évalue, prend des décisions portant sur la totalité du traitement effectué par la pensée. Ce modèle constitue probablement ce que nous pouvons faire de mieux, aujourd'hui, pour représenter l'organisation de l'esprit. Pour simplifier notre étude, nous nommerons S le *superviseur* central, l'opération qui surveille, contrôle, prévoit et évalue. Supposons que nous puissions faire taire S; que se passerait-il?

Quand le contrôle volontaire et conscient du fonctionnement mental est suspendu, la pensée entre dans des états de conscience nouveaux. La voix intérieure dont la plupart de nous faisons une expérience continuelle, cette voix qui commente ce que nous faisons, approuvant ou désapprouvant, ne faisant parfois que répéter les mots que nous entendons, lisons, disons ou écrivons, cette voix finit par disparaître. Mais qu'arrive-t-il lorsqu'elle ne se fait plus entendre? Et comment peut-on la faire taire?

Les méthodes pour contrôler les états de conscience sont très anciennes et très répandues dans certaines sociétés. Jusqu'à tout récemment, ces techniques n'étaient pas très connues au sein de la civilisation occidentale, mais maintenant, elles ont reçu beaucoup d'attention et sont largement pratiquées. Les techniques de méditation personnelle et religieuse visent à changer l'état de conscience. Certains états provoqués par absorption de drogues ou par hypnotisme peuvent avoir des fonctions similaires.

La façon la plus connue et la plus efficace de contrôler ses états mentaux consiste dans l'utilisation d'un *mantra*. Fondamentalement, si vous voulez faire taire S, cette voix intérieure centrale de la conscience, vous rencontrez un problème. S est un importun, qui tend à être dirigé-par-données suite à tout événement qui survient de l'extérieur ou de l'intérieur. La façon la plus facile de se débarrasser de S consiste à lui donner à faire quelque chose qui le distrait. Faites-le consacrer toutes ses ressources à une activité inconséquente et l'esprit pourra alors agir sans l'influence de S. Le mantra correspond exactement à une technique de ce genre.

On donne la définition suivante d'un mantra: «Formule mystique d'innovation ou d'incantation dans l'Hindouisme et le Bouddhisme Mahayana». La plupart du temps, aujourd'hui, le mantra se veut simplement un mot qu'une personne répète continuellement, encore et encore. Nous considérons le mantra comme un mécanisme d'attention. Il ressemble à la technique de filature décrite au chapitre 7: il monopolise les capacités d'attention de l'esprit; il occupe S et échappe ainsi à la supervision et au contrôle des mécanismes conscients internes.

La méditation est plus que la simple répétition d'un mantra. Certaines formes de méditation sont intimement associées à des préoccupations d'ordre religieux ou philosophique, et la méditation à l'aide d'un mantra ne représente qu'une parmi de nombreuses activités différentes. Mais nous ne considérerons ici que cette dernière forme de méditation (à l'aide d'un mantra). Plusieurs personnes pratiquent la méditation deux fois par jour, de 15 à 20 min par séance. Ceux qui méditent prétendent que c'est relaxant et confortable, et un bon nombre d'entre eux pensent qu'elle a un effet général sur les activités corporelles et les structures mentales. Considérez la méditation en elle-même, sans vous préoccuper de ces affirmations.

Premièrement, comment la pratique-t-on? Un ensemble de règles simples a été formulé par Benson (1975), un chercheur qui a étudié les propriétés physiologiques de la méditation. Quatre composantes s'avèrent nécessaires:
1. Un environnement calme.
2. Un certain mécanisme mental.
3. Une attitude passive.
4. Une position confortable.

L'*environnement calme* semblerait nécessaire pour éviter que les événements extérieurs puissent troubler l'état méditatif. Pour employer les termes utilisés ici, l'environnement calme évite le traitement dirigé-par-données qui résulterait des événements qui se produisent dans l'environnement. Un *mécanisme mental* est nécessaire pour garder **S** sous contrôle, en lui donnant quelque chose de spécifique à faire. La tâche spécifique peut être la concentration sur des sons tels que ceux de la respiration, ou la répétition d'un mantra, la prière, ou même une concentration visuelle intense sur un objet. Peu importe la tâche, elle doit s'avérer simple à exécuter, mais elle doit occuper l'esprit (plus précisément, elle doit occuper **S**).

L'*attitude passive* est nécessaire face aux pensées qui s'introduisent. Laissez-les entrer, mais ne les entretenez pas et ne les éliminez pas non plus. Essayer d'éliminer une pensée non désirée peut activer tout le système de traitement, ce qui conduit à une forme d'activité mentale. Poursuivre une suite d'idées conduit aussi à une activité non désirée. Le maintien d'une idée ou la tentative de la supprimer, requiert l'aide de S et c'est exactement ce que nous voulons éviter dans la méditation. Aussi, pour méditer, il faut seulement laisser arriver ce qui arrive; ne pas essayer d'exercer un contrôle sur ses pensées.

Une *position confortable* semble nécessaire, parce que l'inconfort provoquerait des entrées dirigées-par-données dans le système, en requérant ainsi de porter attention à l'inconfort. Notez toutefois que la position ne doit pas être trop confortable, car on aurait tendance à s'endormir. Benson croit que les différentes positions connues, par exemple s'agenouiller ou s'asseoir les jambes repliées, ont été adoptées pour éviter de tomber endormi.

Benson donne des directives spécifiques sur la façon de méditer. La syllabe «oum» est un mantra bien connu et efficace. De fait, à peu près tous les mots courts et simples pourraient aller. Mais «oum» est simple, pratique et efficace.* Benson recommande également qu'on se concentre sur sa propre respiration. Voici comment méditer:

> Asseyez-vous tranquillement, dans une position confortable et fermez les yeux. Détendez-vous. (Une bonne façon de le faire est par la relaxation progressive — relaxez mentalement vos orteils, vos talons, vos chevilles et ainsi de suite jusqu'à vos sourcils, votre front et même votre cuir chevelu. Faites-le sur un groupe musculaire à la fois.) Une fois détendu, restez-le. Prenez conscience de votre respiration. Chaque fois que vous expirez, répétez le mot «oum» silencieusement, en vous-même. Voilà tout ce qu'il faut faire. Souvenez-vous de rester détendu et de respirer naturellement. Concentrez-vous sur votre respiration. Faites ceci pendant 10 à 20 min. Vous pourrez vérifier sur votre montre. (Ne vous levez pas précipitamment une fois la méditation terminée, car votre métabolisme peut être plus bas qu'il ne l'est normalement.)

---

* Benson suggère le mot anglais «one»; toutefois, en français, le mantra le plus utilisé est «oum». N.D.T.

LE CARACTÈRE IMPORTUN DE S

Voyez ce pauvre **S**; votre conscience chargée de la supervision centrale l'élimine pendant la méditation en le tenant occupé à des tâches inconséquentes et le met de côté pendant la résolution de problème par, le fait qu'on donne au subconscient toute l'information pertinente et qu'on attend ce qui se produira. Mais ce n'est pas tout: **S** nuit parfois à l'exécution des activités qui requièrent de la dextérité.

Imaginez un joueur de tennis. L'adversaire vient juste de frapper la balle et notre joueur, décontenancé, se pose de sérieuses questions sur ce coup. Alors **S** lui donne des conseils utiles.

> Frapper cette balle. Garder la raquette bien droite, surveiller le poignet, le tenir bien raide. Plier les genoux. Peut-être changer la prise sur la raquette. Ne pas oublier de suivre la balle. Attention, c'est peut-être un amorti — Maintenant, courir ne pas attendre.

S est encore importun. Une fois que notre joueur a fini de suivre tous les conseils de **S**, il y a longtemps que la balle lui a échappé. Les mécanismes conscients de contrôle sont lents. Ils ne peuvent pas suivre l'allure d'événements rapides. Pour bien exécuter une tâche d'adresse, il faut la faire de façon automatique, subconsciente, sans les commentaires nuisibles de **S**.

Les athlètes professionnels savent qu'ils ne doivent pas penser à ce qu'ils sont en train de faire. Il leur faut s'entraîner jusqu'au point où chaque mouvement qu'ils pourraient souhaiter accomplir s'effectue de façon subconsciente. Leurs actions doivent être naturelles et rapides. Mais en outre, ils doivent empêcher **S** d'intervenir. Même si leurs actions pouvaient être exécutées convenablement sous la direction de **S**, une fois que ce dernier entre en action, évaluant et supervisant tout, il assume aussi le contrôle de la motricité et alors il y a grand risque d'interférence.

La plupart des athlètes professionnels inventent des stratagèmes pour ignorer ou faire taire leur voix intérieure. Ces diverses techniques s'apparentent à celles décrites pour la méditation. Il y a une différence toutefois, c'est que l'athlète ne doit pas éliminer l'information sensorielle: il est très important dans son cas que le système traite toutes les informations significatives. En fait, tous ceux qui pratiquent un sport veulent un système principalement dirigé-par-données et qui ne fasse appel au contrôle dirigé-par-concepts que pour les stratégies de niveau supérieur. Dans ce cas, le superviseur **S** s'avère bienvenu — même essentiel — pour une *planification de haut niveau*. Mais une fois la stratégie arrêtée, les activités elles-mêmes ne peuvent se permettre d'attendre une supervision consciente.

Les athlètes adoptent des stratagèmes différents. Certains joueurs de tennis cherchent à voir les coutures de la balle lorsqu'elle se dirige vers eux; ils ne peuvent les voir, mais la concentration tient **S** occupé et, faisant d'une pierre deux coups, donne également au système sensoriel l'information voulue quant à la localisation de la balle. Certains lanceurs de base-ball se concentrent sur le centre du gant du receveur. De la même façon, ceci donne à **S** une activité insignifiante à accomplir et fournit simultanément l'information sensorielle pertinente.

Des tactiques similaires s'appliquent à d'autres activités. Les musiciens doivent apprendre leur morceau si bien qu'ils peuvent l'exécuter en public même si **S** insiste pour s'inquiéter au sujet de l'auditoire. Les pianistes de concert — qui doivent jouer sans partition — apprennent tellement bien leur pièce qu'ils savent que la note exacte sera exécutée, même si leur esprit est pris de panique à la pensée d'un public exigeant. La pièce doit être connue à tel point qu'elle puisse être jouée dans un état second: sans avoir conscience de l'activité.

Rappelez-vous du compromis entre traitement et mémoire, dont nous avons parlé plus tôt, dans ce chapitre. Même si une énorme quantité d'information doit être entreposée en mémoire, pour que chaque élément d'une tâche d'adresse soit connu et stocké au préalable, pensez à l'énorme fardeau dont on libère les mécanismes de traitement — et à l'allègement des responsabilités de supervision de **S**. Grâce à l'apprentissage d'une grande quantité d'information spécifique à une tâche, un individu est en mesure d'accomplir cette tâche même si ses capacités mentales sont occupées à autre chose, ou dans les cas où les calculs exigeraient plus de temps que celui dont il dispose.

LA VALEUR DE S

Ne nous laissons pas entraîner trop loin dans la critique de la fonction centrale de supervision jouée par **S**: dans l'ensemble, **S** est essentiel au fonctionnement normal du système cognitif.

Nous avons déjà parlé de la nécessité d'une fonction centrale de supervision et de contrôle pour tout système qui effectue des traitements complexes. La prise de décision, le cheminement logique et ordonné de la pensée et l'évaluation des cheminements de cette pensée sont du ressort de **S**. **S** est probablement une composante essentielle du processus d'apprentissage. Chaque fois que la pensée s'impose, **S** est essentiel.

Mais plusieurs activités doivent s'effectuer plus rapidement que le déroulement séquentiel du processus de prise de décisions — plus vite que la pensée, si vous voulez. Pour ces activités, **S** n'est pas nécessaire: la lenteur de **S** devient une entrave. Mais il ne saurait être écarté que dans le cas des activités très bien apprises. Pour des activités encore mal assimilées, ou pour de nouvelles activités requérant beaucoup de prises de décision, **S** reste essentiel.

ÉTATS DE CONSCIENCE

La nature complexe des mécanismes de traitement de l'information chez l'homme lui confère la possibilité d'entrer dans différents *états de conscience*. Ainsi, une personne «captivée» par un livre ou par une pièce de théâtre peut être transportée mentalement dans la situation qu'on y décrit; elle entre ainsi dans un état semblable à une transe, où la conscience normale de l'environnement réel est éliminée. La concentration profonde ou le rêve éveillé peuvent produire des résultats similaires. La méditation produit un état de conscience particulier.

Il existe plusieurs états de conscience normaux. Le plus commun dont nous faisons tous l'expérience, est celui du sommeil: état de conscience spécifique dans lequel chacun d'entre nous entre assez régulièrement. D'autres états de conscience particuliers requièrent des conditions spécifiques: les états méditatifs, les transes religieuses, les états provoqués par l'hypnose, par la fatigue et les émotions, et les états créés par les drogues.

Les différentes prises de conscience de soi présentent des situations bizarres pour l'individu. Nous voici, êtres humains normaux, en train de lire ce livre. Mais nous restons également conscients de nous-même, en train de lire ce livre. Qui est ce Nous qui est conscient? Qui est ce Nous qui fait la lecture? Nous pouvons aller plus loin. Nous pouvons imaginer la façon dont un observateur étranger verrait la scène. Nous pouvons imaginer quelqu'un en train d'observer, à partir d'un point élevé, l'espace dans lequel nous travaillons. Et maintenant, nous sommes conscients de notre conscience de tous ces différents niveaux.

ÉTATS ANORMAUX

Les différents niveaux de conscience de soi sont normaux. Ils nous permettent de considérer les situations à plusieurs niveaux de description et ils accroissent notre capacité de faire face à diverses situations. Mais quelquefois, ces niveaux s'emmêlent. Quelquefois, nous ne pouvons pas distinguer clairement entre les différents «nous» de la situation.

Considérez l'expérience très connue du *déjà vu*. Nous avons presque tous déjà éprouvé cette impression de revivre un certain événement. Un événement auquel nous prenons part semble correspondre exactement à une expérience passée. Mais la sensation est étrange, car il ne nous est pas possible de prévoir ce qui va suivre. Pourtant, lorsque l'événement suivant se produit, il nous semble que c'est exactement ce à quoi nous nous attendions. Il y a plusieurs explications pour ce phénomène du *déjà vu*. La plus conforme à notre compréhension des structures de traitement se rapporte à l'interaction très étroite entre la perception d'un événement et la mémoire: le système mnémonique enregistre l'expérience actuelle et fournit en même temps l'information nécessaire à son interprétation. Il ne faudrait pas une grosse erreur de la part du superviseur pour confondre l'information venant de la mémoire avec celle devant y entrer.

Les hallucinations auditives, tactiles, kinesthésiques et visuelles se produisent à une fréquence surprenante. Elles surviennent rarement chez un individu dans un état normal; mais dans un état de fatigue ou d'excitation, de stress, de manque de sommeil ou de nourriture, quand on est sous l'influence des drogues ou lorsqu'on souffre de troubles mentaux, alors les hallucinations deviennent plus fréquentes. Considérant la grande variété des expériences humaines et la puissance de l'appareil mental dont tous disposent pour l'élaboration des fantaisies et des événements imaginaires, il apparaît étrange que nous ne soyons pas plus souvent trompés par des hallucinations et des expériences anormales.

Nous croyons que les états mentaux tel que le *déjà vu* et les hallucinations sont produits par des confusions des mécanismes de supervision conscients à propos de la source de l'information en train d'être traitée. Comme nous l'avons déjà vu dans les chapitres précédents, le processus servant à la perception fidèle des éléments de l'environnement requiert la combinaison d'un traitement dirigé-par-données, et d'un traitement dirigé-par-concepts, c'est-à-dire la nécessité de réunir l'information provenant d'expériences passées avec l'information arrivant par les systèmes sensoriels. Supposez que le superviseur responsable de l'interprétation du traitement présentement en cours confonde l'information nouvellement arrivée avec l'information fournie par le système mnémonique sur les expériences passées. Ceci peut conduire à trois formes d'états anormaux:

déjà vu
Lorsque les perceptions basées en fait sur l'information provenant d'entrées sensorielles sont interprétées comme venant de la mémoire, l'expérience actuelle semble avoir été vécue précédemment.

jamais vu
Lorsqu'on ne réalise pas que l'expérience en cours correspond à une expérience déjà en mémoire, parce que l'information est prise par erreur pour un résultat de la perception ou parce que le système mnémonique ne réussit pas un appariement: l'expérience présente semble nouvelle même si, en réalité, elle devrait engendrer l'activation d'une unité de mémoire.

hallucination
Lorsque les perceptions basées effectivement sur l'information mnémonique sont interprétées comme provenant de l'information fournie par les systèmes sensoriels, l'expérience actuelle correspond à une hallucination.

LE SOMMEIL

Le sommeil semble se caractériser par une diminution du traitement d'information accompli normalement par un individu , plus spécifiquement par une réduction du traitement des entrées sensorielles. De plus, il se produit une relâche générale dans le système de contrôle moteur, et habituellement, (excepté pour le «somnambule») aucun mouvement moteur complexe ne s'accomplit durant le sommeil.

Toutefois, une réduction de traitement perceptuel ne signifie pas un arrêt. Certains événements sensoriels sont traités. Appelez un dormeur par son nom et il s'éveillera probablement. Les événements sensoriels s'incorporent souvent dans le rêve en cours. Mais il n'existe toutefois aucune preuve que l'apprentissage puisse se produire durant le sommeil: les niveaux de traitement plus profonds des entrées sensorielles ne semblent pas être atteints.

Qu'est-ce que rêver? Les rêves ne résultent pas du sommeil. Les rêves peuvent se produire en état d'éveil; ce phénomène se nomme alors *rêve éveillé*. Les rêves éveillés sont rarement aussi élaborés que les rêves nocturnes, mais peut-être cela vient-il de ce qu'ils profitent rarement de la possibilité de se développer dans un environnement calme et dépourvu de stimuli sensoriels. Les rêves semblent se produire durant les phases de sommeil léger plutôt que durant les phases de sommeil profond. Quelle est la fonction des rêves? D'où émanent-ils? Les rêves sont-ils nécessaires? Ces questions et plusieurs autres du genre demeurent sans réponse, et dans l'état actuel de nos connaissances et de nos techniques, elles restent insolubles.

L'ensemble des manifestations électriques (électrophysiologiques) d'une grande partie de l'aire corticale du cerveau des mammifères change distinctement lorsqu'un animal passe de l'état d'éveil à un état de relaxation, et finalement, à un état de sommeil. À l'état d'éveil, la réaction électrique du cerveau, telle que mesurée sur la surface externe du crâne, présente un tracé rapide et irrégulier. L'irrégularité du tracé provient probablement de ce que différentes cellules corticales dans différentes régions du cerveau fonctionnent indépendamment les unes des autres. Mais lorsque l'organisme se détend, des oscillations régulières d'une fréquence de 8 à 12 Hz apparaissent dans l'enregistrement de l'énergie électrique du cerveau. Ce tracé suggère qu'un fort pourcentage des cellules corticales agissent ensemble, de façon synchrone. Ces modes de décharges répétitives se nomment les *ondes alpha* et le terme *blocage alpha* décrit le passage de l'activité régulière et cyclique de l'état de détente à la réaction cérébrale irrégulière et désynchronisée d'un organisme actif ou en état d'alerte. Lorsque l'organisme s'endort, les réponses cérébrales passent par plusieurs états distincts associés avec les différents niveaux de sommeil, du sommeil très léger (assoupissement) au sommeil profond (voir la figure 15-4).

Figure 15-4   *Kleitman (1963).*

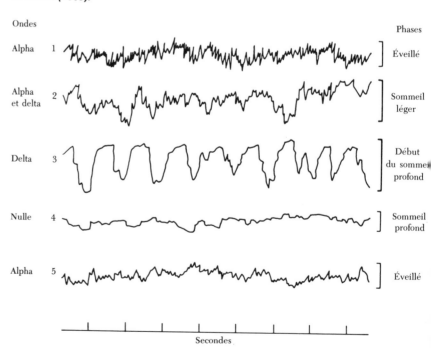

Ondes		Phases
Alpha	1	Éveillé
Alpha et delta	2	Sommeil léger
Delta	3	Début du sommeil profond
Nulle	4	Sommeil profond
Alpha	5	Éveillé

Secondes

Les premières théories sur le sommeil tendaient à le considérer comme une réponse à un manque de stimulations. C'est-à-dire que, comme il y avait un système d'activation pour garder l'animal en alerte et éveillé, en l'absence de cette activation, le sommeil se produisait. Ainsi, le degré d'éveil dépendait de cette activation: le sommeil était le fait d'une activation faible. Cette théorie est fausse. En effet, le sommeil est sous le contrôle de centres spécifiques (centres de sommeil) situés dans le cerveau. Les animaux tendent à maintenir un cycle sommeil-éveil de 24 h, même en l'absence de toute information sensorielle.

Les premiers chercheurs dans ce domaine trouvaient utile de distinguer les quatre phases du sommeil indiquées à la figure 15-4. Dement et Miller (1974) font maintenant une distinction entre les *phases* et les *états* du sommeil: le premier état correspond à la phase 2 de la figure 15-4 et l'autre état à l'ensemble des phases 3, 4 et 5. Le premier état se caractérise par des *mouvements oculaires rapides*. C'est pourquoi il se nomme l'état R E M (rapid eye movements). Dans l'autre état aucun mouvement rapide des yeux ne se produit, aussi se nomme-t-il N R E M (non REMs). On croit que les rêves se manifestent au moment où quelqu'un se trouve dans l'état REM. Personne ne sait exactement à quoi correspondent les activités mentales de l'état NREM. Les gens rapportent avoir eu des rêves environ 20% des fois où on les éveille lorsqu'ils sont dans ce dernier état. Même quand ils ne peuvent témoigner d'un rêve, ils affirment souvent qu'ils «pensaient» à quelque chose.

La plupart des rêves se produisent dans l'état REM, qui correspond à la phase du sommeil le plus léger. Les trois caractéristiques les plus importantes du sommeil REM sont:

1. Une déficience du contrôle moteur; les muscles totalement détendus, aucun mouvement volontaire n'est possible, même les réflexes normaux des tendons ne se produisent plus.
2. Le cerveau semble conscient, éveillé, et sous plusieurs aspects, l'activité mentale ne peut se distinguer de celle qui se déroule à l'état d'éveil.
3. Il se produit des sursauts d'activité, des pointes d'activité de très courte durée. La plus connue de ces activités est le mouvement oculaire rapide. On observe aussi, des contractions musculaires, des changements soudains dans la dimension de la pupille, des fluctuations de la tumescence du pénis, de brèves contractions des muscles de l'oreille moyenne (très similaires au mouvement rapide des yeux), de brèves irrégularités dans le rythme cardiaque et une assez forte quantité d'activité électrique (voir Dement et Miller, 1974. p. 285).

L'état REM peut donc se caractériser par la présence d'activité mentale, l'absence d'activité motrice et par une diminution du traitement de l'information sensorielle.

Analyse de la pensée humaine

L'image que nous venons de donner du traitement de l'information est incomplète. Nous n'avons produit qu'un brouillon, et non un travail final. Les propos que nous venons de tenir appellent certaines précautions.

Dans ce chapitre, nous avons mentionné un certain nombre de phénomènes du comportement mental humain: la pensée consciente et subconsciente, l'activation de la mémoire, le compromis entre mémoire et traitement, les différences entre les hémisphères gauche et droit du cerveau, la méditation, les états altérés de conscience et le sommeil. Nous avons touché également à l'analyse des systèmes de traitement d'information qui contiennent des souvenirs, des structures de traitement et des structures de supervision. Il est probable que les principes des structures de traitement peuvent expliquer les phénomènes de la pensée humaine. Mais ce pas reste à franchir: nous n'avons fait que placer les idées côte à côte. En tant que psychologues, nous ne sommes pas encore prêts à décrire les mécanismes de la pensée.

Même si les structures de traitement décrites dans ce chapitre paraissent sous certains angles, très simplifiées, elles fournissent néanmoins plusieurs concepts très pertinents à notre compréhension des processus mentaux. Il faut considérer les diverses fonctions des mécanismes de la pensée humaine, des instructions et des programmes, des systèmes de traitement et de mémoire. Il est utile de tenir compte de plusieurs organisations possibles du système. Finalement, il importe de considérer le rôle possible d'une structure de supervision du traitement pour aider à l'évaluation, la planification et l'orientation des autres processus. Notez que les raisons qui nous ont poussés à considérer ces aspects du traitement ne reposent pas sur la *façon* dont le système cognitif humain est réellement construit. Par exemple, nous savons que le cerveau comporte des circuits nerveux (chapitres 6 et 11) se transmettant mutuellement des signaux et diffusant leur activation par des voies nerveuses. Ces circuits nerveux sont les structures qui interréagissent entre elles et qui envoient de l'information nouvelle en mémoire. Les processeurs, les mémoires et les structures d'entrée-sortie de la pensée sont constitués de neurones, mais ce fait ne modifie et ne diminue en rien l'utilité de notre analyse.

Voici les points importants. Premièrement, les concepts découlant de l'idée de l'existence d'un *programme* sont très féconds. Un programme constitue une séquence d'opérations qui guident l'action des mécanismes du traitement de l'information. Les programmes sont souples; ils peuvent se modifier. Des circuits électriques reliés les uns aux autres ne possèdent pas cette flexibilité. Les interconnexions nerveuses dont nous avons parlé au chapitre 6, peuvent accomplir des opérations compliquées, mais toujours de la même façon fixe et standardisée. Les récepteurs spécialisés du système sensoriel ne sont pas assez souples pour répondre à tous les besoins de l'organisme humain. En plus de circuits fixes, nous avons besoin de programmes modifiables. Un programme peut être: modifié, analysé et exécuté.

Ces propriétés sont importantes: la flexibilité des programmes en tant que dispositifs de contrôle augmente la puissance du système de traitement d'information et distingue les programmes des circuits fixes et non modifiables.

Les systèmes de traitement peuvent prendre plusieurs formes. Dans ce chapitre, nous avons montré de quelle façon plusieurs processeurs différents pouvaient travailler simultanément et indépendamment les uns des autres. Mais une trop grande indépendance peut entraîner des conflits, nécessitant un certain mécanisme de contrôle et de supervision. La tentation est forte de spéculer sur la nature des systèmes de supervision, en particulier sur leurs implications dans le rôle de la conscience de soi chez l'homme, et nous n'avons pas complètement résisté à cette impulsion. Mais la spéculation ne doit pas être considérée comme un fait scientifique; elle vise surtout à susciter la réflexion.

Revue des termes et notions

Voici, pour le présent chapitre, les termes et les notions que nous considérons importants. Passez-les en revue; si vous êtes incapable d'en donner une courte explication, vous devriez revoir les sections appropriées du chapitre.

Pourquoi s'avère-t-il difficile d'obtenir des preuves scientifiques relatives à la pensée humaine

Les modes conscients et subconscients de la pensée
  activation

Systèmes de traitement de l'information
  mémoire
  unité de traitement
  entrée-sortie (ES)
  programme
  compromis entre mémoire et traitement

Temps-partagé
  traitement limité par les processus d'entrée-sortie
  identification de l'endroit où un programme a été interrompu

Les processeurs multiples
  partager la charge
  conflits possibles
  le processus de supervision
  le contrôle dirigé-par-concepts
  le contrôle par programme
  le contrôle dirigé-par-données

Spécialisation hémisphérique
  spécialisation pour le langage
  le corps calleux

Le superviseur
  méditation
    le rôle du superviseur
    mantra
  les difficultés de la supervision
    exercice de la dextérité motrice
    le compromis entre mémoire et traitement
  la valeur de la supervision

Les états de conscience
  états anormaux
  états normaux
    le sommeil

TERMES ET NOTIONS À CONNAÎTRE

Lectures suggérées

La majeure partie des travaux psychologiques sur la pensée se centrent actuellement sur la résolution de problèmes, discutée dans les chapitres précédents; aussi, commencez par les références qu'on y donne. Les livres de Miller, Galanter et Pribram (1960) et de Bruner, Goodnow et Austin (1956) constituent sans doute des classiques dans ce domaine; et ils sont de bons points de départ. Malheureusement, les idées stimulantes qu'ils contiennent n'ont pas tellement fait de progrès depuis la publication de ces ouvrages. Vous devriez examiner l'*Annual Review of Psychology* (Neimark et Santa, 1975) si vous voulez savoir ce qui en est, mais ne vous attendez pas à y trouver de l'information passionnante. Le livre de Falmagne (1975) sur le raisonnement est sans doute le meilleur point de départ pour l'étude des travaux expérimentaux récents.

Contrairement à ce qui se produit dans le cas du processus normal de la pensée, les études sur les états altérés abondent; pour des raisons inconnues, l'inhabituel se trouve mieux étudié que le normal. Le livre de Graham Reed (1972), *The psychology of anomalous experience* constitue une excellente introduction à tout ce domaine et comprend des explications plausibles sur plusieurs de ces phénomènes. Nous recommandons fortement ce volume. Siegel et West (1975) présentent un ouvrage très coloré sur l'hallucination (coloré au sens littéral, puisqu'il contient plusieurs dessins faits par des artistes sous l'influence des drogues). Ce livre vous introduit convenablement au domaine avant que vous ne vous lanciez dans l'étude des travaux scientifiques; mais même s'il demeure fascinant, ne vous attendez pas à y trouver des réponses ou des explications. L'ouvrage très connu de Adam Smith (1975) *Powers of mind* présente une bonne introduction à tout ce qui concerne la méditation et les autres états de conscience.

Le livre d'Ornstein (1972) et ses lectures choisies (Ornstein, 1973) sur la nature de la conscience, lesquels insistent sur les états altérés du comportement, constituent d'excellentes introductions scientifiques. Pour l'origine des théories scientifiques concernant la nature de la conscience, consultez Mandler (1975 a; mais voyez aussi son livre 1975 b).

Hilgard et Bower (1975) font un relevé des études sur l'hypnose. Les travaux sur le sommeil sont rapportés dans le livre de Petre-Quadens et Schlag (1974). Dans ce dernier cas, nous vous recommandons de débuter par le chapitre 12 (par Dement et Miller), de lire ensuite le chapitre 15 (par Dement et Villablanca) et ensuite les chapitres 1 et 2. Les études portant sur les deux hémisphères humains et leurs implications dans le processus de la pensée sont traitées dans les lectures suggérées au chapitre 11. Toutefois, les articles de Gazzaniga et Hillyard (1973) et de Kinsbourne (1973) sont très proches des propos de ce chapitre sur les structures de contrôle: ils apportent des preuves intéressantes sur la division des tâches entre les hémisphères.

Sur les systèmes de traitement de l'information, il est difficile de trouver des livres utiles à la compréhension de ce chapitre. Ceux de Raphael (1976) et Hunt (1975) sont d'excellents relevés des travaux sur l'intelligence artificielle, plus particulièrement sur la résolution de problème , mais ils présentent très peu d'études sur les mécanismes des ordinateurs. Le livre de Arbib (1972) sur l'intelligence artificielle et la théorie cérébrale se veut une approche intéressante de l'analyse du cerveau.

Les structures de traitement décrites dans ce chapitre (surtout celles de la figure 15-1 et 15-3) sont réellement fort simples d'après les standards modernes. Même si elles contiennent les éléments de base, des structures plus raffinées sont possibles. Plus précisément, il se fait un travail important sur d'autres types de mécanismes de traitement susceptibles d'éclairer davantage les processus de la pensée humaine. Par exemple, nous croyons que les études sur les *systèmes de production* conduiront à plusieurs idées nouvelles relatives aux mécanismes de la pensée (voir Newell, 1973). De plus, les systèmes basés sur les unités actives de mémoire semblent constituer un ensemble prometteur pour l'avenir. Voyez les articles sur les schémas mnémoniques de Norman et Bobrow (1975, 1976), Bobrow et Norman (1975) et le système ACTOR de Hewitt, Bishop et Steiger (1973: malheureusement, cet article n'est pas facile à trouver). Bobrow et Winograd (1977) parlent d'un nouveau langage important pour les ordinateurs et se rapportant à l'étude des systèmes de traitement.

16. Les interactions sociales

Préambule

Prototypes et schèmes
STÉRÉOTYPES SOCIAUX
SAIN D'ESPRIT DANS UN HÔPITAL PSYCHIATRIQUE

Théorie de l'attribution
L'ATTRIBUTION D'UN MOTIF AU COMPORTEMENT
D'AUTRUI
L'ATTRIBUTION DE MOTIFS À NOTRE PROPRE COMPORTEMENT
DES SAUTERELLES ET D'AUTRES CHOSES

La formation d'impressions
L'INTÉGRATION D'INFORMATIONS
LES EFFETS DE L'ORDRE DE PRÉSENTATION

Structures d'interactions sociales
STRUCTURES D'INTERACTIONS STÉRÉOTYPÉES
L'ANALYSE TRANSACTIONNELLE
LES SCRIPTS

Les processus d'influence sociale
LE COMPORTEMENT DU SPECTATEUR
LANCER DES «FRISBEES»
LA PIÈCE REMPLIE DE FUMÉE
LA DAME EN DÉTRESSE
PAS DE TEMPS POUR AIDER
L'APATHIE DES SPECTATEURS
LE CONFORMISME
LA SOUMISSION

Les décisions en situation d'interaction
LE MARCHANDAGE
LE PROCÉDÉ DE MARCHANDAGE
LE PROCÉDÉ DE NÉGOCIATION
LE NIVEAU D'ASPIRATION
LA STRATÉGIE LOYALE
LA STRATÉGIE IMPITOYABLE

Résumé

Revue des termes et notions
TERMES ET NOTIONS À CONNAÎTRE

Lectures suggérées

Préambule

L'interprétation du monde social est un peu plus complexe que celle du monde physique, même si les relations interpersonnelles et les relations avec le monde physique sont régies par les mêmes principes de traitement de l'information. Ainsi, malgré la similitude des principes, l'étude des interactions sociales nous dévoilera de nouveaux problèmes intéressants. Les relations interpersonnelles sont complexes et variées. Les comportements d'un individu sont, pour la plupart, fonction des comportements réels ou imaginés des autres individus.

Dans ce chapitre, nous examinerons un certain nombre de phénomènes impliquant des relations interpersonnelles. Comme vous l'aurez sans doute deviné, notre analyse portera principalement sur le rôle de modèles internes du monde. Chacun de nous, dans ses tentatives pour comprendre les comportements des gens (autant les nôtres que ceux des autres), construit des modèles des individus et des situations, puis évalue les causes possibles des comportements. Un aspect particulièrement important à considérer est la manière dont nous attribuons la cause d'un événement tant à la situation qu'à la personnalité des protagonistes impliqués. On invente des raisons, quelques fois inappropriées, pour expliquer le comportement des autres. De plus, on justifie et rationalise ses propres actions. La *théorie de l'attribution* étudie comment on perçoit les causes de ses propres actions ainsi que celles des autres. Cette théorie joue un rôle important dans les phénomènes abordés dans ce chapitre.

L'une des façons de classifier les interactions sociales est de voir en quoi elles forment ou suivent des modèles bien définis. Nous parlerons de modèles de comportement — de schèmes, prototypes, stéréotypes, scripts et jeux. Nous examinerons le rôle de ces modèles généralisés sur le comportement.

Nous terminerons le chapitre par l'étude d'une situation de négociation sociale dans laquelle l'adoption d'un règlement nécessite la coopération de chacun des participants. Toutefois, les rôles que les protagonistes choisissent de jouer peuvent décider du résultat. Ainsi, en général, plus les aspirations d'un participant sont élevées, meilleurs seront les avantages qu'il retirera de la négociation.

En lisant ce chapitre, il importe d'essayer de comprendre comment les principes formulés dans les chapitres précédents s'appliquent aux interactions sociales. Le thème principal du chapitre est la façon dont les gens se forment des modèles du monde et les utilisent ensuite pour comprendre et prédire les événements. Ce processus est en tout point similaire à celui élaboré dans les chapitres sur la reconnaissance de formes et sur la perception. Les schèmes mnémoniques jouent un rôle important dans nos interprétations. De plus, le fait que chacun construise ses propres modèles du monde et des événements dans une situation donnée ajoute de la complexité, mais nous aide aussi à comprendre et à expliquer l'immense variété des relations interpersonnelles. Il est à noter que, bien que les phénomènes présentés dans ce chapitre en donnent de bonnes idées, nous ne spécifierons pas dans les moindres détails la forme des modèles internes utilisés dans les interactions sociales. Nous ne sommes tout simplement pas prêts à élaborer des modèles détaillés. Nous nous réservons cette tâche pour l'avenir.

Prototypes et schèmes

> Woodward sait que Bernstein donne parfois au *Post* des articles sur la musique rock. Pas étonnant. Mais lorsqu'on lui a dit que Bernstein écrivait aussi des critiques de musique classique, il a eu du mal à évaluer la chose. Bernstein ressemble à ces journalistes de la contre-culture que Woodward méprise. (Bernstein et Woodward, 1974, dans *Les fous du président*, p. 15.)

Un des aspects les plus importants de l'esprit humain est son habileté et sa tendance à construire des modèles du monde, à prédire les événements et à se former des attentes à partir de ses propres expériences. Cette capacité est d'une importance primordiale dans la perception, où les attentes et le contexte jouent un rôle très important (comme nous l'avons vu aux chapitres 1 et 7). Le traitement dirigé-par-concepts — traitement qui se fait en fonction des niveaux supérieurs de notre connaissance du monde — joue un rôle fondamental dans l'utilisation de nos systèmes perceptifs et mnémoniques.

Les mêmes capacités, qui fonctionnent si bien pour la perception et la mémoire, valent aussi pour les interactions sociales. Des schèmes mnémoniques s'appliquent aux personnes avec lesquelles nous interagissons ainsi qu'aux situations sociales auxquelles nous participons. Ces schèmes nous fournissent des *stéréotypes* sociaux, c'est-à-dire des connaissances des personnes et des situations typiques que nous nous attendons de rencontrer. En réalité, les personnes et les événements ne se moulent pas facilement dans des stéréotypes. La notion voulant que les individus puissent être classifiés dans une catégorie toute simple qui caractérise immédiatement leur comportement dans diverses situations est tout bonnement fausse. Examinons le stéréotype commun de ceux qu'on appelle des «pauvres diables»: personnages maigres, l'air misérable, cheminant tant bien que mal à travers la vie, s'agrippant à chaque sou, se refusant à eux-mêmes et aux autres le moindre petit plaisir, faisant constamment et désespérément l'inventaire de leurs misérables possessions (peut-être aussi traînant toujours un parapluie, et tenant à la main un vieux livre de poche tout jauni). L'image que nous venons tout juste de brosser est sans doute exagérée, bien que chacun de nous soit vraisemblablement capable d'imaginer une personne qui corresponde passablement bien aux principales caractéristiques de cette description.

On n'a pas réussi, malgré des années de recherche sur les traits des individus, à mettre en évidence des invariants que présupposent les prototypes simples. Les personnes aimables, tendres, douces et affectueuses ne le sont pas autant que leur stéréotype le laisserait croire. Les pauvres diables sont parfois généreux. Les personnes calmes et froides perdent parfois la tête. Mais, malgré le fait que dans la réalité, les individus ne correspondent pas exactement aux catégories stéréotypées que nous leur assignons, ces stéréotypes semblent être une propriété générale des croyances que nous adoptons quant au comportement des autres. Nos modèles du monde, de même que ceux des autres personnes, semblent régir nos attentes et nos perceptions, même si ces classifications vont trop loin dans la simplification et même si, dans de nombreux cas, elles débouchent sur des attentes et des prédictions qui s'avèrent fausses.

Les stéréotypes et les prototypes sont des outils à la fois puissants et dangereux. Leurs principales qualités résident dans l'efficacité et la puissance de traitement, de déduction et de stockage mnémonique. Par exemple, on peut utiliser des prototypes pour court-circuiter le processus d'apprentissage. Un prototype de chirurgien peut nous en apprendre beaucoup sur les caractéristiques probables d'un chirurgien particulier. Ainsi, lorsqu'on entend parler pour la première fois de quelqu'un qui est chirurgien, on peut supposer qu'il (ou elle) est une personne d'une très grande dextérité, qui manipule probablement scalpels, bistouris, fil et aiguille avec énormément de facilité et qui peut également, sans doute, découper une dinde ou un rôti avec art. Bien entendu, il nous arrivera de rencontrer un cas qui ne possède pas toutes ces caractéristiques, comme cela se produit lorsque nous entendons parler d'un chirurgien qui ne peut supporter la vue du sang ou d'un autre qui est très émotif et très agité. Il nous sera parfois nécessaire de modifier le nombre de valeurs possibles que peuvent prendre les caractéristiques de notre prototype. La structure des schèmes mnémoniques internes est toutefois suffisamment souple pour permettre une réorganisation du prototype en mémoire en vue de l'intégration de cette nouvelle information.

Un autre avantage des prototypes, relatif au traitement de l'information, est qu'ils permettent de réagir rapidement et avec efficacité aux événements externes. Si nous avions à examiner toutes les caractéristiques détaillées d'un objet chaque fois que nous interagissons avec le monde externe, ou encore à redécouvrir son comportement probable, nous pourrions ne pas avoir suffisamment de temps ou de capacité de traitement disponible pour autre chose. Les prototypes nous procurent un résumé très utile de l'information que nous nous attendons normalement à trouver dans nos interactions avec le monde extérieur.

Si l'on considère maintenant les prototypes de chaînes d'événements (que plus tard nous appellerons *scripts*), un certain nombre d'avantages particuliers deviennent apparents. La séquence typique d'événements d'une activité générale, comme aller au cinéma, peut devenir très utile pour la planification à l'avance de cette activité, ou encore pour l'orientation de la conduite et l'anticipation des problèmes. Le prototype devient donc une structure de base pour encoder et mémoriser l'activité: tout ce que l'on a alors besoin de retenir, ce sont les aspects spécifiques qui s'écartent des attentes incorporées dans le prototype.

STÉRÉOTYPES SOCIAUX

Les prototypes des groupes et des personnes possèdent quelques-unes des qualités des prototypes d'objets ou de situations. Des prototypes de différents genres de personnes peuvent s'avérer utiles pour faire face à diverses situations sociales. Le stéréotype du professeur, par exemple, peut inclure le genre de vêtements qu'ils portent, leurs principaux intérêts, leurs points de vue probables sur certaines questions, ainsi que les façons appropriées de leur adresser la parole ou de leur répondre. Ceci peut nous servir énormément pour interagir avec des professeurs dans des contextes sociaux. Toutefois, l'utilisation de prototypes dans les relations interpersonnelles peut poser cer taines difficultés. Premièrement, le stéréotype peut entraîner de fausses déductions sur les caractéristiques d'une personne, tout comme le montre la citation tirée du livre de Bernstein et Woodward au début du chapitre. Ces fausses déductions, à leur tour, peuvent modeler complètement la nature de l'interaction avec les personnes impliquées, y compris le refus d'avoir quoi que ce soit à voir avec elles.

Déterminer les causes du comportement d'autrui est une entreprise très incertaine. Tout comportement particulier, pris isolément, peut être inter- prété de multiples façons et, en plus, le désir de se montrer constant dans ses jugements peut conduire à tenter d'assimiler à un stéréotype préexistant des caractéristiques ou des comportements qui, de fait, ne concordent pas. Par exemple, si l'on rencontre sur son chemin une espèce d'animal sans poil, à trois pattes et que l'ensemble des gens s'accordent pour dire qu'il s'agit d'un chien, on se trouve alors devant des faits qui nous forcent à procéder à certains ajustements par rapport à tout stéréotype préalable de chien. Mais on ne trouve généralement pas cette sorte d'évidence pour réajuster ses stéréotypes de personnes ou de groupes sociaux.

La plupart des stéréotypes sociaux de groupes et, en particulier, ceux se rap- portant aux nationalités ou aux groupes raciaux, ne procèdent que très rare- ment d'une connaissance directe et personnelle. Ils proviennent des média ou du milieu social et offrent peu d'occasions de vérification et de réajustement par contact direct et personnel. Par exemple, essayez de déterminer com- ment vous réagiriez si vous découvriez qu'un de vos amis demeure avec Iggy, Iggy étant un chanteur «pop» très connu. Comme vous n'avez jamais rencon- tré Iggy, votre première réaction ou tentation sera de caractériser Iggy selon le prototype ethnique général: cheveux longs, vêtements excentriques, bijoux et personnalité arrogante. En outre, vous serez tenté de porter des jugements sur votre ami en fonction de sa relation avec Iggy.

Un problème inhérent aux stéréotypes de personnes est qu'une fois établis, ils sont difficilement vérifiables ou corrigibles. Il est possible que Iggy porte une perruque et soit une personne calme et réfléchie. Il est relativement facile de constater que certains chiens n'ont que trois pattes au lieu de quatre: l'évidence saute aux yeux lorsqu'on se trouve en présence d'un tel cas. Il n'est cependant pas aussi facile de déterminer si un ensemble particulier de traits de personnalité est approprié ou non. Puisque nos attentes orientent aussi facilement nos perceptions et interprétations et puisque les motivations implicites du comportement sont généralement ambiguës, les stéréotypes déjà adoptés par rapport à une personne peuvent nous mener automatique- ment à percevoir et à confirmer ces traits même s'ils n'existent pas véritable- ment.

Si le jugement se rapportant à l'individu ou au groupe est positif, ce genre de problème n'est probablement pas très sérieux. Par contre, il n'en est pas de même si le prototype en question a un caractère négatif, comme c'est le cas dans les préjugés ou le racisme.

La tendance à juger le comportement des gens en fonction de prototypes peut dangereusement fausser l'interprétation d'une situation. Une expérience de Rosenhan (1973) nous offre un exemple fascinant de méprise sur le comportement d'un individu. Dans cette étude, les expérimentateurs se sont fait interner dans divers hôpitaux psychiatriques. Une fois dans les lieux, ils se comportèrent comme ils le faisaient habituellement. La question que Rosenhan se posait était de savoir combien de temps il faudrait au personnel de l'hôpital pour se rendre compte qu'il n'y avait rien de pathologique dans leur comportement et donc, pour leur donner leur congé (le personnel de l'hôpital n'était évidemment pas informé du fait qu'une expérience avait lieu ou que ces patients avaient inventé leurs symptômes pour être admis).

Le problème est qu'on prend pour acquis que les gens internés dans un hôpital psychiatrique ont des troubles mentaux. Or, souvent, les personnes qui souffrent de troubles mentaux agissent normalement. Il est nécessaire d'étudier l'ensemble de leurs comportements pour bien les classifier. De plus, ces expérimentateurs-patients avaient reçu à l'admission un diagnostic très général et très vague (schizophrénie — une étiquette que l'on applique à une très grande variété de troubles mentaux), de sorte que ces patients ont éprouvé d'énormes difficultés à convaincre le personnel de l'hôpital qu'ils étaient réellement des gens normaux. Quelques-uns d'entre eux ont échoué complètement; il leur a été extrêmement difficile de persuader les autorités de l'hôpital de vérifier leurs dires et de se rendre compte qu'ils faisaient bel et bien partie d'une équipe de recherche (et par conséquent de leur donner congé).

Cette évaluation de la normalité des patients est vraiment difficile pour le personnel de l'hôpital. Imaginez un instant que vous êtes responsable d'un groupe relativement nombreux de patients, parmi lesquels certains ne montrent souvent aucun signe d'anormalité. Une personne se promène en se parlant à elle-même, une autre répète maintes et maintes fois le même geste superflu, évidemment persuadée qu'elle ne l'a jamais fait auparavant. D'autres patients jouent aux cartes, ou lisent, ou regardent la télévision. D'autres encore vous disent sans cesse qu'ils sont vraiment normaux (bien qu'ils soient très habiles à diagnostiquer les problèmes des autres). Et enfin, un autre prétend qu'il est absolument normal, qu'il fait partie d'une expérience de psychologie et il note dans son calepin tout ce qui se produit. Comment dire lesquels de ces patients sont normaux? Après tout, s'ils étaient véritablement normaux, comment auraient-ils été admis?

Dans cette expérience, les stéréotypes du contexte de l'hôpital et du comportement des patients l'ont emporté sur les efforts des faux malades pour se faire libérer. Il est intéressant de noter que bien qu'il leur ait été parfois difficile de convaincre le personnel, les faux patients ont découvert qu'il était relativement facile de convaincre les autres patients de leur état. Même quand ils parvinrent enfin à se faire libérer (après un séjour moyen d'environ trois semaines), les expérimentateurs ont dû se contenter du diagnostic de «schizophrénie avec rémission de symptômes». En d'autres mots, le personnel médi-

**SAIN D'ESPRIT
DANS UN HÔPITAL
PSYCHIATRIQUE**

cal ne les ont pas classés comme normaux, mais comme des personnes ayant des troubles mentaux dont les symptômes avaient temporairement disparu.

Au moment de leur admission, ces patients avaient décrit leurs troubles comme étant ceux «d'entendre des voix». Ce genre d'imagerie auditive est un signe caractéristique de certaines formes de schizophrénie. Ils s'en tinrent toutefois à la vérité pour tout le reste de leur histoire personnelle. Une fois admis, ils ne prétendirent plus entendre de voix, et se comportèrent normalement. Néanmoins, le personnel de l'hôpital a persisté à attribuer leur comportement aux stéréotypes conventionnels de comportement pathologique. Ainsi, on a laissé les expérimentateurs prendre des notes, mais ce comportement fut parfois identifié comme un signe évident de la persistance de leurs troubles mentaux.

Même si plusieurs considèrent l'étude de Rosenhan comme une remise en question des institutions psychiatriques et de la possibilité de produire des diagnostics précis, nous y voyons plutôt l'illustration de la toute-puissance des prototypes. Dans leurs relations avec le monde, les gens doivent faire usage d'une variété de pièces probantes. Ainsi, on considère comme une preuve suffisante de dérangement mental le fait qu'une personne se présente délibérément chez un clinicien ou un psychiatre et prétende qu'elle entend des voix. Non seulement, on n'ira probablement pas jusqu'à penser que le patient pourrait mentir, mais même si l'on s'apercevait qu'il ment, le mensonge lui-même serait le signe d'un autre problème. Un clinicien n'a pas, bien sûr, à se demander si chaque patient qu'il voit ne serait pas en réalité un sujet dans une expérience de psychologie. De même, une fois un patient admis, il est naturel que les gens qui veillent sur lui ne tiennent pas compte de son comportement apparemment normal, mais soient attentifs au moindre petit geste ou parole qui semble anormal. La plupart des véritables patients se comportent normalement dans la majorité des situations: leurs difficultés sont généralement associées à des catégories de comportements très précises et restreintes. Nous ne sommes donc pas du tout étonnés que le personnel hospitalier ait si facilement accepté la classification des faux patients et qu'il ait été par conséquent très difficile de convaincre quiconque, sauf les autres patients, de leur véritable état.

Théorie de l'attribution

Imaginez que vous observez un certain professeur Tremblay en train de donner son cours. Une étudiante, Suzanne, arrive en retard. Lorsque le professeur s'aperçoit de son arrivée, il interrompt ce qu'il disait et commence à la réprimander pour son retard. Ce faisant, le ton de sa voix s'élève et son visage tourne au rouge, jusqu'à ce qu'il reprenne finalement son cours.

À quoi attribuez-vous le comportement du professeur Tremblay? Plus précisément, sa colère serait-elle attribuable: à sa personnalité, à son attitude ou à la situation? Peut-être s'agit-il d'un cours important, qui avait demandé beaucoup de préparation. Peut-être que Suzanne devait préparer quelque chose pour le cours du professeur Tremblay. Mais il se peut aussi que le professeur soit un tyran et Suzanne, une innocente victime. Comment juge-t-on des motifs du comportement des autres? C'est là l'aspect principal de la *théorie de l'attribution:* étudier la manière dont les gens perçoivent les motifs du comportement.

L'ATTRIBUTION D'UN MOTIF AU COMPORTEMENT D'AUTRUI

Probablement que notre première réaction, en lisant l'histoire du professeur Tremblay et de Suzanne, est de faire une attribution d'attitudes. En d'autres termes, la réponse naturelle serait d'inférer que le comportement du professeur reflète les traits caractéristiques de sa personnalité. Le professeur Tremblay serait apparemment une personne au tempérament relativement colérique et nerveux. Après tout, le retard à un cours ne devrait pas être une raison suffisante de faire tout ce bruit.

La réaction typique est d'attribuer, en premier lieu, le comportement d'une autre personne principalement à des facteurs personnels, tels que des traits marqués de sa personnalité ou encore son échelle de valeurs plutôt que d'y voir une conséquence des aspects spécifiques de la situation. Lorsque nous élaborons nos modèles pour représenter les autres personnes et les situations, nous avons le choix dans l'attribution des motifs du comportement des gens. La façon dont un individu se comporte est fonction et de la situation et des caractéristiques de sa personnalité. Lorsque nous ne sommes en présence que d'une action d'un individu, nous n'avons vraiment aucun moyen d'évaluer les motifs de son comportement. Il y a essentiellement deux causes au comportement: la situation et la personne. On nomme les causes attribuables à la situation: *conditionnelles, externes ou extrinsèques.* Les causes attribuables à l'individu se nomment *traits de personnalité, internes ou intrinsèques.*

Pour attribuer correctement des motifs au comportement du professeur Tremblay, nous avons réellement besoin de plus d'information. Si le comportement du professeur Tremblay résultait de son tempérament, nous devrions être capables d'observer le même comportement dans d'autres situations, comme lorsqu'il est interrompu dans son bureau ou encore lorsqu'un collègue le contredit. Si l'attribution intrinsèque est adéquate, nous nous attendons à trouver une même réponse colérique dans ces autres situations.

Supposons un instant que l'interprétation intrinsèque soit fausse. Il peut après tout y avoir d'autres facteurs dans la situation du cours. Serait-ce uniquement les arrivées tardives qui provoquent la colère du professeur, ou bien toute forme de perturbation dans la classe? La réaction du professeur Tremblay se limite-t-elle aux retardataires? Serait-elle la même pour tous les étudiants en retard, s'adresserait-elle à Suzanne uniquement? Peut-être est-elle spécifique à cette situation particulière?

Les gens attribuent presqu'automatiquement des causes aux comportements. Comme nous l'avons vu au chapitre 13, cette tendance à attribuer des motifs à un événement est une composante essentielle de l'apprentissage de ces événements. L'identification des causes est une composante générale et essentielle du comportement. Mais, attribuer des causes à un événement unique est une entreprise incertaine. Elle est source d'erreurs. Pour poser des jugements plus sûrs, il nous faudrait agir un peu comme des scientifiques: observer les gens dans des situations variées. On ne peut tirer de conclusions que si l'on observe des personnes différentes dans la même situation et les mêmes personnes dans des situations différentes.

Pour faire des attributions adéquates, nous devons jouer aux scientifiques amateurs: mener une série d'observations et nous former des opinions sur les constantes observées. Dans l'exemple précédent, il n'y a aucun moyen de savoir si Suzanne est toujours en retard, si le professeur Tremblay agit de la même façon avec tout le monde ou encore s'il y avait quelque chose de particulier dans la situation qui a provoqué le comportement.

Lorsqu'on voit quelqu'un déposer de l'argent dans la boîte à péage d'un autobus, on attribue le motif du comportement à la situation: vous devez déposer votre monnaie dans la boîte pour payer votre passage. Lorsque durant une représentation théâtrale,on entend quelqu'un parler à voix haute du début à la fin de la pièce, on attribue ce comportement aux traits de personnalité de l'individu: habituellement, on ne doit pas parler à voix haute durant une représentation. Dans ces deux cas, il nous est relativement facile d'attribuer un motif au comportement observé, grâce à notre expérience générale de ces situations. Toutefois, ici encore, on peut se tromper: la personne qui parle dans l'auditoire peut faire partie de la troupe et dans ce cas, son comportement serait attribuable à la situation elle-même.

Dans la plupart des cas, nous faisons des inférences à partir de l'observation de comportements dans des situations variées. Nous pouvons résumer ces observations dans une série de diagrammes. La figure 16-1 *(a)* montre ce qui arrive si nous examinons quatre personnes différentes (**P1-P4**) dans quatre situations différentes (**S1-S4**): au total, 16 combinaisons. Si un type particulier de comportement est observé chez une personne seulement, mais dans toutes les situations, on obtient l'arrangement de résultats représenté par les carrés foncés dans la figure. Ce comportement semble spécifique à l'individu **P2**, et il vaut pour toutes les situations. Nous en concluons qu'il y a quelque chose de particulier chez cet individu: le comportement est *spécifique à la personne.*

Par contre, si un type de comportement se remarque chez tous les individus, mais pour un type de situation seulement (figure 16-1*(b)*) nous en concluerons qu'il y a quelque chose de particulier à cette situation: le comportement est *spécifique à la situation.*

Figure 16-1

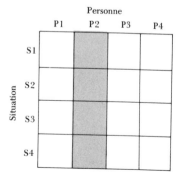

a) Comportement spécifique à la personne

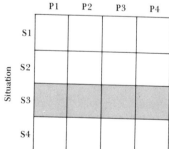

b) Comportement spécifique à la situation

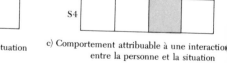

c) Comportement attribuable à une interaction entre la personne et la situation

Finalement, il peut s'avérer qu'un comportement particulier ne se manifeste que chez certaines personnes dans certaines situations, comme on peut le voir dans la figure 16-1(*c*): l'individu **P1** ne le manifeste que dans la situation **S2**, l'individu **P2** que dans **S3**, **P3** dans **S4** et **P4** dans **S1**. On pourrait même trouver que certaines personnes ou certaines situations ne semblent jamais produire ce comportement. Dans ces circonstances, nous dirons que ce comportement particulier résulte d'une interaction spécifique entre les personnes et les situations.

Une situation des plus intéressantes se présente lorsque nous jugeons nos propres actions. De même que nous nous formons des impressions des autres, nous nous formons aussi des impressions de nous-mêmes avec, parfois, moins de précision et de discernement que pour les autres. Comment parvenons-nous à nous comprendre? Nous sommes, sur bien des points, autant observateurs de notre propre comportement que de celui des autres. Nous avons, pourtant, d'autres sources d'information à notre disposition pour guider notre auto-analyse: nous avons participé à toutes nos propres activités et ainsi, nous avons récolté une quantité énorme d'expériences variées pouvant nous guider. Nous participons aussi à nos processus de décision mentale: une source à laquelle nous sommes les seuls à avoir accès. Mais, comme on a pu le voir dans le chapitre sur la pensée, il se peut que les événements mentaux dont nous sommes conscients ne constituent qu'une partie de ce qui se passe. D'ailleurs, cette partie de la théorie peut être erronée.

L'ATTRIBUTION DES MOTIFS À SON PROPRE COMPORTEMENT

Il est intéressant de constater que les gens ont tendance à attribuer leurs bonnes actions à leur propre personnalité vertueuse et leurs mauvais coups à la situation. Par contre, ils attribueront volontiers les mauvaises actions des autres à ces individus eux-mêmes. Nous voyons donc, qu'en partie, nos auto-observations sont superficielles et manquent d'impartialité vis-à-vis de la situation. Ainsi, quand nous nous énervons et nous nous mettons en colère, nous percevons cette colère comme découlant directement de la situation; mais, quand nous observons une autre personne se mettre en colère, dans des circonstances similaires — ou plus important encore, quand une autre personne semble s'irriter à notre endroit — nous pouvons observer si, oui ou non, cette personne se met souvent en colère et souvent attribuer le comportement à la personne plutôt qu'à la situation. Il est bien évident que c'est la situation qui déclenche le comportement, mais déclencher et causer sont deux choses différentes. Lorsque quelqu'un se met en colère après nous, même si nous admettons en être partiellement responsables, nous avons nettement tendance à lui en imputer le blâme.

Il est possible de formuler quelques hypothèses intéressantes sur le rôle de l'auto-observation dans le choix de son propre comportement. Par exemple, on décrit souvent les personnes grasses comme étant joviales, aimables. Il y a au moins trois façons différentes d'interpréter cette proposition:
1. Les personnes grasses sont réellement joviales — les mêmes facteurs qui sont responsables de leur poids contribuent aussi à façonner leur personnalité et à les rendre joyeuses.

2.   Normalement, les personnes grasses ne seraient ni plus ni moins joviales que nous, mais, elles le deviennent à cause de facteurs sociaux qui les orientent vers la gaieté. Nous nous attendons à ce que les personnes grasses soient joviales et ainsi, nous nous comportons comme si elles l'étaient; de leur côté, les personnes grasses croient aussi que les personnes grasses sont joviales. De plus, ces personnes voient les autres se comporter à leur égard comme si elles étaient joviales. Elles finissent donc par croire qu'elles le sont véritablement et cette impression les conduit éventuellement à l'être. Ce qui, en retour, perpétue la chaîne des comportements.

3.   Les personnes grasses ne sont ni plus ni moins joviales que nous, mais c'est nous qui nous attendons à ce qu'elles le soient et ainsi, nous nous comportons comme si elles l'étaient.

Voilà trois explications différentes de notre perception de la plus grande jovialité des personnes grasses. La première explication est imputée à une cause intrinsèque: la jovialité de ces personnes. Selon cette interprétation, les personnes grasses sont réellement plus joviales que les autres et nos perceptions sont, par conséquent, correctes. La seconde explication, cependant, attribue la cause de la jovialité des personnes grasses à des facteurs externes: notre croyance en leur jovialité les fait devenir telles. La troisième explication, à son tour, stipule qu'en réalité tout est dans l'esprit de l'observateur: les personnes grasses ne sont ni plus ni moins joviales, mais si on le croit, c'est de cette façon qu'on les perçoit.

DES SAUTERELLES ET D'AUTRES CHOSES*

Aimez-vous les sauterelles frites? Imaginez qu'un de vos professeurs, une personne polie et estimée, en ait apporté en classe et ait demandé si certains d'entre vous aimeraient y goûter. Combien parmi ces étudiants qui auraient accepté l'offre et mangé des sauterelles frites changeraient favorablement, selon vous, leur opinion sur le goût des dites sauterelles?

Imaginez la même scène, cette fois dans la classe d'un professeur autoritaire, agressif et peu estimé. Ici aussi, le professeur présente des sauterelles frites à ses étudiants, mais l'offre est faite d'une manière différente. Il dépose une sauterelle devant 15 étudiants et dit: «Mangez». Évidemment, aucun étudiant n'est obligé d'en manger s'il ne le veut pas, mais de ceux qui en mangeraient, combien, selon vous, changeraient favorablement leur opinion sur le goût des sauterelles?

La plupart des gens préfèrent se faire demander quelque chose d'une façon douce et aimable et effectivement, cette méthode réussira mieux à persuader les gens de manger des sauterelles que la méthode du professeur autoritaire et antipathique. Mais qu'en est-il des opinions de ceux qui ont mangé des sauterelles? Pourquoi en ont-ils mangé?

Les étudiants du professeur aimable aiment bien ce dernier. S'il leur demande de faire quelque chose de désagréable, ils se diront: «Après tout,

---

* Se rapporter à Zimbardo et Ebbesen (1969) pour un exposé complet des expériences d'où a été tiré cet exemple.

ce professeur est réellement gentil et cela lui fera sans doute plaisir, mangeons-en, pourquoi pas?» Mais, tout de même, l'idée ne leur plaît guère.

Les étudiants du professeur désagréable ont, d'autre part, des idées très différentes sur la question. Pourquoi faire quelque chose de particulier pour lui? Pourquoi s'inquiéter des sentiments du professeur; s'inquiète-t-il, lui, de ce qu'ils ressentent? Mais alors, pourquoi manger les sauterelles? Après tout, elles ne sont peut-être pas si mauvaises!

Si quelqu'un fait quelque chose de désagréable sans raison apparente, c'est probablement que cette action n'est pas si mauvaise après tout! D'où la prédiction non-intuitive qu'accomplir «volontairement» une action pour une personne désagréable influencera notre opinion de façon plus positive que le fait d'accomplir cette même action pour une personne agréable qui désire également changer notre opinion de la même façon.

En général, les gens attribuent les motifs de leurs actions aux situations elles-mêmes ou à leurs propres caractéristiques individuelles. En d'autres termes, ils utilisent les circonstances précises comme moyen d'évaluer les motifs de leurs actions.

Supposons que vous vouliez convaincre quelqu'un de faire campagne pour une cause politique comme, la «Protection des Oursins». Peu de gens connaissent ou s'intéressent aux oursins. Donc, comment recruter des gens, si vous avez besoin de convertis zélés pour prêcher votre point de vue? Supposons aussi qu'il n'y a pas de problèmes d'argent (l'industrie japonaise des oursins finance votre campagne). Une façon de trouver des gens pour diffuser votre message est de les payer. Le problème, c'est que si vous les payez trop, ils n'auront aucune raison de croire en ce qu'ils font. L'argent qu'ils recevront sera suffisant pour justifier leur comportement. Aussi inattendu que cela puisse paraître, vous devez les payer le moins possible et les faire travailler ardemment. Plus la tâche sera ardue et désagréable, plus ils sont susceptibles de croire que ce qu'ils font est droit et juste: après tout, si la tâche est aussi pénible et le salaire si médiocre, pourquoi le feraient-ils sinon parce qu'il s'agit d'une cause juste et noble?

Qu'il s'agisse de l'ingestion de sauterelles frites, de campagnes politiques, de féliciter un enfant pour ses bonnes actions, la leçon est la même: les gens attribueront leur comportement à leurs qualités intrinsèques si vous leur en donnez l'occasion. Toutefois, si vous les surpayez ou les louangez trop, ou encore, s'ils sont portés à croire que par leur comportement ils nous font une faveur personnelle, il s'ensuivra qu'ils croiront que leurs actions sont motivées par la situation dans laquelle ils se trouvent.

Il arrive parfois que les gens manipulent la situation pour justifier leur comportement. Si vous voulez qu'on pense que vous êtes une personne extraordinaire, ne faites que ce que vous savez très bien faire. Bien sûr, vous n'accomplirez jamais rien de neuf de cette façon, mais on vous évaluera comme étant très compétent. De plus, si vous pensez ne pas pouvoir exécuter correctement une tâche, faites en sorte de compliquer cette tâche, de la rendre tellement difficile qu'au lieu de vous reprocher votre échec, on l'attribue à l'impossibilité de la tâche.

On rapporte que certains étudiants de l'Université de Californie à Berkeley prétendent avoir eu une telle peur d'échouer et d'être mis à la porte qu'ils avaient choisi les cours les plus difficiles. Comme le disait l'un de ces étudiants: «C'est mieux d'échouer en physique qu'en sociologie». De même, les étudiants qui doutent de leur capacité de faire un bon travail, attendront jusqu'à la dernière minute avant de s'y mettre, de façon à obtenir automatiquement une mauvaise note. Mais, dès lors, il y a une raison externe pour la mauvaise note: «Ce travail a été fait à la dernière minute». Comme nous l'a fait remarquer un conseiller pédagogique: «Il est plus facile d'accepter un 60% dans de telles conditions que de prendre le risque de se voir décerner la même note après beaucoup d'efforts». Ce type de comportement est auto-destructeur: il assure l'échec dans une tâche. Par contre, il fournit à l'individu des excuses externes pour l'échec et lui permet par conséquent de conserver sa propre image de lui-même.

La formation d'impressions

Nous avons, jusqu'à présent, porté notre attention sur la tendance que les personnes ont à attribuer les causes du comportement d'autrui à des caractéristiques de leur personnalité. Nous allons maintenant examiner comment des informations sur la personnalité d'un individu, provenant de sources différentes, sont combinées pour former une impression globale de cet individu. Comment produit-on un jugement global en raison de la diversité de l'information, tantôt positive, tantôt négative que l'on recueille? Est-ce que nous nous contentons simplement d'additionner algébriquement les pour et les contre ou utilisons-nous d'autres façons de combiner ces informations? Nous examinerons, dans cette section, une règle arithmétique spécifique pour combiner ces diverses informations.

L'INTÉGRATION D'INFORMATIONS

Afin de concrétiser les questions impliquées, nous choisirons une tâche simple. On vous dit que Lucie est une personne *sincère*. Le terme *sincère* est un de ceux qui sont jugés très favorablement (dans une étude de N. Anderson, 1968, le mot «sincère» a été jugé comme étant celui, parmi 555 traits de personnalité, qui est le plus agréable ou le plus favorable). L'expérience à laquelle vous participez vous demande d'exprimer par un nombre, le degré d'estime que vous portez à Lucie, à partir de cette description ne comportant qu'un seul attribut: vous devriez, dans les circonstances, penser beaucoup de bien d'elle et lui attribuer un nombre assez élevé, disons 5.

Maintenant, supposons qu'on vous dise quelque chose d'autre sur Lucie, quelque chose de bien, mais pas aussi bien que d'être sincère: elle est également ordonnée («ordonné» est le 185ème sur la liste des 555 traits). Supposons que cette qualité ne vaut que 2 points. Si les évaluations positives sont tout simplement *additionnées*, alors, puisque les termes *sincère* et *ordonné* sont tous les deux évalués positivement, une personne possédant ces deux qualités devrait être jugée plus favorablement qu'une autre ne possédant que l'une d'entre elles: l'évaluation totale est donc de 5 plus 2, soit 7. Si, d'un autre côté, on prend la *moyenne* des traits pour obtenir un jugement global, alors une personne décrite comme étant à la fois sincère et ordonnée serait jugée moins

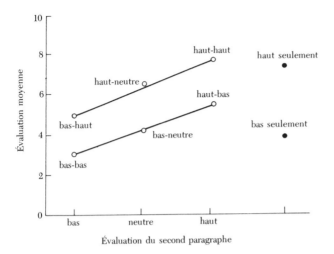

Jugements portés sur des présidents américains après lecture de paragraphes les décrivant. Les six jugements représentés par des cercles ouverts ont été posés après avoir lu deux paragraphes décrivant chaque président; les deux jugements représentés par les cercles pleins ont été posés après la lecture d'un seul paragraphe. Les adjectifs *bas, neutre* et *haut* indiquent comment chacun des paragraphes représentait la valeur d'homme d'état des présidents. (Tiré de *N. Anderson, in Contemporary developments in mathematical psychology,* Vol. II: *Measurements, psychophysics, and neural information processing,* édité par *David H. Krantz, Richard C. Arkinson, R. Duncan Luce et Patrick Suppes. W.H. Freeman & Co. Copyright © 1974.)* **Figure 16-2**

favorablement qu'une personne étant seulement sincère. Effectivement, c'est cette dernière forme d'évaluation qui prévaut lors d'expériences contrôlées: une personne présentée comme étant à la fois sincère et ordonnée est jugée moins favorablement qu'une personne présentée comme étant sincère seulement. Les gens ont tendance à se baser sur la moyenne des évaluations pour en arriver à une impression globale.

La figure 16-2 présente les résultats obtenus dans une expérience sur ce point. Le schème expérimental comprend plusieurs combinaisons de jugements par sujet. En gros, on donne aux sujets un ou deux paragraphes décrivant les activités de divers présidents américains. Les paragraphes ont été sélectionnés à partir d'évaluations pré-expérimentales les classant selon l'aspect plus ou moins favorable de l'impression qui en résultait. Les différents paragraphes ont été jugés individuellement comme constituant une description soit négative, soit neutre, soit positive, du président en question. Le but de cette recherche consistait à découvrir comment diverses combinaisons de ces paragraphes allaient affecter le jugement global des sujets sur la valeur d'homme d'état de ces présidents.

Sur l'axe des ordonnées de la figure 16-2, on donne le rang des jugements globaux de la qualité d'homme d'état de ces divers présidents, après lecture des paragraphes dont la nature est indiquée pour chaque point des courbes. Le résultat important, du point de vue de l'hypothèse d'une évaluation globale d'après la moyenne des traits évoqués, est représenté par les deux cercles noirs à la droite de la figure. L'évaluation des présidents après lecture d'*un* seul paragraphe sur eux, un seul paragraphe *positif*, est essentiellement la même que l'impression résultant de *deux* paragraphes positifs. De plus, un paragraphe positif seul donne une évaluation plus favorable que la combinaison d'un paragraphe positif et d'un paragraphe neutre ou que celle d'un paragraphe positif et d'un paragraphe négatif. Ces résultats sont précisément ceux auxquels on était en droit de s'attendre en vertu de l'hypothèse selon laquelle l'impression globale serait conforme à la moyenne des jugements particuliers. Des résultats semblables sont obtenus lorsque le paragraphe unique constitue une évaluation négative, bien que dans ce cas, l'évaluation basée sur deux paragraphes négatifs soit moins favorable que celle basée sur un seul paragraphe négatif (voir N. Anderson, 1973a, pour plus de détails).

Depuis lors, il s'est accumulé une bonne quantité de résultats expérimentaux pour appuyer la thèse selon laquelle nous formons nos impressions globales grâce à un processus voisin apparenté à celui du calcul d'une moyenne. Ceci n'est pas seulement vrai des jugements interpersonnels et des impressions que l'on se fait des gens, c'est aussi une excellente description de la façon dont nous formulons des jugements sur à peu près n'importe quoi, que ce soit une automobile ou encore le choix entre Shar et Malik (voir le chapitre 14). Nous avons tendance à examiner les structures d'information globale pour établir quelque chose comme une valeur moyenne de cette information. De cette façon, les sources particulières d'informations se trouvent intégrées dans une vision générale.

LES EFFETS DE L'ORDRE DE PRÉSENTATION   En plus du type et de la quantité d'information disponible, l'ordre dans lequel cette information est reçue est un facteur extrêmement important pour déterminer l'impression qui en résulte. Deux facteurs différents sont à considérer ici. Premièrement, il y a un effet de *primauté*: les premières informations que l'on reçoit semblent avoir une plus grande valeur. Deuxièmement, il y a également un effet de *récence*: les dernières informations reçues sont généralement les mieux retenues. Ces deux influences peuvent sembler contradictoires; il n'en est rien. D'une part, ces deux facteurs contribuent à minimiser l'importance de l'information présentée au milieu d'une liste ou d'une discussion, et, d'autre part, l'effet de primauté semble être le plus durable. L'effet de récence ne sera que temporaire, sauf dans le cas où l'information présentée en dernier lieu est complètement intégrée.

C'est Solomon Asch (1952) qui nous a révélé pour la première fois cette influence très forte de l'ordre de présentation. En effet, il montra que les mêmes mots servant à la description d'une personne peuvent créer une impression totalement différente, si on en fait varier l'ordre. Imaginons une certaine personne, **P**, et supposons que différents individus auxquels vous avez demandé de décrire **P** produisent les réponses suivantes:

> *brillant, artistique, sentimental,*
> *froid, bizarre, pointilleux.*

Formez-vous une opinion globale de **P** en utilisant l'échelle suivante:

+ 4	+ 3	+ 2	+ 1	− 1	− 2	− 3	− 4
énormément		modérément		légèrement	considérablement		
	considérablement		légèrement		modérément		énormément

Maintenant, examinons un autre individu, **D**. Supposons encore que six individus différents ont produit des réponses décrivant **D** comme étant:

pointilleux, bizarre, froid,
sentimental, artistique, brillant.

Formez-vous une impression globale de **D** en utilisant la même échelle que pour **P**.

Lorsque Anderson et Barrios (1961) effectuèrent cette expérience, leurs sujets ont évalué **P** en moyenne à 1,4, soit à peu près au centre entre *légèrement* et *modérément favorable*. Par ailleurs, ils ont attribué une valeur de − 0,7 à **D**, soit *légèrement défavorable*. Les mots pour décrire les deux individus sont exactement les mêmes. Seul l'ordre dans lequel sont présentés ces adjectifs varie.

On peut fournir plusieurs explications plausibles de ces effets de l'ordre de présentation. L'une d'entre elles veut que les impressions initiales, déterminées par les premiers éléments d'information, forment un noyau de connaissances ou *schème* mnémonique dans lequel toute autre information se trouve intégrée. Ce modèle repose sur *l'assimilation*: les nouvelles informations sont assimilées aux structures mnémoniques existantes formées à partir d'informations antérieures et ainsi ne contribuent à l'impression globale qu'en fonction de ce qui a déjà été établi. Une autre explication est basée sur l'attention: une plus grande attention serait apportée aux premières informations reçues et on aurait tendance à ignorer, ou du moins à analyser moins en profondeur, les informations subséquentes. Évidemment, cette stratégie de répartition sélective de l'attention peut être le résultat du même phénomène qui produit l'effet d'assimilation: lorsqu'un noyau d'informations est établi, peu d'attention est subséquemment accordée à d'autres bribes d'information.

Il n'est pas facile de choisir entre ces deux explications puisqu'elles prédisent les mêmes résultats expérimentaux. Ce qu'il faut retenir est qu'en termes de sa contribution à une impression globale, tout fragment d'information comporte deux aspects distincts.

Structures d'interactions sociales

Tout comme il existe des stéréotypes pour les personnes et pour l'organisation générale d'activités courantes, il semble aussi qu'une bonne partie de nos interactions sociales se conforment à des structures préétablies. Dans plusieurs cas, on dirait que les gens sont des acteurs dans une pièce, chacun jouant un rôle selon un scénario établi et accepté à l'avance. Le résultat est connu à l'avance et les règles sont observées implicitement. Ces scénarios sociaux, que nous nommerons *scripts*, semblent être automatiquement évoqués chaque fois que le contexte s'y prête.

STRUCTURES D'INTERACTIONS STÉRÉOTYPÉES

Les rituels sont les structures d'interactions stéréotypées les plus simples et les plus contraignantes. Prenons le cas de deux amis, Michel et Benoît, qui se croisent dans la rue, chacun allant d'un pas pressé vers un endroit quelconque. Ils sont obligés de prendre part à un rite de salutation, peut-être seulement par un mouvement de la tête, ou saluer de la main, ou encore échanger quelques mots au passage et continuer. En surface, ce rite semble être une espèce de réponse automatique et presque sans signification. Cependant, il n'en est rien, puisque le seul fait qu'un des participants ne joue pas son rôle convenablement peut avoir des conséquences importantes. Supposons que Michel regarde Benoît droit dans les yeux, mais ne fait que serrer les mâchoires, puis détourne rapidement les yeux. Il y a de grandes chances que Benoît interprète ce comportement comme une manifestation d'un désir délibéré d'éviter tout contact. Il est bien probable aussi que l'incident portera Benoît à rechercher les motifs du comportement de Michel. Par ailleurs, Michel pourrait tout aussi bien enfreindre les règles de ce bref rituel de salutation en essayant de le prolonger indûment. Par exemple, Michel pourrait insister pour que Benoît s'arrête et écoute ses propos sur un événement qui se serait produit la veille. Si l'intervention persistait, en dépit des protestations de Benoît qui allèguerait un rendez-vous important, Benoît se demanderait probablement quels sont les motifs réels du comportement de Michel. Qu'est-ce qui ne va pas chez Michel? Ne faudrait-il pas voir derrière la prolongation de ce qui aurait dû n'être qu'une rapide salutation, une demande camouflée d'aide? L'idée à retenir, c'est que même ces rites brefs se déroulent selon des règles bien définies répondant à des attentes de la part des deux participants. Tout accroc à ces règles interrompt le déroulement bien rôdé du script et avertit l'individu de la possibilité d'un problème.

Pour faire preuve de compétence dans les interactions sociales, chacun de nous doit savoir jouer son rôle. Ces rites comportent plusieurs variations subtiles qui dépendent de facteurs tels le lieu où se trouve les individus, le temps écoulé depuis qu'ils se sont vus la dernière fois, le degré d'intimité de leurs rapports.

L'analyse transactionnelle (AT) contribue à une étude intéressante des interactions sociales stéréotypées. Ici, les rites que les gens observent servent de base à une analyse de toutes les transactions humaines. On en tire une méthode de traitement des difficultés interpersonnelles des plus intéressantes. Nous abordons ce thème dans la section suivante.

L'ANALYSE TRANSACTION-NELLE

Freud, lorsqu'il entreprit l'étude scientifique du comportement et de ses causes sous-jacentes, postula un ensemble d'états internes et de processus. Freud pensait qu'il y avait trois structures de contrôle: le *moi*, le *surmoi* et le *ça*. Plusieurs, depuis Freud, ont essayé d'analyser les structures des relations interpersonnelles. Plusieurs des hypothèses proposées sont compatibles avec le tableau que nous avons dressé du traitement de l'information humain et de la construction de modèles internes.

Une façon d'aborder le problème, assez intéressante pour qu'on s'y arrête, est celle adoptée par l'analyse transactionnelle, ou AT, comme on l'appelle le plus souvent. C'est le psychiatre Eric Berne (1961, 1964)qui,le premier,jeta les bases de ce type d'analyse. Depuis, un grand nombre d'individus et d'institutions ont contribué à sa popularité. L'AT peut être vue comme un mélange attrayant d'analyse de type freudienne et de perspectives psycho-informatiques (bien que cette opinion pourrait provenir davantage de notre imagination que de la réalité). Quoiqu'il en soit, nous trouvons très intéressant d'utiliser les livres de l'AT comme tremplin à notre propre analyse des relations interpersonnelles.

Selon le modèle de l'AT, la personnalité humaine et conséquemment le comportement humain, est gouvernée par trois états distincts du moi, généralement nommés: le *Parent*, l'*Adulte* et l'*Enfant*. À chacun de ces états se trouve associé un type distinct de connaissance, ainsi qu'un mode ou style particulier d'interaction avec le monde. L'état du moi *Parent* représente les valeurs et les préceptes que nous avons acquis des personnes qui ont joué un rôle significatif dans notre vie, en particulier, nos parents. C'est une intériorisation des croyances et des valeurs parentales, intériorisation semblable au surmoi freudien. Lorsque notre état du moi Parent est en situation de contrôle, notre comportement a tendance à devenir moralisant, sentencieux ou critique. Ce même état est aussi la source de nos comportements nourriciers et tutélaires.

L'état *Enfant* représente l'enfant enjoué, dépourvu de sens critique, que nous portons tous en nous. C'est la source primordiale du comportement émotif, du rire et de la colère. L'Enfant de notre for intérieur peut aussi bien se montrer impulsif que pétulant; il peut également être créateur et joyeux. L'Enfant intériorisé est assez près du ça freudien.

Enfin, notre état *Adulte* est notre état de traitement de l'information. L'état Adulte est cet état du moi qui rassemble les données, pèse le pour et le contre, anticipe les conséquences et établit des prédictions sur les conséquences. Contrairement au Parent, l'Adulte est objectif et ne porte aucun jugement; contrairement à l'Enfant, l'Adulte est discipliné et centré sur la réalité.

Ces trois états coexistent dans toute personnalité. Chez l'individu mûr et équilibré, ces états coexistent harmonieusement, chacun contribuant de façon appropriée au comportement global. L'Adulte, s'il fonctionne adéquatement, joue le rôle d'un superviseur-gérant qui sert de médiateur entre les demandes de l'Enfant intériorisé et les interdictions du Parent intériorisé. C'est la structure de contrôle Adulte qui définit les priorités, qui établit si c'est le moment de jouer ou celui de se montrer critique ou protecteur, ou encore, si c'est le moment de s'attaquer à un problème, de se mettre à la tâche et de faire son travail.

Selon la théorie de l'AT, diverses perturbations affectant ces trois états peuvent entraver la bonne coordination du comportement et de la personnalité d'un individu. Un déséquilibre possible est celui de la domination du comportement par un état particulier au détriment des deux autres. Ceci peut aboutir à l'éternel Parent qui se montre invariablement critique, ou au contraire, toujours soucieux d'apporter son aide; à l'éternel Enfant, qui ne grandira jamais, qui ne deviendra jamais sérieux; ou encore à l'Adulte invétéré, à la tête froide, pour lequel les émotions ou les jugements de valeur n'ont pas de place dans sa conduite, dite rationnelle. Par contre, il se peut qu'il n'y ait aucune combinaison stable entre ces trois états, ce qui résulterait en de continuelles oscillations et en un comportement imprévisible; une incapacité généralisée de trouver des méthodes systématiques pour résoudre les problèmes de même que pour s'adapter à l'environnement.

Dans le modèle de l'AT, les relations interpersonnelles sont vues comme des *transactions* et les caractéristiques de ces transactions dépendent directement de l'état dans lequel se trouvent les participants. Une *transaction complémentaire* se produit lorsqu'un des protagonistes essaie de communiquer avec un état spécifique chez l'autre participant et que ce dernier répond d'une façon appropriée. Par exemple, celui qui vient d'apprendre la mort d'un ami ou d'un parent peut en être affligé; et alors, il est sous le contrôle de l'Enfant interne. La transaction sera dite complémentaire si le partenaire répond d'une manière consolante, tendre, du type parental. Une transaction *croisée* se produira si le récepteur émet une réaction inattendue à une tentative de communication. Ainsi, dans l'exemple précédent, si le partenaire répond par une analyse rationnelle de la mort (l'Adulte interne) ou bien en demandant lui-même consolation (l'Enfant interne), la communication sera alors rompue. Finalement, certaines transactions comportent des intentions ou des motivations latentes sensiblement différentes de ce qu'en laisse entrevoir le contenu manifeste; «Venez donc admirer mes estampes japonaises» semble, en surface, être une invitation correcte d'Adulte à Adulte, mais elle a évidemment un tout autre sens.

L'analyse transactionnelle, en tant que théorie du traitement de l'information, est intuitivement séduisante et tout-à-fait compatible avec la philosophie du présent ouvrage. Les différents états du moi peuvent être représentés par différentes sources d'information comprises dans le bassin de données et en différents types d'analyseurs superviseurs en vue du traitement de ces données. Après tout, le thème principal de ce volume n'est-il pas l'utilisation de modèles et d'anticipations dans le but d'échanges avec le monde environnant et les autres?

Le fait que l'AT constitue une théorie relativement complète du traitement de l'information humaine signifie qu'elle tient lieu de modèle du monde, modèle qui peut servir aux individus dans l'analyse de leur propre comportement et des structures d'interactions sociales.

Nous croyons à l'importance de l'analyse des relations interpersonnelles. Les modèles, présentés au chapitre 15, comprenant des moniteurs, interprètes et superviseurs, constituent tous un effort d'analyse dans ce sens, dans le cadre des études psychologiques du traitement de l'information. La technique de l'AT n'est qu'un autre type d'analyse du même genre. Ces deux types d'analyse nécessitent encore un énorme approfondissement. Les modèles psycho-informatiques ne sont pas encore suffisamment perfectionnés pour qu'on puisse les appliquer au comportement interpersonnel très complexe du monde qui existe en dehors du laboratoire. Les modèles de l'AT, d'un autre côté, ne reposent pas sur des bases scientifiques très solides: les postulats sur lesquels ils s'appuient et leurs caractéristiques sont relativement vagues et les données qui ont servi à leur formulation ne sont pas de qualité scientifique. Nous trouvons toutefois un encouragement dans le fait qu'il y a des progrès constants.

Nous avons examiné, dans les chapitres précédents, la pensée et la résolution de problèmes. Cette étude nous a montré que l'activité cognitive est régie par des analyses de la situation et la poursuite d'objectifs. De plus, nous avons vu que diverses structures de contrôle dirigent l'exécution des activités, organisent et supervisent ce qui se passe. Ainsi, il y a des stratégies à suivre et différents états de conscience qui, à un niveau supérieur, contrôlent la situation. Enfin, on a constaté que le comportement est contrôlé de plusieurs façons, particulièrement par des processus dirigés-par-données (sous le contrôle et la direction des événements de l'environnement) et par des processus dirigés-par-concepts (sous le contrôle et la direction de plans et de stratégies internes). Plusieurs de nos échanges dans la vie courante, avec d'autres personnes, les institutions ou avec nous-mêmes, semblent suivre des modèles établis à l'avance. Par exemple, nous avons une manière typique de nous comporter dans les bibliothèques, restaurants, magasins ou dans les parties de plaisir. Un script pour la bibliothèque, par exemple, pourrait comprendre les événements suivants:

LES SCRIPTS

Titre: *Script pour chercher un livre particulier à la bibliothèque.*
Objectif: (1) *trouver le livre en question; (2) chercher dans la section du livre à trouver, d'autres ouvrages d'intérêt.*
Contraintes: *interactions minimales avec les autres; faire le moins de bruit possible et essayer de passer inaperçu afin de ne déranger personne.*
Séquence d'actions:
Entrer dans la bibliothèque, se rendre au catalogue.
Trouver le titre du livre dans le catalogue (utiliser des routines de résolution de problème si on a oublié le titre du volume, ou si on ne peut trouver le titre dans le catalogue).
Trouver dans quelle section de la bibliothèque le livre est rangé (ne pas se fier à sa mémoire, l'écrire). Se rendre à la dite section.
Examiner les étagères de cette section pour trouver le livre (si on ne peut trouver le livre, peut-être qu'un examen attentif des étagères voisines nous le procurera ou encore apportera un substitut adéquat au livre recherché).
Rapporter les livres ainsi trouvés à une table et décider de leur utilité. Vérifier si ces livres ne font pas référence à d'autres livres susceptibles d'intérêt.
Se promener encore un peu dans la même section de la bibliothèque: on pourrait trouver autre chose d'intéressant.
Rapporter les livres au comptoir du service du prêt.
Quitter la bibliothèque.

Voilà un script que nous pourrions suivre lorsque nous allons à la bibliothèque pour y chercher un livre. Il est suffisamment souple pour tenir compte d'un certain nombre de circonstances possibles, bien qu'il ne décrive certainement pas toutes nos visites à la bibliothèque. Si nous y allons avec d'autres personnes, alors des échanges sociaux feront varier l'ordre d'exécution des diverses parties du script. Si encore nous y allons pour des raisons différentes, dans ce cas, d'autres scripts seront évoqués. Ainsi, la catégorie générale des scripts utilisés pour **visiter la bibliothèque** peut avoir de multiples sous-catégories:

Visiter la bibliothèque *(afin de):*

Chercher un livre bien précis (le script que nous venons de voir).
Vérifier une information particulière.
Examiner les revues scientifiques récentes.
Trouver un endroit paisible pour travailler.
Montrer un livre à une autre personne.
Mettre certains livres en réserve pour un cours.

Il est à remarquer que ces scripts sont tous en très grande partie dirigés-par-données; ils sont sous le contrôle de la situation et offrent très peu de possibilités pour les variations individuelles. Les scripts de cette sorte peuvent être appelés des *scripts dirigés par la situation.*

Une autre catégorie de scripts laisse un peu plus de place aux variations individuelles. Par exemple, les façons dont un parent interagit avec son enfant, ou un professeur avec un étudiant ou un collègue sont beaucoup plus affectées par des variables individuelles. Ces situations sont aussi contrôlées par l'environnement ou par les conventions sociales. Notre culture a clairement établi certaines attentes pour les scripts de parent, de professeur, de relations interpersonnelles et ces aspects *culturellement dirigés* du comportement peuvent s'avérer tout aussi importants que les influences dirigées par la personne ou par la situation.

L'importance réelle des scripts individuels se manifeste surtout dans les situations qui sont directement sous le contrôle des individus participant dans l'interaction: les *situations dirigées par la personne.* On retrouve généralement ces situations lorsque les individus impliqués n'ont pas à jouer le rôle officiel imposé par la société. C'est dans ce type de situations que les aspects agréables et désagréables des relations interpersonnelles prennent une importance primordiale. C'est ici que la nature des transactions inter-individuelles devient capitale, car on peut avoir des «transactions croisées» et les malentendus peuvent aisément surgir.

L'étude analytique des scripts vient tout juste de débuter. Une foule de problèmes restent encore à résoudre. Tous les scripts ont une structure commune pour encoder l'information (telle que la structure *Titre, Buts, Contraintes, Séquence d'actions* que nous avons vue dans l'exemple antérieur). Quelles sont les catégories élémentaires d'information nécessaires pour spécifier les scripts de ce type? Comment les scripts sont-ils organisés et catalogués dans notre système mnémonique? La façon dont l'information représentée dans les scripts sera organisée déterminera les indices les plus efficaces pour le recouvrement des scripts. Les scripts sont-ils encodés dans une quelconque structure hiérarchique? Peut-on retrouver les scripts à partir de la seule information sur l'endroit (comme se trouver dans une bibliothèque) ou faut-il aussi que les buts et les objectifs soient intégrés dans les indices de recouvrement? Quelles sont les combinaisons et les catégories possibles de caractéristiques pouvant servir d'indices de recouvrement et d'activation des scripts?

Les processus d'influence sociale

- Un marchand de voitures d'occasion trouve accidentellement le carnet de banque de son client. Il refuse de le consulter de peur qu'en en sachant trop, il ne fasse pas une vente aussi avantageuse pour lui.
- La présidente d'une grande corporation est sur le point d'entreprendre des négociations délicates avec le syndicat. Les affaires vont mal et elle veut s'assurer d'une entente qui soit favorable à la compagnie. Elle prend la décision d'envoyer un cadre inférieur négocier à sa place.
- Une réceptioniste de 18 ans, travaillant seule dans un bureau de New York, est battue et violée. Réussissant à s'échapper momentanément, elle fuit dans la rue où elle se retrouve nue et ensanglantée, appelant au secours. Une foule de 40 personnes se rassemble et regarde l'agresseur qui, l'ayant rejointe, essaie de la ramener dans l'édifice: personne n'intervient et tout cela se passe en plein jour.

Voilà quelques exemples de décisions prises en contexte social. Le résultat final ne dépendra pas uniquement des actions d'un seul individu, mais aussi de tous ceux présents dans la situation. Parfois, les participants sont des inconnus qui, néanmoins, forment une assistance qui exerce des pressions sociales très subtiles sur le comportement de chacun des participants. Parfois, les participants collaborent partiellement, de façon à ce que chacun y trouve son profit s'ils parviennent à une entente sur une décision mutuellement avantageuse. Parfois aussi, les participants sont des protagonistes ne cherchant qu'à accroître leurs gains les uns aux dépens des autres. L'introduction de facteurs sociaux dans la prise de décision nous entraîne au-delà du point où des stratégies rationnelles peuvent être arrêtées, les décisions étant prises individuellement et indépendamment des pressions sociales. Pour comprendre le comportement de décision en contexte social, nous devons étudier les questions de négociations, de menaces, de conflits, de soumission, de modèles sociaux et d'attitudes.

Lorsqu'on évolue à l'intérieur d'un contexte social, les opinions et les actes des autres font partie de l'analyse des coûts et des gains. Qu'une famille décide d'acquérir une nouvelle voiture ou un téléviseur couleur, peut dépendre davantage de leur perception des réactions de collègues et d'amis que de leur état financier ou de leur besoin de l'article.

Une grande partie de la difficulté qu'il y a à prendre des décisions dans la vie réelle réside dans l'incertitude à laquelle fait face chaque individu en situation de décision. La plupart des décisions en contexte sont difficiles à prendre et engendrent ainsi, des conflits et de la dissonance sur le choix qui est fait. Devez-vous téléphoner aux pompiers si vous avez remarqué de la fumée dans une pièce? Évidemment, à moins qu'une explication simple et naturelle rende compte de la présence de la fumée ou encore que quelqu'un d'autre ait déjà téléphoné. Les individus doivent décider pour eux-mêmes comment réagir à l'imprévu. Mais, nous savons tous que la vie est compliquée et remplie de situations bizarres où une action peut conduire à des situations fort embarrassantes ou même dangereuses pour la personne qui agit. En plus de l'évaluation de la situation dans laquelle se prend la décision, nous devons aussi tenir compte des conséquences de chaque action.

Nous commencerons l'analyse des processus d'influence sociale par une étude de ce qui se produit dans des situations expérimentales simulant assez bien la réalité extérieure: nous étudierons plus particulièrement le comportement de personnes laissées dans des pièces remplies de fumée, ou confrontées avec de curieux joueurs de «frisbee» ou encore, témoins de crimes.

LE COMPORTEMENT DU SPECTATEUR

Le sort de Kitty Genovese, qui fut battue à mort pendant trente minutes à la vue de ses voisins, dont aucun ne téléphona à la police; le meurtre d'Andrew Mormile, poignardé et laissé dans une mare de sang dans un wagon de métro, en présence de 11 passagers, dont aucun n'intervint; le viol de la réceptioniste, décrit au début de cette section; voilà le type d'événements qui ont motivé Latané et Darley (1970) à chercher pourquoi les témoins n'interviennent pas.

Ici, nous sommes devant des situations à composantes spécifiques: il y a de l'incertitude quant au comportement approprié à adopter, d'autres personnes sont impliquées dans la même situation et les possibilités de communication sont limitées ou non-utilisées. D'une façon ou d'une autre, chaque individu doit décider si oui ou non il y a urgence et, ensuite, déterminer ce qu'il doit faire. Latané et Darley ont fait une série d'expériences ingénieuses sur le comportement de décision dans de telles situations. Leurs techniques, tout comme leurs résultats, sont très instructifs.

LANCER DES «FRISBEES»

Le lieu: Grand Central Station, New York. Les expérimentateurs: deux femmes, assises l'une en face de l'autre dans la salle d'attente, se lançant un «frisbee» nouvellement acheté. Après quelques minutes de ce jeu, le frisbee est accidentellement envoyé à un spectateur (qui est, en fait, un compère des expérimentateurs). La fonction du compère consiste à fournir un modèle ou un point de référence des réactions possibles d'un étranger dans ces circonstances. Le compère agit comme suit: ou bien il se joint avec enthousiasme au jeu des expérimentateurs, ou bien il donne un bon coup de pied au «frisbee» et vocifère son opinion que ce jeu est enfantin et dangereux. Dans certaines des situations expérimentales, le compère, après avoir manifesté son mécontentement, se lève et quitte la place; tandis que dans d'autres, il reste assis pendant que les deux femmes testent le comportement des vrais spectateurs. Le test expérimental consiste à lancer le frisbee à chacune des personnes assises sur les bancs: un spectateur est dit coopératif, si il ou elle retourne au moins deux fois le «frisbee» à l'une des deux femmes.

D'une manière générale, les spectateurs interprètent la situation et, par conséquent, agissent d'après le modèle fourni par le compère. Si le compère n'a pas coopéré, eux non plus ne coopèreront pas; souvent, ils se déplaceront, grommelant des propos semblables à ceux du compère. Lorsque, par ailleurs, le compère se montre coopératif, on note qu'environ 90% des spectateurs participent au jeu; alors le problème n'est plus de susciter la participation, mais plutôt de cesser le jeu. La **prise de position verbale** du compère et sa **présence sur les lieux** font toute la différence. Si le compère laisse simplement le frisbee là où il atterrit, et ne dit rien, son manque d'intérêt n'inhibe pas la participation des autres spectateurs. Si, par contre, il manifeste verbalement son mépris et ensuite, quitte son banc indigné, les spectateurs se joignent au jeu dès son départ et le Grand Central Station se transforme en terrain de jeu.

LA PIÈCE REMPLIE DE FUMÉE

Les sujets sont assis dans une pièce en train de répondre à un «questionnaire de marketing» lorsque, soudain, de la fumée commence à pénétrer dans la pièce par une bouche d'aération. Pendant qu'ils travaillent au questionnaire, la fumée pénètre de plus en plus, jusqu'à ce que «au bout de quatre minutes, la pièce soit suffisamment remplie de fumée pour obscurcir la vision, produire une odeur âcre et rendre la respiration pénible» (Latané et Darley, 1970).

La façon de réagir à cette situation dépend directement de la présence ou de l'absence d'autres individus dans la pièce. Lorsque chaque sujet est seul, 75% d'entre eux réagissent rationnellement à la possibilité d'un incendie. Les sujets examinent attentivement la bouche d'aération et sortent dans le couloir rapporter l'incident. Mais lorsque deux autres personnes se trouvent avec eux dans la pièce, la grande majorité des sujets ne s'inquiètent nullement de la fumée. Ils se contentent de l'éloigner d'un geste de la main et continuent de répondre au questionnaire jusqu'à ce que l'expérimentateur, compatissant, mette un terme à l'expérience.

LA DAME EN DÉTRESSE

Encore une fois, des sujets sont en train de répondre à des «questionnaires de marketing». Tout en travaillant, ils peuvent entendre la responsable de cette étude de marché se déplaçant dans le bureau adjacent. Quatre minutes après qu'il se soient installés, le bruit d'un objet lourd s'écrasant sur le sol se fait entendre, accompagné d'un cri de femme et de gémissements (provenant d'une bobine enregistrée): «Oh mon Dieu, mon pied... je ne peux pas... le déplacer. Oh ma cheville... je ne peux pas... je ne peux pas... enlever cette chose.» Lorsque les sujets sont isolés, 70% d'entre eux réagissent à cette situation en offrant leur aide. Lorsqu'ils travaillent en présence de deux autres personnes (des compères de l'expérimentateur, avertis de ne pas répondre aux cris de la femme), seulement 7% d'entre eux se portent au secours de la dame en détresse.

PAS DE TEMPS POUR AIDER

À l'occasion, les facteurs sociaux peuvent influencer de façon très curieuse le comportement d'individus, même lorsque ces personnes sont seules, et même lorsque le comportement va à l'encontre de leurs croyances. Darley et Batson (1973) ont demandé à des étudiants du séminaire de théologie de Princeton de participer à une étude portant sur l'éducation religieuse et les vocations. Lorsqu'ils se présentèrent, on leur donna comme consigne de donner une brève conférence dans un immeuble voisin. Certains sujets avaient à parler des possibilités d'emploi, tandis que d'autres devaient traiter de la parabole du Bon Samaritain (souvenez-vous que, dans la parabole du Bon Samaritain, le prêtre passa sans porter attention à un pauvre malheureux qui venait d'être assailli, volé et laissé dans un piètre état en bordure du chemin tandis qu'un modeste samaritain, aucunement religieux, s'arrêta pour l'aider). On demanda aux étudiants de réfléchir à la communication qu'ils devaient faire pendant qu'ils se rendaient à l'autre immeuble. Avant qu'ils ne partent pour se rendre sur les lieux de la conférence, on précisa aux étudiants le temps qu'ils avaient avant le début de la conférence. À un groupe d'étudiants, on a dit qu'ils avaient un peu de temps, que les gens là-bas ne seraient pas prêts à les recevoir avant quelques minutes. À un autre groupe, on a dit qu'ils étaient déjà en retard, qu'on les attendait depuis quelques minutes et qu'ils devaient se presser.

L'expérience se passe en fait dans l'allée séparant les deux édifices. En passant dans cette allée les étudiants rencontrent un individu (un compère des expérimentateurs) écrasé devant une porte, toussant et râlant, apparemment en besoin d'assistance. La question que se posaient les expérimentateurs comprend deux parties: premièrement, est-ce que la perception du temps dont ils disposent va influencer leur décision de s'arrêter et d'aider la personne et, deuxièmement, est-ce que le fait d'être en train de réfléchir à la parabole du Bon Samaritain va augmenter la probabilité qu'on apporte de l'aide à une personne en détresse rencontrée en chemin.

La réponse à la première question est *oui* et celle à la seconde est *non*. Les deux tiers des étudiants qui croient avoir du temps devant eux s'arrêtent et aident la personne. Parmi ceux qui se croient pressés, un sur dix seulement s'arrête et offre de l'aide. Le fait de mettre en évidence le comportement d'aide n'a apparemment pas produit le résultat attendu. Le groupe de sujets devant commenter la parabole du Bon Samaritain n'offrent pas davantage leur assistance que ceux de l'autre groupe.

L'APATHIE DES SPECTATEURS   Ces études révèlent certains des facteurs qui influencent notre propension à intervenir dans des situations sociales incertaines. Généralement les gens ont tendance à suivre la voie qui offre le moins de résistance et à se conformer, autant que possible, aux actions de leurs voisins. Ce comportement n'est pas nécessairement antisocial, pas plus qu'il ne dénote une absence totale de considération du sort d'autrui; il indique plutôt jusqu'à quel point le processus de décision en contexte est complexe.

Rappelez-vous le sort de la réceptioniste de New York que nous avons décrit au début du chapitre: vous seriez-vous porté à son secours? Probablement pas, car la situation telle qu'elle se présente à un témoin de la scène qui doit prendre une décision est autrement plus complexe que la description du début du chapitre ne le laisse supposer. La foule ou le bruit aurait attiré votre attention. Comme vous approchez, vous voyez une jeune femme complètement nue appelant au secours, alors qu'un homme tente à tout prix de la ramener à l'intérieur. Ensuite, quelqu'un à qui vous demandez ce qui se passe vous répond qu'il n'en sait rien. Est-ce que la situation est véritablement grave? Personne ne semble faire quoi que ce soit pour intervenir. Peut-être que c'est un film qu'on tourne; peut-être que l'homme essaie simplement de l'aider; peut-être que c'est une querelle de ménage. En définitive, vous haussez les épaules et poursuivez votre chemin, tout en murmurant que décidément New York est une ville bien étrange.

La situation aurait été tout autre si vous aviez été seul à voir la jeune femme et son agresseur. Dans ce cas, certaines des explications antérieures n'auraient pas été très plausibles, et il est probable que vous vous en seriez inquiété et ainsi, intervenu. La présence d'une foule semble contribuer à une *diffusion de la responsabilité*, ce qui amoindrit l'obligation apparente qu'a chaque individu d'agir. Ceci ne signifie pas que la présence de foules mène toujours à l'apathie et à l'inaction, comme le montre très bien le comportement d'attroupements lors de lynchage. Il peut même en résulter des actions très positives, comme, par exemple, lorsqu'un groupe de personnes se rassemblent pour porter secours aux sinistrés d'un cataclysme naturel. L'idée est que pour chaque individu, choisir est une tâche difficile et troublante et que le conformisme social simplifie grandement le problème de décision. Les individus sont constamment pris de doute face à une décision. Les réactions des autres sont une source importante d'information qui peuvent réduire l'incertitude quant aux interprétations possibles d'une situation: «Je fais sûrement ce qu'il faut, puisque tous les gens font comme moi». Le fait que la majorité de la foule s'entende, simplement parce que les autres semblent être d'accord avec eux, n'a aucune importance, car ce fait n'est pas connu. Les réactions des autres font également ressortir certaines des conséquences possibles inhérentes à une action quelconque. Au sein d'une foule passive, une action individuelle pourrait ne pas recevoir d'appui, et par conséquent, la personne pourrait elle-même s'exposer à un risque considérable.

Mais qu'est-il advenu des étudiants en théologie de Princeton qui ne se sont pas arrêtés pour aider la personne souffrante? Dans cette situation, bien qu'il n'y eut pas de public, les étudiants eurent à faire face à un conflit: devaient-ils aider les personnes qui les attendaient dans l'édifice voisin, ou devaient-ils aider l'inconnu solitaire en détresse? Dans le cas où ils étaient pressés, 90% des étudiants ont décidé de passer tout droit et dans certains cas, d'enjamber carrément le corps de la victime pour se rendre jusqu'à l'autre immeuble.

On pourrait croire que les gens sont davantage disposés à prêter leur aide en cas d'urgence que ne le laissent penser les études que nous venons de présenter. Dans une série d'expériences, somme toute un peu plus réalistes, où l'urgence simulée était l'évanouissement d'une personne dans un wagon de métro à New York, les passagers présents se sont montrés beaucoup plus enclins à offrir de l'aide. Une de ces expériences fut faite dans un métro dont l'arrêt suivant ne se ferait pas avant 7 min. Dans ces études, les témoins de l'incident aidèrent la victime. Sous certaines conditions, on a enregistré virtuellement 100% d'aide. En fait, les responsables de cette étude n'ont réellement pas pu tester leurs hypothèses, car les gens se portaient à l'aide de la victime avant même que la condition expérimentale ne soit complètement établie. Ces résultats sont conformes aux précédents: un wagon de métro contient une foule captive qui n'a rien de particulièrement intéressant à faire; dans ces conditions, la probabilité qu'une des personnes présentes se porte à l'aide est dix fois plus grande que pour l'étudiant de Princeton qui est en retard. (Ces études ont été faites par Piliavan, Rodin et Piliavan, 1969 et Piliavan et Piliavan, 1972.)

LE CONFORMISME

Les situations que nous venons d'exposer comportaient des éléments d'incertitude tant pour l'interprétation à donner que pour la réaction appropriée à ces situations. Maintenant, nous allons considérer une situation où il n'y a aucune ambiguïté; ni pour une juste interprétation, ni pour la réaction qui convient. Mais si les pressions sociales orientées vers le conformisme vont directement à l'encontre des faits perçus: qu'arrivera-t-il alors?

Examinons la scène suivante. Un individu (appelons-le Yves) est introduit dans un laboratoire afin de participer à une expérience sur la perception. Sa tâche est simplement de distinguer différentes longueurs de lignes droites. Lorsque Yves arrive, cinq sujets sont déjà installés, aussi prend-il le sixième siège au bout de la table. L'expérimentatrice se présente vêtue d'un sarrau blanc et portant des feuilles de pointage et d'autres objets du genre. Elle explique aux sujets qu'elle a besoin de leur concours pour mener à bien sa recherche sur la perception visuelle. Elle s'intéresse particulièrement à l'identification juste de lignes de différentes longueurs. Puisqu'elle doit examiner un nombre important de sujets, elle les rassemble en groupes de six afin de sauver du temps.

La tâche est vraiment très simple. À chaque essai, les sujets verront une ligne-test (appelée *X*) et trois lignes-comparaison (*a*, *b* et *c*). Les sujets doivent indiquer laquelle des trois lignes *a*, *b* ou *c* est la plus semblable à la ligne-test (voir figure 16-3). Chaque sujet doit répondre à tour de rôle — ainsi Yves répond le sixième, puisqu'il occupe la dernière place. À mesure que les sujets répondent, l'expérimentatrice note leur jugement et lorsqu'ils ont tous répondu, elle passe à l'essai suivant.

Au début, Yves trouve l'expérience relativement facile et ses réponses correspondent raisonnablement bien avec celles des autres sujets. Mais les choses se gâtent: on présente une comparaison vraiment facile, sur laquelle tous les sujets devraient être du même avis. Yves a décidé que le segment *b* correspond le mieux au segment-test. Mais, pendant qu'il attend son tour pour

Figure 16-3

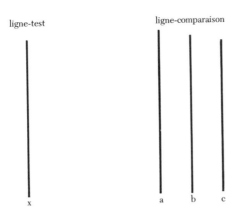

ligne-test   ligne-comparaison

x   a   b   c

répondre, il découvre que tous les autres sujets disent *c*. Que doit-il faire?

Remarquez le conflit: bien qu'il soit vrai que la longueur des lignes ne varie pas beaucoup, il ne fait aucun doute dans l'esprit de Yves que la bonne réponse est *b*. Il est parvenu à cette décision dès que les lignes furent présentées. À son grand étonnement, chacun des cinq sujets le précédant choisit la ligne *c*. Qu'est-ce qui se passe? Tout le monde regarde les mêmes lignes, non? En outre, aux essais précédents, Yves était en accord avec les autres sujets, sauf dans les cas très difficiles où, de toute façon, il n'y avait pas unanimité. Maintenant, ils sont tous d'accord et soutiennent un jugement différent du sien. Qu'est-ce qui se passe?

La réponse, bien sûr, est que l'expérience est truquée. Les cinq autres sujets sont des compères de l'expérimentatrice qui leur a dicté leurs réponses à l'avance. L'expérimentatrice ne s'intéresse pas du tout à la perception, mais elle veut plutôt savoir jusqu'à quel point les sujets vont se conformer à l'opinion de la majorité, même s'ils doivent aller à l'encontre de leur propre perception. Bien mieux, dans ses premières études, l'expérimentatrice voulait démontrer que les sujets *ne se conformaient pas* à une opinion ou à une attitude contradictoire, lorsqu'ils avaient des preuves solides à cet effet. Les résultats obtenus ont simplement démontré le contraire.

Les trois quarts à peu près des sujets, placés dans une situation semblable à celle d'Yves, vont choisir la réponse incorrecte, du moins à quelques reprises. Approximativement le tiers vont se conformer à tous les essais. La tendance au conformisme s'accroît avec le nombre de sujets compères de l'expérimentateur; toutefois, cette tendance peut être renversée si un seul des compères va à l'encontre de l'opinion des autres et donne la réponse qui est vraiment la bonne.

Lorsque le conformisme des opinions se manifeste, il entraîne néanmoins une compensation émotive considérable. Lorsque les sujets vont à l'encontre de leurs jugements perceptifs, il en résulte parfois pour eux un conflit psychologique assez important. Ces sujets rapportent qu'ils se sentaient anxieux, ou qu'ils se sentaient «distants» des autres sujets. Ils manifestent souvent les signes physiologiques d'une forte tension émotionnelle: sueurs, tremblements, accélération du rythme cardiaque et augmentation de la pression artérielle.

Tout écart important entre nos propres pensées et les actions d'autrui constitue une situation fort difficile. Différents individus inventeront des explications différentes pour ces écarts, mais généralement le résultat dépend beaucoup des actions ou des inactions des autres. Sans doute, l'observation la plus importante n'est pas que les gens se conforment, mais bien que l'adoption d'une telle attitude peut être difficile et traumatisante. Le conformisme découlant de fortes pressions sociales peut entraîner des conséquences psychologiques sérieuses. La série d'études suivantes fera apparaître ces réactions d'une façon encore plus frappante.

LA SOUMISSION

L'utilisation de l'autorité comme moyen d'amener une autre personne à agir à notre guise est étroitement associée aux mécanismes du conformisme. Parfois, l'autorité constitue une menace implicite contre tout refus de soumission; d'autres fois, l'autorité est perçue comme bienveillante, de sorte que ses demandes comportent une valeur positive qui peut compenser les aspects négatifs possiblement en jeu. Il arrive aussi que l'autorité s'empare implicitement ou explicitement du pouvoir décisionnel, de sorte que la tâche se trouve accomplie sans que les participants n'aient à juger de quoi que ce soit: ils n'ont qu'à faire ce qu'on leur dit.

Les expériences qui suivent présentent une assez bonne introduction à certains des facteurs en jeu dans la soumission à l'autorité. Nous allons présenter le scénario en détail, afin de vous donner la possibilité de jouer pour vous-même le rôle du sujet. Essayer d'imaginer la situation et de prédire comment vous vous comporteriez.*

Imaginez que vous avez répondu à une annonce demandant des sujets pour une expérience en psychologie qui a lieu à l'université Yale. Vous pénétrez dans les édifices impressionnants des laboratoires de psychologie de l'université Yale et vous vous rendez au local désigné, où vous rencontrez un scientifique vêtu d'un sarrau blanc. Un autre sujet est déjà arrivé. L'expérimentateur explique qu'il s'intéresse à la relation entre l'apprentissage et la punition. Il désire savoir plus particulièrement quelle est la quantité de punition optimale pour favoriser l'apprentissage et il se demande également si l'âge relatif et le sexe du professeur et des étudiants ont un effet sur le taux d'apprentissage.

Après un tirage au sort déterminant lequel des deux sujets présents sera le «professeur» et l'autre l'«élève» (vous avez tiré le billet marqué *professeur*), les deux sujets sont conduits à un local adjacent. L'élève est attaché à l'appareil («afin de prévenir des mouvements excessifs») et une électrode est fixée à son poignet avec une gelée spéciale («afin d'éviter les brûlures»). Devant vous, l'expérimentateur rassure l'élève que bien que les chocs électriques qu'il recevra pourraient s'avérer extrêmement douloureux, ils ne causeront aucun dommage permanent. Après quoi, il vous ramène dans la pièce où vous vous tiendrez durant l'expérience et vous explique votre rôle dans cette étude.

---

* La description de cette recherche ainsi que les citations sont tirées de Milgram (1963).

Votre tâche consiste à faire apprendre à votre élève une liste de mots. D'abord, vous devez lire toute la liste de paires de mots; ensuite, vous recommencez au début de la liste à lire les mots, un à la fois: vous lisez d'abord le premier mot d'une paire et ensuite quatre mots-test. L'élève doit presser un bouton indiquant lequel de ces mots-test correspond au second mot de la paire présentée au début. Chaque fois qu'il commet une erreur, vous lui administrez un choc électrique. À la suite de chaque erreur, on augmente d'un cran l'intensité du choc électrique. L'appareil à administrer les chocs est muni d'une série de commutateurs pour régler l'intensité du choc. Les intensités varient de 15 V à 450 V, par étapes de 15 V. Les intensités les plus faibles sont identifiées par les mots **choc léger** et les plus fortes par **danger: choc puissant**, puis **XXX.**

Après quelques essais d'entraînement, l'expérience commence. Au fur et à mesure que vous progressez dans la liste, l'élève obtient environ une bonne réponse sur quatre. À chaque erreur, vous augmentez l'intensité du choc, conformément au devis expérimental. Après plusieurs répétitions de la liste, l'intensité est grimpée à 300 V. À ce moment, le sujet commence à frapper les murs de la pièce. L'expérimentateur vous dit d'attendre une réponse durant environ 5 à 10 s, puis passé ce court délai, de considérer une absence de réponse comme une erreur et de continuer comme auparavant. Après le mot-test suivant, le sujet recommence à frapper les murs; mais, comme il ne donne aucune réponse, vous administrez le choc de 315 V. Lorsque vous vous retournez vers l'expérimentateur pour lui demander conseil, il se montre complètement indifférent et vous dit simplement: «Continuez s'il vous plaît». Si vous manifestez de plus en plus de répugnance, il vous répondra: «L'expérience exige que vous continuiez» ou encore «Vous n'avez pas d'autre choix, vous devez continuer». Quelle est l'intensité maximale que vous consentiriez à administrer?

Nous avons décrit cette situation avec suffisamment de détails pour vous permettre d'imaginer comment vous vous comporteriez dans de semblables circonstances.

Lorsqu'on a demandé à des étudiants en psychologie de l'université Yale de prédire les résultats, après une description semblable de cette expérience, ils s'entendirent généralement pour prédire que dans une telle situation les sujets refuseraient de poursuivre l'expérience. En moyenne, ils estimèrent à 240 V l'intensité maximale que la plupart des sujets consentiraient à administrer; ils n'accepteraient pas d'aller plus loin quelles que soient les raisons de l'expérimentateur. Ils prédirent qu'une minorité seulement (de 1% à 3%) accepteraient d'administrer les intensités de choc les plus fortes (450 V). Un sondage non-systématique auprès de psychiatres et de collègues de l'expérimentateur donna des résultats similaires.

Quand l'expérience fut réellement exécutée, toutefois, tous les sujets ont administré des intensités de chocs de 300 V ou plus. Vingt-six des 40 sujets, soit 65%, consentirent à donner l'intensité maximale de choc (450 V). Ces résultats étaient complètement inattendus. En outre, ils ont suscité de sérieuses controverses, tant sur le plan de leurs implications sociales que sur les problèmes d'éthique liés à l'expérimentation en psychologie.

Cette expérience était, vous vous en doutez bien, truquée. En réalité aucun choc électrique n'était administré. La personne qui jouait le rôle de l'élève était de fait un des expérimentateurs jouant ce rôle et simulant, selon un scénario bien établi, ses réactions aux faux chocs électriques. Le véritable sujet, dans cette expérience, c'est la personne qui joue le rôle du professeur. La véritable question posée par les expérimentateurs est: «Quelle intensité maximale de chocs les sujets acceptent-ils d'administrer, lorsqu'ils sont soumis à une pression relativement faible de la part du psychologue?»

Ces résultats sont d'autant plus étonnants que la décision des sujets de continuer à administrer des chocs de plus en plus forts était évidemment difficile, voire douloureuse. On a vu les sujets: «suer, trembler, bégayer, se mordre les lèvres, s'enfoncer les ongles dans la peau. C'étaient là des réactions typiques et non pas exceptionnelles. » En ce qui a trait aux sujets qui refusèrent de continuer, voici une explication typique de leur refus qui indique très bien la profondeur de leur conflit:

> Il cogne là-dedans. Je vais me défiler. J'aimerais bien continuer, mais je ne peux pas faire cela à un homme... Je suis désolé, je ne peux pas faire cela à un homme. Je vais endommager son coeur. Gardez votre chèque... Non, vraiment, je ne pourrais pas.

Les sujets de cette expérience semblent avoir vécu un conflit émotionnel intense en se débattant avec l'anxiété suscitée par la soumission à l'autorité. Un observateur qui s'était tenu derrière un miroir à sens unique durant toute l'expérience rapporta:

> J'ai vu un homme d'affaires d'âge mûr et apparemment bien en possession de ses moyens entrer dans le laboratoire. En moins de vingt minutes, il a été réduit à l'état d'épave toute convulsionnée et bégayante, entraînée rapidement vers la crise nerveuse. Il se tiraillait constamment le lobe de l'oreille et se tordait les mains. À un moment donné, il s'est collé le poing sur le front en marmonnant: «Mon Dieu, ça suffit, arrêtez-ça». Et pourtant il continuait à réagir à chaque mot de l'expérimentateur et à lui obéir jusqu'à la fin (Milgram, 1963).

De telles conséquences émotionnelles ne sont pas exclusives à des situations aussi dramatiques que celle de l'expérience sur les chocs électriques. Même dans l'expérience d'apparence inoffensive décrite plus haut, où le sujet devait comparer la longueur de lignes droites, les sujets se sont trouvés dans une situation vraiment traumatisante lorsque les jugements des autres sujets allaient à l'encontre de leurs propres perceptions.

Qu'est-ce que cette expérience démontre précisément? Ces travaux, et les études qui les suivirent, sont partout cités comme preuve de l'existence d'une tendance généralisée chez l'homme à se soumettre à l'autoritté. Nous devons toutefois nous montrer très prudents avant d'adopter une position aussi générale. De toute évidence, lorsque les gens doivent prendre une décision sur le plan d'action le plus adéquat, ils essaient d'évaluer l'ensemble des événements dans leur totalité. Dans cette expérience en particulier, la réputation inattaquable de la science se retrouve derrière la voix douce et calme de l'expérimentateur. Les sujets doivent mettre en balance leur malaise personnel (et le malaise apparent de l'élève) et l'utilité éventuelle des résultats expérimentaux. Ils ne devraient refuser d'obéir que lorsque leur propre angoisse personnelle dépasse la valeur apparente de l'étude*.

En fait, il est même possible de soutenir que les sujets avaient absolument raison dans leur évaluation de la situation de décider de continuer à administrer les chocs et ce, même aux intensités les plus fortes. Après tout, l'expérimentateur ne leur demande-t-il pas de continuer, laissant ainsi supposer qu'il n'y aurait aucun dommage permanent? Et, en fait, ils ont raison (et l'expérimentateur aussi): il n'y a aucun choc électrique qui est véritablement administré dans cette expérience.

Il est possible que ces résultats n'aient rien à voir avec une quelconque disposition naturelle ou persistante à l'obéissance, mais ils ne présentent pas moins une image peu enthousiasmante de la façon dont les gens évaluent un ensemble de circonstances particulières et y réagissent. Le plus étonnant ce n'est pas que les gens se soumettent, mais plutôt l'évaluation qu'ils font des valeurs relatives à cette situation — la grande valeur positive et l'immense prestige accordés aux institutions scientifiques par comparaison à ce qu'il peut en coûter personnellement d'infliger une douleur à autrui. Certains critiques de cette expérience ont fait remarquer que les expérimentateurs eux-mêmes présentaient un type de comportement semblable à celui de leurs sujets. Le fait de mener une telle expérience et d'imposer une telle dose de tension ou de malaise à leurs sujets montre qu'ils attribuent le même poids à la science relativement au mauvais traitement subi par les sujets.

Bien qu'il y ait eu beaucoup de protestations contre ce genre d'expériences, les sujets qui y ont participé, eux, ne semblent pas partager cette opinion. Après toute expérience de ce genre, tous les sujets sont soigneusement détrompés et on explique clairement les intentions ou les implications de l'expérience. Dans la plupart des cas, les sujets étaient convaincus de l'utilité de la recherche et avaient le net sentiment que leur participation avait été une expérience enrichissante. Ils semblaient d'avis qu'ils en avaient retiré une

---

* Dans cette expérience, comme dans toute expérience usant de déception quelconque à l'égard des sujets, la séance expérimentale est suivie d'une période de rectification. Dans le cas présent, on explique aux sujets la nature exacte de l'expérience, on les informe des conditions exactes qui ont été l'objet d'étude, on leur fait rencontrer à nouveau la «victime» en leur révélant que, en réalité, il s'agit de l'un des expérimentateurs. En plus, dans cette expérience en particulier, les sujets reçurent plus tard une description complète de l'expérience et on les a rencontrés afin de déterminer les effets à long-terme (voir Milgram, 1964, pour un compte rendu complet).

Il est dommage que, dans les phases initiales d'expérimentations de cette sorte, on doive parfois tromper les sujets; mais, jusqu'à présent, personne n'a trouvé de meilleur moyen pour recueillir certaines informations scientifiques nécessaires à la vérification des théories sur le comportement humain. Toutefois, les règles d'éthique de la profession exigent que tous les sujets utilisés dans de telles expériences soient toujours complètement détrompés après coup. Il arrive souvent que les sujets trouvent que leur participation a été une expérience enrichissante et qu'ils y ont appris quelque chose d'utile sur eux-mêmes.

Dans la plupart des expériences en psychologie, il n'y a pas de tromperie. Dans la majorité des cas, l'expérimentateur étudie véritablement ce qu'il ou elle annonce au sujet. Il n'est pas rare de trouver un expérimentateur travaillant sur un sujet aussi inoffensif que la perception auditive qui fait un fiasco de son expérience parce que les sujets s'attendaient à ce qu'il y ait un «truc» alors qu'en fait, il n'y en avait aucun. Plusieurs de nos lecteurs seront sans doute sollicités pour servir de sujets dans une expérience en psychologie. Si vous acceptez, rappelez-vous qu'une fois l'expérience terminée, vous êtes en droit d'exiger qu'on vous fournisse une explication complète et détaillée, de même qu'une copie du rapport final (bien qu'il puisse se passer une année ou davantage avant que celui-ci ne soit rédigé). La plupart des études en psychologie peuvent être, pour vous, des expériences enrichissantes: vous pouvez y apprendre beaucoup sur vous-mêmes.

précieuse leçon sur la nécessité d'agir conformément à leurs propres principes et sur l'importance dans l'avenir de ne pas se soumettre aussi aveuglément à l'autorité (voir Milgram, 1964). Néanmoins, ces études posent quand même à chacun de nous de sérieux problèmes, tant comme individu que comme membre de la société. Milgram a résumé la question de la façon suivante:

Avec une régularité assommante, on a pu voir des personnes foncièrement bonnes crouler sous les demandes de l'autorité et accomplir des actes durs et impitoyables. Des hommes qui, dans la vie quotidienne font preuve d'honnêteté et de sens de la responsabilité, se sont laissés séduire par l'apport de l'autorité, par le contrôle de leurs perceptions et par l'acceptation inconditionnelle de l'interprétation que l'expérimentateur donnait de la situation, au point de commettre des actions implacables.

Jusqu'où peut aller une telle obéissance? À plusieurs points de l'expérience, nous avons essayé d'insérer des bornes. On fit crier de douleur la victime, rien à faire. La victime prétendait avoir des malaises cardiaques, là encore, les sujets continuèrent à lui administrer des chocs suivant la consigne. La victime implora pour qu'on la libère et l'on n'enregistra plus ses réponses sur le panneau de contrôle, pourtant, les sujets continuaient à donner des chocs. Au départ, nous ne pensions jamais qu'il serait nécessaire d'utiliser des mesures aussi radicales pour amener le sujet à désobéir et chaque étape n'a été ajoutée qu'au fur et à mesure que les techniques antérieures se sont révélées nettement inefficaces...

Ces résultats, tels qu'observés et ressentis au laboratoire sont, pour l'auteur, extrêmement troublants. Ils font apparaître la possibilité que la nature humaine ou, plus précisément, le type de personnalité produit par la société démocratique américaine, soit absolument incapable de protéger ses concitoyens de la brutalité ou de traitements inhumains exécutés au nom d'une autorité malveillante. Une proportion importante de personnes font ce qu'on leur dit, sans aucune considération de la nature de l'acte posé, ni aucun scrupule de conscience; pourvu qu'ils considèrent l'ordre comme provenant d'une autorité légitime. Si, dans cette étude, un expérimentateur anonyme peut et avec succès, commander à des adultes de soumettre un homme d'une cinquantaine d'années à de douloureux chocs électriques malgré ses protestations, on est en droit de se demander ce qu'un gouvernement, avec l'immense autorité et le prestige qui lui sont accordés, peut commander à ses sujets (Milgram, 1965).

Les décisions en situation d'interaction

Les situations précédentes comportent toutes des pressions exercées sur un individu. La décision à prendre est, somme toute, relativement simple; elle est le fait d'un individu seul. Il y a un second type de contexte social où plusieurs participants entrent en interaction les uns avec les autres, soit pour marchander, négocier, débattre une question, etc., de sorte que le résultat éventuel dépend des décisions mutuelles de tous les participants. Plusieurs facteurs sont présents dans ce processus. D'une part, les intérêts des diverses parties peuvent être différents, de sorte qu'une décision optimale pour l'une des deux parties ne le sera pas pour l'autre. Dans tel cas, on doit trouver un quelconque compromis. D'autre part, il peut y avoir un manque de communication entre les participants, de sorte qu'il n'est pas toujours facile de discuter des décisions possibles et de leurs implications. Par exemple, dans les négociations d'affaires, chaque partie ne connaît généralement pas les détails des problèmes de l'autre partie. Dans les négociations internationales, il y a souvent une méfiance mutuelle qui rend difficile la communication.

LE MARCHANDAGE

Une situation typique, comme le marchandage, illustre très bien certains facteurs intervenant dans la prise de décision. Le marchandage est à la fois compétitif et coopératif. Il est compétitif parce que deux opposants — un acheteur et un vendeur — veulent maximiser leurs propres profits par la négociation: le plus souvent, un résultat optimal pour l'un, ne l'est pas du tout pour l'autre. Mais le marchandage est aussi coopératif: les protagonistes doivent parvenir à une entente sur le prix et la transaction doit être finalisée. Il y a généralement une certaine communication, mais elle est restreinte. Dans le cas le plus simple, le marchandage est conduit de façon impersonnelle et aucune pression sociale n'est autorisée: les communications sont limitées exclusivement aux négociations de prix et de quantités. Dans une situation de marchandage, chaque participant ne possède que des connaissances partielles de la situation: aucun des deux participants ne connaît la table de profits de l'autre.

Nous débuterons notre analyse par un exemple en provenance du marché. Nous opposerons un **acheteur** et un **vendeur** dans une situation de prise de décision en contexte social afin de voir la sorte d'interaction qui en résultera. Vous devriez essayer cet exercice: il est aussi instructif qu'amusant. Le mieux serait que vous l'essayiez avec un(e) ami(e); les matrices nécessaires pour la prise de décision sont données dans le texte de façon à ce qu'il soit possible à deux personnes de jouer . Idéalement, vous devez représenter un parti alors que votre ami(e) représentera l'autre (si vous ne pouvez trouver un partenaire, vous tirerez néanmoins beaucoup de satisfaction en alternant vous-même entre les deux rôles d'acheteur et de vendeur). Il est bon de vous préparer et de vraiment vous «mettre dans la peau» du personnage que vous allez jouer.

Maintenant, décidez lequel des deux rôles, l'**acheteur** ou le **vendeur,** votre partenaire et vous allez jouer. Ensuite, trouvez les entrefilets dans le texte qui contiennent la description de chacun des partis et faites que chaque participant lise celui du rôle qui lui est dévolu (soit la figure 16-4 ou 16-5). Ne lisez pas les deux descriptions: cela nuirait à votre capacité de jouer votre rôle de manière satisfaisante.

Figure 16-4

> L'acheteur
>
> Vous voulez acheter du maïs. Vous êtes le propriétaire d'une petite épicerie et vous avez été choisi pour négocier par une coopérative de propriétaires indépendants. L'épicerie du coin traverse une crise économique très dure, due à une gigantesque compétition de la part des grandes chaînes de supermarchés. L'année dernière fut très difficile et bon nombre d'épiceries ont dû faire faillite ou céder leur fonds à très bas prix à des représentants des grandes chaînes. Cette année, plusieurs épiciers doivent supporter des dettes contractées les années précédentes. Au moins une famille a eu de lourds frais médicaux: ils sont encore impayés à ce jour. Cette année, les épiciers ont décidé de se regrouper dans leur achat de produits agricoles, espérant que leur pouvoir d'achat ainsi accru leur assurera des prix qui ne dépassent pas trop ceux obtenus par les supermarchés. De plus, vous êtes disposé à acheter le maïs plus tôt cette saison, espérant tirer profit de cet avantage temporel sur les entreprises qui ne sont pas encore prêtes à commencer les négociations (les départements de denrées des supermarchés sont aux prises avec une grève de leur personnel). Vous êtes, par conséquent, à ce moment-ci, le seul acheteur en quantité commerciale: donc, vous représentez la seule porte de sortie pour le maïs. Vous désirez assurer les plus grands profits possibles à vos épiciers. (Maintenant, lisez la section intitulée *La procédure de marchandage*.)

Figure 16-5

> Le vendeur
>
> Imaginez que vous voulez vendre du maïs. Vous êtes le propriétaire d'une ferme et vous êtes choisi pour négocier par une coopérative agricole. L'année dernière, les divers petits exploitants agricoles représentés par votre coopérative ont eu plus que leur part de difficultés, dues principalement aux effets combinés de la sécheresse et de la maladie. Cette année, les choses vont beaucoup mieux, mais plusieurs familles doivent supporter des dettes contractées l'an dernier. Au moins une famille a eu de lourds frais médicaux: ils sont encore impayés à ce jour. Il est très important que vous obteniez un bon prix pour la récolte de cette année. Cette année, vos récoltes se sont faites très tôt, de sorte que vous détenez en ce moment la seule source de maïs en quantité commerciale: donc, vous êtes la seule source d'approvisionnement. Vous désirez réaliser le plus grand profit possible, car vos fermiers en ont besoin. (Maintenant, lisez la section intitulée *La procédure de marchandage*.)

LE PROCÉDÉ DE MARCHANDAGE*

Chaque participant connaît la structure des taux qui prévaut dans son commerce: la relation entre profit ou perte d'une part, et le prix et la quantité de ce qui est acheté ou vendu d'autre part. Cette relation entre le profit, la quantité et le prix en est une très complexe, dans laquelle un bon nombre de facteurs interviennent, pour rendre cette structure quelque peu différente de ce qu'on pourrait croire, intuitivement. Ainsi, l'acheteur et le vendeur ont dressé chacun une table de profits à leur usage personnel, table qui donne les chiffres nécessaires à la situation de marchandage. Ces tables doivent, de toute évidence, rester très confidentielles. Ni l'un, ni l'autre de l'acheteur ou du vendeur, ne doit connaître la table de profits de son opposant. La figure 16-6 pré-

---

* L'acheteur et le vendeur doivent tous les deux lire cette section.

Figure 16-6

Guide de l'acheteur (exemple)

prix	quantité		
	5	6	7

profits

100	6	7	8
90	6	8	9
80	7	8	10

Guide du vendeur (exemple)

prix	quantité		
	5	6	7

profits

100	3	2	2
90	2	2	1
80	2	1	0

(Il est à noter que ces tables sont simplifiées, leur fonction consistant à illustrer la situation. N'utilisez pas ces nombres dans la véritable négociation.)

sente un échantillon de ces tables (les deux partenaires sont autorisés à examiner ces exemples). La ligne du haut de chacune des deux tables donne les quantités du produit en cause; la colonne de gauche, les prix unitaires. Les chiffres au centre de la table indiquent les profits pour chaque combinaison de quantité et de prix.

Les extraits simplifiés des tables de profits présentées ici laissent apparaître un conflit; l'acheteur trouve son meilleur avantage en acquérant la plus grande quantité au plus bas prix, alors que le vendeur trouve le sien, en vendant au plus haut prix la plus petite quantité (les tables de profits qui seront utilisées dans la négociation sont beaucoup plus complexes, comme une étude attentive des deux tables complètes le démontrera; mais vous êtes priés de ne pas vous engager dans une telle étude avant d'avoir complété les négociations).

Au moment même des négociations, chaque participant disposera d'une table complète. Chacun doit commencer à marchander en partant d'une position qui lui soit favorable; toutefois, les deux devront éventuellement faire des concessions. Les règles de «fair-play» suivantes devront être observées:

- Ou bien vous acceptez une proposition ou bien vous faites une contre-proposition.

Figure 16-7

Guide de l'acheteur[a]

quantité — profits de l'acheteur en sous

prix	1	2	3	4	5	6	7	8	9	10	11	12	13	14	15	16	17	18
240																		
230	7	6	0															
220	17	26	30	28	15	0												
210	27	46	60	68	65	60	50	24	0									
200	37	66	90	108	115	120	120	104	90	70	33	0						
190	47	86	120	148	165	180	190	184	180	170	143	120	91	42	0			
180	57	106	150	188	215	240	260	264	270	270	253	240	221	182	150	112	51	0
170	67	126	180	228	265	300	330	344	360	370	363	360	351	322	300	272	221	180
160	77	146	210	268	315	360	400	424	450	470	473	480	481	462	450	432	391	360
150	87	166	240	308	365	420	470	504	540	570	583	600	611	602	600	592	561	540
140	97	186	270	348	415	480	540	584	630	670	693	720	741	742	750	752	731	720
130	107	206	300	388	465	540	610	664	720	770	803	840	871	882	900	912	901	900
120	117	226	330	428	515	600	680	744	810	870	913	960	1001	1022	1050	1072	1071	1080
110	127	246	360	468	565	660	750	824	900	970	1023	1080	1131	1162	1200	1232	1241	1260
100	137	266	390	508	615	720	820	904	990	1070	1133	1200	1261	1302	1350	1392	1411	1440
90	147	286	420	548	665	780	890	984	1080	1170	1243	1320	1391	1442	1500	1552	1581	1620
80	157	306	450	588	715	840	960	1064	1170	1270	1353	1440	1521	1582	1650	1712	1751	1800
70	167	326	480	628	765	900	1030	1144	1260	1370	1463	1560	1651	1722	1800	1872	1921	1980
60	177	346	510	668	815	960	1100	1224	1350	1470	1573	1680	1781	1862	1950	2032	2091	2160
50	187	366	540	708	865	1020	1170	1304	1440	1570	1683	1800	1911	2002	2100	2192	2261	2340
40	197	386	570	748	915	1080	1240	1384	1530	1670	1793	1920	2041	2142	2250	2352	2431	2520
30	207	406	600	788	965	1140	1310	1464	1620	1770	1903	2040	2171	2282	2400	2512	2601	2700
20	217	426	630	828	1015	1200	1380	1544	1710	1870	2013	2160	2301	2422	2550	2672	2771	2880
10	227	446	660	868	1065	1260	1450	1624	1800	1970	2123	2280	2431	2562	2700	2832	2941	3060

[a] Tiré de Siegal et Fouraker (1960, pp. 114-115).

- Le marchandage se fait de bonne foi. En d'autres mots, toute offre est bonne. Même si une proposition est d'abord rejetée, elle peut ultérieurement être acceptée. À ce moment-là, celui qui a originellement fait l'offre doit s'y conformer.
- Aucune entente constituant une perte pour l'un ou l'autre des partis n'est acceptable.
- Toutes les propositions sont faites par écrit: chaque offre spécifiant une quantité et un prix.
- Évitez de parler.

Allez-y maintenant. Les tables de profits, pour l'acheteur et pour le vendeur, sont incluses et placées dans le livre de façon à ce que chaque joueur ne puisse avoir accès qu'à sa propre table. Vous trouverez ces tables, page 644 pour l'acheteur et page 647 pour le vendeur. Le **guide de l'acheteur** est sur la **gauche**, tandis que le **guide du vendeur** est sur la **droite** du livre. Une page de texte sépare les deux tableaux, vous la tiendrez verticalement comme un écran entre les deux tableaux*.

LE PROCÉDÉ DE NÉGOCIATION

Maintenant que vous avez terminé la partie de négociation, il est temps d'examiner le cheminement qui a conduit à une entente. Remarquez comment le comportement de chaque participant a influencé celui de l'autre. Pour adopter une position précise de marchandage, chaque participant devait considérer les contraintes présumées de l'autre participant, sans savoir exactement quelles étaient ces contraintes.

LE NIVEAU D'ASPIRATION

Un facteur très important du comportement de marchandage est le niveau d'aspiration de l'un et de l'autre participant. Rappelez-vous comment vous vous êtes comporté. Vous avez sans doute commencé par examiner l'étendue des profits réalisables d'après les diverses combinaisons de prix et de quantité du tableau et par choisir une série de ces combinaisons comme objectifs représentant le montant de profits espérés. Ensuite, vous avez présenté vos propositions de façon à conclure un accord quelque part dans la région choisie comme objectif. Vous avez probablement été ramené brusquement à la réalité par les premières offres de votre adversaire, car il est très probable que ses premières offres vous laissaient peu ou pas de profit. À partir de ce point, le marchandage se déroule généralement à la manière d'un match d'escrime, chaque participant essayant de garder ses profits à un niveau acceptable, tout en essayant de découvrir quelles sont les combinaisons prix/quantité qui sem-

---

* Si vous jouez les deux partis à la fois, faites-le honnêtement. Mettez-vous dans la peau de l'acheteur et faites une offre sur un bout de papier. Ensuite, tournez-vous du côté du vendeur et examinez l'offre. En vous basant sur le profit proposé ainsi que sur l'évolution des offres antérieures, acceptez l'offre ou faites une contre-proposition. Ensuite, remettez-vous à la place du vendeur. Les tableaux sont suffisamment complexes pour qu'il vous soit difficile d'obtenir un avantage déloyal, si vous jouez le jeu honnêtement. Enfin, rappelez-vous que ni l'acheteur ni le vendeur ne sont supposés connaître quoi que ce soit de la table de profits de l'autre.

blent être acceptables par l'adversaire. L'objectif final que vous tentiez d'atteindre se nomme le *niveau d'aspiration (NA)*.

Le niveau d'aspiration joue un rôle important dans bon nombre de comportements humains. En effet, il tend à dominer la manière dont les gens se comportent dans une grande variété de situations. Une personne qui se donne habituellement un NA très élevé agit très différemment d'une autre qui s'en assigne un très bas. Souvent, les succès enregistrés sont fonction du NA: la personne qui s'assigne un NA élevé obtient de meilleurs résultats qu'une autre dont les ambitions sont plus modestes. Ce succès peut s'expliquer de deux façons différentes. D'une part, la personne qui se choisit un NA élevé peut se contraindre à réussir tout simplement en refusant systématiquement tout résultat qui s'écarterait trop de son objectif ou, d'autre part, tout simplement grâce à l'extrême assurance qui accompagne généralement le choix d'objectifs difficiles.

Par exemple, dans la situation de marchandage présentée ici, le résultat final étant déterminé par l'accord mutuel des deux participants, la valeur du NA que se fixe chaque participant a une grande influence sur ce résultat final. En effet, le participant qui se donne et garde un haut NA aboutira sans aucun doute à un meilleur profit que l'autre qui se donne un NA moindre et ceci, non parce que le gagnant est astucieux ou parce qu'il dispose d'un quelconque avantage à la table de négociation, mais simplement parce qu'il refusera de faire des concessions qui l'amèneraient à régler pour un profit inférieur à celui prévu par son NA.

En plus de cette influence générale du NA on a, dans la série d'expériences faites par Siegal et Fouraker, découvert beaucoup d'autres aspects de la situation de marchandage. (Ce jeu de marchandage, y compris les tables, est tiré du livre dans lequel Siegal et Fouraker (1960) donnent un compte rendu de leurs expériences.) Un des points principaux porte sur les divers genres de stratégies adoptées par les protagonistes.

Le procédé de marchandage offre un certain nombre de possibilités de variations et les stratégies des protagonistes varient avec la situation. Dans la nôtre, aucun des deux adversaires ne connaissait la table de profits de l'autre. On peut qualifier cette situation expérimentale d'*incomplète-incomplète*: chaque personne n'ayant qu'une connaissance partielle de la table de profits de l'autre. Qu'advient-il, par contre, lorsque l'un des deux (mais pas l'autre) connaît les deux tables de profits — situation que l'on nomme *complète-incomplète*? Le résultat dépend habituellement de la stratégie choisie par celui des deux qui a l'information complète. Parmi les stratégies possibles, deux sont particulièrement intéressantes: l'une peut être appelée *loyale* et l'autre, *impitoyable*.

LA STRATÉGIE LOYALE

Si les deux opposants sont des personnes honnêtes et raisonnables, il peut effectivement s'avérer nuisible pour l'un des deux d'avoir trop d'information sur la situation de l'autre. En effet, lorsque l'un des participants connaît les deux tables de profits, celui-ci peut déterminer les marges de profit raisonnables pour chacun des deux. La plupart des combinaisons prix-quantité qui

Figure 16-8

Guide du vendeur[a]

quantité — profits du vendeur en sous

prix	1	2	3	4	5	6	7	8	9	10	11	12	13	14	15	16	17	18
240	230	440	630	800	950	1080	1190	1280	1350	1400	1430	1440	1430	1400	1350	1280	1190	1080
230	220	420	600	760	900	1020	1120	1200	1260	1300	1320	1320	1300	1260	1200	1120	1020	900
220	210	400	570	720	850	960	1050	1120	1170	1200	1210	1200	1170	1120	1050	960	850	720
210	200	380	540	680	800	900	980	1040	1080	1100	1100	1080	1040	980	900	800	680	540
200	190	360	510	640	750	840	910	960	990	1000	990	960	910	840	750	640	510	360
190	180	340	480	600	700	780	840	880	900	900	880	840	780	700	600	480	340	180
180	170	320	450	560	650	720	770	800	810	800	770	720	650	560	450	320	170	0
170	160	300	420	520	600	660	700	720	720	700	660	600	520	420	300	160	0	
160	150	280	390	480	550	600	630	640	630	600	550	480	390	280	150	0		
150	140	260	360	440	500	540	560	560	540	500	440	360	260	140	0			
140	130	240	330	400	450	480	490	480	450	400	330	240	130	0				
130	120	220	300	360	400	420	420	400	360	300	220	120	0					
120	110	200	270	320	350	360	350	320	270	200	110	0						
110	100	180	240	280	300	300	280	240	180	100	0							
100	90	160	210	240	250	240	210	160	90	0								
90	80	140	180	200	200	180	140	80	0									
80	70	120	150	160	150	120	70	0										
70	60	100	120	120	100	60	0											
60	50	80	90	80	50	0												
50	40	60	60	40	0													
40	30	40	30	0														
30	20	20	0															
20	10	0																
10	0																	

[a] Tiré de Siegal et Fouraker (1960, pp. 114-115).

procurent à l'un des profits énormes, ne sont pas acceptables pour l'autre et seraient par le fait-même évitées. Le participant loyal va donc proposer des combinaisons prix-quantité qui tendent à égaliser les profits des deux négociateurs — une solution «loyale». Ce participant se donne donc un NA peu élevé.

L'adversaire, toutefois, ne connaissant pas les deux tables va, évidemment, se donner un NA initial élevé. En plus, la rapidité avec laquelle son opposant propose des offres raisonnables l'encouragera. Les offres de profit raisonnables de l'opposant averti confirmeront ses estimations de ce qui peut être gagné. Le négociateur non-averti l'emporte souvent car, celui qui est au courant des deux tables, rencontre une série d'échecs en essayant de s'en tenir à des profits raisonnables des deux côtés. Cette situation de marchandage entraîne ainsi de fortes pressions car, pour sauver quelques profits, le partenaire averti cède de plus en plus à son adversaire (si on n'en arrive pas à un accord, il n'y a de profit pour personne). Il est clair que la personne qui est loyale se trouve handicapée par un surcroît d'information.

LA STRATÉGIE IMPITOYABLE

Par contre, si la personne détenant l'information complète est impitoyable dans sa détermination de maximiser ses profits, l'information qu'elle détient peut servir à manipuler systématiquement le niveau d'aspiration de son opposant. En gros, la personne impitoyable n'a besoin que de connaître les principes de base de la théorie de l'apprentissage, à savoir que le renforcement des comportements positifs et l'absence de renforcement des comportements négatifs ont une énorme influence sur les résultats. Les renforcements de comportements négatifs peuvent être minimes, si et seulement si on les applique ou les retient de façon systématique. Ainsi, un négociateur complètement averti et impitoyable commence en n'offrant aucune chance de profit à son opposant. Ensuite, il ne lui laisse filer de petits profits qu'en échange de grandes concessions de sa part. Chaque fois que l'adversaire hésite à faire des concessions, le négociateur averti retire son offre et n'accorde aucun profit à son adversaire. Le résultat final est que le négociateur averti retire des profits considérables alors que son opposant non-averti est absolument heureux du peu qu'il a réussi à sauver. L'avantage de l'application de la théorie de l'apprentissage, lorsqu'elle est appliquée adéquatement est, qu'en plus de procurer des profits considérables à l'adversaire impitoyable, la succession de petits renforcements est tellement réjouissante que l'adversaire non-averti se montre non seulement heureux mais disposé à jouer (et perdre) encore.

Dans tous ces exemples de prise de décision en contexte social, nous avons ignoré les facteurs de personnalité des participants. Tout a été transigé (ou aurait dû l'être) d'une manière froide et impersonnelle. Que serait-il advenu si on avait laissé les personnalités se manifester? Selon les principes de base de la théorie de la décision, on ne doit chercher qu'à maximiser ses profits et par conséquent, les facteurs de personnalité ne devraient pas réellement faire de différences. Ceci, bien sûr, est totalement faux. Prenons, par exemple, le cas où il vous est possible de percevoir la difficulté de votre opposant. La structure de la négociation ne serait-elle pas totalement changée si l'on savait qu'un des participants était machiavélique, impitoyable et uniquement attaché à son profit, qu'il était bien informé des difficultés de son adversaire, mais absolument froid devant celles-ci, ne se souciant que de son profit personnel quel qu'en soit le coût pour les autres?

Résumé

De bien des façons, ce chapitre a porté principalement sur l'idée qu'un individu se fait du monde par l'intermédiaire de ses observations et de ses attributions causales. Les spectateurs tiennent compte à la fois des événements et des actions des autres spectateurs dans le choix de leur propre conduite. Pris isolément, chaque participant n'est pas habituellement conscient de la possibilité que chacun des autres spectateurs observe de son côté les autres pour déterminer ce qu'il devrait ou ne devrait pas faire. De sorte que chacun, observant qu'il n'y a aucune réaction aux événements de la part des autres, tire la conclusion évidente qu'il n'y a rien qui justifie une intervention.

Le même genre d'évaluations se produisent dans les situations de marchandage et de négociation. Chaque participant essaie de comprendre le comportement des autres, et l'habile négociateur manipule soigneusement le comportement et l'interprétation de ce qui arrive. Les négociateurs expérimentés sont très conscients de leur tendance à interpréter les actions de leurs opposants, tout comme ils prennent soin de ne pas en connaître trop sur eux pour minimiser toute tendance à sympathiser avec leurs opposants.

L'analyse des stratégies de marchandage que nous avons présentée donne aux échanges, l'apparence d'opérations transigées de sang froid et de façon impitoyable, bien que ce ne soit pas là l'intention de ces exemples. En effet, nous voulons simplement démontrer comment l'interprétation du comportement des autres peut influencer les relations interpersonnelles. Les échanges à caractère amical et coopératif se font d'après les mêmes principes, sauf que la compréhension et la confiance mutuelle en sont à la base.

Toutes nos actions ne sont pas choisies volontairement après mûre réflexion. Certains types d'actions s'apparentent au rite; elles sont choisies automatiquement après analyse de la situation par notre système mnémonique et exécutées ensuite par les participants sans aucune conscience particulière de ces actions. Ces interactions rituelles sont caractérisées par les *scripts*. À moins d'être conscients des règles qui s'appliquent, les gens peuvent se trouver prisonniers d'un script, en train d'exécuter un schème comportemental stérile, trompeur et parfois chargé d'émotivité. Cet aspect particulier est mis en évidence par certaines formes d'analyse clinique des relations interpersonnelles, dont l'analyse transactionnelle que nous avons examinée.

Si l'on fait prendre conscience aux gens des situations dans lesquelles ils évoluent, ainsi que des interactions caractérisées qui en résultent souvent, ils peuvent ainsi apprendre à améliorer leurs propres relations interpersonnelles. La perspective de l'analyse transactionnelle nous fournit de précieux indices sur la nature du comportement humain; premièrement, parce qu'elle met l'accent sur les styles de supervision du comportement (les trois états du moi nommés Adulte, Parent et Enfant) et deuxièmement, en rendant les participants conscients des «jeux» dans lesquels ils sont engagés. Ces indices peuvent nous être fort utiles, même s'ils s'avèrent incorrects. Ceci est probablement dû au fait que la simple prise de conscience de l'existence chez les autres, de problèmes et de désirs identiques aux nôtres, nous amène immédiatement à mieux les comprendre; de même, le fait de nous rendre compte des chaînes rituelles de comportements qui nous gouvernent tous, nous aide à rompre avec des comportements indésirables. Prendre du recul par rapport à une situation interpersonnelle — spécialement une qui est pleine d'émotions fortes — et se demander: «Qu'est-ce qui se passe» À quoi jouent les protagonistes? Comment chacun interprète-t-il les actions des autres?» peut représenter une progresssion inestimable vers une compréhension et une amélioration des interactions — encore une fois, même si les analyses préconisées par tel ou tel système thérapeutique ne sont pas scientifiquement fiables ou précises.

Revue des termes et notions

Voici, pour le présent chapitre, les termes et notions que nous considérons importants. Passez-les en revue; si vous êtes incapables d'en donner une courte explication, vous devriez revoir les sections appropriées du chapitre.

TERMES ET NOTIONS À CONNAÎTRE

Prototype
Schème
   stéréotype
Théorie de l'attribution
   causes situationnelles
     (externes, extrinsèques, conditionnelles)
   causes dispositionnelles
     (traits de personnalité, internes, intrinsèques)
   attributions
     spécifiques à la personne
     spécifiques à la situation
     interactions
Formation d'impressions
   différence entre moyenne et addition
   effets de l'ordre de présentation
     primauté
     recension
     attention
Formes d'interaction
   rites
   scripts
   transactions

Lectures suggérées

Le livre *Social psychology: a cognitive approach* de Scotland et Canon (1972) donne à notre avis, une excellente recension de la plupart des sujets traités dans ce chapitre.

La théorie de l'attribution a été explorée par un certain nombre d'auteurs. La meilleure introduction est probablement la série d'articles sur l'attribution de Jones, Kanouse, Kelley, Nisbett, Valins et Weiner (1972). L'article de Kelley faisant partie de cette série est particulièrement important. Celui de Jones (1976) présente un résumé des travaux les plus récents. On peut retracer les origines de la théorie de l'attribution jusqu'à l'ouvrage influent de Heider (1958). À notre avis le livre de Heider adopte une position intéressante sur plusieurs aspects de la connaissance: ce document était prématuré; ce n'est que maintenant que nous sommes prêts à en accepter plusieurs des idées. Crosby (1976) présente une étude intéressante sur le sentiment que l'on se forme soi-même de son état de privation, c'est-à-dire, les conditions dans lesquelles les gens se sentent lésés par rapport à leurs attentes de ce qui leur est dû.

Norman Anderson est l'auteur d'une importante série d'études sur les moyens pris pour combiner différentes sources d'information. Le meilleur résumé de ses travaux est son livre (Anderson 1977). Certaines applications sont rapportées dans Anderson (1973b, 1976). Les travaux sur les effets de la position sérielle sont présentés dans Anderson et Barrios (1961). N. Anderson (1974) fait un excellent exposé de sa théorie de l'intégration de l'information.

Une théorie plus ancienne sur la manière dont les gens attribuent les causes du comportement est la théorie de la dissonance cognitive. Cette théorie soutenait que les gens agissent de façon à réduire leurs conflits internes. Une quantité considérable d'expériences visant à la vérifier furent réalisées. Malheureusement, on a dû l'abandonner à cause de son manque de précision. Il était pratiquement impossible de s'entendre sur le sens du concept de dissonance tout autant que sur l'interprétation des résultats empiriques. En fait, il était relativement facile d'interpréter les résultats connus en fonction de la théorie mais c'était une toute autre affaire que de prédire des résultats empiriques à partir de cette théorie. Une théorie scientifique se doit de pouvoir prédire à l'avance les résultats éventuels d'expériences, sans quoi, sa portée est extrêmement limitée. Nous croyons toutefois, que plusieurs des notions contenues dans la théorie de la dissonance cognitive étaient correctes; cependant, à l'époque où la théorie a été proposée, on en savait trop peu pour élaborer une théorie suffisamment précise.

Ceux ou celles parmi vous, qui seraient intéressés à lire sur la dissonance cognitive, pourraient consulter plusieurs des écrits de Leon Festinger, en commençant par son livre, *A theory of cognitive dissonance* (1957) ainsi qu'une étude magnifique de Festinger, Riecken et Schachter (1956) intitulée *When prophecy fails*.

L'expérience sur les sauterelles a été faite par E. E. Smith (1961) et publiée dans un compte rendu inédit des Forces Armées Américaines. Cette expérience est analysée en détails dans l'ouvrage sur le changement d'attitudes de Zimbardo et Ebbesen (1969). On en traite à partir de la page 40 et ensuite à la page 72. Le livre de Bem (1970) sur les croyances parle aussi de cette expérience.

Les écrits scientifiques sur l'analyse transactionnelle sont plutôt rares; par contre les ouvrages populaires sur ce même sujet abondent. Le meilleur moyen de s'initier à cette méthode est sans doute de lire deux des premiers écrits de Berne: dans Berne (1961) on trouve un exposé technique de ses idées (disponible en français) et en 1964, il a publié le livre populaire, intitulé *Games people play*. De même, dans James et Jongeward (1971) on trouve une autre source populaire d'information.

La matière présentée sur le conformisme (où l'on voit que les sujets sont amenés à répondre dans le même sens que les autres sujets présents, au lieu de s'en remettre à leurs propres croyances) est tirée principalement des travaux de Solomon Asch. Ceux-ci sont exposés dans le texte de Asch (1952) intitulé *Social psychology*. L'article de Crutchfield (1955) «conformity and character» constitue une excellente recension de la question. On peut également avoir accès aux travaux de Asch grâce à son article de 1955 publié dans le *Scientific American*. L'article de Allen (1965) «situational factors in conformity» constitue également une bonne recension des travaux sur le conformisme.

Les données sur l'apathie du spectateur sont extraites du livre de Latané et Darley (1970) *The unresponsive bystander*. Un excellent résumé de ces travaux se trouve dans l'article publié par Latané et Darley (1969) dans l'*American Scientist*.

Les travaux sur la soumission à l'autorité, l'inattendue facilité avec laquelle les sujets abandonnent leur propre jugement pour obéir aux demandes de l'expérimentateur, proviennent de Stanley Milgram (1963, 1965). Nous recommandons également la lecture de la réponse de Milgram à ses critiques, dans laquelle il expose avec minutie comment se sont déroulées les suites post-expérimentales de son expérience, soit les explications et discussions de l'expérience avec ses sujets (Milgram, 1964). Voir aussi le livre de Milgram sur l'obéissance (1974).

L'exemple de marchandage utilisé dans le texte provient de Siegal et Fouraker, *Bargaining and group decision making: experiments in bilateral monopoly* (1960).

T.C. Schelling traite des tactiques de négociations stratégiques dans son livre *The strategy of conflict* (1963). Cet ouvrage est fascinant et du type qui pourrait être considéré immoral dans certains milieux. Quiconque lira le livre de Schelling devra aussi lire celui de Anatol Rapoport, *Fights, games and debates* (1960). Ces deux ouvrages comportent également d'excellentes introductions à la théorie du jeu. En plus, trois excellents articles sont parus dans le *Scientific American* (tous trois sont inclus dans le manuel édité par Messick, *Mathematical thinking in behavioral sciences: readings from the scientific american* (1968). Ces trois articles sont: «The theory of games» de Morgenstern (1949), «Game theory and decisions» de Hurwicz (1955) et enfin, de Rapoport (1962) «The use and misuse of game theory».

La façon dont se forment les attitudes et les croyances est un sujet important et se rapporte à ce dont nous avons traité dans ce chapitre, bien que nous ne l'abordions pas directement. Deux excellents petits ouvrages sont disponibles sur cette question: un de Bem (1970) sur les croyances et un autre de Zimbardo et Ebbesen (1969) intitulé *Influencing attitudes and changing behavior*. Un manuel technique qui présente la méthode à suivre pour changer les attitudes nous est fourni par Karlins et Abelson (1970). Jacopo Varela, un clinicien de Montevideo, a appliqué plusieurs des principes psychologiques aux problèmes sociaux et interpersonnels de la vie quotidienne. Son livre (Varela, 1971) résume ses pensées et s'apparente étroitement aux thèmes couverts dans le présent chapitre.

Avant d'en terminer à propos du changement des attitudes, disons que le roman de Eugène Burdick, *The 480* (1965), montre comment une analyse par ordinateur extrêmement poussée sur les tendances de vote peut-être utilisée pour modifier le vote d'une élection hypothétique. L'analyse n'est pourtant pas complètement imaginaire; des analyses similaires sont actuellement exécutées par certaines firmes qui simulent les croyances de la population électorale des U.S.A. en utilisant des moyens qui ne sont pas sans rapport avec ce que nous avons considéré dans ce chapitre.

On trouvera une discussion moins drôle d'une tentative de changer les attitudes dans le livre de McGinnis, *The selling of the president, 1968* (1969). L'aspect le plus rassurant de ce livre est qu'en dépit de leur raffinement, bon nombre des techniques utilisées n'ont tout simplement pas fonctionné.

17. Stress et émotion

Préambule

Stress
COMMENT PRODUIRE LE STRESS
LES CAUSES COGNITIVES DU STRESS
EFFICACITÉ DANS L'ÉTAT DE STRESS
  RÉACTIONS COGNITIVES AU STRESS
  COMMENT DISPOSER DES SITUATIONS STRESSANTES
  RÉACTIONS PHYSIOLOGIQUES AU STRESS
  SYSTÈME D'ACTIVATION RÉTICULAIRE
  RÉACTIONS BIOCHIMIQUES AU STRESS

Interprétation de l'activation émotionnelle
ÉMOTIONS: UNITÉ OU DIVERSITÉ?
  MESURES PHYSIOLOGIQUES
  RÉTROACTION BIOLOGIQUE
INTERPRÉTATION DES ÉMOTIONS EN FONCTION DU CONTEXTE
  L'EXPÉRIENCE
  LES CONDITIONS ENVIRONNEMENTALES
  L'EUPHORIE
  LA COLÈRE
  LES RÉSULTATS

Un modèle de l'activation émotionnelle

Revue des termes et notions
TERMES ET NOTIONS À CONNAÎTRE

Lectures suggérées

Préambule

Plusieurs sources variées d'information se combinent pour exercer un contrôle sur les actes humains: pensée, niveau hormonal, besoins nutritifs, système perceptif, mémoire. Jusqu'ici, nous avons concentré notre attention sur les systèmes de traitement de l'information, systèmes qui puisent leur information dans l'environnement ou la mémoire. Dans l'étude des émotions, pour la première fois, nous avons affaire à des systèmes impliquant directement, dans leur fonctionnement, des facteurs biochimiques, systèmes pour lesquels l'état chimique du corps constitue l'une des plus importantes sources d'information.

Un thème dominant est sans cesse apparu dans nos travaux. La pensée fait intervenir activement l'environnement: elle façonne le monde, prédisant et interprétant les événements courants dans le contexte de l'expérience acquise. Nous avons étudié ces opérations dans la perception, la mémoire, la résolution de problème et la prise de décision. Maintenant, nous découvrirons plusieurs des mêmes principes en interaction avec l'émotion. Il fallait s'y attendre. Dans le comportement et la pensée complexes des individus, l'environnement n'a d'importance que par l'interprétation qui en est faite.

L'incertitude, l'événement attendu qui ne se produit pas, l'interruption du cours régulier des réactions, l'anticipation de l'incapacité de faire face à une situation imminente, voilà autant de facteurs qui semblent susciter émotions et stress. Une discordance réelle ou anticipée entre ce qui se produit et ce qui est attendu, entraîne des conséquences importantes. Notre modèle intériorisé du monde règle nos actions. Les événements inattendus et les déficiences des mécanismes de prédiction provoquent des réactions biochimiques que nous reconnaissons être des émotions ou du stress.

Dans ce chapitre, nous revoyons brièvement quelques-uns des concepts de stress et d'émotion. Loin d'aborder tous les effets possibles de l'émotion, nous n'abordons même pas toutes les émotions. L'accent est plutôt mis sur l'influence des facteurs cognitifs sur le déclenchement des états émotionnels qui alors, à leur tour, conditionnent les réactions individuelles à ces états.

Soulignons que ce ne sont pas les situations de l'environnement qui causent le stress ou l'émotion; c'est l'interprétation que la personne donne à la situation qui détermine les réactions émotionnelles. Les gens simulent mentalement ce qui se produit dans le monde, prévoyant les événements à venir et prévoyant de même leur capacité de contrôler ces événements. Quand les prédictions ne sont pas favorables ou quand il semble qu'il y ait peu de choses qu'on puisse faire pour contrôler cette situation, c'est alors que les réactions émotionnelles sont susceptibles de se produire. De même, si les faits réels ne correspondent pas du tout à ce qui était attendu, les émotions seront déclenchées. Le système humain entretient une interaction intime entre les prédictions et les interprétations du monde d'une part, et les mécanismes biochimiques et nerveux qui activent le corps d'autre part. Ce chapitre sert d'introduction à l'étude de ces interactions.

Stress

Des mots comme *appréhension, incertitude, perturbation, discordance, dissonnance* et *conflit* sont les mots-clés de l'analyse expérimentale de l'émotion humaine et de la motivation. Dans plusieurs types de situations d'ordre motivationnel, l'organisme agit comme si quelque chose supervisait le déroulement des mécanismes cognitifs, à l'affût des aires troubles dans la confrontation avec l'environnement, et signalant l'apparition de difficultés. Le mécanisme de comparaison s'attache d'abord aux résultats de l'analyse cognitive. Aussi longtemps que tout demeure à l'intérieur de limites raisonnables, il reste muet. Mais quand quelque chose de nouveau, de discordant avec ce qui était attendu ou d'éventuellement menaçant se produit, il agit comme mécanisme interrupteur, avertissant l'organisme du problème possible et mobilisant les ressources pour y faire face. Il en résulte un changement dans le niveau général d'éveil ou d'activation. Ce niveau peut varier entre un point élevé sous l'effet du stress et de la peur et un point inférieur quand l'environnement ne fait aucune pression sur l'organisme.

COMMENT PRODUIRE LE STRESS

Dans une situation stressante, l'évaluation subjective qui est faite de la situation importe plus que les faits objectifs. Cette étroite dépendance du stress sur les facteurs cognitifs en a fait un sujet particulièrement difficile à étudier en laboratoire.

À titre d'exemple, des psychologues ont tenté d'étudier, dans une expérience, la réaction de stress de soldats subissant un entraînement au combat, avec de vraies munitions (Berkun, Bialek, Kearn et Yagi, 1962). Ils furent surpris de constater les bas niveaux de stress apparemment associés à cet entraînement. Les recrues refusaient tout simplement de croire que l'armée puisse les placer dans une situation qui pourrait entraîner des blessures. Ces soldats supposèrent (à tort) que le fait d'être perché précairement sur un arbre, avec des balles qui sifflaient tout autour d'eux, devait être plus sûr qu'il n'y paraissait, sans quoi l'armée ne l'aurait pas permis.

De pareilles difficultés surgissent dans d'autres études expérimentales sur le stress. La plupart des sujets supposent que tout traitement ignoble, en cours d'expérience, doit faire partie des variables expérimentales. Leur réticence à abandonner l'image de l'expérimentateur bienveillant qui ne les soumettrait pas, sans de bonnes raisons, à un risque ou préjudice sérieux, tend à contrecarrer les effets que l'expérimentateur cherche justement à obtenir.

Tout en rendant l'étude du stress sous des conditions de contrôle expérimentale difficile, ces conditions soulignent bien l'importance des facteurs cognitifs dans l'évaluation des réactions émotives. Quand les choses sont bien orchestrées, le stress peut être induit. Une randonnée en montagnes russes peut être rendue beaucoup plus stressante (sans modifier le parcours) si l'on ajoute quelques affiches mettant en doute la sécurité de la voie:

Attention, voie défectueuse, cette section est en réparation. Ne pas franchir quand le drapeau rouge est levé (en prenant soin de ficher un drapeau rouge sur l'enseigne).

Les opérateurs de parc d'amusement n'essaient pas de pareils trucs, même pour rire, parce que le succès de la randonnée repose sur le conflit entre la confiance dans la sécurité des installations et les apparences de danger.

Les différents tests de «stations spatiales», dont on a beaucoup parlé, où quelques volontaires sont placés à bord d'un simulateur spatial et enfermés pendant quelques mois, échouent également dans leur tentative d'imiter des conditions stressantes. Le fait de savoir qu'on est au sol, observé au moyen de téléviseurs et de divers appareils d'enregistrement des réactions physiologiques, dépouille l'expérience de presque tout son réalisme. Bien sûr, la simulation aide à résoudre les questions qu'on peut se poser sur la fiabilité des toilettes et d'autre matériel, mais les réactions humaines sont sérieusement affectées par le fait de savoir qu'il ne s'agit que d'un test.

Règle générale, plus ces simulations en arrivent à bien reproduire la réalité, plus elles réussissent aussi à déclencher le comportement habituel des gens. Cette différence dans la réaction psychologique entre expériences simulées et expériences réelles aura au moins servi une fois, en science-fiction, à résoudre le problème de garder des astronautes calmes et compétents pendant une véritable mission spatiale, malgré une défectuosité générale de l'équipement. L'astuce utilisée dans le roman consistait à laisser tout simplement les astronautes croire qu'ils se trouvaient dans un des simulateurs spatiaux les plus réalistes.

Dans la vie quotidienne, le conflit constitue probablement la source la plus fréquente de stress et d'anxiété. Il peut naître chaque fois que nos efforts, pour atteindre un objectif, se trouvent entravés. Ce peut être un obstacle qui nous empêche de réaliser une action souhaitée, ce peut être la difficulté de faire un choix entre diverses issues, ou encore il peut y avoir des effets secondaires indésirables liés à telle activité. D'où qu'il provienne, le conflit est désagréable et stressant; on a fait l'hypothèse que c'était l'instigateur principal du comportement agressif.

Dans une expérience classique sur le conflit (Barker, Dembo et Lewin, 1941), des enfants en âge de fréquenter la maternelle étaient exposés à la frustration. Dans un premier temps, on présentait à ces enfants une salle de jeu contenant un assortiment bizarre de jouets. Il manquait à tous ces jouets certains éléments: planches à repasser sans fers, jouets de plage sans eau, etc. Les diverses imperfections dans les jouets ne semblaient pas déranger les enfants le moindrement. Il firent un usage créateur des jouets et paraissaient se plaire à inventer des jeux complexes et imaginatifs à partir de ce qui était disponible.

Leur comportement changea, cependant, quand on leur laissa entrevoir un monde meilleur. On leur permit d'examiner des jouets auxquels rien ne manquait et qui étaient plus fascinants et excitants que ceux qui leur avaient été préalablement donnés. Lorsque, le lendemain, on leur offrit de jouer avec leurs premiers jouets, les effets de l'expérience devinrent évidents. Les enfants n'étaient plus satisfaits de la collection hétérogène disponible. Ils se chamaillèrent entre eux, se montrèrent belliqueux avec l'expérimentateur et destructifs pour les jouets.

Au chapitre sur l'apprentissage (chapitre 13), nous avons parlé du phénomène connu sous le nom de *résignation apprise*. Des animaux (humains compris) sont placés face à des situations qu'ils s'avèrent incapables de contrôler par leurs réactions. Prenons un cas où aucune réaction ne paraît appropriée ou qui aurait donné lieu à l'apprentissage de réactions inappropriées seulement. Si une telle situation persiste longtemps (ou se répète dans différents environnements), il en résulte souvent une sensation générale de désemparement, une impression d'incapacité générale à composer avec le monde. La connaissance de notre propre capacité de contrôler une situation est un des facteurs principaux dans l'expérience du stress et des émotions.

Quand nous sommes placés dans une situation que nous nous sentons incapables de changer ou pour laquelle nous ne possédons pas de répertoire de réponses satisfaisant, une angoisse générale semble prévaloir. Si nous essayons de réagir à la situation, nos tentatives sont souvent inappropriées, ce qui accroît le sentiment d'anxiété. Quelqu'un de bien entraîné et d'expérimenté, qui serait placé dans la même situation, ne se sentirait ni anxieux ni ému en pareilles circonstances. La différence principale entre ces gens et nous réside dans la facilité avec laquelle ils sont capables de produire des réactions appropriées (et leur confiance en leur capacité de produire ces réactions appropriées).

Les réactions émotives qui surgissent à l'interruption d'une activité en cours, sont intimement liées à ces questions. L'interruption semble constituer une source première de difficulté conduisant à des sentiments de frustration et d'incapacité générale à réagir après l'interruption. Dans une telle situation, les planifications ne valent plus et aucune nouvelle série d'initiatives n'a pu encore être considérée. Donc, immédiatement après l'interruption d'une activité en cours, nous nous trouvons devant une pénurie de réactions adéquates, la constatation générale que les autres possibilités de programmation ou de déclenchement de réactions ne sont plus pertinentes et nous faisons, par conséquent face à une montée de tension émotive. Une fois que l'émotion s'est emparée de l'être humain, la perception de la situation change puisque l'individu commence à réagir à la perception de ses perturbations émotionnelles aussi bien qu'à la situation générale.

Le chapitre 16 traite de deux circonstances différentes qui entraînèrent des réactions émotionnelles. Toutes deux exigeaient des individus en cause qu'ils se conforment à un programme d'action contraire à leurs croyances. Dans un cas, leur perception de la longueur relative de lignes semblait contraire à celle des autres sujets. Dans le deuxième cas, on les enjoignait de donner des chocs électriques douloureux à d'autres être humains, sur les instances aimables d'un scientifique qui justifiait la nécessité de ce geste en invoquant le bénéfice qui en découlerait pour la Science. À prime abord, aucune de ces situations n'apparaît stressante en soi. Donner une opinion sur la longueur d'une ligne ne semble pas difficile. Décider d'obéir ou de désobéir à une demande faite avec gentillesse n'apparaît pas ardu non plus. Dans aucun cas, les personnes elles-mêmes ne se trouvaient menacées ou exposées à un danger. Mais le désaccord entre leurs perceptions ou leurs croyances et le comportement exigé d'elles entraîna des réactions fortement émotives et stressantes pour les personnes en cause.

L'incapacité de contrôler son environnement semble constituer une source importante de stress. Ceux qui vivent des circonstances où l'harmonie entre les réactions planifiées et la situation réelle est rompue, semblent éprouver du stress. Il est apparemment nécessaire de croire que nous avons les qualités requises pour maîtriser les éventualités de ce monde. Quand cette croyance est détruite, il peut s'ensuivre des sentiments de résignation et de désespoir, lesquels peuvent conduire à l'introversion, à la dépression névrotique et même à la mort.

LES CAUSES COGNITIVES DU STRESS

Toutes les situations abordées jusqu'ici semblent avoir quelques principes en commun. Tout repose sur les croyances subjectives qu'ont les personnes face à une situation qu'ils doivent affronter. Fondamentalement, deux catégories de condition engendreraient le stress. Il y a d'abord les situations pour lesquelles les individus n'ont pas acquis de modèles adéquats; puis celles où les modèles mènent à des conséquences indésirables que l'individu se sent incapable de contrer.

La première condition apparaît soit quand il s'agit d'une situation nouvelle pour laquelle l'expérience passée n'offre pas de lignes de conduite, soit quand il y a discordance entre les événements en cours et les événements attendus. Dans les deux cas, le problème vient de ce qu'il n'existe pas de modèle interne adéquat qui corresponde à la situation. Le stress découle ici de la nouveauté, de l'aspect inattendu des événements, d'une connaissance insuffisante de la situation ou de l'interruption d'une activité en cours.

Des sentiments de résignation émergent quand les individus se sentent incapables de faire face à une situation imminente ou encore quand les circonstances sont telles qu'il n'y a pas de réponse appropriée possible. Ainsi, lorsqu'un moteur d'avion flanche pendant un vol régulier, les personnes à bord ressentent du stress. Les passagers n'exercent absolument aucun contrôle sur l'événement. Beaucoup de gens se sentent plus en sécurité en conduisant une automobile qu'en volant, en dépit du fait que les automobiles soient plus dangereuses et que ces statistiques leur soient connues. La différence ici tient à ce qu'un certain contrôle est possible en automobile alors qu'il n'y en a aucun pour le passager de l'avion.

Une troisième cause de stress est le stress lui-même. Une fois que les réactions émotionnelles ont commencé à poindre, les individus réagiront en fonction de leur perception des changements émotionnels autant que de la situation générale. La montée de l'émotion entraîne une plus grande pression vers l'action, mais les réactions alors tentées s'avèrent souvent inappropriées, et mènent conséquemment à plus d'anxiété et de stress encore (lequel accroît encore davantage la pression en vue d'une réaction).

EFFICACITÉ DANS L'ÉTAT DE STRESS

Il s'avère utile, en général, de considérer deux niveaux de réactions au stress. L'un est le niveau physiologique interne, largement responsable de la mobilisation des ressources biochimiques du corps pour contrecarrer le stress. L'autre niveau est celui de l'interprétation cognitive, qui est impliqué dans le déploiement des ressources cognitives pour mieux composer avec la situation stressante. Considérons maintenant ces deux niveaux en commençant par le niveau cognitif.

RÉACTIONS COGNITIVES AU STRESS

Dans les moments de stress et en particulier de danger imminent, le comportement se modifie, mais pas toujours de façon efficace pour l'affrontement du problème en cause. Examinons la situation suivante:

Un groupe de personnes dans un cinéma regardent un film. Tout à coup de la fumée et des flammes surgissent. L'excitation monte, quelques personnes se précipitent vers les sorties et essaient de les ouvrir en poussant. Les portes demeurent fermées. Les gens poussent plus fort en se jetant contre les portes. Ils frappent, poussent et se bousculent, mais en vain. Les portes semblent fermées à clef et résistent à tous les assauts.

Plus tard, un pompier essaie les portes. Elles s'ouvrent facilement. Les portes n'étaient pas verrouillées mais elles s'ouvrent vers l'intérieur. Pendant l'incendie, les spectateurs, pris de panique, ont cherché à forcer l'ouverture des portes en les poussant vers l'extérieur.

Pareille situation s'est déjà produite et d'autres tragédies semblables peuvent se produire. Des gens sont morts en tentant vainement d'ouvrir des portes dans le mauvais sens. D'autres ont été emprisonnés sur le siège arrière d'une automobile à deux portes parce qu'ils étaient incapables de rabattre la banquette avant, même s'ils essayaient d'en tirer le loquet parce que, dans certaines voitures, le loquet de la banquette ne cèdera pas tant qu'une pression quelconque se trouve exercée contre la banquette elle-même. Un tel dispositif fonctionne à l'encontre des réactions naturelles d'une personne prise de panique, qui ne songe qu'à pousser plus fort quand elle rencontre quelque résistance.

Des plongeurs sous-marins se sont noyés pour des raisons semblables. On rapporte souvent que des plongeurs mal entraînés sont pris de panique face à des difficultés relativement mineures. Souvent, ces plongeurs ont froid et sont fatigués et, réagissant à un besoin soudain de revenir à la surface, ils négligent de jeter leur lest ou leurs poids de plomb (pourtant munis de leviers très faciles à tirer). En proie à une soudaine frénésie, le plongeur n'applique pas la réaction appropriée pour remonter, alors que ses poids le maintiennent vers le bas.

Tous ces cas révèlent une diminution de l'efficacité de la perception et une tendance à adopter des comportements stéréotypés en conditions très menaçantes et stressantes. La personne en danger semble concentrer toutes ses ressources conscientes sur un aspect du problème. Quand l'attention est polarisée ainsi sur un seul aspect, il devient impossible d'examiner la situation dans son ensemble et de produire des réactions différentes. En l'absence d'une solution de rechange, la seule action possible consiste à essayer plus fort ce qu'on vient de tenter: si une porte ou un siège ne cède pas, on pousse plus fort; si on lutte pour atteindre la surface en vue de respirer, on lutte encore plus fort.

Easterbrook (1959) a fait l'hypothèse qu'un état d'activation émotionnelle tend à réduire le nombre d'indices différents qu'une personne pourrait utiliser. Ceci peut faire office de fonction d'adaptation quand les indices ignorés ne contiennent pas d'information vitale. Mandler (1975b) a avancé l'idée qu'une réduction globale de l'efficacité de fonctionnement dans des conditions de stress et d'anxiété peut résulter de la lutte que se livrent, pour l'usage de ressources cognitives limitées, les indices situationnels sur lesquels on centre son attention et les indices additionnels résultant de l'émotivité qui a été soulevée. Comme les indices émotionnels ne sont pas fonctionnels, ils ne font qu'ajouter au fardeau de l'information à traiter. Enfin, il semble y avoir là un changement dans la façon d'accepter les échecs. Ordinairement, (en l'absence de stress inhabituel) quand une réaction n'arrive pas à atteindre le résultat escompté, on essaie éventuellement de réévaluer la situation afin de trouver d'autres alternatives. Sous des conditions de stress, il devient très difficile de réagir ainsi. C'est comme si nous étions pris dans un système clos, incapables de nous adapter, que nous pourrions décrire comme la répétition de tentatives désespérées où la force est chaque fois accrue, malgré l'échec.

COMMENT DISPOSER DES SITUATIONS STRESSANTES

Comment les effets débilitants du stress peuvent-ils être évités? Évidemment, il faut que l'environnement ou les réactions humaines soient modifiés. Un bon moyen serait de réorganiser l'environnement de façon à rendre efficaces les réactions naturelles prévisibles des gens. Il est parfois impossible d'y parvenir. La solution de rechange consiste à apprendre aux gens à composer avec les situations stressantes.

La première solution est tellement bien acceptée qu'elle a été inscrite dans plusieurs lois. Ainsi, la plupart des salles de réunion publiques sont tenues d'avoir des sorties d'urgence clairement indiquées par des lumières automatiques fonctionnant sur piles. Plus important encore, les portes sont supposées ouvrir vers l'*extérieur,* jamais vers l'intérieur. Dans certaines régions, on ne tolère même pas les poignées de porte: une longue barre est placée sur la porte de telle sorte qu'une simple pression puisse suffire à l'ouvrir. Le mouvement naturel d'une foule prise de panique contribuerait à ouvrir la porte automatiquement. Une situation semblable se rencontre dans le cas de plusieurs escaliers dans les édifices publics. En cas d'urgence, les gens courent aux escaliers et descendent précipitamment pour s'échapper de l'édifice. Une fois qu'ils ont commencé à descendre, ils ont tendance à continuer, passé le rez-de-chaussée, jusqu'au soubassement ou au garage. Ceci peut amener les gens à s'emprisonner sous l'édifice. Une solution est de rendre difficile d'accès la descente après le rez-de-chaussée. Vous devez avoir remarqué que dans plusieurs édifices publics, les escaliers des étages supérieurs se terminent au rez-de-chaussée. Les escaliers menant aux étages inférieurs sont localisés ailleurs ou sont séparés de l'escalier principal au-dessus du sol par une porte ou une grille qui les ferme. Incidemment, cette porte doit être tirée vers l'intérieur pour être ouverte, ce qui la rend plus difficile à franchir pour une foule en fuite. L'effort supplémentaire requis pour aller sous le rez-de-chaussée peut sauver des vies dans des moments d'urgence, même si ce dispositif est considéré comme un inconvénient par les usagers en conditions normales.

S'il n'est pas possible de modifier l'environnement, il faut alors entraîner la population à faire face aux situations dangereuses de façon plus rationnelle. Le plongeur doit être entraîné à réagir de façon appropriée même quand il manque d'air depuis trente secondes. Les conducteurs d'automobiles, de motocyclettes, les pilotes, doivent apprendre à adopter des réactions appropriées face au danger. L'entraînement à bien réagir à des conditions stressantes simulées peut faire beaucoup pour réduire la panique quand de vraies situations se présentent. Plus la simulation se rapproche de la situation périlleuse éventuelle, plus il est probable que les réponses pratiquées seront efficaces en cas d'urgence. Il est important que des pratiques d'urgence soient reprises encore et encore (jusqu'au point appelé surapprentissage) de telle sorte que les gens réagissent automatiquement et efficacement aux caractéristiques d'une situation particulière. En fait, une personne bien entraînée à des situations d'urgence peut ne pas éprouver le même trouble émotif qu'une personne non entraînée. Le fait de savoir que pareille situation a déjà été affrontée avec succès, suffit souvent à réduire considérablement les réactions de stress. Si les perturbations émotionnelles sont directement proportionnelles à l'écart entre la réalité et nos attentes, alors un des bénéfices d'un entraînement intensif est de donner à l'individu un éventail de modèles nécessaires à l'anticipation des variantes possibles, en même temps que l'assurance de l'efficacité de son modèle: la situation s'est déjà présentée et elle a été bien maîtrisée.

Les mêmes principes sur lesquels se fonde la nécessité de s'entraîner à réagir à des situations dangereuses, s'appliquent à tous ceux qui doivent exécuter des actes qui exigent de la dextérité dans des conditions de stress. Les acteurs et les musiciens qui doivent se produire devant de vastes auditoires, éprouvent souvent beaucoup de stress avant la représentation. Comme résultat, leur rendement est susceptible de se détériorer. La solution est d'avoir pratiqué leurs pièces encore et encore, de sorte que leurs gestes puissent s'agencer automatiquement, sans aucun besoin de penser ou de prendre de décision. Les exécutants peuvent être assurés de résister aux effets perturbateurs, d'être exempts du stress, seulement quand la performance est si bien apprise qu'elle ne requière que peu ou pas d'attention.

RÉACTIONS PHYSIOLOGIQUES AU STRESS

La structure du système nerveux impliquée dans le déploiement des ressources cognitives et de l'attention devrait avoir certaines caractéristiques pour fonctionner:

- ce système doit entrer en interaction étroite avec les processus cognitifs qui se déroulent dans les centres supérieurs du cortex;

- ce système devrait à la fois surveiller et contrôler l'efficacité du traitement cortical;
- ce système devrait être sensible à l'information sensorielle de façon à pouvoir alerter l'organisme quand certains signaux afférents exigent la priorité sur le plan de l'attention et du traitement à leur accorder.

Il existe un système neuronique qui possède la plupart de ces propriétés. À travers toute la partie du cerveau appelée mésencéphale, on trouve un ensemble de neurones, formant un vague réseau, qui entretiennent des relations avec presque toutes les autres parties du cerveau. L'activation normale du cerveau dépend du bon fonctionnement de cette région bulbo-ponto-mésencéphalique appelée: *formation réticulaire* ou *système d'activation réticulaire* (SAR); voyez la figure 17-1.

LE SYSTÈME D'ACTIVATION RÉTICULAIRE

L'abondance et la complexité de ses interconnexions avec le reste du système nerveux central laisse soupçonner l'importance fonctionnelle de la formation réticulaire. Les informations sensorielles en route vers le cortex passent par le SAR. En plus de son réseau de communication sensorielle, le système réticulaire est directement relié aux centres cérébraux qui lui sont immédiatement supérieurs et projette aussi une énorme quantité de fibres qui se distribuent de façon diffuse par tout le cortex. Ce circuit de communications est bi-directionnel. Le cortex reçoit un grand nombre de fibres du système réticulaire et projette, en retour, d'autres fibres qui portent une information. D'un point de vue strictement anatomique, le système réticulaire est placé en position idéale pour coordonner et intégrer l'activité neuronique du système nerveux central. Les études sur le système réticulaire commencent à peine à nous laisser entrevoir l'importance de ce rôle.

En général, le SAR semble régler les niveaux d'activité globale du cortex, ce qui affecte l'efficacité du traitement des données sensorielles qui y arrivent. Supposons qu'on présente un clignotement de lumière ou un déclic à un animal; la salve des impulsions nerveuses, déclenchées dans le système sensoriel, se rend à l'aire sensorielle réceptrice du cortex où elle engendre des réponses dans un grand nombre de cellules corticales. L'activité synchrone de ces unités corticales peut être mesurée au moyen d'une électrode grossière: c'est ce que nous appelons le *potentiel évoqué*. Chez l'animal anesthésié, cette réaction corticale aux signaux afférents semble s'évanouir rapidement et demeure principalement circonscrite aux aires corticales qui reçoivent les signaux sensoriels en premier lieu. Chez l'animal éveillé, la réponse nerveuse évolue largement à travers tout le cortex et peut facilement être détectée à plusieurs pôles d'enregistrement différents. L'insensibilité aux signaux,dans le cas de l'animal anesthésié,pourrait donc être due à l'incapacité du cortex de traiter les messages sensoriels au-delà des centres de réception sensorielle. Puisque les anesthésiques ont comme premier effet de désensibiliser le système réticulaire, nous sommes aisément portés à croire qu'un traitement cortical efficace dépend du bon fonctionnement de la formation réticulaire.

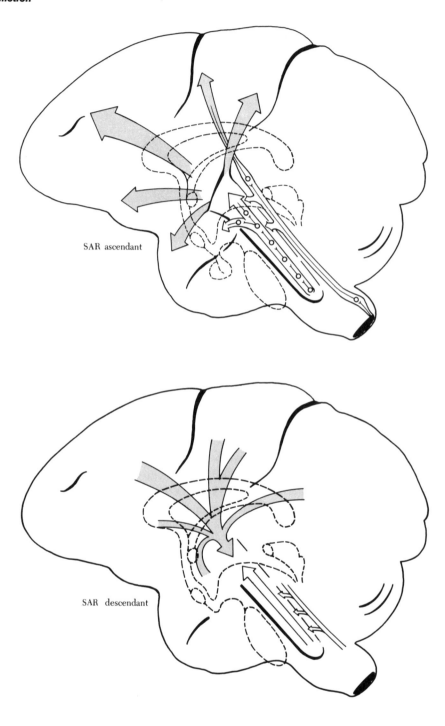

Figure 17-1 Ci-haut: le système d'activation réticulaire ascendant. Ci-contre: interaction des messages corticaux descendants et réticulaires ascendants. *Lindsley (1957).*

Plusieurs facteurs permettent de soutenir cette thèse. Si on active le SAR au moyen d'une électrode en même temps qu'une stimulation externe se produit, l'amplitude de la réaction nerveuse dans le cortex sensoriel, de même que l'étendue de la zone d'activité à travers toutes les régions corticales, sont amplifiées. Des effets similaires peuvent être décelés pour des cellules unitaires dans les circuits sensoriels. Les neurones des voies visuelles, par exemple, qui ne répondent pas, à ce moment précis, à un signal afférent, peuvent soudainement devenir très actifs quand une électrode introduite dans le système réticulaire est activée. La décharge réticulaire, cependant, ne produit pas invariablement une augmentation de la sensibilité des circuits de transmission sensorielle. Activer certaines régions du système réticulaire semble produire l'effet contraire — une réduction plutôt qu'une hausse des niveaux d'activité neuronique en réaction aux événements sensoriels.

Les modifications du niveau d'activation réticulaire paraissent donc capables de produire de grandes altérations de la conductivité des voies tant corticales que sensorielles. En revanche, le système réticulaire est influencé par l'activité de ces réseaux. Certaines cellules du SAR seraient sensibles à l'activité de n'importe quel système sensoriel et réagiraient aussi vivement à l'occurrence d'une stimulation visuelle, auditive, tactile et même olfactive. Ce type de cellules semble généralement sensible au volume général de la circulation d'influx sensoriels plutôt qu'aux caractéristiques spécifiques du message sensoriel. Elles se rencontrent le plus fréquemment dans la moitié inférieure du SAR. D'autres cellules réticulaires sont plus sélectives. Quelques-unes superviseraient principalement l'information propre à une modalité spécifique et ne seraient sensibles qu'aux variations du signal approprié. Ces modes de réactions différents ont servi de base à la division du SAR en deux régions distinctes. La moitié inférieure, principalement affectée au niveau général de l'activité sensorielle, serait plus lente et relativement peu sélective dans ses réponses. Sa fonction primordiale serait de maintenir un minimum ou un niveau de base d'éveil ou d'activité. La portion supérieure de la formation réticulaire (souvent appelée *système à projections thalamiques diffuses*) est plus sensible aux variations transitoires du niveau de stimulation et peut jouer un rôle fondamental, alertant l'organisme aux modifications des conditions environnementales et réglant le flux d'information sensorielle en fonction des exigences fluctuantes de l'environnement.

Voici donc une structure nerveuse capable de surveiller le débit des échanges dans le système sensoriel, de détecter les variations transitoires de la stimulation externe, d'altérer les caractéristiques et l'efficacité du traitement cortical, d'amplifier ou d'atténuer les messages cheminant vers le cortex et de recevoir les informations des centres cérébraux supérieurs qui régissent son activité propre. Cette structure a une influence importante sur l'activité de l'organisme, activité allant du contrôle des cycles de sommeil et d'éveil jusqu'aux modulations spécifiques de l'attention et de l'efficacité du traitement cortical. Pour un ingénieur, elle a toutes les caractéristiques d'un contrôleur des communications, un système responsable de la coordination du flux d'informations dans le système nerveux et de l'allocation des moyens de calcul et d'analyse aux centres nerveux supérieurs. Une telle conclusion, toute intuitivement plausible qu'elle puisse paraître, serait pourtant prématurée. Quoique toutes les données recueillies jusqu'ici nous fournissent un bon départ dans la compréhension du SAR, nous sommes encore loin de pouvoir donner une vue d'ensemble de ce système.

RÉACTIONS BIOCHIMIQUES AU STRESS

La présence prolongée de situations stressantes peut graduellement surcharger les mécanismes de défense biochimiques d'une personne. Il en résulte un individu affaibli, à résistance moindre et hautement vulnérable aux maladies de toutes sortes.

Selye (1974) a décrit un ensemble spécifique de réactions biochimiques qui constitueraient la réaction normale de l'organisme au stress. D'après lui, peu importe que le stress vienne de causes physiques ou psychologiques ou encore qu'il soit associé à des expériences agréables ou désagréables: les modes de réactions biochimiques demeurent les mêmes. Ces réactions se définissent comme la «réponse *non spécifique* du corps à *toute* demande qui lui est faite». (Selye, 1974.)

Les réactions biochimiques au stress sont principalement contrôlées par l'interaction de plusieurs centres biochimiques du cerveau: l'hypothalamus, l'hypophyse et le système adrénergique. Une fois déclenchée, la réaction au stress semble passer par trois phases distinctes connues sous le nom de *syndrome général d'adaptation* (SGA). La première phase apparaît au moment de la première expérience des conditions stressantes: la *réaction d'alarme*. Cette réaction comprend une décharge accrue d'adrénaline, une accélération du rythme cardiaque, une réduction de la température du corps et du tonus musculaire, de l'anémie, des hausses temporaires des niveaux de glycémie et de l'acidité gastrique. Dans les cas graves, ces réactions peuvent conduire à un état de choc clinique.

Si l'élément stresseur persiste, la réaction d'alarme donne lieu à un second volet: le *stade de la résistance*. Les symptômes du stade d'alarme disparaissent alors en même temps que le corps mobilise de nombreux systèmes de défense contre l'agent de stress. Dans cette réaction de défense, le rôle principal échoit aux systèmes hypothalamique, hypophysaire et adrénergique. Ces systèmes favorisent une production accrue d'anticorps et une élévation du niveau d'activité métabolique. De plus, il y a augmentation du taux de libération des agents chimiques dans le flot sanguin — du glycogène hépatique en particulier. Ces phénomènes peuvent être responsables de l'apparition d'un bon nombre de conditions pathologiques: un des effets du stress prolongé est la formation d'ulcères dans l'estomac et l'appareil gastro-intestinal. L'hypoglycémie en est un autre, alors que les réserves en sucre de l'organisme diminuent si dangereusement que toute demande d'énergie soudaine peut les épuiser. L'hyperactivité des systèmes hypothalamique, hypophysaire et adrénergique durant le stade de résistance peut aussi avoir des séquelles très graves sur les caractères physiques des structures impliquées (figure 17-2).

Éventuellement, les systèmes biochimiques ne seront plus capables de maintenir ces niveaux de résistance élevés et donneront lieu à la phase finale

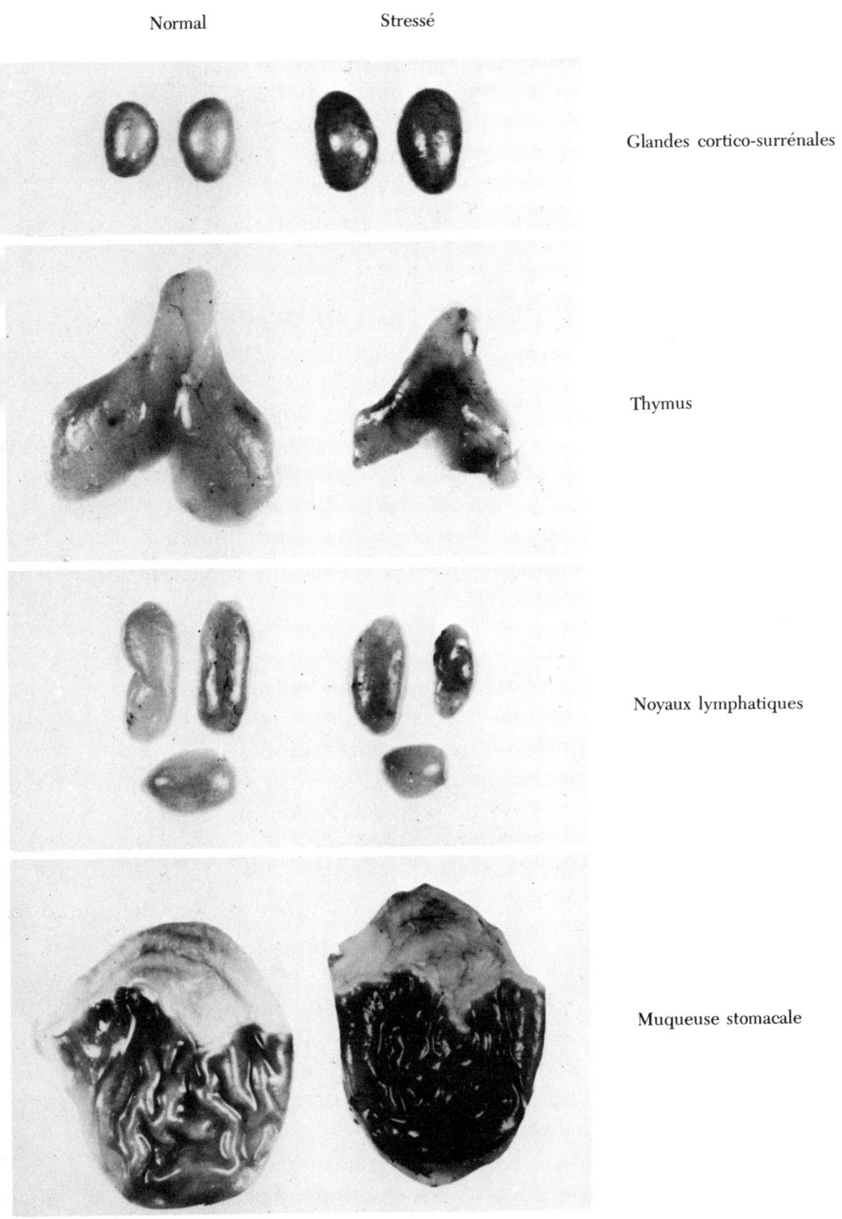

Normal   Stressé

Glandes cortico-surrénales

Thymus

Noyaux lymphatiques

Muqueuse stomacale

Aspects caractéristiques du syndrome du stress: hypertrophie et décoloration des glandes cortico-surrénales, régression du thymus et des noyaux lymphatiques, ulcération de la muqueuse stomacale (Selye, 1952).   **Figure 17-2**

du SGA, le *stade d'épuisement*. Alors, les réserves devant servir à l'adaptation de l'organisme sont complètement épuisées. Cette dernière étape est irréversible et l'individu mourra inévitablement. *Aucun facteur spécifique* ne déclenche les réactions biochimiques au stress. Le même ensemble de réactions biochimiques apparaît indépendamment de la nature de l'agent stresseur. Le syndrome général d'adaptation peut être déclenché par des changements de température, des infections, des substances toxiques, des blessures, des traumatismes chirurgicaux, aussi bien que par des conflits psychologiques, par des menaces ou l'incapacité permanente de composer avec l'environnement.

Interprétation de l'activation émotionnelle

Un écart entre attentes et réalité peut entraîner une activation générale des processus physiologique et cognitif. Il est d'importance capitale pour le théoricien de déterminer s'il existe un mécanisme d'activation unique, qui alerte tout simplement l'organisme et permet à n'importe quelle réaction de faire son apparition, ou si les modes d'activation sont différents selon les diverses causes. La thèse selon laquelle l'activation émotionnelle serait non spécifique et basée sur un seul mécanisme sous-jacent a été appelée la théorie du juke-box (Mandler, 1962).

ÉMOTIONS: UNITÉ OU DIVERSITÉ — Comme son nom l'indique, la théorie du juke-box compare à peu près l'activation émotionnelle à l'action de placer une pièce de monnaie dans un juke-box: la machine s'allume, prête à se mettre en branle, également prête à jouer n'importe quoi de son répertoire. Le comportement lui-même n'est déterminé que lorsqu'on choisit de pousser un bouton précis. L'activation émotionnelle commence avec l'entrée de la pièce de monnaie dans l'appareil. Les facteurs liés à l'environnement sélectionnent ensuite le comportement à venir, exactement comme la pression sur le bouton détermine le choix d'un disque parmi d'autres.

Comme dans toutes analogies, le parallèle ne doit pas être appliqué littéralement. Un facteur important, dont ne tient pas compte l'analogie, tient au fait que, dans le cas de l'émotion, ce sont les mêmes événements qui produisent la réaction et qui contrôlent le comportement, une fois le système activé. Ceci exerce un effet systématique considérable sur le type de comportement engendré par l'état émotionnel.

Une autre position théorique possible serait que les mécanismes d'activation varient en fonction de différentes émotions. Après tout, ne sommes-nous pas conscients des diverses façons dont la faim, le froid, la peur, l'appétit sexuel activent notre corps? La réponse est à la fois oui et non. D'un côté, il est clairement possible de répartir en deux classes générales les types d'activation neuronique: celle qui excite et celle qui calme. Un ensemble d'émotions résulterait de l'activation du *système nerveux sympathique* et entraînerait une tension générale, spécialement celle des muscles qui ont pour fonction de soutenir le corps (appelés muscles posturaux). La forme typique de cette réaction comprend, chez l'être humain, une tension des genoux, un redressement du corps avec serrement des mains et des mâchoires. Le rythme cardiaque s'accélère, les vaisseaux sanguins se contractent en même temps que la pression artérielle s'élève. Sur le plan des émotions, ce sont souvent là les symptômes de la rage, de la haine ou de la colère. Un autre groupe d'émotions présenterait des symptômes presque directement opposés, provenant de l'activation du *système nerveux parasympathique*. Nous constatons alors un ralentissement du rythme cardiaque, une dilatation des vaisseaux sanguins et une baisse de la pression artérielle. Les membres ont tendance à se replier. Sur le plan des émotions, ce sont souvent là les symptômes d'états agréables, comme ceux qui accompagnent le fait d'avoir mangé à satiété, par exemple.

Il n'est pas certain que les états de tension somatique puissent être distingués des états de relaxation, du moins dans les cas extrêmes. Mais peut-on faire des distinctions plus subtiles à l'intérieur de ces deux catégories? Ici, nous ne disposons guère de preuves péremptoires. Il s'est trouvé au moins un théoricien pour soutenir par exemple, que ces deux types fondamentaux d'émotion sont simplement des extensions des défenses normales du corps contre le froid et la chaleur (Stanley-Jones, 1970). La contraction des vaisseaux sanguins et toutes les manifestations qui y sont associées font partie de la défense contre le froid. La dilatation des vaisseaux et toutes les manifestations qui y sont associées font partie de la défense contre la chaleur. D'après cette théorie, tout un ensemble d'états émotifs se sont rattachés à ces deux réactions physiologiques fondamentales. Les distinctions que nous ressentons entre ces états — la raison pour laquelle nous ne confondons pas souvent le fait d'avoir chaud avec celui d'être excité sexuellement, ou le fait d'avoir froid avec celui d'être fâché — viennent de ce que les facteurs cognitifs ont pris le contrôle. Ainsi, le même facteur cognitif qui provoque la relaxation des vaisseaux sanguins nous amènera aussi à interpréter les états somatiques qui en résultent comme de l'amour et non simplement comme un excès de chaleur.

La difficulté de trancher entre ces deux positions vient des limites de la conscience. En principe, tout ce que le psychologue désire, c'est de savoir si des choses telle que la tension résultant de la peur, peuvent se distinguer de la tension provoquée par la colère ou même par le froid. En pratique, ce n'est pas facile.

MESURES PHYSIOLOGIQUES

Nous avons fait observer que durant l'activation émotionnelle, plusieurs indices physiologiques changent. Naturellement,la question ici est de savoir s'il y a un ensemble particulier de réactions physiologiques propre aux diverses émotions. Comment l'état physiologique d'un organisme diffère-t-il d'un état émotionnel à l'autre?

Dans une expérience (Ax, 1953), on a relié les sujets à des appareils de mesures physiologiques, puis on a provoqué chez eux la peur ou la colère, grâce aux agissements de l'assistant du laboratoire (qui était de connivence avec l'expérimentateur). La peur était créée par des manipulations maladroites de l'équipement de la part de l'assistant, la colère par quelques remarques bien choisies.

On a pu constater certaines différences dans l'ensemble général des réactions physiologiques à ces deux émotions. Mais le mode exact de réaction ne dépend pas seulement de la force de l'activation émotionnelle, mais aussi du contexte général. De plus, il est difficile de dire si les différences physiologiques reflètent les vraies causes physiologiques sous-jacentes, ou résultent plutôt de la réaction émotionnelle. Ax a trouvé que les sujets fâchés présentaient des ralentissements du rythme cardiaque, des augmentations du tonus musculaire et de la pression artérielle diastolique, alors que les sujets apeurés respiraient plus rapidement. Mais ces symptômes peuvent aussi naître des tentatives faites par les sujets pour composer, avec leur perception, de la peur et de la colère. Les réactions physiologiques sont affectées selon que l'individu exprime sa colère ouvertement ou non. De plus, même si les modes d'activation interne varient quelque peu pour les diverses émotions, il reste à savoir si ces modes d'activation suffisent à pourvoir l'individu d'indices fiables de l'émotion vécue.

RÉTROACTION BIOLOGIQUE

Pourquoi ne pas nous fier sur le témoignage de l'individu et lui demander tout simplement ce qu'il ressent? Dans le cas où nous obtiendrions une réponse satisfaisante, comment distinguer alors la part qui vient des facteurs cognitifs responsables des états somatiques et celle qui découle de l'évaluation même de ces états. De plus, il est possible d'obtenir des états organiques que l'individu peut parfaitement contrôler sans pouvoir toutefois les décrire.

Remuez le deuxième doigt de votre main. Maintenant, remuez le troisième doigt de la même main. Décrivez ce que vous avez fait de différent les deux fois. Ce n'est tout simplement pas possible. Cependant, le fait que vous exercez un contrôle aussi précis sur les mouvements de vos doigts démontre que votre cerveau peut consciemment donner des ordres moteurs spécifiques au mouvement de ces doigts. Supposons que vous deviez enseigner à quelqu'un à bouger ses doigts — ou ses oreilles. Comment commenceriez-vous? Il n'y a pas moyen de le faire par une description, vous devez utiliser des techniques plus élaborées. Il pourrait en être de même avec les états émotionnels du corps. «Mais», pourriez-vous répliquer, " Je sais toujours quand j'ai faim parce que mon estomac crie et gronde». C'est faux, ceux qui ont subi une ablation de l'estomac, ressentent toujours les mêmes contractions stomacales. Pourquoi n'éprouvez-vous parfois ces serrements qu'après avoir regardé votre montre? La sensation est réelle, mais la cause elle, n'est pas précisément identifiée.

Une manière de tenter d'évaluer les connaissances que les gens ont de leurs états organiques, est d'enregistrer les manifestations du système et de voir s'ils peuvent réagir correctement quand un événement se produit. La plupart des expériences initiales furent des échecs. Dans une de ces tentatives, on demandait au sujet de prédire laquelle de deux lumières allait s'allumer. Le choix de cette lumière dépendait du rythme cardiaque du sujet. Une lumière s'allumait quand le rythme s'accélérait; l'autre quand il ralentissait. Après 5000 essais, il n'y avait encore aucun signe d'habileté à prévoir la bonne lumière.

Aujourd'hui, cependant, c'est une pratique courante que d'obtenir que des sujets contrôlent toutes sortes d'états internes desquels ils n'ont aucune conscience apparente, mais dans ce cas, il leur faut compter sur l'aide d'un facteur externe. Si nous vous demandons de méditer pour modifier l'ensemble de votre activité électrique cérébrale, par exemple, vous ne sauriez probablement même pas comment commencer. Mais cela ne fait rien; on peut vous entraîner, même si vous êtes complètement incapable de décrire ce que vous faites (exactement comme vous ne pouvez pas décrire votre manière de bouger les doigts).

Tout est dans l'utilisation d'un appareil électronique qui puisse mesurer le signal électrique du cerveau (ou d'autres modalités corporelles) que vous devez contrôler. Il est facile de mettre au point pareil système. On place des électrodes sur le cuir chevelu et le potentiel électrique qui en résulte est amplifié et enregistré. Ce potentiel, en retour, est utilisé pour contrôler la hauteur tonale d'un son produit par un oscillateur audio. Le sujet entend le son par le truchement d'écouteurs. Normalement, l'activité cérébrale des gens comprend une composante très lente (environ 10 Hz), d'amplitude raisonnablement grande, quand ils ne pensent à rien ou ne regardent rien; c'est là le rythme alpha dont nous avons déjà parlé.

La tâche des sujets est de produire cette activité alpha alors qu'ils sont dans un état d'alerte et de plein éveil. Voici comment nous procédons dans notre laboratoire: quand il n'y a pas de composantes alpha dans les enregistrements cérébraux, les sujets entendent un son continu et monotone dans leurs écouteurs. Mais plus ils produisent du rythme alpha, moins la hauteur tonale du son est élevée: on leur demande de faire baisser la hauteur tonale autant que possible. Après un certain entraînement, plusieurs personnes peuvent émettre ou non un rythme alpha à volonté.

Le contrôle des processus internes tels que le rythme cardiaque et les ondes cérébrales est possible quoique pas nécessairement facile. Il faut trouver un moyen quelconque de rendre les états internes facilement observables par le sujet. Ainsi donc, les observations récentes tendent à réfuter l'argument à l'effet que les gens soient relativement impuissants face à leur propre corps. Mais la plupart des travaux récents portent sur la capacité des sujets de contrôler leurs propres fonctions corporelles, et le **contrôle** n'est pas nécessairement la **conscience.**

INTERPRÉTATION DES ÉMOTIONS EN FONCTION DU CONTEXTE

L'étude classique de Schachter et Singer (1962) est probablement la démonstration expérimentale la plus élégante de l'interaction des facteurs cognitifs et des états physiologiques déterminant l'expérience émotionnelle. Ils considéraient que, pour justifier un modèle cognitif des émotions, il était nécessaire de démontrer deux principes fondamentaux dont le premier était que le contexte dans lequel les activations internes se produisent détermine si les gens interprètent ou non ces états d'activation comme étant des émotions. S'il existe d'autres possibilités d'explication de ces états, ils ne seront

Figure 17-3

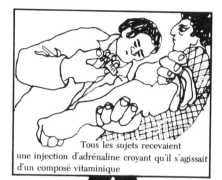

Tous les sujets recevaient une injection d'adrénaline croyant qu'il s'agissait d'un composé vitaminique

GROUPE INFORMÉ
Les sujets sont informés qu'ils peuvent avoir des effets secondaires: visages rouges, tremblements de mains, accélération des battements cardiaques

GROUPE NON-INFORMÉ
On dit aux sujets qu'il n'y a pas d'effets secondaires

INFORMÉ-EUPHORIQUE
Les sujets pénètrent dans une salle où une autre personne rit, danse et joue à des jeux

INFORMÉ-COLÉRIQUE
Les sujets doivent répondre à des questions blessantes, l'autre personne remplit un questionnaire et exprime une grande colère

NON-INFORMÉ-EUPHORIQUE-
Les sujets entrent dans une salle où une autre personne rit, danse et joue à des jeux

NON-INFORMÉ-COLÉRIQUE
Les sujets doivent répondre à des questions blessantes, l'autre personne remplit un questionnaire et exprime une grande colère

Les sujets interprètent leurs sensations physiques comme des effets secondaires du médicament et ne suivent pas l'exemple de l'autre personne

Les sujets interprètent leurs sensations physiques comme des effets secondaires du médicament et ne suivent pas l'exemple de l'autre personne

Les sujets interprètent leurs sensations physiques comme une activation émotionnelle et se joignent à l'autre personne dans un comportement euphorique

Les sujets interprètent leurs sensations physiques comme une activation émotionnelle et se joignent à l'autre personne dans un comportement colérique.

pas interprétés comme des émotions. Pour le prouver, une expérience devrait indiquer que,si deux groupes de gens sont dans des états d'activation physiologiques identiques, des interprétations différentes de la source d'activation conduiront un groupe à croire qu'il est sous l'effet d'une expérience émotive,tandis que l'autre groupe n'aura pas cette impression.

Le deuxième principe est que l'émotion exacte ressentie par les gens qui perçoivent en eux un état émotif, dépendra du contexte dans lequel eux-mêmes se trouvent. En d'autres mots, la nature de l'émotion éprouvée peut être changée en modifiant les circonstances extérieures. Pour démontrer cette proposition, il faut que deux groupes de personnes, avec des activations physiologiques identiques, interprètent leurs émotions d'une façon entièrement différente à cause de différences dans le contexte ambiant.

L'EXPÉRIENCE

Dans une même expérience très ingénieuse, Schachter et Singer trouvèrent confirmation de leurs deux propositions. Ils commencèrent par rassembler un groupe de sujets qui s'étaient portés volontaires pour une expérience devant étudier les effets sur l'acuité visuelle d'un nouveau composé vitaminique appelé «Suproxin». Quand les sujets arrivèrent pour l'expérience, on leur demanda s'ils avaient des réticences à recevoir l'injection vitaminique. S'ils acceptaient, un médecin leur donnait l'injection. La substance injectée était de l'*adrénaline* (ou *épinéphrine*), une des hormones habituellement sécrétée dans le flot sanguin dans une grande variété de situations émotionnelles. L'injection d'adrénaline visait à créer un état d'activation physiologique qui était «presque une parfaite imitation d'une décharge de l'activation sympathique dans le système nerveux».

Ensuite, Schachter et Singer manipulèrent la probabilité que des groupes différents de sujets attribuent les effets physiologiques qu'ils ressentaient à une activation émotionnelle. Ils s'y prirent en variant l'information donnée aux sujets quant aux effets secondaires du médicament. Un groupe, *Groupe informé*, était averti précisément de ce qui les attendait après l'injection: «Vos mains commenceront à trembler, votre coeur à palpiter et il se peut que votre visage devienne chaud et rouge». Un autre groupe, *Groupe mal-informé*, fut induit en erreur sur les symptômes: «Vos pieds vous paraîtront engourdis, vous aurez des démangeaisons sur toutes les parties du corps et il se peut que vous contractiez de légers maux de tête». À un troisième groupe, *Groupe non-informé*, on dit que l'injection était bénigne, sans douleur, et qu'elle ne présenterait pas d'effets secondaires.

LES CONDITIONS ENVIRONNEMENTALES

Après l'injection, les sujets étaient placés dans une salle d'attente «pour donner le temps à l'injection de faire effet». Quand le sujet pénétrait dans la salle d'attente, quelqu'un était déjà là. Deux des nombreuses conditions expérimentales utilisées pour contrôler l'environnement ambiant du sujet, nous intéressent particulièrement: la condition euphorique et la condition colérique. Nous trouvons donc maintenant quatre groupes expérimentaux:

informé-euphorique, *non-informé-euphorique*, *informé-colérique* et *non-informé-colérique*. En plus de ces groupes expérimentaux, plusieurs groupes contrôles furent soumis aux conditions liées à l'environnement, mais sans recevoir d'injection d'adrénaline.

L'EUPHORIE

En condition euphorique, quand les sujets pénétraient dans la salle d'attente, un participant plutôt joyeux luron était déjà là, qui avait du bon temps, lançant des avions de papier, jouant avec des objets qui se trouvaient dans la salle et pratiquant le ballon panier avec du papier chiffonné et une poubelle. Le nouvel arrivant était continuellement invité à entrer dans le jeu.

LA COLÈRE

Dans ce cas, on conduisait le sujet dans la salle d'attente et on lui demandait de répondre à un long questionnaire, plutôt injurieux. Voici une question typique du questionnaire:

«Avec combien d'hommes (autres que votre père) votre mère a-t-elle eu des relations extra-maritales?»
4 et moins
entre 5 et 9
10 et plus

Cette question n'avait pour objet que d'irriter le répondant. L'autre personne qui se trouvait dans la salle d'attente en même temps faisait preuve d'une agitation croissante et, finalement, déchirait le questionnaire dans un geste rageur, le lançait sur le plancher, le dénonçait et sortait de la salle en furie.

LES RÉSULTATS

Considérons maintenant l'influence de ces diverses conditions. Nous avons ici des sujets dont les systèmes biologiques sont en état d'activation et qui sont laissés seuls dans une salle avec une personne au comportement étrange. Si une émotion spécifique résulte simplement d'une réaction à la conjonction d'un état d'activation interne et de l'environnement, nous ne devrions trouver aucune différence dans le comportement des sujets **informés** des sensations provoquées par le médicament et celui des sujets **non-informés**. Si l'état d'activation est spécifique à un type particulier d'émotions et indépendant de l'environnement, alors les sujets du groupe **euphorique** et ceux du groupe **colérique** devraient répondre de manière identique. Si les facteurs de l'environnement ont une influence certaine, chacun des sujets devrait réagir en fonction du comportement du compagnon de la salle d'attente.

Les résultats furent très simples. Les sujets **informés** exécutèrent calmement leurs tâches, soit en attendant paisiblement ou en répondant au questionnaire et ignorèrent les excentricités de leur compagnon.

Les sujets **non informés** eurent cependant tendance à suivre le comportement de leur compagnon, devenant euphoriques ou colériques selon l'humeur de leur partenaire. Ici, donc, nous avons deux groupes de sujets, informé et non-informé, avec des états d'activation interne identiques et placés dans un environnement identique. Pourtant ils réagissent différemment, pourquoi? Parce que certains s'attendent aux sensations internes qui surgissent, ils les attribuent correctement à l'injection du médicament et se montrent capables de vaquer à leurs occupations, ignorant les bouffonneries de la deuxième personne dans la salle. Les autres, par contre, sentent leur coeur palpiter et leur visage s'enflammer. Ces sensations n'ont pas de sens si ce n'est en fonction d'une euphorie ou d'une colère. Par conséquent, en l'absence d'explication, les sujets sont facilement amenés à éprouver l'un de ces états*.

Un modèle de l'activation émotionnelle

Une longue liste d'expériences ont maintenant été menées confirmant généralement ces principaux points: on peut faire varier les états émotifs grâce à la combinaison de trois facteurs différents — les *processus cognitifs* (les attentes), les *états physiologiques* et les *influences environnementales*.

Dire que les facteurs cognitifs jouent un rôle important dans l'induction de comportement émotionnel ne signifie pas que nous soyons nécessairement conscients de nos cognitions. Quand nous nous fâchons ou que nous nous sentons menacés par les remarques ou les actes de quelqu'un, notre raison peut nous dire qu'il n'y a pas là de quoi s'en faire, alors que nos réactions internes nous signifient le contraire. Dans ce cas, il peut se creuser un large fossé entre nos rationalisations quant à notre comportement et ce comportement lui-même.

Traduire la théorie de l'interprétation active de l'émotion en un système opérationnel implique que nous devons avoir plusieurs interactions dignes d'intérêt entre les processus qui régissent le comportement. D'abord, nous avons besoin d'un système dynamique qui crée un modèle interne du monde, modèle dont nous tirons les attentes ou expectatives si importantes pour les émotions. C'est donc dire qu'une caractéristique centrale du système doit être cognitive: l'élaboration active d'une image du monde incluant le passé, le présent et des attentes pour l'avenir. De plus, nous avons besoin d'une évaluation du progrès des événements. Jusqu'à quel point nos attentes se vérifient-elles? Quelles prédictions pouvons-nous faire pour l'avenir, si tout continue dans la même direction?

---

* Dans l'explication donnée aux sujets après l'expérience, on les informait de la nature exacte de l'expérience, on leur disait précisément quelle drogue leur avait été injectée et quels effets secondaires l'accompagnent normalement. Ils apprenaient aussi que le compagnon de la salle d'attente était, en réalité, un des expérimentateurs.

Comme nous l'avons expliqué auparavant dans la note infra-paginale 3 du chapitre 16, (p. 639), une certaine duperie est parfois nécessaire dans le cas d'expériences psychologiques, mais quand il faut y avoir recours, l'expérience est toujours suivie d'une période où la nature exacte et le but de l'expérience sont expliqués au sujet.

Dans une deuxième étape, nous avons besoin de moyens pour corriger le comportement qui s'écarte de la norme. Supposons qu'il y ait divergence entre les prévisions et les événements. Supposons que nous devions remettre un travail pour vendredi sans quoi nous obtiendrons un échec à un cours, alors que l'examen de la situation nous révèle que nous n'y arriverons pas. Que se produit-il? Panique, tension!

Comment donc le système provoque-t-il la panique? Manifestement, il peut effectuer les opérations cognitives qui prédisent que le délai ne pourra être respecté, mais comment la connaissance de ce fait peut-elle modifier le rythme cardiaque, la tension musculaire, la sueur, la pression artérielle et même le mécanisme de la faim?

Le modèle de base est illustré à la figure 17-4. Ce modèle met l'accent sur la comparaison entre les attentes de la personne et ce qui se passe dans la réalité. Les attentes sont engendrées par les *processus cognitifs* de l'individu avec le concours de l'expérience passée (à partir de la mémoire). C'est une analyse dirigée-par-concepts: elle fournit un ensemble général de prévisions du comportement.

L'analyse de la situation qui prévaut dans l'environnement est un processus dirigé-par-données. Fondamentalement, elle consiste en une *analyse perceptive* de l'information afférente. (L'analyse perceptive elle-même doit mettre en cause le traitement dirigé-par-données aussi bien que le traitement dirigé-par-concepts et utilise sans aucun doute l'information stockée en mémoire. Mais pour les besoins de la cause, l'analyse perceptive sera ici la source de l'information obtenue sur l'environnement et jouera donc le rôle d'un processus dirigé-par-données.)

Le mécanisme qui compare les attentes avec la réalité est appelé le *comparateur cognitif* dans la figure 17-4. Il compare les événements du monde réel avec les attentes d'origine interne. Quand il y a un écart suffisant entre les attentes et les événements (ou quand les prévisions sont celles de conditions très pénibles qu'il ne semble pas possible d'éviter), le comparateur

Figure 17-4

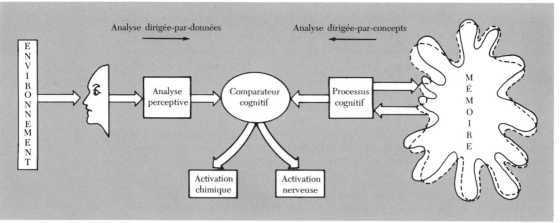

cognitif provoque alors la décharge de substances chimiques appropriées (la plupart du temps des hormones) dans la structure biochimique du corps. Ceci modifie l'activation nerveuse des structures cérébrales. Ces changements biochimiques, à leur tour, seront enregistrés par les systèmes habituels de supervision de l'activité corporelle et deviendront partie de l'information utilisée par l'analyseur cognitif.

L'image de tout le processus pourrait ressembler à la figure 17-5. Notez bien ce que nous y mettons. Le système cognitif peut contrôler les processus biologiques de l'émotion. De même, le système biochimique peut contrôler les actions. L'image globale est celle d'un système de contrôle clos et rétroactif. Si tout ne fonctionne pas bien, le système cognitif émettra probablement des messages d'erreur au moyen de stimulation chimique — il pourrait injecter de l'adrénaline dans le système. Mais il se pourrait que cette stimulation corresponde exactement à l'inverse de ce qui est requis. Aujourd'hui, nous avons rarement besoin de tuer des tigres. Nous avons plutôt à faire face à des problèmes intellectuels. L'augmentation de tension et les perturbations somatiques peuvent se révéler désastreuses pour la résolution des problèmes. De plus, il n'est pas impossible que le pauvre homme dont le système vient d'être activé, remarque tous les changements physiologiques qui surviennent — rythme cardiaque accéléré, respiration pro-

Figure 17-5

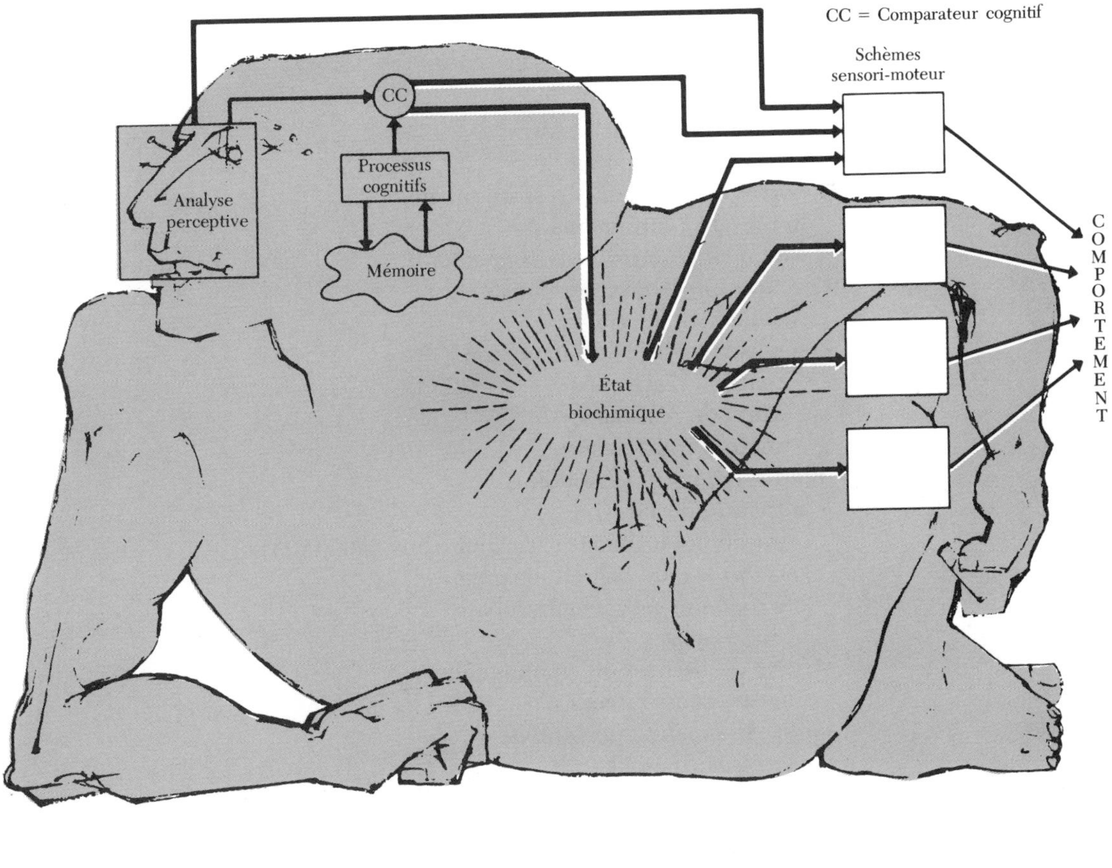

CC = Comparateur cognitif

Schèmes sensori-moteur

Analyse perceptive

CC

Processus cognitifs

Mémoire

État biochimique

COMPORTEMENT

fonde, tension, sueurs — et conclut qu'il a peur. Alors les choses peuvent vraiment se gâter, parce que lorsque quelqu'un a peur, la réaction naturelle est de courir. *(Et tout ceci pour un travail à remettre avant vendredi.)*

Le système que nous avons décrit fonctionne simultanément dans toutes les directions. L'aspect cognitif de la peur peut provoquer des stimulations biochimiques (hormonales). Mais, par contre, l'influx d'hormones lui, peut susciter la peur. Sommes-nous jamais capables de dire quoi est quoi? Pourquoi s'en préoccuper. Ce qui importe dans ce système, c'est le mode d'interaction des divers éléments. La cognition et l'émotion sont intimement liées l'une à l'autre.

Revue des termes et notions

Voici, pour le présent chapitre, les termes et notions que nous considérons importants. Passez-les en revue; si vous êtes incapables d'en donner une courte explication, vous devriez revoir les sections appropriées du chapitre.

TERMES ET NOTIONS À CONNAÎTRE

Stress
  rôle de l'interprétation cognitive
  résignation apprise
  incapacité de faire face à
  interruption
  frustration
Efficacité dans l'état de stress
  facteurs de l'attention
  porter attention au stress lui-même
  le rôle de l'entraînement
  comment changer l'environnement
Réactions physiologiques au stress
  changements hormonaux
  syndrome général d'adaptation
    réaction d'alarme
    stade de résistance
    stade d'épuisement
Interprétation de l'émotion
  la théorie du juke-box
  rétroaction biologique: sensibilité aux états internes
  l'expérience de Schachter-Singer
    schème expérimental de base
    conclusions
Modèle de l'activation émotionnelle
  comparaisons dirigées-par-données et dirigées-par concepts
  rôle de l'analyse perceptive
  processus cognitifs
  comparateur cognitif

Lectures suggérées

Le livre le plus complet sur l'émotion et la motivation est, sans auccun doute, la recension exhaustive de Cofer et Appley, *Motivation: Theory and research* (1969). Ce volume de 958 pages traite de la plupart des concepts discutés dans ce chapitre et d'autres choses évidemment. Une partie du volume est plutôt difficile et une partie date un peu, mais il demeure une des meilleures sources d'information. Selye a probablement écrit sur le stress plus que n'importe qui d'autre: voir son volume *Stress sans détresse* (1974) par exemple. Le volume de Cofer et Appley rapporte également les premières recherches sur le stress. Lazarus (1966) nous a fourni beaucoup d'informations utilisées dans ce chapitre. L'effet du stress sur l'efficacité est bien résumé dans le chapitre 4 de Norman (1976). Le modèle fondamental du comportement en état de stress provient du travail de Easterbrook (1959). Le travail de Seligman (1975) sur la résignation est notre source de référence sur l'état de dépression, spécialement celle causée par un sentiment général d'incapacité d'affronter le monde.

Les études sur l'interprétation de l'activation émotionnelle sont rapportées dans Schachter (1967), Schachter et Singer (1962) et Schachter et Wheeler (1962). Ces premiers travaux sont repris dans l'article «Emotion» de Mandler (1962). Mandler (1975b) nous donne une revue et une synthèse beaucoup plus récentes des travaux dans son livre: *Mind and emotion*. En général, ce volume est la meilleure source que nous ayons trouvée des positions théoriques sur l'émotion. Il faut voir aussi la petite collection d'articles éditée par Weiner (1974).

Le volume de Schachter (1971) *Emotion, obesity, and crime* rassemble les travaux dans plusieurs domaines en commençant par l'étude de Schachter et Singer rapportée dans ce chapitre. Le livre de Schachter et Rodin (1974) présente un ensemble d'études intéressantes représentant les personnes obèses comme étant essentiellement dirigées-par-données, prisonnières des événements et donc facilement bouleversées.

Appendice A

Mesure des variables psychologiques

La mesure
  TYPES D'ÉCHELLES
  ÉCHELLE NOMINALE
  ÉCHELLE ORDINALE
  ÉCHELLE D'INTERVALLE
  ÉCHELLE DE RAPPORT
  ÉCHELLE ABSOLUE

  TECHNIQUES D'ÉVALUATION
  L'ÉVALUATION D'APRÈS LA CONFUSION
  L'ÉVALUATION DIRECTE

  ESTIMATION DE LA GRANDEUR
  LA LOI DE PUISSANCE
  «COMBIEN» PAR OPPOSITION À «QUELLE SORTE»
  INTERPRÉTATION DE LA FONCTION DE PUISSANCE
  APPLICATIONS
  APPARIEMENT MULTIMODAL
  COMMENT MESURER
  MÉTHODE
  ANALYSE DES RÉSULTATS
  APPARIEMENT MULTIMODAL
  ANALYSE

Lectures suggérées

La mesure

Vous écoutez une pièce musicale. Le volume est-il élevé? On est porté à répondre spontanément à cette question par une expression du genre **pas très** ou **extrêmement**. Mais ça ne suffit pas. Nous avons besoin d'un moyen précis pour indiquer ce que nous avons perçu, d'un moyen qui nous permette de généraliser en fonction de plusieurs individus et de faire des prédictions quant aux impressions que susciteront de nouveaux sons. De plus, si nous voulons comprendre le fonctionnement du système nerveux, il nous faut pouvoir établir la correspondance entre les impressions subjectives de volume et les propriétés connues du stimulus sonore physique et du système sensoriel. Essentiellement, il nous faut utiliser des nombres précis et non plus des expressions comme «c'est très fort». Les problèmes soulevés dans ce livre exigent une méthode pour graduer ou mesurer nos perceptions de volume, de tonalité, de brillance et de teinte.

TYPES D'ÉCHELLES

Assignons des nombres aux dimensions psychologiques. La tâche consiste à déterminer la relation numérique exacte qui prévaut entre les expériences physiques et les expériences psychologiques. Pour ce faire, nous recourons à une méthode pour mesurer les impressions psychologiques: les échelles de mesure. Il ne suffit pas de rattacher des nombres aux expériences psychologiques, il faut déterminer la valeur qu'on peut attribuer à ces nombres.

ÉCHELLE NOMINALE

Attribuons arbitrairement, par exemple, des chiffres à différents objets (comme ceux sur les chandails des joueurs de hockey ou de base-ball). Nous nous rendons un fier service en facilitant ainsi leur identification. Les nombres jouent ici un rôle indicateur et ils perdent, évidemment, leur valeur quantitative. En conséquence, cette forme d'utilisation des nombres pour identifier les objets est celle qui exploite le moins leurs propriétés quantitatives. Cette échelle numérique s'appelle *échelle nominale* (nominale pour nommer).

ÉCHELLE ORDINALE

Nous obtenons un niveau de mesure plus adéquat lorsqu'il existe une certaine correspondance entre les nombres attribués aux objets et leurs propriétés mathématiques. L'étape suivante, la plus souvent utilisée dans la classification sur échelle, consiste à disposer les objets à mesurer de façon à ce que le nombre qui leur est assigné reflète l'ordre de ces objets. Ce type d'échelle se nomme *échelle ordinale* (ordinale pour ordre). Les échelles utilisées pour évaluer la dureté des pierres ou la qualité du bois, en sont des exemples. Plus le nombre est élevé, plus la pierre est dure ou plus la qualité du bois est grande. De même, si nous numérotons par ordre alphabétique les personnes présentes en un lieu, la première de la liste se voit attribuer un «1», la deuxième un «2» et ainsi de suite jusqu'à la fin; nous aurions alors construit une échelle ordinale. Nous comprenons facilement la signification du nombre 8: il ne vaut pas 2 fois 4; il indique simplement un nom plus éloigné dans la liste.

ÉCHELLE D'INTERVALLE

Il existe une échelle supérieure à l'échelle ordinale dans laquelle les différences entre les nombres représentent les différences dans les valeurs psychologiques. Les échelles dans lesquelles les intervalles entre les nombres ont une signification, sont des *échelles d'intervalle*. Les échelles de température utilisées dans notre vie quotidienne en sont des exemples (Celsius et Farenheit). La température choisie pour le 0 reste cependant arbitraire, quoique la différence de température entre un objet à 26°C et un autre à 20°C égale celle entre un objet à 13°C et un autre à 7°C. Les rapports, cependant, n'ont aucune signification; un objet à 26°C n'est pas deux fois plus chaud qu'un objet à 13°C. Dans une échelle d'intervalle, seules les distances entre les valeurs de l'échelle ont un sens. Nous déterminons le zéro arbitrairement et le changer n'affecte en rien la validité de l'échelle.

ÉCHELLE DE RAPPORT

Finalement, parmi les techniques de mesure les plus recherchées, il s'en trouve une dont les rapports et les intervalles sont significatifs: *l'échelle de rapport*. Ainsi, lorsqu'un individu mesure 200 cm, nous pouvons dire qu'il est 2 fois plus grand qu'une personne qui mesure 100 cm. Dans une échelle de rapport, les intervalles et le point zéro ont un sens. La mesure de la température sur l'échelle Kelvin ou sur une échelle de température absolue donne une échelle de rapport. La longueur, la hauteur et la valeur monétaire sont autant d'exemples d'échelles de rapport. L'échelle de rapport n'est pas nécessairement la meilleure forme d'échelle possible; l'attribution de la valeur numérique donnée à l'objet demeure toujours, jusqu'à un certain point, arbitraire. Après tout, nous pouvons dire d'une personne qu'elle mesure 80 po, 6,67 pi, 203 cm, 2,22 v ou 2,03 m. Multiplier toutes les valeurs de l'échelle par une constante n'altère pas les propriétés de l'intervalle ou du rapport de l'échelle.

ÉCHELLE ABSOLUE

Occasionnellement, nous pouvons trouver des exemples d'attribution de valeurs absolues à des objets. Dans ces cas, il devient impossible d'interchanger les nombres tant ils sont intimement liés aux objets. La multiplication d'une constante affecte les relations entre les items. Une telle échelle se nomme une *échelle absolue*. Le nombre d'objet dans une pile se calcule, par exemple, d'après une échelle absolue.

TECHNIQUES D'ÉVALUATION Les psychologues utilisent différentes méthodes pour attribuer des nombres aux attributs psychologiques. De nos jours, on a recours le plus souvent à deux techniques élémentaires pour situer des objets sur échelle: *l'évaluation d'après la confusion* et *l'évaluation directe*.

L'ÉVALUATION D'APRÈS LA CONFUSION

Avec cette méthode, la distance psychologique entre deux objets se détermine par le nombre de fois qu'ils sont pris l'un pour l'autre. Nous souhaitons, par exemple, déterminer l'écart relatif entre les impressions psychologiques de **douceur** (goût sucré de différentes concentrations de sucre, sucrose). Disons que nous ajoutons exactement une cuillerée à thé de sucre à une tasse d'eau distillée. Nous obtenons, ainsi, une solution possédant un certain degré de douceur et nous l'appelons *douceur étalon.* Maintenant, préparons dix autres solutions de concentrations légèrement différentes, pour obtenir 5 solutions de moindre concentration que l'étalon, et 5 autres de concentration supérieure. Elles peuvent se répartir approximativement comme ceci:

Quantité de sucre dissous dans
une tasse d'eau distillée

0,5 c. à thé		1,1 c. à thé
0,6 c. à thé	1,0 c. à thé	1,2 c. à thé
0,7 c. à thé	(étalon)	1,3 c. à thé
0,8 c. à thé		1,4 c. à thé
0,9 c. à thé		1,5 c. à thé

Demandons aux sujets de goûter deux concentrations: **l'étalon** et l'une des autres solutions (appelée le **comparateur**). Lorsque le sujet nous a indiqué la solution qui lui paraît la plus douce, nous déterminons la sensibilité relative au goût*.

Quand les concentrations sont relativement semblables (comme la comparaison entre 1 c. à thé et 1,1 c. à thé), il se produit souvent de la confusion. Quand les concentrations diffèrent largement (comme la comparaison entre 0,5 c. à thé et 1 c. à thé) le degré de succès se rapproche de 100%. Un exemple typique de ce genre de résultats est présenté à la figure A-1.

---

* Dans une expérience réelle cependant, nous devrions probablement spécifier la douceur en terme de concentration molaire de sucrose et non simplement avec des cuillerées par tasse d'eau distillée. Pour faire ces comparaisons, nous pourrions faire appel à des gens qui ont une bonne expérience de ce genre de tâches. Il leur serait demandé de comparer les solutions, toutes dans des contenants identiques, de siroter une quantité déterminée de liquide puis de la cracher. Après chaque dégustation, la bouche devrait être rincée avec de l'eau distillée. L'ordre de présentation des différents échantillons avec l'étalon devrait être aléatoire et les sujets devraient ignorer laquelle est la solution étalon. Leur tâche se limiterait à déterminer la solution la plus douce.

Figure A-1

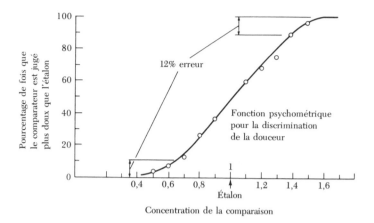

Concentration de la comparaison

Cet ensemble de résultats montre la précision avec laquelle une personne peut distinguer entre deux niveaux de douceur, soit l'étalon de concentration 1,0 et l'un des comparateurs. Les concentrations apparaissent sur l'axe horizontal. Cette fonction se nomme une *fonction psychométrique* et joue un rôle important. Comme nous pouvons le voir à la figure A-1, la comparaison entre l'étalon et la solution de 1,4 entraîne un jugement favorable dans 88% des cas, et occasionne 12% d'erreur. Notons que nous trouvons le même pourcentage d'erreur pour des concentrations légèrement inférieures à 0,7.

Si nous confondons aussi souvent l'une que l'autre les concentrations 1,4 et 0,7 avec la solution étalon, ne pouvons-nous pas dire qu'elles se situent à égale distance de l'étalon en termes de valeurs psychologiques? La méthode de confusion s'appuie sur le postulat suivant:

● **Deux différences physiques qui sont confondues aussi souvent l'une que l'autre, sont psychologiquement égales.**

Ce postulat nous permet de rendre équivalentes les différences entre les valeurs psychologiques de l'échelle. En conséquence, il permet de définir ce que l'on mesure précisément sur une *échelle d'intervalle*.

L'évaluation d'après la confusion a joué un rôle extrêmement important dans l'histoire de la psychologie. Elle est à la base de l'une des plus grandes et des plus importantes méthodes de mesure en psychologie: la mesure du *quotient intellectuel (Q.I.)*. Nous présentons en appendice B d'autres propos sur les postulats et les implications de cette méthode.

L'ÉVALUATION DIRECTE

Une autre méthode pour l'attribution de valeurs numériques aux phénomènes psychologiques est de beaucoup plus simple que la précédente. C'est la mesure directe. Nous demandons simplement aux sujets d'attribuer des nombres aux propriétés physiques de façon à ce que ces dernières soient proportionnelles à leurs impressions subjectives. Cette technique d'évaluation tire ses origines du travail du professeur S.S. Stevens de l'université de Harvard; le reste de cette section est dévolu à la description de la méthode et de plusieurs de ses techniques d'utilisation.

La technique de base est simple. Il suffit de présenter un signal aux sujets et de leur demander de l'évaluer en fonction d'un signal standard. Stevens (1956) décrit la genèse de cette technique en ces termes:

Tout a commencé par une controverse amicale avec un collègue qui disait: «Vous semblez prétendre que chaque volume peut équivaloir à un nombre précis et que, si quelqu'un produisait un timbre, je pourrais lui dire ce nombre». Je répliquai alors «C'est une idée intéressante. Pourquoi ne pas l'essayer!» Nous étions d'avis que, comme dans tout problème de mesure, nous aurions à décider préalablement d'un module — une grandeur pour notre mesure — aussi, je fis résonner un bruit sourd et nous nous sommes entendus pour l'appeler le volume 100. Je présentai alors des séries de plusieurs intensités dans un ordre aléatoire et, avec une facilité déconcertante, il assigna des nombres à celles-ci d'une façon parfaitement consistante.

C'était ma première utilisation de la méthode. Ce n'est qu'après avoir utilisé cette technique pendant quelques mois que j'ai découvert — ou redécouvert — qu'elle était foncièrement similaire à la méthode utilisée par Richardson et Ross (1930) que j'avais décrite en 1938 (Stevens et Davis, 1938). Comme on oublie facilement!

De toute façon, les résultats accumulés au cours des deux dernières années suggèrent que, correctement appliquée, cette méthode d'estimation de grandeur peut fournir un moyen simple et direct d'établir une échelle de la magnitude subjective. La méthode offre de grandes possibilités d'ordre pratique, mais, comme toute méthode psychophysique, elle comporte des pièges et des avantages. Dans toute situation concrète, la plupart des facteurs de distorsion peuvent probablement être isolés et sont évités ou contrebalancés grâce à un schème expérimental approprié [p. 21].

Après des années d'expérience, l'estimation de la grandeur en tant qu'outil pour mesurer l'expérience subjective, nous apparaît comme une méthode solide et digne de confiance. Elle est simple et efficace. Elle donne des réponses tellement fiables qu'elle peut être utilisée en classe pour faire des démonstrations d'échelle de mesure, sans crainte que les réponses s'avèrent inexactes. En fait, la principale difficulté de la méthode survient quand l'expérimentateur essaie de l'améliorer en demandant au sujet de n'utiliser qu'une série limitée de nombres, ou en présentant l'étalon de façon abusive de peur que le sujet ne l'ait oublié, ou encore en multipliant les essais dans l'espoir d'une meilleure validité statistique. Toutes ces précautions n'améliorent pas la méthode, mais tendent à la fausser. Pour paraphraser Stevens, l'expérimentateur «devrait enlever ses mains et laisser plutôt les observateurs faire leurs propres jugements». En fait, la présentation d'un étalon n'est même pas vraiment nécessaire. Il faut laisser entière liberté aux sujets; ils doivent attribuer les nombres en fonction de leur perception de chaque stimulus présenté. Ce mode de fonctionnement leur est beaucoup plus naturel que le fait de se voir désigner quel nombre utiliser pour la première identification. En réalité, de nos jours, la plupart des expérimentateurs n'utilisent pas de nombres; ils préfèrent employer une technique appelée *l'appariement multimodal* (décrite un peu plus loin dans ce chapitre).

LA LOI DE PUISSANCE Pour plusieurs modalités sensorielles, l'impression psychologique de l'intensité physique suit une fonction mathématique simple: *la fonction de puissance.* Par exemple, le volume et la brillance augmentent, en grandeur subjective, proportionnellement au tiers de la puissance (racine cubique) de l'intensité physique du son et de la lumière. La perception de la pesanteur, elle, augmente à la puissance 1,5 de la masse réelle d'un objet. Le jugement psychologique de la durée d'un son croît à peu près linéairement (puissance 1), l'écart de temps étant mesuré en secondes. En général, pour plusieurs phénomènes sensoriels, la formule suivante s'applique:

$$J = kI^p$$

où, J signifie le Jugement de la grandeur psychologique, I l'Intensité, p la Puissance et k une constante arbitraire. L'exposant p gouverne la relation entre la grandeur physique et psychologique. La constante k est arbitraire et sert simplement à transformer en grandeur psychologique des nombres effectivement utilisés par les sujets. Si le volume croît en fonction de la racine cubique de l'intensité sonore, alors $p = $ ⅓ ou 0,3. Pour une intensité sonore 1,0 et une réponse du sujet valant 100,0 alors $k = 100$. Ainsi, nous pouvons prédire pour une intensité sonore 8, une réponse de 200 pour le sujet. Nous appelons cette relation, loi de puissance, pour la bonne raison que nous augmentons l'intensité physique à la puissance (I^p) afin de prédire la grandeur psychologique. (Il ne s'agit pas d'une fonction exponentielle — l'expression p^1 elle, le serait. Dans une fonction de puissance, la variable qui nous intéresse, I, est élevée à une certaine puissance alors que dans une fonction exponentielle, la variable qui nous intéresse est dans l'exposant.) Cette relation porte aussi le nom de loi de Stevens. Ce psychologue a inventé cette technique, répandu son usage et vérifié son application à de nombreux secteurs (voir le tableau A-1).

Tableau A-1

Jugement	Puissance
Volume (une oreille)	0,3
Brillance, oeil adapté à la noirceur, objectif de 5°	0,3
Odeur du café	0,55
Goût de la saccharine	0,8
Goût du sel	1,3
Goût du sucrose	1,3
Froid (sur le bras)	1,0
Chaud (sur le bras)	1,6
Épaisseur de blocs de bois évaluée avec les doigts	1,3
Masses levées	1,5
Force de la poignée de main	1,7
Volume de sa propre voix	1,1
Choc électrique appliqué aux doigts (60 hz)	3,5
Longueur d'une ligne	1,0

Nous pouvons discerner deux sortes de sensations: les unes s'intéressent au **combien**, les autres au **quelle sorte** et au **où.** La loi de la fonction de puissance de Stevens semble s'appliquer aux relations entre les variables physiques et psychologiques qui traitent du **combien.** La distinction entre ces deux sortes de sensations est simple, mais importante.

Le continuum psychologique du **combien** d'un stimulus est *additif;* il change de niveau en additionnant ou en soustrayant une quantité de celle déjà présente. La masse constitue une dimension additive, car nous la faisons varier en ajoutant ou en retranchant. De plus, nous supposons que la corrélation psychologique de la lourdeur provient du nombre de neurones et de la fréquence de leurs influx: plus de masse, signifie plus d'impulsions nerveuses. Le volume, l'intensité d'une odeur ou d'une saveur, la force de préhension et l'intensité sentie d'un choc électrique sont tous, apparemment, des dimensions additives. Elles donnent toutes des fonctions de puissance. Intuitivement, ces dimensions sont conformes à la notion d'ajout de quelque chose. Un tel continuum additif se nomme un *«continuum prothétique».*

Le continuum psychologique traitant du **quelle sorte** et du **où** s'appelle un *continuum substitutif;* il change la valeur, en substituant un nouveau stimulus à l'ancien. Si nous appliquons une pression sur la peau, les changements de pression seront additifs. Ils se réalisent en augmentant ou en diminuant la masse déjà appliquée. La pression, comme nous l'avons vu, est une dimension «prothétique». Cependant, en variant le lieu de pression sur la peau, nous produisons une action substitutive. Nous enlevons l'ancienne pression et nous la remplaçons par une autre, à un endroit différent. L'impression psychologique d'une dimension substitutive vient de ce qu'un groupe de neurones cesse de réagir alors qu'un autre groupe commence à répondre. La hauteur, la perception de l'inclinaison du corps, la perception de la localisation d'un objet et de l'origine d'un son sont toutes, apparemment, des dimensions substitutives. Ces dimensions n'entraînent pas nécessairement des fonctions de puissance. Elles sont toutes conformes à la notion intuitive d'un remplacement. Nous appelons un tel continuum substitutif, un *«continuum métathétique».*

«COMBIEN» PAR OPPOSITION À «QUELLE SORTE»

La fonction de puissance s'énonce simplement: $J = kI^p$. En prenant les logarithmes des deux côtés de cette équation, nous obtenons

$$\log J = p \log I + \log k .$$

C'est un résultat simple. Si nous traçons le logarithme de l'intensité psychologique sur l'axe vertical et celui de l'intensité physique sur l'axe horizontal, nous obtenons une ligne droite ayant pour pente p et interceptant l'axe des y à $\log k$. Ou encore, ces points peuvent être tracés sur un papier graphique spécial dont les deux axes s'étendent de façon logarithmique — ce papier graphique s'appelle du papier logarithmique. Son utilisation facilite la vérification de la fonction de puissance, car les résultats doivent alors suivre une ligne droite.

INTERPRÉTATION DE LA FONCTION DE PUISSANCE

Figure A-2

Stevens (1961a).

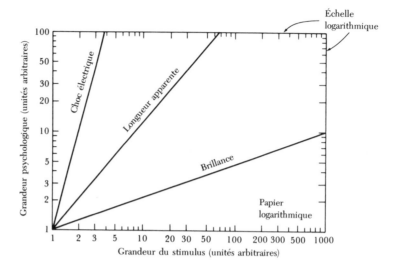

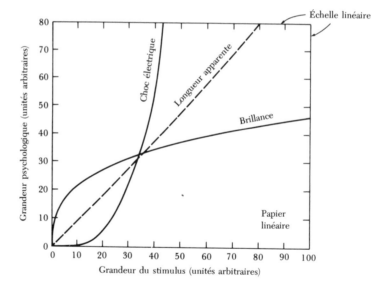

Comme nous pouvons le voir à la figure A-2, la représentation logarithmique est extrêmement simple à utiliser. Il faut noter que, de cette façon, les jugements de la longueur apparente varient presque en même temps que la longueur réelle. L'exposant de la fonction de puissance vaut 1,0 donc $J = kI$. Puisque $p = 1$, la loi de puissance se réduit, dans ce cas, à un simple rapport proportionnel.

APPLICATIONS   Il est possible d'utiliser les procédures d'estimation de la grandeur pour juger pratiquement de toute dimension additive (ou «prothétique»). Sellin et Wolfgang (1964) utilisent cette technique pour mesurer la façon dont une société évalue la gravité des crimes commis et des punitions infligées pour ces crimes. La tâche de leurs sujets (juges de la cour juvénile, officiers de police et étudiants de collège) consiste à déterminer la gravité des différents crimes. Dérober et abandonner une voiture, par exemple, est évalué 0,1 fois moins grave que voler \$5,00 à un homme en le blessant. Le vol augmente la gravité d'un crime par un facteur de 2,5 si la victime est tuée. Les niveaux de gravité des vols en fonction du montant d'argent volé produisent une fonction de puissance dont l'exposant vaut 0,17. Ainsi, pour considérer un crime deux fois plus sérieux qu'un autre, le montant d'argent volé doit être approximativement 70 fois plus élevé ($70^{0,17} = 2$) (voir les figures A-3 et A-4).

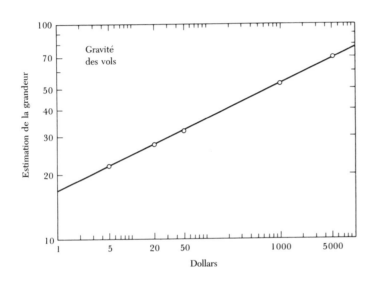

Figure A-3

*Stevens
(1966a).*

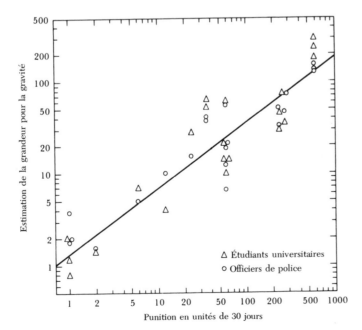

Figure A-4

*Stevens
(1961a).*

APPARIEMENT MULTIMODAL   L'emploi de nombres dans l'estimation de la grandeur entraîne des difficultés: en effet, comment peut-on attribuer un nombre à une sensation? Voyez la brillance de cette page, quel nombre lui affectez-vous? 10? 1 000? 45,239? On a formulé des objections sérieuses contre la technique d'estimation de la grandeur et la raison en est bien simple: nous sentons que les règles mathématiques que nous avons apprises doivent ,en quelque sorte ,façonner les résultats en termes de fonctions de puissance même si les sensations psychologiques, elles, n'en sont pas. Une réponse à cette critique consiste à se demander pourquoi il y a telle constance dans les résultats, quand on donne la même tâche à plusieurs personnes. Sans aucun doute, les expériences de chacun diffèrent et nous devrions alors nous attendre à ce que cette différence se reflète dans leurs évaluations. Mais s'il est quelque artéfact dans la technique qui produise toujours des fonctions de puissance, pourquoi la hauteur et la position en seraient-elles exemptes?

Un moyen simple d'échapper à ces critiques consiste à éviter l'emploi de nombres. Il suffit de demander aux sujets de juger de la grandeur subjective d'un événement en produisant quelque chose qui leur paraît égal en tant que valeur subjective (figure A-5).

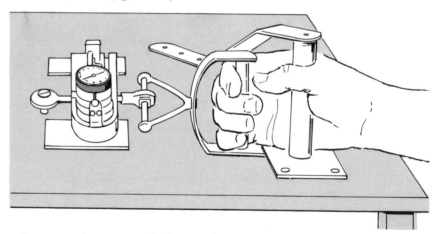

Figure A-5

Stevens (1966a).

Par exemple, une méthode simple consiste à faire écouter différentes intensités sonores à des sujets et à leur demander en guise de réponse, de serrer la main en proportion de l'intensité perçue. Nous mesurons cette pression à l'aide d'un dynamomètre. Ou encore, nous pourrions demander à quelqu'un d'ajuster l'intensité d'une tonalité pour qu'elle lui semble aussi intense que la brillance d'une lumière; ou lui faire tracer une ligne proportionnelle à son évaluation de la rugosité d'un papier sablé, ou lui faire régler un choc électrique pour obtenir la grandeur psychologique correspondant à la sensation d'une odeur de café. La méthode vous paraît-elle étrange? Essayez-la (voyez l'expérience décrite plus loin dans ce chapitre). La description en est surprenante mais ,en pratique, elle est très simple et très directe.

Nous pouvons prédire les résultats de cet appariement multimodal. Comparons deux continuum, A et B. Nous procédons à l'évaluation expérimentale du niveau de grandeur pour chacun, en trouvant pour les valeurs d'intensité I_A et I_B, les jugements de grandeurs psychologiques correspondants: J_A et J_B. Nous les représentons ainsi:

les estimations de A: $J_A = k_A I_A{}^a$.

les estimations de B: $J_B = k_B I_B{}^b$.

Maintenant, nous demandons à nos sujets d'observer un signal A, ayant une intensité I_A et de produire une valeur d'intensité pour B, I_B de façon à obtenir une égalité des impressions psychologiques. Nous savons que $J_A = J_B$.

En substituant, nous obtenons

$k_A I_A{}^a = k_B I_B{}^b$.

En isolant I_B, nous obtenons

$$I_B{}^b = \frac{k_A I_A{}^a}{k_B}.$$

En extrayant la b ième racine des deux côtés,

$$I_B = k I_A{}^{a/b}, \qquad \text{où } k = \frac{k_A}{k_B}.$$

nous connaissons la valeur de I_B nécessaire pour la comparaison avec A.

Les exposants (pentes) de fonctions de sensation égale prédits à partir d'échelles de rapport de grandeur subjective et obtenus par appariement avec la force de pression manuelle[a]. Tableau A-2

Échelle de rapport Continuum	Exposant de la fonction de puissance	Mesure au moyen de la pression manuelle		
		Étendue du stimulus	Exposant prédit	Exposant obtenu
Choc électrique (courant 60 cycles)	3,5	0,29 — 0,72 milliampère	2,06	2,13
Température (chaleur)	1,6	2,0 — 14,5°C au-dessus de la température neutre	0,94	0,96
Masse des objets soulevés	1,45	28 — 480 g	0,85	0,79
Pression sur la paume	1,1	0,5 — 5,0 lb	0,65	0,67
Température (froid)	1,0	3,3 — 30,6°C au dessous de la température neutre	0,59	0,60
Vibration de 60 Hz	0,95	17 — 47 db d'après le seuil approprié	0,56	0,56
Volume d'un bruit blanc[b]	0,6	59 — 95 db selon 0,0002 dyne/cm²	0,35	0,41
Volume d'une tonalité de 1000 Hz[b]	0,6	47 — 87 db selon 0,0002 dyne/cm²	0,35	0,35
Brillance d'une lampe	0,33	59 — 96 db selon 10^{-10} lambert	0,20	0,21

[a]De Stevens (1961 a)

[b]Il se présente ici un point technique qui cause souvent de la confusion. Nous avons précisé que l'exposant des jugements de volume en tant que fonction de l'intensité du son avait une valeur 0,3. Et pourtant le tableau fixe l'exposant à 0,6. Pourquoi cette contradiction? La réponse est simple; le son est mesuré par deux unités: l'énergie et l'amplitude. *L'intensité d'un son* se rapporte aux mesures d'énergie tandis que le *niveau de pression d'un son* (NPS) se rapporte aux mesures d'amplitude. L'énergie du son est proportionnelle au carré de l'amplitude du son ($I \approx A^2$). Ainsi en exprimant la fonction de puissance, nous trouvons $J \approx I^{0,3} \approx (A^2)^{0,3} \approx A^{0,6}$

Les deux exposants sont exacts. L'exposant 0,6 s'applique quand nous mesurons les pressions du son. L'exposant 0,3, lui, s'applique lorsque nous utilisons les intensités du son (voir figure A-6).

Ainsi, nous obtenons encore une fonction de puissance en traçant la courbe de l'intensité B correspondant au dire du sujet à l'évaluation subjective de A. L'exposant de la fonction de puissance obtenu par un appariement multimodal est donné par le rapport des exposants obtenus dans une expérience d'estimation de la grandeur.

Figure A-6

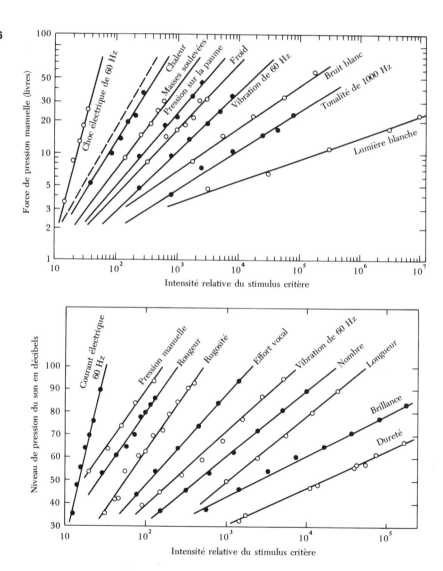

En haut: fonctions de sensation égale obtenues en faisant correspondre la force de pression manuelle à différents stimuli. La position relative d'une fonction sur l'axe horizontal est arbitraire. La ligne pointillée a une pente de 1,0.
En bas: fonctions de sensation égale obtenues par appariement entre le volume et plusieurs stimuli, servant de critère. Les positions relatives des fonctions sont arbitraires, mais les pentes sont celles découlant des résultats. Stevens (1966 d).

MÉTHODE

Prenez une feuille de papier lignée et numérotez les lignes de A à H (8 lignes). Vous écrirez vos réponses sur ces lignes. Nous vous présenterons une série de stimuli dans un ordre aléatoire. Votre tâche consistera à noter votre impression psychologique immédiate en lui affectant un nombre. N'essayez pas de faire des calculs; inscrivez tout simplement votre impression immédiate.

Le premier item présenté sert d'étalon, donnez-lui une valeur 1, puis en regardant un à un les autres stimuli, affectez-leur des nombres reflétant votre impression subjective. Par exemple, si un stimulus vous apparaît être 20 fois plus grand, donnez-lui le nombre 20; si, par contre, il vous semble être le 1/5 alors donnez-lui le nombre 0,2 (ou 1/5). Utilisez l'ordre de grandeur qui vous convient le mieux (peu importe qu'il s'agisse de nombres très grands, très petits ou même de fractions). Chaque attribution d'un nombre doit être proportionnelle à votre impression subjective (figures A-7 et A-8).

Inscrivez vos réponses sur la feuille en commençant par la première ligne et en utilisant une ligne par réponse. Il serait préférable de cacher votre réponse une fois qu'elle est inscrite. Ne vous inquiétez pas s'il vous arrive

Surfaces
Prenez une feuille lignée et désignez chacune des premières lignes par des lettres de A à H. Maintenant, évaluez la *surface* des cercles présentés en fonction de celle de l'étalon. Ne faites pas de calcul, écrivez seulement votre impression subjective. L'étalon vaut 1. En un premier temps, regardez tous les cercles simultanément pour, ensuite, les examiner chacun isolément. Si vous pensez qu'un cercle a 5 fois la surface de l'étalon, inscrivez le sur la ligne correspondante à sa lettre. Si vous pensez que la valeur est de 1/10, écrivez 1/10. Ne revenez ni sur vos réponses, ni sur les autres cercles, ni sur l'étalon de comparaison.

Figure A-7

Ceci est le cercle **étalon**. Donnez à sa surface la valeur 1.   **étalon**

Maintenant, recouvrez les cercles ci-dessous. Cachez l'étalon et regardez seulement un cercle à la fois.

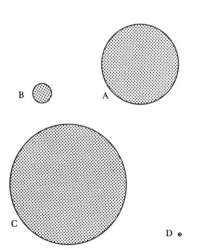
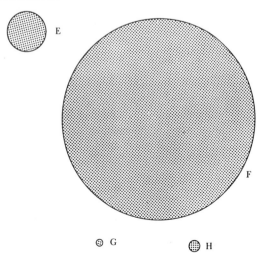

Figure A-8   Nombre de points

Prenez une feuille de papier lignée et désignez les lignes par des lettres de A à H. Maintenant, évaluez combien de points chaque carré contient par rapport à ceux de l'étalon. Ne comptez pas, inscrivez seulement votre impression subjective. L'étalon vaut 1.

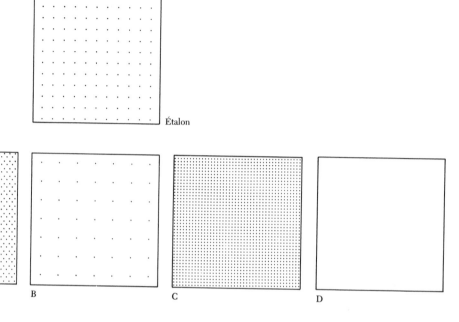

Étalon

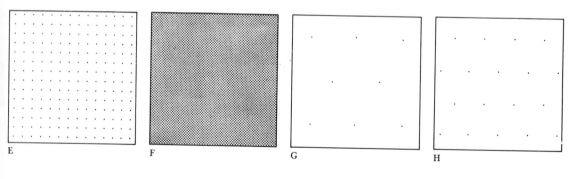

de croire que vous avez oublié à quoi ressemble l'étalon, tout ira pour le mieux.

Rappelez-vous, les attributions doivent être faites en vous basant sur vos premières impressions. L'étalon de référence vaut 1. Si un des comparateurs semble 5 fois plus grand que l'étalon, donnez-lui le nombre 5. Maintenant faites les deux expériences en jugeant les surfaces et la numérosité.

Figure A-9

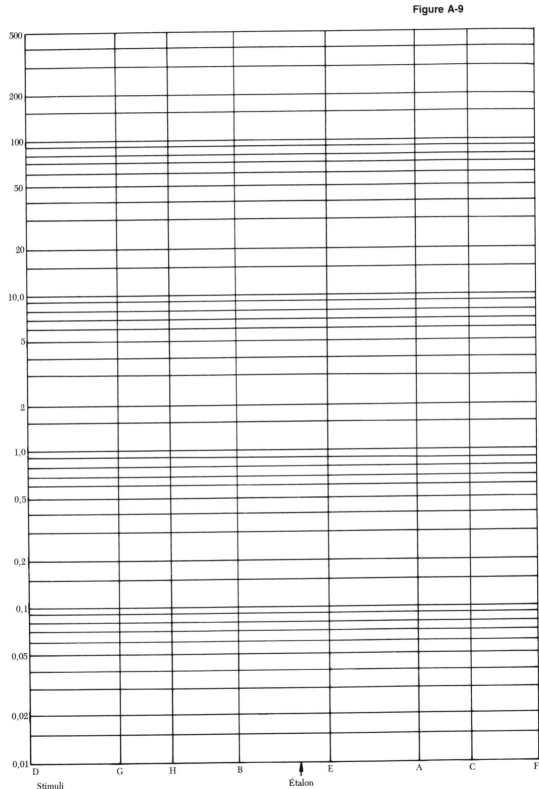

ANALYSE DES RÉSULTATS

Utilisez la figure A-9 pour inscrire les valeurs attribuées aux différents stimuli. (Servez-vous de symboles différents et d'un crayon de façon à pouvoir effacer). La conversion fraction-décimale du tableau A-3 pourrait vous être utile. Notez que les stimuli sont déjà indiqués sur l'axe horizontal. Les échelles utilisées (verticale et horizontale) sont logarithmiques. Le fait d'employer du papier logarithmique devrait permettre qu'en se regroupant, vos données forment des lignes droites. Toutefois, il y aura beaucoup de variabilité statistique (bruit) et de ce fait, il est probable que vos points ne suivent pas une ligne droite. Mais si en vous guidant sur vos données, vous tracez les deux meilleures lignes droites possibles, une pour les surfaces et l'autre pour la numérosité, les déviations de ces lignes par rapport à vos points ne devraient pas être trop grandes.

Tableau A-3 Conversions de fractions à décimales

$\frac{1}{32}$	0,03	$\frac{9}{32}$	0,28	$\frac{17}{32}$	0,53	$\frac{25}{32}$	0,78
$\frac{1}{16}$	0,06	$\frac{5}{16}$	0,31	$\frac{9}{16}$	0,56	$\frac{13}{16}$	0,81
$\frac{3}{32}$	0,09	$\frac{11}{32}$	0,34	$\frac{19}{32}$	0,59	$\frac{27}{32}$	0,84
$\frac{1}{8}$	0,13	$\frac{3}{8}$	0,38	$\frac{5}{8}$	0,63	$\frac{7}{8}$	0,88
$\frac{5}{32}$	0,16	$\frac{13}{32}$	0,41	$\frac{21}{32}$	0,66	$\frac{29}{32}$	0,91
$\frac{3}{16}$	0,19	$\frac{7}{16}$	0,44	$\frac{11}{16}$	0,69	$\frac{15}{16}$	0,94
$\frac{7}{32}$	0,22	$\frac{15}{32}$	0,47	$\frac{23}{32}$	0,72	$\frac{31}{32}$	0,97
$\frac{1}{4}$	0,25	$\frac{1}{2}$	0,50	$\frac{3}{4}$	0,75		
$\frac{1}{2}$	0,50	$\frac{1}{9}$	0,11	$\frac{1}{16}$	0,063	$\frac{1}{40}$	0,025
$\frac{1}{3}$	0,33	$\frac{1}{10}$	0,100	$\frac{1}{17}$	0,059	$\frac{1}{50}$	0,020
$\frac{1}{4}$	0,25	$\frac{1}{11}$	0,091	$\frac{1}{18}$	0,056	$\frac{1}{60}$	0,017
$\frac{1}{5}$	0,20	$\frac{1}{12}$	0,083	$\frac{1}{19}$	0,053	$\frac{1}{70}$	0,014
$\frac{1}{6}$	0,17	$\frac{1}{13}$	0,077	$\frac{1}{20}$	0,050	$\frac{1}{80}$	0,013
$\frac{1}{7}$	0,14	$\frac{1}{14}$	0,071	$\frac{1}{25}$	0,040	$\frac{1}{90}$	0,011
$\frac{1}{8}$	0,13	$\frac{1}{15}$	0,067	$\frac{1}{30}$	0,033	$\frac{1}{100}$	0,010

APPARIEMENT MULTIMODAL

Rappelez-vous l'une des objections à ce procédé de l'estimation de la grandeur: on forcerait le sujet à donner arbitrairement des nombres en guise de réponse. Or, il n'est pas nécessaire d'utiliser des nombres. Revenez encore une fois à l'estimation du nombre de points, mais cette fois, répondez en dessinant un cercle plutôt qu'en donnant un nombre. Le cercle doit être proportionnel au nombre de points. Ce n'est pas si difficile que ça. Si les points semblent 5 fois plus nombreux que les points de l'étalon, dessinez simplement un cercle 5 fois plus grand que l'étalon. En fait, vous ne devriez pas penser à des chiffres du tout: regardez tout simplement et dessinez ce qui vous semble convenir.

Figure A-10

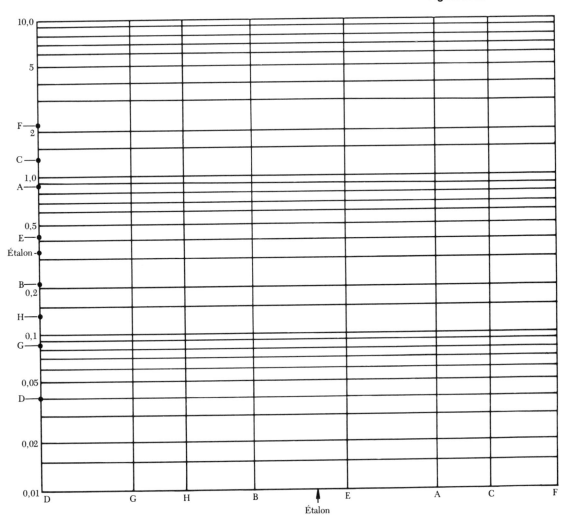

Valeurs de numérosité

ANALYSE

Regroupez la grandeur des cercles selon la numérosité. Pour vous aider, nous vous donnons le graphique de la figure A-10, avec la numérosité des stimuli placés sur l'axe horizontal. Vous pouvez regrouper la grandeur des cercles sur l'axe vertical. Vous utilisez le diamètre pour noter la grandeur du cercle sur le graphique. Elle est mesurée en centimètres (encore une fois utilisez un crayon). (La table de conversions des fractions de centimètre en décimales est toujours disponible au tableau A-3.)

Regardez s'il vous est possible de prédire vos résultats. Revenez aux fonctions de l'estimation de la grandeur pour ces deux stimuli et retrouvez la réponse numérique que vous aviez donnée à la valeur de numérosité C. Maintenant, regardez la fonction d'estimation de la grandeur pour trouver quelle serait la surface qui donnerait la même réponse. (Vous aurez à tracer la meilleure ligne droite reliant vos points et à trouver la réponse par interpolation. Il est très peu probable que l'une de ces grandeurs de cercles corresponde exactement au nombre que vous aviez inscrit.) Maintenant vous savez comment les nombres prédisent que la surface des cercles correspond à la numérosité. En fait, en vérifiant plusieurs valeurs de numérosité et de surface de cercles, nous pouvons tracer la fonction complète qui a été prédite: dans quelle mesure ces dernières lignes correspondent-elles?

Lectures suggérées

L'article de Stevens constitue sans aucun doute une bonne introduction. Il a élucidé les litiges et les problèmes liés à la mesure des attributs psychologiques. L'article de base sur la mesure et les types d'échelles se trouve au chapitre 1 du *Handbook of experimental psychology*, édité par Stevens (1951). Ce chapitre ne discute pas des techniques d'estimation de la grandeur et des fonctions de puissance, tout simplement parce qu'elles ne furent introduites qu'après 1951. L'article de Galanter dans le livre *New directions in psychology I* par Brown, Galanter, Hess et Mandler (1962) constitue aussi une excellente introduction.

L'article de Stevens (1961a) dans le livre *Sensory communication*, édité par Rosenblith (1961) revoie plusieurs de ces résultats. Vous trouverez dans Stevens l'application des techniques de mesure aux problèmes sociaux et aux opinions (comme dans l'exemple de cette section sur le niveau de gravité des crimes). Nous avons présenté l'étude de Sellin et Wolfgang (1964). Nous trouvons dans Stevens (1966c) une application intéressante des fonctions de puissance qui tient compte des changements résultant du masquage et de l'éblouissement.

Une description mathématique de la mesure qui met l'accent sur diverses variations des échelles basées sur la confusion se trouve dans les chapitres 2, 3 et 4 de Coombs, Dawes et Tversky, *Psychologie mathématique*, tomes I et II. Si vous possédez les notions de mathématique nécessaires, nous vous conseillons de consulter l'article intitulé «*Basic Measurement theory*» écrit par Suppes et Zinnes (1963) et publié dans le volume I du *Handbook of mathematical psychology* (Luce, Bush et Galanter, 1962-1965).

Les deux volumes de Krantz, Luce, Suppes et Tversky (1971) sur la théorie de la mesure traitent de cette question d'une façon probablement plus détaillée que vous ne le souhaiteriez à ce moment-ci.

Notez que les méthodes de l'estimation de la grandeur ne sont pas universellement acceptées. Par ailleurs, la méthode appelée *mesure fonctionnelle* introduite par Norman Anderson a été spécialement utile à une grande variété d'applications (nous avons parlé un peu de ces travaux au chapitre 16). Pour un approfondissement de ces recherches, consultez N. Anderson (1976, 1977). (Voyez aussi les articles et les livres recommandés dans la section Lectures suggérées du chapitre 16.)

Appendice B

Caractéristiques d'opération

Le problème de la décision

Le jeu de dés

CRITÈRE DE DÉCISION

RÉUSSITES ET ÉCHECS

FAUSSES ALERTES

CHANGEMENT DE CRITÈRE

LA CARACTÉRISTIQUE D'OPÉRATION

NIVEAUX DE CONFIANCE

LA DISTRIBUTION NORMALE

Problèmes

PROBLÈME DE L'EXTINCTEUR AUTOMATIQUE

MÉMOIRE

LE JEU DE DÉS RÉEXAMINÉ

Lectures suggérées

Le problème de la décision

Dans la plupart des vraies situations de décision, il n'y a pas de garantie de succès. C'est pourquoi il faut presque toujours faire un choix entre avantages et désavantages, dans l'espoir de réduire les risques d'échec et d'accroître les chances de succès.

Dans ce chapitre, nous analysons une forme simple et connue de *prise de décision*. La figure B-1 décrit ce modèle, étudions-la attentivement. D'abord, le preneur de décision se base sur certaines observations pour en arriver à une décision. Le résultat de ces observations est représenté par la lettre **O**. Puis, le seul choix qui lui reste consiste à décider entre deux actions, **A** et **B**. Son choix peut être correct ou incorrect. Nous obtenons donc une suite d'événements simples menant à quatre possibilités. Le jeu de dés illustre bien ce modèle.

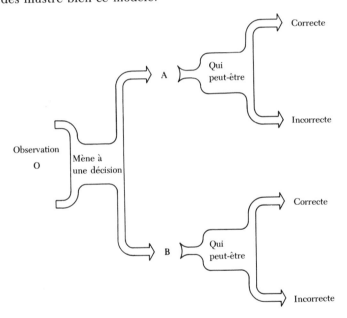

Figure B-1

Le jeu de dés

Vous jouez à un jeu de hasard où il vous faut deviner. Votre partenaire lance trois dés. Deux de ces dés sont conventionnels, le troisième différent: trois de ses faces indiquent un «3», les autres, un «0». Vous devez deviner la face sur laquelle ce dernier dé tombe, à partir de la somme du score des trois dés. (Évidemment, pour des totaux de 2, 3, 4 le dé différent doit montrer obligatoirement «0»; de même, pour les valeurs 13, 14, 15, ce dé montre nécessairement «3».) Supposons un total de 8, que répondez-vous?

Votre observation **O**: *un total de* 8

Choix **A**: Vous choisissez 3

Résultats possibles: 1. C'est un 3, vous gagnez la mise.

2. C'est un 0, vous perdez votre argent.

Choix **B**: Vous choississez 0

Résultats possibles: 1. C'est un 3, vous perdez votre argent.

2. C'est un 0, vous gagnez.

Ce qu'il importe de noter c'est que, dans une telle situation, vous ne pouvez vous empêcher de commettre des erreurs. Il n'y a aucun moyen de s'assurer d'un succès constant.

Pour fins d'analyse, examinons toutes les possibilités. D'abord quelles sont ces possibilités? Nous connaissons le score minimum; il est de 2 et s'obtient par deux «1» et un «0». Le maximum, lui, est de 15 et s'obtient par deux «6» et un «3». Ainsi il existe en tout 14 scores possibles, variant de 2 jusqu'à 15.

Considérons maintenant la probabilité d'obtenir l'un ou l'autre de ces 14 scores. Pour y arriver, il faut calculer le nombre de façons dont les dés peuvent sortir pour aboutir à chacun de ces scores. Voici comment nous pouvons procéder.

Supposons un total de 8. Plusieurs combinaisons produisent ce résultat lorsque le dé différent montre un 3 ou un 0.

Si la valeur du dé différent est 3:

les deux dés réguliers doivent donner un total de 5. Il existe 4 combinaisons: soit les couples (1,4), (2,3), (3,2), (4,1).

Si la valeur du dé différent est 0:

les deux dés réguliers doivent donner un total de 8. Il existe 5 combinaisons: soit les couples (2,6), (3,5), (4,5), (5,3), (6,2).

Le tableau B-1 rapporte le nombre de possibilités de combinaisons des deux dés réguliers et du dé différent pour un total donné.

Supposons un score de 10. Combien y a-t-il de combinaisons menant à ce score. Le tableau B-1 nous indique trois façons d'obtenir ce score pour une valeur de «0» et six autres pour une valeur de «3». Neuf combinaisons amènent un total de 10. Ainsi, pour un total de 10, nous savons qu'en moyenne 6 fois sur 9 ($\frac{6}{9}$) le dé différent donnera un «3» et que 3 fois sur 9 ($\frac{3}{9}$) il donnera un «0». En conséquence, si nous faisons l'hypothèse que dans le score de 10 il y a un 3 dû au dé différent, nous aurons raison, en moyenne, 6 fois sur 9 et nous serons dans l'erreur en moyenne 3 fois sur 9. Un joueur dirait que pour un score de 10, la cote en faveur de l'apparition d'un «3» sur le dé différent est de 2 contre 1 (6 contre 3).

CRITÈRE DE DÉCISION Il pourrait sembler sage de prédire un «3» pour un total de 10, étant donné sa cote favorable. En fait, regardons ceci:

Total	Proportion lorsque le dé différent est 3	
7	$\frac{3}{9}$	= 33%
8	$\frac{4}{9}$	= 44%
9	$\frac{5}{9}$	= 56%
10	$\frac{6}{9}$	= 67%
11	$\frac{5}{7}$	= 71%
12	$\frac{4}{5}$	= 80%
13	$\frac{3}{3}$	= 100%

En moyenne, plus le total est élevé, plus la chance de produire un «3» est grande. La probabilité d'obtenir un «3» est plus forte dès que le score a atteint 9. Il semblerait donc qu'une bonne règle de décision serait de dire que le dé différent est un «3» lorsque le score atteint ou dépasse 9. Voyons ce qui se produirait.

RÉUSSITES ET ÉCHECS

Nous lançons les dés 100 fois et nous décidons, à chaque occasion, si le dé différent montre un «3». La stratégie consiste à répondre «oui» pour un total de 9 ou plus. Regardons le tableau B-1. Nous disons **oui** (le dé différent montre «3») lorsque le score est de 9, 10, 11, 12, 13, 14 et 15 et nous disons **non** pour les autres scores. Parmi les 36 combinaisons possibles des deux dés conventionnels, seulement 26 amènent des sommes de 9 ou plus. Selon ces probabilités, nous avons raison 26 fois en répondant «**oui** c'est un 3», et nous sommes **dans l'erreur** 10 fois.

Tableau B-1   Nombre de façons d'obtenir les résultats

	si le dé différent est	
Total	0	3
0	0	0
1	0	0
2	1	0
3	2	0
4	3	0
5	4	1
6	5	2
7	6	3
8	5	4
9	4	5
10	3	6
11	2	5
12	1	4
13	0	3
14	0	2
15	0	1
16	0	0
Combinaisons totales:	36	36

Nous représentons par p(oui 3) la probabilité d'un **succès** à la réponse **oui**. La barre verticale signifie «à condition que» ou «si». Ces symboles se lisent comme suit: «la probabilité d'un succès à la réponse «oui», si c'est un «3» qui apparaît, est égale à p(oui 3)». Dans cet exemple, la probabilité de succès, ou p(oui 3), est égale à 26/36 ou 72%. De même, la probabilité d'échec p(non 3) est égale à 10/36 ou 28%.

FAUSSES ALERTES

Que se passe-t-il maintenant lorsque le dé différent indique un «0»? La règle veut que nous répondions **oui** quand le score est de 9 ou plus. Ainsi, parmi les 36 combinaisons des dés réguliers, associées à une marque «0» sur le dé différent, il y en a exactement 10 qui viennent à un score total de 9 ou plus et 26 qui mènent à un score de 8 ou moins. Quand on dit **oui** et que la prédiction ne se réalise pas, on dit qu'il s'agit d'une **fausse alerte**. Dans cet exemple, le taux de fausses alertes est 10/36: p(oui 0) = 10/36 = 28%.

CHANGEMENT DE CRITÈRE

Nous pouvons réajuster nos choix en changeant le score critique sur lequel nous nous basons pour passer de la réponse «non» à la réponse «oui». Cependant, si nous changeons le score critique, nous changeons, en même temps, le taux de réussites et de fausses alertes. Les taux de réussites et de fausses alertes sont interdépendants: en augmentant l'un, nous augmentons toujours l'autre. De fait, la relation précise entre le taux de succès et de fausse alerte est très important dans la théorie de la décision. Nous appelons le score critique sur lequel nous basons nos décisions, le *critère*. Lorsque le score total est égal ou dépasse le critère, nous disons que le dé différent est probablement un «3». Dans le cas contraire, nous disons que c'est probablement un «0».

Critère	Taux de fausses alertes		Taux de succès	
	Fraction	Pourcentage	Fraction	Pourcentage
1	$\frac{36}{36}$	100	$\frac{36}{36}$	100
2	$\frac{36}{36}$	100	$\frac{36}{36}$	100
3	$\frac{35}{36}$	97	$\frac{36}{36}$	100
4	$\frac{33}{36}$	92	$\frac{36}{36}$	100
5	$\frac{30}{36}$	83	$\frac{36}{36}$	100
6	$\frac{26}{36}$	72	$\frac{35}{36}$	97
7	$\frac{21}{36}$	58	$\frac{33}{36}$	92
8	$\frac{15}{36}$	42	$\frac{30}{36}$	83
9	$\frac{10}{36}$	28	$\frac{26}{36}$	72
10	$\frac{6}{36}$	17	$\frac{21}{36}$	58
11	$\frac{3}{36}$	8	$\frac{15}{36}$	42
12	$\frac{1}{36}$	3	$\frac{10}{36}$	28
13	$\frac{0}{36}$	0	$\frac{6}{36}$	17
14	$\frac{0}{36}$	0	$\frac{3}{36}$	8
15	$\frac{0}{36}$	0	$\frac{1}{36}$	0

LES CARACTÉRISTIQUES D'OPÉRATION

Il est plus facile de se rendre compte du rapport qui existe entre les fausses alertes et les réussites en traçant une courbe. La figure B-2 fait voir cette relation, appelée *caractéristique d'opération**. La courbe illustre explicitement comment le pourcentage de réussites et celui de fausses alertes changent quand nous varions le critère (les nombres à côté des points).

Figure B-2

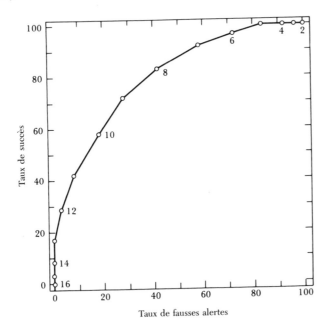

Taux de fausses alertes

Une autre façon de constater le rapport nécessaire et constant entre la règle de décision d'une part, et l'équilibre entre les réussites et les fausses alertes d'autre part, est d'examiner à nouveau la distribution des scores totaux présentés au tableau B-1. Représentons cette fois, les distributions sous la forme de graphiques (figure B-3). Cette même information, présentée différemment, nous permet de voir clairement pourquoi les résultats doivent toujours comporter des erreurs. La distribution des scores quand le dé différent montre un «0» (la distribution à gauche) recouvre considérablement la distribution des scores quand le dé différent montre un «3» (la distribution à droite). Nous ne pouvons rien faire pour éviter ce recouvrement: un score total de 8 peut résulter d'un «0» ou d'un «3» sur le dé

---

* Historiquement, cette relation provient d'une étude des réceptions de radar pour tenter de déterminer si le signal vu sur l'écran est un signal réel ou simplement du bruit, d'où la courbe appelée caractéristique d'opération de réception ou courbe ROC (*receiver operating characteristic*). Le terme de *courbe ROC* est encore d'usage fréquent dans la documentation psychologique.

Figure B-3   LA CARACTÉRISTIQUE D'OPÉRATION

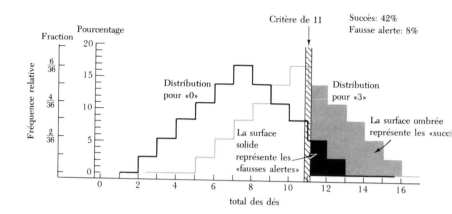

différent. Dans la figure, nous utilisons 11 comme critère, ce qui signifie que nous choisissons «3» pour un total de 11 ou plus. Notre chance d'avoir raison équivaut à celle d'obtenir une observation de 11 ou plus, à partir de la distribution montrée à droite. La chance d'une fausse alerte, elle, est celle d'une observation de 11 ou plus sur la distribution à gauche. Par conséquent, le simple examen de la répartition de chacune des distributions à la droite du critère, nous permet de constater de quelle façon le taux relatif des succès et des erreurs varie avec le déplacement du critère (dans un sens ou dans l'autre). C'est exactement ce que nous avons fait en traçant la caractéristique d'opération.

La caractéristique d'opération montre comment l'exécution de la tâche varie en fonction de la règle de décision. Que se produit-il donc si on sent la tâche plus facile? Changeons le dé différent. Le nouveau dé possède trois faces marquées d'un «6» et les trois autres marquées d'un «0». Que se passe-t-il alors? Nous laissons au lecteur la résolution de ce problème. Tracez la nouvelle distribution des observations des scores (vous avez déjà la distribution pour le cas où le dé différent donne 0); tracez ensuite la caractéristique d'opération. Elle devrait comporter un point pour lequel le taux de succès est de 83% et celui des fausses alertes de 8%. S'il n'en est pas ainsi, vous seriez mieux d'étudier à nouveau ces propos sur la caractéristique d'opération.

NIVEAUX DE CONFIANCE   Ce graphique des distributions fait ressortir un autre aspect du critère de décision: si nous adoptons une stratégie consistant à dire «3» chaque fois que le total excède le critère, nous ignorons une partie de l'information. Il y a des fois où nous sommes absolument certains de notre réponse; en d'autres occasions, nous savons que nous nous en remettons uniquement au hasard. Comment le critère de décision peut-il décrire ce phénomène? La réponse est fort simple. Lorsque nous obtenons un total peu élevé, entre 2 et 4, nous sommes certains que le dé différent montre un «0». De même, lorsque le total est très élevé, entre 13 et 15, nous sommes certains que le dé est un «3». Les totaux valant 8 ou 9 exigent, par contre, un choix au hasard. Nous pouvons cependant préciser davantage notre réponse; au lieu de dire **oui** ou **non**, il nous est possible d'ajouter des affirmations du type «J'en suis sûr» ou «J'en suis assez sûr» ou «En réalité, je ne fais que deviner» indiquant, par là, notre niveau de confiance dans la réponse. Nous voyons qu'il y a donc réellement six réponses possibles:

Oui, c'est un «3» et je suis:

> **très certain**
>
> **certain**
>
> **incertain**

Non, c'est un «0» et je suis:

> **incertain**
>
> **certain**
>
> **très certain**

Nous pouvons relier ces six réponses aux scores totaux: donnant toujours une réponse «Je suis très certain que c'est un 3» dans le cas du total le plus élevé, et «Je suis certain que c'est un 0», dans le cas du plus faible.

Si nous traçons le graphique des réponses en fonction des distributions de scores totaux, nous pourrions obtenir quelque chose comme ce que nous avons représenté à la figure B-4.

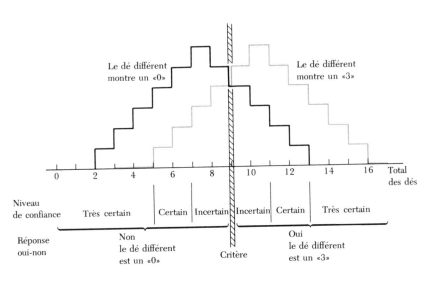

Figure B-4

Ces niveaux de confiance sont extrêmement pratiques. Nous pouvons y voir, en quelque sorte, six critères différents de réponse. En conséquence, nous pouvons tracer la caractéristique d'opération de façon à refléter les niveaux de confiance plutôt que les critères décrits précédemment. Pour le faire, notez tout simplement que la chance de donner une réponse **oui** avec un degré de confiance de **certain** est exprimée en fonction de la probabilité d'obtenir un score total égal ou supérieur à **11**. Ainsi, dans l'illustration de la figure B-4, la correspondance entre critère et niveaux de confiance ressemble à ceci:

Pour simuler un critère de	Combiner ces réponses
13	**Oui — très certain**
11	**Oui — très certain** et **certain**
9	N'importe qu'elle réponse de **oui**
7	**Non — incertain** et n'importe quelle réponse de **oui**
5	**Non — incertain, certain,** et n'importe quelle réponse de **oui**
2	N'importe quelle réponse

Notez que, pour tracer la caractéristique d'opération, nous n'avons réellement pas besoin de connaître les critères. Tout ce que nous devons connaître, ce sont les taux de succès et de fausses alertes pour les diverses réponses.

Supposons que nous lançons les dés 200 fois et que nous obtenons un «0» dans 100 essais et un «3» pour les autres. Après l'expérience, nous regroupons les réponses selon la valeur 3 ou 0 du dé différent. Nous avons:

Réponses	Fréquence lorsque le dé différent était	
	0	3
A. Oui — très certain	0	17
B. Oui — certain	17	41
C. Oui — incertain	11	14
D. Non — incertain	30	20
E. Non — certain	25	8
F. Non — très certain	17	0
Total:	100	100

Or, sans nous préoccuper de découvrir le critère correspondant à chaque réponse, nous nous rendons compte tout simplement de la possibilité de traiter ces réponses comme si chacune provenait d'un critère. Si nous regroupons toutes les réponses d'un certain niveau de confiance (ou d'un niveau **supérieur**), nous obtenons ceci:

Réponse	(Le dé différent était 0) taux de fausses alertes	(Le dé différent était 3) taux de succès
A	0	17
B ou A	17	58
C, B, ou A	28	72
D, C, B, ou A	58	92
E, D, C, B, ou A	83	100
F, E, D, C, B, ou A	100	100

En traçant les taux de succès et de fausses alertes, nous obtenons la caractéristique d'opération (voir la figure B-5) — la même courbe que l'on avait à la figure B-2.

C'est exactement de cette façon que l'on procède à l'analyse de données réelles, sauf que dans ces cas, les nombres ne donneraient pas une distribution aussi égale. Les individus se montrent inconstants dans leur adoption d'un critère. Toutefois, cette inconstance est relativement faible.

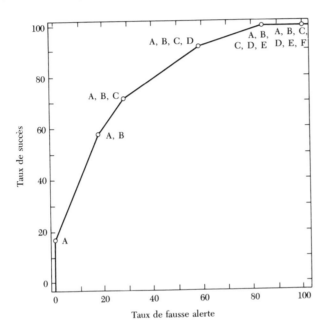

Figure B-5

LA DISTRIBUTION NORMALE

Nous demandons à des sujets d'écouter un signal sonore de très faible intensité, présenté à intervalles variables dans un casque d'écoute. Nous leur demandons de dire s'ils perçoivent, ou non, le signal. Cette expérience est plus complexe qu'on ne le croirait, car les sujets entendent toujours quelque chose. Ils doivent décider si ce qu'ils entendent fait partie du signal présenté, ou résulte simplement de fluctuations normales de l'audition. Il y a plusieurs causes à ces fluctuations. En fait, dans plusieurs expériences, il arrive que l'on ajoute un bruit de fond pour savoir dans quelle mesure les sujets peuvent distinguer le signal du bruit.

La situation des sujets ressemble beaucoup à celle du jeu de dés. Ils prêtent attention pendant un certain laps de temps durant lequel le signal pourrait être présenté et terminent par une observation; un peu comme le lancer des dés et l'annonce du score total. Le sujet doit déterminer: «si la perception qu'il a, provient du signal ou du bruit de fond». Dans le jeu de dé, ils se posaient une question équivalente: «S'agit-il d'un 3 ou d'un 0?» Nous postulons que dans leur effort pour détecter le signal, les sujets choisissent un critère quelconque: si leur perception dépasse ce critère, ils répondent «signal», sinon ils répondent «absence de signal». À partir des taux de succès et de fausses alertes, nous essayons de déterminer l'écart entre les distributions sur lesquelles ils doivent appuyer leurs décisions. Puis, à partir de cet estimé des distributions, nous essayons de décider comment le système auditif convertit les signaux.

Étudions maintenant quelques exemples. Mais avant de le faire, il nous faut vous présenter un type de distribution particulière: la *distribution normale*.

Figure B-6

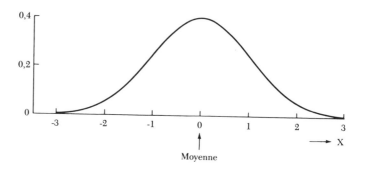

Quand nous avons traité du jeu de dé, nous vous avons présenté une distribution des résultats (figure B-3). D'habitude, toutefois, c'est un autre type de distribution que nous rencontrons fréquemment: *la distribution normale*. Il est extrêmement avantageux de la connaître. Elle est d'usage courant dans plusieurs disciplines, y compris la psychologie et il s'avère que, même quand les distributions obtenues ne sont pas vraiment normales, la courbe normale reste quand même une bonne approximation de la distribution réelle. La figure B-6 présente la courbe de distribution normale. Elle ressemble beaucoup à la courbe de la distribution du jeu de dé, sauf qu'elle est tracée selon un trait régulier plutôt que par paliers. C'est que dans le jeu de dés, les totaux sont toujours des nombres entiers — 6 ou 7 par exemple — et il ne peut y avoir des valeurs intermédiaires comme 6,5, 6,6 etc. La distribution normale, par contre, peut représenter tous les nombres réels, positifs ou négatifs. Un nombre en particulier caractérise la distribution normale; c'est la moyenne ou la valeur moyenne. À la figure B-6, la moyenne a une valeur de zéro. Si elle avait été de 1,5 par exemple, la distribution serait simplement déplacée vers la droite, de façon à ce que le point le plus haut de la courbe soit vis-à-vis de la valeur 1,5. La figure B-7 illustre de tels déplacements.

Le tableau B-2 donne les valeurs de la distribution normale. Nous avons ici la hauteur de la courbe pour différentes valeurs sur l'axe horizontal, ainsi que le pourcentage de la courbe à la droite de n'importe quel critère. C'est ce dernier chiffre que nous utilisons pour le calcul de la caractéristique d'opération.

Tableau B-2 La hauteur de la distribution normale et le pourcentage de la courbe (surface) à la droite du critère

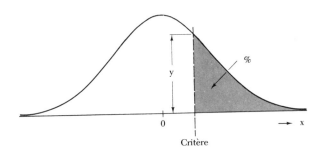

Critère	Y	Pour-centage		Critère	Y	Pour-centage		Critère	Y	Pour-centage
—3,0	0,004	99,9		—1,0	0,242	84,1		1,0	0,242	15,9
—2,9	0,006	99,8		—0,9	0,266	81,6		1,1	0,218	13,6
—2,8	0,008	99,7		—0,8	0,290	78,8		1,2	0,194	11,5
—2,7	0,010	99,7		—0,7	0,312	75,8		1,3	0,171	9,7
—2,6	0,014	99,5		—0,6	0,333	72,6		1,4	0,150	8,1
—2,5	0,018	99,4		—0,5	0,352	69,2		1,5	0,130	6,7
—2,4	0,022	99,2		—0,4	0,368	65,5		1,6	0,111	5,5
—2,3	0,028	98,9		—0,3	0,381	61,8		1,7	0,094	4,5
—2,2	0,035	98,6		—0,2	0,391	57,9		1,8	0,079	3,6
—2,1	0,044	98,2		—0,1	0,397	54,0		1,9	0,066	2,9
—2,0	0,054	97,7		0	0,399	50,0		2,0	0,054	2,3
—1,9	0,066	97,1		0,1	0,397	46,0		2,1	0,044	1,8
—1,8	0,079	96,4		0,2	0,391	42,1		2,2	0,035	1,4
—1,7	0,094	95,5		0,3	0,381	38,2		2,3	0,028	1,1
—1,6	0,111	94,5		0,4	0,368	34,5		2,4	0,022	0,8
—1,5	0,130	93,3		0,5	0,352	30,1		2,5	0,018	0,6
—1,4	0,150	91,9		0,6	0,333	27,4		2,6	0,014	0,5
—1,3	0,171	90,3		0,7	0,312	24,2		2,7	0,010	0,4
—1,2	0,194	88,5		0,8	0,290	21,2		2,8	0,008	0,3
—1,1	0,218	86,4		0,9	0,266	18,4		2,9	0,006	0,2

Figure B-7

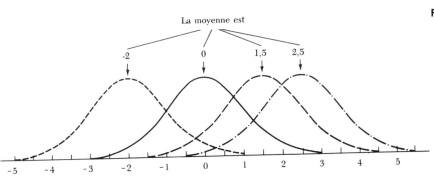

Habituellement, nous sommes intéressés à connaître l'écart entre les valeurs moyennes de deux distributions. Dans l'expérience sur la détection d'un signal, nous cherchons à déterminer l'écart entre la distribution des perceptions résultant du bruit et celle des perceptions résultant du signal. La figure B-8 résume la situation.

Figure B-8

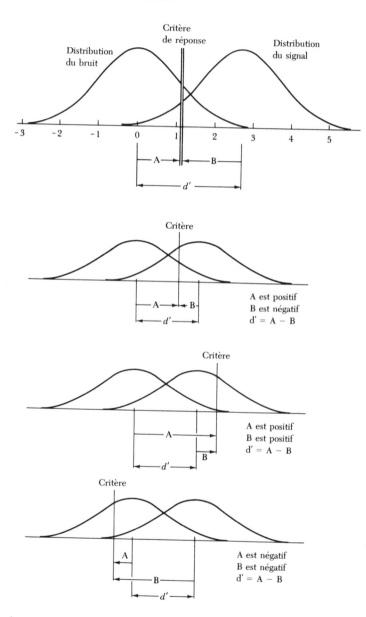

Nous voulons savoir où se situe précisément la distribution du signal par rapport à celle du bruit et où se situe le critère. Plaçons à «0» la moyenne de la distribution du bruit, car en l'absence de signal, la moyenne des perceptions devrait se situer près de «0». D'ailleurs, puisque nous ne nous intéressons qu'à l'*écart relatif* existant entre les deux distributions, nous ne nous préoccupons guère du chiffre qui représente la valeur moyenne du bruit (nous utilisons une *échelle d'intervalle*; voir à ce sujet l'appendice A). Nous appelons *d'* la distance entre la moyenne de la distribution du bruit et le critère (A), la distance entre la moyenne du signal et le critère (B), la distance entre la moyenne de la distribution du bruit et la moyenne de la distribution du signal. Nous utilisons le symbole «*d'*» pour des raisons historiques, car c'est celui que l'on a toujours utilisé en psychologie. A et B représentent chacun des distances à partir de valeurs moyennes de distribution. Si le critère se situe à la droite de la moyenne, A et B sont positifs. Si le critère se situe exactement à la moyenne, la valeur de la distance est 0. Enfin, si le critère se situe à la gauche de la moyenne, la distance est négative. Ainsi $d' = A - B$.

Par exemple, un sujet nous donne un taux de fausses alertes de 14% et un taux de succès de 95%. Nous pouvons immédiatement déterminer la valeur de A: le tableau B-2 donne, pour 14%, un critère situé à une distance de 1,1 unités à droite de la distribution du bruit (donc $A = 1,1$). De même, nous observons pour un taux de 95%, un critère de 1,6 unités à gauche de la moyenne de la distribution du signal (donc $B = 1,6$). Alors, puisque $d' = A - B$, «*d'*» vaut 2,7.

Problèmes

Maintenant, nous pouvons en apprendre davantage sur l'utilisation des caractéristiques d'opération et sur la distribution normale en faisant quelques problèmes.

LE PROBLÈME DE L'EXTINCTEUR AUTOMATIQUE

Nous installons un système d'extincteur automatique dans un édifice pour le protéger des incendies. Il nous faut alors placer un thermostat qui déclenche le système quand un feu se déclare. Nous plaçons ce contrôle près du plafond d'une grande salle d'entrepôt. Le toit est en fer blanc et il n'y a pas de fenêtres dans la pièce. La question est de savoir à quelle température il faut régler le contrôle? Si nous l'ajustons à 54°C, ce qui représente une température relativement peu élevée, des *fausses alertes* peuvent se produire. En effet, durant l'été, la température extérieure peut atteindre 43°C. Il est alors probable que la température intérieure va augmenter avec l'action du soleil sur le toit; en très peu de temps, elle atteindra 54°C et déclenchera une fausse alerte.

Par contre, si nous réglons le contrôle à une température plus élevée, 82°C, il devient alors possible qu'un feu éclate et brûle une bonne partie des articles avant même que la température intérieure n'atteigne 82°C. Dans ce cas, nous échouons en partie dans notre tâche car même si le système se déclenche, le feu a le temps d'atteindre des proportions alarmantes et de causer beaucoup de dommages. Nous commettons donc une *erreur*. Alors, à quelle température régler le contrôle?

Pour résoudre ce problème, nous avons besoin d'informations sur les succès et les fausses alertes, c'est-à-dire connaître leurs probabilités d'apparition. Idéalement, il nous faudrait tester le système durant une certaine période de temps, disons trois mois, et noter soigneusement les chances de succès (déclenchement propice du système lors d'un incendie), d'échecs (non déclenchement ou déclenchement tardif qui dépasserait 5 min, disons), de fausses alertes (déclenchement en l'absence d'un feu) et de non-déclenchements justifiables (pas de réaction du système dans des conditions normales). Nous serions alors en mesure de tracer la courbe de sa *caractéristique d'opération*.

Pour établir les caractéristiques d'opération, il faut faire varier le réglage du thermostat et recueillir l'information sur les taux de succès et de fausses alertes pour chacune des températures indiquées sur le cadran. Ainsi, si nous plaçons, le contrôle à 60°C, il se peut que nous constations que la température de la pièce atteint ce degré de chaleur un jour sur cinq — ce qui représente un pourcentage de 20% de fausses alertes. Il se pourrait également que nous observions que 88% des incendies que nous déclenchons font grimper la température jusqu'à cette valeur en dedans des 5 min requises — un taux de succès de 88%. Nous connaissons donc le premier point de notre courbe: p(alerte feu) = 88%; p(alerte sans feu) = 20%.

Ce seul point suffit si nous supposons que le phénomène se distribue normalement. Nous pouvons alors calculer la valeur de «d'» et puis le reste de la courbe.

Si nous revenons au tableau de la courbe de distribution normale, le tableau B-2, nous trouvons, pour un taux de fausses alertes égal à 20%, un critère situé à environ 0,8 à la droite du plus haut point de la distribution. Un taux de succès de 88% signifie que le critère doit être placé à la gauche du point le plus élevé de la distribution, soit autour de -1,2. La valeur «d'» équivaut simplement à l'écart entre les deux distributions: $0,8 - (-1,2) = 2$. Donc, d' égale 2,0. La courbe entière ressemble à celle présentée à la figure B-9.

Figure B-9

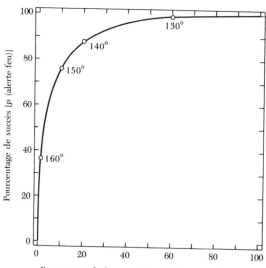

Maintenant, pour compléter notre information sur le choix d'une température limite sur le rhéostat, nous pouvons simplifier la démarche. Tout ce qu'il faut faire est de trouver le taux de fausses alertes aux différentes températures. Pour obtenir cette information, nous pouvons installer un enregistreur automatique de température dans l'édifice pendant quelques mois. Nous pouvons, par la suite, analyser la distribution des températures pendant cette période. Nos résultats devraient être les suivants: une température de 65°C entraîne 10% de fausses alertes, une température de 70°C, seulement 1% et une température de 54°C, 60%. Ces valeurs nous permettent de déterminer la caractéristique d'opération.

D'ores et déjà, il devient évident qu'un d' aussi peu élevé que 2,0 est tout à fait inacceptable. Le réglage de la température doit satisfaire à la fois les pompiers et notre compagnie d'assurances. Par exemple, 70°C plaît aux pompiers, car cette valeur entraîne seulement 1% de fausses alertes, mais déplaît à notre assureur, car elle ne permet de déceler que 37% des feux. D'un autre côté, si nous voulons détecter 95% des feux, nous provoquons 40% de fausses alertes — ce qui est inacceptable pour les pompiers. Évidemment, nous n'arriverons jamais à résoudre le problème si nous essayons seulement d'ajuster le réglage de la température pour les extincteurs et le déclenchement de la sonnette d'alarme. Nous devons donc augmenter la valeur de d'.

Si les pompiers et la compagnie d'assurances s'entendent sur un niveau acceptable de succès de 99% et de 1% pour les fausses alertes, quelle sera alors la valeur de d'?

MÉMOIRE

Des expériences sur la mémoire nous apprennent que, lorsqu'une liste de 30 mots est présentée une seule fois (deux secondes par mot), le taux de rétention après une heure est très faible. En fait, la valeur de «d'» doit égaler à 0,8 pour un mot donné.

Supposez que vous êtes invité à une soirée chic et qu'en l'espace de soixante secondes, on vous présente trente personnes. Une heure plus tard, vous essayez de vous rappeler les noms. Si votre niveau de fausses alertes est de 8%, quel est votre pourcentage de rappel?

LE JEU DE DÉS RÉEXAMINÉ

Considérez une nouvelle version du jeu de dé. Le dé différent a trois faces indiquant un «0», les autres un «S». En utilisant la distribution normale comme approximation de la distribution des dés, cherchez la relation entre «d'» et la valeur de S?

Postulons un critère fixe de 11, c'est-à-dire un taux de fausses alertes égal à 8%. Ainsi, si S vaut 3, nous trouvons sur notre tableau du jeu de dés un taux de succès de 15/36 ou 42%. En consultant le tableau de la distribution normale, $A = 1,4$, $B = 0,2$ et $d' = A - B = 1,2$. La relation entre d', le taux de succès et le taux de fausses alertes (en postulant un critère fixe de 11) est donnée dans le tableau B-3. La relation entre d' et S est tracée dans la figure B-10. Maintenant, vous devriez essayer de compléter ce tableau et cette figure.

Tableau B-3

Valeur de S	Taux de fausses alertes	Taux de succès	A	B	A − B = d'
0	8%	8%	1,4	1,4	0
1	8%	—	1,4	—	—
2	8%	—	1,4	—	—
3	8%	42%	1,4	0,2	1,2
4	8%	—	1,4	—	—
5	8%	—	1,4	—	—
6	8%	83%	1,4	-1,0	2,4
7	8%	—	1,4	—	—
8	8%	—	1,4	—	—

Figure B-10

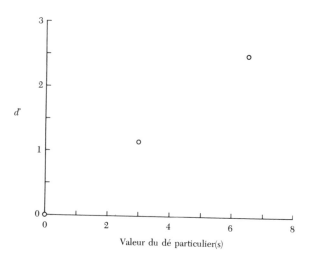

Valeur du dé particulier(s)

Lectures suggérées

La théorie de la décision présentée ici, tire ses origines des travaux des ingénieurs et a été appliquée surtout à l'étude des processus sensoriels, soit à la psychophysique. Parce qu'elle a d'abord servi à l'analyse des signaux de détection des bruits, on l'appelle la *théorie de détection des signaux*, ou *TDS*. Ainsi, pour retrouver les ouvrages traitant de ce sujet, nous devons habituellement nous en rapporter à la rubrique théorie de détection des signaux ou quelquefois *d'*.

La meilleure introduction générale aux différentes utilisations de la théorie de la décision se trouve dans le livre de David Green et John Swets, *Signal detection theory and psychophysics* (1966). Ce livre est très technique, cependant la plupart des choses présentées dans les premiers chapitres peuvent être comprises sans trop de difficultés, même pour ceux qui se disent faibles en mathématiques. Quelques-uns des derniers chapitres traitent de l'utilisation variée de la théorie de la décision dans des domaines autres que la psychologie.

Le chapitre par Egan et Clarke (1966) dans le livre de Sidowski sur les méthodes expérimentales offre une autre très bonne introduction à la technique. Swets (1964) a édité un livre dans lequel il rassemble plusieurs articles traitant des applications de la méthode; il s'agit de matériel technique. La théorie de détection des signaux est maintenant devenue un outil standard utilisé dans l'analyse de plusieurs expériences. Elle s'est avérée particulièrement importante dans l'étude de la mémoire. Les utilisations de cette technique sont nombreuses et peuvent s'appliquer à plusieurs champs de la psychologie.

Bibliographie

UTILISATION DU MATÉRIEL DE RÉFÉRENCE DE BASE
  LES REVUES ANNUELLES
  LES RÉSUMÉS DE PSYCHOLOGIE
  LES INDEX DE CITATIONS SCIENTIFIQUES
  LES REVUES (PÉRIODIQUES)
LECTURES GÉNÉRALES
RÉFÉRENCES

Le lecteur intéressé à approfondir les thèmes traités dans ce volume pourra consulter un certain nombre d'outils de références. Les plus importants sont les *Annual Reviews* (revues annuelles), les *Psychological Abstracts* (résumés de psychologie), les *Citation Index* (index de citations) et les diverses revues se rapportant au domaine.

UTILISATION DU MATÉRIEL DE RÉFÉRENCE DE BASE

LES REVUES ANNUELLES

Les *Annual Reviews* sont des séries de volumes publiés chaque année qui font un relevé des découvertes dans un domaine de recherche. Ils sont publiés par *Annual Reviews*, Inc. Palo Alto, Californie. Malgré cette publication annuelle, quelques domaines spécifiques sont couverts moins fréquemment — une fois tous les trois ou quatre ans par exemple. L'utilisation de ces revues annuelles est peut-être le moyen le plus rapide de se mettre à jour dans tout domaine de recherche. Elles sont cependant difficiles à utiliser parce qu'elles s'adressent aux étudiants avancés et certains résumés sont parfois incompréhensibles même pour eux. Néanmoins, vous pouvez examiner attentivement la section de la revue annuelle qui couvre le domaine qui vous intéresse, y dénicher les références aux articles récents les plus importants, puis trouver ces articles eux-mêmes à la bibliothèque. Souvent les articles sur un sujet donné sont plus faciles à comprendre que les résumés de ces articles.

Puisque les *Annual Reviews* sont publiés sur de nombreux sujets, deux d'entre eux sont plus susceptibles de couvrir presque tout le matériel pertinent aux thèmes abordés dans ce volume: l'*Annual Reviews of Psychology* (revues annuelles de psychologie) et l'*Annual Reviews of Physiology* (revues annuelles de physiologie).

LES RÉSUMÉS DE PSYCHOLOGIE

Les *Psychological Abstracts* sont des revues publiées par l'*American Psychological Association*. Elles contiennent des résumés de tous les articles techniques publiés dans bon nombre de revues. En jetant un coup d'oeil dans l'index des *Psychological Abstracts*, on peut retracer des articles qui pourraient être intéressants. Les *Psychological Abstracts* donnent eux-mêmes un résumé général du contenu de l'article, permettant ainsi à la personne de décider si l'article mérite d'être examiné.

On peut faire un seul reproche aux *Psychological Abstracts:* ils en disent trop. Ils vous proposeront un plus grand nombre d'articles qu'il vous sera possible d'en consulter. Ceci résulte habituellement du fait que vous ne pouvez trouver, dans l'index, le domaine exact que vous souhaitez lire: par exemple, si vous cherchez dans l'index sous le thème «mémoire» vous serez probablement confrontés à une liste d'environ 500 articles. L'article susceptible de vous intéresser se trouve probablement parmi ces quelques 500 articles, mais vous ne le trouverez jamais. Vous devrez donc utiliser habilement ces index et *Psychological Abstracts*, afin de réduire ce nombre astronomique d'articles à une quantité plus raisonnable. Il faudra user d'astuces: fondamentalement, il faut chercher sous un thème plus spécifique. On peut cependant tirer de ce problème un certain avantage: souvent, vous pouvez être amenés à découvrir des articles ou des domaines de recherches encore plus intéressants que ceux que vous cherchiez initialement. C'est en furetant dans les *Psychological Abstracts* que plusieurs ont trouvé, par hasard, l'article qui les intéressait.

Les *Psychological Abstracts* sont reliés en éditions annuelles: vous devez, pour le thème qui vous intéresse, consulter les éditions de chaque année. Il est préférable de commencer par les plus récentes, puis de procéder à rebours.

LES INDEX DE CITATIONS SCIENTIFIQUES

Il arrive souvent qu'on trouve un article particulièrement intéressant, mais qui date déjà. Le problème consiste donc à trouver de la documentation plus récente sur ce même sujet. Les *Science Citation Index* (index de citations scientifiques) peuvent nous permettre de le faire. (Ils sont publiés dans les quatre ans par *Institute for Scientific Information,* Inc.) Vous y cherchez l'article qui vous intéresse et l'index de citations vous fournit les articles récemment publiés qui y réfèrent. C'est une excellente façon de faire une recherche prospective, partant d'un article donné vers les travaux plus récents. Cette méthode échoue parfois, soit parce qu'elle vous égare vers des articles qui citent celui que vous avez mais qui, en fait, traitent de sujets complètement différents, soit parce que les bons articles que vous souhaiteriez lire ne réfèrent pas à celui que vous aviez trouvé par hasard.

Les *Citation Index* sont aussi reliés en éditions annuelles, de sorte que vous devrez y chercher les citations à votre vieil article favori dans chaque édition, pour voir si de nouveaux articles y réfèrent.

LES REVUES (PÉRIODIQUES)

Lorsque toutes les méthodes précédentes échouent, vous pouvez consulter directement les revues. Leur présentation est souvent très technique, mais étonnamment simple à lire. La meilleure chose à faire est d'en trouver quelques-unes qui couvrent le domaine qui vous intéresse (vous pouvez en trouver dans les références de ce volume) puis de tout simplement chercher dans les étagères de la bibliothèque, sans oublier celles où l'on dispose les derniers numéros des revues non encore reliés. Peut-être trébucherez-vous sur quelqu'article intéressant et découvrirez-vous des références à des articles plus anciens. Si par hasard vous trouvez une revue qui semble toucher le domaine qui vous intéresse, vous devriez la feuilleter en entier, y examiner tous les articles en commençant par les plus récents et en poursuivant une recherche rétrospective et ce, tant que votre intérêt reste soutenu. Cette technique de «recherche forcée» n'est pas si laborieuse qu'elle paraît à première vue et la plupart des chercheurs sérieux l'ont faite à plusieurs reprises. (Ne fuyez pas les vieux articles. Étant donnée la singulière histoire de la psychologie, la plupart des articles et des livres les plus fascinants semblent avoir été publiés entre les années 1890 et 1919.)

Les revues les plus susceptibles de vous intéresser sont:

American journal of psychology (psychologie expérimentale générale)
British journal of psychology (psychologie expérimentale générale)
Canadian journal of psychology (psychologie expérimentale générale)
Cognition (articles théoriques et philosophiques aussi bien qu'expérimentaux)
Cognitive psychology (articles théoriques ainsi que quelques articles expérimentaux sur la mémoire, la perception, la cognition)
Journal of acoustical society of America (JASA) (articles théoriques et expérimentaux sur l'audition et la reconnaissance du langage)
Journal of cognitive science (articles théoriques dans le domaine de la psychologie, de l'intelligence artificielle et de la linguistique)
Journal of experimental psychology (articles expérimentaux sur presque tous les sujets de la psychologie. Cette revue est maintenant publiée sous quatre sous-titres différents: *Animal behavior processes; General; Human learning and memory; Human perception and performance)*

Journal of optical society of America (JOSA) (articles théoriques et expérimentaux sur la vision)

Journal of verbal learning and verbal behavior (articles expérimentaux portant principalement sur les études de la mémoire humaine)

Nature (Comptes rendus brefs sur une variété de domaines. C'est la version britannique de la revue *Science*)

Perception and psychophysics (Articles expérimentaux principalement)

Psychological bulletin (Contient des résumés d'articles sur des sujets spécialisés. Bon pour résumer les recherches et opinions sur un sujet)

Psychological review (Contient des articles théoriques dans ses domaines d'intérêts habituels)

Quaterly journal of experimental psychology (Articles expérimentaux généraux)

Science (Présente occasionnellement de longs articles genre comptes rendus, mais plus fréquemment des articles brefs et techniques)

Scientific american (Ou sa traduction française *Pour la science,* bons articles d'introduction)

Vision research (Comme son nom l'indique... recherches sur la vision)

LECTURES GÉNÉRALES

Tout au long du texte, nous vous référions à des volumes ou à des articles particuliers qui méritent d'être lus pour approfondir le contenu des chapitres. En plus de ceux-ci, il existe bon nombre d'excellents volumes généraux que vous voudrez probablement consulter pour obtenir une connaissance plus profonde de la psychologie en général. Nous vous présentons ici un petit nombre de ces volumes que nous croyons les plus appropriés pour le lecteur ayant lu celui-ci et qui désire en connaître davantage. Il ne s'agit pas d'une liste exhaustive.

R.S. Woodworth et H. Schlosberg, *Experimental psychology,* New York: Holt, 1938, 1954, 1971. Excellent traité de toute la psychologie expérimentale. Il fut longtemps utilisé comme le livre standard des étudiants diplômés. Il existe trois versions de ce texte: le texte original de Woodworth (1938) et un nouveau, révisé (Kling et Riggs, 1971). La version de 1938 est un document remarquable. Elle aborde plusieurs questions importantes qui n'ont pas été reprises dans la version de 1958. À plusieurs points de vue, l'édition de 1938 est plus valable que celle de 1958, mais vous aurez à en décider vous-mêmes en bouquinant dans chacun d'eux. L'édition la plus récente promettait de rendre les vertus de la première plus à jour, mais à notre avis elle n'y parvient pas. C'est un volume désappointant.

G.A. Miller, E. Galanter et K.H. Pibram, *Plans and the structure of behavior,* New York: Holt, 1960. Bref traité de plusieurs questions présentées dans ce volume, dans un cadre qui vous paraîtra familier. Ce fut l'un des tous premiers livres à introduire le traitement de l'information en psychologie — un livre très bien écrit et facile à comprendre.

D.E. Wooldridge, *The machine of the brain,* New York: McGraw-Hill, 1963; format de poche. Excellente introduction au fonctionnement du cerveau et à ses complications pour le comportement humain. Nous avons souvent désigné ce livre comme lecture supplémentaire à nos cours. Wooldridge a aussi écrit plusieurs autres volumes qui pourraient vous intéresser quoiqu'ils ne touchent pas directement la psychologie.

C.H. Coombs, R.M. Dawes et A. Tversky, *Psychologie mathématique,* Coll. Psychologie d'ajourd'hui. Paris: Presses Universitaires de France, 1975. (Tome I: *Modèles et processus de décision;* Tome II: *Apprentissage et théorie de l'information*). Plusieurs théories modernes utilisent les modèles mathématiques. Ce volume est une excellente introduction à tous ces travaux.

G.A. Miller et R. Buckhout, *Psychology: The science of mental Life*, New York: Harper et Row, 1973. Excellent résumé de la psychologie, y compris un compte rendu historique.

RÉFÉRENCES

Adams, J. L. *Conceptual blockbusting: a guide to better ideas.* San Francisco: Freeman, 1974.

Albers, J. *Interaction of color.* New Haven: Yale Univ. Press, 1963 (voir aussi Bucher, 1961.)

Allen, V. L. Situational factors in conformity. In L. Berkowitz (Ed.), *Advances in experimental social psychology.* Vol. 2. New York: Academic Press, 1965.

Anderson, B. F. *Cognitive psychology: the study of knowing, learning and thinking.* New York: Academic Press, 1975.

Anderson, J. R. *Language, memory and thought.* Hillsdale, N.J.: Lawrence Erlbaum Associates, 1976.

Anderson, J. R., Bower, G. H. *Human associative memory.* Washington, D.C.: Winston, 1973. (Distribué par Halsted Press, Wiley, New York.)

Anderson N. H. Likeableness ratings of 555 personality-trait words. *Journal of personality and social psychology,* 1968, 9, 272-279.

Anderson N. H. Integration theory applied to attitudes about U.S. presidents. *Journal of educational psychology,* 1973, 64, 1-8. (a)

Anderson, N. H. Cognitive algebra: integration theory applied to social attribution. In L. Berkowitz (Ed.), *Advances in experimental social psychology.* Vol. 7. New York: Academic Press, 1973. (b)

Anderson, N. H. Information integration theory: A brief survey. In D. H. Krantz, R. C. Atkinson, R. D. Luce, P. Suppes (Eds.), *Contemporary developments in mathematical psychology. Vol. II: Measurement, psychophysics, and neural information processing.* San Francisco: Freeman, 1974.

Anderson, N. H. How functional measurement can yield validated interval scales of mental quantities. *Journal of applied psychology,* 1976, 61, 677-692.

Anderson, N. H. *Information integration theory: a case history in experimental science.* New York: Academic Press, 1977.

Anderson, N. H., Barrios, A. A. Primary effects in personality impression formation. *Journal of abnormal and social psychology,* 1961, 63, 346-350.

Anstis, S. M. What does visual perception tell us about visual coding? In M. S. Gazzaniga, C. Blakemore (Eds.), *Handbook of psychobiology.* New York: Academic Press, 1975.

Arbib, M. A. *The metaphorical brain: an introduction to cybernetics as artificial intelligence and brain theory.* New York: Wiley (Interscience), 1972.

Arnheim, R. *La pensée visuelle.* Coll. Nouvelle bibliothèque scientifique. Paris: Flammarion.

Arnheim, R. *Art and visual perception.* Berkeley: Univ. of California Press, 1969.

Arnold, M. B. (Ed.). *Feelings and emotions: the Loyola symposium.* New York: Academic Press, 1970.

Asch, S. E. *Social psychology.* Englewood Cliffs, N. J.: Prentice-Hall, 1952.

Asch S.E. Opinions and social pressure. *Scientific american,* 1955, 193, 31-35.

Atkinson, R.C. Mnemotechnics in second-language learning. *American Psychologist,* 1975, 30, 821-828.

Atkinson, R. C., Shiffrin, R. M. The control of short-term memory. *Scientific american,* 1971, 225, (2), 82-90.

Averbach, E., Coriell, A. S. Short-term memory in vision. *Bell system technical journal,* 1961, 40, 309-328.

Ax, A. F. The physiological differentiation between fear and anger in humans. *Psychosomatic medicine*, 1953, *15*, 433-442.

Backus, J. A plea for conformity. *Journal of the acoustical society of America*, 1968, *44*, 285.

Baddeley, A. D., Warrington, E. K. Amnesia and the distinction between long- and short-term memory. *Journal of verbal behavior*, 1970, *9*, 176-189.

Baddeley, A. D., Warrington, E. K. Memory coding and amnesia. *Neuropsychologia*, 1973, *11*, 159-165.

Bahrick, H. P., Bahrick, P. O., Wittlinger, R. P. Fifty years of memory for names and faces: a cross-sectional approach. *Journal of experimental psychology: general*, 1975, *104*, 54-75.

Bandler, R., Grinder, J. *The structure of magic: a book about language and therapy.* Palo Alto, Calif.: Science and Behavior Books, 1975.

Barbizet, J. *Pathologie de la mémoire.* Paris: Presses Universitaires de France, 1969.

Barker, R. C., Dembo, T., Lewin, K. Frustration and regression: an experiment with young children, *University of Iowa studies in child welfare*, 1941, *18*, No 286.

Barlow, H. B. Single units and sensation: a neuron doctrine for perceptual psychology? *Perception*, 1972, *1*, 371-394.

Barlow, H. B., Hill, R. M., Levick, W. R. Retinal ganglion cells responding selectively to direction and speed of image motion in the rabbit. *Journal of physiology*, 1964, *173*, 377-407.

Bartlett, F. C. *Thinking: an experimental and social study.* New York: Basic Books, 1958.

Beach, F. A., Hebb, D. O., Morgan, C. T., Nissen, H. W. (Eds.). *The neuropsychology of Lashley.* New York: McGraw-Hill, 1960.

Békésy, G. von. On the resonance curve and decay period at various points on the cochlear partition. *Journal of the acoustical society of America*, 1949, *21*, 245-254.

Békésy, G. von. *Experiments in hearing.* New York: McGraw-Hill, 1960.

Békésy, G. von. *Sensory inhibition.* Princeton, N.J.: Princeton Univ. Press, 1967.

Bem, D. J. *Beliefs, attitudes, and human affairs.* Belmont, Calif.: Wadsworth, 1970.

Benson, H. *Réagir par la détente.* Paris: Tchou, 1978.

Berko, J. The child's learning of english morphology. *Word*, 1958, *14*, 150-177.

Berkowitz, L. (Ed.). *Advances in experimental social psychology.* Vol. 2. New York: Academic Press, 1965.

Berkun, M. M., Bialek, H. M., Kearn, R. P., Yagi, K. Experimental studies of psychological stress in man. *Psychological monographs*, 1962, *76* (15, no 534).

Berlyne, D. E. Children's reasoning and thinking. In P. Mussen (Ed.), *Handbook of child psychology.* New York: Wiley, 1970.

Berne, H. *Analyse transactionnelle et psychothérapies.* Paris: Payot, 1971.

Berne, H. *Des jeux et des hommes: psychologie des relations humaines.* Paris: Stock, 1975.

Bernstein, C., Woodward, B. *Les fous du président.* Paris: Club français du livre, 1974.

Bever, T. G. The cognitive basis for linguistic structures. In J. R. Hayes (Ed.), *Cognition and the development of language.* New York: Wiley, 1970.

Blakemore, C. Central visual processing. In M. S. Gazzaniga, C. Blakemore (Eds.), *Handbook of psychobiology.* New York, Academic Press, 1975.

Blakemore, C. Nachmias, J., Sutton, P. The perceived spatial frequency shift: evidence for frequency-selective neurons in the human brain. *Journal of physiology*, 1970, *210*, 727-750.

Bobrow, D. G., Collins, A. M. (Eds.). *Representation and understanding: studies in cognitive science.* New York: Academic Press, 1975.

Bobrow, D. G., Norman, D. A. Some principles of memory schemata. In D. G. Bobrow, A. M. Collins (Eds.), *Representation and understanding: studies in cognitive science.* New York: Academic Press, 1975.

Bobrow, D. G., Winograd, T. An Overview of KRL, a knowledge representation language. *Journal of cognitive science,* 1977, *1,* 3-46.

Bower, G. H. Analysis of a mnemonic device. *American scientist,* 1970, *58,* 496-510.

Bower, T. G. R. *Development in infancy.* San Francisco: Freeman, 1974.

Boynton, R. M. Color, hue, and wavelength. In E. C. Carterette, M. P. Friedman (Eds.), *Handbook of perception.* Vol. V. New York: Academic Press, 1975.

Bransford, J. D., Johnson, M. K. Considerations of some problems of comprehension. In W. G. Chase (Ed.), *Visual information processing.* New York: Academic Press, 1973.

Bredberg, G., Lindeman, H. H., Ades, H. W., West, R., Engstrom, H. Scanning electron microscopy of the organ of Corti. *Science,* 1970, *170,* 861-863.

Brewer, W. F. There is no convincing evidence for operant or classical conditioning in adult humans. In W. B. Weimer, D. S. Palermo (Eds.), *Cognition and the symbolic processes.* Hillsdale, N. J.: Lawrence Erlbaum Associates, 1974.

Broadbent, D. E. *Decision and stress.* New York: Academic Press, 1971.

Brooks, L. R. Spatial and verbal components of the act of recall. *Canadian journal of psychology,* 1968, *22,* 349-368.

Brooks, L. R. Visual and verbal processes in internal representation. Talk presented at the Salk Institute, La Jolla, California, 1970.

Brown, R. *Social psychology.* New York: Free Press, 1965.

Brown, R. The first sentences of child and chimpanzee. In R. Brown, *Psycholinguistics: selected papers of Roger Brown.* New York: Free Press, 1970.

Brown, R. Development of the first language in the human species. *American psychologist,* 1973, *289,* 97-106. (a)

Brown, R. *A first language: the early stages.* Cambridge: Harvard Univ. Press, 1973. (b)

Brown, R., Bellugi, U. Three processes in the child's acquisition of syntax. In E. Lennenberg (Ed.), *New directions in the study of language.* Cambridge, Mass.: M.I.T. Press, 1964.

Brown, R., Galanter, E., Hess, E. H., Mandler, G. *New directions in psychology I.* New York: Holt, 1962.

Brown, R., Hanlon, C. Derivational complexity and order of acquisition in child speech. In J. R. Hayes (Ed.), *Cognition and the development of language.* New York: Wiley, 1970.

Bruce, B. Case systems for natural language. Artificial intelligence, 1975, *6,* 327-360.

Bruner, J. S. The course of cognitive growth. *American psychologist,* 1964, *19,* 1-15.

Bruner, J. S., Goodnow, J. J., Austin, G. A. *A study of thinking.* New York: Wiley, 1956.

Bucher, F. *Joseph Albers. Despite straight lines.* New Haven: Yale Univ. Press, 1961.

Burdick, E. *The 480.* New York: Dell, 1965. (publié originellement par McGraw-Hill, New York, 1954.)

Campbell, F. W., Maffei, L. Contrast and spatial frequency. *Scientific american,* 1974, *231,* 106-114 (Novembre).

Carraher, R. G., Thurston, J. B. *Optical illusions and the visual arts.* Princeton, N.J.: Van Nostrand-Reinhold, 1968.

Carterette, E., Friedman, M. P. *Handbook of perception*. New York: Academic Press.
  Volume 1: Historical and philosophical roots of perception. (1974).
  Volume 2: Psychophysical judgment and measurement. (1974).
  Volume 3: Biology of perception systems. (1973).
  Volume 4: Hearing (1976).
  Volume 5: Seeing (1975).
  Volume 6A: Tasting and Smelling (1978) (en préparation).
  Volume 6B: Feeling and Hurting (1978) (en préparation).
  Volume 7: Language and Speech (1976).
  Volume 8: Perceptual Coding (1978).
  Volume 9: Perceptual Processing (1978).
  Volume 10: Perceptual Ecology (1978) (en préparation).
Chapanis, A. The dark adaptation of the color anomalous measured with lights of different hues. *Journal of general physiology*, 1947, *30*, 423-437.
Chomsky, N. The formal nature of language. In E. H. Lenneberg (Ed.), *Biological foundations of language*. New York: Wiley, 1967.
Chomsky, N., Halle, M. *The sound pattern of English*. New York: Harper, 1968.
Chomsky, N., Halle, M. *Principes de phonologie générative*. Coll. Travaux de linguistique. Paris: Éditions du Seuil, 1973.
Clark, E. V. What's in a word? On the child's acquisition of semantics in his first language. In T.E. Moore (Ed.), *Cognitive development and the acquisition of language*. New York: Academic Press, 1973.
Clas, A., Demers, J., Charbonneau, R. *Phonétique appliquée*. Montréal: Beauchemin, 1968.
Cofer, C. N. (Ed.). *The structure of human memory*. San Francisco: Freeman, 1976.
Cofer, C. N., Appley, M. H. *Motivation: theory and research*. New York: Wiley, 1964.
Cohen, G., Martin, M. Hemisphere differences in an auditory stroop test. *Perception and psychophysics*, 1975, *17*, 79-83.
Collins, A. M., Loftus, E. F. A spreading-activation theory of semantic processing. *Psychological review*, 1975, *82*, 407-428.
Conel, J. L. *The postnatal development of the human cerebral cortex*. Vols. I-VI. Cambridge: Harvard Univ. Press, 1939-1963.
Conrad, R. Errors of immediate memory. *British journal of psychology*, 1959, *50*, 349-359.
Coombs, C. H., Dawes, R. M., Tversky, A. *Psychologie mathématique*. Coll. Psychologie d'aujourd'hui. Paris: Presses Universitaires de France, 1975. (Tome I: *Modèles et processus de décision*. Tome II: *Apprentissage et théorie de l'information*).
Corballis, M. C., Beale, J. L. Bilateral symmetry and behavior. *Psychological review*, 1970, *77*, 451-464.
Coren, S. Brightness contract as a function of figure-ground relations. *Journal of experimental psychology*, 1969, *80*, 517-524.
Cornsweet, T. N. Information Processing in Human Visual Systems. *Stanford research institute journal*, 1969, no 5.
Cornsweet, T. N. *Visual perception*. New York: Academic Press, 1970.
Cotton, J. W. Models of learning. *Annual review of psychology*, 1976, *27*, 155-188.
Craik, F. I. M., Lockhart, R. S. Levels of processing: a framework for memory research. *Journal of verbal learning and verbal behavior*, 1972, *11*, 671-684.

Crosby, F. A model of egoistical relative deprivation. *Psychological review*, 1976, *83*, 85-113.

Crutchfield, R. S. Conformity and character. *American psychologist*, 1955, *10*, 191-198.

Dale, P. S. *Language development: structure and function*. New York: Holt, Rinehart et Winston, 1976.

Dallos, P. *The auditory periphery: biophysics and physiology*. New York: Academic Press, 1973.

Darley, J. M., Batson, C. D. From Jerusalem to Jericho: a study of situational variables in helping behavior. *Journal of personality and social psychology*, 1973, *27*, 100-108.

Davis, G. A. *Psychology of problem solving: theory and practice*. New York: Basic Books, 1973.

DeGroot, A. D. *Thought and choice in chess*. La Haie: Mouton, 1965.

DeGroot, A. D. Perception and memory versus thought: some old ideas and recent findings. In B. Kleinmuntz (Ed.), *Problem solving: research, method, and theory*. New York: Wiley, 1966.

Dement, W. C., Miller, M. M. An introduction to sleep. In O. Petre-Quadens, J. D. Schlag (Eds.), *Basic sleep mechanisms*. New York: Academic Press, 1974.

Dement, W. C., Villablanca, J. Clinical disorders in man and animal model experiments. In O. Petre-Quadens, J. D. Schlag (Eds.), *Basic sleep mechanisms*. New York: Academic Press, 1974.

Denes, P. B., Pinson, E. N. *The speech chain*. Murray Hill, N.J.: Bell Telephone Laboratories, Inc., 1963.

de Sausmarez, M. *Bridget Riley*. Greenwich, Conn.: New York Graphic Society Ltd., 1970.

Deutsch, D., Deutsch, J. A. (Eds.). *Short-term memory*. New York: Academic Press, 1975.

Deutsch, J. A. The physiological basis of memory. *Annual review of psychology*, 1969, *20*, 85-104.

Deutsch, J. A. (Ed.). *Physiological basis of memory*. New York: Academic Press, 1973.

Deutsch, S. *Models of the nervous system*. New York: Wiley, 1967.

DeValois, R. L., DeValois, K. K. Neural coding of color. In E. C. Carterette, M. P. Friedman (Eds.), *Handbook of perception. Volume V: Seeing*. New York: Academic Press, 1975.

DeValois, R. L., Abromov, I., Jacobs, G. H. Analysis of response patterns of LGN cells. *Journal of the optical society of America*, 1966, *56*, 966-977.

Dick, A. O. Iconic memory and its relation to perceptual processing and other memory mechanisms. *Perception and psychophysics*, 1974, *16*, 575-596.

Dodwell, P. C. *Visual pattern recognition*. New York: Holt, 1970.

Easterbrook, J. A. The effect of emotion on the utilization and the organization of behavior. *Phychological review*, 1959, *66*, 183-201.

Eccles, J. C. *The neurophysiological basis of mind*. London and New York: Oxford Univ. Press, 1953.

Eccles, J. C. Possible ways in which synaptic mechanisms participate in learning, remembering and forgetting. In D. P. Kimble (Ed.), *The anatomy of memory*. Vol. I, Palo Alto, Calif.: Science and Behavior Books, 1965.

Edwards, W., Tversky, A. (Eds.). *Decision making*. Harmondsworth, Midlesex, England: Penguin Books, 1967.

Egan, J. P., Clarke, F. R. Psychophysics and signal detection. In J. B. Sidowski (Ed.), *Experimental methods and instrumentation in psychology*. New York:

McGraw-Hill, 1966.

Eisenstadt, M., & Kareev, Y. Aspects of human problem solving: the use of internal representations. In D. A. Norman, D. E. Rumelhart, et le groupe de recherche LNR. *Explorations in cognition*. San Francisco: Freeman, 1975.

Enright, J. T. Stereopsis, visual latency and three-dimensional moving pictures. *American Scientist, 1970,* 58, 536-545.

Epstein, R. A. *The theory of gambling and statistical logic*. New York: Academic Press, 1967.

Escher, M. C. *L'oeuvre graphique*. Coll. Moebius. Solin, 1973.

Estes, W. K. Memory, perception, and decision in letter identification. In R. L. Solso (Ed.), *Information processing and cognition: the Loyola symposium*. Hillsdale, N.J.: Lawrence Erlbaum Associates, 1975.

Evans, R.I. *Jean Piaget: the man and his ideas*. New York: Dutton, 1973.

Falmagne, R. J. (Ed.). *Reasoning: representation and process in children and adults*. Hillsdale, N.J.: Lawrence Erlbaum Associates, 1975.

Farb, P. *Word play: that happens when people talk*. New York: Knopf, 1974. (Publié en format de poche par Batam, 1975.)

Farnham-Diggory, S. (Ed.). *Information processing in children*. New York: Academic Press, 1972.

Fay, R. R. Auditory frequency stimulation in the goldfish (*Carassius auratus*). *Journal of comparative and physiological psychology,* 1970, 73, 175-180.

Fay, R. R., MacKinnon, J. R. A simplified technique for conditioning respiratory mouth movements in fish. *Behavioral research methods and instrumentation,* 1969, 1, 3.

Festinger, L., *A theory of cognitive dissonance*. New York: Harper, 1957.

Festinger, L. Coren, S., Rivers, G. The effect of attention on brightness contrast and assimilation. *American journal of psychology,* 1970, 83, 189-207.

Festinger, L., Riecken, H. W., Schachter, S. *When prophecy fails*. Minneapolis: Univ. of Minnesota Press, 1956.

Fillmore, C. J. The case for case. In E. Bach, R. G. Harms (Eds.), *Universals in linguistic theory*. New York: Holt, 1968.

Fillmore, C. J. Toward a modern theory of case. In D. A. Reibel, S. A. Schane (Eds.), *Modern studies in English*. Englewood Cliffs, N.J.: Prentice-Hall, 1969.

Fink, M., Kety, S., McGaugh, J., Williams, T. A. (Eds.). *Psychobiology of convulsive therapy*. New York: Halsted Press, 1974.

Flavell, J. H. *The developmental psychology of Jean Piaget*. Princeton, N.J.: Van Nostrand-Reinhold, 1963.

Flavell, J. H. Role-taking and communication skills in children. *Young children,* 1966, 21.

Flavell, J. H., Botkin, P. T., Fry, C. L., Wright, J. W., Jarvis, P. E. *The development of role-taking and communication skills in children*. New York: Wiley, 1968.

Flavell, J. H., Wellman, H. M. Metamemory. In R. V. Kail, J. W. Hagen (Eds.), *Memory in cognitive development*. Hillsdale, N. J.: Lawrence Erlbaum Associates, sous presse.

Fleming, J. D. The state of the apes. *Psychology today,* 1974, 8, 31-46.

Flock, H. R., Freedberg, E. Perceived angle of incidence and achromatic surface color. *Perception and psychophysics,* 1970, 8, 251-256.

Fodor, J., Bever, T., Garrett, M. *The psychology of language*. New York: McGraw-Hill, 1974.

Fromkin, V. A., Slips of the tongue. *Scientific american,* 1973 (Décembre), 110-117.

Fromkin, V. A. Rodman, R. *An introduction to language*. New York: Holt, Rinehart, Winston, 1974.

Galanter, J. The direct measurement of utility and subjective probability. *American journal of psychology*, 1962, 75, 208-220.

Garcia, J., Hankins, W. G., Rusiniak, K. W. Behavioral regulation of the milieu interne in man and rat. *Science*, 1974, *185*, 824-831.

Garcia J., Koelling, R. Relation of cue to consequence in avoidance learning. *Psychonomic Science*, 1966, *4*, 123-124.

Gazzaniga, M. S. *Le cerveau dédoublé*. Coll. Psychologie et sciences humaines. Vol. 62, Bruxelles: Mardaga-Dessart, 1976.

Gazzaniga, M. S., Blakemore, C. *Handbook of psychobiology*. New York: Academic Press, 1975.

Gazzaniga, M. S., Hillyard, S. A. Attention mechanisms following brain bisection. In S. Kornblum (Ed.), *Attention and performance IV*. New York: Academic Press, 1973.

Geldard, F. (Ed.). *Cutaneous communication systems and devices*. Austin, Texas: The psychonomic society, 1973.

Gentner, D. Evidence for the psychological reality of semantic components: the verbs of possession. In D. A. Norman, D. E. Rumelhart, et le groupe de recherche *LNR. Explorations in cognition*. San Francisco: Freeman, 1975.

Geschwind, N. The organization of language and the brain. *Science*, 1970, *170*, 940-944.

Geschwind, N. The apraxias: neural mechanisms of disorders of learned movement. *American scientist*, 1975, *63*, 188-195.

Gibson, A. R., Harris, C. S. *The McCollough effect: color adaptation of edge-detectors or negative afterimages?* Article présenté au congrès annuel du Eastern Psychological Association, Washington, D. C., Avril, 1968.

Gibson, J. J. *The perception of the visual world*. Boston: Houghton, 1950.

Gibson, J. J. *The senses considered as perceptual systems*. Boston: Houghton, 1966.

Ginsburg, H., Opper, S. *Piaget's theory of intellectual development: an introduction*. Englewood Cliffs, N.J.: Prentice-Hall, 1969.

Gold, P. E., King, R. A. Retrograde amnesia: storage failure versus retrieval failure. *Psychological review*, 1974, *81*, 465-469.

Gombrich, E. H. *L'art et l'illusion*. Paris: Gallimard, 1971.

Gombrich, E. H., Hochberg, J., Black, M. *Art, perception, and reality*. Baltimore, Md: John Hopkins Univ. Press, 1972.

Gordon, B. The superior colliculus of the brain. *Scientific american*, 1972, *227*, (6), 72-82.

Graham, C. H. (Ed.). *Vision and visual perception*. New York: Wiley, 1965.

Gray, C. R., Gummerman, K. The enigmatic eidetic image: a critical examination of methods, data, and theories. *Psychological bulletin*, 1975, *82*, 383-407.

Greeff, Z. *Graefe-Saemisch Hb. ges. augenheilk, II*, Kap. 5, 1900, 1.

Green, B. F., Jr. Current trends in problem solving. In B. Kleinmuntz (Ed.), *Problem solving*. New York: Wiley, 1966.

Green, D. M., Swets, J. A. *Signal detection theory and psychophysics*. New York: Wiley, 1966.

Greeno, J. G. Hobbits and Orcs: acquisition of a sequential concept. *Cognitive psychology*, 1974, *6*, 270-292.

Gregory, R. L. *L'oeil et le cerveau*. Paris: Hachette, 1966.

Gregory, R. L. *The intelligent eye*. New York: McGraw-Hill, 1970.

Gross, C. G. Inferotemporal cortex and vision. *Progress in physiological psychology*, 1973, *5*, 77-123. (New York: Academic Press.)

Gross, C. G., Cowey, A., Manning, F. J. Further analysis of visual discrimination deficits following foveal prestriate and inferotemporal lesions in rhesus monkeys.

Journal of comparative and physiological psychology, 1971, 76, 1-7.

Gross, C. G., Rocha-Miranda, C. E., Bender, D. B. Visual properties of neurons in inferotemporal cortex of the macaque. *Journal of neurophysiology*, 1972, 35, 96-111.

Guzmán, A. Decomposition of a visual scene into three-dimensional bodies. In A. Grasselli (Ed.), *Automatic interpretation and classification of images*. New York: Academic Press, 1969.

Haber, R. N. (Ed.). *Contemporary theory and research in visual perception*. New York: Holt, 1968.

Haber, R. N. Eidetic images. *Scientific american*, 1969, 220, 36-44.

Hagen, J. W. Strategies for remembering. In S. Farnham-Diggory (Ed.), *Information processing in children*. New York: Academic Press, 1972.

Harris, C. S. Perceptual adaptation to inverted, reversed, and displaced vision. *Psychological review*, 1965, 72, 419-444.

Hecht, S., Hsia, Y. Dark adaptation following light adaptation to red and white lights. *Journal of the optical society of America*, 1945, 35, 261-267.

Heider, F. *The psychology of interpersonal relations*. New York: Wiley, 1958.

Held, R. Dissociation of visual functions by deprivation and rearrangement. *Psychologische Forchung*, 1968, 31, 338-348.

Held, R., & Richards, W. *Perception: mechanisms and models. Readings from Scientific american*. San Francisco: Freeman, 1972.

Held, R., Richards, W. *Recent progress in perception. Readings from Scientific american*. San Francisco: Freeman, 1976.

Hewitt, C., Bishop, P., Steiger, R. A universal modular ACTOR formalism for artificial intelligence. Stanford, California: Proceedings of the third international conference on artificial intelligence, 1973.

Hilgard, E. R., Bower, G. H. *Theories of learning* (4e éd.). New York: Appleton, 1975.

Hillyard, S. A., Picton, T. W. Event-related brain potentials and selective information processing in man. In J. Desmedt (Ed.), *Cerebral evoked potentials in man: the Brussels symposium*. Londres: Oxford Univ. Press, 1977.

Hirsch, I. *La mesure de l'audition*. Paris: Presses Universitaires de France, 1956.

Hirsch, H. V. B., Jacobson, M. The perfectible brain: principles of neuronal development. In M. S. Gazzaniga, C. Blakemore (Eds.), *Handbook of psychobiology*. New York: Academic Press, 1975.

Hochberg, J. *Perception*. Englewood Cliffs, N.J.: Prentice-Hall, 1964.

Hochberg, J. In the mind's eye. In R. N. Haber (Ed.), *Contemporary theory and research in visual perception*. New York: Holt, 1968.

Hochberg, J. The representation of things and people. In E. H. Gombrich, J. Hochberg, M. Black, *Art, perception, and reality*. Baltimore: Johns Hopkins Univ. Press, 1972.

Hochberg, J., Beck, J. Apparent spatial arrangement and perceived brightness. *Journal of experimental psychology*, 1954, 47, 263-266.

Hoffman, L. R. Group problem solving. In L. Berkowitz (Ed.), *Advances in experimental social psychology*. Vol. 2. New York: Academic Press, 1965.

Horemis, S. *Optical and geometrical patterns and designs*. New York: Dover Publications, 1970.

Horton, D. L., Turnage, T. W. *Human learning*. Englewood Cliffs, N.J.: Prentice-Hall, 1976.

Hubel, H. D., Wiesel, T. N. Receptive fields, binocular interaction and functional architecture in the cat's visual cortex. *Journal of physiology* (Londres), 1962, 160, 106-154.

Hubel, D. G., Wiesel, T. N. Shape and arrangement of columns in cat's striate cortex. *Journal of Physiology* (Londres), 1963, *165*, 559-568.

Hubel, D. H., Wiesel, T. N. Receptive fields and functional architecture in two nonstriate visual areas (18 and 19) of the cat. *Journal of neurophysiology*, 1965, *28*, 229-289.

Hubel, D. H., Wiesel, T. N. Receptive fields and functional architecture of monkey striate cortex. *Journal of physiology* (Londres), 1968, *195*, 215-243.

Hulse, S. H., Deese, J., Egeth, H. *The psychology of learning.* New York: McGraw-Hill, 1975.

Hunt, E. B. *Artificial intelligence.* New York: Academic Press, 1975.

Hunt, E. B., Love, T. How good can memory be? In A. W. Melton, E. Martin (Eds.), *Coding processes in human memory.* Washington, D. C.: Winston, 1972.

Hunter, I. M. L. Mental calculation. In P. C. Wason, P. N. Johnson-Laird (Eds.), *Thinking and reasoning.* Harmondsworth, Middlesex, Angleterre, (aussi Baltimore): Penguin Books, 1968.

Hurvich, L. M., Jameson, D. *The perception of brightness and darkness.* Rockleigh, N.J.: Allyn et Bacon, 1966.

Hurvich, L. M., Jameson, D. Opponent processes as a model of neural organization. *American psychologist,* 1974, *29*, 88-102.

Hurwicz, L. Game theory and decisions. *Scientific american,* 1955, *192*, (2), 78-83.

Huttenlocher, J., Burke, D. Why does memory span increase with age? *Cognitive psychology,* 1976, *8*, 1-31.

Ingle, D. Two visual mechanisms underlying the behavior of fish. *Psychologische forschung,* 1967, *31*, 44-51.

James, M., Jowgeward, D. *Nature gagnante: l'analyse transactionnelle dans la vie quotidienne.* Paris: Interéditions, 1978.

Jarrard, L. E. (Ed.). *Cognitive processes of nonhuman primates.* New York: Academic Press, 1971.

Johnson-Laird, P. N. Experimental psycholinguistics. *Annual review of psychology,* 1974, *25*, 135-160.

Jones, E. E. How do people perceive the causes of behavior? *American Scientist,* 1976, *64*, 300-305.

Jones, E. E., Kanouse, D. E., Kelley, H. H., Nisbett, R. E., Valins, S., Weiner, B. *Attribution: perceiving the causes of behavior.* Morristown, N.J.: General Learning, 1972.

Judd, D. B. Basic correlates of the visual stimulus. In S. S. Stevens (Ed.), *Handbook of experimental psychology.* New York: Wiley, 1951.

Julesz, B. Binocular depth perception of computer-generated patterns. *Bell system technical journal,* 1960, *39*, 1125-1162.

Julesz, B. Binocular depth perception without familiary cues. *Science,* 1964, *145*, 356-362.

Julesz, B. *Foundations of cyclopean perception.* Chicago: Univ. of Chicago Press, 1971.

Jung, R. Allgemeine neurophysiologie. In *Handbuch der inneren medizen.* Ed. V/1. Berlin et New York: Springer-Verlag, 1953.

Kahneman, D. *Attention and effort.* Englewood Cliffs, N.J.: Prentice Hall, 1973.

Kahneman, D., Tversky, A. Subjective probability: a judgment of representativeness. *Cognitive psychology,* 1972, *2*, 430-454.

Kahneman, D., Tversky, A. On the psychology of prediction. *Psychological review,* 1973, *80*, 236-251.

Kandel, E. An invertebrate system for the cellular analysis of simple behaviors and their modifications. In F. O. Schmitt (Ed.), *The neurosciences, third study program.* Chap. 31, p. 347-370. Cambridge: M.I.T. Press, 1974.

Karlins, M., Abelson, H .J. *Persuasion: how opinions and attitudes are changed.* Seconde Édition. Berlin and New York: Springer-Verlag, 1970.

Kaufman, L. *Sight and mind: an introduction to visual perception.* New York and London: Oxford Univ. Press, 1974.

Kavanagh, J. F., Mattingly, I. G. (Eds.). *Language by ear and by eye. The relationship between speech and reading.* Cambridge: M.I.T. Press, 1972.

Kepes, G. (Ed.). *Vision and value series: 1. Education of vision; 2. Structure in art and in science; 3. The nature and art of motion; 4. Module, proportion, symmetry, rhythm; 5. The man-made object; 6. Sign, image, symbol.* New York: Braziller, 1965, 1966.

Kimura, D. Cerebral dominance and the perception of verbal stimuli. *Canadian journal of psychology,* 1961, *15,* 166-171.

Kimura, D. Left-right difference in the perception of melodies. *Quarterly journal of experimental psychology,* 1964, *16,* 355-358.

Kinney, G. C., Marsetta, M., Showman, D. J. *Studies in display symbol legibility, part XII. The legibility of alphanumeric symbols for digitalized television.* Bedford, Mass.: The Mitre Corporation, Novembre, 1966, ESD-TR-66-117.

Kinsbourne, M. The control of attention by interaction between the cerebral hemispheres. In S. Kornblum (Ed.), *Attention and performance IV.* New York: Academic Press, 1973.

Kinsbourne, M., Wood, F. Short-term memory processes and the amnesic syndrome.. In D. Deutsch, J. A. Deutsch (Eds.), *Short-term memory.* New York: Academic Press, 1975.

Kintsch, W. *Learning, memory, and conceptual processes.* New York: Wiley, 1970.

Kintsch, W. *The representation of meaning in memory.* Hillsdale, N.J.: Lawrence Erlbaum Associates, 1974.

Klahr, D. (Ed.). *Cognition and instruction.* Hillsdale, N.J.: Lawrence Erlbaum Associates, 1974.

Klatsky, R.L. *Human memory: structures and processes.* San Francisco: Freeman, 1975.

Kleinmuntz, B. (Ed.). *Problem solving.* New York: Wiley, 1966.

Kleinmuntz, B. (Ed.). *Concepts and the structure of memory.* New York: Wiley, 1967.

Kleinmuntz, B. (Ed.). *Formal representation of human judgment.* New York: Wiley, 1968.

Kleitman, N. *Sleep and wakefulness.* Revised edition. Chicago: Univ. of Chicago Press, 1963.

Kling, J. W., Riggs, L. A. (Eds.). *Woodworth/Schlosberg's experimental psychology.* 3e édition. New York: Holt, 1971.

Köhler, W. *L'intelligence des singes supérieurs.* Paris: Retz, 1973.

Kosslyn, S.M. Information representation in visual images. *Cognitive psychology,* 1975, *7,* 341-370.

Kosslyn, S.M., Pomerantz, J. R. Imagery, propositions, and the form of internal representations. *Cognitive psychology,* 1977, *9,* 52-76.

Krantz, D. H., Luce, R.D., Suppes, P., Tversky, A. *Foundations of measurement.* Vol. 1. *Additive and polynomial representations.* New York: Academic Press, 1971.

Kreutzer, M. A., Leonard, C., Flavell, J. H. An interview study of children's knowledge about memory. *Monographs of the Society for research in child development,* 1975, *40,* (N° 1, 159).

Kryter, K. D. *The effect of noise on man.* New York: Academic Press, 1970.

Kuffler, S. W. Discharge patterns and functional organization of mammalian retina.

Journal of neurophysiology, 1953, *16*, 37-68.

Lashley, K. S. Mass action in cerebral function. *Science*, 1931, *73*, 245-254.

Lashley, K. S. In search of the engram. *Symposium of the society of experimental biology*, 1950, *4*, 454-482.

Lashley, K. S. The problem of serial order in behavior. In L. A. Jeffress (Ed.), *Cerebral mechanisms in behavior: the Hixon symposium*. New York: Wiley, 1951.

Latané, B., Darley, J. M. Bystander apathy. *American scientist*, 1969, *57*, 244-268.

Latané, B., Darley, J. M. *The unresponsive bystander*. New York: Appleton, 1970.

Lazarus, R. C. *Psychological stress and the coping process*. New York: McGraw-Hill, 1966.

Leask, J., Haber, R. N., Haber, R. B. Eidetic imagery in children: II. Longitudinal and experimental results. *Psychonomic monographic supplements*, 1969, *3* (3, Whole No. 35).

Le Grand, Y. *Vision, lumière et éclairage*. Paris: Masson, 1958.

Lenneberg, E. H. *Biological foundations of language*. New York: Wiley, 1967.

Lettvin, J. Y., Maturana, H. R., McCulloch, W. S., Pitts, W. H. What the frog's eye tells the frog's brain. *Proceedings of the IRE*, 1959, *47* (11), 1940-1951.

Lettvin, J. Y., Maturana, H. R., Pitts, W. H., McCulloch, W. S. Two remarks on the visual system of the frog. In W. A. Rosenblith (Ed.), *Sensory communication*. Cambridge: M.I.T. Press, 1961.

Levy, J. Possible basis for the evolution of lateral specialization of the human brain. *Nature*, 1969, *224*, 614-615.

Levy, J. Psychobiological implications of bilateral asymmetry. In S. J. Dimond, J. G. Beaumont (Eds.), *Hemisphere function in the human brain*. New York: Halsted Press, 1974.

Levy, J., Trevarthen, C., Sperry, R. W. Perception of bilateral chimeric figures following hemispheric deconnexion. *Brain*, 1972, *95*, 61-78.

Lindsley, D. B. Psychophysiology and motivation. In M. F. Jones (Ed.), *Nebraska symposium on motivation*. Lincoln: Univ. of Nebraska Press, 1957.

Lindsley, J. R. Producing simple utterances: how far ahead do we plan? *Cognitive psychology*, 1975, *7*, 1-19.

Linton, M. Memory for real-world events. In D. A. Norman, D. E. Rumelhart et le groupe de recherche *LNR*. *Exploration in cognition*. San Francisco: Freeman, 1975.

Loftus, G. R., Loftus, E. F. *Human memory: the processing of information*. New York: Halsted Press, 1975.

Lorayne, H., Lucas, J. *The memory book*. New York: Stein and Day, 1974. (aussi disponible en format de poche, Ballantine Books, 1975).

Luce, R. D., Bush, R. R., Galanter, E. (Eds.). *Handbook of mathematical psychology*. 3 volumes. New York: Wiley, 1962-1965.

Luce, R. D., Suppes, P. Preference, utility, and subjective probability. In R. D. Luce, R. R. Bush, E. Galanter (Eds.), *Handbook of mathematical psychology*. Vol. III. New York: Wiley, 1965.

Luckiesh, M. *Visual illusions*. Princeton, N.J.: Van Nostrand-Reinhold, 1922. (aussi disponible en format de poche, Dover Publications, 1965).

Luria, A. R. *Une prodigieuse mémoire*. Neuchâtel et Paris: Delachaux et Niestlé, 1970.

Luria, A. R. *The man with a shattered world: the history of a brain wound*. Traduit par L. Solotaroff. New York: Basic Books, 1972.

Luria, A. R. *The working brain: an introduction to neuropsychology*. Traduit par B. Haigh. New York: Basic Books, 1973.

Madigan, S. A., McCable, L. Perfect recall and total forgetting: a problem for models of short-term memory. *Journal of verbal learning and verbal behavior*, 1971, *10*, 101-106.

Magritte. Voir Sylvester (1969).

Maier, N. R. F. Reasoning in humans. II. The solution of a problem and its appearance in consciousness. *Journal of comparative psychology*, 1931, *12*, 181-194.

Maier, S. F., Seligman, M. E. P. Learned helplessness: theory and evidence. *Journal of experimental psychology: general*, 1976, *105*, 3-46.

Mandler, G. Emotion. In R. Brown *et al.* (Eds.), *New directions in psychology*. New York: Holt, 1962.

Mandler, G. Consciousness: respectable, useful, and probably necessary. In R. L. Solsc (Ed.), *Information processing and cognition: the Loyola symposium*. Hillsdale, N.J.: Lawrence Erlbaum Associates, 1975. (a)

Mandler, G. *Mind and emotion*. New York: Wiley, 1975. (b)

Mark, R. *Memory and nerve cell connections*. Londres et New York: Oxford Univ. Press, 1974.

Markowitz, H. The utility of wealth. *Journal of political economics*, 1952, *60*, 152-158.

Massaro, D. W. *Experimental psychology and information processing*. Chicago: Rand McNally, 1975. (a)

Massaro, D. W. (Ed.). *Understanding language: an information-processing analysis of speech perception, reading, and psycholinguistics*. New York: Academic Press, 1975. (b)

Matras, J.-J. *Le son*. Coll. «Que sais-je?». Paris: Presses Universitaires de France, 1977.

Mayzner, M. S. Studies of visual information processing in man. In R. L. Solso (Ed.), *Information processing and cognition: the Loyola symposium*. Hillsdale, N.J.: Lawrence Erlbaum Associates, 1975.

McCollough, C. Color adaptation of edge detectors in the human visual system. *Science*, 1965, *149*, 1115-1116.

McGhie, A. *Pathology of attention*. Baltimore: Penguin Books, 1969.

McGinnis, J. *The selling of the president, 1968*. New York: Trident Press, 1969.

Mershon, D. H., Gogel, W. C. Effect of stereoscopic cues on perceived whiteness. *American journal of psychology*, 1970, *83*, 55-67.

Messick, D.M. (Ed.). *Mathematical thinking in behavioral sciences. Readings from Scientific american*. San Francisco: Freeman, 1968.

Milgram, S. Behavorial study of obedience. *Journal of abnormal psychology*, 1963, *67*, 371-378.

Milgram, S. Issues in the study of authority: a reply to Baumrind. *American psychologist*, 1964, *19*, 848-852.

Milgram, S. Some conditions of obedience and disobedience to authority. *Human relations*, 1965, *18*, 574-575.

Milgram, S. *Soumission à l'autorité*. Paris: Calman-Lévy, 1974.

Miller, G. A. Decision units in the perception of speech. *IRE Transactions on Information Theory*, 1962, *8*, 81-83.

Miller, G. A., Galanter, E., Pribram, K. H. *Plans and the structure of behavior*. New York: Holt, 1960.

Miller, G. A., Johnson-Laird, P. N. *Language and perception*. Cambridge, Mass.: Belknap Press, (Harvard Univ. Press), 1976.

Miller, R. R., Springer, A. D. Implications of recovery from experimental amnesia. *Psychological review*, 1974, *81*, 470-473.

Milner, B., Corkin, S., Teuber, H. L. Further analysis of the hippocampal amnesia syndrome: 14-year followup study of H. M. *Neuropsychologia*, 1968, *6*, 215-234.

Moore, T. E. (Ed.). *Cognitive development and the acquisition of language.* New York: Academic Press, 1973.

Moray, N. *Attention: selective processes in vision and hearing.* New York: Academic Press, 1970.

Morgenstern, O. The theory of games. *Scientific american,* 1949, *180* (5), 22-25.

Mountcastle, V. B. (Ed.). *Interhemispheric relations and cerebral dominance.* Baltimore, Md.: Johns Hopkins Press, 1962.

Mueller, C. G., Rudolph, M. (En collaboration avec les rédacteurs des éditions Time-Life). *L'oeil et la lumière.* Coll. Le monde des sciences. Amsterdam: Time-Life, 1974.

Murdock, B. B., Jr. The retention of individual items. *Journal of experimental psychology,* 1961, *62,* 618-625.

Murdock, B. B., Jr. The serial effect of free recall. *Journal of experimental psychology,* 1962, *64,* 482-488.

Mussen, P. (Ed.). *Handbook of child psychology.* 2 volumes (révisés). New York: Wiley, 1970.

Myers, R. E. Transmission of visual information within and between the hemispheres: a behavioral study. In V. B. Mountcastle (Ed.), *Interhemispheric relations and cerebral dominance.* Baltimore, Md.: Johns Hopkins Press, 1962.

Neimark, E. D., Santa, J. L. Thinking and concept attainment. *Annual review of psychology,* 1975, *26,* 173-205.

Neisser, U. Visual search. *Scientific american,* 1964, *210* (6), 94-102.

Neisser, U. *Cognitive psychology.* New York: Appleton, 1967.

Nelson, K. Concept, word and sentence: interrelations in acquisition and development. *Psychological review,* 1974, *81,* 267-285.

Nelson, K. The nominal shift in semantic-syntactic development. *Cognitive psychology,* 1975, *7,* 461-479.

Newell, A. Production systems: models of control structures. In W. G. Chase (Ed.), *Visual information processing.* New York: Academic Press, 1973.

Newell, A., Simon, H. A. *Human problem solving.* Englewood Cliffs, N.J.: Prentice-Hall, 1972.

Newman, J. R. (Ed.). *The world of mathematics.* Vol. IV. New York: Simon and Schuster, 1956.

Newport, E. L., Gleitman, H., Gleitman, L. R. Mother, I'd rather do it myself: some effects and noneffects of maternal speech style. In C.A. Ferguson, E. C. Snow (Eds.), *Talking to children.* Cambridge: Cambridge Univ. Press, in press.

Norman, D. A. (Ed.). *Models of human memory.* New York: Academic Press, 1970.

Norman, D. A. *Memory and attention: an introduction to human information processing* (2ᵉ éd.). New York: Wiley, 1976.

Norman, D. A., Bobrow, D. G. On data-limited and resource-limited processes. *Cognitive psychology,* 1975, *7,* 44-64.

Norman, D. A., Bobrow, D. G. On the role of active memory processes in perception and cognition. In C. N. Cofer (Ed.), *The structure of human memory.* San Francisco: Freeman, 1976.

Norman, D. A., Gentner, D. R., Stevens, A. L. Comments on learning: schemata and memory representation. In D. Klahr (Ed.), *Cognition and instruction.* Hillsdale, N.J.: Lawrence Erlbaum Associates, 1976.

Norman, D. A., Rumelhart, D. E. et le groupe de recherche *LNR. Exploration in cognition.* San Francisco: Freeman, 1975.

Olson, G. M. Developmental changes in memory and the acquisition of language. In T. E. Moore (Ed.), *Cognitive development and the acquisition of language.* New York: Academic Press, 1973.

Ornstein, R. E. *The psychology of consciousness.* San Francisco: Freeman, 1972. (aussi publié par Viking, 1972.)

Ornstein, R. E. *The nature of human consciousness.* San Francisco: Freeman, 1973. (aussi publié par Viking, 1973.)

Paivio, A. *Imagery and verbal processes.* New York: Holt, 1971.

Paivio, A. Perceptual comparisons through the mind's eye. *Memory and cognition,* 1975, *3,* 635-647.

Palmer, S. E. Visual perception and world knowledge. In D. A. Norman, D. E. Rumelhart, et le groupe de recherche *LNR. Exploration in cognition.* San Francisco: Freeman, 1975.

Paris, S. G. Integration and influence in children's comprehension and memory. In F. Restle, R. M. Shiffrin, N. J. Castellan, H. R. Lindman, D. B. Pisoni (Eds.), *Cognitive theory,* Vol. 1. Hillsdale, N.J.: Lawrence Erlbaum Associates, 1975.

Patterson, R. D. Noise masking of a change in residue pitch. *Journal of the acoustical society of America,* 1969, *45,* 1520-1524.

Patton, R. M., Tanner, T. A., Jr., Markowitz, J., Swets, J. A. (Eds.). *Applications of research on human decision making.* NASA-SP-209. Washington, D.C.: National aeronautics and space administration, Office of technology utilization, 1970.

Penrose, L. S., Penrose, R. Impossible objects: a special type of illusion. *British journal of psychology,* 1958, *49,* 31.

Peterson, L. R. Short-term memory. *Scientific american,* 1966, *215* (7), 90-95.

Peterson, L. R., Peterson, M. Short-term retention of individual items. *Journal of experimental psychology,* 1959, *58,* 193-198.

Petre-Quadens, O., Schlag, J. D. (Eds.). *Basic sleep mechanisms.* New York: Academic Press, 1974.

Pettigrew, J. D. The Neurophysiology of binocular vision. *Scientific american,* 1972, *227,* 84-95 (août).

Piliavan, I. M., Rodin, J., Piliavan, J. A. Good samaritanism: an underground phenomenon? *Journal of personality and social psychology,* 1969, *13,* 289-300.

Piliavan, J. A., Piliavan, I. M. Effect of blood on reactions to a victim. *Journal of personality and social psychology,* 1972, *23,* 353-361.

Pirenne, M. H. *Vision and the eye* (2nd ed.). Londres: Associated Book Publishers, 1967.

Piaget, J. *La naissance de l'intelligence chez l'enfant.* 9e édition. Neuchâtel et Paris: Delachaux et Niestlé, 1968. (1ère édition, 1936).

Piaget, J. *Six études de psychologie.* Coll. Bibliothèque Méditations. Genève. Gonthier, 1964.

Pirenne, M. H. L. *L'oeil et la vision.* Paris: Gauthier-Villars, 1972.

Platt W., Baker, B. A. The relation of the scientific "hunch" to research. *Journal of chemical education,* 1931, *8,* 1969-2002.

Plomp, R. *Experiments on tone perception.* Soesterberg, The Netherlands: Institute for perception RVO-TNO, 1966.

Poincaré, H. Mathematical creation. In J. R. Newman (Ed.), *The world of mathematics.* Volume IV. New York: Simon et Schuster, 1956.

Polya, G. *How to solve it.* Princeton, N.J.: Princeton Univ. Press, 1945.

Polyak, S. *The vertebrate visual system.* Chicago: Univ. of Chicago Press, 1957.

Pomeranz, B., Chung, S. H. Dendritic-tree anatomy codes form-vision physiology in tadpole retina. *Science,* 1970, *170,* 983-894.

Posner, M. I. Psychobiology of attention. In M. Gazzaniga, C. Blakemore (Eds.), *Handbook of psychobiology.* New York: Academic Press, 1975.

Posner, M. I., Nissen, M. J., Klein, R. M. Visual dominance: an information processing account of its origins and significance. *Psychological review*, 1976, *83*, 157-171.

Posner, M. L. Snyder, C. R. Attention and cognitive control. In R. L. Solso (Ed.), *Information processing and cognition: the Loyola symposium*. Hillsdale, N.J.: Lawrence Erlbaum Associates, 1975.

Postman, L., Phillips, L. W. Short-term temporal changes in free recall. *Quarterly journal of experimental psychology*, 1965, *17*, 132-138.

Pritchard, R. M. Stabilized images on the retina. *Scientific american*. 1961, *204*, 72-78.

Pylyshyn, Z. W. What the mind's eye tells the mind's brain: a critique of mental imagery. *Psychological bulletin*, 1973, *80*, 1-24.

Rachlin, H. *Introduction to modern behaviorism*. San Francisco: Freeman, 1970.

Raiffa, E. *Analyse de la décision: introduction au choix en avenir incertain*. Paris: Dunod, 1972.

Raphael, B. *The thinking computer*. San Francisco: Freeman, 1976.

Rapoport, A. *Combats, débats et jeux*. Paris: Dunod, 1967.

Rapoport, A. The use and misuse of game theory. *Scientific american*, 1962, *207* (6), 108-118.

Rasmussen, G. L., Windle, W. F. (Eds.). *Neural mechanisms of the auditory and vestibular systems*. Springfield, III: Thomas, 1960.

Ratliff, F. *Mach bands: quantitative studies on neural networks in the retina*. San Francisco: Holden-Day, 1965.

Ratliff, F. Contour and contrast. *Scientific american*, 1972, *226*, 90-101 (Juin).

Ratliff, F., Hartline, H. K. The response of *limulus* optic nerve fibers to patterns of illumination on the receptor mosaic. *Journal of general physiology*, 1959, *42*, 1241-1255.

Reddy, R. (Ed.). *Speech recognition: invited papers presented at the IEEE symposium*. New York: Academic Press, 1975.

Reed, G. *The psychology of anomalous experience: a cognitive approach*. London: Hutchinson Univ. Library, 1972.

Reed, S. K. *Psychological processes in pattern recognition*. New York: Academic Press, 1973.

Reitman, J. S. Mechanisms of forgetting in short-term memory. *Cognitive psychology*, 1971, *2*, 185-195.

Restle, F., Shiffrin, R. M., Castellan, N. J., Lindeman, H. R., Pisoni, D. B. (Eds.). *Cognitive theory*. Vol. 1. Hillsdale, N.J.: Lawrence Erlbaum Associates, 1975.

Revusky, S., Garcia, J. Learned associations over long delays. In G. H. Bower (Ed.), *The psychology of learning and motivation: advances in research and theory*. Volume 4. New York: Academic Press, 1970.

Reynolds, R. *Mind models: new forms of musical experience*. New York: Praeger, 1975.

Richardson, L. F., Ross, J. S. Loudness and telephone current. *Journal of general psychology*, 1930, *3*, 288-306.

Riggs, L. A., Ratliff, F., Cornsweet, J. C., Cornsweet, T. N. The disappearance of steadily-fixated objects. *Journal of the optical society of America*, 1953, *43*, 495-501.

Riley, B. voir de Sausmarez (1970).

Rips, L. J., Shoben, E. J., Smith, E. E. Semantic distance and the verification of semantic relations. *Journal of verbal learning and verbal behavior*, 1973, *12*, 1-20.

Robinson, D. W., Dadson, R. S. A redetermination of the equal-loudness relations for pure tones. *British journal of applied physics*, 1956, *7*, 166-181.

Robinson, J. O. *The psychology of visual illusion*. Londres: Hutchinson, 1972.

Robson, J. G. Receptive fields: neural representation of the spatial and intensive attributes of the visual image. In E. C. Carterette, M. P. Friedman (Eds.), *Handbook of perception. Vol. 5: Seeing.* New York: Academic Press, 1975.

Rock, I. *An introduction to perception.* New York: Macmillan, 1975.

Rodieck, R. W. *The vertebrate retina: principles of structure and function.* San Francisco: Freeman, 1973.

Roederer, J. G. *Introduction to the physics and psychophysics of music.* New York: Springer-Verlag, 1975.

Rosch, E. H. On the internal structure of perceptual and semantic categories. In T. Moore (Ed.), *Cognitive development and the acquisition of language.* New York: Academic Press, 1973. (a)

Rosch, E. H. Natural categories. *Cognitives psychology,* 1973, *4*, 328-350. (b)

Rosch, E. H. Cognitive representations of semantic categories. *Journal of experimental psychology : general,* 1975, *104*, 193-233.

Rosch, E. H., Mervis, C. B., Gray, W. D., Johnson, D. M., Boyes-Braem, P. Basic objects in natural categories. *Cognitive psychology,* 1976, *8*, 382-439.

Rosenblith, W. A. (Ed.). *Sensory communication.* Cambridge: M.I.T. Press, 1961.

Rosner, B. S. Brain functions. *Annual review of psychology,* 1970, *21*, 555-594.

Rosenhan, D. L. On being sane in insane places. *Science,* 1973, *179*, 250-258.

Rozin, P., Kalat, J. W. Specific hungers and poison avoidance as adaptive specializations in learning. *Psychological review,* 1971, *78*, 459-486.

Rumelhart, D. E. *An introduction to human information processing.* New York: Wiley, 1977.

Rumelhart, D. E., Norman, D. A. Accretion, tuning and restructuring: three modes of learning. In R. Klatsky, J. W. Cotton (Eds.), *Semantic factors in cognition.* Lawrence Erlbaum Associates, 1978.

Rumelhart, D. E., Ortony, A. The representation of information in memory. In R. C. Anderson, R. J. Spiro, W. E. Montague (Eds.), *Schooling and the acquisition of knowledge.* Hillsdale, N.J.: Lawrence Erlbaum Associates, 1976.

Russell, W. R., Nathan, P. W. Traumatic amnesia. *Brain,* 1946, *69*, 280-300. (Une version condensée est publiée dans C. Gross et H. Zeigler (Eds.), *Readings in physiological psychology.* New York: Harper and Row, 1960.)

Saltz, E. *The cognitive bases of human learning.* Homewood, Ill.: Dorsey Press, 1971.

Schachter, S. Cognitive effects on bodily functioning. In D. C. Glass (Ed.), *Studies of obesity and eating in neurophysiology and emotion.* New York: Rockefeller Univ. Press, 1967.

Schachter, S. *Emotion, obesity, and crime.* New York: Academic Press, 1971.

Schachter, S., Rodin, J. *Obese humans and rats.* Potomac, Md.: Lawrence Erlbaum Associates, 1974.

Schachter, S., Singer, J. E. Cognitive, social and physiological determinants of emotional state. *Psychological review,* 1962, *69*, 379-399.

Schachter, S., Wheeler, L. Epinephrine, chlorpromazine and amusement. *Journal of abnormal psychology,* 1962, *65*, 121-128.

Schade, J. P., van Groenigen, W. B. Structural organization of the human cerebral cortex: maturation of the middle frontal gyrus. *Acta anatomica,* 1961, *47*, 74-111.

Schank, R. C. Conceptual dependency: a theory of natural language understanding. *Cognitive psychology,* 1972, *3*, 552-631.

Schank, R. C. *Conceptual information processing.* Amsterdam: North-Holland; New York: American Elsevier, 1975.

Scharf, B. Critical bands. In J. V. Tobias (Ed.), *Foundations of modern auditory theory.* Vol. I. New York: Academic Press, 1970.

Scheerer, M. Problem solving. *Scientific american,* 1963, *204* (4), 118-128.

Schelling, T. C. *The strategy of conflict*. Cambridge: Harvard Univ. Press, 1963.

Schmitt, F. O. (Ed.). *The neurosciences: second study program*. New York: Rockefeller Univ., 1972.

Schmitt, F. O., Worden, F. G. (Eds.). *The neurosciences: third study program*. Cambridge: M.I.T. Press, 1974.

Schneider, G. E. Contrasting visuomotor functions of tectum and cortex in the golden hamster. *Psychologische forschung*, 1967, 1968, *31*, 52-65.

Schneider, G. E. Two visual systems. *Science*, 1969, *163*, 895-902.

Seitz, W. C. *The responsive eye*. New York: Museum of Modern Art, 1965.

Sekuler, R., Levinson, E. Mechanisms of motion perception. *Psychologia — An international journal of psychology in the Orient*, 1974, *17*, 38-49.

Selfridge, O. Pandemonium: a paradigm for learning. In *Symposium on the mechanization of thought processes*. London: HM Stationery Office, 1959.

Seligman, M. E. P. *Helplessness: on depression, development, and death*. San Francisco: Freeman, 1975.

Seligman, M. E. P., Maier, S. F., Solomon, R. L. Unpredictable and uncontrollable events. In F. R. Brush (Ed.), *Aversive conditioning and learning*. New York: Academic Press, 1971.

Sellin, T., Wolfgang, M. E. *The measurement of delinquency*. New York: Wiley, 1964.

Selye, H. *The story of the adaptation syndrome*. Montreal: Act, 1952.

Selye, H. *Stress sans détresse*. Montréal: Éditions La Presse, 1974.

Shepherd, G. M. *The synaptic organization of the brain*. London, New York: Oxford Univ. Press, 1974, p. 15-34, 46-57.

Shiffrin, R. M. Capacity limitations in information processing, attention and memory. In W. K. Estes (Ed.), *Handbook of learning and cognitive processes. Volume 4: Memory processes*. Hillsdale, N.J.: Lawrence Erlbaum Associates, in press, 1976.

Shiffrin, R. M., Geisler, W. S. Visual recognition in a theory of information processing. In R. L. Solso (Ed.), *Contemporary issues in cognitive psychology: the Loyola symposium*. Washington, D.C.: Winston, 1973. [Distribué par Halsted Press, Wiley, New York.]

Siegal, S., Fouraker, L. E. *Bargaining and group decision making: experiments in bilateral monopoly*. New York: McGraw-Hill, 1960.

Siegel, R. K., West, L. J. (Eds.). *Hallucinations: behavior, experience, and theory*. New York: Wiley, 1975.

Simon, H. A., Reed, S. K. Modeling strategy shifts in a problem-solving task. *Cognitive psychology*, 1976, *8*, 86-97.

Simon, H. A., Simon, P. A. Trial and error search involving difficult problems: evidence from the game of chess. *Behavioral science*, 1962, *7*, 425-429.

Sinclair-deZwart, H. Language acquisition and cognitive development. In

Smedslund, J. *Acquisition des notions de substance et de poids chez l'enfant*.

   I. Introduction. *Scandinavian journal of psychology*, 1961, *2*, 11-20. (a)

   II. External reinforcement of conservation of weight and of the operations of addition and subtraction. *Scandinavian journal of psychology*, 1961, *2*, 71-84. (b)

   III. Extinction of conservation of weight acquired «normally» and by means of empirical controls on a balance scale. *Scandinavian journal of psychology*, 1961, *2*, 85-87. (c)

   IV. An attempt at extinction of the usual components of the weight concept. *Scandinavian journal of psychology*, 1961, *2*, 153-155. (d)

   V. Practice in conflict situations without external reinforcement. *Scandinavian journal of psychology*, 1961, *2*, 156-160. (e)

VI. Practice on continuous versus discontinuous material in conflict situations without external reinforcement. *Scandinavian journal of psychology,* 1961, *2,* 203-210. (f)

Smith, A. *Powers of mind.* New York: Random House, 1975. (Adam Smith est un nom de plume. Dans certaines bibliothèques, on peut trouver ce livre sous le nom réel de l'auteur: G. J. W. Goodman.)

Smith, E. E., Shoben, E. J., Rips, L. J. Structure and processes in semantic memory: a featural model for semantic decisions. *Psychological review,* 1974, *81,* 214-241.

Soby, J. T. *René Magritte.* New York: Museum of Modern Art, 1965.

Solso, R. L. (Ed.). *Contemporary issues in cognitive psychology: the Loyola symposium.* Washington, D.C.: Winston, 1973. (Distribué par Wiley.)

Solso, R. L. (Ed.). *Information processing and cognition: the Loyola symposium.* Hillsdale, N.J.: Lawrence Erlbaum Associates, 1975. (Distribué par Wiley.)

Sperling, G. Information in a brief visual presentation. Thèse de doctorat inédite. Harvard Univ. 1959.

Sperling, G. The information available in brief visual presentations. *Psychological monographs,* 1960, *74,* N° 11.

Sperling, G., Speelman, R. G. Acoustic similarity and auditory short-term memory experiments and a model. In D. A. Norman (Ed.), *Models of human memory.* New York: Academic Press, 1970.

Sperry, R. W. Cerebral organization and behavior. *Science,* 1961, *133,* 1749.

Sperry, R. W. Hemisphere disconnection and unity in conscious awareness. *American psychologist,* 1968, *23,* 723-733.

Sperry, R. W. Lateral specialization in the surgically separate hemispheres. In F. O. Schmitt (Ed.), *The neurosciences, Third Study Program.* Cambridge: M.I.T. Press, 1974.

Squire, L. R. Amnesia for remote events following electroconvulsive therapy. *Behavioral biology,* 1974, *12,* 119-125.

Squire, L. R. Short-term memory as a biological entity. In D. Deutsch, J. A. Deutsch (Eds.), *Short-term memory.* New York, Academic Press, 1975.

Squire, L. R., Chace, P. M. Memory functions six to nine months after electroconvulsive therapy. *Archives of general psychiatry,* 1975, *32,* 1557-1568.

Squire, L. R., Slater, P. C., Chace, P. M. Retrograde amnesia: temporal gradient in very long term memory following electroconvulsive therapy. *Science,* 1975, *187,* 77-79.

Stanley-Jones, D. The biological origin of love and hate. In M. Arnold (Ed.), *Feelings and emotions.* New York: Academic Press, 1970.

Stein, B. E., Magalhães-Castro, K. B., Kruger, L. Superior colliculus: visuotopic-somatotopic overlap. *Science,* 1975, *189,* 224-226.

Stevens, K. N., House, A. S. Speech perception. In J. V. Tobias (Ed.), *Foundations of modern auditory theory.* Vol. II. New York: Academic Press, 1972.

Stevens, S. S. (Ed.). *Handbook of experimental psychology.* New York: Wiley, 1951.

Stevens, S. S. The direct estimation of sensory magnitude — loudness. *American journal of psychology,* 1956, *69,* 1-25.

Stevens, S. S. The psychophysics of sensory function. In W. A. Rosenbith (Ed.), *Sensory communication.* Cambridge: M.I.T. Press, 1961. (a)

Stevens, S. S. To honor Fechner and repeal his law. *Science,* 1961, *133,* 80-86. (b)

Stevens, S. S. A metric for the social consensus. *Science,* 1966, *151,* 530-541. (a)

Stevens, S. S. On the operation known as judgment. *American scientist,* 1966, *54,* 385-401. (b)

Stevens, S. S. Power-group transformations under glare, masking, and recruitment. *Journal of the acoustical society of America,* 1966, *39,* 725-735. (c)

Stevens, S. S. Matching functions between loudness and ten other continua. *Perception and psychophysics*, 1966, *1* (1), 5-8. (d)

Stevens, S. S. Ratio scales of opinion. In D. K. Whitala (Ed.), *Handbook of measurement and assessment in behavioral sciences*. Reading, Mass.: Addison-Wesley, 1968.

Stevens, S. S., Davis, H. *Hearing: its psychology and physiology*. New York: Wiley, 1938.

Stotland, E., Canon, L. K. *Social psychology: a cognitive approach*. Philadelphia: Saunders, 1972.

Stromeyer, C. F. Further studies of the McCollough effect. *Perception and psychophysics*, 1969, *6*, 105-110.

Stromeyer, C. F., III. Eidetikers. *Psychology today*, November 1970, 76-80.

Stromeyer, C. F., Mansfield, R. J. Colored aftereffects produced with moving images. *Perception and psychophysics*, 1970, *7*, 108-114.

Stromeyer, C. F., III, Psotka, J. The detailed texture of eidetic images. *Nature*, 1970, *225*, 346-349.

Stroop, J. R. Studies of interference in serial verbal reactions. *Journal of experimental psychology*, 1935, *18*, 643-662.

Suppes, P., Zinnes, J. L. Basic measurement theory. In R. D. Luce, R. R. Bush, E. Galanter (Eds.), *Handbook of mathematical psychology*. Vol. I. New York: Wiley, 1963.

Swets, J. A. (Ed.). *Signal detection and recognition by human observers*. New York: Wiley, 1964.

Sylvester, D. *Magritte*. Catalogue of an exhibition of paintings by René Magritte, 1898-1967. Londres: The Arts Council of Great Britain, 1969.

Talland, G. A. *Deranged memory*. New York: Academic Press, 1965.

Talland, G. A. *Disorders of memory and learning*. Harmondsworth, Middlesex, England: Penguin Books, 1968.

Talland, G. A., Waugh, N. (Eds.). *The pathology of memory*. New York: Academic Press, 1969.

Teuber, H. L. Perception. In J. Field, H. W. Magoun, V. E. Hall (Eds.), *Handbook of physiology, Section 1: Neural physiology*. Vol. 3. Baltimore: Williams et Wilkins, 1960.

Thomas, J. C., Jr. An analysis of behavior in the Hobbits-Orcs problem. *Cognitive psychology*, 1974, *6*, 257-269.

Thompson, R. F. *Physiological psychology. Readings from Scientific american*. San Francisco: Freeman, 1972.

Thompson, R. F. *Progress in psychobiology. Readings from Scientific american*. San Francisco: Freeman, 1976. (a)

Thompson, R. F. The search for the engram. *American psychologist*, 1976, *31*, 209-227. (b)

Thornton, J. W., Jacobs, P. D. Learned helplessness in human subjects. *Journal of experimental psychology*, 1971, *87*, 367-372.

Tobias, J. V. (Ed.). *Foundations of modern auditory theory*. Vols. I and II. New York: Academic Press, 1970, 1972.

Trevarthen, C. B. Two mechanisms of vision in primates. *Psychologische Forschung*, 1968, *31*, 299-337.

Tulving, E., Donaldson, W. (Eds.). *Organization of memory*. New York: Academic Press, 1972.

Turner, J. *Cognitive development*. London: Methuen, 1975.

Tversky, A. Intransitivity of preferences. *Psychological review*, 1969, *76*, 31-48.

Tversky, A., Kahneman, D. Availability: a heuristic for judging frequency and probability. *Cognitive psychology*, 1973, 5, 207-232.

Tversky, A., Kahneman, D. The belief in the law of small numbers. *Psychological bulletin*, in press.

van Bergeijk, W. A. Variation on a theme of Békésy: a model of binaural interaction. *Journal of the acoustical society of America*, 1962, 34, 1431-1437.

Varela, J.A. *Psychological solutions to social problems*. New York: Academic Press, 1971.

Vasarely, V. *Victor Vasarely I*. Neuchâtel: Éditions du Griffon, 1965.

Vasarely, V. *Victor Vasarely II*. Neuchâtel: Éditions du Griffon, 1970.

Verheijen, F. J. A simple after image method demonstrating the involuntary multi-directional eye movements during fixation. *Optica acta*, 1961, 8, 309-311.

Vernon, M. D. (Ed.). *Experiments in visual perception*. Harmondsworth, Middlesex, England: Penguin Books, 1966.

Voss, J. F. (Ed.). *Approaches to thought*. Columbus, Ohio: Charles F. Merrill, 1969.

Wagner, H. G., MacNichol, E. F., Jr., Wolbarsht, M. L. The response properties of single ganglion cells in the goldfish retina. *Journal of general physiology*, 1960, 43, 45-62.

Wald, G. The receptors for human color vision. *Science*, 1964, 145, 1007-1017.

Waltz, D. Understanding line drawings of scenes with shadows. In P. H. Winston (Ed.), *The psychology of computer vision*. New York: McGraw-Hill, 1975.

Warrington, E. K., Weiskrantz, L. An analysis of short-term and long-term memory defects in man. In J. A. Deutsch (Ed.), *Physiological basis of memory*. New York: Academic Press, 1973.

Wason, P. C., Johnson-Laird, P. N. (Eds.). *Thinking and reasoning*. Harmondsworth, Middlesex, England: Penguin Books, 1968.

Webb, W. B. *Sleep: an experimental approach*. New York: Macmillan, 1968.

Weber, R. J., Castleman, J. The time it takes to imagine. *Perception and psychophysics*, 1970, 8, 165-168.

Weiner, B. (Ed.). *Cognitive views of human motivation*. New York: Academic Press, 1974.

Weintraub, D. J. Perception. *Annual review of psychology*, 1975, 26, 263-289.

Weisstein, N. Beyond the yellow-Volkswagen detector and the grandmother cell: a general strategy for the exploration of operations in human pattern recognition. In R. L. Solso (Ed.), *Contemporary issues in cognitive psychology: the Loyola symposium*. Washington, D.C.: Winston, 1973. (Distribué par Wiley).

Werblin, F. S. The control of sensitivity in the retina. *Scientific american*, 1973, 228, 70-79 (Janvier).

Wertheimer, M. *Productive thinking*. New York: Harper, 1945.

Wever, E. G. *Theory of hearing*. New York: Dover, 1970.

Whitfield, I. C. *The auditory pathway*. London: Arnold, 1967.

Whitfield, I. C., Evans, E. F. Responses of auditory cortical neurons to stimuli of changing frequency. *Journal of neurophysiology*, 1965, 28, 655-672.

Whitty, C. W. M., Zangwill, O. L. (Eds.). *Amnesia*. Londres: Butterworth, 1966.

Wickelgren, W. A. *How to solve problems: elements of a theory of problems and problem solving*. San Francisco: Freeman, 1974.

Wightman, F. L., Green, D. M. The perception of pitch. *American scientist*, 1974, 62, 206-215.

Williams, J. *The complete strategist*, New York: McGraw-Hill, 1954.

Williams, M. D. Retrieval from very long-term memory. Thèse de doctorat inédite. Univ. of California, San Diego, 1976.

Winograd, T. A program for understanding natural language. *Cognitive psychology*, 1972, 3, 1-191.

Winograd, T. *Language as a cognitive process* (en préparation).

Winston, P. H. Learning to identify toy block structures. In R. L. Solso (Ed.), *Contemporary issues in cognitive psychology: the Loyola symposium*. Washington, D.C.: Winston, 1973. [Distribué par Halsted Press, Wiley, New York.]

Winston, P. H. (Ed.). *The psychology of computer vision*. New York: McGraw-Hill, 1975.

Woodworth, R.S. *Experimental psychology*. New York: Holt, 1938.

Woodworth, R.S., Schlosberg, H. *Experimental psychology*. New York: Holt, 1954.

Young, M. N., Gibson, W.B. *How to develop an exceptional memory*. Radnor, Pa.: Chilton, 1962.

Zimbardo, P., Ebbesen, E. *Influencing attitudes and changing behavior*. Reading, Mass.: Addison-Wesley, 1969.

Zwicker, E., Scharf, B. Model of loudness summation. *Psychological review*, 1965, 72, 3-26.

Zwislocki, J. Analysis of some auditory characteristics. In R. D. Luce, R. R. Bush, E. Galanter (Eds.), *Handbook of mathematical psychology*. Vol. III. New York: Wiley, 1965.

Index

A

Aberration
  chromatique, 62
  sphérique, 62
Ablation corticale, 79
Absorption
  période d', 104
Accommodation, 62-64
Accroissement par addition, 525
Activation, 579, 675
Activité
  alpha, 671
  spontanée, 202, 207
Adaptation, 403
  à la lumière, 102, 103
  à l'obscurité, 101, 103
  à l'obscurité, courbe d', 100
  et bâtonnets, 100
Adrénaline, 673
Agents, 392-394
  chimiques, 436
Aide-mémoire, 346-348
Aires réceptrices corticales, 228-230,
  436
Aires visuelles frontales, 75
Alarme
  réaction d', 666
Amnésie, 426-432, 438
Amplitude relative, 157
Analogie, 545
Analyse, 676
  moyens-fins, 544
  niveaux, 354, 355
  transactionnelle, 624-627
Apathie, 631
Apex, 132, 134
Aphasies, 438
Aplysia, 422-424
Appareils photographiques, 104
Appariement de gabarits, 4, 5, 10, 261,
  262
  et orientation, 8
Apprentissage, 335, 337, 343, 352, 353,
  363, 403, 420, 426, 442-447, 578,
  587, 599, 615
  cognitif, 492
  de listes, 338
  des contingences, 501
  d'habitudes visuelles, 230
  du langage, 508-522
  et développement cognitif, 490-529

instrumental, 492, 493
  par découverte, 524
  par échappement, 495
  par évitement, 495
Arêtes, 207, 231
Arrière-plan
  activité d', 138
  rythme spontané d', 139
Aspiration, 647
Associations
  méthode des, 360
Attentes, 278, 500, 610
Attention, 284, 289, 344-346
Attribution, 614
Audition
  musicale, 151
  seuil d', 150, 151, 159, 164
  variables physiologiques, 149
  variables psychologiques, 149
Autorépétition, 306, 318-320, 323, 344,
  352, 354, 374
  de maintien, 319, 320, 337, 338, 340,
  353, 373, 434
  d'intégration, 319, 344, 353, 373
Axone, 72, 195-199, 228, 419-421

B

Balayage, 192
Bande critique, 149, 160, 173-175
Battement, 165, 167, 168, 176
Bâtonnets, 67-69, 100-103, 197
Blancheur, 110
Brillance, 20, 87, 90, 109, 115, 203
  constante, 103
  contraste de, 89
  degré de, 105
  perception de la, 89-98
  profils d'isosensibilité à la, 102
  relative, 102
Bulbe rachidien, 241

C

Canal
  auditif, 124, 125
  bleu-jaune, 220-223
  jaune-bleu, 224
  noir-blanc, 220
  rouge-vert, 220-224
  tympanique, 132, 135
  vert-rouge, 223

vestibulaire, 132, 135

Candela-mètre, 60

Caractéristiques, 240
  analyse des, 38-51, 259, 272
  extraction des, 26, 230
  fondamentales, 406
  interprétation des, 26
  spécifiques, 406

Causalité, 493
  apparente, 494
  réelle, 494

CEC, 426-432

Cellules
  amacrines, 70-72, 89, 200
  bipolaires, 70-72, 200
  à centre *off* et périphérie *on*, 219
  à centre *on* et périphérie *off*, 218
  centre-périphérie, 237-239
  ciliées, 135-140, 197
  complexes, 232, 233, 237, 239
  corticales, 240
  ganglionnaires, 70-72, 162, 194, 200, 204-218, 227
  horizontales, 70-72, 89, 200
  hypercomplexes, 234, 237-239
  nerveuses, 200, 201, 260
  nerveuses antagonistes, 221, 222
  et récepteurs, 197
  rétiniennes, 66
  simples, 230-239
  W, 237-239
  X, 237-239
  Y, 237-239

Cerveau
  fonctions du, 436

Champ
  centre-périphérie, 213, 217
  récepteur, 226-234, 238
  récepteur concentrique, 218
  récepteur excitateur, 230
  récepteur inhibiteur, 230
  visuel, 73-77, 102, 203, 207, 228, 239, 261

Chiasma optique, 73, 74, 229, 441, 442

Choc électroconvulsif
  voir CEC

Choix complexes, 557

Choroïde, 70

Cibles mouvantes, 78

Circuits
  d'extraction de contours, 207
  inhibiteur, 227

neuronaux fondamentaux, 199

Classe, 407

Clignotement, 106

Cochlée, 125, 131, 132, 134

Codage
  et intensité, 142
  temporel, 139

Colère, 674

Colliculus inférieur, 241, 247

Colliculus supérieur, 76-79

Combinateurs, 200

Communication, 461
  postulats de, 461

Comparaison dimensionnelle, 559

Comparateur cognitif, 676, 677

Compensateur de force sonore, 153, 154

Compensation, 155

Comportement, 615, 616
  dirigé-par-but, 500
  superstitieux, 499

Compréhension, 481, 482, 484

Concept, 382, 384, 385, 389, 394, 553
  classe du, 381, 382
  exemples du, 381, 382
  propriétés du, 381, 382
  réseau de, 383
  structure de, 380

Conceptualisation, 12, 278, 443
  adaptation des données à la, 20

Conditionnement, 492
  opérant, 492, 493

Cônes, 67-69, 75, 101-103, 197, 220, 225
  fovéal, 67
  périphérique, 67
  sensibilité des, 113
  types de, 116

Configurations, 437

Conformisme, 632

Confusions
  acoustiques, 317, 324
  articulatoires, 317
  matrice de, 267

Conjonction, 504

Connaissances
  représentation des, 378-415
  état de, 537, 542

Connexions synaptiques
  voir synapses

Conscience, 578
  états de, 599

Conservation
du volume, 505
Consolidation, 425
Constructions
fausses, 373
Contexte, 274-277, 281, 287, 371, 610, 671
importance du, 35
Contours
circuits d'extraction des, 207, 213, 240
Contraste, 89
chromatique, 115, 221
marginal, 115, 221
Contrôle
dirigé-par-concepts, 592
dirigé-par-données, 593
moteur, 389
par programme, 593
sensori-moteur, 389
Convergence, 62, 63
angle de, 63
Conservation, 269
Convulsions, 426
Cornée, 60, 61
Corps calleux, 439, 442 , 595
Corps genouillé latéral (CGL), 73-78, 222, 228, 229, 237, 238
Corps genouillé médian, 241
Cortex
auditif, 241
cérébral, 418, 438, 663
visuel, 73-76, 78-79, 229, 230, 238
Corti
organe de, 133, 135, 137, 140
Couleurs
adaptation aux, 49, 89, 107-113
arbre des, 108
cercle des, 108, 111
complémentaires, 107-109
contraste des, 225
effets consécutifs de, 46
intensité des, 110
mélange de — complémentaires, 110
mélange de — non complémentaires, 110
mélange des, 221
non spectrales, 117
perception des, 58, 107, 220
récepteurs de, 116, 219
saturation des, 89, 109, 110

solides des, 108
spectre des, 108-110
teinte des, 109
vision des, 69, 113
Courbe
de position sérielle, 338-340, 342, 346, 347
Cristallin, 61-64, 73, 204
Cryptogramme, 583

D

Débordement, 371
Décibels, 59, 91, 130, 131
Décisions, 565, 639
prise de, 554, 578
stratégies de, 558
Décomposition lexicale, 479, 480
Définition, 397
de cas isolés, 39
générique, 384, 391
primaire, 391
secondaire, 391
sémantique, 382
Démons
et le tableau noir, 279-284, 483
types de 259-267, 279-293, 483
Dendrites, 72, 195, 196, 420
Descriptions, 261
Déshabituation, 422, 423
Détecteurs, 6, 48, 49, 192, 193, 262
d'angles, 237, 238
d'arêtes convexes, 192-195
d'arêtes pures, 192-195, 231, 237
de contraste mouvant, 192-195
de couleur, 238
de fentes, 231, 232
de fréquence modulée, 244, 245
de lignes, 50, 232, 233, 238, 267
de mouvement, 237, 238
d'obscurcissement, 192-195
Différenciation, 337
Diplacousie, 171
Disjonction, 504
Disponibilité, 569
Dispositif à balayage, 10
Dissonance, 176
Distance focale, 62, 65
Distorsions, 165, 168
réponse aux, 267

DJP (*différence juste perceptible*),
163, 164, 171, 175, 176
Données
bassin de, 364, 365, 373, 374, 383,
385, 388-405, 409
sensorielles, 20, 345
sensorielles, interprétation de, 274,
583
Duplicité
théorie de la, 172, 173

E

Échelle
en mel, 160
musicale, 160, 161
Échos, 180, 182, 246
Écoute
binaurale, 176, 182
monaurale, 176, 182
Effets
consécutifs, 44, 49
consécutifs de couleurs, 46, 48
de masque, 181
de masse, 437
McCollough, 49-51
de précédence, 182
Électrode, 197-215, 230
macro-, 198
micro-, 198
Enclume, 125
Encodage acoustique, 317
Engramme, 437
Enregistrement, 153, 183
Entrées, 201
combinées, 202
excitatrices, 202
inhibitrices, 202
nerveuses, 202
sensorielles, 421
Épuisement
stade de l', 667
Erreurs
importance des, 265
Est-un, 386
Espace sémantique, 392
Étrier, 125, 132
Euphorie, 674
Événements, 392, 397
épisodiques, 435
rappel des, 391
sémantiques, 435

Excitation, 202
Expériences
sensorielles, 87

F

Fabrications, 373
Fabulation, 343
Fenêtre
ovale, 125, 131, 132, 134, 137, 139,
140, 157
ronde, 131, 132
Fibres
auditives, 138
nerveuses, 138, 195, 196
optiques, 71
Figure-fond
notions de, 16, 17
Filature, 287-289, 345, 346, 596
Filtre
rouge, 103
Flash, 105, 219
Focalisation, 62, 63, 65
Fondamentale manquante, 169, 173
Force
mesure de la, 158, 159
sonore, 153-155
Formation réticulaire
voir SAR
Fréquence
analyse de la — spatiale, 98-99
auditive, 138
basse, 163
codage de la, 140
critique, 139, 140
haute, 163
manquante, 165, 167
modulée, 244
sonore, conversions de la, 134
spatiale, 238-240, 261
Formes
et attention, 256-301, 304, 316, 317,
320, 322
dépourvues de sens, 14, 17
impossibles, 32
incompatibles, 14, 15
reconnaissance de, 5, 11, 75-78, 240,
243, 344, 354, 410, 482
Fourier
analyse de, 128, 134
Fovéa, 38, 61, 67-69, 75

G

Gabarits, 260
  appariement de, 261, 262
Ganglions, 200
Généralisation, 401
Globe oculaire, 65
Gradation, 92
Grammaire syntagmatique, 470
Grossissement
  facteur de, 65

H

Habituation, 422, 423
Hallucination, 410
Harmoniques, 176
Hasard, 565
Hauteur tonale, 87, 149, 160, 162, 451
  discrimination, 169
  et force, 164
  périodicité de la, 164
Hémisphères cérébraux, 418, 437-453
Hering
  théorie de, 116
Hertz, 59, 127
Hologramme, 437
Humeur aqueuse, 60, 61, 204
Humeur vitrée, 61, 65, 204

I

Illusions d'optique, 29
Image
  arrêt de l', 40
  consécutive, 44, 116, 117
  dégradation d'une, 14
  du contrôle moteur, 388, 389
  du contrôle sensori-moteur, 389
  expériences sur, 410
  mentale, 353, 409, 410
  sensorielle, 388, 389
  visuelle, 88, 195, 203
  visuelle, persistance de l', 105
Imitation, 517
Impression, 559, 620
Impulsions
  électriques, 197
  nerveuses, 142, 198
Induction, 505
Inférence, 480
Influx nerveux, 201

Informations, 620
  chromatiques, 220
  en mémoire, 380
  incompatibles, 29
  sémantiques, 409
  sensorielles, 229, 293, 368, 386
  stockage d', 418
  visuelles, 106, 264, 368
Inhibition latérale, 202, 203, 205, 207, 213, 221, 227, 239
Instrument, 393, 394
Intégration, 335, 344, 620
Intensité
  auditive, 138
  codage de l', 142
  lumineuse, 61, 62, 203
Interactions
  binaurales, 246
  sociales, 608-653
Interconnection, 349, 386, 397
Interférence
  théorie de l', 323
  sélective, 328
Interprète, 364, 365, 398, 401, 404
Iris, 61
Ischémie, 438
Isosensibilité
  à la brillance, 102

K

Korsakoff
  syndrome de, 435

L

Langage, 242, 268, 272, 434, 438, 442-447, 459-489
  reconnaissance du, 267
Latéralisation, 182
Lieu, 393, 394
  méthodes de, 356
Limule, 199, 203, 204
Liquide
  lymphatique, 140
Lobes occipitaux, 73, 229, 230, 418
  frontal, 418
  pariétal, 418
  temporaux, 230, 418
Localisation, 78-80, 176, 177, 179-182, 238, 246, 261
  binaurale, 247

canal de, 77
théorie de la, 162, 166-168, 172, 173
Loi
d'apprentissage causal, 493
de l'effet, 492, 493
de relation causale, 493
de rétroaction informatrice, 493
Lumière 58-60, 111
adaptation à la, 102, 103
blanche, 107
brillance de la, 87
clignotante, 105
intensité de la, 89-93, 95, 100, 101, 103
mélange de, 110-112
monochromatique, 107-109, 115
noyaux des récepteurs de, 70, 71
réactions chimiques à la, 65-67
réactions photochimiques à la, 66
récepteurs sensibles à la, 64, 65, 68, 69
réponses photochimiques à la, 67
stroboscopique, 107
teinte de la, 87, 89

M

Mach
bandes de, 85, 92-94, 115, 199, 213, 239
Mantra, 596
Marchandage, 639
Masquage, 149, 182
courbe de, 155
de la musique, 158
disparité de, 181, 182
mécanismes du, 156
Masque, 211, 213, 315
MCT, 304-328, 337-345, 353, 363, 373, 374, 399, 419, 421, 424, 425, 432-436, 478-481, 497, 521, 550, 587
Mécanismes
auditifs, 149
d'intégration, 335, 346
interprétatifs, voir interprète
Médiateur chimique, 197
Méditation, 595
Mélanges
additifs, 111
des peintures, 111
soustractifs, 111

Membrane
basilaire, 132-134, 137-141, 156, 157, 162-166, 169, 173, 175, 182, 245
de Reissner, 135
tectoriale, 135, 140
Mémoire
à court terme, voir MCT
à long terme, voir MLT
attributs de la, 324
bases neurologiques de la, 416-457
circuits neuroniques de la, 419
épisodique, 397
et attention, 344, 345
ligne de, 438
sémantique, 397, 398
systèmes de, 302-333
tests de, 343, 345
transitoire, 307
troubles de la, 425-436
utilisation de la, 334-377
Mémorisation, 363
Mensonges, 464
Mésencéphale, 663
Messages sensoriels
interprétation des, 14
rejetés, 289
sélection des, 286
Métaconnaissance, 496
Métamémoire, 373, 374, 449, 521
Méthode
des associations, 360
des lieux, 356
des mots-clés, 360
Microscope, 193, 198
MLT, 304, 306, 318, 319, 327, 337-346, 363, 364, 373, 424, 425, 429, 432-436, 497, 552, 553
Mnémotechnique, 346, 356
Moniteur, 364, 365, 398
Morphèmes, 478
Mot, 478
définition d'un, 380
Motifs, 617
Mots-clés
méthode des, 360
Mouvement
consécutif, 46
détecteur de, 226-228, 237
oculaire, 45, voir REM
parallaxe de, 20
Muscles

ciliaires, 61
oculaires, 63

N

Nanomètre, 59
Négociation, 645
Nerf
   auditif, 125, 133, 135, 137, 138, 141, 142, 162, 168
   moteur oculaire externe, 76
   oculomoteur, 76
   optique, 61, 67, 70, 72, 73, 228, 229
   trochléaire, 76
Neurones, 69, 75, 138-142, 162-164, 171, 195-203, 419, 423, 424
Neurotransmetteur, 197
Noeuds, 386
Noyau cellulaire, 196
NREM, 603
Nystagmus, 45
   physiologique, 40

O

Objets, 392, 394
Oeil
   adaptation de l', 89
   centre de l', 75
   de grenouille, 192
   de limule, 199
   mouvement balistique de l', 75
   mouvements de l', 75
   périphérie de l', 75
   réponse photochimique de l', 65
Ohm
   loi d', acoustique, 128
Olive supérieure, 241, 246, 247
Ombres acoustiques, 178, 180
Onde
   longueur d', 89, 107
   lumineuse
      fréquence de l', 58
      intensité de l', 58
      longueur de l', 59
   sinusoïdale, 126, 165
   sinusoïdale, somme d', 128
   sinusoïdale pure, 87
   sonore, 124, 140, 141
   sonore, amplitude, 127
   sonore, fréquence, 126, 127, 134
   sonore, hauteur, 134

sonore, intensité, 126
sonore, phase, 127
Opérateurs, 544, 548
Opérations, 537
   concrètes, 501, 505
   formelles, 501, 506
Optimisation, 560
Optogramme, 65, 66
Ordinateur, 9, 307, 308, 590
Oreille, 124, 149
   interne, 131
   mécanique de l', 131
   pavillon de l', 124, 125
   sensibilité, 163
Organisation, 348
Oscillateur
   électronique, 87
Oscilloscope, 198, 309
Oubli, 320-323

P

Pandémonium, 259-268, 274, 278
Parentage, 518
Passe-bande, 174
Peintures
   mélange des, 111
Pensée, 507
   mécanismes de la, 576-607
   préopératoire, 501, 504
Perception
   de l'espace, 26
   humaine, 2-55
      maintien de la, 43
      mécanisme de la, 5
   psychologique, 87, 90
   visuelle, 105
Période, 172
Périodicité
   théorie de la, 167-169, 171-173
Persistance, 104, 105, 305
Personnalité
   traits de, 615
Phanie, 110
Phénomènes perceptifs, 13
Phonèmes, 270-272, 278, 324
Phrase
   analyse d'une, 280
Piédestal
   situation du, 426, 427
Pigment
   visuel, 114

Point de fusion critique, 105
Pointeurs, 383, 386
Pointillisme, 111
Potentiel, 663
Pourpres
   non-spectraux, 108
   rétiniens, voir rhodopsine
Prétraitement, 9
Primauté, 622
Prisme, 107, 108
Probabilité, 566, 568
Problème
   de cryptarithmétique, 534
   résolution de, 530-575, 579
      graphique de, 536
      stratégies de, 542
Processeur, 582
   multiple, 588, 590
Processus
   antagonistes, 115, 116, 219, 225
   cognitifs, 257, 676
   d'intégration, 434
   interprétatif, 398-401
   nerveux, 192
Programme, 583, 584
Profils
   d'isosensibilité à la brillance, 102
   d'isosensibilité sonore, 150, 151, 153,
   155
Profondeur, 95
Propositions, 386, 388
Protocoles, 534
   analyse de, 546
Prototype, 384, 385, 404, 406, 407, 610
Psychologie cognitive, 582
Psychophysique, 85
Pupille, 60-62

R

Rappel, 343, 346, 435
Réactions
   photochimiques, 104
   physiologiques, 662
Réalité
   objective, 85
   perçue, 85
Récence, 622
Récepteurs, 5, 48, 197, 200-220, 392,
   394
   chromatiques, 113, 115
   efficacité relative des, 103

Recherche
   proactive, 542
   rétroactive, 542
Reconnaissance, 344
Reconstruction, 324-326, 373
Recouvrement, 364, 368-371, 374, 430,
   434, 436
Redondance, 277, 439
Réécriture, 470
Références, 383, 472
Regard
   fixité du, 115
Registre
   de l'information sensorielle, voir RIS
Réglage, 525
Règles
   d'effacement, 472
   importance des, 22
   syntagmatiques, 470
   transformationnelles, 470
Reissner
   membrane de, 135
Relations, 386
   étiquetées, 386
REM, 603
Renforcement, 497
Réponse, 365, 366
   excitatrice, 243
   inhibitrice, 243
   nerveuse, 139, 197, 200, 201
Représentations, 502
   proportionnelles, 388
Représentativité, 569
Réseaux
   d'information, 350
   rétiniens, 69
   sémantiques, 379, 384, 386, 388, 395
Résignation apprise, 494, 496, 657
Résistance
   stade de la, 666
Restructuration, 525
Rétine, 5, 65, 66, 68, 73-75, 78, 199,
   215, 218, 228-230, 240
   couche pigmentée de la, 71
   régions périphériques de la, 89
   structure de la, 72
Rétroaction, 670
Rêves, 603
Rhodopsine, 66, 69
RIS, 304-307, 383, 385, 419
   capacité, 310, 312, 314, 315

S

Saccades, 75
Salve, 216, 218
  principe de la, 141, 171
SAR, 229, 663-666
Schème
  de mémoire, 493, 525, 553, 610
  sensori-moteurs, 389, 492, 493, 507
Scénario, 392
Schizophrénie, 613, 614
Sclérotique, 61, 70
Script, 611, 623, 627-629
Segmentation, 269
Sens
  intercommunication entre les, 78
Sensation
  aspects physiologiques, 92
  aspects psychologiques, 92
  niveau de, 131
Sensibilité
  visuelle, 66
  visuelle, mesure de la, 99-104
Seuil
  d'audition, 150, 151, 159
  de douleur, 150, 151
Signal
  modulé, 244
  sensoriel, 201
Soma, 195, 196, 419-421
Sommeil, 601
Son, 87
  amplitude du, 134
  aspects physiques du, 125, 144-189
  binaural, 183-185
  complexe, 165, 168, 176, 242, 243
  consonance du, 87, 149
  de basse fréquence, 134
  de haute fréquence, 134
  dissonance du, 87, 149
  et langage, 272
  force du, 87, 149, 150
  fréquence du, 87, 126, 129
  hauteur du, 87, 149
  intensité du, 87, 129, 130, 149, 151
  masquant, 155
  masqué, 156
  musicalité du, 87
  perception spatiale du, 149, 176
  profil d'isosensibilité du, 150
  pur, 164, 173, 242, 244
  quadriphonique, 183, 184
  test du, 155, 156
  standard, 150
  stéréophonique, 183, 184
  structures harmoniques du, 149
  timbres du, 87, 149, 172
  types de, 129
Sones, 158-160
Sonie
  voir son, force du
Sonomètre, 160
Soumission, 634
Spécialisation hémisphérique, 442
Spectateur, 630
Spectre
  d'absorption, 66
  des couleurs, 108
  composition du, 89
  sonore, 165
Stéréotypes, 610, 611, 623
Stratégies, 355, 373, 374, 544, 548,
  558, 584-586, 647-649
Stress, 654-679
Stroop
  phénomène de, 451
Structures
  cognitives, 462
  de surfaces, 392, 466
  mnémoniques, 580
  physiologiques, 142
  profondes, 392
  sémantiques, 466
Subconscient, 579
Superviseur, 280-284, 291-293, 591,
  595
Surdiscrimination, 514
Surgénéralisation, 512
Surréalistes, 35
Symboles phonétiques, 271
Synapse, 72, 195-199, 203, 204, 221,
  225, 229, 237, 423, 424
  excitatrice, 419-421
  inhibitrice, 419-421
Synchronisme, 140, 142, 166
Syndrome
  SGA, 666
Syntagme, 279, 467-470, 508
  nominal, 468
  prépositionnel, 469
  verbal, 468
Syntaxe, 279

Syntonisation
  courbes de, 138, 139, 240, 241, 244, 246
Système
  auditif, 14, 122-143
  cognitif, 580
  d'analyse sensorielle, 195
  de reconnaissance de formes, 173, 193
  du contrôle moteur, 389
  idiosyncratique, 403
  nerveux, 195, 421
  visuel, 56-82, 88

T

Tache aveugle, 65, 67, 68
Tache jaune, voir fovéa
Tachistoscope, 308, 310, 315
Talbot
  loi de, 106
Taux
  de décharge fondamental, 221
  de réponse, 232
  de réponse fondamental, 202, 203, 207, 209, 213, 221
  spontané, 223, 224
TEC, 429, 431, 447-449
Teinte, 89
Téléviseur, 106
Temps, 393
Temps-partagé, 588
Test
  de mémoire, 343, 345
  de rappel, 343
  de reconnaissance, 344, 435
Théorie
  de la cellule unique, 422
  de l'attribution, 494, 614
  de la configuration unique, 422
  dualiste, 172
  du code unique, 422

  du juke-box, 668
Thérapie électroconvulsive, voir TEC
Tonie voir hauteur tonale
Trace mnémonique, 320, 321
Traitement
  de l'information nerveuse, 190-255, 581, 583, 594
  dirigé-par-concepts, 11-13, 19, 26, 278-280, 283, 344, 482, 483, 610
  dirigé-par-données, 11, 13, 19, 26, 278-280, 283, 292, 344, 482, 483, 581
Traits critiques, 248
Transactions, 626
Transducteurs, 200
Transformateurs, 200
TRC (tube à rayons cathodiques), 309, 310
Tympan, 124, 125, 132

U

Unité nerveuse, voir neurone
Utilité, 556

V

Valeurs, 555, 556, 567
  de défaut, 386
  renforçatrices, 493
Verre correcteur, 64
Vision, 89
  aspects de la, 84-121
  caractéristiques temporelles de la, 104-107
  des couleurs, 113
  neuroanatomie de la, 68-73
  scotopique, 103
  seuil de la, 99
Vitamine A, 66
Voie optique, 60-65